DANTE ALIGHIERI

La Divina Commedia

Scelta e commento a cura di
Pietro Cataldi
e Romano Luperini

LE MONNIER

Nella prima di coperta: Dante Alighieri, da un'illustrazione di Gustave Doré per la *Divina Commedia*. Nella quarta di coperta: miniatura da una pagina di introduzione all'Inferno (ms. senese, ca. 1345. Firenze Biblioteca Laurenziana. Plut. 40.3, c. 1r.).
Nel frontespizio: profilo di Dante di Fabio Rizzari (1989).

ISBN 88-00-64626-3

C.M. 646.260

16291-X – Stabilimenti Tipolitografici «E. Ariani» e «L'Arte della Stampa»
della S.p.A. Armando Paoletti – Firenze

PRESENTAZIONE DELL'OPERA

Una lettura integrale della *Commedia* è difficilmente proponibile, oggi, negli istituti universitari per stranieri, in Italia. Né la situazione è molto diversa all'estero. In verità, uno studente straniero che si accosti per la prima volta alla *Commedia* si limiterà di necessità a una lettura parziale. Tenendo presente tale situazione, abbiamo cercato di farci carico di questo limite inevitabile, approntando un'antologia non casuale, e anzi il più possibile organica, in modo da dare il senso dell'unità e della complessità del poema dantesco. A questo scopo, per esempio, il contenuto dei canti non compresi nell'antologia viene esposto in un puntuale riassunto. Oltre al primo canto, introduttivo, la scelta comprende dieci canti per ogni cantica (e cioè, in totale, trentuno canti). In genere essi sono presentati per intero, tranne qualche caso in cui ragioni particolari hanno indotto a una soluzione diversa. I canti sono stati scelti non sulla base di un criterio di gusto, ma con l'intenzione di valorizzare i momenti forti della struttura (ad esempio le parti iniziali e finali di ogni cantica) e il ritmo romanzesco della narrazione. Si è cercato anche di offrire esempi dei vari registri stilistici impiegati da Dante. Il commento testuale è stato arricchito da schede storico-culturali e da alcune letture critiche (una per cantica) che si prefiggono lo scopo di chiarire questioni critiche nodali e di fornire esemplari chiavi interpretative.

L'opera, si è già accennato, è dedicata agli studenti stranieri che si misurano per la prima volta con il poema dantesco e che quindi devono affrontare difficoltà in parte diverse da quelle degli studenti italiani, e non solo, ovviamente, per una minore conoscenza della lingua, ma anche per la mancanza di un bagaglio culturale nazionale. D'altra parte l'esigenza di un commento specificamente indirizzato agli studenti stranieri è emersa direttamente dall'esperienza dell'insegnamento della *Commedia* presso la Scuola di Lingua e Cultura Italiana per Stranieri di Siena (nel cui ambito è nata l'idea di questo lavoro e che ha contribuito a finanziarlo). Di qui alcune caratteristiche peculiari: 1) la scrittura, nelle introduzioni e nel commento, ha mirato a un massimo di semplicità e di informazione e a dare ragione di qualsiasi riferimento critico contenuto nel discorso; 2) la spiegazione del testo dantesco procede minutamente, parola per parola, e fornisce sempre una parafrasi completa di ogni periodo (non solo, dunque, dei luoghi più difficili); 3) viene offerto un glossario contenente l'etimo e la storia di parole usate da Dante particolarmente interessanti da un punto di vista linguistico, spesso con l'indicazione della differenza di significato fra italiano antico e italiano moderno; 4) rispetto ai consueti commenti in uso nelle scuole italiane, l'informazione è stata per un verso ridotta e semplificata, ma per un altro circostanziata e approfondita negli aspetti essenziali e in alcuni dettagli che si sono ritenuti utili a uno studente straniero (a questo fine è stata inserita anche una carta storico-geografica); 5) in un'appendice si danno esempi, in quattro lingue, di traduzioni di passi significativi della *Commedia*, per illustrare la fortuna di Dante all'estero, indicare i problemi che comporta la versione del poema in altra lingua e permettere poi un più consapevole ritorno all'originale; 6) infine completa il volume una sezione, compresa anch'essa in un'appendice, dedicata a materiale didattico, con esercizi di tipo prevalentemente linguistico.

È la prima volta che un'opera del genere viene tentata. Alcuni limiti del presente lavoro andranno spiegati anche con questo suo carattere pionieristico e sperimentale.

Il testo qui riportato è quello fissato da G. Petrocchi secondo l'antica vulgata (Mondadori, Milano, 1966-67). Solo in pochissimi casi si sono accolte lezioni diverse. Sono state adottate le leggere semplificazioni di ordine grafico proposte da E. Pasquini e A. Quaglio per l'edizione Garzanti, Milano, 1987.

L'opera è il risultato di un lavoro comune dei due curatori, che ne hanno discusso e rivisto insieme ogni parte. Tuttavia, per quanto riguarda la stesura materiale, si avverte che a Pietro Cataldi si devono i capitoli introduttivi II., III., IV., le premesse e il commento al *Purgatorio* e al *Paradiso*; a Romano Luperini il capitolo introduttivo I., la premessa e il commento all'*Inferno*. Il glossario dantesco e quello storico-letterario, metrico e retorico sono opera di Floriana d'Amely; gli esercizi linguistici, di Sandra Radicchi. Il materiale iconografico è a cura di Bente Klange Addabbo.

I.

DANTE, PADRE DELLA LINGUA ITALIANA

1. DANTE, PADRE DELLA LINGUA ITALIANA. Dante ha contribuito in modo determinante a formare la lingua italiana. È stato scritto giustamente (da un grande storico della letteratura italiana, Carlo Dionisotti) che «dopo Dante non ci può essere più questione di quale sia la lingua comune d'Italia».

2. DAL LATINO AL VOLGARE. Già nell'età imperiale, si era approfondita la differenza fra latino scritto e latino parlato. Quest'ultimo, assai variegato a seconda delle caratteristiche regionali, tende a trasformarsi, a poco a poco, nelle diverse lingue romanze (italiano, francese, spagnolo, portoghese, rumeno), così come erano parlate dal *volgo*, cioè dal popolo (per tale ragione questa lingua parlata veniva chiamata *volgare* e distinta dal latino, usato invece come lingua scritta). Poiché, col passare degli anni, la tradizione scritta latina non era più in grado di correggere o di controllare quella orale, i vari volgari tendevano a divenire sempre più autonomi dal latino e, più tardi, a imporsi anche nella scrittura.

Le prime testimonianze scritte di volgare italiano compaiono nel secolo IX, ma è solo nel secolo XIII (il Duecento) che l'italiano si afferma come lingua letteraria, particolarmente in Sicilia, alla corte di Federico II, in Umbria in seguito al rinnovamento religioso qui promosso da san Francesco d'Assisi (autore del *Cantico delle Creature*, del 1225-26, considerato il primo testo artistico italiano) e poi in Emilia e in Toscana (Bologna e Firenze furono importanti centri letterari; in queste città fiorì la scuola poetica del «dolce stilnovo», con Guinizelli, Cavalcanti e Dante stesso).

3. DANTE, STUDIOSO E TEORICO DEL VOLGARE. Dante usò sia il latino, in alcuni trattati scientifici e filosofici, nelle *Epistole* e nelle *Egloghe* in versi, sia il volgare, particolarmente nelle opere letterarie (la *Vita Nuova*, le *Rime*, la *Commedia*), ma anche in un trattato dottrinale, il *Convivio*, nel quale si può leggere, fra l'altro, l'elogio della nuova lingua.

Scrisse anche un'opera in latino, *De vulgari eloquentia*, rimasta incompiuta, per studiare le diverse varietà dialettali dell'italiano. Egli si proponeva di gettare le basi di un *volgare illustre*, cioè una lingua raffinata e colta, che avesse pari dignità del latino e raccogliesse il meglio dei vari dialetti esistenti senza peraltro identificarsi con nessuno di essi. In realtà, nella *Commedia* (che egli cominciò a scrivere subito dopo aver interrotto la composizione del *De vulgari eloquentia*), Dante non si adeguerà a questo schema: userà anche termini plebei e concederà di fatto una netta preferenza al fiorentino.

4. IL VOLGARE DELLA COMMEDIA E L'ITALIANO MODERNO. Se confrontiamo la lingua di Dante con quella usata da altri scrittori italiani a lui contemporanei, come il milanese Bonvesin de la Riva, o il veneto Giacomino da Verona, o i siciliani Stefano Protonotaro da Messina e Re Enzo (figlio di Federico II), appare subito evidente una differenza. Mentre la lingua di questi autori appare difficilmente comprensibile non solo a uno straniero ma anche a un italiano non provvisto di cultura letteraria, l'italiano di Dante risulta assai vicino all'italiano moderno e quindi offre assai minori difficoltà alla lettura. Certo, anche Dante usa parole oggi non più diffuse e vocaboli in forme ortografiche ormai desuete (per esempio: *allotta* per «allora», *serocchia* per «sorella», *lassare* per «lasciare») e la desinenza in -*a* per la prima persona dell'imperfetto indicativo al posto della -*o* che ormai prevale incontrastata nell'italiano d'oggi. Però la stragrande maggioranza delle parole della *Commedia* sono le stesse dell'italiano moderno. Anzi, è stato calcolato (dal linguista De Mauro) che il 15% del lessico italiano d'oggi è stato immesso nell'uso per la prima volta proprio da Dante. Questo fenomeno differenzia nettamente l'italiano dalle altre lingue moderne: mentre il francese o lo spagnolo medioevale hanno subìto lo stesso processo del siciliano usato da Stefano Protonotaro o del veneto impiegato da Giacomino da Verona e risultano perciò molto diversi dal francese o dallo spagnolo moderni, così non è accaduto per l'italiano di Dante. E poiché l'italiano antico di Dante diventa nel Trecento la lingua della letteratura italiana dell'età medioevale e umanistica, quest'ultima non appare così separata dalla coscienza linguistica moderna come accade invece per le lingue letterarie medioevali di altre nazioni europee.

La continuità fra l'italiano antico di Dante e l'italiano moderno è dovuta al fatto che il successo della *Commedia* ha influito in modo determinante sulla formazione dell'italiano come lingua letteraria. Inoltre, in mancanza di un'unità politica nazionale, l'unità linguistica poté essere conservata in Italia solo attraverso la istituzionalizzazione della lingua in un canone che di fatto costituì un modello stabile dal Trecento sin quasi alle soglie del Novecento. Tale modello fu fondato sulla lingua fiorentina, quale era stata elaborata appunto da Dante e poi da Boccaccio e da Petrarca.

5. LA FORTUNA DELLA COMMEDIA. Di Dante non è rimasto alcun autografo, neppure una firma. Tuttavia la *Commedia* si diffuse rapidamente grazie all'attività dei copisti. Già a metà del Trecento esistevano a Firenze

botteghe per la produzione artigianale di copie della *Commedia*. Restano, a tutt'oggi, circa settecentocinquanta esemplari manoscritti del poema (in assenza dell'originale, ciò determina, fra l'altro, il problema filologico dell'accertamento dell'autenticità del testo: oggi si adotta, per lo più, l'*antica vulgata*, fondata su 27 copie del periodo fra il 1330 e il 1355). Quando poi si diffuse la stampa (la prima edizione a stampa della *Commedia* uscì a Foligno nel 1472, ma nello stesso anno seguirono altre due edizioni), l'opera penetrò ancor più profondamente in ogni strato sociale. Già nel Trecento, essa era imparata a memoria, cantata, diffusa oralmente anche fra gli analfabeti, e Boccaccio (che fu anche biografo di Dante, nonché editore e copista della *Commedia*) la commentò in pubblico a Firenze sino a pochi mesi prima della morte. Fu proprio Boccaccio, anzi, ad adoperare per la *Commedia* l'aggettivo «divina» (con allusione alla grandezza del poema), che più tardi sarà aggiunto al titolo originario (è precisamente a partire da un'edizione a stampa del 1555 che comincia a comparire il titolo *Divina Commedia*).

Questa straordinaria diffusione si attenuò, ma non venne certo meno quando, nel Cinquecento, per influenza delle teorie di Pietro Bembo, il modello linguistico e poetico divenne Petrarca: la fortuna di quest'ultimo, infatti, restò limitata agli ambienti intellettuali e letterari. Anche se nei due secoli che vanno da Bembo a Vico la fama letteraria di Dante parve oscurarsi, la sua influenza linguistica rimase dunque sufficientemente stabile.

6. IL GENIO LINGUISTICO DI DANTE. Se la vera e propria storia della lingua italiana cominciò con la vittoria della parlata toscana, ciò fu dovuto non solo ai meriti artistici della *Commedia*, ma anche al genio specificamente linguistico di Dante (ragione non ultima, d'altronde, della sua stessa grandezza poetica). Ovviamente, la *Commedia* fornisce una base linguistica all'italiano soprattutto per l'ampio spazio che ha in essa il fiorentino. Dante non si limitò però ad accogliere il fiorentino consacrato dall'uso letterario del suo tempo, ma estese il proprio vocabolario ben al di là di questi confini, allargandolo sia a termini popolari e parlati (talora persino plebei) del toscano, sia a un certo numero di dialettismi settentrionali e meridionali e di gallicismi, sia, soprattutto, a vocaboli latini, spesso adattati e trapiantati per la prima volta nel nostro lessico. L'esilio prolungato che lo condusse lontano da Firenze e le peregrinazioni per l'Italia gli permisero indubbiamente di conoscere dal vivo, nella loro molteplicità e varietà, le parlate volgari della penisola, che d'altra parte egli aveva già studiato sul piano scientifico e tecnico nel *De vulgari eloquentia*. Egli non accettò tuttavia indiscriminatamente ogni sorta di vocabolo; cercò piuttosto di attenersi a una certa conformità (suggerita, per esempio, dall'evidenza dell'etimo latino o dall'affinità al toscano), nella quale egli intravide una possibile unità linguistica. Certamente Dante fu il primo a concepire il volgare come lingua nazionale, capace di accomunare gli italiani più

A ciò, d'altronde, egli era spinto anche dall'intento pedagogico della sua opera: attraverso il volgare, infatti, anche coloro che non erano dotti e che non conoscevano il latino, potevano accostarsi alle verità rivelate dal «poema sacro».

7. DANTE, PADRE DELLA LETTERATURA ITALIANA. Alla straordinaria fortuna della *Commedia* concorsero, strettamente intrecciati, genio linguistico e genio poetico. Oltre a essere padre della lingua italiana, Dante è anche il capostipite della tradizione letteraria italiana e maestro nell'uso degli strumenti metrici e retorici.

8. L'ENDECASILLABO DELLA COMMEDIA. La *Commedia* è formata da 14.233 *endecasillabi*. Se il verso di undici sillabe (*endecasillabo*, appunto) è il più usato nella letteratura italiana dal Duecento a oggi, ciò deriva non solo dalla particolare versatilità di questo metro, ma anche dall'autorità dell'esempio dantesco. Dante lo aveva adottato dai poeti della scuola siciliana, i quali, a loro volta, lo avevano elaborato sull'esempio del *décasyllabe* della lirica provenzale e francese. Egli riuscì a conferirgli una straordinaria varietà ritmica, sfruttando così al massimo una situazione di libertà, che, di lì a poco, sarebbe venuta a mancare, in seguito alla istituzionalizzazione metrica del modello petrarchesco. Mentre l'endecasillabo canonizzato da Petrarca presenta solo due tipi fondamentali (uno con accenti sulla 6ª e sulla 10ª sillaba, l'altro sulla 4ª, sull'8ª e sulla 10ª, mentre più rara è la variante 4ª, 7ª, 10ª), nella *Commedia* non solo il tipo con accento di 7ª ha pari autorità e diffusione degli altri due (e, poiché conferisce una certa durezza e asprezza al verso, è usato frequentemente soprattutto nell'*Inferno*), ma non mancano esempi con accenti forti di 5ª o di 9ª che sarebbe assolutamente impossibile trovare nella più levigata tessitura metrica petrarchesca. Un solo esempio: nel canto di Ugolino, nell'*Inferno*, troviamo questi due versi (XXXIII, vv. 77-78): «Riprese 'l teschio misero co' denti, / che furo all'osso, come d'un can, forti». Nell'ultimo *endecasillabo* citato spicca, con grande energia, un accento di 9ª (*càn*), reso ancor più forte ed evidente da una concomitanza di fattori: il *troncamento* (o *apocope*) che sopprime la *-e* finale della parola «cane», la presenza di una *cesura* determinata da una virgola («can, forti»), l'accostamento a un altro accento contiguo non meno energico, quello di 10ª (*fòrti*). La bestialità dell'atto con cui il conte Ugolino azzanna la nuca dell'arcivescovo Ruggieri — atto di vendetta e, insieme, di superiore giustizia divina, che fissa per l'eternità il personaggio al dramma della propria vita e della propria morte — è resa con icastica incisività grazie anche all'urto violento di questo accento inaspettato.

9. LA TERZINA E LA RIMA. Anche la strofe usata da Dante, la terzina, era già stata utilizzata sia nel sonetto (diffuso nella scuola siciliana e poi

in quella stilnovistica: esso è formato da due quartine e da due terzine), sia, soprattutto, nel serventese incatenato, componimento della poesia provenzale. Nella *Commedia*, pur nella straordinaria varietà di esiti cui è piegata, la terzina diventa un'unità ritmica e sintattica basilare. Si pensi che su 4711 terzine quasi la metà (2152) è formata da un unico periodo in sé concluso. È stato detto giustamente che «come Machiavelli pensa per dilemmi, Dante pensa per terzine» (Pasquini-Quaglio). La capacità di argomentazione e di rigorosa dimostrazione di tipo sillogistico di cui Dante dà prova (soprattutto nel *Paradiso*) è come sorretta e guidata da questa griglia strofica, che permette all'autore di procedere narrativamente e, nello stesso tempo, serra il discorso in un'impalcatura inesorabile. La terzina, infatti, alterna l'apertura della rima del verso centrale, che la trascina narrativamente in avanti, alla chiusura del terzo verso, che blocca lo scorrere della rima (secondo lo schema ABA, BCB, CDC, ecc.) e, assai spesso, con essa, del periodo stesso. Se questa struttura strofica, proprio per la sua capacità di valorizzare il momento logico e argomentativo, diventerà tipica della poesia didascalica e allegorica (dai *Trionfi* di Petrarca al *Dittamondo* di Fazio degli Uberti), Dante riuscirà a mantenerla in un prodigioso equilibrio fra narratività romanzesca e rigore dimostrativo, sfruttandone così pienamente, e in direzioni diverse, tutte le potenzialità espressive.

Da quanto si è detto sinora, si sarà già capita l'importanza della rima nella terzina dantesca, soprattutto a fine di strofe. Non sarà certo per caso che «di 202 parole che sono attestate una sola volta nella *Commedia*, ben 173 ricorrono in rima» (G. Rohlfs). L'imprevedibilità della rima, che getta un ponte inusitato fra parole lontane, ha così la funzione di accrescere lo spessore semantico del testo, forzandone l'intensità in direzione espressionista e sperimentale. Inoltre Dante riesce a comunicare l'atmosfera e, per così dire, il colore delle tre *cantiche* grazie anche alla rima, che, per esempio, tende a essere aspra e «chioccia» (come la chiama Dante stesso: cioè rauca, stridente) nell'*Inferno*, piana e dolce, invece, nel *Purgatorio* e nel *Paradiso*.

10. LA «QUESTIONE DELLA LINGUA» NELL'ITALIANO MODERNO. Dopo che, nel Quattrocento, il culto umanistico per il passato e per i valori della classicità, nuovamente valorizzando il latino, aveva in parte ostacolato — non certo impedito — la diffusione del volgare scritto, quest'ultimo prese la sua rivincita nella prima metà del Cinquecento, per affermarsi poi definitivamente qualche decennio dopo. Nel 1589 fu istituita la prima cattedra di «lettore di toscana favella» («favella» vale qui «lingua») all'Università di Siena; nel 1612 uscì la prima edizione del *Vocabolario della Crusca*, il più grande lessico che sino ad allora possedesse una lingua europea. Il fiorentino letterario del Trecento diventava norma, fissandosi in un canone che resisterà, quasi immobile, sino al Romanticismo. Sarà Alessandro Manzoni che cercherà di sottrarvisi, prendendo a modello, per la se-

conda edizione dei *Promessi sposi* (1840-42), il fiorentino così come era parlato al tempo suo dalle persone colte della città toscana e cercando così di superare il divario, che nel frattempo si era fatto quasi incolmabile, fra l'italiano letterario scritto, rimasto pressoché fermo al Trecento, e l'italiano parlato nel secolo suo.

Seppure a prezzo del suo irrigidimento, l'italiano letterario aveva conservato nei secoli il suo nucleo linguistico trecentesco, su cui poggiava dunque quell'unità linguistica nazionale che sembrava prefigurare la necessità di un'unità politica del paese. Ora che, a metà dell'Ottocento, questo obiettivo stava per essere realizzato, la canonizzazione del fiorentino letterario trecentesco aveva esaurito uno dei suoi compiti storici. È però significativo che la valorizzazione del parlato e la riscoperta della concretezza e del realismo promosse dagli intellettuali della generazione romantico-risorgimentale abbiano accresciuta e non diminuita l'attenzione verso la *Commedia*. La crisi dell'italiano letterario, che ormai appariva astratto e scolastico, e dunque del modello trecentesco, non comportò affatto un allontanamento da Dante, ma la sua rivalutazione. Se la lingua di Petrarca poteva essere ridotta a un paradigma immutabile, quella di Dante, nel suo realismo, nella sua straordinaria varietà, nella ricchezza plurilinguistica e pluristilistica di registri espressivi diversissimi fra loro, non poteva essere racchiusa in uno schema scolasticamente fungibile e in questo apparve — e appare tutt'oggi — destinata a restare come repertorio linguistico inesauribile e modello artistico inimitabile.

Manzoni ha avuto il merito di indicare un problema (la necessità di superare il divario fra italiano scritto e italiano parlato) e di imporre la liquidazione dei vecchi modelli retorici, ponendo all'attenzione la questione di una lingua nazionale che fosse non solo scritta ma parlata. Però la sua proposta (il fiorentino parlato dai colti) era anch'essa astratta e utopistica. Una lingua nazionale non può affermarsi per una riforma promossa dall'alto o sul modello di una scelta individuale (seppure di un grande scrittore). Essa poteva svilupparsi, come è accaduto negli ultimi centocinquanta anni, solo come risultato di una maturazione collettiva di un popolo.

Per secoli, da Dante a Manzoni, l'italiano è stato una lingua modellata sul latino, più scritta che parlata. Oggi non è più così. Oggi l'italiano esiste come lingua nazionale, senza più grande divario fra italiano scritto e parlato. Eppure questo italiano contemporaneo, diffuso da grandi strumenti di comunicazione di massa (la televisione soprattutto ha contribuito in modo potente all'unificazione linguistica), arricchito dai neologismi e dai forestierismi indotti dalla modernizzazione, non ha reciso le proprie radici col passato. Circa il 56% delle parole oggi in uso è costituito da vocaboli già duecenteschi, moltissimi dei quali riscontrabili anche nella *Commedia*. Insomma, Dante continua a essere il padre della lingua italiana.

II.

DANTE E LA SOCIETÀ COMUNALE. STORIA E POLITICA

1. LA SOCIETÀ COMUNALE. Dante è il massimo poeta della civiltà comunale. Allo sviluppo della nuova letteratura in volgare (non più in latino ma in lingua italiana) contribuì in modo decisivo la nascita e lo sviluppo dei Comuni; vale a dire di città-stato che, particolarmente nell'Italia centrale e settentrionale, si sottrassero all'autorità feudale.

A partire all'incirca dall'anno Mille, infatti, si assiste ad una ripresa della vita nelle città: spesso, nei secoli precedenti, quasi disabitate e soppiantate dai castelli e dalle abbazie nella gestione del potere e della vita culturale, le città cominciano a crescere per numero di abitanti, che vi convergono attratti dal risveglio di attività produttive di tipo soprattutto artigianale. In modo particolare nel corso del Duecento, le classi dirigenti vengono sostituite dai nuovi ceti mercantili, industriali e finanziari; nel contempo, insieme a una nuova organizzazione sociale, comincia a nascere anche una nuova cultura, esaltante i valori «borghesi» dell'iniziativa individuale, della spregiudicatezza e dell'abilità nell'ottenere successo e guadagno. Ciò non comporta tuttavia la scomparsa della cultura feudale, dominata dal primato del momento religioso e della prospettiva trascendente. Queste due tendenze culturali riflettono anche il conflitto tra la logica particolaristica, rappresentata dalla nuova forza emergente dei Comuni, e quella universalistica, rappresentata dagli istituti dell'Impero e della Chiesa (il primo, nelle mani di una dinastia tedesca, era l'erede dell'Impero romano ed era in conflitto per l'egemonia politica con la seconda, che esprimeva la continuità e l'autorità della tradizione cristiana).

La *Commedia* di Dante si situa al punto d'incontro di queste spinte contrastanti, e ne tenta, in qualche modo, una sintesi.

2. FIRENZE. Quando Dante nacque a Firenze nel 1265, questa era una delle città più grandi e più ricche d'Europa. Era un libero Comune da oltre un secolo; l'artigianato era fiorentissimo, soprattutto nel campo dell'industria tessile, e da Firenze le esportazioni di manufatti si compivano in tutte le direzioni; l'accumularsi conseguente di grandi fortune economiche favoriva la nascita di una nuova figura sociale, quella del finanziere, il quale prestava denaro per interesse perfino ai sovrani stranieri (usura).

Per questa ragione si assiste anche alla nascita di forme di «precapitalismo», in cui sia i mezzi di produzione (telai e macchine) che i capitali (necessari all'acquisto di materie prime) appartengono al finanziere, il quale assume e paga la mano d'opera necessaria alla lavorazione.

3. LA VITA POLITICA FIORENTINA. Mentre la vecchia nobiltà feudale perdeva d'importanza, la nuova borghesia tendeva ad assumere tutto il potere politico ed economico. Essa si suddivideva in *popolo grasso* (finanzieri e ricchi mercanti) e *popolo minuto* (artigiani e bottegai) ed era organizzata democraticamente nelle varie corporazioni delle Arti (associazioni di categorie professionali e artigiane). A Firenze dopo il 1293 per poter svolgere attività politica divenne obbligatoria l'iscrizione ad una delle 21 Arti (l'aristocrazia veniva così esclusa dal potere). Dante stesso, che apparteneva alla piccola nobiltà cittadina, dovette iscriversi alla corporazione dei Medici e Speziali (che era quella degli intellettuali) per partecipare alla vita politica della città.

4. GUELFI E GHIBELLINI. Una società così riccamente stratificata come quella comunale esprimeva una forte conflittualità interna, che si polarizzava attorno a due partiti: quello Guelfo e quello Ghibellino. Il primo si appoggiava all'autorità della Chiesa, il secondo a quella dell'Impero. Ma in verità prevaleva sull'aspetto ideale degli schieramenti l'interesse particolaristico delle diverse fazioni: il riferimento all'uno o all'altro dei due grandi istituti universali serviva soprattutto a legittimare i contendenti (specie nei momenti di crisi) ed aveva quindi un carattere strumentale. Dopo la breve parentesi successiva alla battaglia di Montaperti (1260), in cui i Ghibellini guidati da Farinata degli Uberti avevano sconfitto il partito avversario, i Guelfi tennero ininterrottamente il potere a Firenze a partire dal 1266.

5. BIANCHI E NERI. Quando Dante cominciò a partecipare alla vita politica cittadina, la conflittualità si andava però nuovamente polarizzando intorno a due diversi schieramenti del partito guelfo: i Bianchi e i Neri. I Bianchi facevano capo alla famiglia dei Cerchi ed esprimevano gli interessi del popolo grasso, mentre i Neri erano guidati dalla famiglia dei Donati, sostenitori della restaurazione del potere nobiliare e disposti ad appoggiarsi al papato per raggiungere questo scopo.

6. L'ESPERIENZA POLITICA DI DANTE. Dante, che era un difensore dell'autonomia del Comune, appoggiò naturalmente il primo schieramento, anche se diede sempre prova di grande imparzialità. Si trovò quindi in conflitto con il papa Bonifacio VIII, che per affermare la propria egemonia in Toscana cercava di favorire i Neri. Questo scontro raggiunse la massima intensità quando Dante fu eletto alla più alta carica cittadina, quella di Priore (1300). Per opporsi al progetto papale di inviare a Firenze come

Dante Alighieri nacque a Firenze nell'ultima decade di maggio (o, meno probabilmente, tra il 1° e il 20 giugno) del 1265. Suo padre si chiamava Alighiero, sua madre Bella (Gabriella), ed entrambi morirono presto. Molta incertezza c'è sulla reale condizione sociale della famiglia di Dante; ma con ogni probabilità essa appartenne alla piccola nobiltà cittadina, discretamente benestante e non però veramente ricca.

Dante sposò ancor giovane Gemma Donati e da lei ebbe tre o quattro figli (di due, Iacopo e Pietro, ci è tramandato un commento alla *Commedia* paterna). Nel 1289 combatté vittoriosamente a Campaldino contro i Ghibellini di Arezzo come feditore a cavallo.

Dal 1295 si dedicò alla vita politica, quando già aveva avuto importanti riconoscimenti letterari. Ebbe incarichi di responsabilità e raggiunse la carica di Priore (1300), quando fu travolto dalla rovina della parte Bianca (1301-2), alla quale si era appoggiato. Fu condannato dai Neri a due anni di confino e a una multa il 27 gennaio 1302, mentre era a Roma come ambasciatore presso il papa, con l'accusa ingiusta di corruzione; essendosi poi rifiutato di presentarsi a pagare la multa e a prendere atto della sentenza, la condanna fu aggravata il 10 marzo: gli furono confiscati i beni e fu condannato a morte in contumacia.

Le notizie relative agli anni dell'esilio di Dante sono spesso incerte. Sappiamo che in un primo tempo egli si accompagnò agli altri fuoriusciti di parte Bianca, cercando con loro la via del rientro a Firenze, ma che prima della sanguinosa battaglia della Lastra (estate 1304) egli si era ritirato per proprio conto, convinto dell'inutilità di quei tentativi. Fu escluso da un'amnistia del 1311 perché intanto si era apertamente pronunciato a favore dell'imperatore Enrico VII, nemico della guelfa Firenze, e rifiutò l'offerta che gli venne fatta nel 1315 di rientrare in patria pagando una multa e riconoscendosi colpevole.

I luoghi di soggiorno di Dante furono numerosi; e la durata delle varie soste ora brevissima ed ora lunga anni. In cambio dell'ospitalità che gli veniva concessa, Dante svolgeva saltuarie mansioni diplomatiche. Grande incertezza domina le nostre conoscenze sui suoi spostamenti. Le tappe più significative e prolungate delle sue peregrinazioni sono queste: nel 1306 è in Lunigiana (al confine tra la Toscana e la Liguria), dal 1307 al 1311 a Poppi nel Casentino (nella Toscana Nord-orientale), dal 1312 al 1318-20 a Verona ospite di Cangrande della Scala; nel 1320 (o forse prima) si reca a Ravenna e qui muore, di ritorno da un'ambasceria a Venezia, il 14 settembre 1321.

pacificatore un suo alleato (il francese Carlo di Valois), Dante si recò a Roma in ambasceria da Bonifacio VIII per dissuaderlo. Ma nella sua assenza Carlo entrò in Firenze ed i Neri presero il potere con il suo appoggio e condannarono all'esilio Dante e i capi del partito Bianco (27 gennaio 1302). Dante apprese la notizia della condanna sulla via del ritorno, a Siena, e non poté più tornare nella città natale.

7. I Comuni e l'Impero. I Comuni avevano dovuto lottare, per affermare la propria indipendenza, contro l'imperatore, al quale spettava il potere sull'Italia. Un momento di particolare importanza di questa lotta era stata la vittoria nel 1176 della Lega lombarda (un'alleanza dei Comuni del Nord) sull'imperatore Federico Barbarossa. L'autonomia comunale, insomma, era stata raggiunta scontrandosi con il potere dell'Impero e della Chiesa; e questo fatto renderà ancora più evidente l'aspetto strumentale dell'appoggio dei Guelfi e dei Ghibellini all'uno o all'altro dei due grandi istituti universali.

8. Il declino degli istituti universali. In effetti la civiltà comunale segna il definitivo declino della stessa prospettiva universale. L'Impero si era di fatto disgregato. Stavano affermandosi in tutta Europa, ormai, gli Stati nazionali, autonomi e sovrani. E in Italia, ove uno Stato nazionale sorgerà solo molto più tardi, cominciavano già a diffondersi le Signorie e poi, a partire dal Quattrocento, i Principati, con poteri sovrani e su base spesso regionale.

9. La Chiesa. Dal tentativo teocratico di Bonifacio VIII alla sottomissione alla Francia di Clemente V. Anche l'altro istituto universale, la Chiesa, si rivelava incapace di un ruolo politico di primo piano. Un caso emblematico è proprio quello del nemico personale di Dante, il papa Bonifacio VIII, il quale, nel tentativo di rafforzare il potere papale contro quello imperiale, si alleò con il re francese Filippo IV il Bello. Bonifacio si illudeva di poter utilizzare la forza di Filippo a proprio vantaggio, ed invece fu il re francese a servirsi del prestigio che gli derivava dall'appoggio della Chiesa per raggiungere i propri fini. Quando Bonifacio si rese conto di ciò e si oppose a Filippo, questi lo fece arrestare. Così Bonifacio morì umiliato e sconfitto (1303): tramontava, con lui, l'ultimo sogno *teocratico* (= di potere dell'autorità religiosa).

Il controllo della Chiesa da parte della monarchia francese divenne ancora più evidente negli anni successivi, quando Filippo riuscì a far eleggere come papa il francese Clemente V, il quale trasportò addirittura la sede papale da Roma ad Avignone, al confine con la Francia (1309). Il che parve un sacrilegio, e spiega la severità dell'atteggiamento di Dante nei confronti della Chiesa (la *Commedia* è scritta proprio in questi anni).

10. L'Impero. La politica nazionale degli Asburgo e degli Svevi e l'estremo tentativo universale di Enrico VII. Lo stesso Impero, poi, poteva ancora ottenere reali successi politici solo rinunciando alla prospettiva universalistica: alla tradizionale rivalità della Chiesa si era aggiunta infatti quella, ancora più agguerrita, dei Comuni e dei nuovi stati nazionali. In queste condizioni, l'imperatore non poteva far altro che rafforzare il proprio potere in un ambito territoriale ristretto, la Germania e l'Austria, dando luogo a sua volta ad uno stato nazionale: è il caso di Rodolfo d'Asburgo (1273-1291) e del figlio Alberto (1298-1308). Di qui trae spunto l'accusa di Dante nel canto VI del *Purgatorio* contro questi imperatori, colpevoli di rinunciare al proprio potere sugli altri territori imperiali, e soprattutto sull'Italia, «giardin de l'Impero». D'altronde, altrettanto avevano fatto gli imperatori Svevi (tra il 1220 e il 1266) nel Sud d'Italia, con Federico II e Manfredi (cfr. *Purg.* III, 112 sgg.).

L'unico imperatore che in quegli anni tentò di riaffermare il proprio potere sull'Italia fu Enrico VII di Lussemburgo, al quale Dante guardò come ad un inviato del cielo. Egli scese in Italia nel 1310 e, pur tra mille ostacoli, ottenne alcuni importanti successi politici e militari sui nemici della causa imperiale; ma la morte lo colse nei pressi di Siena nel 1313 ponendo fine al suo progetto. Si deve però considerare che la stessa azione di Enrico non infrange realmente la tendenza generale; egli infatti contribuì di fatto al rafforzamento delle Signorie ghibelline dell'Italia settentrionale (soprattutto Visconti a Milano e Scaligeri a Verona, che egli nominò vicari imperiali), inserendosi in qualche modo nella lotta locale per la supremazia tra Guelfi e Ghibellini e non riuscendo in alcun modo a superare, neppure con i suoi stessi alleati, la prospettiva particolaristica. D'altra parte, per rendersi conto della instabilità che caratterizza la complessa vita politica del periodo, si consideri che lo stesso papa Clemente V si rivelò inizialmente favorevole all'impresa di Enrico che egli intendeva utilizzare per arginare l'eccessivo potere della monarchia francese (della quale, pure, era alleato); e che solo in un secondo tempo prese ad ostacolarla (e tale tradimento gli viene violentemente rinfacciato da Dante in *Par.* XVII, 82 e XXX, 133-148).

11. La concezione politica di Dante. In un orizzonte dominato da una simile precarietà di alleanze e di schieramenti, la concezione politica di Dante, quale si definisce soprattutto negli anni dell'esilio, appare anacronistica e dunque destinata alla sconfitta.

Negli anni dell'impegno politico in patria (1295-1301), Dante si era battuto con energia e generosità per difendere l'autonomia e la libertà del Comune e per favorire la stabilità interna, cercando di porre fine alle violente discordie tra le fazioni. Il fallimento di tale prospettiva e la sconfitta anche individuale, amaramente pagata con l'esilio, fecero intendere meglio a Dante i caratteri e i limiti della stessa società comunale. E gli parve

Il *De Monarchia* [Sull'Impero] è l'unica opera dottrinale che Dante abbia portato a termine. Composto o durante la discesa di Enrico VII in Italia (1310-13) o sùbito dopo, il trattato è diviso in tre libri ed è scritto in latino (la lingua delle opere scientifiche e filosofiche, conosciuta da tutti gli intellettuali d'Europa). L'opera presenta in forma organica la concezione politica di Dante ed è soprattutto originale nell'affermazione dell'autonomia del potere dell'imperatore, come diretta espressione della volontà divina; in questo modo la sfera della politica è sottratta alla subordinazione al potere religioso del papa (al quale è riconosciuta la sola autorità nel campo spirituale).

che solamente il potere superiore e unificante dell'imperatore potesse controllare e sconfiggere i particolarismi, le rivalità, i conflitti propri di questa società. Per tale ragione egli salutò con entusiasmo l'iniziativa politica di Enrico VII dalla quale trasse ispirazione per comporre, probabilmente durante o subito dopo la discesa dell'imperatore in Italia, la propria opera politica più organica, la *Monarchia* (ad Enrico sono poi dedicati parecchi luoghi significativi della stessa *Commedia*).

Dante non si rese conto (né, d'altra parte, se ne rendevano conto i suoi contemporanei) che era definitivamente tramontata la prospettiva stessa dell'universalità. Tutta la sua riflessione politica si svolge quindi nel tentativo di definire il giusto rapporto tra Chiesa e Impero: entrambi gli sembrano necessari e voluti da Dio, ma destinati ad occuparsi di due ambiti diversi, e quindi ad essere autonomi e separati. All'Impero spetta il potere temporale, alla Chiesa quello spirituale. L'Impero è la diretta espressione politica della volontà divina ed esso deve guidare la società umana alla ordinata concordia. La Chiesa deve rinunciare ai beni e al potere temporali, dedicandosi ai quali essa ha tradito la propria missione: essa infatti è stata corrotta dalla *simonìa*, ha cioè utilizzato per scopi mondani il proprio mandato spirituale.

12. LA CRITICA DELLA CIVILTÀ COMUNALE DELLA *COMMEDIA*. Questa concezione, che può apparire superata dal corso della storia (soprattutto per quel che riguarda la proposta della rinascita imperiale), rivela però una profonda capacità di capire alcune novità introdotte dalla società comunale e di analizzarle con acutezza. Questa capacità di analisi nasce da un'esigenza radicalmente critica e negativa. Infatti alle novità della società comunale Dante si oppone con coerente fermezza. Così, di quella spregiudicatezza e di quella abilità individualistica tutta votata alla realizzazione del successo e del guadagno egli si fa giudice severo e implacabile: la mentalità «borghese» e precapitalistica è appena nata e già ha trovato chi la condanni svelandone gli orrori. In questa prospettiva si potrebbe dire che

l'*Inferno* è immaginato da Dante a misura della società del suo tempo: una società superba, avida e invidiosa. Si guardino le varie categorie di peccatori: violenti, traditori, ladri, usurai, ipocriti, ruffiani, corrotti, simoniaci, adulatori... La città terrena assomiglia ormai di più alla città del diavolo che a quella celeste.

Dante può apparire un conservatore (non comunque un reazionario), per il suo richiamo ai valori della civiltà cortese e alla prospettiva universalistica dei grandi istituti dell'Impero e della Chiesa; ma in verità egli ha coscienza del fatto che neppure nei secoli passati il suo ideale politico si è mai realizzato, e se egli ve lo proietta (cfr. p. es. *Par.* XV, 97 sgg.) è in chiara funzione polemica: loda il passato per criticare il presente e delineare un ideale per il futuro. La sua proposta era destinata alla sconfitta, ma nasceva da un'analisi acuta e impietosa della situazione presente, e non era certo priva di rigorosa coerenza e di grandezza.

II. *Dante e la società comunale. Storia e politica*

III.

DANTE E LA CIVILTÀ COMUNALE. LA CULTURA

1. LA CIVILTÀ COMUNALE. Il particolarismo e le contraddizioni che caratterizzano la società comunale in senso politico e sociale, ne caratterizzano anche la cultura. E ciò nonostante è possibile, anche sul piano culturale, cogliere profonde analogie di fondo tra le varie situazioni locali e una tendenza di sviluppo coerente e unitaria. Per questa ragione si può parlare, oltre che di una *società* comunale, di una *civiltà* comunale.

2. IL PROBLEMA DELLA LINGUA: LATINO E VOLGARE. Ad illuminare efficacemente la complessità di tale situazione giova considerare il problema della lingua. Da una parte l'uso ancora diffuso del latino nella liturgia, nelle scuole e nei rapporti tra gli intellettuali determina il senso di una profonda unità, non solo in Italia ma nell'Europa intera. Ma dall'altra esistono tanti *volgari* (cioè dialetti) quante sono le regioni e perfino le città italiane ed essi sono le lingue veramente parlate; anzi, tali idiomi cominciano ad insidiare la priorità del latino nello stesso uso letterario e, in casi eccezionali, in quello scientifico. Si potrebbe dire che il prestigio del latino corrisponda agli istituti dell'Impero e della Chiesa: nessuno ne mette in dubbio l'autorità universale; ma nella realtà forze nuove premono da più parti per disgregare tale egemonia, e i volgari hanno la stessa energia rinnovatrice, nel campo culturale, che le botteghe e i traffici in quello economico e i Comuni in quello politico.

3. LA RELIGIONE. TRA SIMONIA E RINNOVAMENTO SPIRITUALE. Un'altra spia, altrettanto illuminante, è quella della religione. La concezione cristiana della vita, anche in senso strettamente dottrinale, conserva ancora il proprio primato e costituisce un elemento di ulteriore unità culturale. Ma è pur vero che il mutato equilibrio sociale e politico determina trasformazioni sostanziali nell'atteggiamento stesso delle coscienze: se la civiltà feudale dei secoli precedenti viveva nella prospettiva totalizzante della trascendenza, la civiltà comunale è costretta a misurarsi con valori nuovi e terreni; così che la vita religiosa è caratterizzata nell'età di Dante da compromessi e da contraddizioni. Il clero stesso ed il papa agiscono spesso secondo i criteri più ambiziosi e spregiudicati. Contro questa situazione si rivolge

Dante compose il *De vulgari eloquentia* [Sulla lingua volgare] tra il 1303 e il 1305; e lo scrisse in latino perché volle essere certo che gli intellettuali tutti potessero leggerlo e meditarlo, avendo egli a cuore la materia. L'opera doveva forse essere divisa in quattro libri, ma Dante la lasciò incompiuta a metà del secondo.

Il tema centrale e per noi più interessante del *De vulgari eloquentia* è, come già si ricava dal titolo, la discussione intorno alle nuove lingue che si erano formate ed avevano assunto dignità letteraria sul territorio italiano. Dante afferma con vigorosa convinzione il valore del volgare, ormai maturo per essere usato dai migliori scrittori. Rivela una sensibilità moderna nel suo interesse per la molteplice varietà dei dialetti, che egli analizza accuratamente in cerca di quello che sia in sé degno di essere assunto come comune nell'uso letterario. Ma tutti gli sembrano difettosi, a tale scopo; e bisogna piuttosto riferirsi, secondo lui, al volgare quale lo usano nelle loro opere i letterati più colti: non segnato dal particolarismo geografico e culturale ma raffinato di tutti gli elementi inopportuni e pronto per essere la nuova lingua italiana. Questo volgare è poi quello della più recente tradizione poetica dello stilnovismo toscano, specie quale lo usano «nelle loro canzoni Cino da Pistoia e il suo amico», cioè Dante stesso. L'assunzione di tale modello è però resa difficile dalle peculiari condizioni politiche dell'Italia, e cioè dalla mancanza di una corte intesa come centro politico e culturale. Ma Dante confida che a questa carenza sopperiscano gli intellettuali e gli scrittori, rivelando una eccessiva fiducia nel potere della letteratura sulla formazione del linguaggio. D'altra parte egli sarà il primo, nella *Commedia*, a non rispettare questa soluzione, riferendosi piuttosto al volgare fiorentino benché attraverso un'esaltazione degli aspetti comuni agli altri dialetti e qualche non raro imprestito da essi: così egli da un lato arricchisce il lessico del fiorentino con altri vocaboli a esso estranei e dall'altro crea tuttavia un linguaggio omogeneo, senza concessioni a particolarismi troppo marcati.

la pesante condanna di Dante (motivo assai insistente nella *Commedia*), indignato dalla corruzione ecclesiastica e dalla simonìa. Non si deve però credere che la posizione di Dante sia isolata o eccezionale. Al contrario il desiderio di riforma spirituale della Chiesa anima numerosi intellettuali dell'epoca e favorisce il sorgere di nuovi movimenti e nuovi ordini religiosi che cercano di opporsi alla degradazione, sia richiamandosi profeticamente alla imminente punizione divina, sia rovesciando i valori comunali della competizione e del guadagno nell'esaltazione evangelica della povertà e della fratellanza (come l'Ordine dei francescani, fondato dal santo Francesco d'Assisi). Di entrambi questi atteggiamenti Dante raccoglie alcuni aspetti: infatti, nel poema si incontrano frequentemente sia profezie di vendetta che richiami alla semplicità dei valori evangelici.

D'altra parte lo stesso pensiero di Tommaso d'Aquino, il massimo teologo del Duecento, che ebbe una grande influenza su Dante, rivaluta la vita terrena, facendo della razionalità e del libero arbitrio i cardini della vita del cristiano. Insomma, è superato il sentimento d'impotenza e di rassegnazione: il cristiano non si sente più in balìa della volontà divina ed escluso dalla possibilità di influire sul proprio destino terreno e trascendente. Anche le tendenze religiose che più si oppongono alla corruzione dilagante si rivelano dunque segnate dalla nuova situazione storica, esaltando la necessità dell'impegno diretto da parte del cristiano. La *Commedia* può essere considerato in tal senso un esempio altissimo di tale concezione eroica e militante dell'esistenza: nella prospettiva di Dante, il bene della società umana e la salvezza individuale dipendono egualmente dalle scelte e dalle azioni di ciascuno (anche se devono, ovviamente, essere assistite dalla Grazia divina).

4. IL PROFONDO RINNOVAMENTO DELLA CIVILTÀ. Una nuova mentalità, dunque, e nuovi valori; anzi diciamo pure il senso di un rinnovamento totale di forme di vita e di pensiero.

Per avere ancora oggi il senso della profondità e della intensità di tale cambiamento basta dare uno sguardo alla maggior parte delle città italiane, grandi e piccole, le quali ricevono in questi anni la loro caratteristica impronta medioevale, abbellendosi di splendidi edifici civili e religiosi: dopo l'affermazione del romanico, si diffonde lo stile gotico; mentre la pittura raggiunge altissimi risultati (Cimabue, Giotto, Duccio, Simone Martini, Pietro e Ambrogio Lorenzetti). Nella musica, al severo canto gregoriano, monodico, si sostituisce a poco a poco la polifonia. Si rinnovano gli studi di diritto, e prosperano le professioni giuridiche. Si afferma un vasto ceto di amministratori e di burocrati. Con i traffici dei mercanti si diffondono conoscenze più vaste e scambi più frequenti tra regioni e culture diverse, favorendo l'allargamento dell'orizzonte spirituale soprattutto degli intellettuali. Crescono di numero e di importanza le istituzioni dedicate all'insegnamento (mentre vengono fondate le prime università). L'affermazione di un più vasto pubblico di lettori colti favorisce il nascere di vere e proprie botteghe di copisti che apprestano copie delle opere richieste determinando una diffusione dei testi fino ad allora impensata. Nasce e rapidamente si afferma una nuova letteratura. Il pensiero filosofico e teologico si arricchisce di nuovi apporti e si rinnova.

5. LA VICENDA CULTURALE DI DANTE. L'esperienza di Dante si colloca nel momento di massima vitalità di queste ricchissime tendenze, esprimendone genialmente le forze positive e la complessità. Benché sia molto difficile ricostruire con esattezza la formazione e la cultura di Dante, possiamo affermare con sicurezza che egli appartenne alla tendenza più aggiornata

e «moderna». La maggiore esperienza giovanile di Dante, la partecipazione al clima culturale del «dolce stil novo», costituisce una spia in tal senso decisiva.

6. IL «DOLCE STIL NOVO». Le origini della nuova tendenza sono nella scuola della poesia siciliana fiorita nella prima metà del Duecento alla corte di Federico II e di Manfredi (ispirata a sua volta alla tradizione provenzale). Lo stil novo si diffuse soprattutto in Toscana: bolognese fu in verità il precursore della nuova tendenza, Guido Guinizelli (morto prima del 1276), ma toscani Guido Cavalcanti (morto nel 1300) e Dante, suoi maggiori esponenti. La novità dello stil novo, rispetto alla tradizione della poesia cortese, non consiste nella scelta dell'argomento (domina sempre il tema erotico), ma in un mutato rapporto con la propria materia (l'amore non è più concepito come occasione e spunto per il rituale letterario, ma come esperienza globale dello spirito) e con il proprio strumento espressivo (non più adibito ad un esercizio stilistico, ma volto alla ricerca della autenticità e della verità); la novità consiste insomma in una più profonda consapevolezza filosofico-esistenziale e letteraria. Tale tendenza, alla quale Dante contribuì in modo decisivo con la *Vita Nuova*, rappresenta negli ultimi due o tre decenni del Duecento una sorta di tendenza d'avanguardia, per usare un termine moderno. Lo stil novo non limitava però la propria carica innovativa alla dimensione letteraria, ma si collocava entro un orizzonte culturale più vasto, implicando una originale concezione dell'esistenza.

VITA NUOVA

La *Vita Nuova* è l'opera giovanile di Dante, quella che ci mostra meglio il percorso della sua formazione letteraria. Essa è costituita da rime (*canzoni* e *sonetti*) e da trentanove capitoli in prosa destinati al commento delle rime e a collocarle in una trama autobiografica. Mentre le rime risalgono al decennio tra il 1283 e il 1292, il compimento dell'operetta quale ci si presenta nella sua costruzione avvenne probabilmente tra il 1292 e il 1293.

Il racconto delinea le vicende dell'amore ideale per Beatrice. Dante narra di averla vista per la prima volta a nove anni e poi, dopo altri nove anni ancora, di averla rincontrata ricevendone il saluto. Acceso di un amore nobile per lei, Dante, per nasconderlo agli occhi dei pettegoli, finse di amare un'altra donna, così che Beatrice gli tolse il saluto, nel quale Dante trovava tutte le sue gioie. Annunciata da una visione, seguì a questi fatti la morte di Beatrice e la conseguente disperazione di Dante. Lo consolò per un certo periodo l'amore per una donna gentile, del quale Beatrice venne a rimproverarlo in sogno richiamandolo a sé. Così che Dante si ripromise di scrivere intorno alla sua amata cose mirabili non mai dette di nessun'altra donna. E in questa conclusione sta già, in qualche modo, il primo presagio della *Commedia*.

---

7. LA VITA NUOVA E LA COMMEDIA. Questa fase della vita e dell'opera di Dante ha una notevole importanza per la comprensione della genesi della *Commedia*, non solo perché il punto di riferimento costante della *Vita Nuova* è la amata Beatrice, come nel poema, ma anche perché simili sono il taglio autobiografico e la prospettiva narrativa, e analoga è la tendenza a presentare i «dati biografici nella luce di un significato universalmente valido ed esemplare» (Sapegno). Inoltre la *Vita Nuova* rappresenta già un riconoscimento del primato della prospettiva trascendente, benché ad essa si faccia riferimento attraverso la cronaca di un delicato rapporto amoroso, vissuto e concepito, d'altra parte, come mezzo per l'innalzamento dell'anima.

Proprio a causa di tale complessità di piani, la *Vita Nuova*, nel momento stesso in cui rappresenta il capolavoro della poetica stilnovistica, ne segna già per certi aspetti il superamento.

8. LA CONCEZIONE UNITARIA DELLA REALTÀ E LA TENDENZA ALL'ENCICLO-PEDISMO. Nel corso del Duecento si era affermata, a metà via tra la letteratura e la scienza, una tendenza alle opere enciclopediche, di prevalente argomento storico e filosofico o religioso. Per fare solo un esempio, gioverà ricordare il caso del *Trésor* di Brunetto Latini (e di Brunetto Dante stesso ci informa di essere stato discepolo: cfr. *Inf.* XV, 84 sg.). Questa tendenza alla *summa*, al trattato, rientra nei caratteri tipicamente medioevali del periodo ed esprime il perdurare di una concezione fortemente unitaria e gerarchica della realtà. La nuova letteratura in volgare in parte riprende e fa propria questa tendenza, in parte la rovescia nella rivalutazione dell'elemento individuale dell'esperienza (lo stil novo rientra in questa seconda tendenza).

Anche Dante assume il modello enciclopedico medioevale facendone propria la aspirazione unitaria, ma immettendo al suo interno la complessità di una problematica originale e inedita nonché la tendenza autobiografica e narrativa appresa nel noviziato stilnovistico. Già la *Vita Nuova* cerca di esprimere questa esigenza, ma, in tale prospettiva, la struttura dell'opera si rivela ancora troppo fragile.

9. LA RICERCA DI UN NUOVO TIPO DI OPERA. È per questo che Dante, dopo gli anni dell'impegno politico e dopo la condanna all'esilio, si volge alla composizione di opere più complesse e più direttamente impegnate sul piano culturale e intellettuale: il *De vulgari eloquentia* e il *Convivio*. Il *Convivio* soprattutto, che è la prima opera filosofica di rilievo scritta in volgare, rappresenta il più alto tentativo di Dante, prima della *Commedia*, di creare un modello letterario nuovo, legato alla nuova civiltà (e l'uso del volgare allude al desiderio di un pubblico non ristretto ai soli intellettuali) ma desideroso di conservare, della civiltà passata, la concezione organica ed unitaria della realtà.

Composto negli stessi anni del *De vulgari eloquentia* (1304-7) e come quello lasciato incompiuto è il *Convivio*. L'opera doveva comprendere quattordici trattati di commento ad altrettante canzoni più uno introduttivo; si arresta invece dopo il quarto trattato. L'aspetto più originale dell'opera consiste nella scelta di usare il volgare benché i temi affrontati (per lo più di filosofia, con argomenti di linguistica, di morale, di politica ecc.) fossero stati fino ad allora riservati al latino. Questa scelta linguistica rivela una consapevolezza di essere in grado di utilizzare il nuovo idioma per tutti gli usi, arricchendone coraggiosamente la sintassi e il lessico, oltre che la volontà di comunicare con un pubblico più ampio, nel desiderio di divulgare le proprie conoscenze e le proprie idee con un fine di alto impegno civile.

10. LA VITA NUOVA E IL CONVIVIO: DAL PRIMATO DEI SENTIMENTI A QUELLO DELLA RAGIONE. Benché cerchi di realizzare una tendenza già formata, come si è detto, nell'opera giovanile, il *Convivio* si presenta in qualche modo come contrapposto alla *Vita Nuova*: alla semplicità e intimità di disegno di questa, il *Convivio* contrappone un progetto ampio e complesso; all'atteggiamento raccolto e quasi privato dell'operetta stilnovistica, un piglio robusto e impegnato; e soprattutto al primato dei sentimenti affermato nella *Vita Nuova* si sostituisce nel *Convivio* quello della ragione, e all'amore, anche allegorico, per Beatrice, quello per la filosofia.

11. LA FORMAZIONE FILOSOFICA DI DANTE. IL SINCRETISMO. Nel *Convivio* si rivela per la prima volta una caratteristica peculiare di Dante, e cioè la capacità di rielaborare numerosi spunti di provenienza anche diversissima senza perdere mai di vista il proprio fine, riuscendo quindi a conservare una propria originalità, e senza essere catturato in nessun caso da un sistema di pensiero specifico. Questa caratteristica prende il nome di *sincretismo*.

In particolare dal *Convivio* ricaviamo quale fosse la formazione filosofica di Dante. Il riferimento di fondo è al filosofo greco Aristotele (IV sec. a.C.), il cui pensiero era però conosciuto soprattutto in forma mediata, attraverso i commenti di filosofi arabi ed attraverso la rielaborazione poderosa in chiave cattolica di san Tommaso; e Dante da tutti prende qualcosa, arricchendo la propria materia con frequenti riferimenti alla *Bibbia*, a sant'Agostino (354-430) e ad altri pensatori cristiani.

12. VERSO LA COMMEDIA. La profondità dell'impegno intellettuale non bastarono a fare del *Convivio* l'opera organicamente nuova che Dante voleva; le mancava, a tacere d'altro, un vero elemento unificante: la materia si disponeva in modo alquanto casuale ed occasionale. Così l'opera restò incompiuta a circa un quarto del piano originale; ed incompiuto restava,

III. Dante e la civiltà comunale. La cultura

XXV

circa in quegli stessi anni, il *De vulgari eloquentia*. L'opera nuova adatta a soddisfare le esigenze di Dante cominciava a prendere forma proprio in quegli anni, e lo avrebbe ben presto assorbito del tutto: era, è ovvio, la *Commedia*.

ALTRE OPERE DI DANTE

Tra le altre opere di Dante, prescindendo da alcune di attribuzione non sicura, un posto di rilievo occupano le *Rime*. Si va dai testi risalenti agli anni giovanili della *Vita Nuova* a quelli, ben altrimenti impegnativi e appassionati, dell'esilio. Un posto a sé spetta alle cosiddette rime «pietrose», ispirate da una passione sensuale per una donna Pietra quasi certamente di poco precedente all'esilio: l'energia e lo sperimentalismo formali le avvicinano ai sonetti comico-realistici della *Tenzone* con Forese (benché abbiano una ben maggiore rilevanza poetica), annunciando il registro «basso» di molti luoghi della *Commedia*.

Agli ultimissimi anni di vita del poeta appartengono le due *Egloghe* in versi latini rivolte a Giovanni del Virgilio e la *Quaestio de aqua et terra*, tesi filosofica relativa a un problema di fisica.

Sono giunte fino a noi, preziose per la ricostruzione di alcuni momenti della vita di Dante, anche tredici *Epistole* [lettere] latine rivolte a vari (e spesso autorevoli) corrispondenti.

IV.

LA *COMMEDIA*

1. LA COMMEDIA, OPERA TOTALE E UNITARIA. Con la *Commedia* Dante trova dunque la soluzione che cercava, concependo un'opera insieme *totale* e *unitaria*. Non abbiamo notizie certe, ma è assai probabile che Dante si accinse alla composizione del poema negli anni in cui smetteva di lavorare al *Convivio* e al *De vulgari eloquentia*, lasciandoli incompiuti; e cioè nel 1306-7. Quando morì, un quindicennio più tardi, nel 1321, la *Commedia* era da poco compiuta.

La *Commedia* è opera fortemente *unitaria* soprattutto per due ragioni: ha una organicità narrativa (è la storia di un viaggio avventuroso, con un ben individuato protagonista); ha una coerenza tematica (è la descrizione dell'oltretomba cristiano). Ed è opera *totale*, anche, in quanto affronta una materia (quella dell'aldilà e della salvezza eterna) che implica necessariamente, nella prospettiva cristiana, il coinvolgimento di tutte le questioni delle quali la mente umana è capace.

2. LA TRAMA. La trama del poema è certo nota, nelle sue linee generali; ma sarà egualmente opportuno ricordarla.

Dante è smarrito in una selva paurosa e cerca invano di raggiungere un colle assolato: tre animali feroci gli sbarrano il passo. Lo soccorre l'ombra del poeta latino Virgilio, il quale dice di essere stato inviato in soccorso di Dante da tre donne del cielo (tra cui Beatrice). Lo smarrimento di Dante è uno smarrimento morale, ed egli non può ritrovare la via della salvezza altro che attraversando i tre regni dell'oltretomba, in modo da vedere le conseguenze del peccato (Inferno) e da scoprire la via per purificarsi (Purgatorio) e giungere alla beatitudine eterna (Paradiso). Nelle prime due «tappe» lo accompagnerà Virgilio; nell'ultima, Beatrice.

3. IL VIAGGIO NELL'ALDILÀ CRISTIANO. Il viaggio che Dante compie lo porta quindi al cospetto di anime di tutte le condizioni, di tutte le epoche e di tutte le provenienze. Anche questo semplice fatto servirà a dare l'idea della totalità dell'opera; e infatti, come è naturale, i diversi interlocutori porranno alla ribalta, di volta in volta, temi e considerazioni differenti, mai però casuali o occasionali, e anzi tali da esprimere l'essenza specifica

della loro vita, il suo significato profondo. Inoltre a Dante sono mostrate dalla Grazia divina anime esemplari di ogni condizione spirituale: così ogni anima è caratterizzata nella propria individualità e insieme presentata come tipica di una certa categoria. Si deve infatti considerare che il mondo rappresentato nella *Commedia* non è solamente ricco quanto e più del mondo terreno, ma che rispetto a questo si trova in una condizione di eccezionale perfezione: è, cioè, ordinato in modo mirabile e definitivo; ciò dipende dal fatto che l'ordine dell'aldilà è quello stabilito da Dio stesso, suprema espressione di giustizia. Per capire a fondo il senso di questo fatto bisogna considerare che nella prospettiva cristiana l'oltretomba non è, come nella concezione classica, un'ombra del mondo terreno, quasi una sua copia scolorita; al contrario esso è il mondo vero, la sede autentica dell'uomo, la dimensione a lui destinata non per un breve transito (come la vita) ma per l'eternità. La concezione classica è perciò rovesciata: è il mondo terreno ad essere un'ombra, una prefigurazione incerta, dell'aldilà.

4. L'ALDILÀ E IL MONDO TERRENO. Questa prospettiva rischia di togliere ogni importanza alla dimensione terrena, e ciò in effetti è talvolta avvenuto nella tradizione cristiana. Il caso di Dante è diverso: egli avverte piuttosto l'importanza e la responsabilità altissima della vita terrena, essendo in essa che l'uomo determina, con i propri atteggiamenti e le proprie azioni, la dannazione o la salvezza di se stesso. In tale prospettiva, il rapporto tra Terra e aldilà è un rapporto di stretta correlazione: le anime dei defunti sono in una condizione che con quella terrena non ha apparentemente più nulla a che fare, ma in verità nel destino eterno si è rivelato e compiuto il senso più profondo ed essenziale della loro esperienza terrena. Nell'aldilà ogni uomo appare interamente svelato nella sua realtà più intima e vera, quale già si è parzialmente rivelata quando egli era vivo; ognuno è definitivamente se stesso. È questa la grandezza della Giustizia divina, e da questo dipendono la perfetta evidenza e la intima necessità di ogni particolare nel mondo della *Commedia*.

Da tale rivelazione, nell'aldilà, dei significati e dei destini più veri e profondi del mondo deriva a Dante uno strumento di insuperabile efficacia narrativa, conoscitiva e polemica. E tale efficacia è rivolta, evidentemente, proprio nella direzione del mondo terreno, che Dante descrive nella prospettiva di Dio e dell'eternità, e quindi giudicato e svelato nella sua essenza. Prendiamo per esempio il caso dei numerosissimi personaggi del poema, le centinaia di dannati, di penitenti e di beati con i quali Dante si ferma a parlare o che semplicemente gli si mostrano in un gesto o in un atteggiamento: ad essi non è consentito di indugiare su particolari secondari o distrarsi da quanto posseggono di essenziale; perché l'essenziale è stato chiarito nel loro destino eterno ed essi vivono completamente sprofondati in tale essenzialità: «nell'aldilà gli uomini hanno conoscenza di sé, perché il giudizio di Dio l'ha loro conferita» (Auerbach). Così, essi, quando Dante si ferma ad interrogarli, vanno subito al cuore della propria vicenda terrena, rivelandone l'autentica peculiarità. Né gli gioverebbe (si parla dei dannati) tentare di nasconderla: la condizione stessa che è loro assegnata rivela infatti la loro posizione nei confronti della Grazia divina e denuncia già l'essenziale della loro esistenza (se furono, poniamo, adulatori o golosi, ladri o traditori).

5. LA CONCEZIONE FIGURALE. Quando abbiamo detto che, nella concezione cristiana, il mondo terreno è solo un'ombra e un annuncio del vero mondo eterno dell'aldilà, abbiamo fatto riferimento ad un fenomeno che prende il nome di *concezione figurale* e che un grande studioso tedesco di Dante, Erich Auerbach (1892-1957), ha profondamente indagato e utilizzato per la comprensione della *Commedia*. Converrà soffermarsi su tale questione con un esempio.

Quando la *Bibbia* racconta che gli Ebrei furono liberati grazie al soccorso di Dio dalla schiavitù d'Egitto, essa racconta un fatto storico. Ma questo fatto storico, vero in sé, prefigura un altro fatto storico ancora più importante e cioè la liberazione dell'umanità, con la Redenzione di Cristo dalla schiavitù del peccato; ebbene: si dice in questo caso che il primo fatto è *figura* del secondo, nel senso che lo annuncia. Non si tratta di un simbolo nel senso moderno, perché nel simbolo il primo fatto serve solo ad alludere al secondo, che è quello vero; mentre la concezione figurale si fonda sul presupposto di «pari storicità tanto della cosa significante (p. es. la liberazione degli Ebrei) quanto di quella significata (p. es. la Redenzione)» (Auerbach). Il termine moderno al quale può semmai essere avvicinato quello di figura è *allegoria*. Ma su di esso dovremo tornare.

Si consideri poi che il rimando di un fatto storico ad un altro (come il caso della liberazione degli Ebrei dalla schiavitù dell'Egitto rimanda alla Redenzione di Cristo) allude infine sempre ad un termine ultimo nel quale la figura si svela definitivamente e cioè *si adempie*. Nell'esempio cui ci stiamo riferendo tale adempimento è realizzato per ogni cristiano che al momento della morte sia destinato alla salvezza eterna: egli si è veramente e definitivamente liberato dalla schiavitú (del peccato e della tentazione). E non è un caso che nel canto II del *Purgatorio* le anime destinate alla salvezza cantino il salmo della *Bibbia* che allude alla liberazione degli Ebrei.

6. LA CONCEZIONE FIGURALE NELLA COMMEDIA. Nella concezione cristiana medioevale l'intera vicenda terrena è guardata come *figura* del destino eterno. Come abbiamo visto, è quello che fa Dante nel poema. La sua originalità sta nell'aver assunto la prospettiva del destino eterno anziché quella terrena, nell'aver cioè concepito «una visione che vede e proclama come già adempiuta la realtà figurale» (Auerbach). Nella *Commedia*, così, il mondo terreno ci appare già interpretato dal giudizio divino; e ci appare, del mondo, un'interpretazione quanto mai efficace ed unitaria.

A proposito di quanto si è detto fin qui, sarà bene aggiungere un'osservazione di grande importanza. Per secoli i commentatori del poema hanno avvertito da una parte la presenza di questa prospettiva, che possiamo chiamare allegorica, e dall'altra il profondo realismo dell'arte dantesca; così hanno a lungo oscillato tra il negare valore al primo piano temendo di soffocare il secondo (con la sua verità umana e terrena) e tra il negare rilevanza al secondo, facendo del poema un'opera solo dottrinale. L'arricchimento delle nostre conoscenze in merito alla concezione dantesca permette di uscire da questo aut aut.

7. Due esempi della concezione figurale: Virgilio e Beatrice. Consideriamo per esempio le guide di Dante, Virgilio e Beatrice; il carattere umano di tali personaggi è evidente, ma esso non è in contrasto con l'esistenza di un soprasenso che arricchisce il loro significato nel poema. E Virgilio sarà guida in nome della ragione e della sapienza terrene, mentre Beatrice, la Rivelazione data da Cristo agli uomini, sarà guida in nome della teologia e della fede. Ma entrambi possono esprimere tali significati solo in quanto storicamente li hanno espressi. Infatti Virgilio era ritenuto da una diffusa tradizione medioevale come un annunciatore della imminente venuta di Cristo e una guida verso la conversione, benché egli stesso non si fosse convertito; era cioè stato sulla Terra figura di quanto nell'aldilà è adempiuto: egli guida Dante fino alle soglie della salvezza non potendo salvarsi egli stesso. Beatrice era stata per Dante sulla Terra, come egli ha raccontato nella *Vita Nuova*, una ispiratrice positiva e uno stimolo al bene; ora, nell'aldilà, tale funzione figurale si adempie ed ella può guidare in modo compiuto il suo fedele fino al cielo più alto. Il caso di Beatrice, in tale prospettiva, rivela poi quanta importanza abbia il precedente della *Vita Nuova* rispetto alla *Commedia*. Ciò appare soprattutto evidente nei canti finali del *Purgatorio*, dove Dante incontra la sua amata.

Insomma: i protagonisti del poema hanno un significato allegorico non perché alludono ad altro, ma, al contrario, perché realizzano pienamente se stessi nell'aldilà. Per loro, come per tutti i personaggi della *Commedia*, il mondo terreno è stato figura di quello ultraterreno.

8. Il personaggio Dante. Dobbiamo però chiederci a questo punto in che rapporto stia il personaggio Dante con questo mondo definitivo e compiuto. Egli ne è evidentemente al di fuori; è anzi l'unico a non avere una collocazione precisa, a non conoscere cioè, soprattutto all'inizio della vicenda, il proprio destino eterno. Da un punto di vista narrativo, ciò costituisce un «privilegio» indispensabile; e infatti l'unico personaggio a possederlo è il protagonista del racconto. Sotto questo aspetto, la vicenda della *Commedia* coincide con la progressiva rivelazione del proprio destino al personaggio Dante. Se fin qui abbiamo considerato la *Commedia* nella prospettiva della descrizione dello stato delle anime dopo la morte, va det-

to dunque che è possibile anche considerarla come la storia della ricerca della salvezza da parte di Dante. Mentre nel primo caso la presenza di Dante ha la funzione di risvegliare nelle anime il desiderio di comunicare e di esprimersi o in rari casi di costringerle a farlo; nel secondo caso la visione delle anime è funzionale alla salvezza di Dante, aiutandolo a rifiutare il peccato (di cui egli può vedere le terribili conseguenze) e ad abbracciare il bene. Naturalmente le due ipotesi non sono alternative ma complementari: non si escludono ma si integrano ed illuminano a vicenda. La *Commedia* deve la sua ricchezza, tra l'altro, anche a questa duplicità narrativa, dove al registro della descrizione si alterna quello dell'esperienza diretta.

Più rilevante ancora sarà il fatto che il personaggio Dante non rappresenta solo se stesso, ma si pone come figura esemplare di cristiano in cerca della salvezza: in questa prospettiva il lettore è coinvolto nella sua vicenda e chiamato a parteciparvi; infatti, come Dante, neppure il lettore sa il proprio destino eterno, e neppure lui ha una collocazione nella struttura dell'oltretomba dantesco; ed ogni esito può essere il suo.

9. La missione religiosa e politica della Commedia. Il coinvolgimento che Dante intende suscitare con il poema mira anche a un obiettivo religioso e politico: egli tende a presentare la *Commedia* come un'opera voluta da Dio stesso per richiamare l'umanità — e in primo luogo la comunità dei cristiani e la Chiesa — sul cammino della salvezza. In più occasioni Dante insiste sul carattere di missione sovrannaturale della propria opera, ed è appunto per poter soddisfare a tale compito che all'autore è stata concessa, da parte della Grazia, l'opportunità del viaggio nell'aldilà. Tale missione religiosa ha poi un rilievo immediatamente civile e politico: tra le colpe dell'umanità c'è infatti quella di rifiutare l'assetto dei poteri e, più in generale, l'ordine voluti dalla Provvidenza divina per la Terra.

10. Il lettore della Commedia. Una simile ricchezza di piani narrativi e di significati può forse trasmettere un senso di smarrimento al lettore moderno. In particolare può creare difficoltà il fatto che Dante, a differenza di quanto (in modo esplicito o implicito) farebbe un poeta moderno, non presenta gli avvenimenti narrati nel poema come una finzione letteraria ma come fatti storicamente autentici. D'altra parte se non ci mettessimo dal punto di vista richiesto da Dante al suo lettore resteremmo inevitabilmente ai margini dell'opera.

Ma che cosa rendeva il lettore del tempo di Dante diverso da quello moderno? Una cosa innanzitutto: la concezione della realtà. Essa infatti era guardata in una prospettiva religiosa e trascendente: tutte le cose del mondo erano cioè viste come creazioni divine e come espressioni di Dio, così che il loro significato non poteva mai essere una invenzione dell'uomo ma solo una sua scoperta; in questa prospettiva tutti i particolari della vita oggettiva e soggettiva sono, nel contempo, dati reali e segni, come se Dio si rivelasse agli uomini che lo sanno ascoltare attraverso la realtà, evidentemente concepita come un vero e proprio sistema di segni da lui impressi.

11. REALISMO E SIMBOLISMO DI DANTE. Per chi abbia una simile concezione della realtà, sarà agevole riconoscere che Dante imita, nella *Commedia*, la struttura del mondo, in cui ogni dato è insieme reale e simbolico. Il *realismo* della *Commedia* sta in questa doppia mimesi, per cui rappresentare il mondo realisticamente nella sua oggettività significa anche rappresentarlo nel suo significato, cioè nel suo sistema di segni e di simboli.

12. I DUE «LIBRI» DI DIO. È stato un grande studioso americano di Dante, Charles Singleton (1909-1984), a definire con chiarezza questo importante carattere della poesia della *Commedia*. Egli ha dimostrato che Dante imita doppiamente il modo nel quale Dio si è manifestato agli uomini. Doppiamente, perché Dio si rivela agli uomini non solo attraverso la realtà (con il rapporto cose-segni del quale si è detto), ma anche attraverso le Sacre Scritture, cioè attraverso una vera e propria opera letteraria; e in quanto tale ancora meglio assumibile a modello. Dio, insomma, ha composto due libri: il mondo e la *Bibbia*.

13. L'ALLEGORIA. La *Commedia* ha in sé entrambi questi aspetti: in quanto mimesi del mondo è anche rivelazione allegorica dei segni divini che vi sono impressi; in quanto poema costruito sul modello teologico delle Sacre Scritture, è opera che comunica in modo allegorico un messaggio di salvezza. Come nella *Bibbia*, così nella *Commedia*, sia il piano letterale, sia quello allegorico sono storicamente reali (si ricordi quanto abbiamo detto circa la concezione figurale): i fatti hanno un reale valore storico, che è figura di un preciso valore trascendente. L'allegoria congiunge appunto questi due valori. Ne deriva che l'*allegoria dei poeti* è quella nella quale il senso letterale è fittizio, e cioè in cui i fatti in sé non hanno valore storico ma esistono in funzione del significato allegorico al quale rimandano e che devono esprimere (è così l'arte classica ed è così in gran parte l'arte moderna); l'*allegoria dei teologi* è quella nella quale i fatti narrati e il senso letterale che li esprime hanno un valore storico (come accade nella *Bibbia* e nella *Commedia*).

Dante ha insomma costruito il suo poema sul modello dei due «libri» di Dio: lo ha strutturato realisticamente sul modello del mondo (e ogni elemento della struttura è segno di Dio come nelle cose del mondo) e lo ha organizzato secondo la prospettiva dell'allegoria dei teologi, sul modello delle Sacre Scritture (e il viaggio di Dante attraverso i tre regni, vero in sé, corrisponde in una prospettiva storica più ampia al cammino dell'umanità verso la salvezza, e la storia della *Commedia* alla storia dell'uomo).

14. La concezione medioevale e dantesca della storia. Il sincretismo. In una prospettiva come quella dantesca, è evidente che la concezione della storia è assai diversa da quella moderna: la storia è vissuta infatti in termini provvidenziali, come il realizzarsi di un disegno divino al centro del quale sono collocate l'Incarnazione di Cristo e la Rivelazione. Questa prospettiva fa sì che tutti i fatti storici, anche quelli in realtà precedenti o estranei alla civiltà cristiana, vengano interpretati alla luce della concezione cristiana ed inseriti all'interno di essa. È questo un carattere tipico della civiltà medioevale, che assorbì e rielaborò anche per tale ragione largamente i frutti della civiltà classica precristiana; e a tale carattere si ricollega il peculiare *sincretismo* della cultura di Dante, il quale concepì la classicità come una vera e propria prefigurazione del cristianesimo.

15. La rielaborazione della civiltà classica. Il caso esemplare di Virgilio. Il caso più evidente, ed esemplare, di tale sincretismo, è quello del rapporto con Virgilio. Questi si colloca al di là della civiltà cristiana alla quale è sostanzialmente estraneo; ma la sua opera venne letta nel corso del Medio Evo in una prospettiva cristiana, così che l'annuncio dato da Virgilio nell'egloga quarta delle *Bucoliche* della imminente nascita di un fanciullo prodigioso venne interpretato come profezia della prossima venuta di Cristo, non considerando le specifiche e contingenti ragioni storiche dei versi virgiliani. Per questa e per altre ragioni Virgilio veniva ritenuto nel Medio Evo un profeta e addirittura un mago. Dante assume e rielabora questa concezione scegliendo Virgilio come guida. Inoltre egli interpreta l'*Eneide* virgiliana come un'opera profetica anche sul piano storico-politico: infatti l'*Eneide* narra l'origine di Roma e quindi dell'Impero, annunciandone il destino glorioso voluto dal cielo. In questo modo l'*Eneide* si affianca alla *Bibbia* tra i modelli letterari principali dell'ispirazione dantesca.

L'*Eneide*, inoltre, è assunta anche come modello per quel che riguarda l'idea stessa del viaggio nell'aldilà; infatti nel libro VI del poema virgiliano il protagonista Enea scende agli Inferi per udire dall'ombra del padre il destino glorioso della città che egli si appresta a fondare. Ebbene, attraverso un'operazione ancora fortemente sincretistica, Dante affianca tale precedente (assunto come storicamente reale) a quello della salita al cielo, da vivo, di san Paolo; né questo secondo modello, religioso e cristiano, gli appare più pertinente del primo: entrambi sono stati voluti da Dio e hanno la stessa importanza nella prospettiva provvidenziale del suo disegno.

16. L'importanza della struttura. Abbiamo detto che la *Commedia* è costruita sul modello della realtà (in quanto creazione di Dio) e su quello della *Bibbia* (in quanto libro di Dio); ed abbiamo detto anche che il lettore del tempo di Dante era sensibile a tali modelli molto più che il lettore moderno: essi infatti non costituiscono più da tempo dei punti di riferi-

mento indiscussi e certi. Ma è pur vero che Dante non poteva pretendere neppure dal lettore a lui contemporaneo di considerare il poema alla stregua di un testo sacro, o i fatti in esso narrati alla stregua di fatti reali e, per dir così, storici; non poteva cioè pretendere (sarebbe stato superbo il farlo) di essere considerato, come autore, al pari di Dio. Per questa ragione «il poeta dovrà predisporre misure di cui il Verbo divino non ha bisogno» (Singleton): dovrà cioè organizzare la materia del poema secondo una struttura che suggerisca sia nel suo insieme che nei particolari il riferimento ai modelli divini. Questo semplice fatto basta a comprendere quanto sia grande l'importanza della struttura nella *Commedia*; a partire dalla scelta — decisiva e da sottolineare con la massima attenzione — di presentare la realtà umana del mondo dal punto di vista dell'aldilà e della trascendenza, rovesciando cioè il modello divino per renderlo evidente al lettore: se Dio nei fatti terreni manifesta il senso autentico della dimensione trascendente, Dante attraverso lo svelamento di quest'ultima parla della Terra e della realtà umana, così che «il lettore pervenga al senso letterale solo dopo essere passato attraverso [...] il senso riflesso» (Singleton); e infatti il viaggio di Dante nell'aldilà riflette allegoricamente il viaggio dell'umanità nel mondo terreno.

17. LA STRUTTURA COME MEZZO ESPRESSIVO. In questa prospettiva, apparirà chiaro che la struttura (cioè l'organizzazione, secondo criteri teologici, del poema, la quale riflette quella data da Dio al mondo e all'aldilà) è anche un modo privilegiato di espressione della stessa concezione dantesca: la struttura dell'oltretomba rimanda al mondo terreno; ne è l'adempimento figurale. Cioè quanto nel mondo terreno appare in forma incerta e incompleta, nell'aldilà si definisce e completa, proprio grazie alla struttura e nella struttura.

Se la *topografia*, per così dire, del mondo dantesco è l'espressione materializzata della concezione teologica ed etica dell'autore, non vi sono neppure estranee ragioni più strettamente ideologico-politiche. Si consideri, a titolo esemplificativo, la posizione di rilievo occupata da tre dannati — Giuda, Bruto e Cassio —, maciullati rabbiosamente nelle tre bocche di Lucifero, principe dei demoni. Questa loro collocazione, sul piano esterno della struttura, è una variante della pena riservata ai dannati del nono cerchio, i traditori; e, più esattamente, della quarta e ultima zona del nono cerchio in cui sono puniti i traditori dei benefattori. Ora, questa divisione corrisponde a un criterio teologico-morale non inventato da Dante ma ripreso dalla tradizione filosofica aristotelico-scolastica; Dante — sembrerebbe — ha solo organizzato *concretamente*, in una architettura spaziale ben definita, quella concezione tradizionale. È già evidente, dunque, che tale organizzazione non si può spiegare né intendere senza riferirsi a quella tradizione dottrinale. Ma se torniamo alla posizione dei tre dannati sopra considerati, le cose si complicano un poco. Infatti le ragioni della loro appartenenza alla categoria dei peccatori puniti nella quarta zona del nono cerchio sono evidenti esclusivamente per uno dei tre, stando all'ambito teologico cristiano, e cioè per Giuda, il traditore di Gesù Cristo (il quale, come salvatore dell'umanità, è benefattore per a n t o n o m a s i a). Per gli altri due il giudizio deve basarsi su altri elementi. Bruto e Cassio sono gli assassini di Giulio Cesare, il condottiero romano fondatore dell'Impero. È ovvio che si potranno giudicare come traditori di un benefattore solo nel caso in cui si consideri positivamente l'istituto dell'Impero; ed è evidente anche che si tratterà di un giudizio espresso in chiave politica e non strettamente teologica. Emerge così, dalla struttura, la concezione politica di Dante e si affianca al suo orizzonte morale e teologico di riferimento. Restano però da considerare ancora *due* elementi della struttura relativi all'esempio in questione: che cosa abbia indotto Dante a *collocare insieme* questi tre dannati e che cosa lo abbia indotto a *separarli dagli altri spiriti* puniti in quella zona dell'Inferno, fatti questi che sottolineano fortemente un parallelismo delle colpe dei tre (istituendo di fatto un accostamento tra i traditi: Cristo e Giulio Cesare). È evidente che per rispondere a queste due domande è necessario considerare un fitto intrico di ragioni non solo religiose, ovvero teologiche ed etiche, ma anche ideologiche e politiche: bisogna cioè inevitabilmente riferirsi all'intero mondo ideale di Dante, dal momento che da esso è scaturita la particolare situazione dalla quale abbiamo preso le mosse.

Così intesa, la struttura è qualcosa di vivo e fertile, il modo più evidente e articolato in cui il pensiero dell'autore si manifesta in tutta la sua complessità e originalità. Quindi, per rispondere alle due questioni sopra poste, sarà necessario fare riferimento all'importanza che Dante attribuisce all'istituto imperiale, riconoscendogli la funzione di guidare la società umana (la *civitas hominum*) al suo fine di ordinata universale concordia; e sarà necessario ricordare che per lui questa funzione è l'espressione storica della volontà divina, la sua provvidenziale incarnazione politica. Per questo chi ha tradito Cesare, il fondatore dell'Impero, ha commesso un peccato simile a colui che ha tradito Cristo: perché la funzione dell'Impero è altrettanto indispensabile alla salvezza del mondo di quanto lo sia la Chiesa cattolica, fondata da Cristo. Alle due istituzioni competono le diverse sfere della politica e dello spirito. E nulla è al di sopra di questi due istituti, entrambi provvidenziali e sacri; e collocati alla stessa altezza, nel riconoscimento di una funzione, nel mondo e tra gli uomini, per entrambi insostituibile. Nella struttura, già solo in questo esempio, il pensiero di Dante ci appare, per così dire, «modellizzato», espresso nei suoi caratteri essenziali.

18. LA STRUTTURA FORMALE DEL POEMA. L'adesione al modello divino non determina solo la struttura fisica dell'aldilà quale è presentata nella *Commedia*, ma anche la struttura formale del poema. È, ad esempio, il caso della metrica. La *terzina* ripropone, nel suo essere insieme unitaria

e triplice, il mistero della Trinità di Dio. D'altra parte il numero tre è alla base della organizzazione strutturale del poema anche per quanto riguarda il numero e la distribuzione dei canti: 33 in ognuna delle tre *cantiche* (più uno con funzione di prologo, a raggiungere il numero totale, e perfetto, di 100).

19. IL «GENERE» DELLA COMMEDIA. Ci si chiederà a questo punto come Dante sia giunto a concepire una costruzione così complessa e perfetta. Si è parlato, è vero, di modelli (la *Bibbia*, l'*Eneide*), ma il lettore può rendersi conto che il poema dantesco è poi in verità profondamente diverso da queste opere. Insomma: a che genere appartiene la *Commedia*? Questa domanda, se fatta per le opere che hanno influenzato il capolavoro dantesco, non presenta difficoltà di risposta: si dirà «religioso», oppure «teologico», oppure «epico» ecc. Ma, a proposito della *Commedia*, non ci è possibile dare una risposta. Possiamo cercare un aiuto nella concezione che si aveva dei generi letterari all'epoca di Dante, ma vedremo che il problema non verrà risolto egualmente.

Dante stesso, nel *De vulgari eloquentia*, distingue le opere letterarie (secondo una concezione tradizionale) in tre generi: quello *tragico* (in stile alto e sublime), quello *comico* (in stile medio e comune), quello *elegiaco* (in stile basso ed umile). Egli chiama il proprio poema *commedia* (e anzi *comedia* e forse *comedìa*) appunto perché vi domina lo stile medio; mentre chiama p. es. l'*Eneide tragedia* perché vi domina lo stile alto. Già da questo punto di vista, però, la definizione di *commedia* per il poema non è soddisfacente: in esso infatti allo stile medio si alternano più spesso che in qualsiasi altra opera diversi registri stilistici, sia alti che bassi. Ancora maggiore è l'insoddisfazione, poi, se consideriamo le altre caratteristiche proprie, per limitarci ai due generi principali, della *commedia* e della *tragedia*: della seconda sono propri infatti argomenti alti e impegnati, della commedia piuttosto argomenti comuni e quotidiani. Da questo punto di vista il poema di Dante appartiene al genere della tragedia più di qualsiasi altra opera. Ma come chiamare «tragedia» un'opera che contiene ampie zone stilisticamente basse e persino plebee (soprattutto nell'*Inferno*, ma non solo lì)? Lo stesso Dante era senz'altro scontento di qualsiasi definizione, come rivela il fatto che egli chiama il suo poema due volte *commedia* nell'*Inferno* (quando il problema dell'argomento è meno evidente) e poi mai più, ricorrendo ad altre soluzioni (come «poema sacro» in *Par.* XXV, 1). Tra le ragioni di contenuto valide ai fini della distinzione Dante provò anche ad introdurne una che gli permetteva di difendere l'appartenenza del suo poema al genere della commedia: questa si caratterizzerebbe per avere un inizio triste e una conclusione lieta, al contrario esatto della tragedia. Ma questo tardivo tentativo, compiuto negli anni della composizione avanzata del *Paradiso*, serve soprattutto a rivelare la difficoltà di attribuzione.

A differenza di quanto è avvenuto per gli altri grandi scrittori del Trecento, Petrarca e Boccaccio, di Dante non ci è pervenuto nessun autografo: di lui non conosciamo neppure la firma. Il testo della *Commedia*, quindi, come quello delle altre opere dantesche, ci è giunto solo attraverso copie manoscritte. Il numero di esse è in verità eccezionalmente alto (circa 750 tra Trecento e Quattrocento, il che testimonia della larga e rapida diffusione del poema), ma, come è inevitabile in questi casi, esse non concordano in molti luoghi, dal momento che il testo originale si va corrompendo di copiatura in copiatura. È così necessario operare una scelta tra le varie *lezioni* (le *varianti* esistenti in uno stesso luogo tra un codice e l'altro) secondo i criteri della *filologia testuale*. Purtroppo nel caso della *Commedia* restano, nonostante gli sforzi fatti dagli studiosi, non poche incertezze.

La più recente e affidabile *edizione critica* (condotta cioè confrontando secondo un metodo scientifico la tradizione manoscritta e segnalando in nota le *varianti* significative) è quella curata da Giorgio Petrocchi (1966-67), il quale ha scelto di utilizzare solamente i ventisette manoscritti antecedenti agli interventi sull'ortografia e le forme (per adattare il testo ai gusti mutati) condotti alla metà del Trecento, quando inoltre l'attività di copista di Boccaccio, grande ammiratore del poema (di sua mano ci sono pervenute ben tre copie), cooperò a rendere ancor meno sicura la tradizione.

La prima edizione a stampa (*editio princeps*) del poema si ebbe a Foligno l'11 aprile 1472.

Per avere un'idea delle incertezze sul testo del poema, si vedano i tre esempi seguenti.

In *Inf.* X, 4 è ampiamente attestata nei codici, accanto alla lezione **empi giri** quella **ampi giri**; poiché la seconda è più banale (*lectio facilior* = lezione più facile), è probabile che sia stata introdotta per distrazione da un copista (dove l'errore opposto appare meno probabile); così è preferibile la *lectio difficilior* (= lezione più difficile) **empi**.

In *Purg.* VI, 111 accanto alla lezione **com'è oscura** sono attestate quelle **com'è sicura** e **come si cura**, le quali implicherebbero un'intenzione sarcastica (infatti Santafiora non era né *sicura* né *si curava*, cioè non badava alle proprie condizioni malandate). Qui la scelta è più complessa che nel caso precedente e deve affidarsi alla attenta considerazione di luoghi affini del poema, all'opportunità delle diverse sfumature di significato, oltre che, naturalmente, al numero e all'autorità maggiore o minore dei codici discordanti.

In *Par.* XV, 36 accanto a **de la mia gloria** è attestata la variante **de la mia grazia**; anche qui è da preferire la prima lezione, *difficilior* (infatti **grazia** si accorda meglio con il seguente **paradiso**, ma tra i due termini non vi sarebbe quasi diversità di significato; **gloria** è invece scelta assai originale e inconsueta, ascrivibile senza sforzo al genio dantesco e assai meno alla distrazione o al gusto di un copista).

Come si vede le incertezze (benché numerose) non sono tali da intaccare mai la sostanza del testo; e comunque il rigore della filologia moderna è in grado di approntare un'edizione con un altissimo grado di probabilità di coincidenza con l'originale di Dante smarrito.

In verità il problema del genere della *Commedia* è irrisolvibile sia nei termini delle poetiche medioevali che di quelle moderne. Questo fatto dipende proprio dalla grandissima originalità e varietà dell'opera, che crea essa stessa un genere ed in qualche modo lo esaurisce.

20. LO STILE DEL POEMA: IL PLURISTILISMO. Soprattutto da un punto di vista stilistico il poema dantesco si presenta di una ricchezza ineguagliabile (*pluristilismo*): in cerca di sempre nuovi registri espressivi, Dante opera un poderoso allargamento sia in senso *sincronico* (ricorrendo a tutti i dialetti italiani contemporanei, con prevalenza naturalmente del fiorentino) che in senso *diacronico* (ricorrendo a tutti i «sottocodici» utilizzabili dalla sua lingua: arcaismi, sicilianismi, latinismi, provenzalismi), senza rinunciare all'introduzione di numerosi *neologismi*.

21. LA FORTUNA DELLA COMMEDIA. Grazie all'enorme successo e alla vastissima diffusione (tra Tre e Quattrocento) della *Commedia* il volgare toscano — e in particolare il fiorentino — si impose sugli altri volgari italiani nel processo dell'unificazione linguistica della penisola. Diverso è invece il discorso per quel che riguarda la fortuna e l'influenza letteraria della *Commedia*. Al modello dantesco si affiancò già nel Trecento quello di Francesco Petrarca (1304-1374), stilisticamente uniforme e unitario. Se ciò contribuì alla vittoria della letteratura in volgare su quella latina (avvenuta definitivamente però solo nel Cinquecento), creò d'altra parte anche una vera e propria contrapposizione tra i due modelli. E fu proprio nel Cinquecento che quello petrarchesco si impose nettamente per la sua maggiore raffinatezza e uniformità formale, divenendo un vero e proprio canone per la nostra letteratura. Dante, infatti, fu considerato rozzo e primitivo e quasi dimenticato.

La ripresa della fortuna di Dante, non solo italiana ma europea e presto mondiale, avvenne nell'Ottocento (anticipata dal filosofo napoletano Giambattista Vico nel Settecento), ad opera dei grandi pensatori dell'idealismo (Hegel, Schelling), del classicismo (Foscolo, Schlegel) e del romanticismo (Hugo, De Sanctis). Da allora il riferimento alla tradizione petrarchesca ha perso la sua unicità, e grandi poeti, anche contemporanei (come Montale) hanno piuttosto guardato alla lezione di Dante, lontana ma viva nella sua geniale vocazione sperimentale.

Inferno

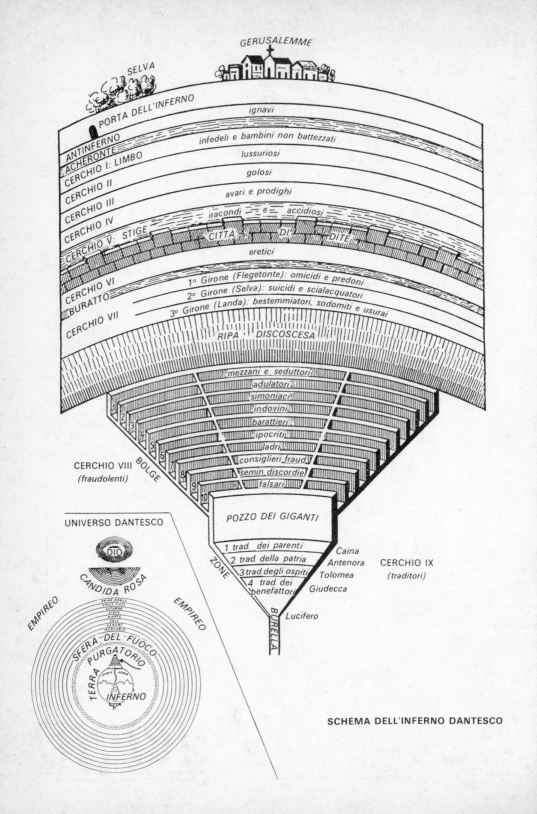

SCHEMA DELL'INFERNO DANTESCO

INTRODUZIONE

1. L'INFERNO E IL VIAGGIO NELL'OLTRETOMBA.

Smarrito in una selva paurosa, Dante cerca invano di uscirne salendo le pendici di un colle illuminato dal sole: tre belve lo respingono in basso. A soccorrerlo gli appare l'ombra di Virgilio che gli annuncia la necessità di un lungo viaggio per superare quella difficile situazione. Nella trama del primo canto dell'*Inferno*, qui brevemente riassunto, sono contenuti i tratti di fondo della costruzione allegorica della *Commedia*: la selva rappresenta il peccato, il colle la salvezza, Virgilio la guida della ragione. E il personaggio Dante che cosa rappresenta? Questo è molto più difficile dirlo. Cerchiamo di capire perché.

Dante fornisce già nel primo canto (e chiarisce meglio in seguito) gli elementi necessari a valutare con precisione la collocazione cronologica del viaggio, che inizia poco dopo l'equinozio di primavera dell'anno 1300, e precisamente la sera del venerdì santo (8 aprile) o quella del 25 marzo, come è più probabile. L'attraversamento dell'Inferno dura tre giorni.

Perché tanta precisione, ci si chiederà, per un racconto fantastico? Il fatto è che Dante presenta la *Commedia* come un racconto veritiero. Il grande realismo della sua arte si lega innanzitutto a questo fatto. Come veritiero Dante presenta il racconto in un duplice senso: come racconto di un viaggio vero compiuto da Dante (per cui sono vere le cose che egli riferisce quanto alle condizioni dell'aldilà) e come racconto allegorico di un itinerario spirituale compiuto da Dante, dal peccato e dalla perdizione al pentimento e alla salvezza. Ai due sensi corrispondono dunque in verità due piani diversi ma organici, cioè reciprocamente necessari: Dante ha visto quel che narra perché ciò gli è stato mostrato per raggiungere la salvezza, ma d'altra parte egli è maturato ed è diventato degno di salvarsi attraverso l'esperienza del viaggio. Si capirà quindi perché non è possibile definire, rispetto alla trama essenziale dalla quale abbiamo preso le mosse, il significato allegorico del personaggio Dante; se non altro perché esso, di significati allegorici, ne ha più d'uno o per lo meno più di uno ne implica.

Nell'*Inferno* Dante descrive la condizione delle anime dei dannati dopo la morte; descrive, definitivamente e interamente svelata, la loro reale e profonda posizione nei confronti della Grazia divina. Ma l'attraversamento del mondo infernale ha, come si è appena detto, anche un altro significato: è la strada che deve portare Dante alla salvezza, è una tappa necessaria del suo viaggio verso Dio. La *Commedia* comincia nel momento in cui la coscienza di Dante, smarrito nella selva del peccato, cerca di tornare sulla retta via; l'ombra di Virgilio, che gli appare come guida, subito gli comunica la necessità, per ritrovare la strada della Grazia, di attraversare la voragine infernale. L'*Inferno* è quindi la descrizione dello stato delle anime malvage dopo la morte, ma anche contemporaneamente la narrazione del viaggio del pellegrino Dante, al quale, attraverso la visione del peccato e delle sue conseguenze, deve riaprirsi la strada della salvezza.

È indispensabile considerare sempre con attenzione la compresenza di questo duplice *iter* narrativo e l'intrecciarsi, spesso ricco e complesso, dei due diversi piani della descrizione e dell'azione in prima persona.

2. IL PERSONAGGIO DANTE: GIUDICE E PROTAGONISTA ESEMPLARE.

A questa articolazione del poema si ricollega un'altra duplicità sulla quale è opportuno soffermarsi: quella di Dante-autore e di Dante-personaggio. Infatti la *Commedia* si presenta come una narrazione autobiografica. Mentre però nel Purgatorio e nel Paradiso Dante condivide il destino delle altre anime, benché in modo sintetico ed esemplare, nell'Inferno egli ne è separato: il personaggio Dante è quindi ben precisato, nel primo caso, ed agevolmente distinto dall'autore Dante; ma, nel caso dell'Inferno, che qui ci interessa, il problema è un po' più complesso. Se Dante-personaggio infatti è sostanzialmente estraneo alla condizione dei dannati ed è presentato come un *osservatore*, la sua figura viene a coincidere in qualche modo con quella di Dante-autore: il personaggio Dante dell'*Inferno* è come la proiezione dell'autore Dante che scrive; il primo è descritto nell'atto di osservare quello che il secondo sta narrando: tra le due figure c'è solo uno scarto temporale (l'autore narra in un secondo tempo quanto ha veduto in precedenza, e introduce nel racconto anche la propria persona che guarda). Ma le cose non stanno esattamente così. Basta, per capirlo, soffermarsi su un aspetto importante del poema: in esso il personaggio Dante è introdotto non solo come spettatore, ma anche e soprattutto come protagonista: la *Commedia* non è semplicemente il racconto di un viaggio e di una testimonianza, ma anche il racconto del recupero della Grazia e della salvezza da parte di Dante, che rappresenta poi una parabola esemplare della salvezza di qualsiasi cristiano smarrito nel peccato, e anzi addirittura come percorso esemplare della salvezza dell'intera umanità in crisi. Il personaggio-Dante è dunque caricato di un senso che va al di là del suo carattere biografico o autobiografico. La *Commedia* non è, allora, solo un'opera autobiografica: è anche (e soprattutto) l'epopea dell'umanità in cammino verso la faticosa meta della Grazia e della Salvezza.

Dante-autore e Dante-personaggio non coincidono, dunque. Ma neppure è da cercare tra l'uno e l'altro una contraddizione: quasi che nel Dante-autore agisse la figura giudicante e morale di Dante e nel Dante-personaggio si esprimesse la sua umanità. È vero piuttosto che il protagonista della *Commedia*, Dante, è caricato di tutta la ricchezza umana e psicologica dell'autore; ma è anche figura autonoma costruita dalla sua arte (proprio perché emerga il carattere esemplare della sua «riabilitazione»). Il Dante-autore amministra sapientemente gli aspetti di debolezza e di smarrimento del Dante-personaggio, ne mostra i timori e le angosce, ne sottolinea gli errori; e poi, con gradualità, ne rivela la crescita spirituale e la maturazione umana, fino alla conquista di una condizione idonea ad accedere al cammino verso la salvezza. La progressiva discesa nella malvagità dell'Inferno è così anche progressiva conquista di una maturità per il protagonista del viaggio: ragion per cui cresce il suo distacco, via via che ci si inoltra nel mondo della prima *cantica*, dalla materia sempre più degenerata della narrazione.

3. Formazione e struttura dell'Inferno. Distribuzione dei dannati.

L'Inferno è concepito da Dante come un profondo abisso a forma di imbuto: tale cavità è stata prodotta dalla caduta di Lucifero, l'angelo che guidò la ribellione contro Dio e che fu da questi vinto e scagliato sulla Terra: per esattezza la cavità infernale si è formata per il ritirarsi della stessa terra dinanzi al precipitare di Lucifero, il quale è giunto così fino al punto più lontano da Dio, al centro della Terra e dell'Universo. (La Terra ritiratasi ha formato, nell'emisfero opposto a quello in cui si apre la voragine infernale, il monte del Purgatorio che sorge solitario tra le acque dell'oceano: così che Dio, con l'unico gesto di scagliare Lucifero, il principio stesso del male, lontano da sé, ha creato contemporaneamente il luogo dove si sarebbe raccolto il male del mondo e dell'Universo, l'Inferno, e il luogo dove veniva offerta all'uomo la possibilità di purificarsi di quel male e di raggiungere la beatitudine del Paradiso, il Purgatorio. E si guardi il significato che emana dalla struttura!).

La profonda voragine infernale è suddivisa in nove cerchi che costituiscono come nove gradini digradanti verso il fondo: via via che si scende i cerchi sono più piccoli.

Alle soglie dell'Inferno (*Antinferno*) sono gli *ignavi* (o vili), esclusi dal giudizio in quanto esenti da colpe o da meriti, degni solo di disprezzo e infatti ferocemente trattati da Dante.

Nel *primo cerchio* (*Limbo*) sono raccolti i bambini non battezzati e i virtuosi che non credettero in Dio, specialmente pagani: essi non sono puniti in alcun modo ma solo esclusi dalla beatitudine celeste.

La struttura degli altri otto cerchi segue i principi esposti dal filosofo greco Aristotele nell'*Etica*, con qualche eccezione e variante generalmente desunte dalla tradizione medioevale della filosofia scolastica, e soprattutto da san Tommaso.

Poiché l'uomo è stato creato da Dio, in lui non può esservi il male, ma solo uno stravolgimento dell'amore. L'amore può errare per eccesso o per falsità. Un esempio del primo caso è la gola (eccessivo amore dei beni della mensa), un esempio del secondo caso è l'ira (in quanto pervertimento del bene al quale è finalizzata la creazione). È poi decisiva la valutazione dell'atteggiamento tenuto dalla *volontà*: la sua partecipazione è infatti necessaria al compimento effettivo del peccato. La distinzione di fondo tra Inferno e Purgatorio è appunto questa: nel Purgatorio ci si purifica (cioè ci si *purga*) di una *tendenza peccaminosa* o di peccati confessati in seguito al pentimento, nell'Inferno si sconta un *peccato compiuto* del quale non ci si è efficacemente pentiti. Come si vede, l'atteggiamento della volontà è appunto decisivo.

Tenendo così conto del *tipo* di peccato e dell'atteggiamento della *volontà* del peccatore, i peccati sono suddivisi in due grandi ordini: *incontinenza* (eccesso di amore, rivolto a un bene o comunque non contro di esso, ma al di fuori della giusta misura) e *malizia* (amore falso, rivolto contro il bene); la malizia può essere a sua volta di due generi: *violenza* (espressione diretta e palese della negazione del bene) e *frode* (espressione di negazione del bene che implica l'uso, al fine di ingannare, delle facoltà intellettive tipiche dell'uomo — e quindi particolarmente colpevole).

I peccati sono puniti nei vari cerchi secondo un criterio gerarchico, dal più lieve al più grave; e all'aggravarsi dei peccati corrisponde, scendendo di cerchio in cerchio, l'aggravarsi delle pene.

I peccati per *incontinenza* sono puniti *dal secondo al quinto cerchio*: prima coloro che peccarono per un eccesso di passione fisica (*lussuria* e *gola*) e poi quelli che peccarono per un eccesso spirituale, più grave (*avarizia*, *prodigalità* e *ira*).

I cerchi dal sesto in poi sono compresi entro le mura della città infernale vera e propria.

Nel *sesto cerchio*, categoria a sé non prevista da Aristotele, stanno gli *eretici* e coloro che non credettero all'immortalità dell'anima.

I *violenti* sono puniti nel *settimo cerchio*, diviso in tre *gironi* relativi ai vari generi di violenza.

I *fraudolenti* sono nell'*ottavo cerchio* (*Malebolge*), diviso in dieci *bolge* concentriche separate da argini e attraversate da ponti che uniscono un argine all'altro. Nel *nono cerchio*, diviso in quattro *zone*, è punito un tipo particolarmente grave di frode, il *tradimento*.

4. LA PUNIZIONE DEI DANNATI. IL CONTRAPPASSO.

Oltre alla progressione della gravità della colpa, la punizione segue la norma del c o n t r a p p a s s o, che consiste in una corrispondenza tra pena e colpa che può essere di vari generi, ma soprattutto di *analogia* e di *contrapposizione*. L'analogia si ha quando la pena assomiglia al peccato (i lussuriosi sono trascinati da una bufera furiosa, così come in Terra si lasciarono trascinare dalla passione sensuale), la contrapposizione quando le caratteristiche del peccato sono rovesciate a danno del peccatore, trasportate sulla sua persona (gli indovini hanno la testa ruotata al contrario: vollero vedere troppo avanti, nel futuro, e ora guardano solo indietro). Ma la ricchezza delle invenzioni dantesche non è riducibile a una tipologia se non ricordando l'esistenza di numerosissimi casi particolari che non contraddicono le regole d'insieme, ma vi si inseriscono in modo originale e unico (basti come esempio il caso celeberrimo di Paolo e Francesca, i due amanti che eccezionalmente sono uniti: aggravamento particolare della pena, forse, più che atto inspiegabile di clemenza).

In ogni caso il c o n t r a p p a s s o e quanto altro determina la posizione e la punizione dei dannati coopera a definire la specifica caratteristica drammatica dei personaggi e delle situazioni infernali: i dannati sono interamente assorbiti nella dimensione del proprio peccato, bloccati in quell'unico sentimento e in quell'unica disposizione psicologica, in una ripetizione infinita (come in un meccanismo di coazione a ripetere) di quell'unico atto. Questa pietrificazione delle coscienze costituisce per l'appunto il modo sostanziale della punizione, la quale nelle sue forme esteriori serve solo a vincolare per l'eternità il peccatore al proprio peccato, ritorcendoglielo contro infinitamente e mostrandogliene il colpevole significato profondo. Per questo le anime dell'Inferno non hanno storia: esse vivono ferme in una condizione di colpevolezza manifesta (svelata nella punizione e nella collocazione).

A differenza di quanto avviene nel Purgatorio, ove le anime espiano anche diversi peccati passando in vari gironi, nell'Inferno le anime dei dannati sono vincolate ad un unico peccato, quello che ne ha dominato l'insieme della coscienza e nel quale, in qualche modo, si raccolgono e convergono anche altre eventuali colpe.

5. Caratteristiche dell'Inferno.

L'*Inferno* è la c a n t i c a concepita con più rigore strutturale e geometrico. Più che di paesaggi è forse giusto, anche per questa ragione, parlare di architetture. Paesaggi sono quelli del *Purgatorio*. Nel caso dell'*Inferno* mancano l'uniformità e la gradualità di cambiamenti tipici dei paesaggi; la varietà degli scenari è violentemente contrastante e brusca: da un girone all'altro, da una bolgia all'altra. Il senso di rigore geometrico emana anche da questa nettezza di contorni, senza sfumature; né questo implacabile rigore degli scenari è per altro privo di significato: dove Dio è assente come forza positiva e beatificante, ciò nondimeno la sua potenza si manifesta come ordine e come giustizia, separando e distribuendo; la perfetta struttura nella quale il male è ordinato, senza la più piccola eccezione o incompletezza, è il segno primo e più evidente della sua sconfitta e della sua punizione. L'architettura rigorosa rimanda continuamente all'Architetto: è il modo in cui la sua grandezza penetra anche in questa parte lontanissima dell'Universo.

Sul piano artistico, poi, i violenti contrasti degli ambienti creano profonde disarmonie scenografiche, sapientemente calcolate dal genio dantesco; ad esse corrispondono dissonanze formali altrettanto calcolate e violente. Il lessico e lo stile alternano il registro tragico-sublime e quello comico-infimo, ricorrendo spregiudicatamente ad ogni risorsa della lingua. La capacità espressiva di Dante darà nel *Purgatorio* e nel *Paradiso* prove forse ancora più alte di sé, ma all'*Inferno* corrisponde una fase insuperabile sul piano della ricchezza e della varietà stilistica (*pluristilismo*): Dante vi si rivela il più grande e coraggioso poeta sperimentale di tutti i tempi, specie dove (come nei canti di Malebolge) è indotto dalla materia a fare ricorso ad un registro basso, di intensa violenza e s p r e s s i o n i s t i c a , con l'introduzione di un lessico tecnico-colloquiale di insuperabile concretezza realistica ed espressiva (e ricorrendo non di rado a n e o l o g i s m i). Risultato tanto più incredibile, se si pensa che Dante usava una lingua quasi priva di tradizione letteraria.

Alla ricchezza formale corrisponde nell'*Inferno* la varietà narrativa, vivace e rapida assai più che nelle c a n t i c h e successive. In particolare è tipico dell'*Inferno* il rapporto conflittuale di Dante con le anime che incontra: egli funge da reagente rispetto ai dannati, spingendoli a manifestare in forma tragica ed esasperata l'aspetto essenziale della propria esistenza (quasi sempre coincidente con il peccato) e nei confronti dei dannati Dante si colloca in modo spesso antagonistico e, comunque, sempre drammatico.

Non stupisce, date queste premesse, che l'*Inferno* sia stata la cantica più ammirata dai commentatori romantici, portati a sopravvalutare l'aspetto drammatico del conflitto Dante-dannati, facendone la chiave interpretativa della cantica in senso tragico-eroico. Né stupisce che l'*Inferno* trovi, da sempre, maggiore consenso tra i lettori meno disposti a confrontarsi con l'arte più impegnativa (anche sul piano culturale) del *Purgatorio* e soprattutto del *Paradiso*, e conquistati dal carattere più avventuroso della prima cantica.

Resterebbe da considerare ancora un elemento indispensabile al corretto intendimento dell'*Inferno*, quello del rapporto tra elementi materiali della costruzione fantastica e situazioni di fondo o particolari che li contraddicono. Ci si riferisce, ad esempio, alla immaterialità delle anime, la cui fisicità è solo apparente; il che non impedisce poi a Dante di strappar loro i capelli o di essere preso in braccio dall'incorporeo Virgilio. O ci si riferisce alle tenebre profonde che, salvo sporadiche eccezioni, avvolgono il mondo infernale, senza per questo impedire a Dante di vedere nei minimi particolari quanto lo circonda. Ma di questi problemi, che non hanno mancato in certe epoche di interessare profondamente gli studiosi, ci pare che non sia doveroso per il commentatore rendere conto, e non in nome della libertà ideale della poesia (affermazione a sua volta non accettabile, almeno in un poeta rigoroso e concreto come Dante): basterà riferirsi alla sovrannaturalità del viaggio, concesso dalla Grazia divina a Dante come dono particolare e miracoloso; nulla di contraddittorio, allora, nel piegarsi di questo mondo definitivo, con le sue leggi strutturali, alla possibilità di essere conosciuto e descritto da Dante, e anzi segno coerente di quella Grazia che ha assistito il viaggio umano di Dante perché potesse comunicarsene agli uomini l'esperienza.

Canto I

Il canto I dell'*Inferno* ha funzione di prologo, introducendo non solo la prima c a n t i c a ma l'intero poema. Vi si espongono le premesse e le ragioni del viaggio che sta per compiersi nell'oltretomba; vi si presentano il protagonista (Dante) e la sua guida (Virgilio); vi si costruiscono i punti di riferimento allegorici all'interno dei quali si muoverà la *Commedia*.

La narrazione è condotta con esattezza realistica: nulla è impreciso. Il poema si apre con ben definiti riferimenti temporali (è la primavera dell'anno 1300), spaziali (Dante è smarrito in una selva buia), morali (la via dritta della salvezza è perduta). Per il significato di questi riferimenti, si consideri sùbito, e si tenga poi sempre presente, che la narrazione è duplice in due sensi: 1) agli oggetti e ai fatti reali corrisponde un significato allegorico; 2) l'esperienza individuale di Dante si offre come modello di redenzione dal peccato per l'intera umanità. Ma si consideri anche che l'aspetto realistico e particolare (persino biografico) della narrazione ha una sua autonoma importanza, non solo estetica ma di significato: i vari piani dell'opera non si escludono ma si integrano a vicenda.

* * *

In un momento di ottenebramento della coscienza, Dante si è smarrito in una selva (peccato e turbamento morale) perdendo la strada giusta. La vista di un colle illuminato dal sole gli infonde speranza ma, appena si accinge a salirvi, tre bestie feroci gli impediscono di procedere: la lonza, il leone, la lupa; esse rappresentano allegoricamente altrettanti ostacoli al raggiungimento della salvezza individuale e del giusto ordinamento civile, cioè, con ogni probabilità: lussuria (lonza), superbia (leone), cupidigia (lupa). La lupa in particolare — rappresentante della cupidigia, il più pericoloso e diffuso dei vizi — respinge indietro Dante verso la selva, minacciandolo. In quel momento appare l'ombra del poeta latino Virgilio (modello, agli occhi di Dante, di poesia e di sapienza), cui egli chiede soccorso. Virgilio si offre di guidarlo fuori della selva, fino al colle, immagine allegorica del vivere virtuoso; ma una via diretta è impossibile a causa della lupa. In un linguaggio profetico volutamente oscuro Virgilio annuncia che verrà un giorno ad ucciderla un **veltro**, in cui è delineata la persona (non identificabile con sicurezza) di un riformatore politico e religioso. Fino ad allora è necessaria una via più lunga, attraverso la selva, nell'Inferno e poi attraverso il Purgatorio, affinché la diretta visione delle conseguenze del peccato purifichi Dante e lo renda degno di entrare in Paradiso. Qui però Virgilio non potrà accompagnarlo, in quanto egli è rappresentante di una sapienza e di una civiltà cui manca la conoscenza del Dio cristiano; lo guiderà un'anima più degna, per ora non nominata. Il canto si chiude con l'inizio del cammino.

* * *

Dante utilizza ampiamente i modelli della contemporanea letteratura didascalica e religiosa, ma arricchendoli di ragioni biografiche e soprattutto etico-politiche di grande respiro.

Inoltre è costante il riferimento sia ai testi «pagani» della letteratura latina (specialmente l'*Eneide* di Virgilio), sia ai testi sacri della tradizione ebraico-cristiana (*Bibbia* in particolare).

Le ragioni della grandezza della *Commedia* già si possono cogliere in questo canto iniziale: nella vastità del disegno morale, nella altezza delle ragioni religiose e politiche che lo ispirano, nella compenetrazione tra la storia personale dell'autore protagonista e quella generale della società umana, nella intensità espressiva e nella ricchezza molteplice del linguaggio e delle forme.

Cfr. tavola 1.

Nel mezzo del cammin di nostra vita
mi ritrovai per una selva oscura,
ché la diritta via era smarrita.
Ahi quanto a dir qual era è cosa dura
esta selva selvaggia e aspra e forte
che nel pensier rinova la paura!
Tant' è amara che poco è più morte;
ma per trattar del ben ch'i' vi trovai,
dirò de l'altre cose ch'i' v'ho scorte.

(a margine: 3, 6, 9)

1-3: *Alla metà* (**nel mezzo**) *del percorso* (**cammin**) *della mia* (**nostra**) *vita, mi trovai nel pieno di un bosco* (**per una selva**) *oscuro, poiché* (**ché**) *era* [*stata*] *perduta* (**smarrita**) [*da me*] *la strada* (**via**) *giusta* (**diritta**). Secondo la concezione dantesca (e classica), la metà della vita corrisponde a trentacinque anni di età. Poiché Dante è nato nel 1265, l'azione si svolge nel 1300, anno del Giubileo; più precisamente, da altri luoghi della *Commedia* si ricava che il viaggio oltremondano ha inizio o nella sera dell'8 aprile, venerdì santo (quello che precede la domenica di Pasqua), o in quella del 25, in cui la tradizione cristiana fissava la data della creazione di Adamo e del concepimento e della morte di Gesù.

Il **cammin** della vita allude alla mèta della morte, cioè, cristianamente, alla mèta della dannazione o della salvezza. **Nostra** al posto di *mia* coinvolge il lettore nell'avventura di cui si inizia il racconto. La **selva oscura** rappresenta allegoricamente il peccato e lo smarrimento morale, in relazione tanto al personaggio Dante quanto all'intera umanità. La **diritta via** è quella che porta alla salvezza dell'anima (e dell'umanità).

4-6: *Ahi, quanto è difficile e doloroso* (**cosa dura**) *dire* (**a dir**) *come era fatta* (**qual era**) *questa* (**esta**) *selva selvaggia e dura* (**aspra**) *e insuperabile* (**forte**) *che, al sol pensarvi* (**nel pensier**), *suscita ancora* (**rinova**) *paura!*

7-9: *È tanto orribile* (**amara**) *che la morte è di poco peggiore* (**poco è più**); *ma per* [*poter*] *parlare* (**trattar**) *delle cose buone* (**ben**) *che io vi ho trovato* (**ch'i' vi trovai**), *racconterò* (**dirò**) *delle altre cose che io* (**ch'i'**) *vi ho vedute* (**scorte**; part. pass. di 'scorgere'). Si consideri sempre il riferimento allegorico accanto a quello realistico. La **morte** dell'anima, cioè la dannazione, è di poco peggiore dello smarrimento nel peccato, tanta è l'angoscia che da esso deriva. Il **ben** è la possibilità della salvezza che si configura già in questo canto con la positiva apparizione di una guida: Virgilio. Le **altre cose** sono gli ostacoli dei quali Dante sta per parlare, e prima di ogni altra cosa le tre bestie feroci (vv. 31 sgg.).

Io non so ben ridir com' i' v'intrai,
tant'era pien di sonno a quel punto
12   che la verace via abbandonai.
Ma poi ch'i' fui al piè d'un colle giunto,
là dove terminava quella valle
15   che m'avea di paura il cor compunto,
guardai in alto e vidi le sue spalle
vestite già de' raggi del pianeta
18   che mena dritto altrui per ogne calle.
Allor fu la paura un poco queta,
che nel lago del cor m'era durata
21   la notte ch'i' passai con tanta pieta.
E come quei che con lena affannata,
uscito fuor del pelago a la riva,
24   si volge a l'acqua perigliosa e guata,
così l'animo mio, ch'ancor fuggiva,
si volse a retro a rimirar lo passo
27   che non lasciò già mai persona viva.

10-12: *Io non so esattamente* (**ben**) *ripetere* (**ridir**) [: perché non lo ricordo] *come io vi sono entrato* (**com'i' v'intrai**) [: nella selva], *tanto ero* (**tant'era**) *addormentato* (**pien di sonno**) *nel momento* (**a quel punto**) *che ho lasciato* (**abbandonai**) *la strada giusta* (**verace** = vera). Lo smarrimento morale è avvenuto cioè senza che Dante sul momento se ne rendesse conto. Si noti la pesantezza del ritmo al v. 11 (accenti sulla 4ª e sulla 6ª sillaba), a imitare lo sbandamento del sonno.

13-18: *Ma dopo che io* (**poi ch'i'**) *fui arrivato* (**giunto**; da 'giungere') *alla base* (**piè**) *di un colle, là dove finiva* (**terminava**) *quella valle* [: della selva] *che mi aveva* (**m'avea**) *trafitto* (**compunto**) *il cuore* (**cor**) *di paura, guardai in alto e vidi le sue* [: del colle] *parti alte* (**spalle**) *già ricoperte* (**vestite**) *dai* (**de'** = dei) *raggi della stella* (**pianeta**) [: il sole] *che conduce* (**mena**) *dirittamente* (**dritto**) *ogni uomo* (**altrui**; pron. indefinito) *per ogni strada* (**calle**). La selva è in una **valle** a significare la bassezza morale del peccato; mentre il **colle** è la vita giusta della salvezza, ed è posto in alto perché moralmente elevato e difficile da raggiungere: al buio della selva e della valle (il peccato) si contrappone la luce che il sole diffonde sul colle. Si consideri che il sole è a sua volta immagine allegorica di Dio; scrive Dante nel *Convivio* (III, XII, 7): «Nullo sensibile [nessuna cosa] in tutto lo [il] mondo è più degno di farsi essemplo [immagine] di Dio che 'l [il] sole».

19-21: *Allora la paura che mi era restata a lungo* (**durata**) *nell'interno* (**lago**) *del cuore* [*durante*] *quella* (**la**) *notte che io trascorsi* (**ch'i' passai**) *con tanta angoscia* (**pièta**) *fu un poco calmata* (**queta**; part. pass. di 'quetare'). La parte interna del cuore è chiamata **lago** perché piena di sangue.

22-27: *E come* [*fa*] *colui* (**quei**) *che con respiro* (**lena**) *affannato, uscito fuori dal mare* (**del pelago**) *sulla* (**a la**) *riva, si volta* (**si volge**) *verso* (**a**) *l'acqua pericolosa* (**perigliosa**) *e* [*la*] *guarda fisso* (**guata**), *così il mio animo, che ancora fuggiva, si voltò* (**si volse**) *indietro* (**a retro**) *a riguardare* (**rimirar**) *il luogo attraversato* (**lo passo**) [: la selva], *che non lasciò mai* (**già mai**; è rafforzativo) *vivo* [: salvo] *nessun uomo* (**persona**). È la prima s i m i l i t u d i n e del poema: il momento di riposo che Dante concede al proprio corpo affaticato (v. 28) — e al quale non corrisponde la calma dell'animo, che continua a stare nell'atteggiamento di chi fugge (v. 25) — viene paragonato al primo prendere terra di un naufrago che ha rischiato di affogare; allo stesso modo in cui il naufrago esce dal mare, Dante sta infatti uscendo dal fitto della selva e si volge a guardarla. **Rimirare** è però più intenso di *guardare*, ed indica una riflessione; così come **guatare** esprime un atteggiamento sospettoso ed ostile. La descrizione del naufrago che prende terra aiuta ad illuminare la condizione di Dante.

Poi ch'èi posato un poco il corpo lasso,
ripresi via per la piaggia diserta,

30   sì che 'l piè fermo sempre era 'l più basso.
Ed ecco, quasi al cominciar de l'erta,
una lonza leggiera e presta molto,

33   che di pel macolato era coverta;
e non mi si partìa dinanzi al volto,
anzi 'mpediva tanto il mio cammino,

36   ch'i fui per ritornar più volte vòlto.
Temp' era dal principio del mattino,
e 'l sol montava 'n sù con quelle stelle

39   ch'eran con lui quando l'amor divino
mosse di prima quelle cose belle;
sì ch'a bene sperar m'era cagione

42   di quella fiera a la gaetta pelle
l'ora del tempo e la dolce stagione;
ma non sì che paura non mi desse

45   la vista che m'apparve d'un leone.

28-30: *Dopo* (**poi**) *che ebbi* (**èi**) *riposato* (**posato**) *un poco il corpo stanco* (**lasso**), *ripresi la strada* (**via**) *attraverso* (**per**) *il pendìo* (**piaggia**) *deserto, in modo* (**sì** = così) *che il piede saldo* (**'l piè fermo**) *era sempre quello* (**'l** = il; sottinteso 'piede') *più in basso*. Il v. 30, molto discusso dai commentatori, può avere certo diverse interpretazioni allegoriche, ma quella letterale non sembra lasciare dubbi e significa che Dante camminava in salita, come già spiega Boccaccio («mostra l'usato costume [l'abitudine] di coloro che salgono, che sempre si ferman più in su quel piè che più basso rimane»).

31-36: *Ed ecco, quasi dove iniziava la salita* (**al cominciar de l'erta**) *[apparve] una lonza snella* (**leggiera**) *e assai veloce* (**presta molto**), *che era ricoperta* (**coverta**) *di pelo chiazzato* (**macolato**); *e non mi si toglieva* (**partìa**; da 'partire') *[da] dinanzi al volto, e al contrario* (**anzi**) *impediva a tal punto* (**tanto**) *il mio procedere* (**cammino**), *che io più volte mi rivolsi* (**fui...vòlto**) *per tornare indietro* (**ritornar**). Si noti che c'è differenza tra l'**erta**, che è la salita vera e propria del monte, rìpida, e la **piaggia** del v. 29, che è invece un leggero pendìo che precede l'inizio del colle. In ordine incontriamo dunque: la **selva**, la **piaggia**, l'**erta**; ma la vista si è spinta fin sulla cima del **colle**, illuminata dai raggi del *sole*. La selva e il sole sono i termini spaziali entro cui si svolge la prima scena della *Commedia*; e sono anche, come si è visto, i suoi confini allegorici. La **lonza** (dal franc. ant. *lonce* e dal lat. *luncea*) è un felino descritto dai contemporanei di Dante come simile al leopardo e alla pantera. Per l'interpretazione allegorica cfr. la nota ai vv. 49-54.

37-45: *Era l'ora* (**temp'era**) *all'inizio* (**dal principio**) *del mattino, e il* (**'l**) *sole saliva* (**montava**) *verso l'alto* (**'n sù** = in su) *nel segno di* (**con**) *quella costellazione* (**stelle**) [: l'Ariete], *che era con lui* [: col sole] *quando l'amore divino mise in moto* (**mosse**) *per la prima volta* (**di prima**) *quelle belle cose* [: gli astri del cielo]; *così* (**sì**) *che l'ora* (**l'ora del tempo**; espressione r i d o n d a n t e) [mattutina] *e la dolce stagione* [: la primavera] *mi davano ragione* (**m'era cagione**) *di* (**a**) *sperare bene riguardo a* (**di**) *quella fiera dal pelo* (**a la...pelle**) *seducente* (**gaetta**; dal provenz. 'gai' = piacevole, amabile); *ma non al punto* (**sì** = così) *che non mi incutesse* (**desse**) *paura l'aspetto* (**vista**) *che mi si mostrò* (**m'apparve**) *di un leone*. Tre ragioni inducono Dante ad aver fiducia di superare il pericolo rappresentato dalla lonza: l'ora mattutina, la stagione primaverile, il sorgere del sole nella medesima costellazione, l'Ariete, in cui esso si trovava quando Dio creò il mondo. Ma l'apparizione di un **leone** spazza via la calma e la fiducia; per la sua interpretazione allegorica, cfr. la nota ai vv. 49-54.

Questi parea che contra me venisse
con la test' alta e con rabbiosa fame,
48   sì che parea che l'aere ne tremesse.
Ed una lupa, che di tutte brame
sembiava carca ne la sua magrezza,
51   e molte genti fe' già viver grame,
questa mi porse tanto di gravezza
con la paura ch'uscìa di sua vista,
54   ch'io perdei la speranza de l'altezza.
E qual è quei che volontieri acquista,
e giugne 'l tempo che perder lo face,
57   che 'n tutti suoi pensier piange e s'attrista;
tal mi fece la bestia sanza pace,
che, venendomi 'ncontro, a poco a poco
60   mi ripigneva là dove 'l sol tace.

46-48: *Sembrava* (**parea**) *che questi* [: il leone] *venisse contro me con testa alta e con fame rabbiosa, così che* (**sì che**) *sembrava* (**parea**) *che l'aria* (**l'aere**) *ne tremesse per paura* (**tremesse**; raro latinismo da 'tremere'; molti preferiscono la l e z i o n e f a c i l i o r 'temesse').

49-54: *Ed una lupa, che nella sua magrezza sembrava ripiena* (**carca** = carica) *di tutte le voglie* (**brame**) *e che fece* (**fe'**) *già* [*in passato*] *vivere tristi* (**grame**) *molte persone* (**genti**), *mi comunicò* (**porse**) *tanta angoscia* (**tanto di gravezza**) *con lo spavento* (**paura**) *che emanava* (**uscìa**) *dal suo aspetto* (**vista**), *che io perdetti* (**perdei**) *la speranza di* [*raggiungere*] *la vetta* (**de l'altezza**) [*del colle*]. Il significato allegorico delle tre fiere è stato variamente interpretato dai commentatori. Tutti concordano nell'intenderle come impedimenti al raggiungimento della salvezza, impedimenti sia morali (in relazione all'etica individuale) che politici (in rapporto all'etica della società cristiana). Ma vengono attribuite ad esse diverse valenze specifiche. Secondo la spiegazione più antica ed autorevole, la **lonza** rappresenta la *lussuria*, il **leone** la *superbia*, la **lupa** l'*avarizia*, coerentemente con la descrizione che di ogni belva viene fatta; si consideri che la lussuria e la superbia sono altrove ricordate da Dante come le maggiori tentazioni della sua anima, e che l'avarizia, nel senso ampio di *cupidigia*, è più volte additata come causa e piaga della corruzione sociale. Altri commentatori, specialmente in epoca moderna (e soprattutto nel tentativo

di spiegare il difficile rapporto tra questo luogo e *Inf.* XVI, 106-108 in cui ci si riferisce alla lonza a proposito della corda utilizzata per richiamare Gerione), hanno dato interpretazioni diverse, identificando le fiere con superbia (lonza), invidia (leone), avarizia (lupa); oppure, in riferimento alle tre categorie aristoteliche del peccato (richiamate da Dante in *Inf.* XI), identificando il leone con la *matta bestialità* e le altre due fiere con la *malizia* e l'*incontinenza*.

55-60: *E come è colui* (**qual è quei**) *che guadagna* (**acquista**) *volentieri, e* [*poi*] *viene* (**giugne** = giunge) *il* (**'l**) *tempo che lo fa* (**face**) *perdere, e* (**che**) *piange e si rattrista* (**s'attrista**) *in* (**'n**) *tutti i suoi ragionamenti* (**pensier**)*; tale mi rese* (**fece**) *quella* (**la**) *bestia irrequieta* (**sanza pace**; **sanza** = senza) [: la lupa], *la quale* (**che**), *venendomi addosso* (**'ncontro** = incontro), *a poco a poco mi respingeva* (**ripigneva**) *là dove il* (**'l**) *sole tace* [: non giunge; si tratta di una s i n e s t e s i a]. La s i m i l i t u d i n e definisce la situazione di Dante mettendola a confronto con quella di chi, dopo aver a lungo accumulato ricchezze, infine perde tutto il proprio guadagno e si vede rovinato: Dante infatti, quando già si era arrampicato per un tratto sul colle, è costretto dalla lupa a fuggire di nuovo verso il fitto della selva. La lupa è definita **bestia sanza pace** per mettere in evidenza la caratteristica dell'insaziabilità, rilevante ai fini allegorici (cfr. nota ai vv. 49-54).

Mentre ch'i' rovinava in basso loco,
dinanzi a li occhi mi si fu offerto
63   chi per lungo silenzio parea fioco.
Quando vidi costui nel gran diserto,
« *Miserere* di me », gridai a lui,
66   « qual che tu sii, od ombra od omo certo! ».
Rispuosemi: « Non omo, omo già fui,
e li parenti miei furon lombardi,
69   mantoani per patrïa ambedui.
Nacqui *sub Iulio*, ancor che fosse tardi,
e vissi a Roma sotto 'l buono Augusto
72   nel tempo de li dèi falsi e bugiardi.
Poeta fui, e cantai di quel giusto
figliuol d'Anchise che venne di Troia,
75   poi che 'l superbo Ilïón fu combusto.

61-63: *Mentre io* (**ch'i'** = che io) *precipitavo* (**rovinava**) *verso* (**in**) *il luogo* (**loco**) *basso* [: la valle della selva], *davanti agli* (**a li**) *occhi mi si mostrò* (**fu offerto**), *uno che* (**chi**) *a causa di* (**per**) *un lungo silenzio* [: per essere stato a lungo zitto] *appariva* (**parea**) *debole* (**fioco**). L'interpretazione dell'aggettivo **fioco** può essere duplice: nel senso di *afono*, privo di voce, e c'è coerenza con il **lungo silenzio**, ma non con la situazione (Virgilio non ha ancora parlato); o nel senso di *evanescente, sbiadito*, che si giustifica per la situazione, ma lascia incerto il significato da attribuire a **lungo silenzio** (a meno di leggere **silenzio** in senso figurato, come mancanza di vita). Quello che conta è che l'immagine e la situazione ne risultano splendidamente definite, in ciò che hanno di umano e di soprannaturale insieme, anche grazie alla ricchezza del p o l i s e n s o . Si consideri poi la «funzione allegorica assegnata alla figura di Virgilio: la voce della ragione, che ha lungamente taciuto nell'anima del peccatore, allorché comincia a ridestarsi e a soccorrerlo coi suoi consigli, stenta a farsi udire» (Sapegno).

64-66: *Quando vidi questi* (**costui**) *nel vasto* (**gran**) *deserto, gli* (**a lui**) *gridai «Abbi pietà* (**Miserere**; termine liturgico lat.) *di me, quale che tu sia* (**sii**), *o ombra o uomo reale* (**omo certo**)!»*

67-69: *Mi rispose* (**rispuosemi**): «*Non* [*sono*] *uomo, fui uomo in passato* (**già**), *e i* (**li**) *miei genitori* (**parenti**) *furono dell'Italia settentrio-*

nale (**lombardi**) *mantovani di nascita* (**per patria**) *ambedue*. Chi parla è il poeta latino Virgilio, nato ad Andes (oggi Piètole), presso Mantova, nel 70 a.C. e morto nel 19 a.C. a Brindisi; autore delle *Bucoliche*, delle *Georgiche* e dell'*Eneide*, poema al quale egli allude nella sua presentazione e che Dante ammirò come modello, Virgilio si presenta sotto l'aspetto della guida e del maestro, ma è anche capace di umanissimi sentimenti, primo tra tutti il rimpianto per non aver potuto conoscere la parola di Cristo e per essere quindi escluso dai beati e costretto al Limbo. Allegoricamente il personaggio rappresenta la ragione umana, la filosofia e la sapienza terrene (cioè la civiltà pagana, precedente alla venuta di Cristo e alla Rivelazione). Egli potrà fungere da guida attraverso l'Inferno e il Purgatorio; dovrà essere sostituito da Beatrice alle porte del Paradiso, ove la ragione e la sapienza umane sono insufficienti senza l'aiuto della Grazia divina.

70-72: *Nacqui sotto* (**sub**) [*l'imperatore*] *Giulio Cesare* (**Julio**), *benché* (**ancor che**) *fosse tardi* [*per esserne apprezzato*], *e vissi a Roma sotto il valente* (**buono**) *Augusto all'epoca degli* (**nel tempo de li**) *dei falsi e ingannevoli* (**bugiardi**) [: in epoca precristiana].

73-75: *Fui poeta, e raccontai in poesia* (**cantai**) *di quel giusto figlio* (**figliuol**) *di Anchise* [: Enea] *che venne da* (**di**) *Troia, dopo* (**poi**) *che la* (**'l** = il) *superba Troia* (**Ilión**) *fu bruciata* (**combusto**).

Ma tu perché ritorni a tanta noia?
perché non sali il dilettoso monte
78 ch'è principio e cagion di tutta gioia?».
« Or se' tu quel Virgilio e quella fonte
che spandi di parlar sì largo fiume? »,
81 rispuos' io lui con vergognosa fronte.
« O de li altri poeti onore e lume,
vagliami 'l lungo studio e 'l grande amore
84 che m'ha fatto cercar lo tuo volume.
Tu se' lo mio maestro e 'l mio autore,
tu se' solo colui da cu' io tolsi
87 lo bello stilo che m'ha fatto onore.
Vedi la bestia per cu' io mi volsi;
aiutami da lei, famoso saggio,
90 ch'ella mi fa tremar le vene e i polsi ».

76-78: *Ma tu perché ritorni verso* (a) *una così grande* (**tanta**) *sofferenza* (**noia**) [: la selva]*? perché non sali il piacevole* (**dilettoso**) *monte che è base* (**principio**) *e ragione* (**cagion**) *di ogni* (**tutta**) *gioia?»*. Qui si rivela in modo trasparente il valore allegorico del **colle**, figura della perfezione e della felicità possibili all'uomo sulla Terra, e quindi **principio e cagion** (nel senso di *base* e *strumento*) per il conseguimento della felicità nel cielo (**tutta gioia**).

79-81: *Io gli* (**lui** = a lui) *risposi con il volto* (**fronte**) *stupito e riverente* (**vergognosa**) *«Dunque* (**or**) *tu sei* (**se'**) *quel* [*famoso*] *Virgilio e quella fonte che sparge* (**spandi**) *una così grande* (**sì largo**) *quantità* (**fiume**) [*di eloquenza e di sapere*] *nel parlare?»*. Si noti il convergere del lessico sul tema dello scorrere, del fluire, tipicamente collegato all'idea dell'eloquenza: la prima cosa che Dante loda in Virgilio. Presso i latini (e in parte ancora nel Medio Evo) l'eloquenza era ritenuta la prima virtù dell'uomo, implicando le altre doti di valore e di moralità.

82-84: *«O onore e guida* (**lume**) *degli* (**de li**) *altri poeti, mi giovi* (**vagliami** = mi vaglia = mi valga) [*ad ottenere il tuo aiuto*] *il* (**'l**) *lungo studio e il grande amore che mi hanno* (**ha**) *fatto leggere intensamente* (**cercar**) *la tua opera* (**lo tuo volume**). Si noti con quanto pudore Dante alluda alla propria richiesta di aiuto e con quale intenso e sincero slancio si soffermi sull'amore e l'ammirazione per

l'opera di Virgilio (**lungo studio, grande amore**) fino al termine pregnante **cercar**, che dice la passione della lettura e la sua frequente ripetizione. Anche nella terzina seguente prosegue il riconoscimento del proprio debito intellettuale e artistico nei confronti di Virgilio, per poi giungere (vv. 88-90) alla richiesta esplicita di aiuto.

85-87: *Tu sei il* (**lo**) *mio maestro e il* (**'l**) *mio esempio* (**autore** = colui che è degno di essere preso per modello; dal lat. 'auctoritas' = influenza)*; tu sei l'unico* (**solo colui**) *da cui io presi* (**tolsi**) *lo stile illustre* (**lo bello stilo**) *che mi ha procurato* (**fatto**) *onore*. **Lo bello stilo** è, nella terminologia di Dante, quello *illustre* o *tragico*, in cui rientrano l'opera di Virgilio e le opere liriche (canzoni e sonetti) di argomento serio composte fino a quel momento da Dante stesso; esiste poi uno stile *comico* o *mediocre* (nel quale rientra anche la *Commedia* per la varietà stilistica e la conclusione positiva) ed un terzo *elegiaco* o *umile* (cfr. *De vulgari eloquentia*, II, IV, 5-8).

88-90: *Vedi la bestia* [: la lupa] *a causa della quale* (**per cu'** = per cui) *io mi volsi* [*indietro*]*; salvami* (**aiutami**) *da lei, famoso sapiente* (**saggio**)*, che* (**ch'ella**; **ella** è pron. p l e o n .) *mi fa tremare* [*di paura*] *le vene e le arterie* (**i polsi**)». **Famoso saggio**: Virgilio è chiamato così non solo in quanto poeta (poesia = eloquenza = sapienza), ma anche in nome della convinzione, diffusa nel Medio Evo, che egli possedesse particolari doti di filosofo e di dotto.

« A te convien tenere altro vïaggio »,
    rispuose, poi che lagrimar mi vide,

93   « se vuo' campar d'esto loco selvaggio;
ché questa bestia, per la qual tu gride,
    non lascia altrui passar per la sua via,

96   ma tanto lo 'mpedisce che l'uccide;
e ha natura sì malvagia e ria,
    che mai non empie la bramosa voglia,

99   e dopo 'l pasto ha più fame che pria.
Molti son li animali a cui s'ammoglia,
    e più saranno ancora, infin che 'l veltro

102   verrà, che la farà morir con doglia.
Questi non ciberà terra né peltro,
    ma sapïenza, amore e virtute,

105   e sua nazion sarà tra feltro e feltro.

91-99: [*Virgilio*] *dopo* (**poi**) *che mi vide piangere* (**lagrimar**) *rispose:* «*A te è necessario* (**convien**) *seguire* (**tenere**) *un'altra via* (**vïaggio**), *se vuoi salvarti* (**campar**) *da questo* (**d'esto**) *luogo boscoso* (**loco selvaggio**) [*e malvagio*]*; poiché* (**ché**) *questa bestia* [: *la lupa*] *a causa* (**per**) *della quale tu chiedi aiuto* (**gride** = gridi) *non lascia passare nessuno* (**altrui**) *attraverso* (**per**) *la sua strada* (**via**), *ma lo impedisce al punto da* (**tanto...che**) *ucciderlo; e ha una natura così* (**sì**) *malvagia e crudele* (**ria**) *che non sazia* (**empie** = riempie) *mai il* [*suo*] *desiderio* (**voglia**) *smanioso* (**bramosa**) [*di cibo*], *e dopo aver mangiato* ('**l pasto;** '**l** = il) *ha più fame di prima* (**che pria**). L'**altro viaggio** che Dante deve seguire, anziché tentare direttamente l'ascesa al colle, è quello che, attraverso la selva e fino al fondo dell'Inferno, gli mostri il male per poterlo rifiutare con piena consapevolezza. L'aiuto della guida della ragione (Virgilio) si rivela a questo fine indispensabile.

100-105: *Sono molti gli uomini* (**li animali**) *a cui* [*la lupa*] *si unisce* (**s'ammoglia**), *e saranno ancora di più* [*in futuro*], *finché* (**infin che**) *verrà il* ('**l**) *veltro* [: cfr. sotto] *che la farà morire con dolore* (**doglia**). *Questi* [: *il veltro*] *non si nutrirà* (**non ciberà**) [*né*] *di possedimenti* (**terra**) *né di denaro* (**peltro**; dal franc. 'peautre' = lega di metalli usata anche per il conio delle monete), *ma di sapienza, amore e virtù* (**virtute**), *e la sua nascita* (**nazion**) *avverrà* (**sarà**) *tra feltro e feltro* [: cfr. sotto]. La profezia di Virgilio (vv. 101-111) è la parte più oscura del canto e

tra le più variamente interpretate del poema; ma l'oscurità e l'indeterminatezza sono necessarie al tono profetico e, più che chiarire ogni punto dell'annuncio (vana pretesa), è utile intenderne il senso generale. Il **veltro** è un cane agile e veloce adatto alla caccia; qui rappresenta allegoricamente un riformatore che ristabilisca nella società umana i princìpi morali e civili del Cristianesimo, perseguitando e sconfiggendo la causa principale della loro rovina: la cupidigia, rappresentata dalla lupa. In particolare è probabile che Dante alluda ad un'azione riguardante la Chiesa e il clero, colpevoli di aver confuso il proprio compito spirituale con il potere e la ricchezza (**terra e peltro**) terreni; in questa direzione sembra spingere la qualità del nutrimento del **veltro**: **sapienza, amore** e **virtute** infatti indicano quasi certamente le tre persone della Trinità (Figlio, Spirito Santo e Padre). Scopo principale del veltro, si tratti di una personalità religiosa o civile (magari un papa o un imperatore), è quello di ristabilire il giusto rapporto tra la sfera politica e quella spirituale, tra Impero e papato; di ricondurre cioè la Chiesa al suo mandato evangelico ed apostolico e di guidare l'Impero alla realizzazione dei suoi obiettivi civili di ordinata concordia nell'autonoma sfera politica che gli compete. Se poi nel veltro sia possibile riconoscere un determinato personaggio storico, è assai difficile dire: i commentatori hanno fatto le più svariate ipotesi, ma nessuna di esse appare definitiva o convincente. È stata avanzata anche l'ipotesi che si tratti di Dante stesso, venuto con

Di quella umile Italia fia salute
　per cui morì la vergine Cammilla,
108　Eurialo e Turno e Niso di ferute.
　Questi la caccerà per ogne villa,
　fin che l'avrà rimessa ne lo 'nferno,
111　là onde 'nvidia prima dipartilla.
　Ond' io per lo tuo me' penso e discerno
　che tu mi segui, e io sarò tua guida,
114　e trarrotti di qui per loco etterno,
　ove udirai le disperate strida,
　vedrai li antichi spiriti dolenti,
117　che la seconda morte ciascun grida;
　e vederai color che son contenti
　nel foco, perché speran di venire
120　quando che sia a le beate genti.
　A le quai poi se tu vorrai salire,
　anima fia a ciò più di me degna:

il suo poema a rinnovare la degenerata società secondo una missione voluta dalla Provvidenza divina. Quanto alla nascita del veltro **tra feltro e feltro**, si consideri che anche questo particolare ha ricevuto infinite interpretazioni; la più probabile (e la meno rischiosa di fraintendimenti) è che si alluda semplicemente alla umiltà del riformatore, in contrapposizione alla avara cupidigia di ricchezza rappresentata dalla lupa: infatti il **feltro** è un panno di pochissimo valore. Tra gli altri tentativi di decifrare l'allusione vi è anche quello di leggervi un riferimento geografico (tra Feltre, in Veneto, e Monte Feltro, in Romagna) che condurrebbe a Cangrande della Scala, il giovane signore di Verona del quale Dante fu ospite durante l'esilio (ma cfr. *Par.* XVII, 76-93 e note).

106-108: [*Il veltro*] *sarà* (**fia**) *la salvezza* (**salute**) *della misera* (**di quella umile**) *Italia per la quale* (**per cui**) *morirono* (**morì**) *la vergine Camilla, Eurialo e Turno e Niso per le ferute* (**di ferute**). Virgilio nomina alcuni personaggi della sua *Eneide*, morti nella guerra per la conquista del Lazio tra gli esuli troiani guidati da Enea e le popolazioni latine (Volsci e Rutuli). Si noti che sono ricordati i morti dell'una e dell'altra parte, senza distinzione, a significare che il sacrificio di tutti rientra nell'unico disegno della Provvidenza; infatti **Camilla** era figlia del re dei Volsci e **Turno** re dei Rutuli, mentre **Eurialo** e **Niso** erano giovani compagni di Enea.

109-111: *Questi* [: il veltro] *la* [: la lupa] *perseguiterà* (**caccerà**) *in ogni luogo* (**per ogne villa**; c'è chi spiega 'città'), *finché l'avrà rimessa là nell'inferno, da dove* (**onde**) *l'invidia* [*del demonio*] *la trasse* (**dipartilla** = la dipartì) *all'inizio* [*della storia dell'uomo*] (**prima**; avv.).

112-120: *Per cui* (**ond'**) *io penso e giudico* (**discerno**) *che per il* (**lo**) *tuo meglio* (**me'**) *tu mi segua, e io sarò la tua guida, e ti condurrò* (**trarrotti** = ti trarrò) [*fuori*] *di qui attraverso* (**per**) *un luogo eterno* [: l'Inferno] *in cui* (**ove**) *udrai le grida* (**strida**) *disperate* [*dei dannati*], *vedrai le antiche anime* (**spiriti**) *dolenti* [*dei dannati morti da molto tempo*], *ciascuna delle quali* (**che**; congiunz. modale) *invoca* (**grida**; ma cfr. sotto) *la morte dell'anima* (**seconda**) [: *definitiva, per non soffrire più*]*; e vedrai coloro* [: *le anime del Purgatorio*] *che sono contenti tra le pene* (**nel foco**), *perché hanno la* [*sicura*] *speranza* (**speran**) *di giungere* (**venire**), *quando sarà* [*il momento*] (**quando che sia**) *alle anime* (**genti**) *beate* [: *in Paradiso*]. **Grida** può essere spiegato anche come *testimonia* (o, anche, *maledice, rimpiange*...), e in questo caso la **morte seconda** è, in un significato assai diffuso nel Due e nel Trecento, la *dannazione*, la *morte* spirituale dell'anima (in quanto privata di Dio).

121-126: *Se tu poi vorrai salire ad esse* (**a le quai** = *alle quali*) [: *anime beate*], [*vi*] *sarà* (**fia**) *un'anima* [: *Beatrice*] *più degna di me*

con lei ti lascerò nel mio partire;
ché quello imperador che là sù regna,
perch'io fu' ribellante a la sua legge,

126 non vuol che 'n sua città per me si vegna.
In tutte parti impera e quivi regge;
quivi è la sua città e l'alto seggio:

129 oh felice colui cu' ivi elegge! ».
E io a lui: « Poeta, io ti richeggio
per quello Dio che tu non conoscesti,

132 a ciò ch'io fugga questo male e peggio,
che tu mi meni là dov'or dicesti,
sì ch'io veggia la porta di san Pietro
e color cui tu fai cotanto mesti ».

136 Allor si mosse, e io li tenni dietro.

---

a [*far*] *questo* (**a ciò**): *partendo* (**nel mio partire**) *ti lascerò con lei; poiché* (**ché**) *quel sovrano* (**imperador**) [: Dio] *che regna lassù non vuole che si arrivi* (**vegna** = venga, per m e t a t e s i) *nella* (**'n** = in) *sua città* [: il Paradiso] *attraverso il mio aiuto* (**per me**), *dal momento che io* (**perch'io**) *fui estraneo* (**ribellante**) *alla sua legge.* Virgilio non potrà accompagnare Dante nel Paradiso perché non conobbe la parola di Cristo e non ne attese con fiducia la venuta. Egli quindi non fu propriamente **ribellante** (*ribelle*); ma egli esagera qui la propria colpa per sottolineare umilmente l'accettazione della volontà divina che lo ha posto nel Limbo. Già in questi versi (e soprattutto nella terzina che segue) si affaccia il rimpianto di Virgilio per essere rimasto escluso dal Paradiso, pur nella coscienza della profonda giustizia di ogni atto divino. È questo uno degli aspetti più toccanti ed umani del personaggio e della *Commedia*.

127-129: [*Dio*] *domina* (**impera**) *dappertutto* (**in tutte parti**) [*nell'Universo*] *ma* (**e**) *là* (**quivi**) [*in Paradiso*] *comanda* [*direttamente*] *come re* (**regge**)*; là è il suo regno* (**città**) *e l'al-*

to trono (**seggio**) [*di Dio*]: *oh felice colui che* (**cu'** = cui) [*Dio*] *destina* (**elegge**; vale anche 'sceglie, innalza') *là* (**ivi**)*!*»

130-135: *E io* [*dissi*] *a lui:* «*Poeta, io ti chiedo* (**richeggio**) *per quel Dio che tu non hai conosciuto* (**conoscesti**), *affinché io* (**a ciò ch'io**) *mi sottragga* (**fugga**) *a questo male* [: la lupa, la selva, il peccato] *e al peggio* [: la conseguente dannazione], *che tu mi conduca* (**meni**) *là dove ora hai detto* (**dicesti**) [: Inferno e Purgatorio], *così* (**sì**) *che io veda* (**veggia**) *la porta di san Pietro* [: cfr. sotto] *e coloro che* (**cui**) *tu rappresenti* (**fai**) *tanto tristi* (**cotanto mesti**) [: i dannati]». **La porta di san Pietro** può essere quella del Purgatorio, guardata da un angelo «vicario di Pietro» (*Purg.* IX, 127; XXI, 54), oppure quella del Paradiso: nel primo caso c'è maggiore coerenza con i limiti della funzione di guida assegnata a Virgilio; nel secondo è delineata la mèta finale del viaggio.

136: *Allora si mosse, e io lo seguii* (**li tenni dietro**; li = gli). Si noti la solenne andatura del verso, adatta all'importanza del momento.

Àere _____ v. 48

La voce deriva dal lat. *aer, aĕris* (cfr. gr. ἀήρ, ἀέρος; franc. *air*, sp. *aire*) e significa 'aria, atmosfera, cielo'. È termine poetico e letter. molto diffuso; preferito ad *aria* fino al XIX secolo; oggi rarissimo (è usato invece l'agg. corrispondente *aereo* = 'arioso, formato d'aria'; e cfr. il sost. *aereo* e i numerosi composti: *aeronautica, aeroplano, aeroporto, aerostato*). Dante usa anche *aura* — cfr. *Inf.* III, 29 e *Purg.* I, 17 —, ma assai meno spesso.

Combusto v. 75

È il part. pass. del vb. *combùrere*, voce dotta ant. e letter. derivata dal lat. *comburĕre* ('bruciare, dare alle fiamme'). Del vb. ital. si usava solamente tale forma — cfr. *Inf.* I, 75 e *Purg.* XXIX, 118. Oggi essa sopravvive esclusivamente in alcuni derivati molto frequenti come *combustibile* e *combustione*.

Elèggere v. 129

È vb. derivato dal lat. *eligĕre* (composto da *ex* = 'fuori' e *legĕre* = 'scegliere'); e significa propriamente 'scegliere; giudicare migliore, più adatto' — cfr. *Inf.* XXII, 38 e *Par.* XI, 44 — e anche 'decidere' e 'destinare' — cfr. *Inf.* I, 129 e II, 21 e *Par.* XXIV, 1. Tali significati sono ancora in uso, ma oggi prevale il senso di 'scegliere un candidato tra tanti, tramite votazione' per un ufficio o un'istituzione pubblica; *elettori* sono coloro che votano, *eletto* è colui che è stato votato da più elettori, *elezione* è l'atto di eleggere.

DANTE E IL VECCHIO TESTAMENTO

Il *Vecchio Testamento* è costituito da quella parte della *Bibbia* composta prima della Rivelazione, cioè prima della venuta e della predicazione di Cristo. Esso narra le vicende del popolo ebreo e annuncia profeticamente la futura venuta del Messia. Si compone di quarantaquattro libri di diversi autori.

Il riferimento di Dante alla *Bibbia* è importantissimo per ragioni generali: la *Commedia* è costruita sul suo modello. Infatti, come nella *Bibbia* la storia narrata ha un secondo significato allegorico, così avviene nella *Commedia*.

Ma nel poema dantesco sono assai frequenti, anche, riferimenti puntuali a luoghi biblici. In particolare l'apertura del poema è percorsa da insistenti echi di origine biblica (soprattutto dal Vecchio Testamento):

Dissi: nel mezzo della mia vita andrò alle porte dell'Inferno *(Isaia, XXXVIII, 10)*	Nel mezzo del cammin di nostra vita... *(Inf. I, v. 1)*
Abbandonano la *retta via* e camminano per vie **buie** *(Proverbi, II, 13)*	... per una selva **oscura,** / ché la *diritta via* era smarrita... (vv. 2 sg.)
Alzai i miei occhi verso un **monte** dal quale mi verrà il soccorso *(Salmi, CXX, 1)*	... al piè d'un **colle** giunto ... *guardai in alto*... Allor fu la paura un poco queta... (vv. 13-19)

E dal *Vecchio Testamento* Dante trasse con ogni probabilità lo spunto all'invenzione delle tre fiere (*Inf.* I, 31-54):

il leone della selva li ha aggrediti, il lupo li ha devastati, il leopardo è in agguato contro le loro città; chiunque uscirà da esse cadrà tra le sue zanne perché i loro soprusi si sono moltiplicati e le loro perversioni sono cresciute (*Geremia*, V, 5 sg.).

Canto I   **19**

Canto II

Il secondo canto ha ancora una funzione introduttiva: serve ad informare il lettore delle ragioni sovrannaturali che rendono possibile il viaggio nell'oltretomba, così come il primo canto informava delle premesse terrene e umane. Viene presentato anche il terzo protagonista della *Commedia*: Beatrice. Sul piano ideale lo scopo del canto è quello di affermare l'alto significato del viaggio di Dante, voluto dal cielo, ed il valore profetico della narrazione che egli ne fa. Sul piano allegorico generale si testimonia la necessità, per la salvezza, della Grazia divina (rappresentata dalle tre donne che compaiono nel canto: Beatrice, Lucia, Maria Vergine), senza la quale la ragione umana (rappresentata da Virgilio) non può agire.

* * *

È il tramonto. Virgilio e Dante si sono appena messi in cammino, quando l'animo di Dante è invaso dall'incertezza e dal timore. Egli espone i propri dubbi a Virgilio: la possibilità di recarsi nell'oltretomba è stata concessa solo a Enea e a san Paolo; ma ad entrambi per valide ragioni: Enea doveva dare origine a Roma, quindi al suo Impero e alla sede futura del papa; san Paolo diffondere la fede nel Cristo, necessaria alla salvezza. Dante non vede per quale merito dovrebbe essere concesso anche a lui un simile beneficio. Virgilio dapprima lo rimprovera indirettamente di lasciarsi vincere dalla viltà; poi gli racconta che è stata Beatrice a indurlo a soccorrerlo: Beatrice, a sua volta, era stata informata da santa Lucia, la quale era stata spinta a preoccuparsi per Dante da una gentile donna del cielo (quasi certamente la Vergine Maria). Le tre donne rappresentano probabilmente tre momenti della Grazia: la Grazia preveniente (la Vergine), la Grazia illuminante (santa Lucia), la Grazia operante (Beatrice). Udito questo racconto, Dante recupera la fiducia e accetta di seguire Virgilio (guida, signore e maestro) nel viaggio.

* * *

Il canto ha il suo centro poetico nel racconto di Virgilio, ingenuo e stilizzato, ma vivo per il rilievo che vi ha la figura di Beatrice, un personaggio complesso dal punto di vista allegorico, ma in cui palpita anche una intensa carica umana di femminilità, evidente, per esempio, nella preoccupazione ansiosa per il destino di Dante che tanto l'ha amata sulla Terra e nei modi accorti con i quali sa interessare Virgilio al suo caso. La presentazione di Beatrice si accompagna all'utilizzazione dei modi tipici dello stilnovismo; quasi a ricollegare alla *Commedia*, accresciute e approfondite, le ragioni ideali e affettive della giovanile *Vita Nuova* attraverso la comune presenza di Beatrice.

Cfr. tavola 2.

Lo giorno se n'andava, e l'aere bruno
toglieva li animai che sono in terra
da le fatiche loro; e io sol uno

3

m'apparecchiava a sostener la guerra
sì del cammino e sì de la pietate,
che ritrarrà la mente che non erra.

6

O muse, o alto ingegno, or m'aiutate;
o mente che scrivesti ciò ch'io vidi,
qui si parrà la tua nobilitate.

9

Io cominciai: «Poeta che mi guidi,
guarda la mia virtù s'ell' è possente,
prima ch'a l'alto passo tu mi fidi.

12

Tu dici che di Silvïo il parente,
corruttibile ancora, ad immortale
secolo andò, e fu sensibilmente.

15

Però, se l'avversario d'ogne male

1-6: *Il* (**lo**) *giorno se ne andava, e il cielo scuro* (**l'aere bruno**) *sottraeva* (**toglieva**) *dalle loro fatiche gli esseri animati* (**li animai**) *che sono sulla* (**in**) *terra; e io, unico fra tutti* (**sol uno**), *mi preparavo* (**apparecchiava**) *a sostenere il tormento* (**la guerra**) *tanto* (**sì** = così) *del cammino che* (**sì**) *dell'angoscia* (**pietate**; vale anche 'compassione'), *che la memoria* (**la mente**) *che non sbaglia* (**erra**) *riferirà* (**ritrarrà**).

7-9: *O Muse, o [mio] valente* (**alto**) *ingegno, ora aiutatemi* (**m'aiutate**, con il pron. che precede anziché seguire); *o memoria che hai registrato* (**o mente che scrivesti**) *ciò che io ho visto* (**vidi**), *qui si mostrerà* (**parrà** = apparirà) *il tuo [reale] valore* (**nobilitate**). In questa terzina son introdotte la p r o t a s i e l'invocazione alle Muse, secondo il modello classico; all'inizio del *Purgatorio* e del *Paradiso*, Dante le riprenderà con un'ampiezza via via maggiore. Qui è un'allusione rapidissima, quasi timorosa; e tutto l'inizio del canto allude alla difficoltà dell'impresa che Dante sta per tentare, sia come personaggio della *Commedia* che come poeta. In questo senso il v. 6 va letto come affermazione di onestà, e il v. 9 come coscienza di una verifica del proprio valore — senza alcuna superbia. La coscienza della propria grandezza traspare invece nell'**alto ingegno** del v. 7; ma domina nel complesso la consapevolezza delle difficoltà da superare, nella realizzazione di un progetto che è

dace novità artistica e suprema missione religiosa e civile. Anche per il resto del canto si tenga presente questo doppio registro: i dubbi e i timori di Dante sono quelli del personaggio e insieme quelli dell'autore della *Commedia*, la risposta di Virgilio si rivolge in qualche modo all'uno e all'altro.

10-12: *Io cominciai* [*a dire*]: «[*O*] *poeta che mi guidi* [: Virgilio], *considera* (**guarda**) *se* (**s'ella**; con pron. p l e o n .) *il mio valore* (**la mia virtù**) *è sufficiente* (**possente**), *prima di affidarmi* (**ch'...tu mi fidi**) [: di spingermi ad affrontare] *al difficile salto* (**alto passo**) [: dal tempo all'eterno, dal mondo mortale a quello immortale].

13-15: *Tu dici che il genitore* (**parente**) *di Silvio* [: Enea], *ancora vivo* (**corruttibile**), *andò nel mondo eterno* (**ad immortale secolo**), *e* [*che*] *avvenne* (**fu**) *con il corpo* (**sensibilmente**; cioè con i sensi, non in sogno). Dante qui allude al viaggio di Enea nel regno dei morti, narrato da Virgilio nel libro VI dell'*Eneide*; è episodio non storico e non è materia di fede: Dante ne attribuisce perciò la responsabilità a Virgilio (**Tu dici...**) e ne considera l'aspetto ideale, il significato in funzione della missione a se stesso destinata.

16-24: *Quindi* (**però** = perciò; dal lat. 'per hoc'; qui ha valore interlocutorio), *se il nemico* (**avversario**) *di ogni male* [: Dio] *gli*

cortese i fu, pensando l'alto effetto

18 ch'uscir dovea di lui e 'l chi e 'l quale,

non pare indegno ad omo d'intelletto;

ch'e' fu de l'alma Roma e di suo impero

21 ne l'empireo ciel per padre eletto:

la quale e 'l quale, a voler dir lo vero,

fu stabilita per lo loco santo

24 u' siede il successor del maggior Piero.

Per quest'andata onde li dai tu vanto,

intese cose che furon cagione

27 di sua vittoria e del papale ammanto.

Andovvi poi lo Vas d'elezïone,

per recarne conforto a quella fede

30 ch'è principio a la via di salvazione.

Ma io, perché venirvi? o chi 'l concede?

Io non Enëa, io non Paulo sono;

33 me degno a ciò né io né altri 'l crede.

(i) *fu cortese, non pare ingiustificato* (**indegno**) *ad un uomo capace di capire* (**omo d'intelletto**), *pensando alle grandi conseguenze* (**l'alto effetto**) *che dovevano derivare* (**ch'uscir dovea**) *da* (**di**) *lui* [: Enea], *e chi* [*egli fosse per valore individuale*; '**l** = **il**, p l e o n .] *e quale* [*per nobile nascita*]; *poiché egli* (**ch'e'** = che ei) *fu scelto* (**eletto**) *nel cielo* [*dell'*] *Empireo* [: da Dio] *come generatore* (**per padre**) *della feconda* (**alma**; dal lat. 'alere' = nutrire) *Roma e del suo Impero: la quale* [*Roma*] *e il* ('**l**) *quale* [*Impero*], *a voler dire il* (**lo**) *vero, furono destinati* (**fu stabilita**; al sing., che concorda solo con il primo — e principale — sogg. logico: Roma) *per il luogo* (**lo loco**) *santo dove* (**u'**; dal lat. 'ubi' = dove) *ha sede* (**siede**) *il successore del grande* (**maggior**) *Pietro* [: il papa]. La storia di Roma, originatasi (secondo il racconto mitico dell'*Eneide*) da Enea, è letta come la preparazione provvidenziale della sede del papato. Infatti il successore dell'apostolo Pietro, che ricevette l'investitura direttamente da Gesù Cristo, è il papa.

25-27: *Grazie a* (**per**) *questa discesa* (**andata**) [*agli Inferi*] *di cui* (**onde**) *tu gli dai merito* (**vanto**), [*Enea*] *udì* (**intese**) *cose* [: dall'ombra del padre Anchise] *che furono causa* (**cagione**) *della sua vittoria* [: su Turno] *e dell'autorità* (**ammanto** = i drappi del vestito) *papale*. In queste due conseguenze, la prima immediata e la seconda molto successiva, si riassume il disegno della Provvidenza e la ragione dell'eccezionalità della discesa agli Inferi di Enea. **Di sua vittoria:** secondo il racconto dell'*Eneide* virgiliana, Enea, esule dalla città di Troia (distrutta dai greci), avrebbe raggiunto le coste laziali e qui si sarebbe insediato sconfiggendo alcune popolazioni locali i cui guerrieri erano capeggiati da Turno (cfr. v. 108 e nota).

28-30: *Dopo* (**poi**) *vi andò* (**andovvi**) [: nell'al di là] *il Vaso della scelta* [*divina*] (**Vas d'elezione**) [: S. Paolo], *per trarne sostegno* (**recarne conforto**) *alla fede cristiana* (**a quella fede**) *la quale* (**che**) *è principio e via per la salvezza* (**a la via di salvazione**) [*eterna*]. È lo stesso san Paolo, nella *Seconda lettera ai Corinti* (XII, 2 sgg.), ad alludere al proprio rapimento in cielo. **Vas d'elezione:** san Paolo è detto *vas electionis* negli *Atti degli Apostoli* (IX, 5) e Dante lo chiama nel *Paradiso* «gran vasello/ dello Spirito Santo» (XXI, 127 sg.); **vas, vasello** = *vaso, recipiente*.

31-33: *Ma io per quale fine* (**perché**) *venirvi* [: nell'al di là]? *e chi lo* ('**l** = **il** = **lo**) *consente* (**concede**)? *Io non* [*sono*] *Enea, io non sono Paolo; né io né altri crede me degno di* (**a**) *ciò*. Il pronome « p l e o n a s t i c o ma rafforzativo» '**l** del v. 33 (= *il* = *lo*) «stabilisce una congrua simmetria col primo verso della terzina [v. 31]: '*l concede*» (Petrocchi).

Per che, se del venire io m'abbandono,
temo che la venuta non sia folle.

36 Se' savio; intendi me' ch'i non ragiono ».

E qual è quei che disvuol ciò che volle
e per novi pensier cangia proposta,

39 sì che dal cominciar tutto si tolle,

tal mi fec' ïo 'n quella oscura costa,
perché, pensando, consumai la 'mpresa

42 che fu nel cominciar cotanto tosta.

« S'i' ho ben la parola tua intesa »,
rispuose del magnanimo quell'ombra,

45 « l'anima tua è da viltade offesa;

la qual molte fïate l'omo ingombra
sì che d'onrata impresa lo rivolve,

48 come falso veder bestia quand'ombra.

Da questa tema a ciò che tu ti solve,
dirotti perch'io venni e quel ch'io 'ntesi

51 nel primo punto che di te mi dolve.

34-36: *Per cui* (**che**)*, se io mi avventuro* (**m'abbandono**) *a venire* (**del venire** = quanto al venire; compl. di limitazione)*, temo che la venuta non sia sconsiderata* (**folle**)*. Tu sei saggio* (**se' savio**)*; [quindi] capisci* (**intendi**) *di più* (**me'** = meglio) *di quanto io* (**ch'i** = che io) *non dico* (**ragiono**)».

37-42: *E come* (**qual**) *è colui* (**quei**) *che non vuole più* (**disvuol**) *ciò che voleva* (**volle**) *e a causa di riflessioni successive* (**per novi pensier**) *cambia proposito* (**cangia proposta**)*, così* (**sì**) *che si allontana* (**tolle** = toglie) *completamente* (**tutto**; avv.) *dall'iniziativa* (**dal cominciar**)*, così divenni io* (**tal mi fec'io**) *in quel luogo buio* (**oscura costa**)*, perché, riflettendo* (**pensando**)*, distrussi* (**consumai**) *l'impresa* (**la 'mpresa**) *che fu così rapida* (**cotanto tosta**) *nell'iniziare* (**nel cominciar**)*. S i m i l i t u d i n e* assai espressiva; si noti come vengono scanditi dal c l i m a x nella prima parte i tre momenti del ripensamento: **disvuol** (v. 37), **cangia proposta** (v. 38), **tutto si tolle** (v. 39). E si notino l'efficacia e la sintesi di quel **pensando, consumai** (v. 41), che propriamente significa *consumai nel pensiero*, ma che, nel ritmo lento del verso, nell'isolamento (tra due virgole) di **pensando**, fa davvero avvertire il senso di sfaldamento, di incenerimento, del proposito ini-

ziale. Si noti infine l'intensità della forma **disvuol** (v. 37), frequente nel linguaggio dantesco, a indicare l'opposto di una volontà precedente.

43-48: *Rispose l'ombra* (**quell'ombra**) [: l'anima] *di quel nobile animo* (**magnanimo**; si noti l'inversione preziosa dell'agg. dimostrativo): *«Se io* (**s'i'**) *ho capito* (**intesa**) *bene il tuo discorso* (**la tua parola**)*, la tua anima è indebolita* (**offesa**) *da viltà* (**viltade**)*; la quale molte volte* (**fiate**) *ostacola* (**ingombra**) *l'uomo, così* (**sì**) *che lo allontana* (**rivolve** = volge indietro) *da un'impresa onorevole* (**onrata**; forma sinc. per 'onorata', è un provenzalismo)*, come una visione ingannevole* (**falso veder**) [*ostacola*] *una bestia quando si imbizzarrisce* (**ombra**; intrans.). Virgilio inizia in modo prudente e insieme pungente: prudenza è in quel *se ho ben capito* del v. 43; una punta di rimprovero, a stimolare l'amor proprio di Dante, è nell'allusione alla viltà e nel paragone con la **bestia** che *si adombra* per un nonnulla.

49-51: *Affinché* (**a ciò che**) *tu ti sciolga* (**solve**) *da questo timore* (**tema**)*, ti dirò* (**dirotti**) *perché io venni* [*a soccorrerti*] *e quello che io udii* (**'ntesi** = intesi) *la prima volta* (**nel primo punto**) *che mi addolorai* (**mi dolve**; forma arc. da 'dolere') *per te* (**di te**). Si noti

Io era tra color che son sospesi,
    e donna mi chiamò beata e bella,
54   tal che di comandare io la richiesi.
Lucevan li occhi suoi più che la stella;
    e cominciommi a dir soave e piana,
57   con angelica voce, in sua favella:
' O anima cortese mantoana,
    di cui la fama ancor nel mondo dura,
60   e durerà quanto 'l mondo lontana,
l'amico mio, e non de la ventura,
    ne la diserta piaggia è impedito
63   sì nel cammin, che vòlt' è per paura;
e temo che non sia già sì smarrito,
    .ch'io mi sia tardi al soccorso levata,
66   per quel ch'i' ho di lui nel cielo udito.

la partecipazione affettuosa delle parole virgiliane: il senso del v. 51 è infatti *la prima volta che ti sentii nominare*; ma il dolersi è tutt'uno con il sapere della condizione triste di Dante. È, come tante altre volte, un esempio di sintesi e di aderenza realistica (in questo caso psicologica): infatti le notizie che si accompagnano al nome di Dante fanno sì che Virgilio, contemporaneamente, lo senta nominare per la prima volta e ne provi pietà. Il lungo racconto che Virgilio sta per fare ha la funzione di incoraggiare Dante e insieme quella di illustrare al lettore il carattere di missione voluta dal cielo del viaggio di Dante, e dunque il suo carattere profetico: si definiscono così, ai fini della struttura del poema, le premesse ultramondane del viaggio, come nel primo canto si erano definite quelle umane. Viene poi presentato il terzo grande personaggio della *Commedia*: Beatrice.

52-54: *Io era tra coloro che sono sospesi* [: le anime del Limbo, né dannate né beate, quasi non giudicate; cfr. *Inf.* IV], *e mi chiamò una donna beata* [: del Paradiso] *e bella a tal punto* (**tal**) *che io le chiesi* (**la richiesi**) *di considerarmi ai suoi ordini* (**di comandare**). La descrizione di Beatrice (vv. 53-57) si ricollega ai modi della poesia stilnovistica: per il vocabolario, per le immagini, per le formule di gentilezza (come il gesto servizievole di Virgilio). Anche nel discorso di Beatrice si insinuano i modi dello stilnovo (cfr. il v. 72); e poi, soprattutto, nella prima parte, tutta omaggiosa, della risposta di Virgilio (vv. 76-80). Ma qui l'atmosfera cortese della *Vita Nuova* si incontra con un proposito artistico infinitamente più ampio e profondo e le ragioni autobiografiche si fondono con quelle morali e politiche del poema.

55-66: *I suoi occhi splendevano* (**lucevan**) *più che le stelle; e nel suo discorso* (**in sua favella**) *mi iniziò* (**cominciommi**) *a dire in modo dolce e pacato* (**soave e piana**; con valore di avv.), *con voce angelica: 'O gentile* (**cortese**) *anima mantovana, di cui la fama dura ancora nel mondo, e durerà a lungo* (**lontana**; avv.) *quanto il* ('**l**) *mondo,* [colui che è] *l'amico mio, ma* (**e**) *non della fortuna* (**ventura**) [: il mio sfortunato amico; ma cfr. sotto], *nel pendio* (**piaggia**) *deserto è ostacolato* (**impedito**) *tanto* (**sì** = così) *a camminare* (**nel cammin**), *che è rivolto* (**vòlt'è**) [indietro] *per paura; e temo che non sia già così* (**sì**) *smarrito, che io mi sia mossa* (**levata**) *tardi a soccorrerlo* (**al soccorso**), *stando a quel* (**per quel**) *che io* (**ch'i'**) *ho udito di lui in* (**nel**) *cielo* [: da Lucia, come dirà]. Il v. 61 si è prestato a diverse interpretazioni: la più semplice e piana è *colui che io amo e che la fortuna non ama*. Ma **amico** significa, oltre che *amato*, anche *amante* e il senso potrebbe essere allora *colui che mi amò senza badare alla fortuna*, e cioè *in modo disinteressato*. Nel linguaggio spirituale adatto al contesto e alla circostanza, **amico** può significare poi *fedele, devoto*, e ci si approssima in questo modo al valore allegorico:

Or movi, e con la tua parola ornata
e con ciò c'ha mestieri al suo campare,
69   l'aiuta sì ch'i' ne sia consolata.
I' son Beatrice che ti faccio andare;
vegno del loco ove tornar disio;
72   amor mi mosse, che mi fa parlare.
Quando sarò dinanzi al segnor mio,
di te mi loderò sovente a lui '.
75   Tacette allora, e poi comincia' io:
' O donna di virtù sola per cui
l'umana spezie eccede ogne contento
78   di quel ciel c'ha minor li cerchi sui,
tanto m'aggrada il tuo comandamento,
che l'ubidir, se già fosse, m'è tardi;

colui che mi è fedele [e che è cioè fedele alla dottrina teologica rappresentata da Beatrice] *senza aspirare ad averne fama mondana e ricchezza* (**ventura**); sarebbe una lode all'amore schietto di Dante per la teologia e insieme una critica implicita a quanti le si avvicinano per interesse, con allusione alla corruzione del clero. I due sensi in verità non si escludono del tutto l'un l'altro, specie in considerazione della reciprocità del termine **amico**, spirituale e insieme di umana sentimentalità — così come è duplice la figura di Beatrice: sublimata nella beatitudine dell'anima del Paradiso, e insieme mossa da un fremito di femminile apprensione (vv. 64 sgg.), di slancio quasi appassionato (v. 72) e a tratti vezzoso (v. 69); così Dante la incontrerà (ma più severa) alle soglie del Paradiso.

67-69: *Adesso vai* (**or movi**), *e aiutalo* (**l'aiuta**; con il pron. preposto) *con la tua parola bella* (**ornata**) *e con ciò che è necessario* (**c'ha mestieri**) *alla sua salvezza* (**al suo campare** = al suo scampo), *così che io* (**sì ch'i'**) *ne sia consolata.*

70-72: *Io* (**i'**) *che ti faccio andare sono Beatrice; vengo* (**vegno**) *dal luogo* (**del loco**) *dove* (**ove**) *desidero* (**disìo**) *tornare* [: il Paradiso]; *mi spinse* (**mosse**) [*quell'*] *amore che mi fa parlare.* Il nome di Beatrice compare alla fine del discorso, a suggellare la preghiera a Virgilio, ma anche per incoraggiare Dante. Beatrice è la donna amata da Dante nel-

la sua giovinezza e la protagonista della *Vita Nuova*; nella *Commedia* rappresenta allegoricamente la dottrina rivelata, cioè la teologia e la fede, necessarie alla conquista della felicità eterna. Si consideri la complessità della parola *amore* al v. 72: è la carità cristiana per il prossimo bisognoso ed è l'umano sentimento che lega Beatrice a Dante e insieme l'Amore assoluto che ora la anima, e cioè Dio.

73-74: *Quando sarò dinanzi al mio signore* [: Dio] *spesso* (**sovente**) *farò le tue lodi* (**di te mi loderò**) *a lui.* Forse vi è allusione allegorica all'utilità che la teologia ricava spesso dalla ragione e dalla filosofia umana; certo non contiene una qualche promessa che sarebbe in contrasto con le regole dell'ordine divino. È comunque un elemento di quella femminile gentilezza di cui s'è detto alla nota ai vv. 55-66.

75-81: *Allora tacque* (**tacette**), *e poi cominciai* [*a parlare*] *io: 'O signora* (**donna**; dal lat. 'domina' = padrona) *della virtù attraverso la quale soltanto* (**sola per cui**) *la specie umana supera* (**eccede**) [*in valore*] *ogni* [*altro*] *contenuto* (**contento**) *di quel cielo che ha minori i suoi giri* (**li cerchi sui**) [: il cielo della Luna, il più basso, al di sotto del quale stanno le cose mortali], *tanto mi è gradito* (**m'aggrada**) *il tuo comando* (**comandamento**), *che ubbidire,* [*anche*] *se già avessi iniziato* (**fosse**), *mi sembrerebbe* (**m'è**) *tardi* [*lo stesso*];

81	più non t'è uopo aprirmi il tuo talento.
	Ma dimmi la cagion che non ti guardi
	de lo scender qua giuso in questo centro
84	de l'ampio loco ove tornar tu ardi '.
	' Da che tu vuo' saver cotanto a dentro,
	dirotti brievemente ', mi rispuose,
87	' perch' i' non temo di venir qua entro.
	Temer si dee di sole quelle cose
	c'hanno potenza di fare altrui male;
90	de l'altre no, ché non son paurose.
	I' son fatta da Dio, sua mercé, tale,
	che la vostra miseria non mi tange,
93	né fiamma d'esto 'ncendio non m'assale.

non ti è *più necessario* (**uopo**) *confidarmi il tuo desiderio* (**aprirmi il tuo talento**) [: ho capito e sono pronto ad obbedire]. I vv. 76-78 sono stati interpretati in vario modo: è necessario innanzitutto stabilire se **sola per cui** si riferisce a **donna** o a **virtù**; se cioè l'umanità trascende il resto delle cose terrene grazie a Beatrice, simbolo della teologia, o grazie alla **virtù** di cui ella è **donna** (altissima rappresentante). Ma la differenza in verità non è molta. Pare senz'altro da scartare, invece, l'ipotesi che l'affermazione vada riferita a Beatrice donna, benché i toni stilnovistici del discorso di Virgilio — e di tutto il brano — potrebbero giustificare una simile esagerazione retorica. E che, comunque, si tratti di un'i p e r b o l e , è stato notato da quasi tutti i commentatori; ma si spiega con l'esigenza da parte di Virgilio di rispondere alle lodi ricevute da Beatrice, con l'atteggiamento appunto stilnovistico dell'episodio, e (più profondamente) con il riconoscimento da parte della ragione e della sapienza umane dei propri limiti, nel momento in cui si loda nella scienza della Rivelazione, la teologia, la possibilità di superare i confini della contingenza e di permettere all'uomo di superare i propri limiti.

82-84: *Ma dimmi la ragione* (**cagion**) *per la quale* (**che**) *non ti astieni* (**non ti guardi**) *dallo scender qua giù* (**giuso**) [: nell'Inferno] *in questo centro* [*della Terra e dell'Universo*] *dall'ampio luogo* [: l'Empireo] *dove desideri* (**tu ardi**) *tornare'*.

85-87: [*Beatrice*] *mi rispose: 'Dal momento che* (**da che**) *tu vuoi sapere* (**vuo' saver**) *cose tanto profonde* (**cotanto a dentro**), *ti risponderò* (**dirotti**) *brevemente perché io* (**perch'i'**) *non temo di venire qua dentro* (**entro**) [: all'Inferno].

88-90: *Si deve* (**dee**) *aver timore* (**temere**) *solo di quelle cose che hanno la forza* (**potenza**) *di fare male a qualcuno* (**altrui**)*; delle altre* [*cose*] *no, perché* (**ché**) *non sono paurose*. Sembra una sentenza ovvia, sebbene derivi dall'*Etica* di Aristotele; a meno di leggerla nel senso che bisogna temere solo di fare il male, intendendo cioè **altrui** riferito ad *altri che a noi* anziché come pronome personale indefinito. Ma va in ogni caso rilevato che la sicurezza un po' sentenziosa di Beatrice nel dire una cosa tanto semplice arricchisce la sua caratterizzazione umana e femminile, in contrasto con la forza soprannaturale che la protegge e che prorompe ai vv. 91-93.

91-93: *Io* (**i'**) *sono* [*stata*] *fatta da Dio, per sua grazia* (**sua mercé**) [*in modo*] *tale che la vostra sorte misera* (**miseria**) *non mi tocca* (**tange**) [: non mi corrompe], *né* [*alcuna*] *fiamma di questo fuoco* (**d'esto incendio**) *mi attacca* (**non m'assale**).

Donna è gentil nel ciel che si compiange
di questo 'mpedimento ov'io ti mando,
96   sì che duro giudicio là sù frange.
Questa chiese Lucia in suo dimando
e disse: — Or ha bisogno il tuo fedele
99   di te, e io a te lo raccomando —
Lucia, nimica di ciascun crudele,
si mosse, e venne al loco dov'i' era,
102   che mi sedea con l'antica Rachele.
Disse: — Beatrice, loda di Dio vera,
ché non soccorri quei che t'amò tanto,
105   ch'uscì per te de la volgare schiera?
Non odi tu la pieta del suo pianto?
non vedi tu la morte che 'l combatte
108   su la fiumana ove 'l mar non ha vanto? —.

94-96: [*Vi*] *è una Donna gentile nel cielo* [: la Vergine; e cfr. la nota ai vv. 97-99] *che si addolora* (**si compiange**) [*a causa*] *di questo ostacolo* (**'mpedimento** = impedimento) *verso cui io* (**ov'io** = dove io) *ti mando, così* (**sì**) *che lassù* [*in cielo*] *spezza* (**frange**) [*il*] *duro giudizio* [*di Dio*].

97-99: *Questa* [*donna*: la Vergine] *si rivolse con la sua domanda* (**chiese...in suo dimando**: c'è r i d o n d a n z a, come al v. 57) *a Lucia e disse: — Il tuo devoto* (**fedele**) *ora ha bisogno di te, e io lo raccomando a te —*. Non è forse necessario ricorrere al fatto che Dante era stato malato agli occhi (come dice egli stesso nel *Convivio*), dei quali Lucia è la protettrice, per giustificare la sua devozione alla santa. Più rilevante è l'interpretazione dell'allegoria legata alle tre donne da cui si origina il soccorso di Virgilio a Dante: la Vergine, Lucia, Beatrice. Probabilmente esse rappresentano tre forme della Grazia: la Grazia preveniente (la Vergine), la Grazia illuminante (Lucia), la Grazia operante (Beatrice); la scelta di Lucia si giustificherebbe con ragioni etimologiche («Lucia lucens» = luminosa). Secondo altri le tre donne rappresenterebbero le tre Virtù teologali; rispettivamente: carità, speranza, fede. L'aspetto volutamente un po' oscuro, non raro in Dante, dei simbolismi, nulla toglie alla vitalità della scena, di ingenua e primitiva freschezza.

100-102: *Lucia, nemica di ogni crudeltà* (**ciascun crudele**), *si mosse, e venne nel luogo* (**al loco**) *dove stavo io* (**dov'i era**), *che sedevo* (**che mi sedea**) *con la antica Rachele*. **Rachele**: personaggio biblico (e perciò **antica**), moglie di Giacobbe. Nella simbologia dantesca, e in quella medioevale, rappresenta la vita contemplativa, per cui è collocata accanto a Beatrice (la teologia); sua sorella Lia rappresenta invece la vita attiva.

103-108: [*Lucia mi*] *disse: — Beatrice, vera lode* (**loda**) *di Dio, perché* (**ché**) *non soccorri colui* (**quei**) *che ti amò tanto, da uscire* (**ch'uscì**) *grazie a te* (**per te**) *dalla folla* (**schiera**) *comune* (**volgare**; da 'volgo' = popolo) [: che si distinse per il suo merito]*? Non odi tu l'angoscia* (**pieta**) *del suo pianto? non vedi tu la morte* [*dell'anima*: la dannazione] *che lotta* (**combatte**) *con lui* ('l = il = lo; pron. pers.) *sul fiume impetuoso* (**fiumana**) [*del peccato e del male*] *rispetto al quale* (**ove** = dove = in cui) *il* ('l) *mare* [*stesso*] *non può vantarsi* (**non ha vanto**) [: perché è meno grande e impetuoso]*? — **Loda di Dio vera**: Beatrice è la vera lode di Dio, grazie alla sua bellezza e alla sua virtù da Dio create; e, in senso allegorico, in quanto la teologia loda Dio in modo autentico. **Ch'uscì per te...**: l'opera grazie alla quale Dante aveva fin allora potuto distinguersi era la *Vita Nuova*, dedicata all'amore per Beatrice.

Al mondo non fur mai persone ratte
a far lor pro o a fuggir lor danno,
111   com'io, dopo cotai parole fatte,
venni qua giù del mio beato scanno,
fidandomi del tuo parlare onesto,
114   ch'onora te e quei ch'udito l'hanno'.
Poscia che m'ebbe ragionato questo,
li occhi lucenti lagrimando volse,
117   per che mi fece del venir più presto.
E venni a te così com'ella volse:
d'inanzi a quella fiera ti levai
120   che del bel monte il corto andar ti tolse.
Dunque: che è? perché, perché restai?
perché tanta viltà nel core allette?
123   perché ardire e franchezza non hai?
poscia che tai tre donne benedette
curan di te ne la corte del cielo,
126   e 'l mio parlar tanto ben ti promette? ».
Quali fioretti dal notturno gelo
chinati e chiusi, poi che 'l sol li 'mbianca,
129   si drizzan tutti aperti in loro stelo,

109-114: *Al mondo non* [*vi*] *furono* (**fur**) *mai persone* [*tanto*] *rapide* (**ratte**) *a fare il proprio interesse* (**lor pro**) *o a evitare* (**fuggir**) *il proprio male* (**lor danno**), *come io, dopo* [*che mi furono*] *dette* (**fatte**) *tali* (**cotai**) *parole, venni* [*rapidamente*] *qua giù* [*al Limbo*] *della* (**del**) *mia beata sede* (**scanno**) [: *il Paradiso*], *avendo fiducia* (**fidandomi**) *nel tuo linguaggio nobile* (**parlare onesto**), *che nobilita* (**onora**) *te e quelli* (**quei**) *che lo hanno ascoltato* (**udito**)'. Qui finisce il discorso di Beatrice riferito da Virgilio.

115-120: *Dopo* (**poscia**) *che mi ebbe detto* (**ragionato**) *questo, distolse* (**volse**) *gli* (**li**) *occhi luminosi* (**lucenti**) *e lacrimanti* (**lagrimando** è gerundio con valore di part. pres.)*; a causa di ciò* (**per che**) *mi fece più sollecito* (**presto**) *a venire* (**del venir** = quanto al venire). *E venni da* (**a**) *te così come ella* [: *Beatrice*] *volle* (**volse**; ancora usato nei dial. tosc.)*; ti tolsi* (**levai**) *dal cospetto* (**d'inanzi** = da innanzi = da davanti) *di* (**a**) *quella belva* (**fiera**) [: *la lupa*] *che ti impedì* (**tolse**) *la via più breve* (**il corto andar**) *per il*

(**del**) *bel monte*. Qualche commentatore interpreta diversamente il v. 116, attribuendo a **volse** il senso di *rivolse*: Beatrice, anziché nascondere il pianto a Virgilio, quasi glielo mostrerebbe; benché tra questi commentatori vi sia anche Boccaccio, pare davvero un eccesso, per un'anima beata!

121-126: *Dunque: che cosa c'è* (**che è**)*? perché, perché indugi* (**restai** = ristai = stai fermo)*? perché accogli* (**allette** = alletti, quasi 'ospiti') *nel cuore tanta viltà? perché non hai coraggio* (**ardire**) *e sicurezza* (**franchezza** = disinvoltura)*? dal momento che* (**poscia che**) *tre donne benedette di tale livello* (**tai** = tali) *si preoccupano* (**curan**) *di te nel regno* (**corte**; o vale forse 'tribunale') *del cielo, e il mio discorso* ('**l mio parlar**) *ti promette un bene così grande* (**tanto**) [: *l'incontro con Beatrice e la salvezza*]*?*»

127-135: *Come fiorellini* (**quali fioretti**)*, piegati* (**chinati**) *e chiusi dal gelo notturno, si risollevano* (**si drizzan**) *tutti aperti sul* (**in**) *loro stelo dopo* (**poi**) *che il* ('**l**) *sole li illumina* (**li 'mbianca** = li imbianca; con la luce del-*

28

tal mi fec' io di mia virtude stanca,
e tanto buono ardire al cor mi corse,

132   ch'i' cominciai come persona franca:
« Oh pietosa colei che mi soccorse!
e te cortese ch'ubidisti tosto

135   a le vere parole che ti porse!
Tu m'hai con disiderio il cor disposto
sì al venir con le parole tue,

138   ch'i' son tornato nel primo proposto.
Or va, ch'un sol volere è d'ambedue:
tu duca, tu segnore e tu maestro ».
Così li dissi; e poi che mosso fue,

142   intrai per lo cammino alto e silvestro.

l'alba), *così* (**tal** = tale) *divenni io* (**mi fec'io**) *rispetto alla* (**di**) *mia forza d'animo* (**virtude** = valore; dal lat. 'virtus') *prostrata* (**stanca**), *e mi corse al cuore* (**cor**) *tanto benefico* (**buono**) *coraggio* (**ardire**), *che io* (**ch'i'**) *cominciai* [*a dire*] *al modo di* (**come**) *una persona sicura di sé* (**franca**): «*Oh* [*com'è*] *pietosa colei* [: Beatrice] *che mi ha soccorso* (**mi soccorse**)! *e* [*come sei*] (*generoso tu* (**te cortese**) *che hai ubbidito sùbito* (**ch'ubidisti tosto**) *alle parole veritiere* (**vere**) *che* [*ella*] *ti disse* (**porse**; da 'porgere', spesso nel senso di 'dire')! Si noti, ai vv. 131 e 132, come Dante riprenda gli stessi termini del rimprovero mossogli da Virgilio (**ardire** e **franca**, come **ardire** e **franchezza** al v. 123).

136-138: *Tu mi hai con il desiderio* [*di partire che hai suscitato in me*] *disposto così*

(**sì**) *il cuore* (**cor**) *a venire, con le tue parole, che io* (**ch'i'**) *sono tornato nella intenzione* (**proposto** = proposito) *iniziale* (**primo**).

139-140: *Ora va'*, *che è di tutt'e due* (**d'ambedue**) [*noi*] *un'unica volontà* (**un sol volere**) [: abbiamo la stessa intenzione, di andare]: [*essendo*] *tu guida* (**duca** = duce; dal lat. 'ducere' = condurre), *tu superiore* (**segnore** = signore), *e tu maestro*». Il v. 140 delinea le competenze di Virgilio: guidare, comandare e insegnare.

141-142: *Così gli* (**li**) *dissi; e dopo* (**poi**) *che* [*si*] *fu* (**fue**) *incamminato* (**mosso**), *entrai* (**intrai**) *nel sentiero* (**per lo cammino**) *difficile e selvaggio* (**alto e silvestro**).

Alto   vv. 7 e 12

L'agg. ital. *alto* deriva dal lat. *altus* (part. pass. del vb. *ălere* = 'crescere') che propriamente significa 'ingrandito' (cfr. franc. *haut*, sp. *alto*, ingl. *hight*, ted. *hoch*). I significati dell'agg. sono numerosissimi, e molti di essi sono presenti nella *Commedia*. I principali sono: 1) 'elevato rispetto al suolo' — cfr. *Inf.* XV, 11 —; 2) riferito all'uomo, 'di statura superiore alla media'; 3) 'profondo, in riferimento al mare («alto mare» = 'mare lontano dalla costa') — cfr. *Inf.* XXVI, 100 —, alla notte, al silenzio ecc.; 4) 'di tono elevato, che risuona fortemente' («volume troppo alto») — cfr. *Inf.* III, 22 —; 5) in senso figur.: 'nobile, illustre, valoroso, altero' («a testa alta») — cfr. *Inf.* III, 4 e VI, 70; *Purg.* XXX, 142; *Par.* I, 106; VI, 108; XVII, 82 e XXXIII, 1 —, 'di grado elevato nella scala sociale' («alta società») — cfr. *Inf.* I, 128 —, 'arduo, difficile, impegnativo, pauroso' — cfr. *Inf.* II, 12 e 142 —; 6) frequente è l'uso avverbiale («in alto», «dall'alto» ecc.) — cfr. Inf. I, 16; *Purg.* I, 68.

Apparecchiare

La voce deriva dal vb. lat. volg. *appariculare* (da *apparāre* = 'preparare', composto da *ad* + *parare*). Nella forma trans. il vb. significa propriamente 'preparare, allestire' ed oggi sopravvive solo in questo significato, usato quasi esclusivamente nell'accezione particolare «apparecchiare la tavola». Nella forma intrans. e rifl., oggi non usata, il vb. vale invece 'prepararsi a qualcosa, disporsi, accingersi' — cfr. *Inf.* II, 4 e XXII, 93 e *Par.* XVII, 45.

Sòlvere

La voce deriva dal lat. *solvĕre* = 'sciogliere' (cfr. ant. franc. *soudre*, sp. e port. *solver*). È termine ant. e letter. per 'sciogliere, liquefare'. Dante usa il vocabolo sempre e solo in senso figur. e trasl., oltre che in locuz. particolari. In senso trasl. la voce può significare 'liberare' — cfr. *Inf.* II, 49 e *Purg.* XXXI, 145; entrambi nella forma rifl., con il significato di 'liberarsi da un dubbio o dai veli' —; oppure 'chiarire, risolvere (una difficoltà o un dubbio)' — cfr. *Inf.* X, 114 —; o ancora 'appagare un desiderio' — cfr. *Par.* XV, 52. La locuz. «solvere il nodo» è usata da Dante, sempre in senso figur., con il significato di 'pagare un debito, espiare' — cfr. *Purg.* XXIII, 15 — e di 'risolvere un dubbio' — cfr. *Inf.* X, 95. Oggi la voce è sostituita nell'uso da *sciogliere*, benché sopravviva in alcune forme derivate quali, p. es., *solvente, solubile, soluzione* (nelle due accezioni di 'risoluzione di un problema' e di 'sospensione; liquido in cui sono sciolte determinate sostanze').

Volgare

La voce deriva dall'agg. lat. *vulgāris* ('volgare', da *vulgus* = 'popolo'; cfr. franc. *vulgaire* e sp. *vulgar*). Il termine significa propriamente 'appartenente al popolo; comune'; e tale è l'accezione cui si riferisce Dante. Oggi l'agg. ha assunto una netta sfumatura spregiativa, nel senso di 'scurrile, privo di garbo e finezza'; mentre il sost. ha un preciso significato tecnico ed indica il 'linguaggio usato, alle origini della lingua italiana, dal solo volgo', senza sfumature negative (cfr. anche il titolo lat. dell'opera di Dante in difesa della lingua del popolo, il *volgare*: *De vulgari eloquentia*).

Canto III

Il terzo canto è composto da quattro momenti distinti: l'attraversamento della porta dell'Inferno, sulla quale si legge una scritta minacciosa; l'incontro con le anime dei vili e la descrizione della loro pena; l'arrivo al fiume Acheronte e l'incontro con il traghettatore Caronte; il conclusivo svenimento di Dante in seguito ad un terremoto. Benché ognuno di questi momenti (e soprattutto i due centrali, più vasti) sia raffigurato con mano sicura ed energia drammaticamente mossa, essi restano alquanto staccati l'uno dall'altro: lo schema del viaggio è ancora sopraffatto da quello della visione; sull'attenzione psicologica verso il singolo personaggio prevale la descrizione di scene di massa.

* * *

Il canto si apre bruscamente con l'iscrizione posta sulla soglia infernale: parole dure e senza speranza. Rassicurato da Virgilio, Dante attraversa la porta e subito è colpito da un tumulto di lamenti e di maledizioni: nel buio fitto l'udito prevale sugli altri sensi.

Tra la porta e il fiume Acheronte, che segna il vero e proprio ingresso nell'Inferno, sono situate le numerosissime anime degli ignavi (o vili), coloro che non fecero né il male né il bene sulla Terra, ma pensarono solo a se stessi; mischiati a loro sono gli angeli che non si unirono alla ribellione guidata da Lucifero ma non furono neppure fedeli a Dio, facendo causa a sé. Costoro non possono essere accolti in Paradiso perché ne macchierebbero la bellezza; e non possono essere veramente nell'Inferno perché i dannati avrebbero una ragione di soddisfazione a vedere punite allo stesso modo le proprie colpe e la semplice indifferenza degli ignavi: così sono in una zona neutra. Ma la punizione è tipicamente infernale e segue il criterio del c o n t r a p p a s s o : i vili sono costretti a correre dietro ad un vessillo senza senso (loro che non ebbero alcun vessillo da seguire in vita) e, punti da vespe e mosconi, versano sangue e lacrime (loro che non li vollero versare per nessuna causa), affinché ai loro piedi li raccolgano schifosi vermi. Dante non nomina nessuno, ma allude ad un personaggio che forse va identificato con Celestino V, il quale rinunciò al papato lasciando via libera a Bonifacio VIII, nemico di Dante e di Firenze.

Lasciati alle proprie spalle gli ignavi, Dante e Virgilio giungono sulla riva del fiume Acheronte dove Caronte, un'imponente figura tra uomo e demone, traghetta le anime dei dannati all'altra riva. Poiché si rifiuta di traghettare Dante, in quanto ancora vivo e destinato alla salvezza, Virgilio lo ammonisce che il viaggio di Dante è voluto da Dio.

Ma l'attraversamento del fiume avviene in modo misterioso: il canto si chiude con un terremoto che fa svenire Dante, il quale si ritroverà al risveglio (nel canto seguente) al di là dell'Acheronte.

* * *

Questo canto segna il passaggio dell'arte di Dante dai modi lirici ed elegiaci ai modi propriamente epici e tragici, e da questo derivano i caratteri sopra ricordati: il costruire la narrazione per episodi distinti e per gruppi d'insieme. Ne deriva anche l'obbedienza al modello virgiliano, fortissima in questo canto. Ma la novità della materia dà già modo alla potente facoltà rappresentativa della fantasia dantesca di creare con originale drammaticità un'atmosfera tutta personale di tenebrosa oppressione: egli già verifica la forza della propria arte nel realismo descrittivo dell'episodio di Caronte e la grandezza della propria partecipazione morale nello sprezzante atteggiamento nei confronti degli ignavi. Incontreremo una maggiore capacità di articolazione narrativa e un più profondo impegno psicologico nei canti che seguono.

> « Per me si va ne la città dolente,
>   per me si va ne l'etterno dolore,
> 3   per me si va tra la perduta gente.
>   Giustizia mosse il mio alto fattore;
>   fecemi la divina podestate,
> 6   la somma sapïenza e 'l primo amore.
>   Dinanzi a me non fuor cose create
>   se non etterne, e io etterno duro.
> 9   Lasciate ogne speranza, voi ch'intrate ».

1-3: «*Attraverso* (**per**; e così dopo) *me si va nella città addolorata* (**dolente**) [: l'Inferno], *attraverso me si va nel dolore eterno, attraverso me si va tra la gente dannata* (**perduta**). I vv. 1-9 riportano l'iscrizione posta all'ingresso dell'Inferno. Essi sono costruiti utilizzando un gran numero di risorse retoriche, volte alla creazione di un effetto di stupore, paura, inesorabilità. Già nella prima terzina si può osservare la presenza dell'a n a f o r a (**per me... per me... per me...**) e una costruzione a c l i m a x a s c e n d e n t e.

4-6: [*La*] *giustizia mosse il mio sommo creatore* (**alto fattore**) [: Dio]*; mi fecero* (**fecemi** = mi fece) *la potenza* (**podestate**) *divina, la somma sapienza e l'amore originario* (**primo**). L'inferno è stato cioè creato da Dio, spinto da ragioni di giustizia (v. 4), nei suoi attributi trinitari: potenza (Padre), sapienza (Figlio), amore (Spirito Santo). Non solo la

potenza vendicatrice di Dio ha creato l'Inferno, ma anche la sua sapienza che presiede all'ordine armonioso dell'Universo e il suo amore, in nome di una difficile ma infallibile giustizia.

7-8: *Prima di me* (**dinanzi a me**) *non furono* (**fuor**) *create cose se non eterne, e io duro eternamente* (**etterno**; avv.; dal lat. 'aeterno'). Prima dell'Inferno Dio creò solo esseri eterni: i cieli, i quattro elementi della materia, gli angeli; la immediata ribellione di una parte degli angeli spinse Dio a creare l'Inferno, prodotto dalla caduta del loro capo Lucifero sulla Terra. Dopo l'Inferno, eterno anch'esso, furono create le cose mortali, come la forma degli elementi sulla Terra, le piante, gli animali e l'uomo. Il v. 8 è costruito a c h i a s m o.

9: *Voi che entrate* (**ch'intrate**), *lasciate ogni speranza* [*di uscire*]».

Queste parole di colore oscuro
     vid'ïo scritte al sommo d'una porta;
12   per ch'io: «Maestro, il senso lor m'è duro».
Ed elli a me, come persona accorta:
     «Qui si convien lasciare ogne sospetto;
15   ogne viltà convien che qui sia morta.
Noi siam venuti al loco ov'i' t'ho detto
     che tu vedrai le genti dolorose
18   c'hanno perduto il ben de l'intelletto».
E poi che la sua mano a la mia puose
     con lieto volto, ond'io mi confortai,
21   mi mise dentro a le segrete cose.
Quivi sospiri, pianti e alti guai
     risonavan per l'aere sanza stelle,
24   per ch'io al cominciar ne lagrimai.
Diverse lingue, orribili favelle,
     parole di dolore, accenti d'ira,
27   voci alte e fioche, e suon di man con elle

10-12: *Io vidi* (**vid'io**) *queste parole scritte con un* (**di**) *colore scuro sull'alto* (**al sommo**) *di una porta; per cui io* (**per ch'io**) [*dissi*]: «*Maestro, il loro significato* (**senso**) *mi appare* (**m'è**) *pauroso* (**duro**)». Dante teme soprattutto che l'ammonizione del v. 9 valga anche per lui, e che gli sia perciò interdetta la libertà del ritorno.

13-15: *Ed egli* (**elli**) [: Virgilio] [*rispose*] *a me, come una persona attenta* (**accorta**) [*al mio stato d'animo*]*:* «*Qui bisogna* (**si convien**; **si** è p l e o n.) *abbandonare* (**lasciare**) *ogni esitazione* (**sospetto**)*; è necessario* (**convien**) *che qui sia finita* (**morta**; part. pass. di 'morire', qui con funzione di agg. predicativo) *ogni viltà*.

16-18: *Noi siamo giunti* (**venuti**) *al luogo* (**loco**) *nel quale* (**ov'** = ove = dove) *io ti ho detto* [: cfr. I, 114-117] *che tu vedrai le genti sofferenti* (**dolorose**) *che hanno perduto il bene dell'intelletto*». Scrive Dante nel *Convivio* (II, XIII, 6) che «'l [il] vero è lo [il] bene de lo [dell'] intelletto»; e quindi le anime dei dannati hanno perduto la visione della Verità Suprema, cioè Dio.

19-21: *E dopo* (**poi**) *che* [*Virgilio*] *ebbe posto* (**puose**; da 'porre' = mettere) *la sua mano sulla* (**a la**) *mia* [: dopo avermi preso per mano] *con volto sereno* (**lieto**)*, per cui io* (**ond'io**) *mi rassicurai* (**mi confortai**)*, mi introdusse* (**mi mise dentro**) *nel mondo impenetrabile* (**a le segrete cose**; **segrete** dal vb. lat. 'secerno' = separare) [*dell'Inferno*]. I due varcano cioè la porta dell'Inferno.

22-24: *Qui* (**quivi**) [: oltre la porta, cioè nell'Inferno] *risuonavano nello spazio* (**per l'aere**) *senza stelle sospiri, pianti e forti lamenti* (**alti guai**; **guai** = guaiti)*, per cui io* (**per ch'io**) *in un primo momento* (**al cominciar**) *ne piansi* (**ne lagrimai**). Si noti il passaggio rapido del v. 22, che senza indugi descrittivi porta sùbito nel cuore della situazione infernale, con un c l i m a x a s c e n d e n t e di notevole efficacia (**sospiri, pianti, alti guai**). Le tenebre sono complete: lo spazio è così buio che non c'è neppure il brillare delle stelle (v. 23), perché non c'è un cielo aperto. Solo l'udito riceve le impressioni del luogo, in questo primo impatto con il mondo infernale: si vedano i vv. 22 sg. e soprattutto i vv. 25-30; non a caso Dante, al v. 32, dirà **odo**.

25-30: *Lingue disumane* (**diverse**)*, pronunzie* (**favelle**) *orribili, parole di dolore, esclamazioni* (**accenti**) *d'ira, voci forti e deboli* (**alte e fioche**)*, e insieme a queste cose* (**con elle**) *rumori* (**suon**) *di* [*battere di*] *mani, fa-*

facevano un tumulto, il qual s'aggira
    sempre in quell'aura sanza tempo tinta,

30   come la rena quando turbo spira.
    E io ch'avea d'error la testa cinta,
    dissi: « Maestro, che è quel ch'i' odo?

33   e che gent'è che par nel duol sì vinta? ».
    Ed elli a me: « Questo misero modo
    tengon l'anime triste di coloro

36   che visser sanza 'nfamia e sanza lodo.
    Mischiate sono a quel cattivo coro
    de li angeli che non furon ribelli

39   né fur fedeli a Dio, ma per sé fuoro.
    Caccianli i ciel per non esser men belli,
    né lo profondo inferno li riceve,

42   ch'alcuna gloria i rei avrebber d'elli ».
    E io: « Maestro, che è tanto greve
    a lor che lamentar li fa sì forte? ».

---

cevano un tumulto che (**il qual**) *si aggira sempre in quell'aria nera* (**aura...tinta**) *senza tempo, come* [*si muove*] *la sabbia* (**la rena**) *quando soffia* (**spira**) *il turbine* (**turbo**; latinismo). **Sanza tempo** significa, contemporaneamente, sia *eterna* sia 'priva di giorno e notte o di stagioni', cioè *sempre uguale*.

31-33: *E io che avevo* (**ch'avea**) *la testa avvolta* (**cinta**; part. pass. di 'cingere') *di dubbio* (**d'error**) *dissi* [*a Virgilio*]: «*Maestro, che* [*cos'*]*è ciò che io* (**quel ch'i'**) *sento* (**odo**)? *e che persone sono* (**che gent'è**) [*queste*] *che si rivelano* (**par** = pare = appare) *così sopraffatte* (**sì vinta**) *nel dolore* (**duol**)?». **Nel duol**, anziché *dal duol*, esprime il totale annientamento della persona umana nella sofferenza.

34-36: *Ed egli* (**elli**) [: Virgilio] [*rispose*] *a me*: «*Hanno* (**tengon**) *questo comportamento* (**modo**) *miserabile* (**misero**; con una sfumatura di disprezzo) *le anime cattive* (**triste**) *di coloro che vissero senza* [*meritare*] *cattiva fama* ('**nfamia** = infamia) *e senza* [*meritare*] *lode* (**lodo**). Sono le anime degli ignavi, dei vili, di coloro che non hanno fatto nulla di male in vita, ma neppure nulla di bene. Verso di essi Dante mostra un profondo disprezzo, assai maggiore che per altre categorie di dannati. Infatti la grandezza e la forza (o l'umanità) di un'anima provoca sempre in Dante un atteggiamento di partecipazione e perfino di rispetto; qui è proprio la meschinità opaca degli ignavi che gli ripugna e lo indigna. La loro collocazione,

come è detto ai vv. 40-42, è ai margini dell'Inferno, esclusi dal regno vero e proprio dei malvagi: infatti se fossero collocati nell'Inferno vero e proprio, i dannati, che invece hanno compiuto azioni malvage, avrebbero il privilegio di stare nella stessa condizione di chi non ha commesso alcun male; né può ospitarli il Paradiso, che ne verrebbe contaminato. Con loro sono gli angeli che restarono neutrali, senza prender posizione né per il ribelle Lucifero né per Dio, rimanendo per conto loro (vv. 37-39).

37-39: [*Le anime degli ignavi*] *sono mischiate a quella schiera* (**coro**) *malvagia* (**cattivo**) *degli* (**de li**) *angeli che non furono ribelli e non* (**né**) *furono* (**fur**) *fedeli a Dio, ma furono* (**fuoro**) *per sé* [*stessi*].

40-42: *I cieli li cacciano* (**caccianli**) *per non essere meno belli, e il* (**lo**) *profondo Inferno* [: l'Inferno vero e proprio] *non* (**né**) *li può accogliere* (**li riceve**), *perché* (**ch'** = ché) *i malvagi* (**rei**) *avrebbero da loro* (**d'elli**) *un qualche vanto* (**alcuna gloria**)». Gli angeli ribelli avrebbero ragione di soddisfazione e di vanto a vedersi puniti allo stesso modo di coloro che non avevano partecipato alla ribellione: «uguali nella punizione, ma non nel peccato» (Casini-Barbi).

43-44: *E io* [*dissi a Virgilio*]: «*Maestro, che cosa gli è* (**che è...a lor**) *tanto doloroso* (**greve**) [: che cosa li tormenta tanto], *che li fa lamentare così fortemente* (**sì forte**)?»

45   Rispuose: « Dicerolti molto breve.
          Questi non hanno speranza di morte,
            e la lor cieca vita è tanto bassa,
48   che 'nvidïosi son d'ogne altra sorte.
          Fama di loro il mondo esser non lassa;
            misericordia e giustizia li sdegna:
51   non ragioniam di lor, ma guarda e passa ».
          E io, che riguardai, vidi una 'nsegna
            che girando correva tanto ratta,
54   che d'ogne posa mi parea indegna;
          e dietro le venìa sì lunga tratta
            di gente, ch'i' non averei creduto
57   che morte tanta n'avesse disfatta.
          Poscia ch'io v'ebbi alcun riconosciuto,
            vidi e conobbi l'ombra di colui
60   che fece per viltade il gran rifiuto.

45: [*Virgilio*] *rispose: «Te lo dirò* (**dicerolti** = te lo dicerò) *molto brevemente* (**breve**; avv.). Gli ignavi non meritano un lungo discorso, ma solo uno sguardo di disprezzo (cfr. anche v. 51).

46-48: *Costoro* (**questi**) *non hanno la speranza di morire* (**speranza di morte**) [: come tutti i dannati], *e la loro vita buia* (**cieca**) *è tanto infima* (**bassa**), *che sono invidiosi di ogni altra condizione* (**sorte**) [: anche di quella dei dannati].

49-51: *Il mondo non lascia* (**lassa**) *durare* (**esser**) *il loro ricordo* (**fama di loro**); [*sia*] *la misericordia e* [*sia*] *la giustizia* [*di Dio*] *li rifiuta* (**sdegna**) [: infatti non sono né salvati né dannati]*: non parliamo* (**ragioniam**) *di loro, ma guarda e cammina* (**passa**)». Il disprezzo raggiunge il suo vertice in questa terzina, dove gli ignavi sono rappresentati come indegni di tutto: del ricordo, della bontà o della severità divine, dello stesso parlare di loro o soffermarvisi troppo.

52-57: *E io, che guardai* (**riguardai** indica attenzione), *vidi una insegna* (**'nsegna**) *che girando correva così veloce* (**tanto ratta**), *che sembrava* (**parea**) *incapace* (**indegna**; o vale, forse, 'immeritevole') *di ogni* (**d'ogne**) *riposo* (**posa**) [: di fermarsi]*; e dietro le veniva* [*correndo*] *una così* (**sì**) *lunga fila* (**tratta**) *di persone* (**gente**)*, che io* (**ch'i'**) *non avrei creduto che la morte ne avesse distrutte* (**disfat-**

ta) [: *uccise*] *tante*. Il numero degli ignavi è superiore a quello di qualsiasi altro gruppo di dannati: feroce allusione alla frequenza, tra gli uomini, della viltà. La pena riservata ad essi, benché ai limiti dell'Inferno vero e proprio, ha tutte le caratteristiche di una pena infernale; vi è infatti applicata la legge del c o n t r a p p a s s o : gli ignavi, che si sono sempre rifiutati di seguire un ideale, ora sono costretti a correre inutilmente per l'eternità dietro ad un'insegna irraggiungibile, senza senso. Un'**insegna** così poco importante, se non per la simbolica funzione punitiva che svolge, che Dante non dice neppure se si tratta di una bandiera, di uno stendardo o altro.

58-60: *Dopo che io* (**poscia ch'io**) *vi ebbi riconosciuto qualcuno* (**alcun**)*, vidi e riconobbi* (**conobbi**) *l'anima* (**l'ombra**) *di colui che per viltà* (**viltade**) *fece il supremo* (**gran**) *rifiuto*. Dante non nomina nessuno degli ignavi per disprezzo, anche se qualcuno riconosce; allude con una p e r i f r a s i sprezzante ad un unico personaggio, ma senza nominarlo. Benché si siano fatte numerose ipotesi sulla identità di costui, la più antica e fondata porta a Pier da Morrone, eletto papa nel luglio del 1294 con il nome di Celestino V, e che dopo pochi mesi rinunciò al papato; la sua rinuncia aprì la strada al pontificato di Bonifacio VIII (nemico di Dante, di Firenze e dell'Impero), tutto volto ad una politica di dominio temporale.

Incontanente intesi e certo fui
che questa era la setta de' cattivi,
63   a Dio spiacenti e a' nemici sui.
Questi sciaurati, che mai non fur vivi,
erano ignudi e stimolati molto
66   da mosconi e da vespe ch'eran ivi.
Elle rigavan lor di sangue il volto,
che, mischiato di lagrime, a' lor piedi
69   da fastidiosi vermi era ricolto.
E poi ch'a riguardar oltre mi diedi,
vidi genti a la riva d'un gran fiume;
72   per ch'io dissi: « Maestro, or mi concedi
ch'i' sappia quali sono, e qual costume
le fa di trapassar parer sì pronte,
75   com'i' discerno per lo fioco lume ».

61-63: *Sùbito* (**incontanente**) *capii* (**intesi**) *e fui certo che questa era la schiera dei vili* (**la setta de' cattivi**), *spiacevole* (**spiacenti**) *a Dio e ai* (**a'**) *suoi* (**sui**) [: di Dio] *nemici* [: i diavoli]. Ancora una battuta di disprezzo: quello che Dante non aveva ancora capito dalle spiegazioni di Virgilio, gli diviene chiaro di colpo nel vedere l'**ombra** dei vv. 59-60.

64-66: *Questi vigliacchi* (**sciaurati**), *che non furono* (**fur**) *mai* [*veramente*] *vivi, erano nudi* (**ignudi**) *e punzecchiati* (**stimolati**) *di continuo* (**molto**) *da mosconi e da vespe che stavano lì* (**ch'eran ivi**). La pena si completa con questo umiliante supplizio: mosconi e vespe li pungono (vv. 64-66), vermi schifosi raccolgono ai loro piedi il sangue mischiato con le lacrime (vv. 67-69). Anche qui, benché meno evidente, agisce la legge del c o n t r a p p a s s o : lo stimolo che gli ignavi non hanno sentito da vivi verso nessuna opera, ora lo devono provare a causa di vespe e di mosconi in una forma dolorosa e degradata; e quel sangue e quelle lacrime che non hanno voluto versare da vivi per nessuna causa, li versano eternamente e invano da morti per lasciarlo succhiare dai vermi.

67-69: *Essi* (**elle**) [: mosconi e vespe] *gli* (**lor** = a loro) *rigavano il volto di sangue, che, mischiato a* (**di**) *lacrime, era raccolto* (**ricolto**) *ai loro piedi da vermi schifosi* (**fastidiosi**).

70-75: *E dopo* (**poi**) *che mi misi* (**diedi**) *a guardare* (**riguardar**) *oltre, vidi molte persone* (**genti**) *sulla* (**a la**) *riva di un grande fiume* [: l'Acheronte]; *per cui io* (**per ch'io**) *dissi: «Maestro, ora concedimi* (**mi concedi**) *di sapere* (**ch'i' sappia** = che io sappia) *chi* (**quali**) *sono* [*queste anime*], *e quale abitudine* (**costume**) [: legge] *le fa apparire* (**parer**) *così desiderose* (**sì pronte**) *di attraversare* (**trapassar**) [*il fiume*], *come io scorgo* (**discerno**) *attraverso* (**per**) *la debole luce* (**lo fioco lume**)».
Un gran fiume: l'Acheronte è il primo fiume infernale che Dante incontra; esso segna il vero confine dell'Inferno (da cui gli ignavi, che non lo hanno attraversato, sono di fatto al di fuori). Dante lo riprende dalla mitologia greca attraverso il tramite dei latini e soprattutto di Virgilio, che ne parla nell'*Eneide* (VI, 295-297). Secondo Dante le acque dell'Acheronte sono generate dal dolore umano sotto la forma delle lacrime che sgorgano dal Veglio di Creta, figura dell'umanità intera. Sulla riva dell'Acheronte si raccolgono le anime dei morti destinate all'Inferno, come Virgilio spiegherà ai vv. 121-127.
Com'io discerno: è naturalmente una questione oziosa quella relativa alle contraddizioni del poema dantesco: qui, per esempio, il buio consente ugualmente a Dante di vedere quello che è necessario. Di alcune contraddizioni, d'altra parte, Dante stesso fornisce la spiegazione, come vi sarà modo di vedere.

Ed elli a me: « Le cose ti fier conte
quando noi fermerem li nostri passi
su la trista riviera d'Acheronte ».

78

Allor con li occhi vergognosi e bassi,
temendo no 'l mio dir li fosse grave,
infino al fiume del parlar mi trassi.

81

Ed ecco verso noi venir per nave
un vecchio, bianco per antico pelo,
gridando: « Guai a voi, anime prave!

84

Non isperate mai veder lo cielo:
i' vegno per menarvi a l'altra riva
ne le tenebre etterne, in caldo e 'n gelo.

87

E tu che se' costì, anima viva,
pàrtiti da cotesti che son morti ».

90

Ma poi che vide ch'io non mi partiva,
disse: « Per altra via, per altri porti
verrai a piaggia, non qui, per passare:

93

più lieve legno convien che ti porti ».

76-78: *Ed egli* (**elli**) [: Virgilio] [*rispose*] *a me: «Le cose ti saranno* (**fier**) *note* (**conte**; dal lat. 'cognitae' = conosciute) *quando noi fermeremo i* (**li**) *nostri passi sul doloroso* (**tri-sta**) *fiume* (**riviera**; cfr. il franc. 'rivière') *Acheronte».*

79-81: *Allora,* [*restando*] *con gli* (**li**) *occhi bassi per vergogna* (**vergognosi e bassi**; si tratta di un'e n d i a d i), *mi trattenni* (**trassi**) *dal* (**del**) *parlare fino* (**infino**) *al fiume, temendo che* (**temendo no** = temendo che non; costruzione latineggiante, sul modello di 'timeo ne') *il mio parlare* (**'l mio dir**) [*non*] *gli* (**li**) *fosse spiacevole* (**grave**). Si tratta di uno dei numerosi particolari relativi al rapporto tra maestro e discepolo; qui Virgilio ha voluto implicitamente rimproverare l'eccessiva curiosità di Dante.

82-87: *Ed ecco venire verso di noi su una barca* (**per nave**) *un vecchio, bianco a causa di* (**per**) *una vecchissima barba* (**antico pelo**), *nell'atto di gridare* (**gridando**; con valore di part. pres., significa 'gridante'): «*Guai a voi, anime malvage* (**prave**)! *Non sperate mai* [*di*] *vedere il* (**lo**) *cielo: io vengo* (**ve-gno**) *per trasportarvi* (**menarvi**) *all'altra riva nelle tenebre eterne* [*dell'Inferno*], *in caldo e in gelo* [: a soffrire]. Il vecchio nocchiero è Caronte (cfr. v. 94), figlio dell'Erebo e della Notte. È il primo dei numerosi personaggi

che Dante riprende dalla mitologia greca e latina. Caronte è descritto anche nell'*Enei-de* di Virgilio in modo abbastanza simile.

88-89: *E tu* [: ora si rivolge a Dante] *che sei là* (**costì**), *anima viva* [: unita al corpo e destinata alla salvezza], *allontànati* (**pàrti-ti**) *da codesti* [*uomini*] *che sono morti* [: fisicamente e spiritualmente, perché dannati]».

90-93: *Ma dopo aver visto* (**poi che vide**) *che io non mi allontanavo* (**non mi partiva**) [*dagli altri*], *disse: «Per passare* [*all'oltretomba*] *verrai alla riva* (**a piaggia**) *lungo* (**per**) *un'altra strada* (**via**), *con* (**per**) *altri porti, non qui: è destinato* (**convien**) *che ti porti una barca* (**legno**; per m e t o n i m i a) *più leggera* (**lieve**) [*di questa*]».* Una doppia ragione muove l'irritazione di Caronte: Dante non è ancora morto (vv. 88 sg.) e la sua anima, quando egli morirà, non è destinata a quella riva né a quel tragitto né a quel porto né a quella barca; cioè non è destinata alla dannazione infernale ma al Purgatorio e alla salvezza. Le anime del Purgatorio si raccolgono infatti alla foce del Tevere e sono trasportate su un «**vasello** [vascello] **snelletto** [affusolato] **e leggero**» (cfr. il **più lieve legno**) da un angelo nocchiero all'isola del Purgatorio (cfr. *Purg.* II, 40 sgg.).

E 'l duca lui: « Caròn, non ti crucciare:
vuolsi così colà dove si puote
96   ciò che si vuole, e più non dimandare ».
Quinci fuor quete le lanose gote
al nocchier de la livida palude,
99   che 'ntorno a li occhi avea di fiamme rote.
Ma quell'anime, ch'eran lasse e nude,
cangiar colore e dibattero i denti,
102   ratto che 'nteser le parole crude:
bestemmiavano Dio e lor parenti,
l'umana spezie e 'l loco e 'l tempo e 'l seme
105   di lor semenza e di lor nascimenti.
Poi si ritrasser tutte quante insieme,
forte piangendo, a la riva malvagia
108   ch'attende ciascun uom che Dio non teme.
Caròn dimonio, con occhi di bragia
loro accennando tutte le raccoglie;
111   batte col remo qualunque s'adagia.
Come d'autunno si levan le foglie
l'una appresso de l'altra, fin che 'l ramo
114   vede a la terra tutte le sue spoglie,
similemente il mal seme d'Adamo

94-96: *E la* (**'l** = il) [*mia*] *guida* (**duca**; dal lat. 'ducere' = condurre) [*disse a*] *lui:* «*Caronte* (**Caròn**; o s s i t o n o come di regola nel Medio Evo i nomi non latini), *non ti arrabbiare* (**crucciare**): *si vuole* (**vuolsi**) *così* [: che Dante sia traghettato] *in quel luogo* (**colà**) *dove si può* (**puote**) [*tutto*] *ciò che si vuole* [: in Paradiso; cioè: è volontà divina], *e non domandare altro* (**più**)».

97-99: *Da quel momento* (**quinci**) *furono calme* (**fuor quete**) *le guance* (**gote**) *barbute* (**lanose**) *nel* (**al**) *nocchiero della palude scura* (**livida**), *che aveva intorno agli* (**a li**) *occhi cerchi* (**rote** = ruote) *di fiamme*. Gli occhi rossi e come fiammeggianti per l'ira di Caronte, costretto al silenzio, rivelano il peso della volontà divina richiamata da Virgilio; eppure lasciano alla figura imponente del vecchio dèmone una sua nobile fierezza, pure nel suo necessario piegarsi.

100-105: *Ma quelle anime, che erano sfinite* (**lasse**) *e nude, cambiarono* (**cangiar**) *colore* [: impallidirono] *e batterono* (**dibattero**) *i denti, appena* (**ratto che**) *udirono* ('n**teser** = intesero) *le parole crudeli* (**crude**) [*di*

Caronte; cfr. vv. 84-87]: *maledicevano* (**bestemmiavano**) *Dio e i loro genitori* (**parenti**), *la specie* (**spezie**) *umana e il* (**'l**) *luogo e il momento* (**'l tempo**) *e il seme della* (**di**) *loro stirpe* (**semenza**) *e della loro procreazione* (**nascimenti**).

106-108: *Poi si raggrupparono* (**si ritrasser**) *tutte quante insieme, piangendo fortemente* (**forte**), *sulla* (**a la**) *riva malvagia* [*dell'Acheronte*] *che attende ogni* (**ciascun**) *uomo che non teme Dio* [: e che quindi non rispetta la sua volontà].

109-111: *Il demonio Caronte, con occhi di brace* (**bragia**) [: rossi come fuoco], *le* [: le anime dei dannati] *raccoglie tutte* [*insieme*] *con gesti a loro rivolti* (**loro accennando**)*; colpisce* (**batte**) *col remo qualunque* [*di loro*] *si abbandona* (**s'adagia**; dal franc. ant. 's'aaisier' = mettersi a proprio agio, sedersi) [*troppo comodamente*].

112-117: *Come in* (**d'** = di) *autunno si staccano* (**si levan**) *le foglie una dopo* (**appresso**) *l'altra, finché il* (**'l**) *ramo vede a terra tutto il suo rivestimento* (**le sue spoglie**), *in modo simile* (**similemente**)ᐟ *i cattivi discendenti* (**il

gittansi di quel lito ad una ad una,

117   per cenni come augel per suo richiamo.

Così sen vanno su per l'onda bruna,

    e avanti che sien di là discese,

120   anche di qua nuova schiera s'auna.

« Figliuol mio », disse 'l maestro cortese,

    « quelli che muoion ne l'ira di Dio

123   tutti convegnon qui d'ogne paese;

e pronti sono a trapassar lo rio,

    ché la divina giustizia li sprona,

126   sì che la tema si volve in disio.

Quinci non passa mai anima buona;

    e però, se Caròn di te si lagna,

129   ben puoi sapere omai che 'l suo dir suona ».

Finito questo, la buia campagna

    tremò sì forte, che de lo spavento

132   la mente di sudore ancor mi bagna.

La terra lagrimosa diede vento,

    che balenò una luce vermiglia

---

mal seme) *di Adamo* [: i peccatori] *si preci-pitano* (**gittansi** = si gettano) *da quella riva* (**di quel lito**) [*sulla barca*] *ad uno ad uno, secondo i gesti* (**per cenni**) [*di Caronte*; cfr. v. 110] *come un uccello* (**augel**) [*obbedendo*] *al* (**per**) *suo richiamo.* Si noti ai vv. 115 sg. il passaggio, abbastanza frequente nello stile dell'epoca, dal soggetto singolare **il mal seme** al verbo plurale **gittansi** (il sing. sarebbe stato *gittasi*); in questo caso influisce la presenza del nome collettivo **seme** (come *discendenza*: grammaticalmente singolare, ma riguardante molti individui, appunto una collettività). Inoltre il verbo plurale prepara il passaggio dalla definizione d'insieme di **mal seme** a quella particolareggiata di **ad una ad una**, in cui il femminile sottintende *anima*.

118-120: *In questo modo* (**così**) *se ne* (**sen**) *vanno su per l'acqua scura* (**l'onda bruna**), *e prima che* (**avanti che**) *siano* (**sien**) *discese* [*al*] *di là* [*del fiume*], *di nuovo* (**an-che** = ancora) *si raduna* (**s'auna**) *di qua una nuova schiera* [*di dannati in attesa di essere traghettati*].

121-126: *Il maestro gentile* (**cortese**) [: Virgi-lio] *disse: «Figlio mio, quelli che muoiono nella maledizione* (**ira**) *di Dio si radunano* (**convegnono** = convengono) *tutti qui da ogni paese: e* [*tali anime*] *sono sollecite* (**pronti**)

ad attraversare (**a trapassar**) *il fiume* (**lo rio**), *poiché* (**ché**) *la giustizia divina le spinge con forza* (**li sprona**), *così* (**sì**) *che la paura* (**te-ma**) *si trasforma* (**volve** = volge) *in desiderio* (**disio**). È una efficace rappresentazione della potenza divina: le anime dannate, avvertendo l'ineluttabile condanna della giustizia superiore, sono piegate a desiderare che l'inizio delle pene si affretti. Non è solo la disperazione di chi non ha più scampo, ma la consapevolezza troppo tardi raggiunta, e perciò straziante, della legge inesorabile di Dio.

127-129: *Di qui* (**quinci**) *non passa mai* [*nes-suna*] *anima destinata alla salvezza* (**buona**)*; e perciò* (**però**) *se Caronte si lamenta* (**lagna**) *di te* [: *perché vuoi passare*], *ormai puoi ben capire* (**sapere**) *che* [*cosa*] *significa* (**suona**) *il* (**'l**) *suo discorso* (**dir**)». Significa cioè che a Dante è ancora aperta la possibilità di essere salvo, di essere un'**anima buona**.

130-132: [*Dopo che Virgilio ebbe*] *finito* [*di dirmi*] *questo, la buia terra* (**campagna**) *tre-mò così* (**sì**) *forte che il ricordo* (**la mente**) *ancora mi bagna di sudore per lo* (**de lo**) *spavento.*

133-136: *La terra piena di lacrime* (**lagrimo-sa**) [*dell'Inferno*] *mandò fuori* (**diede**) *ven-to,* [*così*] *che lampeggiò* (**balenò**; vb. intrans. retto da **luce vermiglia**) *una luce rossastra*

la qual mi vinse ciascun sentimento;
e caddi come l'uom cui sonno piglia.

(vermiglia), *la quale spense in me* (mi vinse) *tutti i sensi* (ciascun sentimento)*; e caddi [sve-nuto] come l'uomo che è preso dal sonno* (cui sonno piglia). Come già il passaggio dal I canto al II e dal II al III, anche questo dal III al IV è segnato da una brusca frattu-ra. In questo caso, anzi, essa è sottolineata dallo svenimento di Dante in seguito al ter-

remoto. Il canto seguente si apre con Dante che riprende i sensi, già al di là dell'Ache-ronte: l'attraversamento del fiume avviene in modo misterioso. **Diede vento**: era creden-za ai tempi di Dante che i terremoti fosse-ro prodotti dalla forza proveniente dai va-pori sotterranei creati dal riscaldamento del sole.

Lasso — v. 100

Si tratta di un agg. dotto derivato dal lat. *lassus* (forma contratta da *lassatus*, part. pass. di *lassāre* = 'stancare, estenuare'; cfr. franc. *las* e sp. *laso*). È voce ant. e letter. con il significato di 'stanco, affaticato (per sforzi e fatiche)' e 'sfinito, spossato (da una malattia ecc.)'; in particolare, riferito al corpo umano, vale 'privo di forze, stremato' — cfr. *Inf.* I, 28 —, a volte con la sfumatura di 'sventurato, afflitto, sofferente' — cfr. *Inf.* III, 100. Come interiezione («ahi lasso!», «o lasso!» ecc.; cfr. franc. *hélas!* = 'ahimé') esprime 'dolore, dispiacere, rimpianto' — cfr. *Inf.* V, 112 e XXX, 63.

Rio — v. 24

Il sost. deriva dal lat. *rivus* attraverso il lat. volg. *rius* (cfr. ant. franc. *ri* e *rif*, sp. *rio* = 'fiu-me'). Significa 'ruscello, rivo', ma anche 'fiume' — cfr. l'uso di Dante. Oggi la voce è d'uso solo poetico, anche se resiste, nella lingua parlata, nei nomi geografici spagnoli ripor-tati da noi, con valore di 'fiume' (p. es. «Rio delle Amazzoni») e a Venezia per indicare i 'piccoli canali'. La parola *rio* può essere usata anche in tutt'altra accezione, quando viene dal lat. *reus* = 'colpevole'. Se sost., significa allora, nell'ital. ant. e anche in Dante, 'peccato, colpa'; se agg., vale 'malvagio, avverso'.

Riv-iera, -era — v. 78

La voce deriva dal lat. mediev. *riparia* = 'lido, costiera' (dal lat. class. *ripa* = 'riva, sponda'; cfr. franc. *rivière* e ingl. *river*, col significato di 'fiume', sp. *ribera*, port. *ribeira*). Propria-mente il vocabolo vale 'riva' — cfr. *Inf.* III, 78, anche se si potrebbe intendere nel signifi-cato di 'fiume' —, ma anche 'fiume' — cfr. *Purg.* XXXI, 82. Oggi la voce è usata solo per indicare la 'zona costiera delle regioni marine' (p. es. «riviera ligure»).

Nel canto I dell'*Inferno*, Dante dichiara il proprio debito artistico nei confronti di Virgilio: **Tu se' lo mio maestro e 'l mio autore,/ tu se' solo colui da cu' io tolsi/ lo bello stilo che m'ha fatto onore** (vv. 85-87). Da Virgilio, in effetti, Dante derivò l'impulso verso l'epica, dalla lirica filosofica delle opere giovanili; da Virgilio trasse l'idea del viaggio agli Inferi, già narrato nel libro VI dell'*Eneide*, oltre che un gran numero di episodi e di soluzioni stilistiche particolari. Soprattutto nei canti iniziali dell'*Inferno* l'adesione al modello virgiliano è assai evidente, e più che mai nel III, canto fittissimo di reminiscenze dall'*Eneide*. Per mettere meglio in evidenza questo rapporto, così importante per comprendere l'arte di Dante, abbiamo affiancato qui sotto alcuni luoghi dell'*Eneide* (con la traduzione), tratti dal libro VI che narra la discesa di Enea agli Inferi, ai versi del III canto della *Commedia* dantesca.

In Virgilio è già l'invenzione della porta infernale:

facilis descensus Averno/ (Noctes atque dies patet atri *ianua* Ditis);/ Sed revocare gradum superasque evadere ad auras,/ Hoc opus, hic labor est (126-129)	la discesa all'Averno [Inferi] è facile (la *porta* della caverna di Dite [re degli Inferi] è aperta notte e giorno); ma ritornare in su e uscire all'aria aperta, questo è il punto, questo è il difficile	al sommo d'una *porta* (v. 11) lasciate ogne speranza, voi ch'intrate (v. 9)

Si noti che dall'Averno virgiliano l'uscita è difficile, da quello cristiano di Dante è assolutamente impossibile, con un aumento della tragicità.

Nunc animis **opus**, Aenea, *nunc* pectore firmo (261)	*Ora* ci vuole coraggio, Enea, *ora* ci vuole animo risoluto	*Qui* si **convien** lasciare ogne sospetto;/ ogne viltà **convien** che *qui* sia morta (vv. 14 sg.)

Qui anziché *ora* (*nunc*) ha maggiore efficacia drammatica, fissando l'attenzione sul luogo, che è quello che più conta, anziché sul momento.

Da Virgilio Dante deriva la descrizione delle prime impressioni infernali, e le domande incalzanti rivolte alla guida (da Enea, nell'opera virgiliana). Ma in Virgilio l'attenzione è soprattutto rivolta all'orrore della scena; in Dante prevale la considerazione degli effetti di smarrimento entro il proprio animo:

hinc exaudiri *gemitus*, et saeva **sonare**/ Verbera; tum stridor ferri, tractaque catenae (557-558)	da qui puoi udire i *gemiti*, e il **risuonare** di colpi spietati; e poi lo stridere di ferri e di catene trascinate	quivi *sospiri*, *pianti* e alti *guai* / **risonavan** (vv. 22 sg.).
quibusve urgentur poenis? quis tantus plangor ad auras? (560-561)	da quali pene sono torturati? e quale grande lamento è nell'aria?	Maestro, che è° quel ch'i' odo?/ e che gent'è che par nel duol sì vinta? (vv. 32 sg.)

Il principale personaggio del canto, Caronte, è figura virgiliana; ma nell'*Enei*-*de* prevale l'aspetto descrittivo e pittorico, nella *Commedia* dantesca quello drammatico e plastico:

portitor has horrendus aquas et flumina servat/ Terribili squalore Charon, cui plurima mento/ **Canities inculta** iacet, stant *lumina flamma,*/ Sordidus ex umeris nodo dependet amictus.../ Iam senior, sed crusa deo viridisque senectus (298-304)	custodisce queste acque e il fiume il *nocchiero* Caronte, orrendo di terribile squallore, al quale scende dal mento un'**incolta** abbondante **barba bianca**, che ha *occhi di fuoco*, cui pende dalle spalle un lurido mantello... Ormai è vecchio, ma la vecchiaia del dio è forte e feroce	*nocchier* de la livida palude (v. 98) un vecchio, **bianco per antico pelo** (v. 83) 'ntorno a li *occhi* avea di *fiamme* rote (v. 99) *occhi di bragia* (v. 109)

Si noti in particolare il caso emblematico degli *occhi di fiamma* (*lumina flamma*) che Dante prima traduce quasi letteralmente al v. 99 e poi rielabora in senso originale al v. 109, con una potente sintesi drammatica delle caratteristiche fiere e demoniache del personaggio, introducendo, in luogo del generico *fiamma* virgiliano, il ben più realistico e concreto **bragia**.

Da Virgilio Dante eredita poi la similitudine doppia dei vv. 112-117; ma mentre nell'*Eneide* essa serve a rilevare il gran numero delle anime e il movimento concitato della scena, nella *Commedia* l'attenzione è rivolta al modo in cui le anime scendono nella barca rispondendo, come un uccello al suo richiamo, ai taciti ordini di Caronte:

huc omnis turba ad ripas effusa ruebat... Quam multa in silvis *autumni* frigore primo/ Lapsa cadunt *folia*, aut ad terram gurgite ab alto/ Quam multae glomerantur **aves**, ubi frigidus annus/ Trans pontum fugat et terris immittit apricis (305-312)	qui accorreva tutta la folla sparsa sulle rive... Quante nel bosco al primo freddo d'*autunno* cadono le *foglie* staccate, oppure quanti si radunano gli **uccelli** dall'alto mare verso la terra, quando l'inverno li spinge al di là del mare e li fa andare in terre assolate	Come d'*autunno* si levan le *foglie*/ l'una appresso de l'altra, fin che 'l *ramo*/ vede a la terra tutte le sue spoglie,/ similemente il mal seme d'Adamo/ gittansi di quel lito ad una ad una,/ per cenni come **augel** per suo richiamo (vv. 112-117).

Canto IV

Al risveglio, Dante si trova al di là del fiume Acheronte, sul ciglio del-
l'Inferno; di qui Virgilio lo fa entrare nel primo cerchio. *Qui ha sede il*
Limbo *che accoglie le anime di coloro che, nati dopo Cristo, non peccarono*
ma i cui meriti non sono stati sufficienti alla salvezza perché essi non rice-
vettero il battesimo, necessario per essere ammessi alla Grazia divina; e an-
che di coloro che, nati prima di Cristo, non adorarono Dio in modo adegua-
to, cioè secondo gli insegnamenti dei profeti biblici, in attesa di Gesù. Tra
costoro è anche Virgilio, la cui umanità si innalza in questo canto in un
malinconico e dignitoso rimpianto: **Per tai difetti, non per altro rio,/ semo**
perduti, e sol di tanto offesi,/ che sanza speme vivemo in disio *(Per tali*
mancanze, non per altra colpa/ siamo condannati, e puniti solo in questo,/
che viviamo col desiderio [di vedere Dio] e senza [averne] speranza; vv. 40-42).
Virgilio informa poi Dante che Cristo, dopo la propria morte e risurrezione,
scese nel Limbo e portò con sé in Cielo alcuni antichi progenitori (tra cui
Adamo, Abele, Noè, Mosè), i quali furono i primi ad entrare in Paradiso.

Ad un tratto appare un fuoco che rischiara un poco le tenebre; attorno
vi dimorano i grandi poeti dell'antichità, privilegiati rispetto agli altri grazie
alla gloria lasciata tra gli uomini: è questa la collocazione dello stesso Virgi-
lio, che viene accolto da Omero, Orazio, Ovidio e Lucano; Dante si unisce
agli altri in un breve tragitto, **sesto tra cotanto senno** *(e cioè il sesto —*
dopo gli altri cinque: Virgilio, Omero, Orazio, Ovidio, Lucano — fra tali
personaggi di tanto grande rilievo intellettuale, dotati di tanta saggezza e
sapienza).

Giungono così ad un **nobile castello** *nel quale abitano gli* **spiriti magni,**
*cioè i grandi (***magni***), filosofi e sapienti dell'antichità (tra i quali Aristotele,*
Socrate, Platone). Dopo averlo percorso, Virgilio e Dante si separano dagli
altri e tornano nelle tenebre infernali.

Questo canto segna una pausa malinconica nella movimentata e tragica
atmosfera infernale: il fuoco che rischiara le tenebre e il castello dove abita-
no i grandi spiriti dell'antichità (e tra i quali Dante pone anche pagani e
persino maomettani, secondo una scelta tutta personale) sono privilegi con-
cessi alla sapienza e onorano la grandezza dell'intelligenza umana, ma senza
perdere di vista l'insuperabile limite di queste. È un motivo che tornerà altre
volte nella Commedia, *e che Virgilio stesso incarna, trovandovi la propria*
autentica fisionomia. E anzi in Dante non c'è tanto l'orgoglio preumanistico
della grandezza della ragione, quanto la considerazione della sua relatività:
la luce rischiara infatti una verità parziale, non riscatta la vera mancanza
comune a tutte le anime del Limbo: l'assenza della visione di Dio, che solo
la Grazia, attraverso la fede, può offrire.

Canto V

Nel quinto canto si svolge il primo dialogo con un dannato; la poesia di Dante dà la prima prova completa della propria grandezza unendo capacità altissime di intensa rappresentazione drammatica e di profondo scavo psicologico. Strutturalmente il canto è articolato in tre parti: l'incontro con Minosse, il mostruoso giudice infernale; la visione delle anime dei lussuriosi; il colloquio con Francesca da Rimini.

* * *

Dante e Virgilio passano dal primo al *secondo cerchio*, sull'entrata del quale incontrano Minosse. Ripreso dalla mitologia classica come Caronte, il dèmone ha qui una funzione di giudice, condannando le anime dei dannati al cerchio che si addice ad ognuna. I due superano la sua guardia, grazie alla formula già pronunciata da Virgilio davanti a Caronte, e cioè invitandolo a rispettare il volere divino; ed entrano nel secondo cerchio con il quale ha inizio il vero e proprio Inferno.

Qui sono puniti i *lussuriosi* che, come in vita vennero travolti dalla passione, così vengono ora trascinati da una bufera violentissima — secondo un'attuazione del c o n t r a p p a s s o p e r a n a l o g i a. In una schiera particolare di dannati (morti violentemente a causa della propria passione d'amore) Virgilio mostra a Dante molte anime famose, personaggi storici o letterari.

L'attenzione di Dante viene poi attirata da due anime che procedono unite nel vento della bufera. Sono Paolo e Francesca, cognati, uccisi da Gianciotto, marito di Francesca e fratello di Paolo. Da Francesca Dante ode il racconto commosso del modo in cui nacque il loro amore funesto, favorito dalla suggestione delle frequenti letture di argomento amoroso e da un'educazione al culto del sentimento, raffinata ma poco solida moralmente. Al pianto commosso di Paolo, sempre silenzioso, si accompagna il pianto di Dante, umanamente partecipe della sciagura dei due cognati; e anzi l'angoscia lo vince infine a tal punto da farlo svenire.

* * *

Prendendo lo spunto da un fatto di cronaca realmente accaduto, con Francesca da Rimini Dante crea una figura di grande profondità umana e femminile, peccatrice non per carenza ma per eccesso di sensibilità e di sentimento; e alla sua umanità risponde l'umanità del personaggio Dante. Ma è opportuno considerare che la pietà di Dante-personaggio non è in contrasto con la fermezza di Dante-giudice e cioè autore: non va dimenticato infatti che Dante compie il viaggio infernale per liberarsi dal peccato nel quale viveva, vedendo le sue conseguenze. Qui egli scopre che i valori di raffinato sentimentalismo di tipo cortese e stilnovistico sui quali si basavano la sua stessa cultura e la sua stessa formazione possono essere in profondo contrasto con gli ideali cristiani: già nel canto IV Dante si è soffermato sull'insufficienza dei valori umani ai fini della salvezza; qui la sua scoperta si amplia dall'ambito della ragione e della sapienza a quello dei sentimenti e della sensibilità. L'angoscia e la partecipazione di Dante sono quindi innanzitutto l'effetto di una scoperta che lo riguarda direttamente e che lo costringe ad una profonda riconsiderazione dei propri valori, necessaria per allontanarsi dal peccato e avvicinarsi alla città celeste. Lo svenimento finale non è dovuto solo a compassione o a pietà compartecipe; è anche la conseguenza di una drammatica presa di coscienza intellettuale circa i limiti della propria formazione culturale giovanile.

Nell'appendice I sono presentate le traduzioni del canto.

Cfr. tavola 3.

> Così discesi del cerchio primaio
> giù nel secondo, che men loco cinghia
> 3   e tanto più dolor, che punge a guaio.
> Stavvi Minòs orribilmente, e ringhia:
> essamina le colpe ne l'intrata;
> 6   giudica e manda secondo ch'avvinghia.
> Dico che quando l'anima mal nata
> li vien dinanzi, tutta si confessa:

1-3: *Quindi* (**così**) *discesi dal* (**del**) *primo* (**primaio**) *cerchio* [: il Limbo] *giù nel secondo, che racchiude* (**cinghia**) *meno spazio* (**loco**), *ma* (**e**) *tanto più dolore, da spingere* (**che punge**) *ai lamenti* (**a guaio**). **Che men loco...**: l'Inferno è fatto a forma d'imbuto, quindi i cerchi sono più stretti via via che si scende verso il basso; e le pene più dolorose. **Cinghia** dà il senso non solo di una delimitazione spaziale, ma anche di una inesorabile morsa, di una struttura invincibile.

4-6: [*Nel secondo cerchio*] *vi sta* (**stavvi**) *Minosse* (**Minòs**) *con aspetto orribile* (**orribilmente**), *e ringhia: all'entrata* (**ne l'intrata**) *esamina le colpe* [*dei dannati*]; *giudica* [*i peccati*] *e manda* [*nei diversi cerchi*] *secondo* [*le volte*] *che attorce* (**avvinghia**) [*la coda*]. Minosse indica ai dannati il numero del cerchio in cui devono scontare le pene formandolo con i nodi o i giri della propria coda, avvolgendo cioè la coda intorno al proprio corpo in un numero di giri corrispondente a quello del cerchio infernale. Minosse, mi-

tico re di Creta figlio di Giove e di Europa, ha funzione di giudice anche nell'*Eneide* virgiliana. Dante lo presenta come un demone violento e statuario, arricchendo la figura della mitologia pagana, fino a farne l'espressione rabbiosa e terribile della giustizia divina. Si noti la pesantezza di **stavvi**, l'ingombrante distendersi di **orribilmente**, la sintesi di tutto il v. 4, sigillato dalla ferocia di quell'**e ringhia**, resa anche in modo f o n o s i m b o l i c o dalla ripetizione della consonante /r/ (o**RR**ibilmente... e **R**inghia). Le anime dei dannati subiscono qui questo veloce e sicuro «processo», all'inizio del secondo cerchio, perché qui inizia il vero e proprio Inferno: gli ignavi sono infatti in una zona a se stante, e le anime del Limbo, nel primo cerchio, non sono anime dannate, ma solo escluse dalla visione di Dio, e quindi dal Paradiso.

7-12: *Intendo* (**dico**) *che quando l'anima nata per il proprio male* (**mal nata**) *gli* (**li**) *viene dinanzi, si confessa pienamente* (**tutta**) [: *in modo completo e rapido*]*; e quell'esper-*

          e quel conoscitor de le peccata
        vede qual loco d'inferno è da essa;
          cignesi con la coda tante volte
12   quantunque gradi vuol che giù sia messa.
        Sempre dinanzi a lui ne stanno molte:
          vanno a vicenda ciascuna al giudizio;
15   dicono e odono, e poi son giù volte.
        « O tu che vieni al doloroso ospizio »,
          disse Minòs a me quando mi vide,
18   lasciando l'atto di cotanto offizio,
        « guarda com'entri e di cui tu ti fide;
          non t'inganni l'ampiezza de l'intrare! ».
21   E 'l duca mio a lui: « Perché pur gride?
        Non impedir lo suo fatale andare:
          vuolsi così colà dove si puote
24   ciò che si vuole, e più non dimandare ».

to (**conoscitor**) *dei peccati* (**de le peccata**); *il femm. ricalca la forma neutra plur. lat.*) [: Minosse] *considera* (**vede**) *quale luogo* (**loco**) *dell'Inferno è adatto ad essa* (**da essa**)*; si cinge* (**cignesi**) *con la coda tante volte per quanti* (**quantunque**) *cerchi* (**gradi** = gradini) *vuole che* [*l'anima*] *sia messa giù.* Queste due terzine spiegano nei dettagli quanto i vv. 5 sg. avevano annunciato in sintesi e quanto verrà poi ripetuto in modo fulmineo ancora al v. 15. Tutta la descrizione è di incalzante rapidità e la triplice ripresa, anziché creare un'impressione di indugio, dà il senso della ripetizione velocissima della stessa successione di fatti (confessione, giudizio, condanna); quasi che nel breve tempo in cui Dante osserva e comprende il meccanismo, questo si ripeta più volte, con inesorabile speditezza. Quanto al particolare della coda, non è indispensabile pensare che essa sia lunga al punto che Minosse possa avvolgersene fino a nove volte (quanti sono i cerchi infernali), ma è possibile anche supporre che egli ripeta rapidamente l'atto di cingersi tante volte di seguito quante è necessario.

13-15: *Dinanzi a lui* [: Minosse] *ne stanno sempre molte* [: di anime]*: vanno a turno* (**a vicenda**) *ciascuna al giudizio; dicono* [*le colpe*] *e odono* [*la sentenza*; cioè ne prendono atto], *e poi sono scaraventate* (**volte**) *giù* [: nell'abisso infernale, nel cerchio loro attribuito, per la forza stessa della condanna].

È una terzina costruita come la seconda del canto (vv. 4-6): ogni verso un periodo; e anche qui domina la presenza dei verbi, che prevalgono largamente su sostantivi e aggettivi (con conseguente efficacia drammatica). La corrispondenza fra le due terzine riflette specularmente le due diverse serie di azioni da parte di Minosse, la prima, e dei dannati, la seconda.

16-20: *Minosse quando mi vide disse a me, interrompendo* (**lasciando**) *l'esecuzione* (**l'atto**) *di un così importante* (**cotanto**) *compito* (**offizio**): «*O tu che vieni nell'albergo del dolore* (**al doloroso ospizio**), *bada* (**guarda**) [*a*] *come entri* [: a quale titolo] *e di chi* (**cui**) *tu ti fidi* [: Virgilio]; *non t'inganni la facilità* (**l'ampiezza** = la larghezza) *di entrare* (**de l'intrare**)!». Minosse, fingendo di parlare per il bene di Dante, in verità lo sta tentando, per ostacolargli l'unica via possibile alla salvezza: è pur sempre un dèmone!

21-24: *E la* (**'l** = il) *mia guida* (**duca**) [: Virgilio] [*rispose*] *a lui*: «*Perché gridi ancora* (**pur**)? *Non impedire il* (**lo**) *suo* [: di Dante] *cammino* (**andare**) [*già*] *destinato* (**fatale**) [: dalla volontà divina]*: si vuole* (**vuolsi**) *così* [: che Dante entri nell'Inferno] *lì* (**colà**) *dove si può* (**puote**) [*tutto*] *ciò che si vuole* [: in Paradiso], *e non fare più domande* (**e più non dimandare**)». Risposta simile a quella data già a Caronte (cfr. *Inf.* III, 95 sg.).

Or incomincian le dolenti note
a farmisi sentire; or son venuto
27   là dove molto pianto mi percuote.
Io venni in loco d'ogne luce muto,
che mugghia come fa mar per tempesta,
30   se da contrari venti è combattuto.
La bufera infernal, che mai non resta,
mena li spirti con la sua rapina;
33   voltando e percotendo li molesta.
Quando giungon davanti a la ruina,
quivi le strida, il compianto, il lamento;
36   bestemmian quivi la virtù divina.
Intesi ch'a così fatto tormento
enno dannati i peccator carnali,
39   che la ragion sommettono al talento.
E come li stornei ne portan l'ali
nel freddo tempo, a schiera larga e piena,
42   così quel fiato li spiriti mali
di qua, di là, di giù, di sù li mena;

25-27: *Ora le voci di dolore* (**le dolenti note**) *incominciano a farmisi udire* (**sentire**)*; ora son giunto* (**venuto**) *là dove molto pianto mi colpisce* (**percuote**) [*l'udito*]. La sorveglianza di Minosse è stata dunque oltrepassata e Dante si addentra nel secondo cerchio: la nuova atmosfera di questa terzina e soprattutto di quella che segue è indice del cambiamento, secondo un procedimento frequente nella poesia dantesca.

28-30: *Io giunsi* (**venni**) *in un luogo* (**loco**) *privo* (**muto**; per s i n e s t e s i a) *di ogni luce* [: buio], *che risuona* (**mugghia** = muggisce) *come fa il mare a causa* (**per**) *della tempesta, se è combattuto da venti contrari.*

31-33: *La bufera infernale, che non si ferma* (**non resta**) *mai, trascina* (**mena**) *gli* (**li**) *spiriti con la sua rapacità* (**rapina**)*: li tormenta* (**molesta**) *rivoltando*[*li*] *e colpendo*[*li*] (**voltando e percotendo**).

34-36: *Quando giungono davanti alla frana* (**ruina**) [: cfr. sotto], *qui* (**quivi**) [*le anime aumentano*] *le grida* (**strida**), *il pianto* (**compianto**), *il lamento; qui* (**quivi**) [*esse*] *bestemmiano la potenza* (**virtú**) *divina.* Questa terzina, sinteticissima, è spiegata in vari modi, a seconda del senso che si attribuisce a **rui-**

na. Se, come di norma in Dante, si intende *frana*, allora il senso è che quando le anime passano davanti allo scoscendimento da cui furono precipitate dopo il giudizio di Minosse, esse sentono più bruciante il peso della propria condanna e della **virtù divina**, per cui si lamentano e bestemmiano. Parecchi commentatori ritengono invece che con **ruina** Dante alluda al punto da cui nasce il vento e in cui esso è perciò più forte. E non mancano altre ingegnose, ma meno probabili, spiegazioni.

37-39: *Capii* (**intesi**) *che a tale* (**così fatto**) *tormento sono* (**enno**) *dannati i peccatori carnali, che sottomettono* (**sommettono**) *la ragione al desiderio* (**talento**). È probabile che Dante capisca da solo il peccato qui punito (e potrebbe altrimenti esserne informato da Virgilio), per la chiarezza del c o n t r a p p a s s o: il turbine tempestoso che travolge le anime è analogo a quello che le travolse in vita attraverso la passione e il desiderio, ma qui punisce dolorosamente quei sensi e quel corpo dei quali in vita esse miravano a soddisfare le voglie smodate.

40-45: *E come le ali portano* (**ne portan**) *gli storni* (**li stornei**) *nella stagione fredda* (**nel freddo tempo**) *in schiera larga e fitta* (**piena**), *così quel vento* (**fiato**) *trascina* (**mena;**

nulla speranza li conforta mai,

45   non che di posa, ma di minor pena.

E come i gru van cantando lor lai,

faccendo in aere di sé lunga riga,

48   così vid'io venir, traendo guai,

ombre portate da la detta briga;

per ch'i' dissi: «Maestro, chi son quelle

51   genti che l'aura nera sì gastiga?».

«La prima di color di cui novelle

tu vuo' saper», mi disse quelli allotta,

54   «fu imperadrice di molte favelle.

A vizio di lussuria fu sì rotta,

che libito fe' licito in sua legge,

57   per tòrre il biasmo in che era condotta.

---

li del v. 43 è pron. p l e o n .) *gli* (**li**) *spiri-ti cattivi* (**mali**) *di qua, di là, di giù, di sù; non li consola* (**conforta**) *mai nessuna* (**nul-la**) *speranza, non solo* (**non che**) *di pausa* (**posa**), *ma di minore tormento* (**pena**). Gli *storni* sono uccelli scuri con piccole macchie bianche ed il becco dritto giallognolo.

46-51: *E come le* (**i**) *gru vanno cantando i loro lamenti* (**lai**), *facendo di sé nell'aria* (**in aere**) *una lunga fila* (**lunga riga**), *così io vidi venire, emettendo gemiti* (**traendo guai**), [*alcune*] *ombre portate dalla bufera* (**bri-ga**) [*già*] *nominata* (**detta**)*; per cui io* (**per ch'i'**) *dissi* [*a Virgilio*]: «*Maestro, chi sono quelle anime* (**genti** = gruppi di individui) *che l'aria* (**aura**) *nera punisce* (**gastiga**) *in tal modo* (**sì** = così)*?*». Mentre la prima s i m i l i t u d i n e (vv. 40-43), con gli stor-ni, non presenta problemi interpretativi e de-finisce il procedere largo e fitto, e insieme incostante e mutevole, delle anime, la secon-da s i m i l i t u d i n e (vv. 46-49) è stata variamente spiegata. Alcuni intendono che l'accostamento si limiti ai **lai** con i **guai** (co-me si lamentano le gru, così le anime), e che **faccendo in aere di sé lunga riga** si rife-risca, come un inciso, solo alle gru, senza riguardare le anime; infatti questo particola-re è in contrasto con la **schiera larga e pie-na**. Ma è pure strano che Dante si soffermi a descrivere qualità non rilevanti, estranee alla s i m i l i t u d i n e ; e, comunque, in questo caso si potrebbe dire lo stesso della s i m i l i t u d i n e con gli **stornei**, che po-trebbero avere in comune con le anime dei lussuriosi solo le caratteristiche del volo non rettilineo, e non quella di procedere **a schie-ra larga e piena**. Una spiegazione un po'

complicata ma convincente è quella che ipo-tizza l'esistenza di diverse schiere di anime, ognuna con una particolare caratteristica del-lo stesso peccato e con un modo specifico di procedere. Confermano questa ipotesi: la mancanza dell'articolo davanti a **ombre** al v. 49 che spinge a credere che non ci si rife-risca a tutte le anime, ma solo ad una parte di esse; la stessa domanda di Dante dei vv. 50 sg.: egli ha già capito che genere di pec-cato venga punito in questo cerchio (cfr. vv. 37 sgg.), ora quindi, necessariamente, vuole sapere da Virgilio quali siano le caratteristi-che speciali di questo sottogruppo di anime (e che sia un sottogruppo è confermato an-cora dal pron. **quelle** anziché *queste*, al v. 50, come se Dante indicasse nel frattempo in una precisa direzione). Accettata l'esistenza di diverse schiere, il procedere secondo **lun-ga riga** è caratteristica di un preciso gruppo di anime, così come **a schiera larga e piena** procedono le altre. Di questo gruppo parti-colare del quale Dante chiede notizie a Vir-gilio fanno parte coloro che morirono per cause legate all'amore: tutte le anime nomi-nate ai vv. 52 sgg. hanno infatti questa ca-ratteristica (ulteriore conferma dell'ipotesi ora discussa).

52-54: *Allora* (**allotta**) *quelli* [: Virgilio] *mi disse*: «*La prima di coloro dei quali* (**di cui**) *tu vuoi sapere notizie* (**novelle**) *fu imperatri-ce di molti popoli* (**favelle** = lingue, e quindi 'popolazioni').

55-57: *Fu così*) *abbandonata* (**sì rotta**) *al vi-zio della lussuria, che nella* (**in**) *sua legge fe-ce* (**fe'**) *lecita ogni voglia* (**libito**), *per cancel-lare* (**tòrre** = togliere) *la colpa* (**biasmo** = bia-

Ell' è Semiramìs, di cui si legge
che succedette a Nino e fu sua sposa:
60   tenne la terra che 'l Soldan corregge.
L'altra è colei che s'ancise amorosa,
e ruppe fede al cener di Sicheo;
63   poi è Cleopatràs lussurïosa.
Elena vedi, per cui tanto reo
tempo si volse, e vedi 'l grande Achille,
66   che con amore al fine combatteo.
Vedi Parìs, Tristano»; e più di mille
ombre mostrommi e nominommi a dito,
69   ch'amor di nostra vita dipartille.

simo) *nella quale* (**in che**) *era incorsa* (**condotta**).

58-60: *Ella è Semiramide* (**Semiramìs**), *della quale* (**di cui**) *si legge che succedette* [*al potere*] *a Nino e* [*prima*] *fu sua sposa: governò* (**tenne**) *la terra che* [*ora*] *regge* (**corregge**) *il Sultano* (**'l Soldan**) [: l'Egitto]. Semiramide, regina degli Assiri nel XIV o nel XIII sec. a.C., è spesso citata nei testi medioevali come esempio di lussuria. Dallo storico Paolo Orosio Dante **legge** (cfr. v. 58) che Nino e di Semiramide avevano sottomesso quasi l'intera Asia e che, morto il marito, Semiramide aveva dato libero sfogo ai propri desideri, fino ad avere un rapporto incestuoso con il figlio; per diminuire la propria colpa avrebbe, sempre secondo Orosio, fatto una legge che rendeva lecito ogni tipo di rapporto, anche quello tra genitori e figli (cfr vv. 56 sgg.). Lo storico Giustino racconta che ella fu uccisa proprio dal figlio. Quanto ai limiti territoriali del potere Semiramide (cfr. v. 60), è probabile che Dante faccia confusione tra la Babilonia capitale dell'Assiria, in Asia, e la Babilonia d'Egitto.

61-63: *L'altra* [*che segue*] *è colei che si uccise* (**s'ancise**) *per amore* (**amorosa** = innamorata), *e ruppe la fedeltà* (**fede**) *alle ceneri* (**al cener**) *di* [*suo marito*] *Sicheo; poi* [*vi*] *è la lussuriosa Cleopatra* (**Cleopatràs**). La prima è un personaggio dell'*Eneide* virgiliana, Didone, la quale ruppe la fedeltà promessa alla memoria del marito Sicheo per amore di Enea e si uccise quando questi la abbandonò. Cleopatra fu invece regina dell'Egitto e amante di Giulio Cesare e poi di Antonio;

si uccise per non essere fatta prigioniera da Ottaviano.

64-66: *Vedi Elena, per causa della quale* (**per cui**) *si svolse* (**volse**) *tanto tempo triste* (**reo**), *e vedi il* (**'l**) *grande Achille, che alla fine combatté* [*e fu sconfitto e ucciso*] *per* (**con**) *amore*. **Elena**, sposa del re greco Menelao, fu rapita dal troiano Paride; da ciò nacque la guerra tra greci e troiani narrata da Omero nell'*Iliade*. Ella sarebbe stata uccisa, secondo la leggenda, da una donna greca per vendicare il marito morto nella guèrra contro i troiani. **Achille**, eroe anch'egli dell'*Iliade*, si innamorò, secondo le aggiunte medioevali al poema omerico, di Polissena, figlia di Priamo, e a causa di questo amore fu ucciso a tradimento in un agguato.

67-69: *Vedi Paride* (**Parìs**), *Tristano»; e* [*Virgilio*] *mi mostrò* (**mostrommi**) *col dito* (**a dito**) *e mi nominò* (**nominommi**) *più di mille* [: moltissime] *anime* (**ombre**) *che amore separò* (**dipartille** = le dipartì; **le** è pron. p l e o n .) *dalla* (**di**) *nostra vita*. Paride, figlio del re troiano Priamo, è il rapitore di Elena; fu ucciso dal greco Filottete per vendicare tale rapimento. **Tristano** è il più famoso dei cavalieri della Tavola Rotonda: si innamorò di Isotta, moglie di suo zio Marco re di Cornovaglia, il quale lo uccise. Tutte le anime qui nominate sono di personaggi (storici o letterari) morti, come si è visto, per una ragione legata all'amore. Dall'elenco di casi illustri si sta ora per staccare la storia di Paolo e Francesca: la sua intima umanità è già annunciata, nella terzina che segue, dalla **pietà** e dallo *smarrimento* di Dante.

Poscia ch'io ebbi 'l mio dottore udito
nomar le donne antiche e' cavalieri,
pietà mi giunse, e fui quasi smarrito.
I' cominciai: « Poeta, volontieri
parlerei a quei due che 'nsieme vanno,
e paion sì al vento esser leggieri ».
Ed elli a me: « Vedrai quando saranno
più presso a noi; e tu allor li priega
per quello amor che i mena, ed ei verranno ».
Sì tosto come il vento a noi li piega,
mossi la voce: « O anime affannate,
venite a noi parlar, s'altri nol niega! ».
Quali colombe dal disio chiamate

72

75

78

81

70-72: *Dopo* (**poscia**) *che io ebbi udito il mio maestro* (**dottore**; dal lat. 'doctor') *nominare* (**nomar**) *le antiche donne e i* (**e'**) *cavalieri, mi prese* (**mi giunse**) *angoscia* (**pietà**) *e fui quasi turbato* (**smarrito**). Non è, come pareva ai commentatori romantici (Foscolo e De Sanctis), che Dante uomo provi soltanto pietà per coloro che hanno così umanamente peccato, benché sia costretto, in quanto giudice, a condannarli per ragioni morali. La compassione e lo smarrimento non significano cioè solo compartecipazione, ma soprattutto angoscia e turbamento nel vedere le conseguenze terribili di un peccato così diffuso. È anche vero però che un dissidio interno esiste realmente in Dante, ed è tra la coscienza della superiore giustizia divina e l'ammirazione per i modelli artistici e gli esempi storici che ne ricevono, nonostante la propria grandezza, una non meno ferma condanna: è, in forma diversa ma complementare, lo stesso dissidio del canto IV tra manifestazioni umanamente nobili e grandi e la poderosa potenza divina che tutte le limita e definisce.

73-75: *Io* (**i'**) *cominciai* [*a dire a Virgilio*]: «*Poeta, parlerei volentieri a quei due che vanno insieme, e appaiono* (**paion**) *essere così* (**sì**) *leggeri nel* (**al**) *vento*». Il doppio registro al quale si è alluso nella nota precedente è ancora presente in questa terzina: l'essere uniti e la leggerezza nel vento sono interpretabili come un segno dell'amore indissolubile e della umana delicatezza dei personaggi, quanto all'umano; ma, in senso superiore, si tratta probabilmente di uno speciale aggravamento della pena: la leggerezza è segno di una maggiore disponibilità delle due anime ad essere prede del vento, mentre

l'essere uniti è segno di una tormentosa ripetizione ossessiva e insensata del peccato umano nella dimensione tragica della giustizia e dell'eternità. L'aggravamento del c o n t r a p p a s s o si legherebbe secondo alcuni antichi commentatori alla maggior colpa di Paolo e Francesca, cognati e di elevata condizione sociale.

76-78: *Ed egli* (**elli**) [: Virgilio] [*disse*] *a me:* «*Ti sarà concesso* (**vedrai**) [*di parlare loro*] *quando saranno più vicini* (**presso**) *a noi; e tu pregali* (**li priega**) *in quel momento* (**allor**) [*di venire*] *in nome di* (**per**) *quell'amore che li* (**i**) *trascina* (**mena**), *ed essi* (**ei**) *verranno*».

79-81: *Così* (**sì**), *appena che* (**tosto come**) *il vento li fa deviare* (**piega**) *verso di noi* (**a noi**), *presi a parlare* (**mossi la voce**): «*O anime addolorate* (**affannate**), *venite a parlare a noi* (**noi** ha funzione di dat.), *se qualcun'altro* [: Dio] *non lo vieta* (**nol niega**)*!*». A qualche commentatore è parso che Dante non obbedisca al consiglio di Virgilio, di pregare Paolo e Francesca in nome dell'amore (cfr. vv. 77 sg.). In verità in quell'**affannate** è contenuto un riferimento implicito ma intenso alla sofferenza dei due dannati; e la loro pena e la loro sofferenza sono ora tutt'uno con il peccato e con l'amore: ne sono la ripetizione stravolta. Francesca sente la partecipazione di Dante alla propria tragedia, al proprio amore-condanna, e mostra sùbito la propria gratitudine: nel vuoto di ogni umanità delle tenebre infernali, basta questa parola così pregnante, **affannate**, a dare il senso di un interessamento **affettuoso** (cfr. v. 87).

82-87: *Come* (**quali**) *colombe, spinte* (**chiamate**) *dal desiderio* (**dal disio**), *giungono*

con l'ali alzate e ferme al dolce nido
84 vegnon per l'aere, dal voler portate;
cotali uscir de la schiera ov'è Dido,
a noi venendo per l'aere maligno,
87 sì forte fu l'affettüoso grido.
« O animal grazïoso e benigno
che visitando vai per l'aere perso
90 noi che tignemmo il mondo di sanguigno,
se fosse amico il re de l'universo,
noi pregheremmo lui de la tua pace,
93 poi c'hai pietà del nostro mal perverso.
Di quel che udire e che parlar vi piace,
noi udiremo e parleremo a voi,
96 mentre che 'l vento, come fa, si tace.

(vegnon = vengono) *attraverso l'aria* (**per l'aere**) *al dolce nido con le ali aperte* (**alzate**) *e ferme portate dall'istinto* (**voler**)*; così* (**cotali**) [*Paolo e Francesca*] *uscirono* (**uscir**) *dalla* (**de la**) *schiera in cui è* (**ov'è**) *Didone* (**Dido**) [: *la schiera, già ricordata, dei morti per amore*], *venendo verso di noi* (**a noi**) *attraverso* (**per**) *l'aria malvagia* (**aere maligno**), *tanto* (**sì** = *così*) *forte fu il* [*mio*] *grido affettuoso* [*di richiamo*]. La s i m i l i t u d i n e delle colombe ben si adatta ad esprimere la forza irresistibile, quasi un istinto, che spinge Paolo e Francesca verso Dante che li ha chiamati con slancio; anche perché le colombe mosse dal desiderio verso il nido e l'accoppiamento instaurano con i due spiriti un legame significativamente doppio: hanno la stessa eleganza di modi, sono spinte da un'analoga pulsione sensuale. Ma è ben diversa, poi, la purezza dell'istinto animale (**disio, voler**) dall'umano peccato, come è diverso l'**aere** del v. 84 da quello, **maligno**, del v. 86.

88-93: [*Francesca disse:*] «*O uomo vivo* (**animal** = *essere animato*) *cortese* (**grazioso**) *e benevolo* (**benigno**) *che vai visitando attraverso* (**per**) *il cielo* (**l'aere**) *nero-rossastro* (**perso**) [*di questo cerchio dell'Inferno*] *noi che tingemmo* (**tignemmo**) *il mondo del colore del sangue* (**di sanguigno**)*, se il re dell'Universo* [: *Dio*] *fosse* [*con noi*] *benevolo* (**amico**)*, noi lo* (**lui**) *pregheremmo per la* (**de la**) *tua pace, poiché hai* (**poi c'hai**) *pietà del nostro peccato* (**mal**) *perverso*. Nelle parole di Francesca si uniscono le note di una sincera sensibilità e nobiltà d'animo, e quelle di un'educazione raffinata ma con un eccesso di attenzione alla morbidezza dei sentimenti nel quale è da ricercare la causa del suo peccato. Non vedere questo secondo

aspetto nei suoi modi un po' ricercati e delicati, induce a travisare il senso dell'episodio e a fraintendere le ragioni più profonde dell'arte di Dante. Egli costruisce e definisce dall'interno la complessa psicologia del personaggio, attraverso il suo stesso modo di esprimersi. La grandezza dell'umanità di Francesca non è sminuita dal giudizio; al contrario ne viene illuminata: ella è la vittima di un'educazione e di un costume rischiosi, anche se civilissimi. È questo il senso del racconto che ella farà ai vv. 127-138 della causa del proprio peccato, non casualmente indicata nella lettura di un'opera caratterizzante la cultura degli ambienti intellettuali frequentati anche da Dante. Torna il motivo del contrasto tra civiltà — e raffinatezza — umana e divina giustizia: da esso appunto la calda ma fragile umanità di Francesca è stata schiacciata, e perduta.

'94-96: *Di* [*tutto*] *quel che vi piace udire e parlare, noi udiremo* [*da voi*] *e parleremo a voi, finché* (**mentre che**) *il* ('l) *vento, come accade* (**fa**) [*in questo momento*], *è fermo* (**si tace**). I modi di Francesca dicono il piegarsi ad una volontà superiore, espressa dall'eccezionale pausa del vento, ma trattegiano anche una sfumatura di morbosità nel suo essere pronta ad udire e soprattutto a parlare secondo il desiderio di Dante: ella non ha da raccontare altro che le tappe del suo peccato. Ma certamente nel placarsi del vento (e **si tace** allude ad un silenzio intenso, contrapposto all'abituale frastuono) si sente nascere una originale, commovente atmosfera di dialogo e di incontro umano; e già si prepara la rievocazione nostalgica, nel racconto di Francesca, dell'esistenza terrena prima che il peccato venisse a sconvolgerla.

Siede la terra dove nata fui
su la marina dove 'l Po discende
99 per aver pace co' seguaci sui.
Amor, ch'al cor gentil ratto s'apprende,
prese costui de la bella persona
102 che mi fu tolta; e 'l modo ancor m'offende.
Amor, ch'a nullo amato amar perdona,
mi prese del costui piacer sì forte,
105 che, come vedi, ancor non m'abbandona.
Amor condusse noi ad una morte.
Caina attende chi a vita ci spense ».

97-99: *La città* (**terra**) *dove nacqui* (**nata fui**) [: Ravenna] *è adagiata* (**siede**) *sulla costa* (**marina**) *dove il* ('**l**) [*fiume*] *Po scorre* (**discende**) [*nel mare*] *per aver riposo* (**pace**) *con* (**co'**) *i suoi* (**sui**) *affluenti* (**seguaci**). Francesca era figlia di Guido da Polenta, signore di Ravenna. Poco dopo il 1275 fu data in sposa al deforme Gianciotto Malatesta, signore di Rimini, forse con un inganno e per ragioni esclusivamente politiche. Dopo il matrimonio s'innamorò del fratello di Gianciotto, Paolo; ed entrambi furono trucidati da Gianciotto tra il 1283 e il 1285. La p e r i f r a s i usata per definire la città di origine è ancora un segno della raffinatezza anche eccessiva dell'eloquio di Francesca, ma al di là di questo si scorge l'autenticità del rimpianto, pudicamente implicito; si noti almeno, in tal senso, il distendersi del v. 99 e l'appuntarsi della voce sul vocabolo-chiave **pace**: si parla di un fiume, ma l'alone si allarga ad abbracciare la dimensione della vita serena, come un'aspirazione di tranquillità ormai per sempre negata, in contrasto con la rabbiosa ira della bufera infernale.

100-102: *Amore, che si attacca* (**apprende**) *rapidamente* (**ratto**) *al cuore* (**cor**) *nobile* (**gentil**), *fece innamorare* (**prese**) *costui* [: Paolo] *del bel corpo* (**de la bella persona**) *che mi fu tolto* [*con la morte*]; *e la quantità* ('**l modo**) [*dell'amore*] *ancora mi vince* (**m'offende**) [: mi lega a lui]. La spiegazione di **e 'l modo ancor m'offende** è controversa. Quella da noi offerta è stata sostenuta con valide argomentazioni da Pagliaro, che la riprende da altri commentatori, specie antichi; essa ha la principale ragione nella sim-

metria con la terzina seguente, la quale si chiude, parallelamente, con l'affermazione del perdurare ancora della passione in Francesca: **ancor non m'abbandona**. La maggior parte degli interpreti spiega però diversamente: il **modo** nel quale mi fu tolto il corpo, cioè il modo nel quale fui uccisa, ancora mi ferisce (**offende**); infatti ella fu uccisa a tradimento e senza che le fosse dato modo di pentirsi.

103-105: *Amore, che a nessuno* (**nullo**) [*che sia*] *amato risparmia* (**perdona**) [*di ri*]*amare, mi innamorò* (**prese**) *della bellezza di costui* (**del costui piacer**) *così fortemente* (**sì forte**), *che, come vedi, ancora non mi lascia* (**abbandona**). Secondo la concezione cortese e stilnovistica dell'amore, quest'ultimo non concede a nessuna persona amata di non riamare: l'amore induce a contraccambiare gli stessi sentimenti della persona che per prima si innamora.

106-107: *Amore condusse noi ad un'unica* (**una**) *morte* [: fummo assassinati insieme]. *La Caina attende chi ci tolse* (**spense**) *dalla* (**a**) *vita*». La **Caina** è una delle quattro zone in cui è diviso il nono e ultimo cerchio dell'Inferno; vi sono puniti coloro che hanno tradito i propri parenti: effettivamente Gianciotto ha ucciso a tradimento il fratello e la moglie. Questa seconda parte del primo discorso di Francesca (vv. 100-107) accresce le impressioni già dette riguardo alla raffinatezza della sua educazione e quindi della sua sensibilità, ma anche riguardo alla fragilità morale dell'una e dell'altra. In ogni terzina, per tre volte **Amore** (sempre posto ad apertura della terzina) è presentato come

Queste parole da lor ci fuor porte.
Quand' io intesi quell'anime offense,
china' il viso, e tanto il tenni basso,

fin che 'l poeta mi disse: « Che pense? ».
Quando rispuosi, cominciai: « Oh lasso,
quanti dolci pensier, quanto disio

menò costoro al doloroso passo! ».

il soggetto dei fatti sinteticamente narrati, quasi che l'Amore avesse inevitabilmente trascinato lei e Paolo nel peccato; in questo modo Francesca distoglie l'attenzione dalla propria colpa e da quella dell'amante e anzi presenta lui e se stessa come vittime di nobili sentimenti e di un crudele omicidio. Le definizioni fugaci date dell'amore al v. 100 e al v. 103 rientrano nella formazione culturale tipica dell'epoca, si legano ai romanzi cortesi, alla poesia dei trovatori provenzali e degli stessi stilnovisti: il cuore nobile accoglie in sé sùbito l'amore, chi è amato deve necessariamente riamare. È una concezione che s'incontra nella stessa poesia giovanile di Dante. Ma qui essa rivela i propri pericoli: ai sentimenti languidi e nobili della cultura cortese corrispondono conseguenze imprevedibili sul piano della superiore giustizia divina, quando da quei sentimenti e da quella concezione nasce il peccato, come nel caso di Paolo e Francesca. E il discorso di Francesca mostra come da quelle premesse il peccato nasca facilmente, poiché esse spingono il soggetto ad obbedire alla propria sensibilità e non alla superiore legge morale. Francesca si scolpa senza malizia mostrando le tappe di questo processo: non è in grado infatti di capirlo. E si scolpa solo apparentemente; in verità mostra quale strada l'abbia condotta a dannarsi. Francesca, si noti, non parla del peccato: il suo racconto passa dal nobile assecondamento dei sentimenti all'omicidio e alla dannazione. È proprio in questo salto, per lei inspiegabile, che sta la causa del suo perdersi. E colpevoli sono la sua educazione e la sua sensibilità; colpevole è la sua civiltà. Ma la sua civiltà è anche la civiltà di Dante; le sue definizioni dell'amore erano state condivise da Dante stesso. Per questo egli resterà turbato e colpito. A lui tocca di capire quello che Francesca non ha capito: il legame tra le premesse e le conseguenze, tra morbosa sensibilità e peccato. Francesca è ferma per sempre nella dimensione del suo peccato, come tutti i dannati; ferma quindi nell'amore: in una dimensione psicologica tutta terrena, subisce ora la dimensione trascendente della giustizia di Dio senza capirla. Dante può capire l'una e l'altra cosa, trarre le conseguenze necessarie; vedere il limite dei sentimenti umani: faticosamente adeguarli, con una sofferenza e un tormento nel suo caso utili, verso l'alto.

108: *Queste parole ci furono* (**fuor**) *dette* (**porte**) *da loro.* Anche se chi parla è la sola Francesca, entrambe le anime partecipano al racconto: e perciò Dante usa il plurale.

109-111: *Quando io ebbi udito* (**intesi**) [*raccontare*] *quelle anime ferite* (**offense**) [*dalla sventura*], *abbassai* (**china'** = chinai) *gli occhi* (**il viso**) *e li* (**il** = lo) *tenni tanto bassi, fino* [*a*] *che il* (**'l**) *poeta* [: Virgilio] *mi disse: «Che pensi* (**pense**)?».*

112-114: *Quando risposi, cominciai* [*a dire*]: *«Ohimè* (**oh lasso**; cfr. il franc. 'hélas'), *quanti dolci pensieri, quanta passione* (**disio** = desiderio) *portarono* (**menò** = portò) *costoro al passaggio* (**passo**) *doloroso* [: il peccato]*/».* Il turbamento di Dante è dovuto al fatto che egli ha riconosciuto in Francesca un patrimonio culturale in gran parte simile al proprio; Virgilio lo scuote, ed egli risponde dopo aver ancora indugiato pensieroso, come dice il **quando rispuosi** del v. 112: non sùbito, cioè. E le parole che Dante pronuncia in un primo momento sono dette come fra se stesso e rivelano quanto egli sia sensibile alla nota dei raffinati sentimenti espressi da Francesca; infatti si ferma innanzitutto su quelli, per individuare però sùbito dopo il punto critico del dramma, quello che egli deve qui chiarire per poterne far tesoro e procedere oltre: e il punto critico è il **doloroso passo** al quale i due amanti sono infine giunti. La sua domanda a Francesca riguarderà perciò questo aspetto del problema.

Poi mi rivolsi a loro e parla' io,
e cominciai: « Francesca, i tuoi martìri

117   a lagrimar mi fanno tristo e pio.

Ma dimmi: al tempo de' dolci sospiri,
a che e come concedette amore

120   che conosceste i dubbiosi disiri? ».

E quella a me: « Nessun maggior dolore
che ricordarsi del tempo felice

123   ne la miseria; e ciò sa 'l tuo dottore.

Ma s'a conoscer la prima radice
del nostro amor tu hai cotanto affetto,

126   dirò come colui che piange e dice.

Noi leggiavamo un giorno per diletto
di Lancialotto come amor lo strinse;

129   soli eravamo e sanza alcun sospetto.

115-117: *Poi mi rivolsi a loro e parlai io, e cominciai [a dire]: «Francesca, i tuoi tormenti* (**martìri**) *mi rendono* (**mi fanno**) *triste e pietoso* (**pio**) *[fino] a [farmi] lacrimare.*

118-120: *Ma dimmi: al tempo dei* (**de'**) *dolci sospiri* [: quando eravate segretamente innamorati], *per quali indizi* (**a che**) *e in quali circostanze* (**e come**) *Amore concesse* (**concedette**) *che conosceste i desideri* (**disiri**) *[ancora] incerti* (**dubbiosi**)?». Dante partecipa alla sofferenza di Francesca fino a piangerne (v. 117), la chiama affettuosamente per nome (v. 116), si riferisce ad un orizzonte culturale comune (ponendo a soggetto dell'azione personale l'Amore — v. 119 —, come ha appena fatto Francesca; ma già la sua voglia di sapere lo incalza, ben manifestata da quel **Ma dimmi...** del v. 118, che è come se significasse: *ma la cosa più importante è che tu mi dica...* Ed egli vuol sapere come i due amanti sono passati dai sentimenti nobili, ispirati dalla cultura e dalla sensibilità, ai desideri della passione, chiamati **dubbiosi** perché sempre incerti se siano o no ricambiati. Per ora anche Dante vede tra i due momenti un salto: il racconto di Francesca lo colmerà, mostrando come il peccato nasca proprio da quell'educazione al culto del sentimento, se manca una solida coscienza morale. E sarà per Dante una scoperta così violenta e profonda, da fargli perdere i sensi.

121-123: *E quella* [: Francesca] *[disse] a me: «[Non c'è] nessun dolore maggiore che ricordarsi del tempo felice nella miseria; e que-* *sto* (**ciò**) *[lo] sa il tuo maestro* (**'l tuo dottore**) [: Virgilio]. Virgilio infatti può capire meglio di Dante la sentenza di Francesca, essendo anch'egli morto passando dalla vita gloriosa di poeta al Limbo e perché, anche, ha fatto pronunciare un'espressione simile da Didone nell'*Eneide* (II, 10-13).

124-126: *Ma se* (**s'**) *tu hai un così grande desiderio* (**cotanto affetto**) *di* (**a**) *conoscere la prima origine* (**radice**) *del nostro amore, parlerò* (**dirò**) *come [fa] chi* (**colui che**) *piange e racconta* (**dice**) *[contemporaneamente]*. **Affetto** dice Francesca per insistere con gratitudine sull'interessamento umano di Dante.

127-129: *Un giorno noi leggevamo per divertirci* (**per diletto**) *di come l'amore avvinse* (**strinse**) *Lancillotto* (**Lancialotto**; **lo** è pron. p l e o n .); *eravamo soli e senza nessun* (**alcun**) *presentimento* (**sospetto**). Si intenda: *benché soli e benché avessimo scelto una lettura d'argomento erotico, non c'era in noi nessuna malizia, nessun secondo fine*; questa premessa aggrava la responsabilità della storia letta e quindi della civiltà e della cultura delle quali essa fa parte. L'episodio al quale Francesca allude è quello che narra di come Lancillotto del Lago, eroe della Tavola Rotonda, si innamorò di Ginevra, moglie di re Artù. Si noti come il racconto rievochi adeguatamente l'atmosfera in cui nacque l'amore: la solitudine, l'essere senza **sospetto**, il condividere, per piacere intellettuale e per svago, una raffinata lettura di moda. C'è come una calma apparente, quasi l'attesa del turbamento e dell'amore peccaminoso.

Per più fïate li occhi ci sospinse
quella lettura, e scolorocci il viso;
132   ma solo un punto fu quel che ci vinse.
Quando leggemmo il disïato riso
esser baciato da cotanto amante,
135   questi, che mai da me non fia diviso,
la bocca mi baciò tutto tremante.
Galeotto fu 'l libro e chi lo scrisse:
138   quel giorno più non vi leggemmo avante ».
Mentre che l'uno spirto questo disse,
l'altro piangëa; sì che di pietade
io venni men così com' io morisse.
142   E caddi come corpo morto cade.

130-132: *Per molte volte* (**più fiate**) *quella lettura ci spinse* (**sospinse**) *gli* (**li**) *occhi* [*ad incontrarsi*], *e ci fece impallidire* (**scolorocci** = ci scolorò) *il viso; ma quello che ci vinse* [: che ci fece superare le nostre esitazioni] *fu un unico* (**solo**) *punto*.

133-136: *Quando leggemmo che la desiderata* (**disiato**) *bocca ridente* (**riso**) [*di Ginevra*] *era* (**esser**; costruzione latineggiante) *baciata da un simile* (**cotanto**) *amante* [: Lancillotto], *questi* [: Paolo], *che non sarà* (**fia**) *mai* [*più*] *separato* (**diviso**) *da me, tutto tremante mi baciò la bocca*. Paolo e Francesca riconoscono nella narrazione una situazione simile a quella propria e vi si identificano; così, leggendo che alla fine Lancillotto bacia Ginevra, anche loro sono spinti, per forza di suggestione, a fare altrettanto. Ma mentre l'atto di guardarsi e il pallore che ne nasce fanno ancora parte di una sensibilità eccessiva ma non peccaminosa, l'azione del baciarsi spezza l'incanto letterario e introduce la colpa: tra il **disiato riso** di Ginevra baciato da Lancillotto e la ben più reale **bocca** di Francesca baciata da Paolo intercorre appunto questa differenza, che può sembrare nulla ai due cognati a causa della loro identificazione, ma che è enorme. Il gesto del romanzo è un evento solo letterario, di finzione; quello di Paolo e Francesca è una realtà concreta non più cancellabile. **Tutto tremante** è infatti Paolo, esprimendo un fremito umano estraneo alle figure del libro; le conseguenze si inseriscono non casualmente a questo punto del racconto: egli non sarà mai più separato da Francesca. Nel momento stesso in cui il passaggio al peccato è compiuto, anche la punizione già si delinea.

137-138: *Il libro e chi lo scrisse furono* (**fu**) [*i nostri*] *Galeotti: quel giorno non vi leggemmo più oltre* (**avante**)». Nel racconto dell'amore di Lancillotto e Ginevra, il siniscalco Galehant ha una funzione decisiva nello spingere i due amanti a rivelarsi il proprio amore: per Paolo e Francesca tale funzione è compiuta dal libro che leggono e dal suo autore. Con questa affermazione Francesca non lancia un'accusa volontaria: ella non vede infatti al di là del proprio peccato, non può concepire un giudizio esterno, benché lo subisca eternamente su di sé; nelle sue parole si rivela anzi un persistere del meccanismo perverso di identificazione nella vicenda di Lancillotto e Ginevra, tale da farle instaurare parallelismi tra quella e la propria storia anche al livello di personaggi (o funzioni) secondari (**Galeotto**). L'accusa a quel genere di letteratura e alla civiltà che la esprime è involontaria ed implicita, benché agli occhi di Dante (e del lettore) evidentissima. Quanto al v. 138, conclusivo del racconto di Francesca, non è certo necessario vedervi un'allusione r e t i c e n t e all'atto materiale della colpa: segna solo il passaggio dalla letteratura alla realtà, da un atteggiamento a un fatto; è questo il **punto** che Dante voleva chiarire: oltre ci sono il peccato e la dannazione. La conclusione del racconto di Francesca allude semmai a questo brusco trapasso, alla fine irrevocabile della vita serena.

139-142: *Mentre che un'anima* (**l'uno spirto**) [: Francesca] *diceva* (**disse**) *questo, l'altra* [: Paolo] *piangeva; così* (**sì**) *che per la pietà* (**di pietade**) *io svenni* (**io venni men**) *così come* [*se*] *io morissi. E caddi* [*a terra*] *come cade un corpo morto*. La figura di Paolo si definisce solo in questo pianto disperato che ha accompagnato il racconto di Francesca (o, più probabilmente, le sue battute conclusive); ed è una figura viva e umanamente forte solo per questo pianto e per quel **tutto tremante** con il quale Francesca lo ha evocato. Sulla **pietade** e lo svenimento di Dante si è già detto (cfr. le note ai vv. 106-107 e 115-120). Si noti qui il verso conclusivo del canto, dove la pesantezza del cadere a terra di Dante privo di sensi è espressa f o n o s i m b o l i c a m e n t e dal martellare delle cinque parole bisillabe, la prima e l'ultima accentate sulla /a/, le tre centrali accentate sulla /o/, e quattro su cinque inizianti con la consonante /c/. Anche questo canto, come il terzo, si chiude con lo svenimento di Dante: lì lo svenimento segnava il passaggio dall'antinferno (ignavi) al primo cerchio (Limbo); qui segna il passaggio dal secondo cerchio (lussuriosi) al terzo (golosi).

Lussùria _____ _v. 55_

È voce dotta derivata dal lat. _luxurĭa_ (da _luxŭs_ = 'lusso'; cfr. franc. _luxure_ e sp. _lujuria_). Il termine indica propriamente un 'desiderio irresistibile, passione dei sensi, carnalità, libidine' (secondo la morale cattolica è uno dei sette peccati capitali).

Novella _____ _v. 52_

La voce deriva dal lat. popol. _novella_ = 'cose nuove' (neutro plur. di _novellus_; cfr. franc. _nouvelle_ e ingl. _novel_, entrambi passati al significato di 'racconto, romanzo' per influenza dell'ital.; il franc. _nouvelle_ significa anche 'notizia', esattamente come può significarlo _novella_ nell'ital. ant.). Propriamente il termine indica una 'cosa nuova, una novità, una faccenda insolita' oppure 'l'annuncio di una novità o notizia' — cfr. _Purg._ II, 71 e _Par._ XXIV, 150 —; anche nell'accezione di 'informazione, notizia riguardo a una determinata persona o a un determinato fatto' — cfr. _Inf._ V, 52. Il vocabolo significa anche 'ciò che costituisce materia di narrazione' e quindi 'racconto, sia orale che scritto'. Oggi la voce si usa raramente nell'accezione di 'notizia' (in genere con valore ironico nella locuz. «lieta novella») e indica invece specificamente un tipo particolare di 'narrazione in prosa caratterizzata da una struttura semplice e breve e dall'esposizione di fatti, sia immaginari che storici, inseriti nella trama di un'unica azione dominante'. La locuz. «buona novella» si riferisce per a n t o n o m a s i a all' 'annuncio del regno di Dio da parte di Cristo' e quindi al 'Vangelo'.

Offi-cio, -zio _____ _v. 16_

La voce deriva dal lat. _officĭum_ = 'lavoro, esecuzione di un compito' (composto da _ops_, _opis_ congiunto alla radice di _facĕre_: _opifĭcĭum_ — che sopravvive nell'ital. _opificio_ = 'fabbrica, officina' — contratto in _officĭum_; cfr. franc. e ingl. _office_). Il termine significa 'azione, ciò che è dovuto di fare a ciascuno, compito, mansione' — cfr. _Inf._ V, 18; XIII, 62 e XXII, 86; _Purg._ VI, 146; _Par._ XXX, 146. Oggi prevale la forma _ufficio_ soprattutto nel significato di 'luogo di lavoro, luogo dell'impiego (relativamente ad attività del settore terziario)'.

Ospìzio _____ _v. 18_

È voce dotta derivata dal lat. _hospitium_ (da _hospĕs_, _hospĭtis_ = 'straniero'; cfr. franc. _hospice_, sp. _hospicio_). È termine letter. per 'casa, alloggio' — cfr. _Inf._ XIII, 64 —; in _Inf._ V, 18 Dante usa il vocabolo nel senso di 'luogo di permanenza' alludendo all'Inferno. Per similitudine la voce vale anche 'luogo di ricovero, rifugio' e da qui deriva l'uso, prevalente oggi, di 'istituto che si prende cura delle persone anziane'.

Non ha Francesca alcuna qualità volgare o malvagia, come odio, o rancore, o dispetto, e neppure alcuna speciale qualità buona; sembra che nel suo animo non possa farsi adito altro sentimento che l'amore. «Amore, Amore, Amore!» Qui è la sua felicità e qui è la sua miseria. Né ella se ne scusa, adducendo l'inganno in che fu tratta o altre circostanze. La sua parola è di una sincerità formidabile. — Mi amò, ed io l'amai; — ecco tutto. Nella sua mente ci sta che è impossibile che la cosa andasse altrimenti, e che amore è una forza a cui non si può resistere. Questa onnipotenza e fatalità della passione che s'impadronisce di tutta l'anima e la tira verso l'amato nella piena consapevolezza della colpa è l'alto motivo su cui si svolgé tutto il carattere. Appunto perché amore è rappresentato come una forza straniera all'anima e irrepugnabile, qui hai fiacchezza, non depravazione [...].

Francesca niente dissimula, niente ricopre. Confessa con una perfetta candidezza il suo amore; né se ne duole, né se ne pente, né cerca circostanze attenuanti e non si pone ad argomentare contro di Dio. — Paolo mi ha amata, perché io ero bella, ed io l'ho amato perché mi compiaceva d'essere amata, e sentivo piacere del piacere di lui —. Sono tali cose che le donne volgari non sogliono confessare neppure all'orecchio. Chiama «bella persona» quello di che s'invaghì Paolo; chiama «piacere» il sentimento che ancora non l'abbandona; e quando Paolo le baciò la bocca «tutto tremante», certo la carne di Paolo non tremava per paura. Qui hai propria e vera passione, desiderio intenso e pieno di voluttà. Ma insieme con questo trovi un sentimento che purifica e un pudore che rivergina; talché a tanta gentilezza di linguaggio mal sai discernere se hai innanzi la colpevole Francesca o l'innocente Giulietta [...].

Que' due vanno insieme e si amano in eterno, non perché ei non sono dannati; anzi perché sono dannati; perché in paradiso il terrestre è alzato a divino, laddove nell'inferno il terrestre rimane eterno ed immutato; perché i peccatori dell'inferno dantesco serbano le stesse passioni, e perciò sono impenitenti e dannati; perché Filippo Argenti è nell'inferno così bizzarro come fu in terra, e Capaneo bestemmia nell'inferno come faceva in terra; perché il dannato è l'uomo che porta nell'inferno tutte le sue qualità e passioni buone e cattive; perciò Francesca ha amato ed ama ed amerà e non può non amare; perciò l'infelice dannata non può staccarsi dal cuore questo Paolo, e lo ha sempre innanzi agli occhi: sentimento che il poeta ha rappresentato sensibilmente ponendole eternamente accanto il suo Paolo [...].

Quando Francesca è vinta, quando il peccato ch'era già nell'anima si rivela, nel punto stesso del bacio, anzi prima ancora che il peccato le esca di bocca, tra «questi» e la «bocca mi baciò», tra l'amante e il peccato si gitta in mezzo l'inferno, e il «tempo felice» si congiunge con la «miseria», e quel momento d'oblio, il peccato, non si cancella più, diviene l'eternità.

> Questi, «che mai da me non fia diviso»,
> La bocca mi baciò...

[*Inf.* V, 135-36].

* Questo saggio fu pubblicato nel 1869 da Francesco De Sanctis (1817-83), uno dei maggiori critici letterari di tutti i tempi, che nell'Ottocento contribuì alla rinascita della fortuna di Dante, benché attraverso una sopravvalutazione di tipo romantico dell'elemento eroico e tragico. Francesco De Sanctis, *Lezioni e saggi su Dante*, Einaudi, Torino, 1967, pp. 641-650.

Canto VI

Il sesto canto descrive il *terzo cerchio* infernale, dove sono puniti i *golosi*. Vi domina il motivo politico (come nel VI canto del *Purgatorio* e nel VI del *Paradiso*): qui il discorso è limitato alla sola Firenze (nel *Purgatorio* si allargherà all'intera Italia, nel *Paradiso* all'Impero). Il canto è strutturalmente diviso in tre parti: la descrizione dei golosi, della loro pena e del demone Cèrbero; l'incontro con il dannato Ciacco; una breve digressione di Virgilio, a scopo informativo, sulla condizione dei dannati dopo il Giudizio universale.

* * *

Dante, svenuto per il turbamento provocato dal racconto di Francesca, rinviene nel cerchio successivo, il terzo. Qui le anime dei golosi sono punite da una pioggia mista di acqua sporca, grandine e neve che le prostra nel fango riducendole come bestie prive di vitalità e di intelligenza; su di loro la belva a tre teste Cèrbero (ripresa dalla mitologia classica), tra umana e mostruosa, grida dalle tre bocche e graffia e squarta i dannati con i terribili artigli. Anche in questo caso, benché più sottilmente che altre volte, agisce la legge del c o n t r a p p a s s o : i golosi hanno ceduto al bestiale desiderio dei sensi ed ora vengono ripagati da un tormento che si accanisce contro la loro sensibilità e li riduce a livello di bestie: e anziché vivere in mezzo a cibi raffinati, devono stare nel fango puzzolente. Cèrbero ricorda il loro peccato squartandoli con la stessa avidità con cui loro afferravano il cibo, e ferisce in loro, con i suoi latrati, anche il senso dell'udito.

Tra i golosi si anima brevemente il fiorentino Ciacco, raffinato buongustaio e parassita. In lui il rimpianto della vita e di Firenze si fondono con un moto polemico nei confronti della sua città ormai vinta dall'odio. In una breve profezia Ciacco delinea il futuro di Firenze e il destino sventurato della fazione bianca, nella sconfitta della quale doveva essere coinvolto anche Dante. Addita poi le cause delle lotte civili nella smania di dominio: avarizia, invidia e superbia. Ma gli stessi grandi della generazione passata, benché mossi da sincero amore per la patria, sono nell'Inferno, anche se per colpe prevalentemente private: si sviluppa la meditazione di Dante, costante in questi canti iniziali della *Commedia*, sui limiti e la relatività dei valori umani e terreni in rapporto alla superiore legge divina.

Concluso il colloquio con Ciacco, Virgilio spiega a Dante che le sofferenze dei dannati aumenteranno dopo il Giudizio finale, quando le anime rivestiranno i propri corpi. Poi i due si apprestano a scendere al cerchio seguente, il quarto, guardato dal demone Pluto.

* * *

Alle rappresentazioni realistiche e potenti di Cèrbero, della pena dei golosi e del Giudizio universale, si unisce in questo canto la nota politica emergente nel discorso di Ciacco. Ma è un errore vederla come parte a sé, introdotta dall'esterno nella narrazione; in verità è naturale che Dante, incontrando il primo dei molti fiorentini dell'Inferno, gli parli sùbito della patria comune e lo interroghi sul futuro di quella: tanto l'argomento politico gli sta a cuore ed è destinato a rivelarsi tra i motivi più profondi e insistenti del poema. Gli accenni fuggevoli di questo canto si amplieranno e chiariranno meglio in seguito (cfr. canti X e XV): per ora domina la polemica contro la faziosità dei fiorentini e contro i loro vizi; in tal senso sbaglia anche chi rileva l'inadeguatezza di Ciacco a parlare di un argomento tanto elevato, perché Ciacco non era un intelletto ignobile e perché, da parassita, ben poteva conoscere, e definire, i vizi della società fiorentina. Le varie parti del canto sono inoltre unificate dallo stile colorito e violento.

Cfr. tavola 4.

> Al tornar de la mente, che si chiuse
> dinanzi a la pietà de' due cognati,
> 3   che di trestizia tutto mi confuse,
> novi tormenti e novi tormentati
> mi veggio intorno, come ch'io mi mova
> 6   e ch'io mi volga, e come che io guati.
> Io sono al terzo cerchio, de la piova
> etterna, maladetta, fredda e greve;
> 9   regola e qualità mai non l'è nova.

1-6: *Al ritorno dei sensi* (**al tornar de la mente**) [: rinvenendo], *che vennero meno* (**che si chiuse**) *dinanzi all'aspetto pietoso* (**pietà**) *dei* (**de'**) *due cognati* [: Paolo e Francesca], *il quale* (**che**) *mi fece svenire* (**tutto mi confuse** = mi stordì completamente) *per la tristezza* (**di trestizia**), *mi vedo* (**veggio**) *intorno nuovi tormenti e nuovi tormentati* [: dannati], *comunque io* (**come ch'io**) *mi sposti* (**mova**) *e* [*comunque*] *io mi rivolga* (**volga**) [*intorno*], *e comunque io guardi* (**guati**). Dante rinviene e si trova nel terzo cerchio: il passaggio da un cerchio all'altro è avvenuto, come già dal primo al secondo, misteriosamente. Si noti che solo qui, ad episodio oltrepassato, Dante si riferisce apertamente a Paolo e a Francesca come ai **due cognati**: riportato nel canto precedente, il particolare

avrebbe rivestito un carattere più scandaloso, inadatto al clima; ora segna il superamento di quel turbamento da parte di Dante, la conquista di una maturità superiore che si rivela anche nell'oggettività della definizione.

7-9: *Io sono* [*ora*] *nel* (**al**) *terzo cerchio*, [*quello*] *della pioggia* (**piova**) *eterna, maledetta, fredda e pesante* (**greve**); *non cambia* (**non l'è nova** = non le è nuova) *mai modo* (**regola**) *né* (**e**) *aspetto* (**qualità**) [: cade sempre nello stesso modo]. Si noti l'insistenza di questa terzina e già di quella precedente sull'uniformità ossessiva della pena: il v. 8 in particolare è cadenzato su quattro aggettivi tutti accentati sulla /e/.

Grandine grossa, acqua tinta e neve
per l'aere tenebroso si riversa;
12   pute la terra che questo riceve.
Cerbero, fiera crudele e diversa,
con tre gole caninamente latra
15   sovra la gente che quivi è sommersa.
Li occhi ha vermigli, la barba unta e atra,
e 'l ventre largo, e unghiate le mani;
18   graffia li spirti ed iscoia ed isquatra.
Urlar li fa la pioggia come cani;
de l'un de' lati fanno a l'altro schermo;
21   volgonsi spesso i miseri profani.

10-12: *Attraverso* (**per**) *l'aria* (**l'aere**) *tenebrosa si rovesciano* (**si riversa**) *grandine grossa, acqua sporca* (**tinta** = nera) *e neve; puzza* (**pute**) *la terra che riceve ciò* (**questo**) [: la mistura di grandine, acqua e neve]. La posizione forte di **pute** in principio di verso ne accentua la potenza espressiva, così come da **questo** (pron. neutro) emana un moto di ribrezzo.

13-15: *Cèrbero, belva* (**fiera**) *crudele e mostruosa* (**diversa**), *grida* (**latra**) *con tre gole come un cane* (**caninamente**) *al di sovra delle anime* (**sovra la gente**) *che qui* (**quivi**) *sono sotto l'acqua* (**è sommersa**) [: sotto la pioggia battente, nel fango]. Anche Cèrbero, figlio di Tifeo e di Echidna, è un mostro ripreso dalla mitologia classica, come già Caronte e Minosse. Virgilio ed Ovidio lo rappresentano come un cane a tre teste. Dante aggiunge una serie di particolari raccapriccianti, tra umani e diabolici (cfr. la terzina seguente), attribuendogli una funzione precisa: quella di accrescere le sofferenze dei dannati con le sue grida mostruose e con la violenza brutale.

16-18: [*Cèrbero*] *ha gli* (**li**) *occhi rossi* (**vermigli**), *la barba unta e nera* (**atra**), *e il* (**'l**) *ventre largo, e le mani unghiate; graffia gli* (**li**) *spiriti e* [*li*] *scuoia* (**iscoia**) *e* [*li*] *squarta* (**isquatra**). L'aspetto di Cerbero rappresenta i vari caratteri della colpa qui punita: la gola. In particolare la larghezza del ventre indica la fame insaziabile, la barba nera e unta l'ingordigia bestiale, gli occhi rossi e gli artigli indicano infine il desiderio rabbioso

e la rapacità. Si noti la violenza della rappresentazione, tra tragica e grottesca, soprattutto nella durezza sonora del v. 18.

19-21: *La pioggia li fa* [: gli spiriti] *urlare come cani; di uno dei fianchi* (**de l'un de' lati**) *fanno riparo* (**schermo**) *all'altro; i disgraziati peccatori* (**miseri profani**) *si rigirano* (**volgonsi** = si volgono) *spesso*. In questo insensato rivoltarsi per riparare almeno una parte del corpo dal cadere doloroso di grandine, pioggia e neve e dalla violenza di Cerbero, già si mostra l'aspetto abbrutito e animalesco di questi spiriti. Dante paragona le loro grida di lamento a quelle dei cani, rendendo esplicita questa degradazione bestiale; e si noti l'effetto o n o m a t o p e i c o del v. 19. La nota dominante dell'episodio è proprio questa, della bestialità e della degradazione; Cerbero ne dà l'espressione più evidente unendo in un solo essere, come si è visto, caratteri umani e bestiali. I golosi giacciono in un torpore senza vitalità e privo degli attributi umani: intelligenza e sentimenti; il loro peccato è presentato da Dante proprio come un cedimento alla bestialità, alla pura manifestazione dei sensi. Questo rende più facile capire il c o n t r a p p a s - s o , in questo caso meno evidente che altrove: i golosi, se hanno ceduto ai più bassi impulsi, ora sono tormentati, proprio in quei sensi cui hanno tanto dato ascolto, sia dalla pioggia, dalla grandine e dalla neve, sia dalle grida e dalla violenza di Cerbero; e, se hanno abbassato la natura umana al livello delle bestie, ora sono come bestie, resi ottusi dalla monotonia ossessionante della pioggia e intronati dalle grida terribili di Cerbero.

Quando ci scorse Cerbero, il gran vermo,
le bocche aperse e mostrocci le sanne;
24   non avea membro che tenesse fermo.
E 'l duca mio distese le sue spanne,
prese la terra, e con piene le pugna
27   la gittò dentro a le bramose canne.
Qual è quel cane ch'abbaiando agogna,
e si racqueta poi che 'l pasto morde,
30   ché solo a divorarlo intende e pugna,
cotai si fecer quelle facce lorde
de lo demonio Cerbero, che 'ntrona
33   l'anime sì, ch'esser vorrebber sorde.
Noi passavam su per l'ombre che adona
la greve pioggia, e ponavam le piante
36   sovra lor vanità che par persona.
Elle giacean per terra tutte quante,
fuor d'una ch'a seder si levò, ratto
39   ch'ella ci vide passarsi davante.

22-24: *Quando Cerbero, la grande bestia ripugnante* (**il gran vermo**), *ci vide* (**ci scorse**), *aprì* (**aperse**) *le* [*tre*] *bocche e ci mostrò* (**mostrocci**) *le zanne; non aveva* [: non c'era] [*nessuna*] *parte del corpo* (**membro**) *che* [*egli*] *tenesse ferma.*

25-27: *E la* ('l = il) *mia guida* (**duca**) [: Virgilio] *spalancò le proprie mani* (**distese le sue spanne**), *prese la terra, e con i pugni* (**le pugna**) *pieni la gettò dentro le gole* (**canne**) *affamate* (**bramose**) [*di Cerbero*]. Un gesto simile compie nel VI libro dell'*Eneide* virgiliana (vv. 419-21) la Sibilla che accompagna Enea nell'oltretomba, la quale getta in pasto a Cerbero una focaccia che aveva portato con sé. Nella rielaborazione dantesca è messa ancora in risalto la terribile voracità del mostro, che si accontenta di **terra**.

28-33: *Come* (**qual**) *è un* (**quel**) *cane che abbaiando manifesta la sua fame* (**agogna**), *e si calma* (**racqueta**) *dopo aver mangiato* (**poi che...morde**) *il* ('l) [*suo*] *pasto, poiché* (**ché**) *è rivolto* (**intende**) *e si affatica* (**pugna**) *solo a divorarlo, così* (**cotai** = cotali) *divennero* (**si fecer**) *le* (**quelle**) *facce sporche* (**lorde**) *del* (**de lo**) *demonio Cerbero, il quale* (**che**) *assorda* ('ntrona = introna) *le anime al punto che* (**sì ch'** = così che) *vorrebbero essere sorde*. Si noti al v. 28 la rima imperfetta di **agogna** con **pugna** (sost.) del v. 26 e con **pugna** (vb.) del v. 30, frequente nella tradizione lirica medioevale (cfr. I, 46 e V, 95).

34-36: *Noi passavamo sopra* (**su per**) *le anime* (**ombre**) *che la pesante* (**greve**) *pioggia abbatte* (**adona**), *e posavamo* (**ponevam**) *le piante* [*dei piedi*] *sopra la loro inconsistenza* (**vanità**) *che ha l'aspetto di corpo* (**che par persona**). Virgilio e Dante sono costretti, per passare, a calpestare le anime dei golosi, prostrate nel fango. Nella rappresentazione dell'oltretomba è inevitabile che Dante si scontri con alcuni problemi di fondo, quale questo della fisicità: egli li risolve non senza qualche felice contraddizione, benché di molti offra qua e là una spiegazione sistematica. In particolare nell'*Inferno*, dominato dalla materialità della presenza corporea dei dannati e delle loro pene, l'atteggiamento di Dante oscilla tra il trattare le anime come ombre e apparenze inconsistenti di corpi (come qui), e conservare loro tutte le qualità materiali.

37-39: *Elle* [: le ombre] *giacevano* (**giacean**) *tutte quante per terra, meno che una* (**fuor d'una**) *che si alzò* (**levò**) *a sedere, non appena ch'ella*; (**ella** è pron. p l e o n .) *ci vide passarle* (**passarsi**) *davanti*. Si noti con quale scatto improvviso emerga dal fango l'anima di Ciacco, come per un prodigio; nello stesso modo sarà improvviso il suo congedarsi da Dante per tornare nel suo stato di abbrutimento. C'è in questo tratto già il carattere vitale ma insieme superficiale del personaggio.

« O tu che se' per questo 'nferno tratto »,
mi disse, « riconoscimi, se sai:

42   tu fosti, prima ch'io disfatto, fatto ».

E io a lui: « L'angoscia che tu hai
forse ti tira fuor de la mia mente,

45   sì che non par ch'i' ti vedessi mai.

Ma dimmi chi tu se' che 'n sì dolente
loco se' messo, e hai sì fatta pena,

48   che, s'altra è maggio, nulla è sì spiacente ».

Ed elli a me: « La tua città, ch'è piena
d'invidia sì che già trabocca il sacco,

51   seco mi tenne in la vita serena.

Voi cittadini mi chiamaste Ciacco:
per la dannosa colpa de la gola,

54   come tu vedi, a la pioggia mi fiacco.

40-42: *Mi disse: «O tu che sei* (**se'**) *condotto* (**tratto**) *attraverso* (**per**) *questo inferno, riconoscimi, se riesci* (**se sai**)*: tu fosti fatto* [: nascesti], *prima che io* [*fossi*] *disfatto* [*dalla morte*]». Ciacco ha riconosciuto Dante ma dubita che questi possa fare altrettanto, a tal punto avverte di essersi trasformato a causa dei tormenti.

43-45: *E io* [*dissi*] *a lui: «La sofferenza* (**angoscia**) *che tu hai forse ti toglie* (**ti tira fuor**) *dalla* (**de la**) *mia memoria* (**mente**)*, così* (**sì**) *che non* [*mi*] *sembra* (**par**) *di averti visto mai* (**ch'i' ti vedessi mai; ch'i'** = che io). Il cambiamento di Ciacco è così profondo che Dante non lo riconosce; ed è un cambiamento esterno ma, si direbbe, soprattutto interiore: l'allegro e ghiotto concittadino è ora piegato da un'**angoscia** che lo trasforma.

46-48: *Ma dimmi chi tu sei* (**se'**) *che sei messo in un luogo così tormentoso* (**'n sì dolente loco**) *e hai una pena tale* (**sì fatta**)*, che* [*anche*] *se altra è maggiore* (**maggio**)*, nessuna* (**nulla**) *è così fastidiosa* (**sì spiacente**)».

49-51: *Ed egli* (**elli**) [*disse*] *a me: «La tua città* [: Firenze]*, che è piena di invidia al punto* (**sì** = così) *che già trabocca il sacco* [: che essa esplode in lotte aperte]*, mi ebbe con sé* (**seco mi tenne**) [: fui suo cittadino] *nella* (**in la**) *vita serena*. Si noti il distacco di Ciacco dalla vita, sinteticamente espresso in quel **tua città** (anziché *mia* o *nostra*) per indicare Firenze che è anche la sua patria. Ma è un distacco doloroso e pieno di rimpianto per la **vita serena**; e di qui nasce il malumore

della risposta, rivolto contro la città natale, accusata di essere piena di **invidia**, cioè di *rivalità*, a tal punto che già esplodono lotte aperte tra le diverse fazioni. Eppure si insinua in questa terzina anche la coscienza di essere stato come un peso per la propria città (**seco mi tenne...**), nella quale pare in effetti egli visse da parassita (cfr. nota seguente). Si noti il linguaggio incisivo e colorito di Ciacco (p. es.: **trabocca il sacco**) e lo si confronti con quello raffinato e allusivo di Francesca: da un canto all'altro, quale diversità di lessico, di stile, di materia!

52-54: *Voi* [*con*]*cittadini mi chiamaste Ciacco: a causa della* (**per la**) *colpa dannosa* [: alla salute fisica e morale] *della gola mi piego* (**fiacco**) *alla pioggia, come tu* [*stesso*] *vedi*. Le notizie storiche affidabili intorno al personaggio sono molto scarse. Il nome Ciacco era certamente nome proprio di persona, diminutivo di Giacomo o Jacopo, forse dal franc. *Jacques*; ma era forse anche soprannome e Buti dice che «era nome di porco» con il quale egli era chiamato «per la golosità sua». Ciacco era probabilmente un parassita che viveva alle spalle delle famiglie più ricche di Firenze; ma doveva essere di educazione ed ingegno elevati (come riferisce Boccaccio) e, tranne che per il vizio della gola, di animo nobile e affabile: questo spiega la partecipazione commossa di Dante alla sua sofferenza e il fatto che egli lo abbia scelto per parlare dei mali di Firenze esponendo per suo mezzo il proprio punto di vista. La figura di Ciacco è tutta raccolta in una intensa nostalgia per la **vita serena**:

E io anima trista non son sola,
    ché tutte queste a simil pena stanno
57   per simil colpa ». E più non fe' parola.
    Io li rispuosi: « Ciacco, il tuo affanno
    mi pesa sì, ch'a lagrimar mi 'nvita;
60   ma dimmi, se tu sai, a che verranno
    li cittadin de la città partita;
    s'alcun v'è giusto; e dimmi la cagione
63   per che l'ha tanta discordia assalita ».
    E quelli a me: « Dopo lunga tencione
    verranno al sangue, e la parte selvaggia
66   caccerà l'altra con molta offensione.

il passaggio di Dante lo scuote in quanto glie-ne riporta per un attimo l'illusione; e con la nostalgia per la vita si fonde quella per Firenze, la sua città, amata ma ora sentita, come la **vita serena**, estranea e perduta. Di qui la sua malinconia e il suo malumore, sinceri ma incapaci di espandersi o di approfondirsi: egli è vinto dall'Inferno, come insistono a ricordare molti indizi (**disfatto**, v. 42; **mi fiacco**, v. 54).

55-57: *E io non sono la sola anima misera* (**trista**) *[che stia qui], poiché* (**ché**) *tutte queste [anime qui intorno] stanno ad una pena simile a causa di* (**per**) *una colpa simile». E non disse* (**fe'** = fece) *più parola.*

58-63: *Io gli* (**li**) *risposi: «Ciacco, la tua sofferenza* (**affanno**) *mi opprime* (**mi pesa**) *tanto* (**sì** = così), *che mi spinge* ('**nvita** = invita) *a lacrimare; ma dimmi, se tu* [lo] *sai, a che* [cosa] *giungeranno* (**verranno**) *i* (**li**) *cittadini della città divisa* (**partita**) [: Firenze]; [dimmi] *se vi è qualcuno* (**alcun**) *giusto; e dimmi la ragione* (**cagione**) *per cui* (**per che**) *l'ha assalita tanta discordia».* Dante ha notato l'aspetto polemico delle parole di Ciacco nei confronti di Firenze e dei fiorentini (vv. 49 sg.), e chiede maggiori chiarimenti. La domanda di Dante si articola in tre punti: quale sarà l'esito delle lotte interne tra fiorentini, se vi sia qualcuno onesto e disinteressato, quale sia la causa di tanta litigiosità. Le lotte alle quali in particolare si allude sono quelle tra i due «partiti» dei Bianchi e dei Neri, legati alle famiglie dei Cerchi e dei Donati. A molti commentatori pare che qui Dante introduca l'argomento politico in modo un po' forzato, e che esso contrasti con il personaggio di Ciacco. Questo è in parte vero; ma si deve considerare che Ciacco è il pri-

mo spirito di un fiorentino che Dante incontra e che l'amore e la preoccupazione per Firenze lo spingono sùbito a parlare della patria, dei suoi mali e del suo futuro. A sua volta Ciacco si è animato al passaggio di Dante perché vi ha riconosciuto un concittadino; ed ha lui stesso rivelato di essere legato da un profondo rapporto di odio-amore per la città natale, introducendo l'argomento politico con l'accenno all'*invidia* (o rivalità) che la divide. Che poi la breve dissertazione politica e la relativa profezia qui non si leghino alla psicologia del personaggio come in altri episodi famosi (p. es. nel canto X dell'*Inferno*, con Farinata), è senz'altro vero; ma è vero anche che questo è dovuto soprattutto alla psicologia piuttosto superficiale di Ciacco, vinta dal tormento infernale e solo viva nel fuggevole rimpianto della vita. Quello che più conta è forse l'urgenza del problema politico in Dante, e il suo amore difficile per la patria che lo ha esiliato e che egli vede lacerata da odii e da disonestà: qui non c'è ancora l'invettiva contro i suoi vizi (come in *Purg.* VI) né la nostalgia per la sua antica nobiltà (come in *Par.* XV), ma una ferita recente alla quale ci si avvicina per la prima volta con una chiarezza di giudizio non ancora sicura. In questo senso il personaggio Ciacco è il più adatto a questo assaggio un po' timido di un problema tra i più grandi e dolorosi del mondo intellettuale ed affettivo di Dante e della *Commedia*.

64-66: *E quelli* (**quelli**) [: Ciacco] [disse] *a me: «Dopo una lunga lotta* (**tencione**) *arriveranno* (**verranno**) *al sangue, e la parte rustica* (**selvaggia**) [: i Bianchi, in parte venuti dalla campagna] *caccerà* [in esilio] *l'altra* [parte: i Neri] *con molte persecuzioni* (**of-**

Poi appresso convien che questa caggia
infra tre soli, e che l'altra sormonti
69   con la forza di tal che testé piaggia.
Alte terrà lungo tempo le fronti,
tenendo l'altra sotto gravi pesi,
72   come che di ciò pianga o che n'aonti.
Giusti son due, e non vi sono intesi;
superbia, invidia e avarizia sono
75   le tre faville c'hanno i cuori accesi ».

fensione). **Verranno al sangue**: Ciacco allude ad una rissa scoppiata il 1° maggio del 1300, durante una festa, in piazza di Santa Trinita, in cui vi furono dei feriti. Inutile fu il tentativo compiuto dai Priori (tra i quali era lo stesso Dante), nel giugno di quell'anno, di domare le ostilità con l'esilio dei rappresentanti più compromessi delle due parti. Nel giugno dell'anno seguente (1301) vi fu un tentativo di congiura da parte dei Neri: i Priori di parte Bianca esiliarono allora i loro capi (**la parte selvaggia caccerà l'altra**), con le conseguenti repressssioni e fortissime multe in denaro (**molta offensione**).

67-69: *Poi in seguito* (**appresso**) *è destinato* (**convien**) *che questa* [: la parte selvaggia, cioè i Bianchi] *cada* (**caggia**) *entro tre anni* (**infra tre soli**) [*da ora*], *e che l'altra* [: la parte dei Neri] *prenda il potere* (**sormonti**; intrans.) *con l'aiuto* (**la forza**) *di uno* (**tal**) [: papa Bonifacio VIII] *che per ora* (**testé**) *si barcamena* (**piaggia**). Qui Ciacco allude alla brevissima supremazia dei Bianchi, i quali entro tre anni dalla sua profezia (primavera del 1300) saranno sopraffatti dai Neri (i **tre soli** sono i tre anni: il 1300, il 1301, il 1302): nel principio del 1302, infatti, questi ultimi prenderanno il potere con l'aiuto di papa Bonifacio VIII, il quale nel momento della profezia di Ciacco (**testé**) ancora fingeva di non appoggiare né l'una né l'altra parte (**piaggia**), mentre già lavorava nell'ombra. Nell'autunno del 1301 Bonifacio inviò infatti a Firenze Carlo di Valois con l'apparenza di fare da pacificatore, ma in verità per appoggiare i Neri, i quali rapidamente si imposero.

70-72: [*La parte dei Neri*] *terrà* [*per*] *lungo tempo la testa* (**le fronti**) *alta* [: resterà al potere], *tenendo l'altra* [*parte*: i Bianchi] *sotto una grave oppressione* (**pesi**), *benché* (**come che**) [*quella*] *si lamenti* (**pianga**) *e si sdegni* (**n'aonti**=si adonti) *di ciò*. L'egemonia

dei Neri durerà a lungo, accompagnata da gravi persecuzioni contro i Bianchi. Il fatto che Ciacco non alluda qui ai numerosi esilii imposti dai Neri ai loro rivali, compreso Dante stesso, ha spinto molti a credere che questo canto sia stato scritto sùbito prima della condanna di Dante, avvenuta alla fine del gennaio 1302: se troppo tempo prima, infatti, egli non avrebbe potuto inserire nella profezia fatti accaduti alla fine del 1301 o nei primi giorni del 1302; se dopo, avrebbe alluso sicuramente ai numerosi esilii imposti dai Neri e in particolare al proprio. In verità questa sicurezza non ci pare fondata: Dante ha probabilmente voluto lasciare nel vago quest'aspetto del proprio destino (e della storia di Firenze) per affrontarlo più compiutamente in seguito (*Inf.* X, XV, ecc.). Meno ancora ci sembra d'altro lato fondata l'ipotesi, pure da parecchi avanzata, che Dante debba aver scritto il canto molto dopo l'esilio se può qui far dire a Ciacco che il potere dei Neri sarebbe durato **lungo tempo**: le premesse di una supremazia protratta erano già visibili sùbito dopo il suo inizio. Questa terzina, fosse ormai Dante in esilio o no (ma diremmo piuttosto di sì che di no), rivela già l'amarezza di chi subisce il peso dell'oppressione politica (vv. 71 sg.) ed è costretto ad assistere impotente alla superbia trionfante dei propri avversari (v. 70).

73-75: [*In Firenze ci*] *sono due* [*soli uomini*] *giusti, e non vi sono ascoltati* (**intesi**)*; le tre scintille* (**faville**) *che* (**c'**) *hanno infiammato* (**accesi**) *i cuori sono superbia, invidia e avarizia»*. Ciacco ha finora risposto alla prima domanda di Dante, sugli avvenimenti futuri; ora risponde con amara concisione alle altre due. Gli uomini giusti, al di sopra delle parti, sono pochissimi e nessuno li ascolta: **due** non si riferisce a nessuno in particolare ma allude solo alla ristrettezza grandissima del numero, non senza una dolorosa ironia. Le cause di tanta discordia sono la

Qui puose fine al lagrimabil suono.

E io a lui: « Ancor vo' che mi 'nsegni

78   e che di più parlar mi facci dono.

Farinata e 'l Tegghiaio, che fuor sì degni,

Iacopo Rusticucci, Arrigo e 'l Mosca

81   e li altri ch'a ben far puoser li 'ngegni,

dimmi ove sono e fa ch'io li conosca;

ché gran disio mi stringe di savere

84   se 'l ciel li addolcia o lo 'nferno li attosca ».

E quelli: « Ei son tra l'anime più nere;

diverse colpe giù li grava al fondo:

87   se tanto scendi, là i potrai vedere.

Ma quando tu sarai nel dolce mondo,

priegoti ch'a la mente altrui mi rechi:

90   più non ti dico e più non ti rispondo ».

superbia (desiderio di essere al di sopra degli altri), l'**invidia** (desiderio di togliere agli altri), l'**avarizia** (desiderio di ricchezze, cioè *cupidigia*); questi tre vizi hanno infiammato gli animi, cioè li hanno resi litigiosi e malvagi. Si ricordi il significato allegorico attribuito alle tre belve nel primo canto, suggerito proprio da questo luogo del discorso di Ciacco.

76-78: *Qui* [Ciacco] *mise* (**puose**) *fine al commovente discorso* (**lagrimabil suono**). *E io* [*dissi*] *a lui: «Voglio* (**vo'**) *che* [*tu*] *mi informi* ('**nsegni**=insegni) *ancora, e che mi faccia dono di parlare ancora* (**più**).

79-84: *Dimmi dove* (**ove**) *sono, e fa che io sappia la loro condizione* (**li conosca**), *Farinata e il* ('**l**) *Tegghiaio, che furono* (**fuor**) *così insigni* (**sì degni**), *Jacopo Rusticucci, Arrigo e il* ('**l**) *Mosca e gli* (**li**) *altri che si impegnarono* (**puoser li 'ngegni**=occuparono gli ingegni) *a ben operare* (**far**)*; poiché* (**ché**) *mi preme* (**stringe**) *un grande desiderio* (**gran disio**) *di sapere* (**savere**) *se il* ('**l**) *cielo* [: il Paradiso] *li riempie di dolcezza* (**addolcia**), *o l'inferno li avvelena* (**li attosca**)». Farinata degli Uberti, Tegghiaio Aldobrandi degli Adimari, Iacopo Rusticucci, Arrigo (forse dei Fifanti), Mosca dei Lamberti: tutte illustri (**degni**) personalità di fiorentini della generazione precedente quella di Dante. **A ben far** non contiene un'indicazione morale, ma solo civile (come **degni**). Il dubbio di Dante riguardo alla loro collocazione nell'oltretomba è appunto legato al desiderio di sapere il rapporto tra le virtù civili e quelle morali,

e in che modo vengano giudicate dalla giustizia divina le une e le altre. Si approfondisce qui ancora la considerazione del rapporto tra valori umani e valori superiori: nel quarto canto si è mostrato il limite della sapienza umana, nel quinto la relatività dei sentimenti e della raffinatezza mondani, qui si rivelerà l'insufficienza delle virtù civili (i personaggi nominati da Dante sono tutti dannati, per prevalenti ragioni private e morali). La incertezza della condizione e dei valori umani si approfondisce quanto più Dante procede nella scoperta della condizione e dei valori ultraterreni, emanazione della volontà divina.

85-87: *E quegli* (**quelli**) [: Ciacco] [*mi rispose*]: «*Essi* (**ei**) *sono tra le anime più colpevoli* (**nere**) [: di queste dei golosi]*; colpe* [*di*] *diverse* [*gravità*] *li trascinano* (**grava**; con il vb. al sing. secondo l'uso del tempo, come altre volte) *giù nel* (**al**) *fondo* [*dell'Inferno*: nei cerchi più in basso]*: se scendi tanto* [*quanto sono in basso*], *li* (**i**) *potrai vedere là*. Farinata è tra gli eretici (canto X), Tegghiaio e Iacopo Rusticucci sono tra i sodomiti (canto XVI), Mosca è tra i seminatori di discordia (canto XXVIII), Arrigo non è più nominato.

88-90: *Ma quando tu sarai* [*tornato*] *nel dolce mondo, ti prego* (**priegoti**) *di ricordarmi* (**ch'⟨e⟩... mi rechi**) *alla memoria* (**mente**) *della gente* (**altrui**; pron. pers. indefinito)*: non ti parlo* (**dico**) *più e non ti rispondo più*». Il congedo di Ciacco riprende le due note dominanti della psicologia del personaggio:

Li diritti occhi torse allora in biechi;
guardommi un poco e poi chinò la testa:
93   cadde con essa a par de li altri ciechi.
E 'l duca disse a me: « Più non si desta
di qua dal suon de l'angelica tromba,
96   quando verrà la nimica podesta:
ciascun rivederà la trista tomba,
ripiglierà sua carne e sua figura,
99   udirà quel ch'in etterno rimbomba ».
Sì trapassammo per sozza mistura
de l'ombre e de la pioggia, a passi lenti,
102   toccando un poco la vita futura;
per ch'io dissi: « Maestro, esti tormenti
crescerann' ei dopo la gran sentenza,
105   o fier minori, o saran sì cocenti? ».
Ed elli a me: « Ritorna a tua scïenza,
che vuol, quanto la cosa è più perfetta,
108   più senta il bene, e così la doglienza.

il rimpianto nostalgico per il **dolce mondo** (cfr. la **vita serena** del v. 51) e il modo di fare brusco e scattante (v. 90). La decisione di interrompere così rapidamente il colloquio definisce anche un sentimento quasi di delusione: il passaggio di un vivo, suo concittadino, ha per un attimo acceso in lui una superstite vitalità; ma l'illusione è stata passeggera e la situazione infernale lo vince definitivamente, rigettandolo nello stato di bestiale abbrutimento dal quale si era scosso (cfr. la terzina seguente). Quanto al desiderio di essere ricordato ai vivi, esso è in genere comune a tutti i dannati, i quali possono avere un'ultima illusione di vita nella memoria degli uomini.

91-93: *Allora piegò* (**torse**) *lateralmente* (**in biechi**) *gli* (**li**) *occhi* [*finora*] *dritti; mi guardò* (**guardommi**) *un poco, e poi abbassò* (**chinò**) *la testa: cadde con essa* [: la testa] *al livello* (**a par**) [: in terra] *degli* (**de li**) *altri ciechi* [: gli altri dannati, privi della luce spirituale della salvezza e accecati dal fango].

94-99: *E la* (**'l** = il) [*mia*] *guida* (**duca**) [: Virgilio] *disse a me: «Non si sveglia* (**desta**) *più prima* (**di qua**) *del suono della tromba angelica* [*del Giudizio universale*], *quando verrà il potere* (**podesta**) *nemico* [*dei dannati*: Cristo]*: ciascuno rivedrà la* [*propria*] *infelice* (**trista**) *tomba, riprenderà* (**ripiglierà**) *la propria* (**sua**) *carne e il proprio aspetto* (**sua figura**), *udrà quel* [*giudizio*] *che si ripete* (**rimbomba**) *per l'eternità* (**in etterno**)»*. Potente raf-

gurazione del Giudizio universale, sintetizzato con forza da una successione inesorabile di eventi: lo squillo della tromba, l'apparizione di Cristo giudice e il conseguente muoversi di ogni dannato verso la propria tomba disgraziata a rivestire la propria carne e a riprendere il proprio aspetto solo per udire quel giudizio che lo lega per sempre alla propria condanna. Con il Giudizio finale le anime cioè rivestono il proprio corpo. Si noti l'efficacia del v. 99: nell'indeterminatezza di **quel**, nella risonanza inestinguibile di **rimbomba**.

100-105: *Così passammo oltre* (**sì trapassammo**) *attraverso lo sporco miscuglio* (**per sozza mistura**) *di anime* (**de l'ombre**) *e di pioggia, a passi lenti, parlando* (**toccando**) *un poco della vita futura* [: l'oltretomba]*; per cui io* (**per ch'io**) *dissi* [*a Virgilio*]: *«Maestro, questi* (**esti**) *tormenti* [*infernali*] *cresceranno* (**crescerann'ei**; **ei** = 'essi' è pron. p l e o n .) *dopo la suprema* (**gran**) *sentenza* [*del Giudizio*], *o saranno* (**fier**) *minori, o saranno egualmente* (**sì** = così) *dolorosi* (**cocenti** = brucianti)?»*. Si noti ai vv. 100 sg. il moto di disprezzo espresso nel trattare la pioggia e le anime dei golosi come uno sporco miscuglio indistinguibile.

106-108: *Ed egli* (**elli**) [: Virgilio] [*disse*] *a me: «Ritorna* [*con la memoria*] *alla tua dottrina* (**scienza**) [*aristotelica e scolastica*], *che afferma* (**vuol**) [*che*] *quanto una cosa è più perfetta, più senta il bene, e così il dolore*

Tutto che questa gente maladetta
in vera perfezion già mai non vada,
111   di là più che di qua essere aspetta».
Noi aggirammo a tondo quella strada,
parlando più assai ch'i' non ridico;
venimmo al punto dove si digrada:
115   quivi trovammo Pluto, il gran nemico.

(la doglienza). La dottrina scolastica, attraverso l'elaborazione del pensiero aristotelico offerta da san Tommaso, affermava che la perfezione dell'anima si raggiunge nell'unione con il corpo, e che la maggior perfezione di un essere accresce le sue possibilità di provare il piacere e il dolore: dopo il Giudizio universale, dunque, cresceranno le sofferenze dei dannati (cfr. la terzina seguente) e crescerà la beatitudine dei beati.

109-111: *Sebbene* (**tutto che**) *questa gente maledetta* [: i dannati] *non arrivi mai* (**già mai non vada**) *alla* (**in**) *vera perfezione, aspetta* [*di*] *essere* [*perfetta*] *dopo* (**di là**) [*il Giudizio*] *più che prima* (**di qua**)». Per i dannati non è possibile ovviamente una perfezione completa, che è data solo nella contemplazione di Dio e quindi in Paradiso, ma con il Giudizio essi saranno comunque più perfetti in quanto l'anima si riunirà al corpo; e le loro pene cresceranno. Si consideri l'etimologia del termine *perfetto*, dal verbo latino *perficere* = compiere; quindi: *perfezione* = compiutezza.

112-115: *Facendo un semicerchio noi percorremmo* (**aggirammo a tondo**) *quella strada, parlando molto più* (**più assai**) *che io* (**ch'i'**) *non riferisco* (**ridico**); [*infine*] *arrivammo* (**venimmo**) *al punto dove si scende* (**digrada**) [*al cerchio sottostante*: il quarto]*: qui* (**quivi**) *incontrammo* (**trovammo**) *Pluto, il grande diavolo* (**nemico**). Dante e Virgilio camminano lungo il bordo interno del terzo cerchio, procedendo verso sinistra, fino a incontrare il passaggio da cui si scende al quarto cerchio, sorvegliato dal demonio Pluto. **Pluto**, ripreso anch'egli dalla mitologia classica, è probabilmente il dio delle ricchezze, figlio di Iasone e Demetra; qui sorveglia il quarto cerchio dove sono punite le anime degli avari e dei prodighi.

Atro _____ v. 16

È voce dotta derivata dall'agg. lat. *atĕr, atra, atrum* = 'nero, scuro' (cfr. sp. letter. *atro*, port. *adre*, prov. *aire*). È agg. letter. per 'nero, scuro' — cfr. *Inf.* VI, 16, *Purg.* XXX, 54 (con il significato attenuato di 'sporco, macchiato') —; in senso figur. vale 'tetro, sinistro, terribile' — cfr. *Par.* VI, 78. Oggi sopravvive nell'agg. derivato *atroce* = 'terribile' (e cfr. anche *atrocità, atrocemente*).

Bieco _____ v. 91

La voce deriva da una presunta forma del lat. volg. *oblaceus derivata dal lat. *oblīquus* = 'obliquo, storto' forse incrociato con *aequus* = 'eguale'. Propriamente significa 'obliquo, storto, di traverso', con riferimento allo sguardo, agli occhi che fissano in modo non diretto e ostile qualcuno — cfr. *Inf.* VI, 91. Per estens. significa 'malvagio, male intenzionato' — cfr. *Par.* VI, 136.

Tinto _____ v. 10

La voce deriva dal part. pass. lat. *tinctus* = 'colorato' (da *tingĕre*; cfr. franc. *teint*, prov. *tenh* = 'oscuro', sp. *tinto* = 'detto del vino rosso'). Propriamente il vocabolo indica un 'oggetto colorato artificialmente e a cui è stato cambiato il colore'. In senso figur., oggi del tutto caduto dall'uso, vale 'oscuro, nero' — cfr. *Inf.* III, 29 e VI, 10.

Canto VII

A guardia del quarto cerchio sta Pluto, dio pagano della ricchezza, anzi definito **maledetto lupo** in a n a l o g i a con la funzione allegorica già attribuita a questo animale nel primo canto: lì la **lupa** rappresenta l'avarizia e l'avidità; qui Pluto rappresenta, più precisamente, l'uso improprio delle ricchezze.

Egli cerca invano di impedire l'entrata di Dante invocando l'aiuto di Satana, re dei diavoli. Virgilio ne vince, al solito, la resistenza riferendosi alla volontà divina.

Nel quarto cerchio sono puniti gli avari e i prodighi; divisi in due schiere, essi spingono pesanti massi in direzioni opposte fino a che si scontrano: dopo essersi insultati a vicenda, fanno dietro-front e ripartono, fino al nuovo scontro dalla parte opposta del cerchio. Il c o n t r a p p a s s o per a n a l o g i a mette in risalto l'inutile sforzo di chi si occupa eccessivamente delle ricchezze terrene, o per sperperarle o per accumularle. Sia gli avari che i prodighi, come furono ciechi e senza discernimento, così sono ora irriconoscibili, stravolti nel sembiante; ma tra gli avari Dante riconosce la tonsura di molti religiosi (papi e cardinali): feroce allusione polemica all'avarizia del clero.

Dalla considerazione dei beni materiali del mondo, Virgilio passa a parlare della Fortuna, ministra della volontà divina, che trasferisce secondo i criteri imperscrutabili della Provvidenza i beni del mondo dall'uno all'altro, sorda alle maledizioni degli uomini e beata nell'adempimento del suo compito.

La vena polemica, rivelata anche dallo stile sarcastico e aspro, contro i beni del mondo esprime l'avversità di Dante, ideologica oltre che teologica, nei confronti della nuova civiltà basata sul danaro e quindi sull'arroganza e sulla violenza. A questa polemica si ricollega la stessa digressione sulla Fortuna, espressione della Provvidenza divina.

Passato il quarto cerchio, Virgilio e Dante, giungono nel quinto, alle rive della palude Stige, nel cui fango giacciono gli iracondi e i prepotenti: questi si percuotono e mordono a vicenda, per c o n t r a p p a s s o di quanto fecero da vivi con gli altri uomini. Sotto il fango sono altri dannati, probabilmente gli accidiosi, che non si opposero al male e chiusero nel proprio egoismo pigro le proprie angosce, senza essere capaci della giusta ira e del giusto sdegno.

Canti VIII e IX

Il canto ottavo e il canto nono rappresentano un unico arco narrativo strettamente congiunto, caratterizzato da un susseguirsi rapido e incalzante di scene diverse, di grande vivacità realistica e drammatica. La tecnica narrativa di Dante si delinea in tutta la sua ricchezza e varietà, tanto che alcuni commentatori giudicano i canti dall'ottavo in poi composti dopo l'esilio, a una certa distanza dai primi sette, adducendo ragioni soprattutto stilistiche e artistiche. Si nota anche un uso sapiente della suspence, *con l'interruzione del canto ottavo nel momento più delicato.*

La strategia narrativa e realistica che domina questi due canti è anzi già annunciata alla fine del canto settimo, che si chiude con l'arrivo dei due poeti ai piedi di una torre. Il canto ottavo riprende il racconto con un balzo indietro: prima di giungere alla torre, Dante ha visto accendersi sulla sua cima due fiammelle e ha visto poi a grande distanza un segnale di risposta. Subito giunge sulla palude una barca pilotata dal demone Flegiàs (figura ripresa, anch'essa, dalla mitologia classica) animato da un'ira bestiale e costretto da Virgilio a reprimerla e a trasportare lui e Dante oltre la palude.

Traversando la palude degli iracondi Dante ha un rapidissimo scambio di battute con il fiorentino Filippo Argenti: è un dialogo in cui si rivela la rivalità feroce dei due concittadini: anche da parte di Dante c'è un'avversione eccezionale, lodata dallo stesso Virgilio. Allontanandosi da Filippo Argenti Dante ha modo di vederlo straziato dagli altri dannati, mentre si morde forsennatamente da se stesso. Questa scena segna il punto massimo di sdegno, in Dante, verso la prepotenza e la tracotanza, delle quali Filippo Argenti era stato, nella Firenze di Dante, esempio tristissimo.

Attraversata la palude Stige, i due poeti giungono alla porta della città di Dite, che comprende gli ultimi quattro cerchi dell'Inferno. Le cupole e le torri della città appaiono dall'esterno rosse per il fuoco che vi è dentro. Qui improvvisamente la tensione a poco a poco accumulata esplode in un nuovo episodio: migliaia di diavoli, infuriati per l'entrata di Dante, anima viva, accorrono decisi a fermarlo.

Si rappresentano cioè, a questo punto del poema, alle soglie del basso Inferno, *le difficoltà dei canti iniziali e i conseguenti timori di Dante; ma le figurazioni allegoriche appaiono qui sciolte con maestria in un disegno realistico di grande efficacia.*

In sintesi: i diavoli invitano Virgilio ad entrare ma lasciando fuori Dante, il quale è preso dal timore di essere abbandonato; Virgilio lo rassicura e poi lo lascia per andare a trattare con i diavoli. Dante osserva da lontano l'incontro, angosciato e senza udire le parole; improvvisamente i diavoli si rinserrano dietro le mura e sbattono letteralmente la porta sul petto di Virgilio. Questi torna tristemente da Dante, stupito e avvilito; eppure è fiducioso che anche questa volta l'arroganza dei diavoli verrà vinta: come quando tentarono di impedire l'accesso all'Inferno a Cristo, e questi ne spezzò i serrami della porta. Con l'annuncio vago che già sta arrivando, **passando per li cerchi sanza scorta,/ tal** *(vv. 129 sg.) che gli permetterà di entrare, si chiude, nell'attesa, il canto.*

* * *

Il canto nono si ricollega direttamente al precedente, proseguendone la narrazione. Dante è preso dal timore e chiede conforto a Virgilio, che lo rassicura dicendo di essere già un'altra volta sceso fino al fondo dell'Inferno.

In rapida successione appaiono, mostrandosi dall'alto delle torri, le tre Erinni, o Furie, figure mitologiche, e poi Medusa: era sua caratteristica quella di pietrificare chi la guardava. Per questo Virgilio invita Dante a chiudere gli occhi e a coprirseli con le mani, e poi, con gesto premuroso, aggiunge anche le proprie su quelle del discepolo.

A questo punto, come si vede, i due sono in una condizione di stallo, incapaci di procedere oltre; e Dante invita esplicitamente il lettore, in questo momento cruciale, a soffermarsi sul significato allegorico dell'episodio: **mirate la dottrina che s'asconde/ sotto 'l velame de li versi strani** *(vv. 62 sg.). E il significato allegorico, in linea di massima, sarà il seguente: chi, come Dante, cerca di percorrere la via della penitenza e della salvezza, incontra vari ostacoli: tentazioni (i diavoli), il ricordo e il rimorso della vita passata (le Erinni), la disperazione che impietrisce (Medusa). Per superare questi ostacoli la forza della ragione (l'aiuto di Virgilio) è indispensabile ma non è da sola sufficiente. È necessario, per conquistare la salvezza, l'aiuto della Grazia divina. Ed è questo il senso del séguito del canto.*

Giunge, annunciato da un enorme frastuono, un Messo celeste, un angelo mandato in soccorso di Dante. Al suo apparire i diavoli fuggono spaventati. Egli tocca con una **verghetta***, in funzione di scettro, la porta e questa si spalanca; dopo aver detto poche dure parole rivolto ai diavoli, va via senza neppure uno sguardo per i due poeti, quasi alludendo ad un muto rimprovero per la loro poca fiducia nella Provvidenza.*

Virgilio e Dante entrano nella città di Dite. Sùbito alla vista di Dante si offrono le anime dei dannati del sesto cerchio*: gli eretici. Questi giacciono in tombe infuocate senza coperchio, più o meno calde a seconda della gravità della colpa. Gli eretici son puniti con il fuoco, così come nel mondo; e messi in tombe a significare come già da vivi essi siano sepolti nel proprio peccato, quasi già spiritualmente morti. La loro punizione è parallela a quella delle anime del Limbo: come queste ultime erano ai margini dell'alto Inferno, ed escluse dalla categoria punita nei suoi cerchi (dal secondo al quinto), l'incontinenza, così gli eretici sono ai margini del basso Inferno e non appartengono alle categorie punite negli ultimi tre cerchi, violenza e frode; il parallelismo sta nel fatto che il limite di entrambi i gruppi di anime è nel non aver posseduto una fede valida: solo che chi non l'ha posseduta senza sua colpa sta nel Limbo, chi l'ha rifiutata deliberatamente sta qui, nel sesto cerchio.*

Canto X

Nel decimo canto Dante riprende la descrizione del sesto cerchio (iniziata nel canto nono), nel quale sono puniti gli eretici. Essi sono posti sùbito all'interno delle mura di Dite, ai confini del basso Inferno. Dante si sofferma in modo particolare sugli epicurei (che secondo il senso medioevale del vocabolo erano coloro che non credevano nell'immortalità dell'anima). Il nucleo del canto è costituito dal colloquio con i fiorentini Farinata degli Uberti e Cavalcante Cavalcanti.

* * *

Coloro che non hanno creduto all'immortalità dell'anima, scontano il proprio errore in tombe infuocate, verificando dolorosamente la continuazione della vita oltre la morte, proprio in una tomba — secondo la legge consueta del contrappasso. Per ora le tombe sono scoperchiate, ma verranno chiuse definitivamente dopo il Giudizio universale, quando i dannati riprenderanno il proprio corpo.

Mentre Virgilio e Dante camminano tra le tombe e le mura della città di Dite, improvvisamente risuona la voce di Farinata, uno dei grandi cittadini fiorentini della generazione precedente quella di Dante, capo ghibellino. Il colloquio di Dante con Farinata è diviso in due dall'apparizione di un altro spirito, Cavalcante, padre di Guido Cavalcanti, grande poeta e amico di Dante.

Farinata è ancora tutto preso dalla passione politica cui dedicò intensamente la propria vita. Dante lo affronta come un rivale, difendendo la propria famiglia e la propria parte (i Guelfi) dalle sue accuse. Questo confronto mostra il punto debole della personalità fiera di Farinata: la successione di lotte faziose e di sofferenze non trova nessuna giustificazione e nessun esito nella sua visione tutta terrena della vita; di qui il suo dolore per la disfatta della propria parte e della propria famiglia, non ripagata da nessun senso di superiore giustizia. E la pena è accresciuta dal fatto che i fiorentini hanno dimenticato il suo gesto più nobile: quello di aver salvato Firenze dalla distruzione. La nobiltà e la grandezza umane di Farinata sono del tutto riguadagnate dal suo virile dolore e dal suo amore coraggioso per la patria; ma il limite della sua concezione della storia e del mondo si rivela apertamente, una volta a contatto con la superiore giustizia di Dio, che egli non capisce, e con gli alti ideali di Dante. Da Farinata questi ascolta anche una oscura profezia sul proprio esilio futuro e riceve la spiegazione sulle cognizioni dei dannati: essi conoscono il futuro ma non il presente.

Cavalcante è del tutto diverso dal compagno di pena: preso solo dall'amore per il figlio, egli teme che questi possa essere morto, come gli pare erroneamente di capire dalle parole di Dante.

Separatisi dai due dannati, Virgilio e Dante si dirigono verso il centro del cerchio, fin sul ciglio della discesa al cerchio sottostante, il settimo, dal quale sale un orribile puzzo.

* * *

L'incontro con Farinata e Cavalcante segna uno dei punti più intensi e alti dell'arte di Dante: sul piano narrativo, la scena si svolge in una successione articolata di momenti distinti ma strettamente legati tra loro; sul piano psicologico, i due personaggi mostrano in profondità due nature diverse di complessa umanità; sul piano strutturale, questa ricchezza rientra per intero nel motivo morale del canto, rivelandosi i due dannati egualmente vincolati al limite dell'orizzonte umano (Farinata nella dimensione pubblica, Cavalcante in quella privata). Inoltre il personaggio Dante si arricchisce a sua volta in senso umano e allegorico, interagendo in profondità con i due spiriti: è anzi proprio nel rapporto con Dante che si rivela la radice profonda della loro umanità, insieme con il suo significato superiore. Infine si viene chiarendo, per a n t i t e s i , l'orizzonte del pensiero dantesco, specie in senso politico: il rapporto tra la storia umana e la concezione cristiana, benché difficile e complesso, riconferma la propria inevitabilità.

Nell'appendice I sono presentate le traduzioni dei vv. 40-63 del canto.

Ora sen va per un secreto calle,
  tra 'l muro de la terra e li martìri,
3   lo mio maestro, e io dopo le spalle.
  « O virtù somma, che per li empi giri
  mi volvi », cominciai, « com' a te piace,
6   parlami, e sodisfammi a' miei disiri.
  La gente che per li sepolcri giace
  potrebbesi veder? già son levati
9   tutt' i coperchi, e nessun guardia face ».

1-3: *Ora il* (**lo**) *mio maestro* [: Virgilio] *se ne* (**sen**) *va lungo* (**per**) *un sentiero* (**calle**) *stretto e nascosto* (**secreto**), *tra il* (**'l**) *muro della città* (**terra**) [*di Dite*] *e i tormenti* (**li martìri**), *e io* [*lo seguo*] *dietro* (**dopo**) *le spalle*. I due poeti procedono per una volta uno dietro l'altro, anziché affiancati: il sentiero che percorrono è infatti stretto tra le mura della città di Dite e le tombe infuocate dove sono puniti gli eretici; ma Dante dice **martìri** (=*sofferenze*), soffermandosi sul significato profondo delle tombe, quello punitivo.

4-6: [*Io*] *cominciai* [*a dire a Virgilio*]: *«O supremo valore* (**virtù somma**), *che mi fai girare* (**mi volvi**) *lungo i cerchi malvagi* (**per gli empi giri**) *nel modo che tu vuoi* (**com'a te piace**), *rispondimi* (**parlami**) *e soddisfa* (**sodisfammi**=soddisfami; la particella pron. **mi** è p l e o n .) *i* (**a'**=ai) *miei desideri* (**disiri**). **O virtù somma**: sta a dire che Dante ha riconquistato la fiducia in Virgilio, dopo le esitazioni seguite (nei canti VIII e IX) alla

sconfitta del suo maestro da parte dei diavoli; e ricorda la funzione allegorica della guida: il *supremo valore* è infatti la ragione. **Com'a te piace**: allude al fatto che Virgilio eccezionalmente l'ha fatto voltare, in questo sesto cerchio, verso destra anziché verso sinistra (IX, 132); e la ragione non è in verità chiara, benché siano state fatte numerose ipotesi.

7-9: *La gente che giace nelle tombe* (**per li sepolcri**) *si potrebbe* (**potrebbesi**) *vedere? tutti i coperchi sono già sollevati* (**levati**), *e nessun* [*diavolo*] *fa* (**face**) [*la*] *guardia»*. Dante fa una domanda generica, ma il suo desiderio è quello di vedere una persona in particolare: Farinata. L'illustre fiorentino è stato il primo del quale Dante ha chiesto notizie a Ciacco; ed ora, sapendo che è nell'Inferno e sapendo quale sia stato il suo peccato, si aspetta di incontrarlo in questo cerchio. Virgilio intuisce il suo desiderio inespresso (cfr. v. 18).

E quelli a me: « Tutti saran serrati
quando di Iosafàt qui torneranno

12   coi corpi che là sù hanno lasciati.
Suo cimitero da questa parte hanno
con Epicuro tutti suoi seguaci,

15   che l'anima col corpo morta fanno.
Però a la dimanda che mi faci
quinc' entro satisfatto sarà tosto,

18   e al disio ancor che tu mi taci ».
E io: « Buon duca, non tegno riposto
a te mio cuor se non per dicer poco,

21   e tu m'hai non pur mo a ciò disposto ».
« O Tosco che per la città del foco
vivo ten vai così parlando onesto,

24   piacciati di restare in questo loco.
La tua loquela ti fa manifesto
di quella nobil patrïa natio,

27   a la qual forse fui troppo molesto ».

10-12: *E quegli* (**quelli**) [: Virgilio] [*rispose*] *a me:* «*Tutti* [*i coperchi*] *saranno serrati quando* [*i dannati*] *torneranno qui da*[*lla*] (**di**) [*valle*] *di Giosafàt* (**Iosafàt**) *con i corpi che hanno lasciato lassù* [*sulla Terra*]. Nella valle di Giosafàt (presso Gerusalemme) si raduneranno tutte le anime nel giorno del Giudizio universale. Cioè: le tombe saranno definitivamente chiuse con i rispettivi coperchi quando le anime dei dannati vi rientreranno, dopo il Giudizio, con i propri corpi.

13-15: *Da questa parte* [*del cerchio*] *hanno il loro* (**suo**) *cimitero insieme ad* (**con**) *Epicuro tutti i suoi seguaci* [: gli epicurei], *che ritengono* (**fanno**) [*che*] *l'anima* [*sia*] *morta insieme al* (**col**) *corpo*. Erano genericamente definiti *epicurei*, ai tempi di Dante, coloro che non credevano nell'immortalità dell'anima. Si riteneva infatti che il filosofo greco Epicuro, vissuto tra il IV e il III secolo a.C., fosse stato tra i fondatori di una corrente di pensiero atea e materialista; le sue dottrine erano note a Dante attraverso Cicerone. **Suo cimitero...**: il termine *cimitero* illumina realisticamente il paesaggio, ma allude anche al significato del c o n t r a p p a s s o : chi ha creduto che l'anima non esistesse, e che tutta la vita umana finisse con la tomba, ora sconta il proprio errore precisamente in una tomba, verificando dolorosamente l'immortalità dell'anima.

16-18: *E* (**però** ha qui una funzione interlocutoria) *alla domanda che mi fai* (**faci**) [: cfr. vv. 7 sg.] *qui dentro* (**quinc'entro**) *presto* (**tosto**) *sarà data soddisfazione* (**satisfatto sarà**; costrutto latineggiante: cfr. 'satisfactum erit'), *e anche* (**ancor**) [*sarà data soddisfazione*] *al desiderio* (**disio**) *che tu non mi hai detto* (**mi taci**) [: quello di vedere Farinata]».

19-21: *E io* [*gli dissi*]: «[*Mia*] *buona guida* (**duca**), *non tengo nascosto* (**non tegno riposto**) *a te il mio cuore* [: ciò che desidero] *se non per parlare* (**dicer** = dire) *poco* [*per non infastidirti*], *e tu mi hai non solo ora* (**non pur mo**) [: altre volte] *invitato* (**disposto** = orientato) *a* [*fare*] *ciò* [: a non essere troppo curioso; cfr. III, 76-78 e nota a III, 79-81]».

22-24: «*O toscano* (**Tosco**) *che te ne* (**ten**) *vai vivo attraverso* (**per**) *la città del fuoco* [: Dite] *parlando così decorosamente* (**onesto**; probabilmente avv.) [: cfr. le parole di Dante ai vv. 19-21], *ti piaccia* (**piacciati**; cioè 'ti prego') *di fermarti* (**restare**) [*un poco*] *in questo luogo* (**loco**). Le parole di Farinata, rivolte a Dante, risuonano improvvise, a interrompere il discorso di Dante e Virgilio. E già si rivela il carattere altero e nobile del personaggio.

25-27: *Il tuo modo di parlare* (**la tua loquela**) *rivela che tu sei nativo* (**ti fa manifesto... natio**) *di quella nobile patria* [: Firenze] *alla quale forse* [*io*] *fui troppo nocivo* (**molesto**)».

Subitamente questo suono uscìo
d'una de l'arche; però m'accostai,
30   temendo, un poco più al duca mio.
Ed el mi disse: « Volgiti! Che fai?
Vedi là Farinata che s'è dritto:
33   da la cintola in sù tutto 'l vedrai ».

Farinata ha capito dal modo di parlare che Dante è un suo concittadino. Sùbito, nella sua allusione a Firenze, si rivela la nota dominante della psicologia di Farinata, quella politica; ed egli fa suo un giudizio dei propri avversari, di essere stato un male per la propria città, ma lo accompagna ad un **forse** che mette già a nudo il suo tormento psicologico: quale sia il reale valore della propria azione politica, nella quale egli ha dato tutto se stesso. La grandezza di Farinata sta nel fatto che egli, pure tra i tormenti infernali, sempre pensa alla sua passione civile e politica, e da quella non sa staccarsi: ma in questo sta cristianamente il suo limite, di non aver saputo vedere in vita al di là delle cose del mondo. Ora egli è, come tutti i dannati, fermo nell'atto stesso del suo peccato, ritratto in quel che esso ha di essenziale; e come il suo amore per il mondo era nobile e generoso, benché troppo esclusivo e limitato, così ora egli è nobile e generoso: orribilmente punito, la punizione sembra non riguardarlo: a differenza degli altri dannati, egli non ne parla sùbito e anzi dedicherà alla sua pena solo un riferimento indiretto, al v. 78, e teso in qualche modo a sminuirla. Ma la lezione che Dante deve trarne è evidente: non basta la sfera dell'umano, anche se generosa e nobile, alla salvezza; è necessario il riferimento alla dimensione trascendente della legge divina.

28-30: *Questa voce* (**questo suono**) *uscì* (**uscìo**; con e p i t e s i -o) *improvvisamente* (**subitamente**) *da una delle tombe* (**arche**)*; perciò* (**però**), *per timore* (**temendo**), *mi avvicinai* (**m'accostai**) *un poco [dì] più alla mia guida* (**duca**) [: Virgilio]. Dante non è solo spaventato dalla voce che improvvisa risuona, nel luogo deserto, da una tomba; è anche turbato dal trovarsi al cospetto di Farinata, il grand'uomo della generazione passata, che ha già riconosciuto dal breve discorso e grazie all'annuncio di Virgilio (vv. 16-18). Il suo accostarsi a Virgilio è un tratto umano di grande intensità.

31-33: *Ed egli* (**el**) [: Virgilio] *mi disse: «Gìrati!* (**volgiti!**) *Che fai? Là vedi Farinata che si è alzato* (**dritto** = drizzato)*: lo* ('**l** = il = lo) *vedrai interamente* (**tutto**) *dalla cintola in su».* Ancora un tratto di naturale e intensa umanità è nelle prime parole di Virgilio, quasi dicesse: *ma come? ci tenevi tanto e ora hai paura? gìrati! c'è Farinata!* E la presentazione di Farinata, già preparata dal suo discorso improvviso, prosegue ora nelle definizioni potenti di Virgilio: **s'è dritto** suscita l'immagine di uno scatto sicuro e maestoso che dà al movimento «la solennità di una resurrezione» (Momigliano); l'espressione **da la cintola in sù**, di tipo colloquiale, acquista qui un rilievo energico grazie a quel **tutto** come isolato nel centro del verso, e fortemente accentato: Farinata si erge sùbito come una statua imponente, di una grandezza non spirituale ma materiale e terrena («noi non lo vediamo ancora e già ce lo figuriamo colossale dalle parole di Virgilio», annota De Sanctis). Si impongono insieme la sua umana nobiltà e il suo limite trascendente; Dante riesce a a presentare in un tutto unico il suo carattere fiero e il suo peccato. **Farinata**: Manente degli Uberti, soprannominato Farinata, è uno dei personaggi storici più notevoli della Firenze del Duecento. Fu a capo del partito ghibellino dal 1239 e nel 1248 fu tra coloro che determinarono la cacciata dei Guelfi da Firenze (v. 48); al loro ritorno nel 1251 (v. 50) la lotta fra le due parti si riaccese finché nel 1258 Farinata e i suoi furono esiliati. A Siena Farinata riorganizzò i Ghibellini toscani con l'aiuto del re svevo Manfredi e nel 1260 sconfisse i Guelfi (v. 48) nella sanguinosa battaglia di Montaperti presso il fiume Arbia (vv. 83 sg.). Ad Empoli si riunirono i Ghibellini vincitori e Farinata si oppose alla distruzione di Firenze che i suoi alleati volevano radere al suolo (vv. 91 sg.). Tenne il governo della città fino alla morte, nel 1264. Morto anche Manfredi nel 1266 e sconfitta la sua casata, i Guelfi ripresero il sopravvento (v. 50) e cacciarono definitivamente i Ghibellini (vv. 51 e 77 sg.),

Io avea già il mio viso nel suo fitto;
ed el s'ergea col petto e con la fronte
36   com' avesse l'inferno a gran dispitto.
E l'animose man del duca e pronte
mi pinser tra le sepulture a lui,
39   dicendo: « La parole tue sien conte ».
Com' io al piè de la sua tomba fui,
guardommi un poco, e poi, quasi sdegnoso,
42   mi dimandò: « Chi fuor li maggior tui? ».
Io ch'era d'ubidir disideroso,
non gliel celai, ma tutto gliel' apersi;
45   ond' ei levò le ciglia un poco in suso;
poi disse: « Fieramente furo avversi
a me e a miei primi e a mia parte,
48   sì che per due fïate li dispersi ».

infierendo in modo particolare contro i discendenti di Farinata (vv. 83 sgg.). Farinata fu poi condannato con i suoi, in un processo postumo, per eresia. Del grande nemico fiorentino era vivo il ricordo nella Firenze guelfa ancora ai tempi di Dante; e al giudizio politico avverso si accompagnavano il rispetto e l'ammirazione per le doti di coraggio, lealtà e nobiltà del condottiero e per l'abilità e l'amore di patria del politico.

34-36: *Io avevo* (**avea**) *già* [: *prima che Virgilio finisse di parlare*] *fissato* (**fitto** = ficcato) *il mio sguardo* (**viso**) *nel suo; ed egli* (**el**) *si ergeva con il petto e con la fronte come* [*se*] *avesse l'inferno in gran disprezzo* (**dispitto**). Vengono qui ripresi e potenziati i particolari della descrizione di Farinata già finora emersi: **s'ergea** si collega a **s'è dritto** del v. 32, **col petto e con la fronte** a **da la cintola in sù** del v. 33. A questa sintesi efficace della posizione fisica e dell'elevatezza morale (il **petto** e la **fronte** sono le parti del corpo umano che indicano fierezza e dignità) si aggiungono poi in questa terzina due elementi nuovi: il fissarsi intenso di Dante e di Farinata (v. 34), che prelude al virile confronto politico dei due; e la sensazione che Dante ricava dall'atteggiamento audace del ghibellino, come se egli disprezzasse l'Inferno che lo circonda: le cose al di là del mondo, che non lo interessarono in vita, così continuano a non interessarlo. La grandezza del Farinata di Dante sta in questa spericolata coerenza, ma sta anche nel modo evidente con il quale si esprime il suo limite: un fatto tut-

to fisico e materiale in un mondo trascendente e ultraterreno.

37-39: *E le mani incoraggianti* (**animose**) *e pronte della* [*mia*] *guida* (**duca**) [: *Virgilio*] *mi spinsero* (**pinser**) [*passando*] *tra le tombe* (**le sepulture**) *verso di lui* (**a lui**) *dicendo*[*mi*]: *«Le tue parole siano* (**sien**) *appropriate* (**conte**)».

40-42: *Come io fui ai piedi* (**al piè**) *della sua tomba, mi guardò* (**guardommi**) *un poco, e poi, con atteggiamento quasi di superiorità* (**quasi sdegnoso**), *mi domandò: «Chi furono* (**fuor**) *i tuoi antenati* (**li maggior tui**)?».* L'ossessione di Farinata si rivela, più ancora che nel vago accenno alla politica delle sue prime parole, in questa domanda a bruciapelo: Dante è un fiorentino, nato all'incirca quando lui moriva; Farinata vuole sapere allora il nome dei suoi antenati per collocarlo nella propria visione del mondo, nella quale c'è ormai per sempre solo la Firenze a lui contemporanea, con le sue fazioni e le sue lotte.

43-48: *Io che ero* (**ch'era**) *desideroso di ubbidire* [*alla sua richiesta*], *non glielo nascosi* (**celai**), *ma glielo rivelai* (**apersi**) *interamente* (**tutto**)*; per cui egli* (**ond'ei**) *sollevò* (**levò**) *le ciglia un poco in su* (**suso**; *rima imperfetta*), *poi disse: «Furono* (**furo**) *ferocemente* (**fieramente**) *nemici* (**avversi**) *a me e ai miei antenati* (**primi**) *e alla mia parte* [*politica*], *così* (**sì**) *che li dispersi per due volte* (**fiate**) [: *nel 1248 e nel 1260*]».

« S'ei fur cacciati, ei tornar d'ogne parte »,
rispuos' io lui, « l'una e l'altra fïata;
51   ma i vostri non appreser ben quell' arte ».
Allor surse a la vista scoperchiata
un'ombra, lungo questa, infino al mento:
54   credo che s'era in ginocchie levata.
Dintorno mi guardò, come talento
avesse di veder s'altri era meco;
57   e poi che 'l sospecciar fu tutto spento,
piangendo disse: « Se per questo cieco

49-51: *Io risposi* (**rispuos'io**) [*a*] *lui:* «*Se essi* (**s'ei**) [: i miei antenati e i Guelfi] *furono* (**fur**) *cacciati* [*da Firenze*], *essi tornarono* (**ei tornar**) *da ogni luogo* (**parte**) [*ove si fossero rifugiati*], *l'una e l'altra volta* (**fiata**); *ma i vostri* [: i Ghibellini] *non impararono* (**appreser**) *bene quell'arte* [*di tornare in patria*]». Farinata ha ricordato i momenti della lotta tra le due fazioni, insistendo sulle sconfitte dei Guelfi per ferire il giovane rivale; ed ecco che Dante non rifiuta il confronto politico, ma scende anche lui sul piano dell'antagonismo, e sùbito è «anch'egli colossale e sta a paro [al pari] con Farinata» (De Sanctis). Farinata ha insistito sulla profondità della inimicizia delle due famiglie (v. 47), per meglio far risaltare le proprie vittorie (v. 48). Dante corregge per prima cosa l'eccesso oltraggioso di **dispersi** (v. 48), usato dal rivale, con **s'ei fur cacciati...**: i Guelfi non furono *annientati*, ma solo *cacciati*; e tornarono tutt'e due le volte, vittoriosi, a Firenze (nel 1251 e nel 1267): e si noti come Dante faccia pesare le due rivincite, trasformando il **due fiate** di Farinata in **l'una e l'altra fiata**. Ma la sua risentita animosità lo porta ad andare oltre questa difesa della propria famiglia e della propria parte; accantonato ogni timore, egli passa all'attacco con sarcastica ferocia; e ricorda a Farinata che i Ghibellini al contrario non hanno ben imparato l'**arte** del ritorno. Infatti essi, esiliati nel 1251, tornarono nel 1260; ma poi, ancora esiliati nel 1266, non riuscirono più a rientrare a Firenze, e furono quindi proprio loro ad essere *annientati*. E quanto questa allusione ferisca Farinata lo rivela la sua risposta ai vv. 77 sgg.: la fermezza usata da Dante fa in qualche modo tremare, se non la grandezza fisica e morale di Farinata, certamente la sua concezione del mondo; le lotte tra le fazioni rivelano la loro vanità, mostrandosi destinate solo ad ac-

crescere le sofferenze degli uomini e a distrarli senza scopo dalla mèta cristiana dell'esistenza. Si comincia a delineare, per antitesi, la concezione politica di Dante, favorevole a una restaurazione dell'autorità imperiale al di sopra delle parti volta a guidare la società umana alla sua mèta di civile e armoniosa concordia. La grandezza tutta politica di Farinata è messa a confronto con questa concezione totalizzante della vita umana.

52-54: *Allora nell'apertura* (**a la vista** = alla parte visibile) *scoperchiata* [*della tomba*] *si sollevò* (**surse**) *un'*[*altra*] *ombra rasente* (**lungo**) *questa* [*ombra di Farinata*], *fino* (**infino**) *al mento: credo che si era alzata* (**levata**) *in ginocchio*. Accanto al fiero Farinata appare un altro spirito: Cavalcante Cavalcanti; e la sua apparizione interrompe le battute polemiche di Dante e di Farinata. Quest'altro dannato (definito **ombra**) si rivela sùbito di tutt'altro carattere che il compagno di pena: come Farinata s'innalza bruscamente, Cavalcante **surge** con lentezza: e si mostra non **dalla cintola in sù**, ma solo **infino al mento**, restando (così sembra a Dante) in ginocchio. Cavalcante è il padre del grande poeta Guido Cavalcanti, guelfo e nemico di Farinata; nel 1267 però permise al figlio Guido di sposare la figlia di Farinata per legare con parentela le fazioni nemiche e mettere fine alle vendette. Ricco ed elegante, aveva fama di non credere all'immortalità dell'anima e di affermare la necessità di godere dei fuggevoli beni materiali della vita.

55-60: *Guardò intorno a me* (**dintorno mi guardò**), *come* [*se*] *avesse desiderio* (**talento**) *di vedere se qualcun'altro* (**s'altri**) *era con me* (**meco**); *e dopo* (**poi**) *che il dubbio* (**sospecciar** = sospettare) *fu interamente* (**tutto**) *estinto* (**spento**) [: quando fu certo che

carcere vai per altezza d'ingegno,
mio figlio ov' è? e perché non è teco?».
E io a lui: «Da me stesso non vegno:
colui ch'attende là, per qui mi mena

forse cui Guido vostro ebbe a disdegno».

chi cercava non c'era], *disse piangendo:* «*Se vai attraverso* (**per**) *questo carcere buio* (**cieco**) *grazie all'altezza del tuo intelletto* (**per altezza d'ingegno**), *dov'è mio figlio? e perché non è con te* (**teco**)*?*». Cavalcante porta nell'episodio un'umanità diversa e lontana da quella di Farinata: egli si rivela qui tutto preso dall'amore paterno e dalla preoccupazione per il destino del figlio. Egli ha sentito che Farinata parla con Dante, il migliore amico di suo figlio, e ha sperato che anche Guido sia con lui: esce timidamente allo scoperto e fruga intorno a Dante con lo sguardo dubbioso (cioè speranzoso); e quando è certo che Guido non c'è, comincia a piangere per delusione e timore (cfr. vv. 67-69 e nota), e chiede pateticamente a Dante perché suo figlio non sia con lui. La pateticità sta nella mancanza di logica delle domande di Cavalcante: *se con la tua intelligenza sei riuscito ad arrivare, vivo, fin qui, come mai Guido (con la tua stessa intelligenza) non è anche qui?* Come se l'intelligenza comportasse necessariamente la possibilità di recarsi a visitare l'oltretomba! L'affetto paterno toglie quasi a Cavalcante il senno, facendone una figura di commovente fragilità. Sul piano artistico, questa fragilità è accresciuta dalla vicinanza di Farinata; e il contrasto tra i due caratteri crea un potente effetto di ricchezza psicologica e narrativa. Ma è pure necessario, per il corretto intendimento del significato del canto, osservare quanta somiglianza vi sia, profondamente, tra i due dannati. Il peccato di Farinata sta, si è detto, nell'aver limitato la sua considerazione all'aspetto mondano e materiale dell'uomo e della vita; e questo peccato è anche quello di Cavalcante, sotto altre forme; ne è già un'espressione evidente il fatto che creda che Dante sia lì grazie al suo **ingegno** eccezionale: egli pensa cioè alle possibilità umane e materiali anziché a quelle religiose, come sarebbe in un simile caso più naturale. Il peccato di Cavalcante è stato, ed è ancora qui nell'Inferno, nella sopravvalutazione delle qualità mondane dell'uomo. Per questo si dispererà (vv. 67-69) credendo di capire che

il figlio è morto: non perché si preoccupi della sua anima, benché sappia che anche il figlio sia ateo e benché Dante glielo abbia appena ricordato (v. 63); Cavalcante si dispera pensando al fatto che il figlio non possa più godere dei beni della vita e del mondo (v. 69) e che quindi per lui non possano esservi più beni, spento il **dolce lume** del sole. L'arte di Dante sa rappresentare due uomini psicologicamente così diversi e insieme così intimamente convergenti in un eguale atteggiamento intellettuale e morale; non casualmente dannati per uno stesso peccato.

61-63: E io [*dissi*] *a lui:* «*Non vengo* (**vegno**) *da me solo* (**stesso**) [: *per i miei meriti e con le mie forze*]*; colui che attende là* [: *Virgilio*], *mi conduce* (**mi mena**) *attraverso questo luogo* (**per qui**), *forse* [: *se potrò arrivarvi*], *da colei* [: *Beatrice*] *a cui* (**cui**) *il vostro Guido rifiutò con disprezzo* (**ebbe a disdegno**) [*di essere condotto*]. Dante cioè allude in modo abbastanza implicito (per pudore e anche per delicatezza) al fatto che il suo viaggio è assistito dalla Grazia che gli ha offerto Virgilio per guida, e che la sua mèta è il Paradiso: lì lo aspetta Beatrice, figura allegorica della Teologia, della quale Guido si disinteressò sempre. La risposta di Dante rovescia cioè l'ipotesi di Cavalcante, subordinando la ragione (Virgilio) alla mèta teologica (Beatrice), che è esattamente quanto Guido ha rifiutato di fare, restando escluso dalla Grazia. Ma è un discorso che suonerà incomprensibile a Cavalcante, fermo nel suo limite per l'eternità: egli noterà solo l'aspetto più marginale e irrilevante delle parole di Dante, e a questo aspetto riferirà la sua risposta (vv. 67-69). Il v. 63, per inciso, è tra i più discussi del poema; la spiegazione da noi accolta è quella sostenuta da Pagliaro, il quale considera **ebbe a disdegno** come una f r a s e   e l l i t t i c a , di tipo frequente nella sintassi dell'epoca, con sottinteso *di essere condotto*. **Guido**: è il poeta stilnovista Guido Cavalcanti, tra i maggiori del Duecento, amico e maestro di Dante; anche lui in fama di epicureismo.

Le sue parole e 'l modo de la pena
m'avean di costui già letto il nome;

66   però fu la risposta così piena.
Di sùbito drizzato gridò: « Come?
dicesti ' elli ebbe '? non viv' elli ancora?

69   non fiere li occhi suoi lo dolce lume? ».
Quando s'accorse d'alcuna dimora
ch'io facëa dinanzi a la risposta,

72   supin ricadde e più non parve fora.
Ma quell' altro magnanimo, a cui posta
restato m'era, non mutò aspetto,

75   né mosse collo, né piegò sua costa;

64-66: *Le sue parole e il tipo* (**'l modo**) *di pena* [: e quindi di peccato] *mi avevano già rivelato* (**letto**) *il nome di costui* [: Cavalcante]; *perciò* (**però**) *la* [*mia*] *risposta fu così completa* (**piena**).

67-69: *Improvvisamente in piedi* (**di subito drizzato**) [*Cavalcante*] *gridò: «Come? Hai detto* (**dicesti**) *egli* (**elli**) *ebbe?* [:cfr. v. 63] *egli non vive ancora? la* (**lo** = il) *dolce luce* (**lume**) [*del sole*] *non ferisce* (**fiere**) *i* (**li**) *suoi occhi?».* Dell'allusione di Dante all'ateismo di Guido, Cavalcante nota solo il verbo al passato; e il timore che il figlio sia morto esplode in una serie incalzante di domande: esse rivelano più la paura che il figlio abbia perso i beni del mondo (v. 69) che non quella che egli possa essere dannato (cfr. nota ai vv. 55-60 e ai vv. 61-63). Si noti quale contrasto tra il **cieco carcere** (vv. 58 sgg.) e il **dolce lume**! Lo scatto di Cavalcante (v. 67) è assai diverso da quello possente e sicuro di Farinata (v. 32): da Cavalcante si esprime irrequietezza e ansia, da Farinata solidità e sicurezza. Il brusco sollevarsi di Cavalcante è un gesto momentaneo di disperazione, come il successivo ricadere nella tomba (v. 72); la posizione impettita e statuaria di Farinata è imperturbabile (cfr. vv. 73-75).

70-72: *Quando si accorse di un certo indugio* (**d'alcuna dimora**) *che io mostravo* (**facea** = facevo) *prima di rispondere* (**dinanzi a la risposta**), *ricadde riverso* (**supin**) *e non si mostrò più* (**più non parve**) *fuori* (**fora**). L'indugio di Dante dinanzi alle domande di Cavalcante è provocato da un dubbio: come è possibile che non sappia se il figlio sia vivo o no, dal momento che Ciacco (cfr. canto VI) sapeva così bene ogni cosa di Firenze, perfino del futuro? Sono o non sono i

dannati a conoscenza di quello che avviene sulla Terra? È un dubbio al quale darà tra poco una risposta Farinata, ai vv. 100-108 di questo stesso canto.

73-78: *Ma quell'altro* [*spirito*] *magnanimo* [: Farinata] *alla cui richiesta* (**a cui posta**) [: cfr. v. 24] *mi ero fermato* (**restato m'era**), *non cambiò atteggiamento* (**non mutò aspetto**), *né mosse il collo* [: e quindi la testa], *né piegò il torace* (**sua costa** = [nessuna] sua costola*); *e continuando* (**sé continuando a...**; secondo l'uso sintattico del tempo) *il discorso precedente* (**primo detto**) [: interrotto al v. 51 da Cavalcante], *disse: «Se essi* (**s'elli**) [: i Ghibellini] *hanno imparato* (**appresa**) *male quell'arte* [*di tornare in patria dall'esilio*], *ciò mi tormenta più di* (**che**) *questa tomba* (**letto**). L'immobilità di Farinata, scolpita dalle tre energiche negazioni che ne percorrono le linee del corpo (**non mutò aspetto... né né...**) rivela definitivamente la sua fierezza, specie in contrasto con il movimento impaziente di Cavalcante; e nell'immobilità di Farinata accanto alla disperazione del compagno di pena si mostra l'indifferenza reciproca dei due dannati, preso ognuno dalla sua passione terrena, e si mostra quanto Farinata fosse rimasto colpito dalle parole dure di Dante. L'apparizione di Cavalcante è stata per il ghibellino una parentesi irrilevante: egli riprende il discorso nel punto esatto in cui era stato interrotto; e con le identiche parole. Dante (v. 51) ha usato con ironia pungente il termine **arte**, riferendosi alla capacità di tornare dall'esilio, e ha detto che i Ghibellini discendenti di Farinata non la **appreser bene**; e Farinata riprende le parole feroci ma le svuota dell'ironia, rivelando quanta amarezza gli diano: *se i miei discendenti hanno appreso male quell'arte, questo mi addolora più del mio tormento...* La compattezza psi-

e sé continüando al primo detto,
«S'elli han quell' arte», disse, «male appresa,
78 ciò mi tormenta più che questo letto.
Ma non cinquanta volte fia raccesa
la faccia de la donna che qui regge,
81 che tu saprai quanto quell' arte pesa.
E se tu mai nel dolce mondo regge,
dimmi: perché quel popolo è sì empio
84 incontr' a' miei in ciascuna sua legge?».
Ond' io a lui: «Lo strazio e 'l grande scempio
che fece l'Arbia colorata in rosso,
87 tal orazion fa far nel nostro tempio».

cologica del ghibellino s'incrina per un attimo, non perché egli veda il limite delle lotte
di fazione, ma perché ne paga le conseguenze sulla propria carne. A questo punto il **magnanimo** può alludere virilmente alla propria pena, ma per dire che essa lo tormenta
meno delle delusioni politiche; chiamando
la tomba infuocata **letto**, testimoniando nella sottovalutazione quel **dispitto** (*disprezzo*)
per l'Inferno intuito da Dante già a vederlo
(v. 36). È stato spesso osservato che in questa seconda parte dell'episodio Farinata diviene più umano e consapevole dei limiti
della sua esistenza. In verità in lui non c'è
c a t a r s i ; c'è un'impressione di ristrettezza e di soffocamento nell'insistere a considerare le cose entro i confini della propria
visione; c'è il crescente senso di un limite
e di un'insensatezza nel suo ripetere: il mondo, il mondo, il mondo. Da quel limite Farinata non esce: è il suo peccato. Di quel-
l'insensatezza sconta le conseguenze dolorose: è la sua punizione. La storia del mondo
e dell'individuo sono osservate da questa an-
golazione; e perciò, se i Ghibellini sono in
esilio, presto verrà anche il turno di Dante
(vv. 79-81), e così via... L'insensatezza non
porta Farinata verso nessuna consapevolezza: gli si stringe addosso come una cecità
irrimediabile che lo strangola. Non è senza
una valida ragione, in tal senso, che sia lui
a spiegare a Dante i limiti delle cognizioni
dei dannati (vv. 100-108): il buio del loro
presente si addice più che ogni altro a Farinata, alla sua concezione del mondo senza
orizzonti aperti.

79-81: *Ma non sarà* (**fia**) *tornata piena* (**raccesa**) *cinquanta volte la faccia della donna
che qui* [: all'Inferno] *comanda* (**regge**) [:
Proserpina, identificata con la luna; cioè: non
passeranno cinquanta lune] *che* [*anche*] *tu
saprai quanto pesa quell'arte* [: di tornare
in patria dall'esilio]. Farinata allude al fatto
che presto lo stesso Dante sarebbe stato esiliato (1302) e che avrebbe provato di persona quanto fosse difficile l'**arte** di tornare in
patria. Cinquanta lune dal momento della
profezia indicano un periodo fino alla primavera del 1304, quando Dante rinunciò ai
tentativi di rientrare a Firenze con la forza,
fino ad allora sempre falliti. Nella profezia
di Farinata c'è insieme ritorsione contro un
rivale e compassione per un uomo per certi
aspetti simile a sé; ma c'è soprattutto una
concezione esclusivamente mondana degli avvenimenti; e la loro conseguente insensatezza (cfr. nota precedente).

82-84: *E così possa tu una volta tornare* (**se
tu mai...regge**) *nel dolce mondo, dimmi: perché quel popolo* [*fiorentino*] *è così spietato*
(**sì empio**) *contro i miei* (**incontr'a' miei**) [*discendenti*] *in ogni* (**ciascuna**) *sua legge?».* **E
se...**: *se* ha valore ottativo, cioè di desiderio
e di augurio. **Perché...**: gli Uberti furono
sempre esclusi dai condoni concessi ai Ghibellini e sempre e solo perseguitati.

85-87: *Per cui io* (**ond'io**) [*dissi*] *a lui: «La
strage* (**lo strazio**) *e il* (**'l**) *grande massacro*
(**scempio**) *che colorò di rosso* (**fece...colora-
ta in rosso**) [: per il sangue versato] *l'Arbia,
fa fare nella nostra chiesa* (**tempio**) *tale preghiera* (**orazion**) [: fa prendere tali decisioni
presso i consigli e le assemblee]».* Dante risponde ricordando il terribile massacro della battaglia di Montaperti, nel 1260, ove i
Guelfi (soprattutto fiorentini) furono sconfitti dai Ghibellini guidati da Farinata; fu
tale lo spargimento di sangue che il fiume Arbia, che scorre presso Siena, divenne rosso,
come raccontano anche le cronache dell'e-

Poi ch'ebbe sospirando il capo mosso,
«A ciò non fu' io sol», disse, «né certo

90   sanza cagion con li altri sarei mosso.
Ma fu' io solo, là dove sofferto
fu per ciascun di tòrre via Fiorenza,

93   colui che la difesi a viso aperto».
«Deh, se riposi mai vostra semenza»,
prega' io lui, «solvetemi quel nodo

96   che qui ha 'nviluppata mia sentenza.
El par che voi veggiate, se ben odo,
dinanzi quel che 'l tempo seco adduce,

99   e nel presente tenete altro modo».

poca. Il ricordo di quella strage rende odiosi i discendenti di Farinata e fa prendere decisioni dure nei loro riguardi (**tal orazion...** è espressione figurata).

88-90: *Dopo avere* (**poi ch'ebbe**) *mosso la testa* (**il capo**) *sospirando* [*perplesso*], *disse*: «*Non fui* (**fu'**) *io soltanto* (**sol**) *a* [*fare*] *ciò* [: la strage di Montaperti], *né certamente* (**certo**) [*mi*] *sarei mosso* [*a prendere le armi*] *con gli* (**li**) *altri senza una* [*valida*] *ragione* (**cagion**)». Farinata non cerca di scolparsi, ma dice le cose quali esse furono: egli non fu il solo a volere la battaglia di Montaperti e non si unì agli altri, per combattere, senza valide ragioni; a sua volta era stato infatti cacciato da Firenze.

91-93: *Ma* [*invece*] *là* [: ad Empoli] *dove fu tollerato* (**sofferto**) *da ognuno* (**per ciascun**) [*la proposta*] *di radere al suolo* (**tòrre via** = togliere via) *Firenze* (**Fiorenza**), *fui* [*veramente*] *solo io colui che la difesi apertamente* (**a viso aperto**)». In questi versi famosi, ecco che la nobiltà e la fierezza di Farinata toccano il loro punto più alto e profondo: *non fui il solo a volere la strage di Montaperti, ma fui veramente il solo a difendere senza viltà Firenze da quanti la volevano distruggere*. E c'è il dispiacere di vedere dimenticato da tutti il suo momento più coraggioso e più grande: i vincitori di Montaperti si riunirono nel concilio di Empoli, e fu proposto dai Ghibellini toscani di distruggere Firenze, roccaforte dei Guelfi; nessuno si opponeva per viltà, neppure gli stessi Ghibellini fiorentini, tranne il solo Farinata, che riuscì ad impedirlo. Racconta lo storico dell'epoca Villani nella *Cronica* (VI, 81) che Farinata disse che «s'altri ch'egli non fosse [anche da solo], mentre ch'egli [finché egli] avesse vita in corpo, con la spada in mano la [: Firenze] difenderebbe».

94-96: *Io lo pregai* (**prega' io lui**): «*Deh, così possa un giorno avere pace* (**se riposi mai**) *la vostra discendenza* (**semenza**), *scioglietemi* (**solvetemi**) *quel dubbio* (**nodo**) *che ha qui ostacolato* ('**nviluppata** = inviluppata) *il mio giudizio* (**sentenza**; o, forse, 'le mie parole')*. **Deh, se...**: ancora *se* ha funzione ottativa, di desiderio e di augurio, come nelle parole di Farinata (v. 82). Ma si noti la profonda, benché sottile, diversità dei due auguri: Dante augura la pace ai discendenti del rivale; Farinata augura a Dante il ritorno nel **dolce mondo**. Dante introduce una prospettiva futura di ampia larghezza spirituale, oltre che materiale. Farinata è legato alla sua concezione mondana e può augurare solo l'unico bene che conosce, la vita terrena; e si noti come la sua espressione si ricolleghi a quella simile di Cavalcante, pur psicologicamente così diverso da lui, sul **dolce lume** del sole (v. 69). Ma sulla somiglianza profonda dei due dannati ci si è appunto già soffermati (cfr. nota ai vv. 55-60). **Solvetemi quel nodo...**: Dante allude, come spiega ai versi seguenti (97-99), a Cavalcante, il quale ha dimostrato di non sapere le cose presenti; mentre Farinata (come già Ciacco) sa persino il futuro.

97-99: *Sembra* (**el par; el** = egli, è p l e o n .) *che voi vediate* (**veggiate**), *se capisco* (**odo**) *bene, anticipatamente* (**dinanzi**) *quello che il* ('**l**) *tempo porta* (**adduce**) *con sé* (**seco**) [: il futuro], *e riguardo al* (**nel**) *presente seguite un'altra legge* (**tenete altro modo**) [: non lo conoscete]».

« Noi veggiam, come quei c'ha mala luce,
le cose », disse, « che ne son lontano;
102   cotanto ancor ne splende il sommo duce.
Quando s'appressano o son, tutto è vano
nostro intelletto; e s'altri non ci apporta,
105   nulla sapem di vostro stato umano.
Però comprender puoi che tutta morta
fia nostra conoscenza da quel punto
108   che del futuro fia chiusa la porta ».
Allor, come di mia colpa compunto,
dissi: « Or direte dunque a quel caduto
111   che 'l suo nato è co' vivi ancor congiunto;
e s'i' fui, dianzi, a la risposta muto,
fate i saper che 'l fei perché pensava
114   già ne l'error che m'avete soluto ».
E già 'l maestro mio mi richiamava;
per ch'i' pregai lo spirto più avaccio
117   che mi dicesse chi con lu' istava.

100-102: [*Farinata*] *disse: «Noi vediamo* (**veggiam**), *come colui* (**quei**) *che ha* (**c'ha**) *una cattiva vista* (**mala luce**) [*: il presbite*], *le cose che ci* (**ne**) *sono lontane; solo di tanto* (**cotanto**) *ci* (**ne**) *risplende* (**splende**) *ancora* [*: benché dannati*] *la suprema guida* (**il sommo duce**) [*degli astri*: Dio, che è verità].

103-105: *Quando* [*le cose*] *si avvicinano* (**s'appressano**) *o sono* [*presenti*], *il nostro intelletto è del tutto inutile* (**vano**); *e se qualcun altro* (**s'altri**) *non ci riferisce* (**apporta**) [*le notizie del mondo*], *non sappiamo nulla* (**nulla sapem**) *della vostra condizione* (**stato**) *umana*. Cioè i dannati vedono il futuro lontano, ma non conoscono né il presente né il futuro immediato. Il **cieco carcere** (vv. 59 sg.) è buio anche in questo senso. C'è qualche incertezza se questa caratteristica riguardi tutti i dannati o solo quelli del sesto cerchio. È probabile che sia vera la prima cosa, come rivelano altri luoghi del poema; ma è anche probabile che Dante abbia introdotto solo a questo punto una tale regola, che ben si addice ai dannati del sesto cerchio, aggravando il c o n t r a p p a s s o : loro che hanno creduto solo nel presente, sono privati ora della sua cognizione. Mentre la norma è applicata in casi successivi a questo canto, prima non sembra avere luogo: tanto che Ciacco, nel VI canto, mostra di conoscere anche la condizione presente di Firenze. Quanto all'episodio di Cavalcante, diviene qui comprensibile perché egli non sapesse se il figlio fosse vivo: Guido, nella primavera

del 1300 era vivo, ma sarebbe morto di lì a poco, nell'agosto di quell'anno.

106-108: *Perciò* (**però**) *puoi comprendere che la nostra conoscenza sarà* (**fia**) *del tutto spenta* (**tutta morta**) *da quel momento* (**punto**) *che sarà* (**fia**) *chiusa la porta del futuro»*. Cioè dopo il Giudizio universale, quando il tempo cesserà di esistere (e quindi non ci sarà più futuro) e tutto sarà immutabile per l'eternità. Se i dannati sanno solo le cose future, senza futuro saranno ridotti come bruti, in una cieca ignoranza di tutto.

109-114: *Allora, come punto dal rimorso* (**compunto**) *della* (**di**) *mia colpa, dissi: «Ora dunque direte a quel caduto* [: Cavalcante; cfr. v. 72] *che suo figlio* (**'l suo nato**) *è ancora unito* (**congiunto**) *ai* (**co'** = coi = con i) *vivi; e se io* (**s'i'**) *poco fa* (**dianzi**), *non* [*gli*] *risposi* (**fui...a la risposta muto**), *fategli* (**fate i**) *sapere che lo* (**'l** = il = lo) *feci* (**fei**) *perché già riflettevo* (**pensava**) *sul dubbio* (**ne l'error**) *che mi avete risolto* (**soluto** = sciolto)». Dante prega cioè Farinata di scusarlo con Cavalcante; e si noti con quale efficacia Dante lo nomini, in estrema sintesi, riferendosi al suo ultimo gesto disperato: **quel caduto**.

115-117: *E già il* (**'l**) *mio maestro* [: Virgilio] *mi richiamava; per cui io* (**per ch'i'** = per che io) *pregai lo spirito* [: Farinata] *che mi dicesse più in fretta* (**più avaccio**; dal lat. tardo 'vivacius' = vivace, rapido) *chi stava con lui* (**lu'**).

Dissemi: «Qui con più di mille giaccio:
qua dentro è 'l secondo Federico
120   e 'l Cardinale; e de li altri mi taccio».
Indi s'ascose; e io inver' l'antico
poeta volsi i passi, ripensando
123   a quel parlar che mi parea nemico.
Elli si mosse; e poi, così andando,
mi disse: «Perché se' tu sì smarrito?».
126   E io li sodisfeci al suo dimando.
«La mente tua conservi quel ch'udito
hai contra te», mi comandò quel saggio.
129   «E ora attendi qui», e drizzò 'l dito:
«quando sarai dinanzi al dolce raggio
di quella il cui bell' occhio tutto vede,
132   da lei saprai di tua vita il vïaggio».
Appresso mosse a man sinistra il piede:
lasciammo il muro e gimmo inver' lo mezzo
per un sentier ch'a una valle fiede,
136   che 'nfin là sù facea spiacer suo lezzo.

118-120: [*Farinata*] *mi disse* (**dissemi**)*: «Qui giaccio con moltissimi altri* (**più di mille**; indet.)*: qui dentro* [*vi*] *è Federico secondo, e il* (**'l**) *Cardinale; e degli altri taccio* (**mi taccio; mi** è p l e o n.)*».* Federico II di Svevia (1194-1250), imperatore dal 1214, era molto ammirato da Dante come sovrano colto e abile (cfr. XIII, 75); aveva fama di essere eretico. **Cardinale**: è così definito, per a n t o n o m a s i a , Ottaviano degli Ubaldini, vescovo di Bologna e cardinale dal 1245 alla morte (1273); appoggiò la fazione ghibellina ed ebbe fama di miscredente.

121-123: *Quindi* (**indi**) *si nascose* (**s'ascose**) [: nella tomba]; *e io rivolsi* (**volsi**) *i passi verso* (**inver'**) *l'antico poeta* [: Virgilio], *ripensando a quelle parole* (**quel parlar**) [: di Farinata; cfr. i vv. 79-81] *che mi parevano avverse* (**nemico**). *Indi s'ascose*: anche nel congedo Farinata conserva la sua gravità; confronta il **ricadde** riferito a Cavalcante (v. 72). **Nemico**: l'ostilità non sta nelle intenzioni di Farinata ma nei fatti annunciati dalla sua profezia.

124-125: *Egli* (**elli**) [: Virgilio] *si incamminò* (**si mosse**); *e poi, mentre andavamo* (**così andando**), *mi disse: «Perché tu sei* (**se'**) *così turbato* (**sì smarrito**)?»*

126: *E io risposi con completezza* (**li sodisfeci**; **li** = gli è pron. p l e o n.) *alla sua domanda* (**al suo dimando**). Dante cioè spiega

a Virgilio che è stato turbato dalla profezia oscura di Farinata relativa al suo futuro.

127-128: *Quel saggio* [: Virgilio] *mi comandò: «La tua memoria* (**mente**) *conservi* [*il ricordo di*] *quello che hai udito* [: da Farinata] *contrario a te* (**contra te**) [: cfr. nota ai vv. 121-123].

129-132: *E ora sta attento a questo* (**attendi qui**) [*che sto per dire*]» *e alzò* (**drizzò**) *il dito* [*indice*]: «*quando sarai* [*arrivato*] *dinanzi alla dolce luce* (**raggio**) *di colei* (**quella**) [: Beatrice] *il cui bello sguardo* (**occhio**) *vede tutto* [*in Dio*], *saprai da lei il corso* (**viaggio**) *della* (**di**) *tua vita*». Virgilio preannuncia a Dante che solo con l'aiuto di Beatrice potrà chiarire e puntualizzare le varie profezie udite dai dannati. **Drizzò 'l dito**: per imprimere solennità all'annuncio; o forse anche per indicare verso l'alto, come alla mèta del cammino di Dante.

133-136: *Poi* (**appresso**) *si incamminò* (**mosse...il piede**) *verso sinistra* (**a man sinistra**): *lasciammo il muro* [*di Dite; lungo il quale avevano camminato fino ad allora; cfr. v. 2*] *e andammo* (**gimmo**) *verso* (**inver'**) *il centro* (**lo mezzo**) [*del cerchio*] *lungo* (**per**) *un sentiero che va a finire* (**fiede** = ferisce, taglia) *in* (**a**) *una valle che faceva sentire fastidiosamente* (**facea spiacer**) *il suo puzzo* (**suo lezzo**) *fin lassù* (**'nfin là sù**) [*dove eravamo*: sul ciglio del cerchio superiore*].

Calle _____ v. 1

La voce deriva dal lat. *callis* = 'viottolo del gregge'. Propriamente significa 'strada, sentiero angusto' — cfr. *Inf.* I, 18 e X, 1 —; in senso figur. vale 'cammino, direzione' e anche 'l'andare' — cfr. *Par.* XVII, 59. Oggi la voce è nell'uso solo per indicare, al femm. le tipiche strade strette di Venezia.

Lezzo _____ v. 136

La voce deriva dal vb. *olezzare*, termine letter. per 'emanare un odore gradevole' (dal lat. volg. *olidiare*, derivato dall'agg. lat. class. *olĭdus* = 'che ha odore'), come pure il sost. affine *olezzo* ('profumo, odore piacevole'). Ma in *lezzo*, per a f e r e s i ed a n t i f r a s i, si passa ad un'accezione negativa di 'cattivo odore, puzza' (ed è questo l'uso di Dante).

Loquela _____ v. 25

È voce dotta derivata dal lat. *loquēla* = 'favella, voce' (dal vb. *loqui* = 'parlare'; cfr. franc. *loquèle*). Propriamente la voce designa la facoltà di parlare e di esprimersi e quindi 'l'idioma, il linguaggio'; ma vale anche 'inflessione regionale, cadenza, particolare modo di pronunciare tipico di una regione' (ed è questo l'uso del luogo dantesco in questione). Oggi si usa per lo più ad indicare una certa 'facilità di parola, un modo forbito di parlare' (cfr. il derivato *eloquenza*).

Canto XI

Il canto è interamente dedicato a questioni didascaliche e strutturali. Aspettando che l'olfatto si abitui al puzzo violentissimo che sale dal fondo dell'Inferno, Virgilio e Dante fermano un poco il cammino, e Virgilio ne approfitta per informare il discepolo sulla complessa struttura del mondo infernale, prima di affrontare i tre ultimi cerchi, assai più articolati che i precedenti.

Tutti i peccati rientrano nelle categorie aristoteliche e scolastiche di incontinenza e ingiuria; fatta eccezione per la mancanza di fede (con o senza propria colpa: eretici e Limbo).

Esclusi il primo cerchio (Limbo) e il sesto (eretici), i cerchi fin ora visitati contengono peccati che rientrano nella categoria dell'incontinenza: lussuria, gola, avarizia, prodigalità, ira, superbia, accidia; l'incontinenza consiste nel lasciar prevalere le passioni cercando di trarre un piacere eccessivo da cose in se stesse non peccaminose: il peccato, come dice la parola «incontinenza» (non contenere), nasce dall'eccesso. Sono peccati meno gravi, perché offendono meno violentemente Dio, e sono quindi puniti meno duramente, al di fuori delle mura della città di Dite.

Più gravi sono i peccati il cui fine consapevole è l'ingiuria, cioè il mancato rispetto delle leggi divine e naturali che regolano i rapporti tra gli uomini e il rapporto degli uomini con Dio; ed essi sono puniti in modo più duro, entro le mura della città di Dite, nei tre cerchi più bassi. L'ingiuria può essere fatta con la violenza *o con l'*inganno*; il secondo caso è più grave perché implica un uso perverso delle facoltà intellettive tipiche dell'uomo.*

Nel settimo cerchio *sono puniti i peccatori di* ingiuria violenta, *divisi in tre gironi: violenti contro il prossimo (omicidi, ecc.); violenti contro se stessi e contro i propri beni (suicidi e scialacquatori); violenti contro Dio, contro natura e contro arte (bestemmiatori, sodomiti, usurai).*

Nell'ottavo e nel nono cerchio sono i peccatori di ingiuria con inganno: i frodolenti. *Anch'essi sono divisi in gruppi.*

*Nell'*ottavo cerchio *(Malebolge) sono i* frodolenti contro chi non si fida, *divisi in* dieci bolge *(seduttori, adulatori, ipocriti, ladri ecc.).*

Nel nono cerchio *stanno i* frodolenti contro chi si fida *(cioè i traditori), divisi in* quattro gruppi *(traditori dei parenti, della patria, degli ospiti, dei benefattori).*

Il canto rivela le doti espositive del genio dantesco, in una lucidità ed ordine ineccepibili; e rivela quale decisa importanza abbiano lo schema concettuale e quindi la robusta struttura dell'opera: non come sostegno della poesia di Dante ma come un suo tipico e integrante modo di essere; così che non è esagerato dire che senza un simile schema concettuale e senza una struttura siffatta, la poesia della Commedia *non solo mancherebbe di sostegno, ma addirittura non potrebbe esistere.*

Canto XII

Virgilio e Dante scendono nel settimo cerchio (violenti) *attraverso un varco nella roccia che in quel punto è franata: la frana fu provocata dal terremoto che accompagnò la morte di Cristo, come in altri luoghi dell'Inferno. A guardia del passaggio sta il Minotauro, mostro della mitologia classica, metà toro e metà uomo; questi tenta invano di impedire il passaggio.*

Nel primo girone *del cerchio stanno i* violenti contro il prossimo: *omicidi, tiranni, predoni; più o meno immersi in un grande fiume di sangue bollente, il Flegetonte. Esso è già nell'*Eneide *virgiliana, dove però anziché di sangue il fiume è di fuoco. In Dante è evidente il senso del* c o n t r a p p a s s o : *chi ha sparso sangue in vita, vi è immerso per l'eternità; come sempre il dannato è bloccato nel momento del suo peccato, il quale è ingigantito e reso evidente nel suo terribile volto di infrazione alla superiore legge divina. Nel Flegetonte stanno i Centauri, metà cavalli e metà uomini, anche essi ripresi dalla mitologia ma vivacemente rappresentati (come il Minotauro) con efficace realismo. Velocissimi e agili, i Centauri saettano con frecce le anime che escono troppo dal fiume. Virgilio parla con Chirone, il loro capo, ed ottiene che gli venga concessa una guida, Nesso, che trasporti sulla groppa Dante attraverso il Flegetonte. Nel fiume, Dante riconosce parecchi dannati. Infine Nesso raggiunge la riva opposta e qui fa scendere i due poeti.*

Canto XIII

Nel *secondo girone* del settimo cerchio sono puniti i violenti contro la propria persona e contro i propri averi; cioè i *suicidi* e gli *scialacquatori*. Dante segue in questa disposizione il parere di Aristotele, secondo il quale la dissipazione del proprio patrimonio è simile al suicidio; e perciò gli scialacquatori sono distinti dai prodighi (nel quarto cerchio; cfr. canto VII) e posti qui, con i suicidi.

* * *

Dopo aver attraversato il Flegetonte, Virgilio e Dante penetrano in un bosco fittissimo dall'aspetto misterioso ed orribile. Tra i rami secchi e contorti si annidano le Arpíe, per metà umane e per metà mostruosi uccelli. Dalla selva provengono lamenti senza che sia visibile chi li emette. Su invito di Virgilio, Dante spezza un ramoscello e il mistero spaventoso si chiarisce: negli alberi della selva sono imprigionate le anime dei suicidi, private per c o n t r a p p a s s o dell'aspetto umano, a punizione del gesto da essi rivolto contro il proprio corpo.

Nell'albero «ferito» da Dante sta l'anima del funzionario della corte siciliana dell'imperatore Federico II: Pier della Vigna. Questi si uccise non sopportando di essere caduto in disgrazia agli occhi del suo signore per causa delle calunnie degli altri cortigiani, invidiosi del suo successo. Nel suo racconto viene rievocato il gesto perverso e stravolto del suicidio, frutto di un peccaminoso contorcimento delle facoltà psichiche e morali dell'animo umano: a quel contorcimento rimandano sia le condizioni fisiche della selva, sia la lingua e lo stile del dannato e di tutto il canto, ricchissimo di figure retoriche quali l'a n t i t e s i e la r e p l i c a z i o n e (anche se tale ricercatezza, nel linguaggio di Piero, serve anche a rappresentare realisticamente la sua personalità: egli era infatti un raffinato poeta oltre che un colto uomo di lettere). Pier della Vigna informa poi Dante che la loro pena è accresciuta dalle Arpíe, le quali continuamente straziano i rami (ancora per c o n t r a p p a s s o di quanto i suicidi fecero in vita, straziando il proprio corpo). A differenza degli altri dannati, i suicidi non rivestiranno i corpi dopo il Giudizio universale; ma li riprenderanno per trascinarli ciascuno fino al proprio albero e appendervelo, a eterna memoria della separazione contro natura da essi compiuta tra anima e corpo.

Attraverso la selva giungono d'improvviso correndo due dannati inseguiti da una muta di feroci cagne nere; esse raggiungono uno dei due e lo dilaniano. È questa la pena riservata agli scialacquatori: di essere (sempre secondo la legge del c o n t r a p p a s s o) fatti a pezzi, così come essi in vita fecero a pezzi le proprie fortune.

Infine Dante e Virgilio ascoltano i lamenti di un cespuglio straziato dal passaggio delle cagne e degli scialacquatori: esso racchiude l'anima di un fiorentino che si uccise impiccandosi.

Lo stile aspro ed elaboratissimo riflette l'innaturalità perversa e stravolta dell'atto suicida, in un canto che è tra i più mossi e vivaci sul piano narrativo e fantastico. L'atteggiamento del personaggio Dante è sapientemente dosato, dallo stupore all'angoscia: nelle sue reazioni si evidenzia, più che umana partecipazione, il tentativo di capire le ragioni di un peccato così complesso sia sul piano morale che su quello psicologico; e si evidenzia quindi lo sforzo di penetrare le ragioni profonde della punizione divina, volta al ristabilimento di un ordine superiore di armonia e di giustizia. La nobile personalità di Pier della Vigna costringe ancora una volta Dante a riconsiderare i limiti dei valori umani in sé presi; il gesto disperato del fiorentino impiccatosi riprende il tema della degradazione di Firenze, nei cui vizi si annida la causa prima della debolezza di questo peccatore.

Non era ancor di là Nesso arrivato,
   quando noi ci mettemmo per un bosco
3   che da nessun sentiero era segnato.
Non fronda verde, ma di color fosco;
   non rami schietti, ma nodosi e 'nvolti;
6   non pomi v'eran, ma stecchi con tòsco.
Non han sì aspri sterpi né sì folti
   quelle fiere selvagge che 'n odio hanno
9   tra Cecina e Corneto i luoghi cólti.

1-3: *Nesso non era ancora arrivato di là* [*del fiume Flegetonte*], *quando noi ci addentrammo in* (**ci mettemmo per**) *un bosco che* [*non*] *era segnato da nessun sentiero.* **Nesso**: è il Centauro che ha trasportato Dante al di là del fiume Flegetonte (cfr. canto precedente).

4-6: *Non* [*c'era*] *vegetazione* (**fronda**) *verde, ma di colore scuro* (**fosco**)*; non* [*c'erano*] *rami dritti* (**schietti**)*, ma nodosi e contorti* (**'nvolti** = involti)*; non vi erano frutti* (**pomi**)*, ma spine* (**stecchi**) *con veleno* (**tòsco** = tossico). Si tratta di una terzina assai elaborata sul piano stilistico e retorico: la triplice a n t i t e s i, sottolineata dall' a n a f o r a, e la scelta di un lessico aspro hanno la funzione di introdurre all'atmosfera cupa e innaturale del canto, quasi da incubo. Anche la metrica partecipa a questa preparazione: si noti nella prima terzina del canto il ritmo monotono e pesantemente scandito; e, nella seconda terzina, invece, la presenza in tutti e tre i versi di una forte c e s u r a dopo la quinta sillaba, a mettere meglio in evidenza le ripetute contrapposizioni.

7-9: *Non abitano* (**han** = hanno per dimora) *sterpi così pungenti* (**sì aspri**) *né così folti* [*neppure*] *quelle fiere selvatiche* (**selvagge**) *tra Cecina e Corneto* [: nella Maremma toscana] *che hanno in* (**'n**) *odio* [: evitano di frequentare] *i luoghi coltivati* (**cólti**). Cioè: neppure nei fittissimi boschi della Maremma, dove abitano gli animali selvatici che evitano i luoghi civilizzati, vi sono sterpi così intricati e così fitti. È un procedimento tipico dell'arte di Dante, ed è un'espressione del suo intenso realismo, questo di paragonare il paesaggio del suo mondo fantastico ad un paesaggio reale ben definito: qui egli afferma addirittura che la macchia della Maremma, benché famosa per essere fittissima, lo è meno di quella che sta descrivendo. Ma intanto l'esattezza geografica del rimando (**tra Cecina e Corneto**) permette al lettore di materializzare le circostanze e la situazione descritte: e il realismo sta già in questo riferirsi al mondo noto delle cose concrete nell'atto stesso di descrivere e presentare un mondo sconosciuto di cose fantastiche. Nello stesso modo la descrizione delle Arpìe (vv. 13-15) è condotta con un puntuale riferimento a particolari concreti e realistici.

Quivi le brutte Arpìe lor nidi fanno,
 che cacciar de le Strofade i Troiani
12 con tristo annunzio di futuro danno.
 Ali hanno late, e colli e visi umani,
 piè con artigli, e pennuto 'l gran ventre;
15 fanno lamenti in su li alberi strani.
 E 'l buon maestro « Prima che più entre,
 sappi che se' nel secondo girone »,
18 mi cominciò a dire, « e sarai mentre
 che tu verrai ne l'orribil sabbione.
 Però riguarda ben; sì vederai
21 cose che torrien fede al mio sermone ».
 Io sentìa d'ogne parte trarre guai
 e non vedea persona che 'l facesse;
24 per ch'io tutto smarrito m'arrestai.
 Cred' ìo ch'ei credette ch'io credesse
 che tante voci uscisser, tra quei bronchi,
27 da gente che per noi si nascondesse.

10-12: *Qui* (**quivi**) *fanno i loro nidi le ripugnanti* (**brutte**) *Arpie le quali* (**che**) *scacciarono* (**cacciar**) *i Troiani dalle* (**de le**) *[isole] Strofadi con una triste profezia* (**annunzio**) *di futura disgrazia* (**danno**). Le Arpìe, figlie di Taumante e di Elettra, sono mostri mitologici rappresentati solitamente con corpo di uccello e volto di donna. Virgilio ne parla nell'*Eneide* (III, 209 sgg.): quando Enea e i suoi compagni giunsero nelle isole Strofadi, dimora delle Arpìe, queste li scacciarono dopo averne sporcato le mense di sterco per vendicare l'uccisione dei buoi ad esse sacri e dopo che l'Arpìa Celeno aveva predetto ai Troiani la fame che essi avrebbero di lì a poco dovuto soffrire.

13-15: *Hanno larghe* (**late**; dal lat. 'latus') *ali, e colli e visi umani, zampe* (**piè** = piedi) *con artigli, e il* ('**l**) *grande ventre pennuto; fanno sugli* (**in su li**) *alberi lamenti orribili* (**strani**). La descrizione è in parte ripresa dall'*Eneide*; ma in Dante si carica di una concretezza disgustosa del tutto originale. L'aggettivo **strani** potrebbe riferirsi anche ad **alberi**; ma l'analogia con *Eneide*, III, 228 — «vox... dira» [voce... terrificante] — induce a riferirlo senz'altro a **lamenti**, con un effetto raccapricciante dovuto all'i p e r b a t o.

16-21: *E il* ('**l**) *buon maestro* [: Virgilio] *mi cominciò a dire: «Prima che ti addentri* (**entre**) *di più* [*nel bosco*] *sappi che sei* (**se'**) *nel secondo girone* [: del settimo cerchio], *e* [**ci**]

sarai finché (**mentre che**) *tu arriverai* (**verrai**) *nell'orribile distesa di sabbia* (**sabbione**) [: che forma il terzo girone]. *E ora* (**però**; interlocutorio) *osserva attentamente* (**riguarda ben**); *infatti* (**sì** = così) *vedrai cose* [*tali*] *che* [*se te le dicessi*] *toglierebbero* (**torrìen**) *credibilità* (**fede**) *alle mie parole* (**al mio sermone**)». I vv. 17-19 ci informano che il secondo girone è interamente occupato dal bosco, come il primo girone dal Flegetonte e il terzo dal deserto di sabbia (di cui viene dato l'annuncio). I vv. 20 sg. accrescono il senso di mistero già preparato dai versi precedenti, disponendo alla visione di qualcosa di ancor più inconsueto e incredibile.

22-24: *Io sentivo* (**sentìa**) *emettere lamenti* (**trarre guai**), *da ogni parte, e non vedevo* (**vedea**) [*nessuna*] *persona che li* ('**l** = il) *facesse; per cui io* (**per ch'io**) *mi fermai* (**m'arrestai**) *tutto confuso* (**smarrito**).

25-27: *Io credo che egli* (**ei**) [: Virgilio] *credette che io credessi che tante voci uscissero, tra quegli sterpi* (**quei bronchi**), *da* [*bocche di*] *gente che fosse nascosta* (**si nascondesse**) *a noi* (**per noi**). **Cred'io**...: il verso è assai elaborato e artificioso, secondo modi frequenti nella cultura dell'epoca e non estranei allo stile di Dante. Qui l'artificiosità è funzionale ad esprimere il particolare momento psicologico: la stranezza e la novità della situazione determinano in Dante uno smarrimento che si accrescerà nel segui-

Però disse 'l maestro: «Se tu tronchi
qualche fraschetta d'una d'este piante,
30   li pensier c'hai si faran tutti monchi».
Allor porsi la mano un poco avante
e colsi un ramicel da un gran pruno;
33   e 'l tronco suo gridò: «Perché mi schiante?».
Da che fatto fu poi di sangue bruno,
ricominciò a dir: «Perché mi scerpi?
36   non hai tu spirto di pietade alcuno?
Uomini fummo, e or siam fatti sterpi:
ben dovrebb' esser la tua man più pia,
39   se state fossimo anime di serpi».

to del canto; il suo soffermarsi sul complesso rapporto speculare che in quel momento lo lega a Virgilio, formulando ipotesi intorno alle ipotesi di quello, significa richiamare l'ammonimento del maestro a guardarsi bene intorno, pronto a cose straordinarie e, sul piano narrativo, sottolineare ancora l'appressarsi di eventi inusitati. **Per noi si nascondesse**: significa *fosse invisibile a noi* e non *si nascondesse per non farsi vedere da noi*; in questo secondo caso, se non altro, la **gente** sarebbe stata anche zitta.

28-30: *Perciò* (**però**; dal lat. 'per hoc' = per questo) *il* (**'l**) *maestro* [: Virgilio] [*mi*] *disse:* «*Se tu spezzi* (**tronchi**) *qualche rametto* (**fraschetta**) *di una di queste* (**este**) *piante, i* (**li**) *pensieri che hai saranno* (**si faran**) *tutti spezzati* (**monchi**)». C'è un passaggio retoricamente prezioso dal concreto al m e t a f o r i c o : *se spezzi un rametto, si spezzeranno* (*cioè cadranno, rivelandosi false*) *anche le tue ipotesi.*

31-33: *Allora allungai* (**porsi**; da 'porgere') *la mano un poco avanti, e colsi un ramicello da un grande pruno* [: cfr. sotto]*; e il* (**'l**) *suo tronco gridò: «Perché mi spezzi* (**schiante** = schianti)*?».* **Allor...**: ai vv. 31 sg. si noti come siano evidenti il timore e l'esitazione di Dante, a vari livelli. Per il lessico: **un poco, ramicel**; contrapposti a **gran pruno**. Per la metrica: si noti al v. 32 la d i a l e f e tra **da** e **un**, e la presenza di tre accenti contigui (sulla 8ª, 9ª e 10ª sillaba), a determinare un necessario rallentamento sulla seconda parte del verso (**da ùn gràn prùno**). **Pruno**: è propriamente un cespuglio spinoso; è quindi parola parallela a **stecchi** del v. 6 e a **sterpi** del v. 37: si tratta probabilmente di alberi piccoli e intricatissimi, perciò simili a grandi cespugli (**gran pruno**). **E 'l tronco suo gridò**: la tensione accumulata gradualmente nelle terzine precedenti esplode d'improvviso in questo incredibile fatto, spiegando i misteri fin qui affiorati, ma con una ragione assurda e mostruosa: l'albero parla.

34-36: *Dopo che* (**da che...poi**) *divenne* (**fatto fu**) *scuro* (**bruno**) *di sangue, ricominciò a dire: «Perché mi laceri* (**scerpi**)*? non hai tu nessuno* (**alcuno**) *spirito di pietà?* **Scerpi**: mentre **schiante** del v. 33 si riferisce al momento in cui il ramicello viene spezzato (e si noti il suono secco), **scerpi** allude al successivo stracciare la corteccia che ancora resta attaccata (e si noti, questa volta, il suono strascicato). È, ancora una volta, un indizio del grande realismo di Dante, attento alla rappresentazione dell'insieme come a quella dei particolari.

37-39: *Fummo uomini, e ora siamo fatti sterpi: la tua mano dovrebbe essere assai* (**ben**) *più pietosa* (**pia**), [*anche*] *se fossimo state anime di serpi».* L'orrenda verità si sintetizza tutta nel v. 37: *eravamo uomini, ora siamo sterpi*; e si noti quale rilievo abbiano nel verso i due termini-chiave della situazione (**uomini** e **sterpi**), uno in principio e l'altro in fine di verso, con una disposizione a c h i a s m o che allontana e contrappone le due diverse nature, anche con l'aiuto dell'opposizione di **fummo** a **siam fatti**, ruotando tutto il verso su quel decisivo e doloroso **or** che ne occupa il centro. L'intero episodio ha un precedente nell'*Eneide* virgiliana (III, 22 sgg.); ma Dante rielabora qui quello spunto in modo profondo ed originale.

Come d'un stizzo verde ch'arso sia
da l'un de' capi, che da l'altro geme
42   e cigola per vento che va via,
sì de la scheggia rotta usciva insieme
parole e sangue; ond' io lasciai la cima
45   cadere, e stetti come l'uom che teme.
« S'elli avesse potuto creder prima »,
rispuose 'l savio mio, « anima lesa,
48   ciò c'ha veduto pur con la mia rima,
non averebbe in te la man distesa;
ma la cosa incredibile mi fece
51   indurlo ad ovra ch'a me stesso pesa.
Ma dilli chi tu fosti, sì che 'n vece
d'alcun' ammenda tua fama rinfreschi
54   nel mondo sù, dove tornar li lece ».
E 'l tronco: « Sì col dolce dir m'adeschi,

40-45: *Come da un tizzone* (**d'un stizzo**) *verde che sia bruciato* (**arso**) *da uno dei capi,
che dall'altro* [*capo*] *gocciola* (**geme**) *e stride*
(**cigola**) *a causa dell'aria* (**per vento**) *che esce
fuori* (**va via**), *così* (**sì**) *dal* (**de la**) *ramo*
(**scheggia**) *rotto uscivano* (**usciva**; al sing. con
due sogg. secondo un uso frequente del tem-
po) *insieme parole e sangue; per cui io* (**on-
d'io**) *lasciai cadere il ramoscello* (**la cima**)
[*spezzato*], *e rimasi* (**stetti**) *come* [*fa*] *l'uomo che ha timore* (**che teme**). Si noti, nella
s i m i l i t u d i n e dei vv. 40-44, quale
perfetta rispondenza vi sia tra i termini della comparazione: allo **stizzo** corrisponde la
scheggia, alla linfa che **geme** corrisponde il
sangue, al sìbilo che **cigola** corrispondono
le **parole**, ad **arso** infine corrisponde **rotta**.
Il realismo dantesco si fonda anche su un
solido rigore dell'osservazione, di una esattezza quasi scientifica, nell'intento di dare
tutti gli attributi della verità alla sua invenzione fantastica. **Ond'io lasciai...**: viene ripresa qui la nota del timore e dell'esitazione
di Dante (cfr. v. 24 e vv. 31 sg. e nota),
tra le più profonde del canto, e decisiva a
comprenderne le ragioni più autentiche. Cfr.
anche i vv. 130 sg. e soprattutto 82-84 e nota.

46-51: *Il* ('**l**) *mio saggio* (**savio**) [: Virgilio]
rispose: «*Anima offesa* (**lesa**), *se egli* (**s'elli**)
[: Dante] *avesse potuto credere prima, sol-
tanto* (**pur**) *con i miei versi* (**la mia rima**)
[: per l'episodio simile dell'*Eneide*], *ciò che
ha* [*ora*] *veduto* [*veramente*], *non avrebbe distesa la mano verso di te* (**in te**; alla latina)*;
ma la cosa incredibile* [: l'incredibilità della
cosa] *mi fece* [: mi suggerì di] *spingerlo* (**in-

durlo) *ad un atto* (**ovra** = opera) *che dispiace* (**pesa**) *a me stesso*. Virgilio si scusa con
l'anima del **gran pruno** di aver spinto Dante
a troncare un ramicello (cfr. vv. 28-30); ma
ha dovuto farlo, benché gli dispiacesse, perché il fatto che un tronco nascondesse un'a-
nima è così incredibile da rendere necessario
per il discepolo di farne diretta esperienza,
non essendo sufficiente l'esempio che Virgilio stesso narra nell'*Eneide*. Si badi che queste scuse hanno una ragione morale e strutturale che va ben al di là della semplice funzione narrativa: è una nota caratteristica della
Commedia dantesca (e dell'*Inferno* forse in
modo particolare) l'esigenza dell'esperienza
diretta delle diverse situazioni incontrate.
Dall'esperienza il turbamento può trasformarsi in pietà, cioè comprensione e superamento del peccato. L'esperienza diretta dei
vari emblematici momenti del viaggio e il turbamento si collegano quindi tra loro strettamente e sono entrambi alla base della crisi
liberatrice (o c a t a r s i) con la quale deve concludersi ogni episodio, a segnare la
progressiva maturazione intellettuale e morale del protagonista.

52-54: *Ma digli* (**dilli**) *chi tu fosti, così* (**sì**)
che al posto ('**n vece** = invece) *di qualsiasi
riparazione* (**alcun'ammenda**) [: per il male
che ti ha fatto] [*Dante*] *rinfreschi la tua fama su nel mondo, dove gli è concesso* (**li
lece**) *di tornare*».

55-57: *E il* ('**l**) *tronco* [*disse*]: «*Mi alletti* (**adeschi**) *tanto* (**sì** = così) *col* [*tuo*] *cortese* (**dol-**

ch'i' non posso tacere; e voi non gravi

57 perch' ïo un poco a ragionar m'inveschi.

Io son colui che tenni ambo le chiavi

del cor di Federigo, e che le volsi,

60 serrando e diserrando, sì soavi,

che dal secreto suo quasi ogn' uom tolsi;

fede portai al glorïoso offizio,

63 tanto ch'i' ne perde' li sonni e' polsi.

ce) *discorso* (**dir**), *che io* (**ch'i'**) *non posso tacere; e non vi pesi* (**voi non gravi**) *che io* (**perch'io**) *mi trattenga* (**m'inveschi**) *un poco a parlare* (**ragionar**). Chi parla è il giurista e poeta Pier della Vigna, nato a Capua alla fine del XII secolo. Divenne il più autorevole consigliere dell'imperatore Federico II, e presso la corte siciliana di questi ebbe importanti funzioni legislative e politiche; fu tra i più notevoli poeti della Scuola siciliana. Nel 1248 per ragioni ignote cadde in disgrazia dell'imperatore, fu accusato di tradimento, imprigionato e accecato; l'anno dopo, per disperazione, si uccise. Dante ne difende qui l'innocenza, accusando delle sue disgrazie l'invidia della corte che lo avrebbe messo in cattiva luce agli occhi dell'imperatore. Ma il peccato per il quale Pier della Vigna è qui condannato non riguarda il suo rapporto con Federico II: egli è dannato perché si uccise. Il turbamento di Dante, già annunciato dalle reazioni dinanzi alla selva così contorta, è ora destinato ad aumentare, per due ragioni: 1) egli deve comprendere il meccanismo che spinge l'uomo ad andare contro le leggi elementari dell'amore di sé, infierendo contro il proprio corpo e uccidendosi; 2) egli deve a maggior ragione capire come sia possibile una simile perversione in un uomo di grande altezza spirituale come Pier della Vigna, per di più innocente riguardo all'accusa rivoltagli. Come si vede, il fitto intrico della selva dei suicidi non è solo un tratto del paesaggio, non è un semplice espediente narrativo; a quell'intrico spinoso corrisponde un'interna complessità della situazione morale e psicologica della colpa. Parallelamente complesse e problematiche appaiono, d'altra parte, le ragioni della condanna. A chiarire questo intrico e a uscire indenne da queste spine deve qui riuscire il pellegrino Dante: il racconto del nobile suicida gli offrirà, come vedremo, questa possibilità. Ci si soffermi sùbito su un ulteriore elemento importante dell'episodio: il linguaggio di Pier della Vigna. Dante com-

pie senza dubbio un'accurata operazione di m i m e s i stilistica e retorica: il raffinato uomo di corte, giurista, poeta, parla un linguaggio adeguato. Ma la complessità preziosa delle p e r i f r a s i, delle a n t i t e s i, delle m e t a f o r e, ecc., serve anche a meglio illuminare le ragioni psicologiche e morali del peccato, consistente, come si è detto, proprio in un complicato intrico di motivazioni. Si può forse dire, senza nulla togliere alla nobile raffinatezza del personaggio, che le preziose complicatezze retoriche di Pier della Vigna corrispondono, sul piano di una squisita civiltà terrena, all'intrico inestricabile della foresta, hanno la stessa ragione: anzi, la foresta mostra l'aspetto più brutale ed evidente della logica disperata e perversa, benché umanamente nobile, del suicidio. E a diffidare dei valori umani e terreni in sé presi, i canti passati hanno già abituato il lettore.

58-63: *Io sono colui che tenni ambedue* (**ambo**) *le chiavi del cuore* (**cor**) *di Federico, e che le girai* (**le volsi**; da 'volgere') *così soavemente* (**sì soavi**; accordato a **chiavi** ma in funzione di avv. e riferito a **volsi**) *chiudendo e aprendo* (**serrando e diserrando**), *che esclusi* (**tolsi**) *dalla sua intimità* (**dal secreto suo**) *quasi ogni* [*altro*] *uomo; mantenni* (**portai**) *fedeltà* (**fede**) *al glorioso compito* (**offizio** = ufficio), *tanto che io* (**ch'i'**) *ne* [: per sua causa] *perdei i* (**li**) *sonni e la* (**e'** = e i) *salute* (**polsi**). **Ambo le chiavi...**: la chiave positiva che apre il cuore e quella negativa che lo chiude; una *serra*, l'altra *diserra*. È immagine preziosa per dire quanto importante fosse il proprio compito di consigliere. **Dal secreto suo...**: significa che Pier della Vigna rimase **quasi** l'unico consigliere dell'imperatore. **Fede portai...**: la difesa della propria innocenza è tanto più persuasiva e toccante in quanto è rimasta in Pier della Vigna intatta la devozione al proprio signore (cfr. v. 75) e al proprio compito, ancora qui definito **glorioso**.

La meretrice che mai da l'ospizio
di Cesare non torse li occhi putti,
66 morte comune e de le corti vizio,
infiammò contra me li animi tutti;
e li 'nfiammati infiammar sì Augusto,
69 che ' lieti onor tornaro in tristi lutti.
L'animo mio, per disdegnoso gusto,
credendo col morir fuggir disdegno,
72 ingiusto fece me contra me giusto.

64-69: *La prostituta* (**meretrice**) [: l'invidia] *che mai non distolse* (**torse**) *gli* (**li**) *occhi da puttana* (**putti**) *dalla corte dell'imperatore* (**da l'ospizio di Cesare**), *rovina di tutti* (**morte comune**) *e vizio* [*particolare*] *delle corti, infiammò contro me tutti gli* (**li**) *animi; e gli* [*animi*] *infiammati infiammarono tanto* (**sì** = così) *Federico* (**Augusto**; nome attribuito all'imperatore, di derivazione lat.), *che i*(') [*miei*] *lieti onori si trasformarono* (**tornaro** = tornarono) *in tristi sofferenze* (**lutti**). L'ampia p e r i f r a s i per definire l'invidia (vv. 64-66) ne produce una personificazione efficacissima e bieca: anziché rendere astratto il discorso, lo concretizza nella figurazione degli **occhi putti** della **meretrice**. **Infiammò...**: si noti ancora come gli artifici retorici esprimano in modo calzante il movimento dei fatti; in questo caso la r e p l i c a z i o n e della m e t a f o r a (**infiammò, 'nfiammati, infiammar**) definisce il rapido propagarsi dell'invidia, distruttiva e contagiosa come una fiamma. **Lieti onor...**: è ancora un artificio retorico l' a n t i t e s i tra **lieti onor** e **tristi lutti**.

70-72: *Il mio animo, per un compiacimento* (**gusto**) *sprezzante* (**disdegnoso**), *illudendosi* (**credendo**) *di sottrarsi* (**fuggir**) *con la morte* (**col morir**) *al disprezzo* (**disdegno**) [: di Federico e della corte], *mi rese* (**fece me**) *peccatore* (**ingiusto**) *contro* (**contra**) *me* [*che ero*] *innocente* (**giusto**). Questa terzina segna il momento culminante del racconto di Pier della Vigna, sia in quanto si riferisce all'atto concreto del suicidio, sia soprattutto in quanto ne definisce le molteplici ragioni psicologiche e morali. Gli artifici retorici raggiungono qui il momento di massima concentrazione, a definire la condizione combattuta e lacerata del soggetto, ma più ancora a mostrare il punto perverso e stravolto della logica del suicidio; si rivelano qui contemporaneamente i meccanismi interni dei ragionamenti del suicida e la erroneità del suo punto di vista, stravolto e quindi incapace di intendere correttamente le cose. La sua logica è questa: per il piacere di ribellarmi al disprezzo del mondo, cercai di sfuggirlo con un disprezzo più grande (il **disdegnoso gusto**), quasi con un perverso piacere, ma rivolto contro me stesso. Questa ribellione è però illusoria (**credendo...**). Ed è un peccato, in quanto le ragioni del mondo vi prevalgono su quelle superiori della legge divina. Così il suicida da perseguitato e vittima diviene colpevole e carnefice: è **giusto** finché sopporta, **ingiusto** quando si muove all'azione contro di sé per vendicarsi della crudeltà del mondo (infatti infierisce ingiustamente contro la vittima di tale crudeltà). Si osservi come lo stile esprima tutti questi aspetti del problema e permetta di cogliere insieme il punto di vista del suicida e quello esterno del giudizio. La r e p l i c a z i o n e di alcuni termini-chiave rivela come un'ossessione da cui il soggetto non riesce a liberarsi: **disdegnoso, disdegno; ingiusto, giusto; me, me**. E l'ossessione è quella di chi vuole ad ogni costo affermare la propria innocenza, non agli occhi di Dio ma del mondo, e che, non avendo nessuna altra strada per farlo, si risolve a vivere la propria rivincita nell'unico modo possibile, benché perverso: contro di sé, con un piacere amaro e doloroso (è anche questo il senso di **disdegnoso gusto**). Il movente sta in questo rovesciamento della finalità dell'azione, dovuto ad una sopravvalutazione dell'umano che finisce con l'implicarne lo stravolgimento: l'**animo mio** significa perciò *il mio eccesso di orgoglio e di narcisismo*. Da questa molla nasce l'*ingiuria*, la violenza contro di sé, e dunque il peccato. Il quale peccato è poi tutto condensato nel mirabile v. 72, con **ingiusto** in principio e **giusto** in fine di verso, contrapposti, e con **me contra me** nel quale si rapprende tutta la insensata e stravolta specularità dell'azione.

Per le nove radici d'esto legno
vi giuro che già mai non ruppi fede
75   al mio segnor, che fu d'onor sì degno.
E se di voi alcun nel mondo riede,
conforti la memoria mia, che giace
78   ancor del colpo che 'nvidia le diede».
Un poco attese, e poi «Da ch'el si tace»,
disse 'l poeta a me, «non perder l'ora;
81   ma parla, e chiedi a lui, se più ti piace».
Ond' ïo a lui: «Domandal tu ancora
di quel che credi ch'a me satisfaccia;
84   ch'i' non potrei, tanta pietà m'accora».
Perciò ricominciò: «Se l'om ti faccia
liberamente ciò che 'l tuo dir priega,
87   spirito incarcerato, ancor ti piaccia
di dirne come l'anima si lega
in questi nocchi; e dinne, se tu puoi,
90   s'alcuna mai di tai membra si spiega».

73-75: *Per le strane* (**nove**) *radici di questa pianta* (**d'esto legno**; per m e t o n i m i a) *vi giuro che non infransi* (**ruppi**) *giammai la fedeltà* (**fede**) *al mio signore, che fu così* (**sì**) *degno di onore.* **Per le nove…**: il giuramento di Pier della Vigna sulle radici della pianta nella quale è incarnato, fa avvertire il raccapriccio e lo strazio della sua nuova condizione vegetale. **Vi giuro…**: ancora un'accorata difesa della propria innocenza; cfr. vv. 62 sg. e nota.

76-78: *E se qualcuno* (**alcun**) *di voi torna* (**riede**) *nel mondo, risollevi* (**conforti**) *la mia memoria* [: il ricordo di me], *che è abbattuta* (**che giace**) *ancora per il* (**del**) *colpo che le diede l'invidia».*

79-81: *Il* (**'l**) *poeta* [: Virgilio] *aspettò* (**attese**) *un poco, e poi disse a me: «Dal momento che egli* (**da ch'el**) [: Piero] *tace* (**si tace**; il *si* pseudoriflessivo è p l e o n .), *non perdere tempo* (**l'ora**); *ma parla, e intèrrogalo* (**chiedi a lui**), *se ti piace ancora* (**più**) [: di colloquiare con lui]».

82-84: *Per cui io* (**ond'io**) [*risposi*] *a lui* [: Virgilio]: *«Intèrrogalo* (**domandal**) *tu ancora su* (**di**) *quel che credi che mi* (**ch'a me**) *soddisfi* (**satisfaccia**); *che io* (**ch'i'**) *non potrei* [*farlo*], *tanta* [*è la*] *angoscia* (**pietà**) [*che*] *mi addolora* (**accora**)».* In questa terzina esplode apertamente la reazione del perso-

naggio Dante, in una **pietà** che ricorda quella per Francesca da Rimini; come già in quel caso, anche qui non si tratta di partecipazione né tanto meno di ammirazione, ma del punto massimo di quel turbamento già notato in luoghi precedenti del canto; da questa angoscia morale si sta sprigionando la forza di comprendere il meccanismo interno del peccato e le ragioni superiori della dannazione. Dopo di che il pellegrino potrà proseguire oltre, come liberato. Si osservi come sia abilmente condotto questo *crescendo* di sentimenti in Dante: dallo smarrimento del v. 24, all'esitazione dei vv. 31 sg., al timore del v. 45, alla **pietà** del v. 84. Si consideri che qui, come altrove, **pietà** significa *angoscia* e non *compassione* (come invece **pietade** al v. 36).

85-90: *Perciò* [*Virgilio*] *ricominciò* [*a dire a Pier della Vigna*]: «[*Come*] *possa* (**se**; con valore desiderativo) *esserti fatto* (**l'om ti faccia**; **om** = omo = uomo è impers., come l' 'on' franc. e come il 'man' ted.) [: da Dante] *spontaneamente* (**liberamente**) *ciò che il* (**'l**) *tuo discorso* (**dir**) *invoca* (**priega**) [: cfr. vv. 76-78], *o spirito incarcerato,* [*così*] *ti piaccia ancora di dirci* (**dirne**) *come l'anima si congiunge* (**lega**) *in questi nodi* (**nocchi**) [: tronchi nodosi]; *e dicci* (**dinne**), *se tu sai* (**puoi**), *se qualcuna* (**s'alcuna**) *si scioglie* (**si spiega**) *mai da* (**di**) *queste* (**tai** = tali) *membra* [: di legno]».*

Allor soffiò il tronco forte, e poi
si convertì quel vento in cotal voce:
93 « Brievemente sarà risposto a voi.
Quando si parte l'anima feroce
dal corpo ond' ella stessa s'è disvelta,
96 Minòs la manda a la settima foce.
Cade in la selva, e non l'è parte scelta;
ma là dove fortuna la balestra,
99 quivi germoglia come gran di spelta.
Surge in vermena e in pianta silvestra:
l'Arpìe, pascendo poi de le sue foglie,
102 fanno dolore, e al dolor fenestra.
Come l'altre verrem per nostre spoglie,
ma non però ch'alcuna sen rivesta,
105 ché non è giusto aver ciò ch'om si toglie.
Qui le strascineremo, e per la mesta
selva saranno i nostri corpi appesi,
108 ciascuno al prun de l'ombra sua molesta ».

91-93: *Allora il tronco soffiò fortemente* (**forte;** avv.), *e poi quel vento si trasformò* (**convertì**), *in tali parole* (**in cotal voce**)*: «Vi* (**a voi**) *sarà risposto* [: vi risponderò] *brevemente.* «Delle proprie sventure *s'invesca* a ragionare [cfr. v. 57]; del supplizio, breve [dice in breve]» (Tommaseo).

94-96: *Quando l'anima feroce si stacca* (**si parte**) *dal corpo da cui* (**ond'** = onde) *ella stessa si è strappata* (**disvelta**), *Minosse* (**Minòs;** cfr. V, 4 sgg.) *la manda al settimo cerchio* (**foce**). **Anima feroce** riprende l'**ingiusto** del v. 72 e lo approfondisce: l'anima è **feroce** perché «come fiera [belva] incrudelisce [diventa crudele] contro se medesima» (Buti). **Ond'ella stessa...:** riprende la stravolta situazione già espressa da **me contra me** (v. 72).

97-99: *Cade nel bosco* (**in la selva**), *e non c'è* (**l'è** = le è) *un luogo prestabilito* (**parte scelta**)*; ma là dove la getta* (**balestra**) *la fortuna, qui* (**quivi**) *germoglia come seme* (**gran**) *di spelta*. La **spelta** è una graminacea, simile alla biada, molto rigogliosa.

100-102: *Spunta* (**surge**) *in* [*forma di*] *virgulto* (**vermena**) *e* [*poi cresce*] *come* (**in**) *pianta selvatica* (**silvestra**)*: le Arpìe* [cfr. vv. 10-12 e nota]*, cibando*[*si*] (**pascendo**) *poi delle sue* [: della pianta] *foglie, producono* (**fanno**) *dolore, e un'apertura* (**fenestra**) *al dolore*. **Fanno dolore...:** le Arpìe si cibano delle foglie delle piante e ne spezzano i rami, provocando insieme il dolore e l'apertura dalla quale il dolore può sfogarsi in lamenti (cfr. vv. 43 sg. e 91 sg.).

103-105: *Come le altre* [*anime*] *torneremo* (**verrem**) [*sulla Terra*: nella valle di Giosafàt; cfr. VI, 95-99 e X, 7-12] *per* [*riprendere*] *i nostri corpi* (**spoglie**), *ma non però* [*con il fine*] *che qualcuna* (**alcuna**) [*di noi*] *se ne* (**sen**) *rivesta, perché* (**ché**) *non è giusto* [*ri*]*avere ciò che uno* (**om** = uomo; impers., come al v. 85) *si toglie*.

106-108: *Qui li trascineremo* [: i nostri corpi]*, e nella* (**per la**) *triste* (**mesta**) *selva i nostri corpi saranno appesi, ciascuno al pruno della sua anima* (**ombra**) *nemica* (**molesta**)». Quando i suicidi, dopo il Giudizio universale, riprenderanno i propri corpi, a differenza degli altri dannati non potranno rientrarvi; se li trascineranno dietro e li appenderanno all'albero (**pruno**) nel quale ormai per sempre abita l'anima che fu nemica di quel corpo tanto da privarsene volontariamente. Ad ogni pruno sarà quindi appeso un corpo inanimato, in un coronamento dello squallido e raccapricciante paesaggio della selva dei suicidi. E qui si chiarisce compiutamente il senso del c o n t r a p p a s s o : coloro che si sono privati per scelta del corpo loro assegnato dalla Provvidenza, per punizione non lo avranno più in eterno (cfr. v. 105). Come sempre il peccatore è bloccato dalla puni-

Noi eravamo ancora al tronco attesi,
credendo ch'altro ne volesse dire,
111 quando noi fummo d'un romor sorpresi,
similemente a colui che venire
sente 'l porco e la caccia a la sua posta,
114 ch'ode le bestie, e le frasche stormire.
Ed ecco due da la sinistra costa,
nudi e graffiati, fuggendo sì forte,
117 che de la selva rompìeno ogne rosta.
Quel dinanzi: « Or accorri, accorri, morte! ».
E l'altro, cui pareva tardar troppo,
120 gridava: « Lano, sì non furo accorte
le gambe tue a le giostre dal Toppo! ».
E poi che forse li fallìa la lena,
123 di sé e d'un cespuglio fece un groppo.

zione nel momento emblematico del proprio peccato: il c o n t r a p p a s s o agisce proprio ripresentando per l'eternità il meccanismo della colpa, mostrandone nella sua essenzialità l'errore. Con il Giudizio universale, poi, la punizione si completerà: il vecchio corpo appeso al nuovo (il **pruno**) ricorderà infinitamente il gesto del peccato e darà la misura della perdita subita al dannato, prigioniero della nuova condizione materiale degradata e sofferente.

109-114: *Noi* [: Virgilio e Dante] *eravamo ancora attenti* (**attesi**) *al tronco, credendo che ci* (**ne**) *volesse dire altro, quando noi fummo sorpresi da un rumore* (**d'un romor**), *similmente a colui* [: il cacciatore] *che sente venire verso il suo appostamento* (**a la sua posta**) *il* ('**l**) *cinghiale* (**porco**; qui è sottinteso selvatico) *e la caccia* [: cani e battitori], [*e*] *che ode* [*avvicinarsi*] *le bestie, e* [*ode*] *stormire i rami* (**le frasche**) [*mossi da esse*]. La terzina dei vv. 112-114 è animata da una grande concitazione, non solo di immagini, ma metrica e fonica. Si osservino, per la metrica, i vv. 112 e 114 con accenti sulla 4ª, 7ª e 10ª sillaba, e quindi incalzanti; e, per l'aspetto fonico, si considerino le numerose /s/ complicate della fine del verso 113 e del verso 114: **poSTa, beSTie, fraSCHe, STormire**. La s i m i l i t u d i n e si ricollega ai versi 7-9: i due riferimenti realistici si completano ed illuminano infatti a vicenda.

115-117: *Ed ecco dal lato* (**costa**) *sinistro due* [*spiriti*] *nudi e graffiati che fuggivano* (**fuggendo**; con valore di part. pres.) *così* (**sì**) *velocemente* (**forte**; avv.), *che rompevano* (**rom-**

pìeno) *ogni ostacolo* (**rosta**) *della selva* [: rami e altro].

118-123: *Quello davanti* (**quel dinanzi**) [*gridava*]: «*Adesso* (**or**) *vieni* (**accorri**)*, vieni, morte* [*definitiva*]*!*». *E l'altro* [*dannato*]*, al quale* (**cui**) *pareva* [*di*] *essere troppo lento* (**tardar troppo**)*, gridava: «Lano, non furono* (**furo**) *così* (**sì**) *abili* (**accorte**) *le tue gambe nei combattimenti* (**a le giostre**) *vicino al* (**dal**) *Toppo!»*. *E poiché forse gli mancava* (**fallìa**) *il respiro* (**la lena**)*, fece un* [*unico*] *nodo* (**groppo**) *di sé e di un cespuglio*. I due spiriti fuggono disperatamente nella foresta, incalzati da un pericolo che presto (vv. 124 sgg.) verrà meglio definito, uno dietro l'altro. Il primo invoca una impossibile **morte** che lo liberi dal tormento (v. 118): è la **seconda morte** di *Inf.* I, 117, quella che annienterebbe anche l'anima. Egli è forse il senese Ercolano (**Lano**) Macconi, scialacquatore delle proprie ricchezze, il quale morì in battaglia nello scontro di Pieve al Toppo tra aretini e senesi nel 1288, nel quale i senesi furono sconfitti. Il secondo dannato non è altrettanto rapido nella fuga e cerca di rivalersi con un'amara e terribile ironia nei riguardi del compagno di pena. Gli ricorda infatti la battaglia nella quale fu ucciso (**Toppo**): chiama però **giostre** gli scontri del combattimento, dove invece le giostre erano incontri senza spargimento di sangue, fatti al fine di mostrare l'abilità dei cavalieri contendenti; e dice che in quell'occasione le sue gambe non erano state altrettanto capaci, quasi previdenti (**accorte**), dato che si era fatto ammazzare. A questo punto l'affanno lo vince e cerca di mimetizzarsi nascondendosi in un cespuglio.

Di rietro a loro era la selva piena
di nere cagne, bramose e correnti

126   come veltri ch'uscisser di catena.
In quel che s'appiattò misér li denti,
e quel dilaceraro a brano a brano;

129   poi sen portar quelle membra dolenti.
Presemi allor la mia scorta per mano,
e menommi al cespuglio che piangea

132   per le rotture sanguinenti in vano.
« O Iacopo », dicea, « da Santo Andrea,
che t'è giovato di me fare schermo?

135   che colpa ho io de la tua vita rea? ».
Quando 'l maestro fu sovr' esso fermo,
disse: « Chi fosti, che per tante punte

124-126: *Dietro* (**di rietro**) *a loro la selva era piena di nere cagne, affamate* (**bramose**) *e veloci* (**correnti**) *come cani* (**veltri** = veloci cani da caccia; cfr. I, 101) *appena sciolti* (**ch'uscisser di catena**).

127-129: *Affondarono* (**miser**) *i* (**li**) *denti su* (**in**) *quel* [*dannato*] *che si era stretto* (**s'appiattò**) [*al cespuglio*], *e lo* (**quel**) *dilacerarono pezzo a pezzo* (**a brano a brano**)*; poi portarono via* (**sen portar** = se ne portarono) *quelle membra doloranti* (**dolenti**). La pena degli scialacquatori risponde in modo evidente alla legge del c o n t r a p p a s s o : come essi hanno fatto a pezzi e dilapidato le proprie ricchezze sulla Terra, così le cagne fanno a pezzi loro per l'eternità. Le cagne hanno una funzione simile a quella delle Arpìe: le une e le altre straziano chi fece strazio di sé rispetto ai propri beni e rispetto alla propria persona. In senso letterale le cagne sono demoni posti a tormento di questi peccatori; allegoricamente si possono dare varie interpretazioni: esse rappresentano forse i rimorsi della coscienza, o la povertà, o i creditori. Il motivo della caccia infernale è tradizionale nelle letterature medioevali, e ve ne è un esempio anche nel *Decamerón* di Boccaccio. Tra gli elementi che rendono espressiva questa mossa e terribile rappresentazione delle cagne affamate e del loro infierire sul dannato, si notino almeno le numerose /r/ dei vv. 124 sg. (**RetRo, loRo, eRa, neRe, bRamose, coRRenti**) e del v. 128 (**dilaceRaRo, bRano, bRano**): quasi a imitare il digrignare dei denti.

130-132: *Allora la mia guida* (**scorta**) [: Vir-

130-132: *Allora la mia guida* (**scorta**) [: Virgilio] *mi prese* (**presemi**) *per mano, e mi condusse* (**menommi** = mi menò) *presso il* (**al**) *cespuglio che piangeva, invano, attraverso* (**per**) *le rotture sanguinanti*. È il cespuglio presso il quale il dannato fatto a pezzi aveva cercato di nascondersi (cfr. v. 123), e che è stato danneggiato sia dal dannato stesso che dalla furia delle cagne; ora piange e sanguina attraverso le rotture dei rami, come è avvenuto a Pier della Vigna (cfr. vv. 33 sg. e 44 sg.) e come accade di norma (cfr. v. 102). Alle pene dei suicidi si aggiunge questo strazio compiuto dagli scialacquatori che fuggono inseguiti dalle cagne: il corpo stravolto nella degradazione vegetale è continuamente oltraggiato da mutilazioni e da aggressioni, per c o n t r a p p a s s o di quanto essi stessi fecero con il suicidio.

133-135: [*Il cespuglio*] *diceva*: «O Giacomo (**Iacopo**) *di Sant'Andrea*, [*a*] *che* [*cosa*] *ti è giovato far*[*ti*] *riparo* (**schermo**) *di me? che colpa ho io della tua vita peccaminosa* (**rea**)*?*» Giacomo di Sant'Andrea di Padova è il dannato che si era nascosto attaccandosi al cespuglio e che le cagne hanno lacerato (vv. 119-129). Fu un noto dissipatore dei propri beni. Morì assassinato nel 1239.

136-138: *Quando il* ('**l**) *maestro* [: Virgilio] *si fu fermato* (**fu...fermo**) *accanto ad esso* (**sovr'esso**), *disse*: «*Chi fosti*, [*tu*] *che attraverso* (**per**) *tante cime* (**punte**) [: dei rami spezzati] *soffi* [: cfr. v. 91] *insieme al* (**col**) *sangue parole* (**sermo**; latinismo) *di dolore* (**doloroso**)*?*».

138   soffi con sangue doloroso sermo? ».
          Ed elli a noi: « O anime che giunte
             siete a veder lo strazio disonesto
141   c'ha le mie fronde sì da me disgiunte,
            raccoglietele al piè del tristo cesto.
            I' fui de la città che nel Batista
144   mutò 'l primo padrone; ond' ei per questo
            sempre con l'arte sua la farà trista;
            e se non fosse che 'n sul passo d'Arno
147   rimane ancor di lui alcuna vista,
            que' cittadin che poi la rifondarno
            sovra 'l cener che d'Attila rimase,
151   avrebber fatto lavorare indarno.
          Io fei gibetto a me de le mie case ».

139-142: *Ed egli* (**elli**) [: il cespuglio] [*disse*] *a noi: «O anime che siete giunte a vedere lo scempio* (**strazio**) *orrendo* (**disonesto**) *che ha* (**c'ha**) *tanto* (**sì** = così) *allontanate* (**disgiunte**) *da me le mie fronde, raccogliétele ai piedi* (**al piè**) *del cespuglio* (**cesto**) *sventurato* (**tristo**). L'anima racchiusa nel cespuglio parla dei propri rami spezzati come se fossero membra. Tale è qui lo stravolgimento degradato della natura umana!

143-150: *Io* (**i'**) *fui* [*nativo*] *della città* [: Firenze] *che cambiò* (**mutò**) *il primo protettore* (**padrone**) [: Marte, dio pagano della guerra] *con il* (**nel**) *Battista* [: il santo cristiano Giovanni Battista]; *per cui* (**ond'** = onde) *egli* (**e'** = ei) [: Marte] *la farà per questo sempre infelice* (**trista**) *con la sua arte* [: la guerra; cioè a Firenze ci saranno sempre discordie]; *e se non fosse che sul* (**'n sul** = in sul) *ponte* (**passo**) [*Vecchio*] *sull'* (**d'**) *Arno rimane ancora qualche immagine* (**alcuna vista**) [: un frammento di un'antica statua] *di lui* [: Marte], *quei cittadini che poi la* [: Firenze] *rifondarono sopra le ceneri che rimasero* [*della distruzione*] *di Attila, avrebbero fatto lavorare* [: a ricostruirla] *inutilmente* (**indarno**) [: perché sarebbe stata distrutta di nuovo]. La lunga p e r i f r a s i dei vv. 143-150 sta a designare Firenze. In sintesi: poiché Firenze, convertita al cristianesimo, scelse come nuovo protettore Giovanni Battista e rinnegò Marte, questi, dio della guerra, la contristerà sempre per vendetta con contese e inimicizie; e se non restasse, a placarlo un poco, un piccolo frammento dell'antica statua del dio pagano sul Ponte Vecchio, l'opera di ricostruzione della città, compiuta dopo la distruzione di Attila, sarebbe stata inutile. **Alcuna vista:** fino all'inondazione del 1333 vi era in effetti presso il Ponte Vecchio una statua corrosa e mutilata che si riteneva rappresentare Marte, e alla quale veniva attribuito un valore leggendario. **Attila:** alcuni antichi cronisti raccontano che Attila, re degli Unni dal 434 al 453, distrusse Firenze; ma in verità Firenze fu assediata dal re dei Goti Totila nel 542. Benché l a p e r i f r a s i possa apparire un po' troppo lunga e fuori luogo, è utile per almeno tre ragioni: 1) definisce un po' il carattere del dannato, non schietto ma obliquo (egli non nomina apertamente Firenze) e sinistramente rancoroso nei confronti della sua città (e della vita); 2) riprende un tema di fondo della *Commedia*, quello della divisione e delle lotte feroci in Firenze, facendone quasi la causa, con i vizi della città, del suicidio del fiorentino che qui parla; 3) prepara il magistrale verso conclusivo del racconto (e del canto) nel quale il dannato passa improvvisamente a parlare di sé e del proprio gesto suicida, con un completo cambiamento di tono e di modi, in poche asciutte parole.

151: *Io mi* (**a me**) *feci* (**fei**) *forca* (**gibetto**; dal franc. 'gibet' = patibolo) *delle mie case* [: trasformai la mia casa in una forca; cioè mi impiccai in casa mia]». Questo sintetico e tragico verso conclusivo, in forte contrasto con la lunga p e r i f r a s i precedente, suggella il canto dei suicidi con una ripresa efficacissima del suo tema più significativo, quello dell'atto stravolto di chi si toglie la vita, perversamente dominato dall'io, posto nella ossessionante posizione di oggetto e di soggetto di un unico atto violento (si noti perciò la r e p l i c a z i o n e **io**, **a me**, **mie**; e cfr. v. 72). I tentativi fatti per individuare chi fosse storicamente questo fiorentino suicida portano o a Lotto degli Agli, un giudice vissuto alla fine del Duecento, che si sarebbe ucciso per il rimorso di aver pronunciato una sentenza ingiusta; oppure a Rucco de' Mozzi, un mercante che si uccise in seguito al fallimento.

Bronco _____ v. 26

La voce deriva dal lat. volg. *bruncus* = 'pezzo di ramo', probabile incrocio tra *brocchus* ('sporgente') e *truncus* ('tronco'): cfr. sp. e port. *bronco* ('rozzo'), prov. *bronc* ('nodo, asprezza') e ant. franc. *bronche* ('cespo, cespuglio'). Il termine, ant. e letter., significa 'ramo aguzzo, stecco, cespuglio spinoso' (secondo l'uso di Dante). Esiste anche una seconda voce, omofona, usata per lo più al plur., che vale 'ramificazioni delle vie respiratorie che dalla trachea portano l'aria nei polmoni'. Questa seconda voce non ha lo stesso etimo della prima: deriva infatti dal lat. tardo *bronchus*.

Cigolare _____ v. 42

È voce o n o m a t o p e i c a , attestata per la prima volta in Dante. Propriamente indica 'lo stridere che fanno due corpi metallici o lignei posti a contatto ma non ben lubrificati'; ma indica anche, più raramente, il 'sibilare della legna mentre arde' (come nel luogo dantesco in questione). È voce ancora usata, come il derivato *cigolìo* ('cigolare prolungato').

Groppo _____ v. 123

La voce deriva dal germ. *kruppa* attraverso il lat. tardo *cruppa* = 'grosso cavo' (cfr., analogamente, il franc. *croupe* = 'groppa, vetta', prov. *cropa*, sp. *grupe*). Propriamente il vocabolo significa 'intrico, groviglio, viluppo (p. es. di fili, di capelli ecc.), nodo' (ed è questo l'uso dantesco). In senso figur. la voce vale invece 'oppressione che impedisce di parlare', specialmente in alcune locuz. quali «groppo di pianto», «groppo di lacrime», ecc.

Canto XIV

Prima di allontanarsi dal cespuglio che racchiude l'anima del fiorentino suicida, Dante raduna ai piedi di quello i rami spezzati, come ne era stato pregato; mosso a tale gesto non dalla pietà per il peccatore ma dall'affetto naturale per la patria comune.

Raggiunto il terzo girone del settimo cerchio, Dante e Virgilio si imbattono in un grande deserto flagellato da una pioggia di fuoco. Qui sono puniti: i violenti contro Dio (bestemmiatori), sdraiati sulla sabbia infuocata; i violenti contro la natura (sodomiti), che corrono senza tregua; i violenti contro l'arte (usurai), che siedono rannicchiati.

Tra i bestemmiatori spicca il greco **Capaneo**, fulminato da Giove che egli aveva sfidato: grida a Dante parole sprezzanti contro Dio e contro la punizione che deve subire («**Qual io fui vivo, tal son morto**» [: sempre ribelle a Dio], v. 51); Virgilio gli risponde con un'ira altrettanto grande, ma giusta e sdegnosa. Il c o n t r a p p a s s o sta in una duplice ragione: chi volle rifiutare la superiorità divina e ne negò il potere, per l'eternità è posto sotto la sua punizione (il fuoco) in una posizione di inerme debolezza (supino); e continua a provare la stessa rabbia contro la supremazia di Dio, ma sperimentandone la ridicola inutilità e la conseguente frustrazione.

Lungo gli argini di un ruscello di sangue, derivato dal Flegetonte e protetto dalla pioggia di fuoco grazie a una nuvola di vapori, Virgilio e Dante si addentrano nel deserto; e intanto Virgilio informa il discepolo della struttura dei fiumi infernali.

Dal Veglio (= Vecchio) di Creta, immensa statua simbolo dell'umanità, escono le lacrime del dolore del mondo, le quali si raccolgono in un unico fiume che cambia nome e aspetti via via che scende nella voragine dell'Inferno: Acheronte, Stige, Flegetonte (già incontrati) e Cocito.

Canto XV

I canti XV e XVI dell'*Inferno* si ricollegano ai canti corrispondenti del *Paradiso*, tracciando una di quelle simmetrie a distanza così frequenti e significative nella poesia dantesca. La corrispondenza si lega in particolare al tipo di personaggi presentati (nell'*Inferno*, nel complesso, quattro anime di fiorentini della generazione passata, esemplari per virtù civili; nel *Paradiso* l'avo Cacciaguida, e quindi ancora un fiorentino del tempo andato). Ma vi è soprattutto una corrispondenza tematica, determinata dalle caratteristiche analoghe dei personaggi: dominano la rievocazione delle virtù della Firenze d'una volta e la nostalgia e il rimpianto di quel mondo paragonato alla triste degenerazione presente.

In particolare la figura del canto XV dell'*Inferno*, il vecchio maestro di Dante Brunetto Latini, assolve ad una funzione simile a quella dell'avo Cacciaguida nel *Paradiso*, esaltando il valore morale ed intellettuale di Dante e affermando la sua antica e preziosa nobiltà. Questa funzione è di grande importanza al fine di conferire autorevolezza alla *Commedia*, opera alla quale Dante affidava il difficile compito di ispirare una riforma civile e religiosa della società del suo tempo.

* * *

Sempre nel terzo girone del settimo cerchio e sempre camminando sugli argini protetti dalla pioggia di fuoco che colpisce il deserto circostante, Virgilio e Dante incontrano una schiera di anime: sono i sodomiti (violenti contro natura). Uno di essi riconosce Dante e gli tira il lembo della veste. È Brunetto Latini, notevolissima figura politica e letteraria della Firenze del Duecento, vecchio maestro di Dante. Allo stupore si sostituisce presto la rievocazione nostalgica e commovente del passato, in un'atmosfera che a molti commentatori ha ricordato la calma rassegnazione del *Purgatorio*. Benché consapevole della propria colpa (alla quale rivolge parole di feroce condanna), Brunetto conserva la dignità di maestro e può così predire al discepolo di un tempo le difficoltà future e consigliarlo riguardo all'atteggiamento onesto che Dante deve seguire pur nella degradazione generale dei suoi concittadini. Da parte sua, Dante rivela in questo canto i segni di una notevole maturazione psicologica e morale e può così per la prima volta rievocare i momenti cruciali del viaggio e proclamare la propria forza d'animo e la integrità della propria coscienza.

Nell'episodio di Brunetto, la meditazione sul limite dei valori umani condotta nei canti precedenti raggiunge, per così dire, la sua raffigurazione definitiva. In Brunetto convivono la massima altezza positiva della grandezza mondana e un'unica colpa privata: ma la legge divina non consente eccezioni né macchie. Qui però Dante non è, come altrove, turbato dalla condanna: ormai gli è divenuto più chiaro il senso superiore del giudizio divino. Per questo qui l'atmosfera può concedere una pausa di intimità, prima dell'incupimento definitivo di Malebolge. L'Inferno non è però dimenticato: emerge continuamente nelle parole di Brunetto e di Dante stesso; è anzi la condizione ineliminabile perché possa aver luogo la meditazione comune di Brunetto e di Dante, perché i valori più alti sulla civiltà umana rivelino in via definitiva il loro limite, e insieme (ora che Dante è maturato nella riflessione della loro relatività) recuperino al cospetto della figura dignitosa di Brunetto tutta la nobile grandezza loro consentita.

Cfr. tavola 5.

Ora cen porta l'un de' duri margini;
e 'l fummo del ruscel di sopra aduggia,
3   sì che dal foco salva l'acqua e li argini.
Quali Fiamminghi tra Guizzante e Bruggia,
temendo 'l fiotto che 'nver' lor s'avventa,
6   fanno lo schermo perché 'l mar si fuggia;
e quali Padoan lungo la Brenta,
per difender lor ville e lor castelli,
9   anzi che Carentana il caldo senta:
a tale imagine eran fatti quelli,
tutto che né sì alti né sì grossi,
12   qual che si fosse, lo maestro félli.

1-3: *Ora ci* (**cen** = ce ne; il 'ne' sottintende un riferimento alla conclusione del canto precedente, dove è nominata la selva) *conduce* (**porta**) [*lontano dalla selva*] *uno dei* [*due*] *duri* [: di pietra] *margini* [: del ruscello di sangue]*; e il vapore* ('**l fummo**) *del ruscello fa ombra* (**aduggia**) *di sopra, in modo che* (**sì che**) *protegge* (**salva**) *dal fuoco* [: che piove sul deserto circostante] *l'acqua e gli* (**li**) *argini* [*del ruscello*]. Questo inizio di canto si ricollega alla chiusa del precedente (cfr.): Virgilio e Dante si inoltrano nel deserto battuto dalla pioggia di fuoco camminando sugli **argini** (o **margini** = bordi) del ruscello, protetti dal vapore che ne emana.

4-12: *Come* (**quali**) *i Fiamminghi tra Wissant* (**Guizzante**) *e Bruges* (**Bruggia**) *fanno una diga* (**lo schermo**) *perché il* ('**l**) *mare si ritiri* (**si fuggia** = fugga), *temendo la marea* ('**l fiotto**) *che si avventa verso* ('**nver**' = inver) *di loro; e come* (**quali**) *i Padovani* [*fanno argini*] *lungo il* [*fiume*] *Brenta, per difende-*

re le loro città (**ville**) *e i loro castelli* [*dalle alluvioni*], *prima* (**anzi**) *che la Carinzia* (**Carentana**) *senta il caldo* [*primaverile*; *che fa sciogliere le nevi e ingrossa i fiumi*]: *in forma simile* (**a tale imagine**) *erano fatti quelli* [: gli argini sui quali Virgilio e Dante camminavano], *sebbene* (**tutto che**) *il* [*loro*] *costruttore* (**lo maestro**), *chiunque egli fosse* (**qual che si fosse**) [: Dio o un suo ministro], [*non*] *li fece* (**félli**) *né così alti né così grossi* [: come le dighe fiamminghe o gli argini della Brenta]. La doppia s i m i l i t u d i n e definisce realisticamente, con esempi presi dalla realtà umana (secondo l'abitudine dantesca), la forma di questi argini infernali, anche se essi sono più bassi e più stretti dei due termini di paragone. **Guizzante e Bruggia**: dai due nomi geografici emana per a n f i b o l o g i a un riferimento alla pioggia di fuoco circostante (**Guizzante** = *che guizza*, come la fiamma; **Bruggia** = *brucia*), secondo il suggerimento del Parodi; e si aggiunga **Fiamminghi**, per cui vale la stessa osservazione.

Già eravam da la selva rimossi
    tanto, ch'i' non avrei visto dov' era,
15   perch' io in dietro rivolto mi fossi,
quando incontrammo d'anime una schiera
    che venìan lungo l'argine, e ciascuna
18   ci riguardava come suol da sera
guardare uno altro sotto nuova luna;
    e sì ver' noi aguzzavan le ciglia
21   come 'l vecchio sartor fa ne la cruna.
Così adocchiato da cotal famiglia,
    fui conosciuto da un, che mi prese
24   per lo lembo e gridò: « Qual maraviglia! ».
E io, quando 'l suo braccio a me distese,

13-21: *Già [ci] eravamo allontanati* (**rimossi**) *dalla selva* [: quella dei suicidi] *tanto, che io* (**ch'i'**) *non avrei visto dove* [*essa*] *era, anche se io* (**perch'io**) *mi fossi rivoltato* (**rivolto**) *indietro, quando incontrammo un gruppo* (**schiera**) *di anime che procedevano* (**venìan**) [: in direzione opposta alla nostra] *lungo l'argine, e ciascuna ci fissava* (**riguardava**) *come di* (**da**) *sera durante il novilunio* (**sotto nuova luna**) [: quindi con pochissima luce] *è tipico* (**suol**) *che uno guardi l'altro* (**guardare uno altro**) [: faticando a metterlo a fuoco per l'oscurità]; *e* [*le anime*] *aguzzavano verso* (**ver'**) *di noi gli occhi* (**ciglia**; *per* s i n e d d o c h e) *così* (**sì**) *come il* (**'l**) *vecchio* [: quindi presbite] *sarto* (**sartor**) *fa nella cruna* [*dell'ago*; per mettervi il filo]. Si noti in che modo venga preparato da Dante, in questi versi, l'incontro con il vecchio maestro. Nella luce crepuscolare appare una **schiera** di anime: si confrontino questa atmosfera raccolta e malinconica e questa apparizione calma e composta con altre situazioni simili (Paolo e Francesca nel canto V, Ciacco nel VI, Pier della Vigna nel XIII). Per il momento Dante pone in secondo piano la gravità del peccato, il suo aspetto ignobile: i riferimenti che vi fa sono allusivi e rapidi (cfr. vv. 26, 27 e 30). Sarà lo stesso Brunetto a soffermarsi sulla gravità e la vergogna del peccato proprio e dei suoi compagni, e sul modo della pena: nella sua sincerità umile e insieme nobile, egli in qualche modo riscatta umanamente la propria persona e si rende degno di essere ancora una volta il maestro. Per ora si prepara, a partire dall'insieme della scena, quella originalissima situazione familiare e intima che accoglierà il dialogo tra Dante e Brunetto. E in primo luogo la preparano le due s i m i l i t u d i n i accoppiate dei vv. 17-19

e 20 sg. Entrambe esprimono uno sforzo e un'attenzione della vista; ma la prima indica più in generale il tentativo di mettere a fuoco una figura poco chiara per l'oscurità, la seconda indica più precisamente lo sforzo dello sguardo di penetrare nei lineamenti quasi per riconoscere una persona nota: e meglio in quest'ultima già si avvicina l'effettivo riconoscimento di Dante da parte del maestro. Quello che più conta però è forse il tipo di esperienze familiari cui entrambe le s i m i l i t u d i n i introducono: le sere buie delle città medioevali, la bottega di un vecchio sarto. Si entra già nell'atmosfera di familiare naturalezza e semplicità in cui si sta per svolgere l'incontro con Brunetto.

22-24: [*Mentre ero*] *fissato* (**adocchiato**) *in questo modo* (**così**) *da tale* (**cotal**) *gruppo* (**famiglia**) [*di anime*], *fui riconosciuto* (**conosciuto**) *da uno, che mi prese per il* (**lo**) *lembo* [*della veste*] *e gridò: «Quale sorpresa* (**maraviglia**)*!»*. Il sabbione sul quale stanno i peccatori è un poco più in basso rispetto all'argine sul quale camminano Virgilio e Dante, e quindi Brunetto per richiamare l'attenzione di Dante gli tira il **lembo** del vestito (cioè la estremità inferiore della lunga veste che era caratteristica dell'abbigliamento, anche maschile, dell'epoca). Ma il gesto di Brunetto, così inconsueto rispetto agli incontri di Dante con i dannati, rivela uno slancio spontaneo e un affetto caratteristici di una lunga e profonda consuetudine. Ad esso corrisponde l'esclamazione «**Qual maraviglia!**», insieme di stupore e di contentezza.

25-30: *E io, quando distese il* (**'l**) *suo braccio verso di* (**a**) *me* [: per tirare la veste], *fissai profondamente* (**ficcai**) *gli* (**li**) *occhi nei* (**per lo**) *lineamenti* (**aspetto**) *scottati* (**cotto**) ficcaï li occhi per lo cotto aspetto,

27   sì che 'l viso abbruciato non difese
la conoscenza süa al mio 'ntelletto;
e chinando la mano a la sua faccia,

30   rispuosi: «Siete voi qui, ser Brunetto?».
E quelli: «O figliuol mio, non ti dispiaccia
se Brunetto Latino un poco teco

33   ritorna 'n dietro e lascia andar la traccia».

[: dalla pioggia di fuoco], *così* (**sì**) *che il viso bruciato* (**abbruciato**) *non impedì* (**difese**; cfr. il franc. 'défendre') *al mio intelletto di riconoscerlo* (**la conoscenza sua**); *e abbassando* (**chinando**) *la mano verso* (**a**) *la sua faccia, risposi: «Voi siete qui, ser Brunetto?»*. Si noti con quale espressiva intensità Dante si serva di termini e gesti fortemente materiali e realistici per esprimere la situazione: **ficcai li occhi** per indicare lo sforzo quasi fisico di penetrare nei lineamenti sfigurati di Brunetto, **lo cotto aspetto** per definire appunto la fisionomia stravolta dalle ustioni della pioggia di fuoco (e così il **viso abbruciato**); fino al gesto impulsivo e affettuoso di stendere la **mano** verso quella cara **faccia**, nel momento stesso in cui avviene il riconoscimento. C'è una duplice serie di elementi, in questa rappresentazione: da una parte i segni della punizione non mai dimenticabili, con quanto comportano di colpevole in Brunetto; dall'altra un filo tenue di continuità rispetto al mondo e ai suoi valori e sentimenti che rende possibile il riconoscimento e l'incontro. La forza drammatica della situazione nasce dal contrasto tra questi elementi, contrapposti eppure uniti nella realtà della scena: i commentatori che esaltano l'incontro di Dante con il vecchio maestro come un'oasi di serenità nella tragedia infernale, non colgono il senso profondo dell'episodio. Il quale sta proprio nel contrasto tra la nobiltà e la grandezza del personaggio e la sua colpevolezza; ed è un tema portante della *Commedia*, come si è visto già per gli episodi di Francesca da Rimini (canto V) e di Farinata (canto X). Questo contrasto tra valori umani e giustizia divina non provoca questa volta in Dante una crisi di angoscia, ma solo stupore (o turbamento) e poi dispiacere per il maestro: segno che il viaggio lo ha già maturato e che egli sa ora meglio cogliere la differenza tra le due sfere. Lo stupore e il turbamento sono già tutti presenti nelle prime parole che egli rivolge a Brunetto (v. 30), uno dei momenti centrali e più intensi del canto: **qui**, separato da **ser Bru-**netto dal silenzio imposto dalla virgola, è carico di allusioni dolorose, quasi significasse *in questo luogo infame? colpevole di un peccato così vergognoso?* E **ser**, unito all'uso del **voi**, indica come restino inalterati il rispetto e l'ammirazione per il maestro, benché debbano prendere dolorosamente atto della sua colpa privata (**ser**, abbreviazione di *signore*, era titolo di riguardo). **Brunetto Latini** fu una delle maggiori personalità della cultura del Duecento. Nacque a Firenze nel 1220; partecipò alla vita politica del Comune aderendo alla parte guelfa. Dopo la sconfitta del suo partito nella battaglia di Montaperti (1260), andò esule in Francia. Rientrò nella città natale dopo che nel 1266 la battaglia di Benevento aveva rovesciato la situazione politica. Ebbe notevoli incarichi pubblici. Compose in francese il *Trésor*, un grosso trattato enciclopedico, e in volgare il *Tesoretto*, un poemetto allegorico-didattico in versetti rimati a coppie. Tradusse le opere retoriche di Cicerone. La sua notevole importanza letteraria e filosofica, arricchita dagli interessi politici, si completa nelle grandi doti di insegnante: fu il maggiore maestro delle generazioni più giovani, che egli educava in modo profondo e moderno. Dante, come molti suoi coetanei, ne seguì le lezioni e ne ammirò l'esempio, senza necessariamente avere un rapporto privilegiato con lui. Il primo a parlare della sua sodomia è proprio Dante, con la collocazione di Brunetto in questo canto; anche se lo storico contemporaneo Villani lo definisce «mondano uomo». D'altra parte i tentativi fatti per sottrarlo alla sua colpa sono, oltre che fragilissimi, privi di senso: l'episodio, come s'è detto, trae la sua forza e la sua esemplarità proprio dal contrasto tra il valore del personaggio e il suo peccato giudicato turpe.

31-33: *E quegli* (**quelli**) [: Brunetto] [*mi disse*]: «*O mio figliolo, non ti dispiaccia se Brunetto Latini ritorna un poco indietro* ('**n dietro**) *con te* (**teco**) *e lascia proseguire* (**andar**) *la* [*sua*] *schiera* (**traccia**)». Si noti come il

I' dissi lui: « Quanto posso, ven preco;
e se volete che con voi m'asseggia,

36 faròl, se piace a costui che vo seco ».

« O figliuol », disse, « qual di questa greggia
s'arresta punto, giace poi cent' anni

39 sanz' arrostarsi quando 'l foco il feggia.

Però va oltre: i' ti verrò a' panni;
e poi rigiugnerò la mia masnada,

42 che va piangendo i suoi etterni danni ».

Io non osava scender de la strada
per andar par di lui; ma 'l capo chino

45 tenea com' uom che reverente vada.

El cominciò: « Qual fortuna o destino
anzi l'ultimo dì qua giù ti mena?

48 e chi è questi che mostra 'l cammino? ».

« Là sù di sopra, in la vita serena »,
rispuos' io lui, « mi smarri' in una valle,

51 avanti che l'età mia fosse piena.

dannato pronunci senza vergogna eppure umilmente il proprio nome: d'altra parte egli avrebbe potuto fuggire quest'incontro; invece lo cerca. Anche in questo particolare, Dante esalta la sua nobiltà.

34-36: *Io* (**i'**) *dissi* [*a*] *lui: «Ve ne* (**ven**) *prego* [: di far ciò], *con tutte le mie forze* (**quanto posso**)*; e se volete che mi fermi* (**m'asseggia** = mi sieda) *con voi, lo farò* (**faròl** = farollo), *se è gradito* (**se piace**) *a costui* [: Virgilio] *con il quale vado* (**che vo seco**)». Versi pieni di slancio e di rispetto; anche se necessariamente rivelano che al vecchio maestro si è sostituito il nuovo, Virgilio, nel suo significato allegorico di ragione e di sapienza umane positive.

37-39: [*Brunetto*] *disse: «O figliolo, chiunque* (**qual**) *di questa schiera* (**greggia**) *si ferma* (**s'arresta**) *un poco* (**punto**), *giace* [*in terra*: come i bestemmiatori; cfr. canto XIV] *poi cento anni senza* [*che possa*] *ripararsi* (**arrostarsi**) *quando il* (**'l**) *fuoco lo* (**il**) *ferisca* (**feggia**).

40-42: *Perciò* (**però**) *cammina* (**va oltre**)*: io* (**i'**) *ti camminerò* (**verrò**) *di fianco* (**a' panni**) [: ma più in basso, al di sotto dell'argine]*; e poi raggiungerò* (**rigiugnerò**) *il mio gruppo* (**masnada**), *che va soffrendo* (**piangendo**) *i suoi dolori* (**danni**) *eterni».* **Masnada**, come sopra **greggia** (v. 37), non aveva ancora alcun significato negativo né sfumature di disprezzo.

43-45: *Io non osavo scendere dal sentiero* (**de la strada**) [*sull'argine*] *per andare alla stessa altezza* (**par**) *di lui* [: Brunetto]*; però* (**ma**) *tenevo la* (**'l** = il) *testa* (**capo**) *chinata* (**chino**) *come chi* (**uom**; impers.) *cammini* (**vada**) [*in atteggiamento*] *rispettoso* (**reverente**). Il rispetto per l'antico maestro non è diminuito nel vederlo dannato.

46-48: *Egli* (**el**) [: Brunetto] *cominciò* [*a dirmi*]*: «Quale caso* (**fortuna**) *o* [*quale*] *destino* [: voluto da Dio] *ti porta* (**mena**) *qua giù prima* (**anzi**) *del giorno estremo* (**l'ultimo dì**) [: la morte]*? e chi è questi* [: Virgilio] *che* [*ti*] *mostra la strada* (**'l cammino**; **'l** = il) [: che ti guida]*?».

49-51: *Io gli* (**lui** = a lui) *risposi: «Lassù sopra* [: nel mondo], *nella* (**in la**) *vita serena, mi smarrii in una valle, prima che la mia età fosse al culmine* (**piena**) [: cfr. I, 1-3]. In questa e nella terzina seguente, Dante rievoca sinteticamente i momenti cruciali della propria crisi esistenziale (traviamento morale) e del tentativo che sta compiendo, con l'aiuto di Virgilio, di ritrovare la strada della salvezza. Il racconto è fatto, ovviamente, nei termini allegorici del primo canto. La possibilità di rievocare la propria storia recente è segno di maturità e di equilibrio: Dante sta conquistando una più sicura serenità e maggiore padronanza di sé, come rivelano in questo canto altri importanti indizi e soprattutto le sue parole fiere e sdegnose (eppure pacate e nobili) ai vv. 88-96.

Pur ier mattina le volsi le spalle:
      questi m'apparve, tornand' ïo in quella,
54   e reducemi a ca per questo calle».
    Ed elli a me: « Se tu segui tua stella,
      non puoi fallire a glorïoso porto,
57   se ben m'accorsi ne la vita bella;
    e s'io non fossi sì per tempo morto,
      veggendo il cielo a te così benigno,
60   dato t'avrei a l'opera conforto.
    Ma quello ingrato popolo maligno
      che discese di Fiesole *ab* antico,

52-54: *Solo* (**pur**) *ieri mattina le volsi le spalle* [: alla valle, per tentare la salita al colle]*; mentre io ritornavo* (**tornand'io**) *verso* (**in**) *quella* [: verso la valle, spinto dalle tre belve], *mi apparve questi* [: Virgilio], *e* [*ora*] *mi riconduce* (**reducemi**) *a casa* (**a ca**) [: sulla via giusta] *lungo* (**per**) *questa strada* (**calle**)».

55-60: *Ed egli* (**elli**) [: Brunetto] [*disse*] *a me: «Se tu segui la* [*predisposizione della*] *tua costellazione* (**stella**) [: i Gemelli], *non puoi mancare* (**fallire**) [*di giungere*] *alla mèta* (**porto**) *della gloria* (**glorioso**), *se giudicai* (**m'accorsi**) *correttamente* (**ben**) [*di te*] *durante la* (**nella**) *vita bella* [: quand'ero vivo]*; e se io non fossi morto così presto* (**sì per tempo**), *vedendo* (**veggendo**) *gli astri* (**il ciel**) *a te così favorevoli* (**benigno**), *ti avrei dato aiuto* (**conforto**) *nell'azione* (**a l'opera**) [: di artista e di uomo politico]. Del rapporto tra maestro e discepolo rivive sùbito l'aspetto più prezioso e caratteristico: Dante ha esposto la propria situazione (difficoltà, tentativi, obiettivi) nei vv. 49-54, Brunetto lo incoraggia con la fiducia nel successo. È difficile immaginare versi più intensi e densi di significato di questi con i quali si apre il discorso di Brunetto; eppure la loro dote più grande sta forse nella semplicità e nel pudore con i quali tanta materia umana viene presentata, nel rispetto di un tono medio, sul piano stilistico e retorico, che ben si addice al dialogo tra due che si hanno cari. In questi pochi versi Brunetto esprime la fiducia nel successo di Dante, abbiamo detto; ma secondo una gerarchia di valori che si ricollega al proprio insegnamento e alla quale egli farà ancora riferimento alla fine del colloquio con il discepolo. Al vertice di questa gerarchia si colloca la *gloria*, cioè la conquista di uno spazio durevole nelle più nobili attività umane. È inutile sottolineare che gli ideali di Dante vanno al di là, nel loro complesso, di questo orizzonte; ma egli vi riconosce il meglio della propria adesione ai valori terreni: per questo nella risposta accoglierà il punto di vista del maestro riassumendo il senso profondo del suo insegnamento (cfr. v. 85). Quindi qui il maestro loda il discepolo, certo, ma a partire dal proprio orizzonte culturale: la grandezza di Dante poeta sta anche nel rispetto di questa peculiarità. È perciò arbitrario attribuire a **tua stella** (v. 55) e a **cielo a te così benigno** (v. 59) significati estranei alla cultura di Brunetto e ai riferimenti del contesto del suo discorso (p. es. trascendenti): si tratta infatti di riferimenti tecnici all'astrologia, la cui dottrina era assai diffusa al tempo, abbracciata da Brunetto e in parte riconosciuta dallo stesso Dante; e le affermazioni di Brunetto si spiegano con il fatto che la costellazione dei Gemelli, sotto la quale era nato Dante, era ritenuta favorevole allo studio e alle lettere. Nelle parole di Brunetto c'è poi anche la nota del rimpianto, struggente perché dissimulato, per **la vita bella**; ma soprattutto la nota del rimpianto, nobilissimo, per essere morto troppo presto, non potendo quindi aiutare un allievo così promettente: morto **sì per tempo**, si badi, rispetto a questo compito e non in assoluto, poiché Brunetto morì in verità ad un'età, per l'epoca, avanzata (settantaquattro anni).

61-66: *Ma quell'ingrato popolo* [*fiorentino*] *malvagio* (**maligno**) *che anticamente* (**ab antico**; espressione ricalcata sul lat. 'ab antiquo' = dall'antichità) *discese da Fiesole,*

63   e tiene ancor del monte e del macigno,
     ti si farà, per tuo ben far, nimico;
     ed è ragion, ché tra li lazzi sorbi
66   si disconvien fruttare al dolce fico.
     Vecchia fama nel mondo li chiama orbi;
     gent' è avara, invidiosa e superba:
69   dai lor costumi fa che tu ti forbi.
     La tua fortuna tanto onor ti serba,
     che l'una parte e l'altra avranno fame
72   di te; ma lungi fia dal becco l'erba.

e ancora conserva (**tiene**) [*le caratteristiche proprie*] *del monte* [: rozzezza] *e della pietra* (**macigno**) [: inciviltà], *ti diventerà* (**ti si farà**) *nemico a causa del* (**per**) *tuo agire onestamente* (**ben far**); *ed è giusto* (**ragion**) [*che sia così*], *poiché* (**ché**) *non è conveniente* (**si disconvien**) *per il* (**al**) *dolce fico fruttificare* (**fruttare**) *tra i* (**li**) *sorbi aspri* (**lazzi**). Cioè: i fiorentini, rozzi ed incivili, non riconosceranno i tuoi meriti e ti diventeranno nemici a causa del tuo agire disinteressato, per il bene della città e non a favore di questa o quella parte; ma sarà giusto che sia così (e che tu venga esiliato), perché saresti fuori luogo in una città così malvagia, come un fico che facesse i suoi frutti dolci tra i sorbi (piante dai frutti allappanti e aspri): Dante è paragonato al **fico** e i fiorentini ai **sorbi**. **Che discese...**: ci si riferisce qui alla leggenda sulle origini di Firenze; la quale sarebbe stata fondata dai Romani dopo che essi avevano distrutto la vicina Fiesole: a popolare la nuova città sarebbero stati soprattutto i fiesolani. Le cause delle contese cittadine si facevano perciò risalire alla diversità tra le due discendenze di fondatori: quella poco numerosa e nobile dei Romani, e quella maggioritaria e selvaggia (cfr. v. 63) dei fiesolani. Il riferimento a tale leggenda è ripreso e ampliato ai vv. 73-78.

67-69: *Un antico proverbio* (**vecchia fama**) *nel mondo li definisce* (**chiama**) [: i fiorentini] *ciechi* (**orbi**)*; è gente avara, invidiosa e superba* [: cfr. VI, 74 sg.]*; fa di tenerti pulito* (**fa che tu ti forbi; forbi** = forbisca) [: evita] *dalle loro abitudini* (**costumi**). Brunetto ha pienamente ripreso la propria funzione di maestro e prosegue nel contrapporre ai vizi dei fiorentini le virtù di Dante; unendo ai giudizi i consigli, e ai consigli la profezia delle persecuzioni e dell'esilio del suo disce-

polo. Nel linguaggio di Brunetto trovano largo spazio espressioni popolari di tono basso (**fa che tu ti forbi**; e poi ai vv. 72 e 73 sg.): il che dà forza al discorso esprimendone lo sdegno, e insieme ne caratterizza il tono colloquiale, quasi intimo e privato. **Vecchia fama...**: si tratta di una delle frequenti maldicenze che si scambiavano i Comuni vicini (e rivali), la cui origine è spesso incerta o leggendaria (secondo il Boccaccio in questo caso la causa starebbe nel fatto che una volta i fiorentini accettarono per buone due colonne rotte di porfido inviate loro dai pisani che ne avevano mascherata la rottura).

70-72: *La tua sorte* (**fortuna**) *ti riserba* (**serba**) *tanto onore, che* [*sia*] *una parte* [: i Neri] *che* (**e**) *l'altra* [: i Bianchi] *vorranno divorarti* (**avranno fame di te**) [: ti odieranno a morte]*; ma l'erba sarà* (**fia**) *lontana dal capro* (**becco**) [: che vorrebbe mangiarla]. Cioè: tu avrai l'onore di essere odiato da entrambe le fazioni fiorentine a causa della tua onestà, ma tu sarai al sicuro dal loro odio. In effetti Dante fu esiliato dai Neri e poi divenne inviso agli stessi Bianchi, compagni d'esilio, quando se ne separò a causa della loro malvagità (cfr. *Par.* XVII, 62). La m e t a f o r a dell'*aver fame* si ricollega al verso seguente, dove Dante viene paragonato all'*erba* e i fiorentini al **becco** (il maschio della pecora), e riprende la m e t a f o r a del **fico** e dei **sorbi** (vv. 65 sg.); giunge infine alla sua massima esplicitazione nei vv. 73-78. **Ma lungi fia...**: è probabile che Dante alluda piuttosto al senso morale della propria sicurezza (perché l'anima del giusto è inattaccabile; e cfr. vv. 93 e 95 sg.) che al senso materiale (il quale non trova in verità adeguato riscontro nei fatti, avendo Dante concretamente dovuto soffrire assai per le persecuzioni dei suoi concittadini).

Faccian le bestie fiesolane strame
di lor medesme, e non tocchin la pianta,

75 s'alcuna surge ancora in lor letame,
in cui riviva la sementa santa
di que' Roman che vi rimaser quando

78 fu fatto il nido di malizia tanta ».
« Se fosse tutto pieno il mio dimando »,
rispuos' io lui, « voi non sareste ancora

81 de l'umana natura posto in bando;
ché 'n la mente m'è fitta, e or m'accora,
la cara e buona imagine paterna

84 di voi quando nel mondo ad ora ad ora
m'insegnavate come l'uom s'etterna:
e quant' io l'abbia in grado, mentr' io vivo

87 convien che ne la mia lingua si scerna.

73-78: *Le bestie fiesolane* [: i peggiori fio-rentini — la maggioranza —] *facciano fo-raggio* (**strame**) *di loro stesse* (**medesme** = medesime) [: si divorino tra loro], *e non toc-chino la discendenza* (**la pianta**) *in cui rivive il santo seme* (**sementa**) *di quei Romani che vi rimasero* [: a Firenze] *quando fu fondato* (**fatto**) *il nido di tanta malvagità* (**malizia**) [: Firenze], *quando* (**s'⟨e⟩**) *nel* (**in**) *loro* [: delle bestie fiesolane] *letame* [**ne**] *nasce* (**sur-ge**) *ancora* [**qu**]*alcuna».* Cioè: i malvagi fio-rentini (**bestie**) discendenti dei fiesolani si am-mazzino tra loro, ma non osino toccare i rarissimi discendenti dei fondatori romani della città (tra cui Dante pone se stesso). Per questa contrapposizione tra discendenza fie-solana e discendenza romana, cfr. la nota ai vv. 61-66. **La sementa santa**: la stirpe ro-mana è così definita per la sua missione po-litica e religiosa: da Roma infatti nasce l'Im-pero, guida politica alla concordia civile del-l'umanità; e a Roma risiede il papato, centro del Cristianesimo. Anche nella *Monarchia* (II, v, 5) Dante definisce il popolo romano «sanctus, pius et gloriosus».

79-87: *Io gli* (**lui** = a lui) *risposi*: *«Se il mio desiderio* (**dimando**) *fosse interamente* (**tut-to**) *esaudito* (**pieno**), *voi non sareste ancora esiliato* (**posto in bando**) *dalla* (**de l'**) *natura umana* [: non sareste ancora morto]; *poiché* (**ché**) *nella* (**'n la** = in la) *memoria* (**mente**) *mi è impressa* (**fitta**), *e ora mi ferisce il cuo-re* (**m'accora**), *la* [*vostra*] *cara e buona im-magine paterna, di quando voi nel mondo di tanto in tanto* (**ad ora ad ora**) *mi insegna-vate in che modo* (**come**) *l'uomo si fa eter-no* (**s'etterna**): *e quanto io lo abbia caro* (**in grado**) [: questo insegnamento], *è doveroso* (**convien**) *che si veda* (**scerna**) *nelle mie pa-role* (**ne la mia lingua**) *finché io* (**mentr'io**) [*sarò*] *vivo*. Alla intensa semplicità delle pri-me parole di Brunetto (cfr. vv. 55-60), cor-risponde questa dell'inizio del discorso di Dante. Brunetto si è rammaricato di essere morto troppo presto per aiutare il discepolo nel suo cammino glorioso (vv. 58-60); Dan-te gli risponde che se i suoi desideri fossero stati esauditi Brunetto sarebbe ancora vivo (vv. 79-81). Brunetto ha rievocato il rapporto maestro-discepolo (vv. 57 e 59 sg.); Dan-te gli risponde che l'immagine del maestro gli è impressa per sempre nella memoria, nel-l'atto di offrirgli il suo insegnamento, im-magine **cara e buona** come quella di un pa-dre (vv. 82-84). Brunetto si è detto fiducio-so che l'allievo raggiungerà la mèta della gloria (v. 56); Dante gli risponde che l'inse-gnamento di Brunetto per lui più prezioso e più alto è stato quello sul modo in cui l'uo-mo continua a vivere anche dopo la morte (**s'etterna**), grazie alla gloria. E infine il sen-so profondo della risposta di Dante è che egli avrebbe voluto che il suo maestro vives-se ancora, sì, ma che Brunetto non deve ram-maricarsi di esser venuto meno alla sua fun-zione di guida, perché l'alunno ha recepito a fondo il suo insegnamento, del quale gli sarà apertamente grato finché avrà vita. **Or m'accora**: il ricordo della **cara e buona ima-gine paterna** di Brunetto è ora causa di do-lore profondo, a vederla così deformata dal supplizio e così tormentata dalle sofferenze; quest'inciso, che bruscamente richiama la si-tuazione infernale e la confronta con i ri-cordi della **vita bella**, è di grande efficacia

Ciò che narrate di mio corso scrivo,
e serbolo a chiosar con altro testo
90   a donna che saprà, s'a lei arrivo.
Tanto vogl' io che vi sia manifesto,
pur che mia coscïenza non mi garra,
93   ch'a la Fortuna, come vuol, son presto.
Non è nuova a li orecchi mïei tal arra:
però giri Fortuna la sua rota
96   come le piace, e 'l villan la sua marra ».
Lo mio maestro allora in su la gota
destra si volse in dietro e riguardommi;
99   poi disse: « Bene ascolta chi la nota ».

drammatica. **Ad ora ad ora**: significa che l'insegnamento di Brunetto non fu per Dante regolare, ma rivestì il carattere di un rapporto quasi di amicizia, entro i limiti del rispetto del giovane per l'autorevole anziano. **Come l'uom s'etterna**: cfr. queste parole dello stesso Brunetto Latini (*Tesoro* volgarizzato, II, VII, 72): «[La] gloria dona all'uomo valente [: virtuoso] una seconda vita, cioè a dire che, dopo la morte sua, la nominanza [: la fama] che rimane delle sue buone opere mostra ch'egli sia ancora in vita».

88-90: *Ciò che narrate della mia vita futura* (**di mio corso**) [*mi*] *imprimo* (**scrivo**) [*nella memoria*]*, e lo conservo* (**sèrbolo**) *con un altro testo* [: la profezia sul proprio esilio udita da Farinata in X, 79 sgg.] *perché sia chiarito* (**a chiosar**) *da* (**a**) *una donna* [: Beatrice] *che saprà* [*farlo*]*, se* (**s'**) *arriverò* (**arrivo**) [*fino*] *a lei.* Dante si riferisce a quanto gli ha detto Virgilio circa il chiarimento che Beatrice gli darà della profezia di Farinata (cfr. X, 130-132).

91-93: *Soltanto* (**tanto**; dal lat. 'tantum') *io voglio che vi sia noto* (**manifesto**) *che sono preparato* (**presto**) *alla sorte* (**Fortuna**)*, comunque* (**come**) [*essa*] *voglia* (**vuol**) [*provarmi*]*, purché la mia coscienza non mi rimorda* (**garra** = garrisca; da 'garrire' = rimproverare).

94-96: *Ai* (**a li**) *miei orecchi non è nuovo tale preannuncio* (**arra** = anticipo)*: però la sorte* (**Fortuna**) *giri* [*pure*] *la sua ruota come le piace, e il contadino* (**'l villan**) [*giri come gli piace*] *la sua zappa* (**marra**)». Cioè: sono pronto ai colpi della sorte e ci tengo solo ad aver la coscienza pulita (vv. 91-93); quindi venga pure quello che deve venire: facciano pure secondo il loro capriccio la sorte

e gli uomini. Come la prima parte della risposta di Dante corrisponde ai primi versi del discorso di Brunetto, così questa parte conclusiva (vv. 91-96) corrisponde alla seconda parte delle parole del maestro (vv. 61-78): uguale il tema (le persecuzioni che Dante dovrà subire), uguale lo stile colorito e popolare. Ai consigli sdegnosi e virili del maestro, Dante sùbito risponde con sdegno e virilità. Si conferma per altro in queste parole di Dante l'impressione che si assista ad una maturazione psicologica ed umana del personaggio: in luogo dello smarrimento, subentra qui l'alta coscienza del proprio valore e la volontà di affrontare con fierezza le difficoltà della vita. **Giri Fortuna...**: è immagine proverbiale quella della Fortuna (cioè della sorte, del caso) che gira la ruota della casualità; ed ha l'aria di un proverbio bello e buono e **'l villan la sua marra**.

97-99: *Allora il* (**lo**) *mio maestro* [: Virgilio] *si* [*ri*]*volse indietro dalla parte destra* (**in su la gota destra; gota** = guancia)*, e mi fissò* (**riguardommi**)*; poi disse: «Ascolta correttamente* (**bene**) [*una cosa*] *chi la annota* (**nota**) [*nella memoria*]»*.* La breve osservazione di Virgilio è stata interpretata in vari modi. Il senso qui proposto è forse il più probabile ed il meno arbitrario: si tratta di una lode a Dante che mostra di saper fare tesoro di quanto ha ascoltato ora da Brunetto e precedentemente da Farinata e da Virgilio stesso, e che in particolare ha dichiarato apertamente la propria intenzione di imprimersi nella mente le parole di Brunetto, come già quelle di Farinata (cfr. vv. 88-90). E risulta abbastanza naturale che Virgilio lodi Dante in questo momento che, come abbiamo avuto modo di osservare (cfr. note ai vv. 49-51 e 94-96), segna il raggiungimento di un equilibrio e di una maturità nuovi.

Né per tanto di men parlando vommi
con ser Brunetto, e dimando chi sono
102   li suoi compagni più noti e più sommi.
Ed elli a me: « Saper d'alcuno è buono;
de li altri fia laudabile tacerci,
105   ché 'l tempo sarìa corto a tanto suono.
In somma sappi che tutti fur cherci
e litterati grandi e di gran fama,
108   d'un peccato medesmo al mondo lerci.
Priscian sen va con quella turba grama,
e Francesco d'Accorso anche; e vedervi,
111   s'avessi avuto di tal tigna brama,
colui potéi che dal servo de' servi
fu trasmutato d'Arno in Bacchiglione,

100-102: *Nondimeno* (**né per tanto di men**) [: nonostante l'interruzione di Virgilio] *me ne vado* (**vommi** = mi vo) *parlando* [: continuo a parlare] *con ser Brunetto, e domando chi sono i suoi compagni* [*di pena*] *più famosi* (**noti**) *e più autorevoli* (**sommi**).

103-105: *Ed egli* (**elli**) [: Brunetto] [*risponde*] *a me:* «*È opportuno* (**buono**) *sapere* [*notizie*] *di* [*qu*]*alcuno; degli* (**de lì**) *altri sarà* (**fia**) [*cosa*]˙*lodevole* (**laudabile**) *tacere* (**tacerci** = che noi taciamo), *perché* (**ché**) *il tempo sarebbe* (**sarìa**) *corto per* (**a**) *un discorso* (**suono**) *così lungo* (**tanto**).

106-108: *In sintesi* (**in somma**) *sappi che furono* (**fur**) *tutti gente di chiesa* (**cherci** = chierici) *e letterati grandi e di gran fama, sporchi* (**lerci**) *nel* (**al**) *mondo di uno stesso* (**medesmo** = medesimo) *peccato*. I sodomiti sono cioè divisi in diverse schiere, a seconda della loro condizione nel mondo; la schiera alla quale appartiene Brunetto, e su cui Dante lo ha interrogato (cfr. vv. 101 sg.), comprende uomini di chiesa e di scienza (**litterati**). E l'associazione non deve stupire, se si considera come fossero legati nel Medio Evo la religione e le scienze (che erano scienze, s'intende, umane: diritto, filosofia, teologia, letteratura). Si osservi con quanta dignità Brunetto svolga anche in una situazione così difficile (e così mortificante) il suo compito di maestro e con quale violenza definisca i peccatori del suo stesso peccato (e quindi, indirettamente, se stesso): **lerci**, cioè *lùridi*. L'atteggiamento severo nei confronti dei propri compagni di pena prosegue anche nei versi seguenti (**turba grama**, v. 109; **tigna**, v. 111;

mal protesi nervi, v. 114). Si direbbe che per Brunetto la fiducia nel valore dell'insegnamento sia più grande dell'amor proprio: egli non cerca in alcun modo di giustificare la propria colpa, ma la definisce senza compassione nei termini che meglio ritiene convenienti alla propria funzione di maestro. In questa nobiltà Brunetto riscatta se stesso. Eppure anche lui, altissima espressione dei migliori valori della civiltà umana, paga con la dannazione l'infrazione ad una legge che chiede un rispetto completo. La meditazione di Dante sul rapporto tra valori del mondo e valori divini è alle sue battute conclusive: Brunetto rappresenta il caso estremo della relatività dei primi, in sé fatalmente incompleti (simile, in questo, per qualche verso, alla figura di Virgilio). Dalla considerazione di questo rapporto e di questa relatività, Dante ha ricavato la maturità e l'equilibrio che abbiamo osservati in questo canto. Ora affronta le forme della degradazione dell'umano: Malebolge. Figure come quella di Brunetto Latini (o di Pier della Vigna, o di Farinata, o di Francesca), vive della fertile contraddizione tra grandezza umana e colpevolezza morale, non ne incontrerà più.

109-114: *Con quel gruppo* (**turba**) *misero* (**grama**) *se ne* (**sen**) *va Prisciano, e* [*se ne va anche*] *Francesco d'Accorso; potevi* (**potéi**) *vedervi anche, se avessi avuto desiderio* (**brama**) *di* [*vedere*] *un tale schifo* (**tal tigna; tigna** = ripugnante malattia della pelle), *colui che fu trasferito* (**trasmutato**) *dal papa* (**dal servo de' servi**; così detto negli atti ufficiali) *dall'Arno* [: cioè da Firenze, bagnata dal fiume Arno] *al* (**in**) *Bacchiglione* [: a Vidove lasciò li mal protesi nervi.

Di più direi; ma 'l venire e 'l sermone

più lungo esser non può, però ch'i' veggio

117　　　là surger nuovo fummo del sabbione.

Gente vien con la quale esser non deggio.

Sieti raccomandato il mio Tesoro,

120　　　nel qual io vivo ancora, e più non cheggio ».

Poi si rivolse, e parve di coloro

che corrono a Verona il drappo verde

per la campagna; e parve di costoro

124　　　quelli che vince, non colui che perde.

---

cenza, bagnata dal fiume Bacchiglione], *dove lasciò* [*morendo*] *i* (**li**) *nervi tesi* (**protesi**) *malamente* (**mal**) [: per soddisfare il suo vizio]. Prisciano di Cesarea: famoso grammatico vissuto nel VI secolo; ma forse confuso da Dante con altri. Francesco d'Accorso: grande giurista bolognese vissuto dal 1225 al 1293. **Colui...**: il personaggio da riconoscere nei vv. 110-114 è il fiorentino Andrea de' Mozzi, vescovo di Firenze fino al 1295 e quindi di Vicenza fino alla morte, nel 1296. I contemporanei ne parlano con ripugnanza, dicendolo, oltre che vizioso, sciocco e privo di ritegno. Si osservi con quale disprezzo e ripulsione Dante ne faccia parlare Brunetto, che lo chiama **tigna** e presenta la sua morte come un abbandonare i nervi **mal protesi**.

115-117: *Direi di più* [: altre cose]*; ma il* (**'l**) *venire* [*con voi*] *e il discorso* (**'l sermone**) *non possono* (**può**) *essere più lunghi, perché io* (**però ch'i'**) *vedo* (**veggio**) *levarsi* (**surger** = sorgere) *là* [: quasi indicasse] *una nuova nube* (**fummo**) *dalla distesa di sabbia* (**del sabbione**). Il fumo (polvere o vapore, non è possibile dire) che si leva dalla sabbia è prodotto dall'arrivo di una nuova schiera di dannati, dai quali Brunetto non deve essere raggiunto.

118-120: *Viene una schiera* (**gente**) *con la quale non devo* (**deggio**) *stare* (**esser**). *Ti sia* (**sieti**) *raccomandato* [: ti raccomando] *il mio Tesoro nel quale io vivo ancora, e non chiedo* (**cheggio**) *altro* (**più**)». Costretto a interrompere il discorso e a separarsi da Dante, Brunetto sembra con le ultime parole compiere un salto logico, rispetto a quanto precede: egli affida al discepolo la propria opera più importante (**il mio Tesoro** = il *Trésor* o il *Tesoretto*, o meglio entrambi), con un accoramento e una intensità di tono accresciuti dal fatto che sono le ultime parole del colloquio. Ma il salto è solo apparente; in verità questa raccomandazione corona in modo umanissimo il tema di fondo di tutto l'incontro tra Dante e il maestro: il perdurare della vita anche dopo la morte grazie alla gloria (cfr. soprattutto v. 85). Così, coerente a questo principio generale, l'ultima accorata preghiera di Brunetto (e anzi l'unica: **e più non cheggio**) è di aver cura della sua parte migliore, quella espressa nelle opere letterarie.

121-124: *Poi si voltò* (**si rivolse**), *e sembrò* (**parve**) *simile a* (**di**) *coloro che a Verona per la campagna corrono* [*per vincere*] *il drappo verde; e di questi* (**costoro**) *sembrò* (**parve**) *il vincitore* (**quelli che vince**), *non il perdente* (**non colui che perde**). Cioè Brunetto si allontanò correndo velocemente, come i corridori che gareggiano al palio podistico di Verona, nel quale era dato in premio un panno (**drappo**) verde; e sembrò simile al vincitore e non al perdente (il che probabilmente significa che Brunetto riuscì a raggiungere in tempo la propria schiera, senza incorrere in punizioni). È innegabile che questo congedo di Brunetto sia in qualche modo goffo e volgare: una corsa scomposta e affannata. Egli torna così tra i dannati, si riconfonde alla **turba grama** dei peccatori, risprofonda per l'eternità nel mondo disumanizzato del tormento infernale.

Gramo _____ v. 109

L'agg. deriva forse dal germ. *gram* = 'affanno' (cfr. franc. ant. *grain* — da cui probabilmente il mod. *chagrin* = 'affanno' — e prov. *gram*). Il termine è tuttora in uso nel significato di 'misero, umile, sventurato' (da cui la locuz. «menar gramo» = 'portare sfortuna') — cfr. *Inf.* I, 51; XV, 109 e XXX, 59 e *Purg.* XXII, 42. Per estens. vale anche 'debole, gracile, malandato'; e, in senso figur., 'scarso, insufficiente'.

Strame _____ v. 73

La voce deriva dal lat. *stramĕn*, *stramĭnis* = 'paglia distesa, per letto di animali' (dalla radice *tra-* di *sternĕre* = 'distendere'; cfr. franc. *étrein*, ted. *strene*, ingl. *strow*). Il termine indica l' 'erba secca che si dà come cibo (o si usa come letto) al bestiame: paglia, fieno, ecc.' (è questo anche l'uso di Dante, con allusione piuttosto alla funzione nutritiva che a quella di giaciglio).

Traccia _____ v. 33

La voce deriva dal vb. *tracciare* e questo a sua volta dal lat. volg. *tractiare* = 'tirare una linea' (dal lat. class. *trahĕre* = 'tirare'; cfr. franc. *tracer*, prov. *trasar*, sp. *trazar*, port. *traçar*). Propriamente il vocabolo indica l' 'impronta lasciata dal piede nel terreno camminando' e, di qui 'qualsiasi segno si lasci dietro persona o cosa'. Del tutto caduta dall'uso l'accezione dantesca di 'schiera, gruppo di uomini in fila, allineati'. Oggi il termine si usa anche per indicare una 'forma abbozzata da sviluppare' (p. es. un tema).

Canto XVI

Il canto XVI si ricollega in qualche modo al precedente; l'incontro con i tre nobili fiorentini del passato completa quello con Brunetto: nell'esaltazione delle trascorse virtù civili di Firenze, nella critica addolorata della sua attuale degradazione.

Dopo essersi separati da Brunetto Latini, Virgilio e Dante incontrano un'altra schiera di sodomiti, composta da politici e militari. Da essa si staccano tre fiorentini per parlare con Dante: Guido Guerra, Tegghiaio Aldobrandi, Iacopo Rusticucci. Sono tre cittadini della generazione passata, di grande autorità e prestigio, tanto che Dante li abbraccerebbe, se non lo spaventasse la pioggia di fuoco. Dopo essersi presi per mano e facendo una specie di bizzarro girotondo, i tre interrogano Dante sulle condizioni presenti di Firenze. In questo modo Dante stesso ha l'occasione di lanciare contro la propria città le pesanti critiche già emerse nelle parole di Ciacco (canto VI) e di Brunetto (canto XV): «**La gente nuova e i sùbiti guadagni/ orgoglio e dismisura han generata,** / **Fiorenza, in te**» (La gente venuta su dal nulla e le ricchezze cresciute in fretta [: per forza di usura e simili] hanno provocato orgoglio ed eccessi di ogni genere in te, Firenze; vv. 73-75). Dante riprende così il tema della decadenza e della degenerazione di Firenze, collegandolo alla critica di una società basata sulla ricchezza e priva di solide tradizioni, da cui non possono che nascere **orgoglio** (vanità e superbia) e **dismisura** (avidità e mancanza di misura nello spendere e in generale nel comportamento). Dopo aver raccomandato a Dante di rinfrescare il loro ricordo tra i vivi, i tre spiriti fiorentini si allontanano di corsa.

Virgilio e Dante giungono dove il settimo cerchio finisce, sull'orlo del burrone sotto il quale c'è l'ottavo cerchio ed in cui si tuffa il Flegetonte con grande frastuono. Nel burrone Virgilio getta una corda usata da Dante come cinta, il cui significato allegorico non è invero chiaro. In risposta, dal precipizio giunge, come nuotando nell'aria, una grande **figura** mostruosa, per il momento non meglio definita.

Canto XVII

La prima parte del canto è occupata dalla descrizione minuziosa del grande mostro giunto sul ciglio del burrone: Gerione. Le caratteristiche della **fiera**, ripresa al solito dalla mitologia classica e rielaborata, sottolineano il suo significato allegorico di rappresentante del mondo della **frode** nel quale Dante sta per entrare (ottavo e nono cerchio): Gerione è definito infatti **sozza imagine di froda** (v. 7). Ha il volto di persona onesta, zampe artigliate di leone, corpo di serpe decorato di fascinosi arabeschi, coda biforcuta come le pinze di uno scorpione: a significare l'ambiguità ingannevole, la rapacità, le sinistre attrattive e la violenza dissimulata tipiche della frode.

Mentre Virgilio parla con Gerione, Dante osserva un ultimo gruppo di dannati del terzo girone del settimo cerchio posti seduti e rannicchiati sul **sabbione** sotto la pioggia di fuoco: gli usurai; Dante ne fa una descrizione fredda e crudele. Non riconosce nessuno tra di essi, ma si accorge che molti appartengono alle più nobili famiglie fiorentine: viene così ripresa la polemica contro la ricchezza e la logica economica, iniziata nel canto precedente.

Intanto Virgilio è salito in groppa a Gerione e invita Dante a fare altrettanto: questi, benché rabbrividendo per il timore ed il ribrezzo, obbedisce al maestro pregandolo di tenerlo abbracciato. Così il mostro si stacca dalla roccia e scende volando con giri ampi e lenti fino al cerchio sottostante, l'ottavo, dove deposita i due pellegrini. La descrizione del volo in groppa a Gerione è tra le più alte invenzioni fantastiche e narrative della Commedia: (...) **vidi ch' i' era/ ne l'aere d'ogne parte, e vidi spenta/ ogne veduta fuor che de la fera./ Ella sen va notando lenta lenta;/ rota e discende, ma non me n'accorgo/ se non che al viso e di sotto mi venta** (Vidi che io ero nell'aria [: circondato dall'aria] da tutte le parti, e vidi sparita ogni vista al di fuori della belva [: vedevo solo Gerione]. Ella se ne va nuotando [: nell'aria; cioè volando] lenta lenta: scende con ampi cerchi, ma non me ne rendo conto se non per il fatto che mi colpisce il vento nel volto e da sotto [:nel volto per il procedere ruotando di Gerione, da sotto per il discendere; e si noti la consueta precisione realistica di Dante]; vv. 112-117).

Canto XVIII

L'ottavo cerchio, *riservato ai* frodolenti, *è diviso in* dieci bolge *e, nel suo complesso, prende il nome di* Malebolge: **luogo è in inferno detto Malebolge,/ tutto di pietra di color ferrigno** *(vv. 1 sg). Le dieci bolge sono altrettante buche circolari concentriche, simili ai fossati che circondano i castelli; ognuna è attraversata da ponti che convergono a raggiera verso il centro. Qui si apre un pozzo, nel quale è sprofondato il nono cerchio. La materia brutale e degradata dei peccati puniti in Malebolge (e descritti nei canti XVIII-XXX) determina il dominare di uno stile violento e plebeo, con rime aspre e inconsuete, dalle caratteristiche in qualche modo e s p r e s s i o n i s t i - c h e . Anche il ritmo della narrazione diviene mosso e incalzante, con un susseguirsi di motivi e di scene movimentati e ricchi. Agli ampi episodi psicologici dei canti fin qui incontrati si sostituisce ora la descrizione rapida ed efficace (spesso grottesca e brutale) di tipi umani diversissimi, colti in una battuta, un gesto o un'espressione soltanto.*

Nella prima bolgia i ruffiani e i seduttori *fuggono inseguiti dai diavoli che li frustano violentemente. Tra i ruffiani, Dante riconosce il bolognese Venedico Caccianemico, il quale concesse la sorella alle voglie del marchese d'Este per denaro: nella ferocia delle parole che Dante gli riserva si coglie un ulteriore atto d'accusa verso la società del denaro, origine di corruzione e di cupidigia. Tra i seduttori è il mitico Giasone, che ingannò Isifile e Medea.*

Nella seconda bolgia *gli* adulatori *sono immersi* **in uno sterco/ che da li uman privadi parea mosso** *[: che sembrava preso dai cessi degli uomini] (vv. 113 sg.). Dante riconosce Alessio Interminelli da Lucca, il quale dice* **battendosi la zucca** *[: la testa]:/* **«Qua giù m'hanno sommerso le lusinghe/ ond'io** *[: di cui io]* **non ebbi mai la lingua stucca** *[: sazia]» (vv. 124-126). Virgilio gli mostra poi la* **puttana** *Taide, personaggio dell'*Eunuco *del commediografo latino Terenzio:* **sozza e scapigliata fante** *[: prostituta]/* **che là si graffia con l'unghie merdose,/ e or s'accoscia e ora è in piedi stante** *(vv. 130-132); ella sedusse con le sue lusinghe l'amante.*

Canto XIX

Nella terza bolgia *dell'ottavo cerchio stanno i* simoniaci, *coloro che si servirono delle cose sacre per arricchire, facendo mercato di beni spirituali e di uffici ecclesiastici: il nome di «simoniaci» deriva da* Simon Mago *che cercò di acquistare con il denaro dagli apostoli Pietro e Giovanni la facoltà di battezzare, come è narrato negli* Atti degli Apostoli *(VIII, 9-20). Si consideri che la simonìa è un peccato di grande importanza nella civiltà medioevale, tutta attraversata dalle contese tra potere politico e potere religioso, senza una netta distinzione tra le due sfere; ed è un peccato particolarmente ripugnante per Dante che difende la superiorità spirituale del papato e i diritti temporali dell'Impero: e per il quale, quindi, gli scopi mondani e di lucro delle persone di chiesa (e dei papi in particolare) costituiscono un'infrazione grave e oltraggiosa.*

I simoniaci *sono confitti a testa in più in strette buche circolari, lambiti da fiamme. In ogni foro stanno i peccatori di una particolare condizione: l'ultimo arrivato tiene le gambe in aria e poi, al sopraggiungere di un altro dannato, precipita sotterra negli interstizi della roccia. Dante si avvicina ad un foro e chiede al dannato, del quale escono solo le gambe, di parlargli. Questi è il papa Niccolò III, morto nel 1280, e il foro al quale Dante si è accostato è quello riservato ai papi simoniaci. Niccolò non può vedere Dante e crede che egli sia il nuovo papa venuto a prendere il suo posto; e così, per un equivoco, scopre il nome del successore e le vergogne della Chiesa e del papato:* **Ed el gridò: «Se' tu già costì ritto,/ se' tu già costì ritto, Bonifazio?/ Di parecchi anni mi mentì lo scritto./ Se' tu sì tosto di quell'aver sazio/ per lo qual non temesti tòrre a 'nganno/ la bella donna, e poi di farne strazio?»** *(Ed egli gridò: «Sei tu già qui in piedi, sei tu già qui in piedi, Bonifacio [VIII]? Il libro del futuro mi mentì di parecchi anni [: sei morto prima del previsto]. Ti sei tu così presto saziato di quella ricchezza per [avere] la quale non hai temuto di prendere con l'inganno la Chiesa, e poi di farne strazio [con la simonia]?; vv. 52-57). Scoperto l'equivoco, l'ira e la stizza spingono Niccolò a denunciare ancora più apertamente i propri torti e quelli dei successori, tra i quali vi sarà presto, oltre che Bonifacio VIII, anche Clemente V (il quale probabilmente era ancora vivo, e nel pieno della sua autorità, mentre Dante scriveva questo canto). In questo modo ferocemente sarcastico, Dante condanna non solo un papa che era già morto nel 1300 (l'anno del viaggio oltremondano, si ricordi sempre), ma anche l'odiato Bonifacio VIII (morto nel 1303) e Clemente V (che forse doveva ancora morire, nel 1314).*

Il canto si chiude con una violenta e commossa invettiva di Dante contro la degradazione della Chiesa, a confronto della quale viene rievocata la purezza dei primi cristiani. Virgilio sottolinea la propria approvazione alle parole dure di Dante abbracciandolo e portandolo in braccio fin sul colmo del ponte che unisce il quarto argine al quinto, in vista quindi della quarta bolgia.

Canto XX

Nella quarta bolgia *dell'ottavo cerchio stanno gli* indovini, *i* maghi, *le* streghe *e gli* astrologi. *La loro punizione consiste nell'avere la testa rivolta indietro, con uno stravolgimento della persona; così che sono costretti, per vederci, a camminare all'indietro, in modo lento e impacciato. Il c o n t r a p p a s s o è qui evidentissimo e Virgilio stesso lo dichiara parlando dell'indovino Anfiarao:* «**Mira c'ha fatto petto de le spalle;/ perché volse veder troppo davante,/ di retro guarda e fa retroso calle**» *(*«Guarda che ha trasformato le spalle in petto [: per lo stravolgimento della testa]: poiché volle vedere troppo davanti [: il futuro], [ora] guarda indietro e cammina all'indietro»; vv. 37-39). Dante si commuove per un attimo a vedere la persona umana così stravolta e degradata; ma Virgilio lo rimprovera duramente per questa debolezza, che ora (al cospetto di peccatori così colpevoli) non è pietà ma stupidità, poiché, egli dice,* **qui vive la pietà quand'è ben morta** *(v. 28): qui bisogna cioè essere spietati per rivelare un carattere pietoso (spietati con chi ha calpestato la pietà). Virgilio mostra alcuni dannati a Dante, quasi tutti ripresi dalle opere dei poeti classici (compreso Virgilio stesso).*

La condanna di coloro che vogliono penetrare (o influenzare) il futuro è condanna dell'orgoglio umano, del peccaminoso voler superare i limiti posti alle possibilità della conoscenza; è quindi facile capire perché abbia in questo canto tanta importanza la figura di Virgilio (il quale rappresenta allegoricamente, si ricordi, la ragione).

La seconda parte del canto è in gran parte occupata dal racconto delle origini di Mantova, a dare ancora spazio alle parole e alla figura del mantovano Virgilio.

Canto XXI

Nella quinta bolgia *dell'ottavo cerchio stanno i* barattieri, *cioè coloro che per denaro o vantaggi personali hanno fatto un uso illegittimo e frodolento di cariche pubbliche e, in generale, di beni pubblici. Si tratta di una colpa frequente nei Comuni e nelle Signorie, legata alla civiltà del denaro già altre volte accusata da Dante d'essere causa della degenerazione dei costumi e dei rapporti umani. L'atteggiamento di Dante è quindi comprensibilmente sprezzante: dalla superiorità del suo punto di vista la degradazione volgare di questa bolgia è mostrata con crudo realismo ma anche con distacco, in una rappresentazione vivacissima e varia.*

I barattieri *giacciono immersi nella pece bollente e, quando emergono per troppo tempo alla superficie, vengono uncinati e morsi dai diavoli (chiamati qui* Malebranche, *con nome di conio dantesco, per i loro artigli feroci).*

I fatti si susseguono con grande rapidità. Un diavolo giunge portando sulle spalle un nuovo dannato, un lucchese (cioè cittadino di Lucca, città toscana) morto appena allora: di qui viene l'occasione per rinfacciare ai lucchesi, attraverso le parole del diavolo, la disonestà negli affari pubblici; gettato nella pece il dannato, i diavoli lo scherniscono alludendo al suo peccato: «(...) **Coverto convien che qui balli,**/ **sì che, se puoi, nascosamente accaffi**» *(«È necessario che qui balli coperto [dalla pece bollente], in modo che, se ti riesce, arraffi [: cioè rubi] nascostamente»; vv. 53-54).*

Virgilio fa nascondere Dante dietro una roccia e poi va a parlare con il capo dei Malebranche, *Malacoda. Il gruppo dei diavoli sta per aggredirlo, ma Virgilio espone a Malacoda la propria missione voluta dal cielo e ottiene di non essere toccato. C'è però una difficoltà: il ponte sul quale sta Virgilio è stato interrotto un poco più avanti dal terremoto che seguì alla morte di Cristo; è quindi necessario che per procedere oltre Virgilio e Dante raggiungano il ponte successivo camminando lungo l'argine della bolgia. Malacoda si offre di far accompagnare i due pellegrini da un gruppetto di dieci diavoli (dai buffi nomi d'invenzione dantesca), inviati a sorvegliare che i dannati stiano davvero immersi sotto la pece. Spaventato dall'atteggiamento feroce e ammiccante della pattuglia di diavoli, Dante vorrebbe rifiutare il loro accompagnamento; ma Virgilio lo tranquillizza. Si torna così al tema delle difficoltà dinanzi alle mure di Dite (canti VIII e IX): l'eccesso di fiducia in se stessa della ragione umana, rappresentata dal troppo sicuro Virgilio.*

I due pellegrini si incamminano con la feroce pattuglia: con il ritratto del modo osceno con cui il capo del gruppetto, Barbariccia, dà il segnale della partenza si chiude il canto, strettamente collegato al seguente: **Per l'argine sinistro volta dienno,**/ **ma prima avea ciascun la lingua stretta**/ **coi denti, verso lor duca, per cenno,**/ **ed elli avea del cul fatto trombetta**: [I dieci diavoli] svoltarono verso l'argine sinistro [della bolgia]; ma prima ognuno aveva stretta la lingua tra i denti, verso il loro capo [: Barbariccia], per segnale; ed egli [: il loro capo, in risposta] aveva usato il culo come una trombetta; vv. 136-139).

Canto XXII

Il canto XXII si collega strettamente al precedente: lo scenario è ancora quello della quinta bolgia dell'ottavo cerchio, dove sono puniti i barattieri, immersi nella pece bollente.

* * *

Dopo un'ampia divagazione, riconnessa alla conclusione del canto XXI, torna il motivo drammatico della narrazione: Virgilio e Dante percorrono l'argine della bolgia accompagnati da una pattuglia di dieci diavoli; e Dante è intimamente preoccupato. Di colpo si presenta sulla scena il principale protagonista del canto, Ciampolo di Navarra, catturato dall'uncino dei diavoli e tirato sù dalla pece. Su di lui si accanisce la furia dei demoni, ma a poco a poco l'astuto barattiere rovescia la situazione a proprio vantaggio: profittando dell'interesse di Virgilio e di Dante e dell'ingenua vanteria dei diavoli, Ciampolo riesce a fuggire. Infuriati per la beffa, due diavoli si azzuffano tra loro e cadono nella pece bollente. A questo punto, Virgilio e Dante si allontanano in fretta.

* * *

Il canto è tra i più mossi e vivaci della *Commedia* sul piano narrativo e drammatico, ma sarebbe un errore interpretare in senso comico l'episodio di Ciampolo: da parte di Dante manca infatti qualsiasi abbandono alla vena della narrazione; domina in lui il distacco e semmai una sorta di cattiveria descrittiva nei confronti del dannato e dei diavoli. Ciampolo inganna i suoi aguzzini perché è fermo nel proprio atteggiamento truffaldino, fermo nel proprio peccato come tutti i dannati, obbligato a ripeterlo per l'eternità dalla condanna (che è poi il senso stesso del c o n t r a p p a s s o): manca qualsiasi partecipazione, da parte di Dante, alla riuscita della sua beffa; né potrebbe essere diversamente, trattandosi della forma in cui continua ancora a manifestarsi il suo peccato. Dante è estraneo nel modo più completo alla intelligenza degradata che Ciampolo utilizza per salvarsi, estraneo alla sua psicologia beffarda e opportunista: eppure segue le evoluzioni di questa intelligenza e i tratti di questa psicologia con un'efficacia notevolissima. Non si tratta, tuttavia, di uno studio fine a se stesso: esso deriva dall'esigenza, come nelle altre esperienze del peccato e delle pene, di comprendere il meccanismo della colpa, di vedere, in questo caso, il barattiere all'opera. Dante rivela d'altra parte un distacco ed un disprezzo ancora maggiori nei confronti dei diavoli, infimi strumenti della giustizia divina e loro stessi vittime di quella giustizia. Tra l'altro non va trascurato il fatto che Dante era stato condannato per baratteria e costretto perciò all'esilio: nella beffa subìta dai diavoli non è da escludere quindi che egli alluda alla colpevolezza indegna dei propri giudici, i Priori di parte Nera del 1303.

La rappresentazione di una realtà e di soggetti degradati trova i suoi punti di forza nei frequenti richiami alla vita animale (generalmente nei suoi aspetti più infimi), nelle m e t a f o r e culinarie, nella scelta di un lessico violento e plebeo. Tutti questi caratteri ricollegano in qualche modo questo aspetto dell'arte dantesca agli esempi degli artisti popolareggianti del Duecento, e alle loro esasperate e grottesche rappresentazioni infernali. Ed è superfluo sottolineare l'abisso che separa la complessa e profonda arte di Dante da quei modelli alquanto rozzi ed ingenui.

Nell'appendice I sono presentate le traduzioni dei vv. 58-75 del canto.

Io vidi già cavalier muover campo,
e cominciare stormo e far lor mostra,

3   e talvolta partir per loro scampo;
corridor vidi per la terra vostra,
o Aretini, e vidi gir gualdane,

6   fedir torneamenti e correr giostra;
quando con trombe, e quando con campane,
con tamburi e con cenni di castella,

9   e con cose nostrali e con istrane;
né già con sì diversa cennamella
cavalier vidi muover né pedoni,

12   né nave a segno di terra o di stella.

1-12: *Io vidi in verità* (**già**) *cavalieri togliere* (**muover**) *l'accampamento* (**campo**) [: per mettersi in marcia], *e cominciare l'assalto* (**stormo**) *e fare la loro parata* (**far lor mostra**), *e talvolta ritirarsi* (**partir**) *per proprio* (**loro**) *scampo; vidi pattuglie a cavallo* (**corridor**) *per la vostra terra, o Aretini, e vidi andare* (**gir** = gire) *le scorrerie* (**gualdane**), [*vidi*] *lo scontrarsi* (**fedir** = ferire) *dei tornei a squadre* (**torneamenti**) *e gareggiare* (**correr**) [*nelle*] *giostre;* [*dando il segnale d'inizio*] *a volte* (**quando**) *con trombe, e a volte* (**quando**) *con campane, con tamburi e con segnali* (**cenni**) *dai* (di) *castelli, e con strumenti* (**cose**) *nostri* (**nostrali**) [: italici] *e con* [*strumenti*] *stranieri* (**istrane**); *ma in verità non* (**né già**) *vidi muover*[*si*] *cavalieri né fanti* (**pedoni**), *né nave in direzione* (**a segno**) *di una terra* [*visibile*] *o di una stella, con una ciaramella* (**cennamella**) *così inconsueta* (**sì diversa**). L'ampio periodo si ricollega alla conclusione del canto precedente (cfr.): ne sottolinea l'aspetto degradato e grottesco e contemporaneamente ne innalza la materia con i vari riferimenti al mondo militare dell'epoca. In sintesi il senso è questo: ho visto ogni tipo di situazione militare, reale o «sportiva», e ho visto in quanti modi possa essere dato il segnale di partenza o d'inizio, ma non ho mai visto nessuno rispondere a un segnale così fuori del comune (con allusione all'osceno verso di Barbariccia con il quale si conclude il canto precedente). Alcune parole di argomento militare usate in questi versi provengono dal tedesco; infatti i soldati di professione erano spesso di origine germanica (**stormo** da *Sturm* = tempesta e quindi assalto; **gualdane** da *Woldan* = cavalcate, scorrerie). **Corridor vidi...**: allusione alla battaglia di Campaldino (1289) tra aretini e fiorentini, alla quale Dante si gloriava di aver vittoriosamente partecipato. **Torneamenti**: scontri a squadre, imitando la battaglia. **Giostra**: scontro singolo; e anche prova di abilità a cavallo. **Cennamella**: una specie di strumento a fiato usato soprattutto a fini bellici, fatto di canne (dal lat. *calamellus*, dim. di *calamus* = canna), con maliziosa allusione alla **trombetta** dell'ultimo verso del canto precedente.

Noi andavam con li diece demoni:
ahi fiera compagnia! ma ne la chiesa

15 coi santi, e in taverna coi ghiottoni.
Pur a la pegola era la mia 'ntesa,
per veder de la bolgia ogne contegno

18 e de la gente ch'entro v'era incesa.
Come i dalfini, quando fanno segno
a' marinar con l'arco de la schiena

21 che s'argomentin di campar lor legno,
talor così, ad alleggiar la pena,
mostrav' alcun de' peccatori 'l dosso

24 e nascondea in men che non balena.
E come a l'orlo de l'acqua d'un fosso
stanno i ranocchi pur col muso fuori,

27 sì che celano i piedi e l'altro grosso,
sì stavan d'ogne parte i peccatori;
ma come s'appressava Barbariccia,

30 così si ritraén sotto i bollori.

13-15: *Noi andavamo con i dieci* (**li diece**) *demoni* [: cfr. canto precedente]*: ahi paurosa* (**fiera**) *compagnia! ma in* (**ne la**) *chiesa* [*si sta*] *con i santi, e in taverna con i perdigiorno* (**ghiottoni**; che non aveva ancora il significato di 'golosi') [: cioè ad ogni circostanza compete una compagnia adatta; e quindi nell'Inferno si sta con i diavoli].

16-18: *La mia attenzione* ('**ntesa** = intesa) *era* [*rivolta*] *soltanto* (**pur**) *alla pece* (**pegola**), *per vedere ogni aspetto* (**contegno**) *della bolgia e delle anime* (**gente**) *che vi erano bruciate* (**incesa**) *dentro* (**entro**).

19-24: *Come i delfini, quando danno l'avviso* (**fanno segno**) *ai* (**a'**) *marinai con l'arco del dorso* (**schiena**) *che si diano da fare* (**s'argomentin**) *per salvare* (**di campar**) *la loro nave* (**legno** = per m e t o n i m i a), *nello stesso modo* (**così**) *a tratti* (**talor**) *qualcuno* (**alcun**) *dei peccatori mostrava la schiena* ('**l dosso**; '**l** = il), *per alleviare* (**ad alleggiar**) *la pena, e* [*la*] *nascondeva* [: ritirandosi del tutto sotto la pece] *in meno di un baleno* (**in men che non balena**). **Come i delfini...**: era credenza che i delfini annunciassero ai marinai le tempeste imminenti con i salti intorno alla nave.

25-30: *E come all'orlo dell'acqua di uno stagno* (**fosso**) *le rane* (**i ranocchi**) *stanno fuori* [*dell'acqua*] *col muso soltanto* (**pur**), *così* (**sì**) *che nascondono* (**celano**) [: sotto la superficie] *le zampe* (**i piedi**) *e il resto del corpo* (**l'altro grosso**), *in tal modo* (**sì** = così) *stavano i peccatori* [: i dannati] *da ogni* (**d'ogne**) *parte; ma appena* (**come**) *Barbariccia* [: il capo dei dieci diavoli che accompagnano Virgilio e Dante, e che evidentemente procede per primo] *si avvicinava* (**s'appressava**), *nello stesso modo* (**così**) [: che al v. 24; cioè «in men che non balena»] *si ritiravano* (**ritraén**) *sotto i bollori* [*della pece*]. Le due s i m i l i t u d i n i (ai vv. 19-24 e 25-30), in perfetta simmetria reciproca, anche per ampiezza di svolgimento, descrivono efficacemente il modo nel quale i dannati immersi nella pece sono visibili, in cerca di un po' di sollievo ma intimoriti dalla sorveglianza dei diavoli. Entrambe le s i m i l i t u d i n i si riferiscono al mondo animale, nei modi attenti del consueto realismo dantesco: i dannati *a volte* (**talor**, v. 22) escono con la schiena fuori della pece, nuotando al centro della bolgia (fatto più pericoloso), più frequentemente (**d'ogne parte**, v. 28) stanno con la faccia fuori della pece (posizione più prudente); in ogni caso, si immergono rapidissimi del tutto all'avvicinarsi di un pericolo. La rappresentazione si avvantaggia di queste s i m i l i t u d i n i con il mondo degli animali, acquistando in evidenza e anche, se si vuole, in cattiveria (cfr. anche oltre ai vv. 32 sg., 36, 58, 130-132, 139 sg.). D'altra parte i paragoni con gli animali e con la gastronomia, frequenti in tutta questa zona del poema, sono alcuni tra

I' vidi, e anco il cor me n'accapriccia,
uno aspettar così, com' elli 'ncontra

33   ch'una rana rimane e l'altra spiccia;
e Graffiacan, che li era più di contra,
li arrunciglò le 'mpegolate chiome

36   e trassel sù, che mi parve una lontra.
I' sapea già di tutti quanti 'l nome,
sì li notai quando fuorono eletti,

39   e poi ch'e' si chiamaro, attesi come.
«O Rubicante, fa che tu li metti
li unghioni a dosso, sì che tu lo scuoi!»,

42   gridavan tutti insieme i maladetti.
E io: «Maestro mio, fa, se tu puoi,
che tu sappi chi è lo sciagurato

45   venuto a man de li avversari suoi».
Lo duca mio li s'accostò allato;

gli aspetti tematici più cospicui della degradazione volgare e plebea (di tipo espressionistico) cui si assiste nei canti di Malebolge.

31-36: *Io* (**i'**) *vidi, e il cuore* (**cor**) *mi si raccapriccia* (**me n'accapriccia**) *ancora* (**anco**), *uno* [*dei dannati*] *aspettare* [: a rientrare sotto la pece] *così come* (**com'elli** = elli è pron. p l e o n .) *succede* (**'ncontra** = incontra) *che una rana rimane* [*ferma*] *e un'altra salta* (**spiccia** = zampilla) [: in acqua]; *e Graffiacane, che gli stava* (**li era**) *più vicino* (**di contra**), *gli* (**li**) *afferrò con l'uncino* (**arruncigliò**) *i capelli* (**le...chiome**) *impegolati* [: pieni di pece appiccicosa] *e lo tirò* (**trassel** = lo trasse) *su*, [*tale*] *che mi parve una lontra*. Ancora due immagini riprese dalla vita animale: il saltare di una rana e l'indugiare di un'altra (riprendendo la s i m i l i t u d i n e , ai vv. 25-30, dei **ranocchi**); il penzolare nero e unto del dannato tirato su con l'uncino, simile nell'aspetto ad una **lontra** (piccolo mammifero dal pelo nero e lucido e dalla lunga coda che vive principalmente in acqua, simile alla foca). **Graffiacan**: è il nome di uno dei dieci diavoli guidati da **Barbariccia** che accompagnano Virgilio e Dante; gli altri, nominati in seguito, sono **Rubicante, Ciriatto, Libicocco, Draghignazzo, Farfarello, Cagnazzo, Alichino, Calcabrina**. I nomi sono di invenzione dantesca, secondo processi di deformazione e di fusione o altro (evidenti in **Barbariccia** e in **Graffiacane**; più complessi in altri casi). È per altro molto probabile che i nomi dei diavoli contengano un riferimento a nomi e soprannomi di contemporanei di Dante, suoi nemici, secondo l'ipotesi di Torraca, confermata da parecchi documenti dell'epoca (in cui compaiono, p. es., Ciriolo, Scaldabrina e simili).

37-39: *Io* (**i'**) *sapevo* (**sapea**) *già il nome di tutti quanti* [*i diavoli*], *così* (**sì**) [*bene*] *li avevo notati* (**li notai**) *quando furono scelti* (**eletti**) [: da Malacoda, nel canto precedente], *e poi avevo fatto attenzione* (**attesi**) *al modo in cui* (**come**) *essi* (**e'** = ei) *si chiamarono* [*tra loro*].

40-42: *I maledetti* [: i diavoli] *gridavano tutti insieme*: «O Rubicante, *mèttigli* (**fa che tu gli metti**; metti = metta) *gli* (**li**) *unghioni addosso, così da scuoiarlo* (**sì che tu lo scuoi**)*!*».

43-45: *E io* [*dissi a Virgilio*]: «*Maestro mio, se tu puoi, fa* [*in modo*] *di sapere* (**che tu sappi**) *chi è lo sventurato* (**sciagurato**) *venuto nelle mani* (**a man**) *dei* (**de li**) *suoi nemici* (**avversari**; si consideri che l' 'avversario' per a n t o n o m a s i a è il demonio)». Dante non osa informarsi direttamente; ma chiede a Virgilio, se la cosa è possibile (cioè priva di rischi), di farlo.

46-48: *La mia guida* (**duca**) [: Virgilio] *gli* (**li**) *si avvicinò* (**accostò**) *di fianco* (**allato**);

domandollo ond' ei fosse, e quei rispuose:

48 « I' fui del regno di Navarra nato.

Mia madre a servo d'un segnor mi puose,

che m'avea generato d'un ribaldo,

51 distruggitor di sé e di sue cose.

Poi fui famiglia del buon re Tebaldo:

quivi mi misi a far barattería;

54 di ch'io rendo ragione in questo caldo ».

E Cirïatto, a cui di bocca uscìa

d'ogne parte una sanna come a porco,

57 li fe' sentir come l'una sdrucìa.

Tra male gatte era venuto 'l sorco;

ma Barbariccia il chiuse con le braccia

60 e disse: « State in là, mentr' io lo 'nforco ».

gli *domandò* (**domandollo** = lo domandò) *di dove egli* (**ond'ei**) *fosse* [*originario*], *e quegli* (**quei**) *rispose: «Io* (**i'**) *fui nativo* (**nato**) *del regno di Navarra*. Chi sia questo dannato, non sappiamo con certezza. Gli antichi commentatori ce ne riferiscono solo il nome: *Ciampolo* (o **Giampolo**), dal franc. *Jean Paul*. **Regno di Navarra**: nel Nord-Est della penisola iberica, nei pressi della catena dei Pirenei.

49-51: *Mia madre, che mi aveva generato da un vizioso* (**ribaldo**) *distruggitore di sé* [: suicida] *e delle sue ricchezze* (**di sue cose**) [: scialacquatore], *mi mise* (**puose**) *a* [*fare il*] *servo da un* (**d'un** = di un) *signore*.

52-54: *Poi appartenni alla corte* (**fui famiglia**) *del valente* (**buon**) *re Tebaldo* [*II*]*: qui* (**quivi**) [: nella condizione di cortigiano] *mi misi a fare barattería* [: cfr. sotto]*; della quale cosa io* (**di ch'io**) *rendo conto* (**ragione**) *in questo caldo* [: nella pece bollente]*»*. Approfittando della nuova condizione sociale e delle grazie del re di Navarra **Tebaldo II** (morto nel 1270), Ciampolo si mise, per denaro, ad abusare del proprio potere, si lasciò cioè corrompere (in ciò consiste la **baratteria**). Il breve racconto di questo dannato mostra uno spaccato di degradazione morale davvero notevole, tanto più efficace quanto meno egli ne sottolinea la bassezza: si pensi alla figura depravata del padre (**ribaldo**, suicida e scialacquatore) e alla naturalezza con cui Ciampolo si dichiara corrotto (v. 53). La diversità rispetto ai racconti di una Francesca da Rimini (canto V) o di un Pier della Vigna (canto XIII) appare evidente. Altrettanto evidente è il feroce accanimento con cui Dante tratta questo personaggio, fin dalla sua apparizione, infierendo su di lui con il sarcasmo e con la violenza crudele delle torture che gli fa subire, e delle quali Dante non mostra in alcun modo di commuoversi. Questo trattamento ostile, frequente invero rispetto ai peccatori di Malebolge, rivela quanto Dante disprezzasse la corruzione politica, cioè la baratteria; tanto più che per baratteria era stato ingiustamente condannato egli stesso dai suoi nemici, e costretto all'esilio.

55-57: *E Ciriatto, al quale* (**a cui**) *usciva da ogni parte della* (**di**) *bocca una zanna come a un cinghiale* (**porco**; sottinteso: selvatico), *gli* (**li**) *fece* (**fe'**) *sentire come una* [*delle due*] *lacerava* (**sdrucìa**) [: lo azzannò].

58-60: *Il* (**'l**) *topo* (**sorco** = sorcio) *era venuto* [: si trovava] *tra cattive* (**male**) *gatte; ma Barbariccia lo protesse* (**il chiuse**) *con le braccia, e disse* [*agli altri diavoli*]*: «State lontani* (**in là**), *finché io* (**mentr'io**) *lo tengo chiuso fra le braccia* ('**nforco** = inforco)*»*. **Tra male gatte…**: la frase, di una efficacia vivissima, è di tono apertamente plebeo e potrebbe trattarsi di un proverbio; ed è, ancora una volta, una m e t a f o r a riferita al mondo animale, sempre in senso degradato. **Ma Barbariccia…**: il capo della pattuglia dei diavoli tiene Ciampolo chiuso tra le braccia: egli intende proteggerlo, per il momento, dalla furia degli altri diavoli per poterlo poi infilzare lui stesso in un secondo tempo, come trapela dal v. 63. **Lo 'nforco**: lo tengo dalle spalle con le braccia, così come si *inforca* la groppa di un cavallo; non è necessario intendere che Barbariccia lo stringa: probabilmente lo circonda solo con le braccia, nella posizione di *inforcarlo*.

E al maestro mio volse la faccia;
    « Domanda », disse, « ancor, se più disii

63   saper da lui, prima ch'altri 'l disfaccia ».

Lo duca dunque: « Or dì: de li altri rii
    conosci tu alcun che sia latino

66   sotto la pece? ». E quelli: « I' mi partii,
poco è, da un che fu di là vicino.

Così foss' io ancor con lui coperto,
    ch'i' non temerei unghia né uncino ».

69   E Libicocco « Troppo avem sofferto »,
    disse; e preseli 'l braccio col runciglio,

72   sì che, stracciando, ne portò un lacerto.

Draghignazzo anco i volle dar di piglio
    giuso a le gambe; onde 'l decurio loro

75   si volse intorno intorno con mal piglio.

Quand' elli un poco rappaciati fuoro,
    a lui, ch'ancor mirava sua ferita,

78   domandò 'l duca mio sanza dimoro:

61-63: *E [Barbariccia ri]volse la faccia verso il* (**al**) *mio maestro* [: Virgilio] [*e gli*] *disse: «Domanda ancora, se desideri* (**disii**) *sapere altro* (**più**) *da lui, prima che qualcuno* (**altri**) *lo* ('**l** = il = lo) *faccia a pezzi* (**disfaccia**)». **Altri**: può essere uno qualsiasi dei diavoli; ma allude sinistramente ad una intenzione precisa: la propria.

64-69: *La* [*mia*] *guida* (**duca**) [: Virgilio] *allora* (**dunque** qui nel significato originario, dal lat. 'ad tunc' = allora) [*disse a Ciampolo*]*: «Ora di': degli* (**delli**) *altri peccatori* (**rii** = rei) *sotto la pece, conosci tu* [*qu*]*alcuno che sia italiano* (**latino**)*?». E quegli* (**quelli**) [: Ciampolo] [*gli rispose*]*: «Io* (**i'**) *mi allontanai* (**partii**)*, poco fa* (**è**)*, da un* [*dannato*] *che fu di* [*un paese*] *là vicino* [: all'Italia]: *allo stesso modo* (**così**) *fossi io ancora con lui coperto* [*dalla pece*]*,* [*così*] *che io* (**ch'i'**) *non temerei* [*né*] *unghia né uncino!»*.

70-72: *E Libicocco disse: «Abbiamo* (**avem**) *tollerato* (**sofferto**) [*già*] *troppo»; e gli afferrò* (**preseli** = li prese = gli prese) *il* ('**l**) *braccio con l'uncino* (**col runciglio**)*, così* (**sì**) *che, lacerando* [*lo*] (**stracciando**)*, ne strappò* (**portò**) *un brandello* (**lacerto**). Si noti il feroce realismo di questo gesto; sia sul piano anatomico che su quello strettamente formale: la stessa fonetica esprime il raccapriccio dell'amputazione (grazie soprattutto alla fitta presenza, stridente, della /r/, in prevalenza complicata, nei vv. 71 sg.: **PReseli, BRac-**cio, **Runciglio, STRacciando, poRTò, laceR-To**; e si guardi con quale ghigno sguaiato inizia il v. 73: **Draghignazzo**).

73-75: *Anche* (**anco**) *Draghignazzo gli* (**i**) *volle mettere le mani addosso* (**dar di piglio**) *giù* (**giuso**) *nelle* (**a le**) *gambe; per cui* (**onde**) *il* ('**l**) *loro capo* (**decurio** = decurione) [: Barbariccia] *si* [*ri*]*volse intorno intorno* [: ai diavoli] *con aspetto* (**piglio**) *irato* (**mal**). La scena truce contiene un gran numero di elementi ironici, o meglio sarcastici, con i quali Dante intende deridere e schernire sia il dannato che i diavoli suoi aguzzini, mostrando la bassezza goffa e sciocca di questo mondo degradato, nel quale è possibile sempre riconoscere un aspetto del mondo degli uomini vivi. Si noti al v. 74 come suoni spropositata e grottesca la definizione di Barbariccia come **decurio**, se si tien conto che i *decurioni* erano i comandanti dell'esercito romano; della stessa specie, e anzi più paradossale ancora, è l'altro e p i t e t o che Dante usa per Barbariccia al v. 94: **gran proposto**, titolo riservato soprattutto alle alte cariche della magistratura e della gerarchia ecclesiastica.

76-80: *Quando essi* (**elli**) [: i diavoli] [*si*] *furono* (**fuoro**) *un poco rappacificati* (**rappaciati**)*, la* ('**l** = il) *mia guida* (**duca**) [: Virgilio] *domandò senza indugio* (**dimoro**) *a* [*co*]*lui che ancora fissava* (**mirava**) *la sua ferita* [: Ciampolo]*: «Chi fu colui dal quale* (**da cui**) *dici* (**di'**) *che facesti uno sventurato* (**mala**)

« Chi fu colui da cui mala partita
di' che facesti per venire a proda? ».

81   Ed ei rispuose: « Fu frate Gomita,
quel di Gallura, vasel d'ogne froda,
ch'ebbe i nemici di suo donno in mano,

84   e fe' sì lor, che ciascun se ne loda.
Danar si tolse e lasciolli di piano,
sì com' e' dice; e ne li altri offici anche

87   barattier fu non picciol, ma sovrano.
Usa con esso donno Michel Zanche
di Logodoro; e a dir di Sardigna

90   le lingue lor non si sentono stanche.

allontanamento (**partita**) [: cfr. vv. 67-69] *per venire a riva* (**proda**)*?».* Si noti come il v. 76 esprima bene con quanta fatica (e con quale provvisoria relatività: **un poco**, infatti) si ristabilisca la calma tra la soldataglia confusionaria e indisciplinata dei diavoli.

81-84: *Ed egli* (**ei**) [: Ciampolo] *rispose: «[Colui dal quale mi sono or ora allontanato] fu frate Gomita di Gallura* (**quel** è p l e o n .), *ricettacolo* (**vasel** = vaso) *di ogni inganno* (**froda** = frode), *che ebbe in mano i nemici del* (**di**) *suo signore* (**donno**; dal lat. 'dominus' = signore; diffuso specie in Sardegna), *e li* (**lor** = a loro) *trattò* (**fe'** = fece) *in tal maniera* (**sì** = così), *che ciascuno [di essi] se ne dice contento* (**se ne loda**). **Frate Gomita** fu alle dipendenze di Nino Visconti, signore di Gallura dal 1275 al 1296, al quale Dante manifesterà grande amicizia nel canto VIII del *Purgatorio*. Gomita fece fuggire i nemici di Nino che gli erano stati affidati come prigionieri, lasciandosene corrompere con denaro; scoperto, fu giustiziato. Anche negli altri incarichi politici o amministrativi avuti dal Visconti fu corrotto e spregiudicato. Ma queste notizie (poche, in verità) le ricaviamo quasi solo da questo luogo del poema dantesco e dai suoi commentatori più antichi, che non vi aggiungono molto. La **Gallura** era una delle quattro zone (chiamate *giudicati*) nelle quali i pisani divisero la Sardegna: quella a Nord-Est. Anche oggi una piccola parte dell'isola porta questo nome. Si noti il modo ironico e smaliziato con il quale Ciampolo racconta questi fatti: con il che si delinea il suo carattere furbo e abituato a stare tra gli inghippi, quale meglio si rivelerà nel seguito dell'episodio.

85-87: *Prese* (**si tolse**) *denari [dai prigionieri], e li lasciò di piano* [: cfr. sotto], *così* (**sì**) *come egli* (**e'** = ei) *dice; e anche negli altri incarichi pubblici* (**ne li altri offici**) *fu un barattiere non piccolo, ma sommo* (**sovrano**). **Di piano**: allude alla formula giuridica detta in lat. *de plano* (in sardo *di pianu*), che consisteva in un processo sommario. Qui significa: *li liberò con un processo sommario*, cioè — in realtà — *senza un vero processo*. La frase ha valore ironico e canzonatorio, specie a causa di quel **sì com'e' dice**, quasi che sia necessario citare con precisione la fonte (inattendibile) di un'espressione così fuor di proposito; altro che **di piano**: il corrotto Gomita li aveva fatti scappare alla chetichella!

88-90: *Frequenta esso* (**usa con esso**) [: Gomita] *messer* (**donno**; ancora, alla sarda) *Michele Zanche di Logodoro; e le loro lingue non si sentono [mai] stanche di* (**a**) *parlare* (**dir**) *della* (**di**) *Sardegna* [: la patria comune]. **Michel Zanche** fu forse governatore del *giudicato* (cfr. nota ai vv. 81-84) di *Logodoro*, nel Nord-Ovest della Sardegna, al servizio di re Enzo di Svevia, figlio di Federico II; ma mancano notizie sicure in proposito. Quello che più conta è l'atteggiamento ironico (ma si dovrebbe dire anche strafottente) di Ciampolo, che parla dei suoi compagni di pena come se vivessero una vita tranquilla di confidenze reciproche intorno alle proprie malefatte; si noti a tal proposito quel divertentissimo **usa con esso**, che pare alludere ad un'assurda possibilità mondana di frequentazioni sociali, ribadita con spasso, ai vv. 89 sg., da quel non stancarsi mai di parlare della Sardegna, rievocando dilettosamente (si direbbe) la comune terra d'origine e le nefandezze lì compiute. E altrettanto ironico è quel fioccare altisonante di titoli, come se si parlasse di personaggi dell'alta società (**donno Michel Zanche**); così

Omè, vedete l'altro che digrigna;
i' direi anche, ma i' temo ch'ello
93   non s'apparecchi a grattarmi la tigna ».
E 'l gran proposto, vòlto a Farfarello
che stralunava li occhi per fedire,
96   disse: « Fatti 'n costà, malvagio uccello! ».
« Se voi volete vedere o udire »,
ricominciò lo spaürato appresso,
99   « Toschi o Lombardi, io ne farò venire;
ma stieno i Malebranche un poco in cesso,
sì ch'ei non teman de le lor vendette;
102   e io, seggendo in questo loco stesso,
per un ch'io son, ne farò venir sette
quand' io suffolerò, com' è nostro uso
105   di fare allor che fori alcun si mette ».

che diventano, nel tono generale del discorso di Ciampolo, titoli di merito anche le malefatte dei dannati che nomina (**vasel d'ogne froda**, v. 82; **barattier...non picciol, ma sovrano**, v. 87): quasi che fossero titoli nobiliari (e si noti, infatti, l'uso stravolto e tendenzioso di termini come **vasel** — per cui cfr. II, 28 e nota — e come **sovrano**). Il tutto, condito con una vena altrettanto divertita e irriverente di delazione (cioè di denuncia dei propri compagni); delazione del tutto apparente, come è ovvio, in una situazione così definita e definitiva. È proprio quest'atteggiamento da impunito che scatena l'ira di Farfarello (cfr. vv. 91-95).

91-93: *Ohimè, guardate* (**vedete**) [*quell*]*l'altro* [*diavolo*] *che digrigna* [*i denti*; ma l'uso assoluto è più efficace]*; io parlerei* (**direi**) *ancora* (**anche**), *ma io temo che quello* (**ch'ello**) [: Farfarello] *si prepari* (**non s'apparecchi**; **temo...non**, sul modello lat. di 'timeo ne') *a grattarmi la rogna* (**tigna**)». Si guardi con quale abilità Ciampolo si destreggi con i diavoli: ha capito che ai due strani visitatori interessa sapere di altri dannati, e accende la loro curiosità con allusioni e **reticenze**, sperando che essi possano salvarlo dalla furia dei diavoli; più avanti (v. 99) dice addirittura che può far venire da lui altri compagni toscani o lombardi, mostrando cioè di aver indovinato la patria sia di Dante che di Virgilio. In questa terzina in particolare si osservi come Ciampolo riesca a prevenire una nuova aggressione associando l'atteggiamento feroce di Farfarello alla propria impossibilità di proseguire nel racconto: quasi che solo gli dispiacesse, se i demoni lo ferissero ancora, di non poter dare soddisfazione alla curiosità dei due visitatori. Da un contegno così avveduto e smaliziato emerge con grande vivacità ed evidenza il carattere di Ciampolo, e lo si immagina facilmente, da vivo, a speculare su ogni cosa con la stessa intuitiva furbizia. **Grattarmi la tigna**: espressione bassamente plebea, che ben si addice al personaggio e alla situazione; vale: *percuotermi* (la tigna è una ripugnante malattia della pelle).

94-96: *E il* ('**l**) *capo* (**gran proposto**; v. nota ai vv. 73-75) [*dei diavoli*: Barbariccia], [*ri*]*volto a Farfarello che stralunava gli occhi per ferire* (**fedire**) [*Ciampolo*], *disse: «Togliti* (**fatti 'n costà** = fatti in là), *malvagio uccello!*».

97-105: *L'impaurito* (**lo spaurato**) [: Ciampolo] *dopo* (**appresso**) *ricominciò* [*a dire*]: «*Se voi volete vedere o ascoltare* (**udire**) [*dannati*] *toscani* (**Toschi**) *o Lombardi, io ne farò venire; ma i Malebranche* [: i diavoli di questa bolgia] *stiano un poco da parte* (**in cesso**), *così che essi* (**sì ch'ei**) [: gli altri dannati] *non abbiano timore* (**non teman**) *delle loro aggressioni* (**vendette**; in senso lato)*; e io, stando* (**seggendo**) *in questo stesso luogo* (**loco**), *per uno che io sono, ne farò venire sette* [: molti; indet.] *quando io fischierò* (**suffolerò** = zufolerò), *come è nostra abitudine* (**uso**) *di fare quando* (**allor che**) [*qu*]*alcuno* [*di noi*] *si mette* [: esce] *fuori* (**fori**) [: della pece]». Ciampolo, fingendo di rispondere alla curiosità di Virgilio e Dante, in verità fa una proposta ai diavoli: permettergli di fare da esca per richiamare altri suoi

Cagnazzo a cotal motto levò 'l muso,
crollando 'l capo, e disse: « Odi malizia

108   ch'elli ha pensata per gittarsi giuso! ».
Ond' ei, ch'avea lacciuoli a gran divizia,
rispuose: « Malizioso son io troppo,

111   quand' io procuro a' mia maggior trestizia ».
Alichin non si tenne e, di rintoppo
a li altri, disse a lui: « Se tu ti cali,

114   io non ti verrò dietro di gualoppo,
ma batterò sovra la pece l'ali.
Lascisi 'l collo, e sia la ripa scudo,

117   a veder se tu sol più di noi vali ».

---

compagni di pena. Infatti, lascia capire che tra loro dannati c'è un segnale convenuto (un fischio) che si fa quando non si vedono diavoli in giro: Ciampolo si offre di fare quel fischio. È ovvio che la cosa interessa, più che a Virgilio o a Dante, ai diavoli: essi potrebbero sfogare la propria ira su un numero più alto di vittime, qualora l'inganno funzionasse. Ma naturalmente, perché i dannati si avvicinino e l'inganno riesca, i diavoli devono allontanarsi un pochino, per non dare troppo nell'occhio; Ciampolo se ne resterà fermo dov'è ora. In verità è fin troppo chiaro quali siano le sue intenzioni, quale astuzia egli abbia inventato per fuggire. È però egualmente indicativo del carattere immorale di Ciampolo che la sua proposta comporti il tradimento dei compagni. Si noti poi anche qui la derisione nei confronti dei diavoli contenuta nell'allusione ai segnali che si fanno tra loro i dannati: quasi che egli voglia far intendere ai demoni che appena essi si voltano, lui e i compagni escono prontamente dalla pece. Questo, indipendentemente dal fatto che i segnali esistano davvero o siano solo (come appare più probabile) un'invenzione estemporanea di Ciampolo. **Spaurato**: potrebbe anche intendersi, anziché *impaurito, non più spaventato* (s-paurato); quasi che Ciampolo sia già certo della riuscita del proprio inganno: certo, insomma, d'averla scampata. **Lombardi**: significava, genericamente, abitanti dell'Italia del Nord, e non solo della Lombardia; cfr. anche la nota ai vv. 91-93.

106-108: *Cagnazzo a queste parole* (**cotal motto**) *[sol]levò la faccia* ('**l muso**; '**l** = il; si addice, questo particolare animalesco, a Cagnazzo), *scuotendo* (**crollando**) *la testa* ('**l capo**) [: in segno di dubbio e di sfiducia], *e disse: «Senti* (**odi**) *[un po']* la malizia [: astu-

zia] *che egli* (**ch'elli**) *ha pensata per gettarsi giù* (**giuso**) [: nella pece e sfuggirci]*!*» Cagnazzo indovina cioè che Ciampolo vuole ingannarli; o almeno lo sospetta.

109-111: *Per cui egli* (**ond'ei**) [: Ciampolo], *che aveva inganni* (**lacciuoli**) *in gran quantità* (**divizia** = ricchezza; latinismo), *rispose: «Io sono* [*veramente*] *assai* (**troppo**) *malizioso* [: cattivo], *dal momento che io* (**quand'io**) *procuro ai* (**a'**) *miei* [*compagni*] *un tormento* (**trestizia**) *maggiore* [: aggiungendo al bollore della pece le violenze dei diavoli]». Ciampolo finge cioè di non capire, giocando sul doppio senso della parola **malizia**, che può significare *astuzia, furbizia* e può significare anche *cattiveria, malvagità*. Cagnazzo lo ha accusato di **malizia** secondo il primo significato (vv. 107 sg.); Ciampolo risponde riferendosi al secondo: sì, è vero, sono proprio cattivo ad aggravare le sofferenze dei miei compagni. Finge insomma di avere per la testa tutt'altri pensieri che la fuga. E i diavoli, a questo punto, ci cascano. **Lacciuoli**: significa *tranelli, espedienti, inganni* e la parola viene dai *lacci* che si tendono per catturare la selvaggina.

112-117: *Alichino non resistette* (**non si tenne**) [: dall'accettare, con aria di sfida] *e, in contrasto con gli altri* (**di rintoppo a li altri**), *disse a lui* [: Ciampolo]*: «Se tu scendi* (**ti cali**) [: verso la pece; cioè: se cerchi di scappare], *io non ti inseguirò* (**verrò dietro**) *correndo* (**di gualoppo** = al galoppo, cioè a piedi), *ma batterò le ali sopra* (**sovra**) *la pece* [: volerò]. *Lasciamo* (**lascisi** = si lasci) [: libera] *la sommità* ('**l collo**) [*dell'argine*,] *e l'orlo* (**la ripa**) [*dell'argine stesso*] *faccia* (**sia**) [*da*] *scudo* [: ci nasconda], *e vediamo* (**a veder**) *se tu* [*da*] *solo vali più di noi*». Alichino accetta la proposta di Ciampolo e con

O tu che leggi, udirai nuovo ludo:
ciascun da l'altra costa li occhi volse,
120   quel prima, ch'a ciò fare era più crudo.
Lo Navarrese ben suo tempo colse;
fermò le piante a terra, e in un punto
123   saltò e dal proposto lor si sciolse.
Di che ciascun di colpa fu compunto,
ma quei più che cagion fu del difetto;
126   però si mosse e gridò: «Tu se' giunto!».
Ma poco i valse: ché l'ali al sospetto
non potero avanzar; quelli andò sotto,
129   e quei drizzò volando suso il petto:
non altrimenti l'anitra di botto,
quando 'l falcon s'appressa, giù s'attuffa,
132   ed ei ritorna sù crucciato e rotto.

---

atteggiamento spavaldo gli ricorda la propria rapidità nel volo; quindi invita gli altri diavoli ad allontanarsi verso la parte opposta dell'argine che separa la quinta dalla sesta bolgia, in modo che chi è immerso nella pece non li veda. A Ciampolo viene così lasciato un discreto margine di vantaggio, con aria di sfida (cfr. v. 117).

118-120: *O tu che leggi, ascolterai* (**udirai**) *una strana gara* (**nuovo ludo**; dal lat. 'ludus' = gioco, competizione)*: ognuno* (**ciascun**) [*dei diavoli ri*]*volse gli* (**li**) *occhi verso* (**da**) *l'altra costa* [: tutti si voltano per allontanarsi]*, per primo* (**prima**) *quel* [*diavolo*] *che era più restìo* (**crudo**) *a fare ciò* [: Cagnazzo; cfr. vv. 106-108]. I diavoli si voltano e si allontanano dall'orlo dell'argine. Il più lesto è proprio Cagnazzo, che si era un attimo prima opposto: Dante ironizza sulla vanità dei diavoli. **O tu che leggi...**: è un appello diretto al lettore, non frequente; sta a sottolineare la stranezza della situazione, la sua bizzarra drammaticità.

121-123: *Il* (**lo**) *Navarrese* [: Ciampolo] *colse bene il momento* (**tempo**) *per lui* (**suo**) [*opportuno*]*; piantò* (**fermò**) *i piedi* (**le piante**) *a terra, e di scatto* (**in un punto**) *saltò e si divincolò* (**si sciolse**) *dal loro* [: dei diavoli] *capo* (**proposto**; come al v. 94) [: Barbariccia, che lo teneva abbracciato, o quasi: cfr. v. 60 e nota]. Approfittando del fatto che i diavoli si sono voltati per allontanarsi e che Barbariccia è distratto dal loro movimento, Ciampolo sceglie il momento giusto per fuggire. Si noti come Dante metta in rilievo, al v. 119, l'aspetto decisivo dell'errore dei diavoli: il girarsi tutti verso la parte opposta, per allontanarsi. La fuga di Ciampolo riesce perché i diavoli sono colti di sorpresa.

124-126: *Per la qual cosa* (**di che**) [: la fuga di Ciampolo] *ciascuno* [*dei diavoli*] *fu punto* (**compunto**) [*dal senso*] *di colpa, ma più* [*di tutti*] *colui* (**quei**) [: Alichino] *che fu causa* (**cagion**) *dell'errore* (**difetto**)*; per cui* (**però**) *si mosse* [*all'inseguimento*] *e gridò* [*a Ciampolo*]*: «Tu sei* (**se'**) *raggiunto* (**giunto**)*!».* È ancora messa in luce, e derisa, la spavalderia di Alichino.

127-132: *Ma gli* (**i**) *servì* (**valse**) [*a*] *poco* [: slanciarsi e gridare]*: poiché* (**ché**) *le ali* [: di Alichino] *non poterono* (**potero**) *essere superiori* (**avanzar**) *alla paura* (**al sospetto**) [: di Ciampolo]*; quegli* (**quelli**) [: Ciampolo] *andò sotto* [*la pece*]*, e questi* (**quei**) [: Alichino] *volando raddrizzò* (**drizzò**) *il petto in su* (**suso**)*: non diversamente* (**altrimenti**) *l'anitra si immerge* (**s'attuffa**) *giù* [*sott'acqua*] *di colpo* (**di botto**)*, quando si avvicina* (**s'appressa**) *il* (**'l**) *falcone, e questi* (**ei** = egli) *ritorna sù* [: verso l'alto] *avvilito* (**crucciato**) *e stanco* (**rotto**). Nella gara tra la paura del dannato e le ali tanto vantate del diavolo, vince la paura: Ciampolo si tuffa nella pece e Alichino deve deviare per non cadervi anche lui. La s i m i l i t u d i n e con l'anitra e il falcone, ricollegandosi ai numerosi altri paralleli con il mondo animale, definisce con energia plastica la scena; si guardi come ogni suo particolare trovi riscontro nei fatti appena narrati: **di botto** (v. 130) corrisponde a **in un punto** (v. 122), **s'attuffa** (v. 131) a **saltò** (v. 123) e soprattutto a **andò**

Irato Calcabrina de la buffa,
    volando dietro li tenne, invaghito
135   che quei campasse per aver la zuffa;
e come 'l barattier fu disparito,
    così volse li artigli al suo compagno,
138   e fu con lui sopra 'l fosso ghermito.
Ma l'altro fu bene sparvier grifagno
    ad artigliar ben lui, e amendue
141   cadder nel mezzo del bogliente stagno.
Lo caldo sghermitor sùbito fue;
    ma però di levarsi era neente,
144   sì avìeno inviscate l'ali sue.

sotto (v. 128), **ritorna sù** (v. 132) a **driz-zò...suso il petto** (v. 129); e si guardi come le linee di forza del movimento disegnino un potente orientamento verticale: **giù** (v. 131) e **sù** (v. 132), corrispondenti a **sotto** (v. 128) e a **suso** (v. 129).

133-138: *Calcabrina, arrabbiato* (**irato**) *della beffa* (**buffa**), *gli* (**li**) *tenne dietro volando, compiaciuto* (**invaghito**) *che quegli* (**quei**) [: Ciampolo] *sfuggisse* (**campasse**) [*ad Alichi-no*] *per avere una rissa* (**la zuffa**) [*con lui; avendo un buon pretesto*]; *e appena* (**come**) *il* (**'l**) *barattiere* [: Ciampolo] *fu scomparso* (**disparito**) [: *sotto la pece*], *sùbito* (**così**) [*ri*]*volse gli* (**li**) *artigli contro il* (**al**) *proprio* (**suo**) *compagno* [: Alichino], *e si avvinghiò* (**fu... ghermito**) *con lui sopra al* ('**l** = il) *fos-so* [: la bolgia piena di pece]. Calcabrina preferisce sfogare l'ira su Alichino, che li ha fatti beffare da Ciampolo, piuttosto che su Ciampolo stesso: perciò è lieto che questi rie-sca a fuggire, per avere una buona ragione per prendersela con il «collega».

139-141: *Ma l'altro* [: Alichino] *fu altrettan-to* (**bene**) *sparviero feroce* (**grifagno**) *ad arti-gliarlo per bene* (**ad artigliar ben lui**), *ed en-trambi* (**amendue** = ambedue) *caddero nel mezzo della palude* (**stagno**) *bollente*. La con-clusione della scena è ferocemente comica; e sottolinea ancora l'accanimento con cui Dante rappresenta le vittime e gli aguzzini di questa bolgia: se non che in Ciampolo vi sono un'arguzia e una vivacità che ai dia-voli mancano completamente; essi sono la bruta configurazione del male, con la loro stolta cattiveria, e Dante si diverte ad infie-rire sulla loro sconfitta. Ma manca da parte sua qualsiasi partecipazione alla riuscita del trucco di Ciampolo, contro il quale si è pu-re accanita la sua cattiveria (cfr. soprattutto i vv. 55-58). La nota che domina l'atteggia-mento di Dante in questa bolgia è il distac-co, con accenti comici e sarcastici: la sua fantasia accende la movimentatissima scena al fine di umiliare e deridere dannati e car-nefici, infierendo contro tutti e di tutti mo-strando, infine, l'inutilità dell'agire. **Grifa-gno**: così è detto lo sparviero adulto, più vi-vace e aggressivo.

142-144: *Il* (**lo**) *caldo* [*della pece*] *fu* (**fue**) *un immediato* (**sùbito**) *separatore* (**sgher-mitor** = che fa sciogliere la stretta) [: il caldo li fece sùbito separare]; *ma però quanto al togliersi* (**di levarsi**) [: di lì] [*non c'*]*era nien-te* (**neente**) [*da fare*], *tanto* (**sì** = così) *aveva-no* (**avìeno**) *le proprie* (**sue**) *ali appiccicate* (**inviscate**) [: per la pece].

147 Barbariccia, con li altri suoi dolente,
     quattro ne fe' volar da l'altra costa
     con tutt' i raffi, e assai prestamente
     di qua, di là discesero a la posta;
     porser li uncini verso li 'mpaniati,
     ch'eran già cotti dentro da la crosta.
151 E noi lasciammo lor così 'mpacciati.

145-151: *Barbariccia, addolorato* (**dolente**) *come* (**con**) *gli* (**li**) *altri* [*diavoli*] *suoi* [*sottoposti*], *ne fece* (**fe'**) *volare quattro dall'altro argine* (**costa**) *con tutti gli uncini* (**i raffi**), *e assai rapidamente* (**prestamente**) [*tutti*] *discesero nel posto assegnato* (**a la posta**) *di qua* [*e*] *di là* [*della bolgia piena di pece*]*; porsero gli* (**li**) *uncini verso gli invischiati* (**li 'mpaniati** = *gli impaniati*), *che dentro la* (**da la**) *pece* (**crosta**) *erano già cotti* [: *scottati*]. *E noi li* (**lor**) *lasciammo così impacciati.* Con questa vivace e grottesca scenetta si chiude il canto: Virgilio e Dante si allontanano, quasi fuggono, timorosi di diventare l'obiettivo dell'ira scornata dei diavoli. Si noti come venga efficacemente descritto il movimento concitato dei Malebranche: **volar, assai prestamente, di qua, di là, discesero, porser**; e come tanta alacrità venga derisa dalla definizione che Dante ne dà in fine di canto, **così 'mpacciati**, quasi a distruggere di colpo, senza possibilità d'appello, anche questa estrema impressione di efficienza offerta dall'impegno dei diavoli.

Ludo ──────────────────────────────── v. 118

È voce dotta derivata dal lat. *ludus* = 'gioco, spettacolo'. È forma ant. e letter. per 'svago, divertimento'; ed anche 'inganno, scherzo, beffa'. In Dante il termine ha entrambi i significati. (Cfr. *ludĕre* = 'giocare, far festa' in *Par.* XXX, 10). Il vocabolo è oggi desueto, ma vive in alcuni derivati, come *ludico* = 'ciò che si riferisce al gioco' (cfr. franc. *ludique*), *ludibrio* = 'derisione pungente' ecc.

Pedone ──────────────────────────────── v. 11

La voce deriva dal lat. tardo *pedo, pedonis* = 'che ha i piedi grandi' (da *pes, pedis* = 'piede' — e cfr. il gr. πούς, ποδός —; cfr. franc. *pion* e sp. *peon*). Propriamente il termine designa quel 'soldato che negli eserciti di un tempo si spostava e combatteva a piedi' (ed è questo l'uso di Dante). Evidentemente non più viva questa accezione, la voce resta viva soprattutto in due significati: 'chi cammina a piedi nel traffico, rispetto al codice stradale' (per cui, p. es., «attraversamento pedonale», cioè riservato ai *pedoni*); e 'ognuno degli otto pezzi uguali del gioco degli scacchi che occupa la prima fila davanti agli altri pezzi dello stesso colore'.

Ribaldo ──────────────────────────────── v. 50

La voce deriva dal prov. e dal franc. *ribaud* = 'dissoluto' (dall'ant. alto ted. *hriba* = 'prostituta', attraverso il lat. mediev. *ribaldus*; cfr. ant. sp. e ant. port. *ribaldo*). Il termine, tuttora in uso, significa 'scellerato, sciagurato' (ed è questo l'uso di Dante).

Canto XXIII

La prima parte del canto si ricollega al canto precedente: Virgilio e Dante fuggono pensierosi; hanno appena modo di manifestarsi il timore che i diavoli, **scherniti con danno e con beffa** *(v.14)*, possano cercare la vendetta contro di loro, che i Malebranche in effetti appaiono alle loro spalle, volando all'inseguimento. Virgilio prende in braccio Dante con affettuosa premura e si lascia scivolare lungo il bordo dell'argine che separa la quinta bolgia dalla sesta, calandosi verso quest'ultima. I diavoli qui non possono inseguirli perché la legge divina gli vieta di superare i confini della bolgia alla quale sono attribuiti.

Nella sesta bolgia *dell'ottavo cerchio l'atmosfera si presenta completamente diversa: all'avventuroso incalzare della narrazione dei canti XXI, XXII e della prima parte di questo XXIII, succede ora una pausa di suoni ovattati e di movimenti lenti. In questa bolgia sono puniti gli* ipocriti, *costretti a camminare sotto pesantissime cappe di piombo esternamente dorate: evidente il* c o n t r a p p a s s o, *se si pensa all'aspetto ingannevole dell'ipocrisia, dorata solo in apparenza; ora i dannati subiscono essi stessi il peso del loro peccato, concretizzato nel duplice aspetto delle cappe. Dante si sofferma sull'ipocrisia come su un male tipicamente legato agli ordini religiosi e al mondo ecclesiastico; e anziché manifestare il proprio sdegno in un'invettiva aperta, preferisce ritrarre con grande bravura e un disprezzo sempre contenuto entro i limiti della satira la psicologia di due dannati e, più in generale, degli ambienti religiosi. I due frati con i quali Dante si ferma a parlare sono Catalano dei Malavolti e Loderingo degli Andalò: inviati nel 1266 a Firenze dal papa Clemente IV, essi finsero di cercare la pace tra le fazioni, e in verità determinarono la sconfitta e la cacciata dei Ghibellini. Una pena particolare è riservata a Caifas, sommo sacerdote ebreo, il quale si adoperò per ottenere dai Farisei la condanna a morte di Gesù, fingendo di guardare alla pubblica utilità e pensando invece soltanto ai propri interessi di parte: egli è crocifisso a terra con tre pali, al centro del sentiero perché tutti lo calpestino.*

Virgilio chiede al frate Catalano di mostrargli il modo di uscire dalla bolgia e scopre che le notizie fornitegli da Malacoda (cfr. canto XXI) riguardo alle condizioni dei ponti sono false. Allora Dante può dare alla figura del frate un ultimo tocco, facendogli rispondere con una canzonatura maligna e ipocrita: **E 'l frate:** «**Io udi' già dire a Bologna/ del diavol vizi assai** *[: molti vizi],* **tra'** *[: tra i]* **quali udi'/ ch'elli è bugiardo e padre di menzogna**» *(vv. 142-144); quasi che solo nelle celebri scuole di teologia bolognesi fosse risaputo che il diavolo è bugiardo! Si tratta di una piccola sconfitta di Virgilio (a ricordare sempre il limite della ragione umana), il quale si allontana visibilmente irato, seguito da Dante.*

Canto XXIV

Come un contadinello che svegliandosi vede i campi imbiancati e si dispera credendo che si tratti di neve, ma poi scopre che è brina e si rasserena;
così Dante dapprincipio si preoccupa dell'aspetto turbato di Virgilio, ma
poi si rincuora vedendolo tornare sereno e sorridente. Questa ampia
s i m i l i t u d i n e , con la quale si apre il canto, crea una pausa di distensione dopo la drammatica tensione narrativa dei canti precedenti, e prima
della ripresa degli stessi toni drammatici nella parte finale del canto. Un'atmosfera distesa domina anche il faticoso arrampicarsi di Virgilio e Dante
fin sull'argine che separa la sesta bolgia dalla settima.

Nella settima bolgia dell'ottavo cerchio sono puniti i ladri. Orribili ser-
penti di ogni specie martoriano i dannati, provocando con i loro morsi spa-
ventose metamorfosi. Morso nel collo, un dannato si incenerisce e poi riprende istantaneamente dalle ceneri stesse le proprie fattezze; tanto che Dante non può fare a meno di esclamare: **Oh potenza di Dio, quant'è severa,/
che cotai colpi per vendetta croscia!** (Oh, quanto è severa la potenza di
Dio, che scaglia per castigo tali colpi!; vv. 119 sg.). È il pistoiese Vanni
Fucci, colpevole, tra l'altro, di aver derubato il tesoro della cappella di san
Iacopo nel duomo di Pistoia. In lui sopravvive una rozza violenza bestiale,
così che il dispetto per essere stato riconosciuto e svergognato da Dante
lo spinge a vendicarsi predicendogli con rabbia la sconfitta dei Bianchi e
l'esilio; non senza aggiungere, a conclusione della profezia e del canto, «**E
detto l'ho perché doler ti debbia!**» (E ho fatto questa profezia per dispiacer-
ti!; vv. 151).

Canto XXV

L'inizio del canto si ricollega alla fine del precedente: **Al fine de le sue parole il ladro/ le mani alzò con amendue** [: *ambedue]* **le fiche,/ gridando: «Togli** [: *prendi]*, **Dio, ch'a te le squadro** [: *le faccio]*!».». *Il gesto osceno e sacrilego di Vanni Fucci ne completa la figura bestiale e superba (le fiche sono un gesto di scherno che si fa tenendo il pugno chiuso con il pollice tra l'indice e il medio), e prepara l'invettiva di Dante contro Pistoia, patria del dannato.*

Il resto del canto è occupato dalla descrizione di cinque spiriti di ladri fiorentini, e dalle orribili trasformazioni che due di essi subiscono ad opera dei rettili. Uno viene abbracciato fortemente da un drago fino a formare un unico essere mostruoso; un altro viene morso da un **serpentello acceso** [: *furioso]*,/ **livido e nero come gran di pepe** *(vv. 83 sg.) e a poco a poco i due esseri si scambiano di natura: il serpente diviene uomo, e l'uomo serpente. L'arte di Dante si compiace di seguire con realistica precisione e magistrale efficacia queste metamorfosi; ma senza che la pura bravura descrittiva e formale prenda mai del tutto il sopravvento sulle ragioni allegoriche e morali che ispirano tutto l'episodio. L'interesse di Dante per i fenomeni osservati deriva dall'ammirata verifica del potere e della giustizia di Dio; è il compiacimento di assistere al ristabilirsi dell'ordine universale, infranto dal peccato, nella giusta punizione.*

Canto XXVI

L'inizio del canto rende esplicita la velata polemica nei confronti della degenerazione di Firenze del canto XXV, con i cinque ladri fiorentini; e l'invettiva contro la disonestà della propria patria si affianca a quella, ancora del canto XXV, contro Pistoia. L'apertura del canto è amaramente ironica e ampia: **Godi, Fiorenza, poi che se' sì grande, /che per mare e per terra batti l'ali, /e per lo 'nferno tuo nome si spande!** *(*Rallégrati, Firenze, poiché sei tanto grande che voli [e sei nota] per mari e per terra [in tutto il mondo], e il tuo nome si sparge nell'Inferno!).*

*Virgilio e Dante passano quindi nell'*ottava bolgia *dell'*ottavo cerchio. *Qui si mostra ai loro occhi uno spettacolo simile a quello che offrono le lucciole in estate in una valle, viste dall'alto: un gran numero di fuochi riempie la bolgia ed in ogni fiamma è contenuta l'anima di un dannato. Sono così puniti i* consiglieri di frode, *coloro che hanno fatto un uso perverso e malvagio della propria intelligenza, asservendola agli interessi personali o di parte. Più in generale, questo canto rappresenta una meditazione sul dono dell'ingegno e sulla necessità di fare un uso nobile e onesto di un bene così importante. L'atmosfera di questa bolgia è profondamente diversa da quella delle altre: qui si consuma un'intima lotta tra l'ammirazione per l'altezza dell'intelligenza umana e la colpa che deriva da un'applicazione frodolenta di tale bene. Viene insomma affrontata qui nella sua essenza una delle questioni più profonde e insistenti del poema: il limite dell'ingegno dell'uomo, che in se stesso non può essere considerato un valore; infatti può applicarsi per ingannare, e compiere un peccato grave; e non può comunque raggiungere la sua mèta e soddisfare la sua nobile sete di conoscenza senza l'illuminazione della Grazia divina.*

In questo contesto ideale si colloca l'episodio di Ulisse, il grande eroe greco di cui Omero ha raccontato le imprese nell'*Iliade* e nell'*Odissea*. Egli è avvolto in un'unica fiamma a due corni con l'altro eroe greco Diomede; entrambi hanno infatti organizzato il celebre inganno del cavallo di Troia, con il quale la città nemica fu espugnata, ed altre numerose frodi. Assecondando il desiderio di Dante, Virgilio prega Ulisse di parlare; non lo invita però a raccontare dei suoi celebri inganni, ma della impresa nella quale trovò la morte.

Ulisse racconta di come, ormai vecchio, convinse i suoi compagni a spingersi con la nave oltre le Colonne d'Ercole (lo stretto di Gibilterra), nell'Oceano sconosciuto, in cerca di conoscenza. Dopo una lunga navigazione apparve all'orizzonte una grande montagna, ma la iniziale gioia di Ulisse e compagni fu spenta da un vento violento nato proprio dal monte, che fece affondare la nave.

Il racconto, condotto in tono tragico, mostra con un grandioso esempio la debolezza dell'ingegno, ove esso resti abbandonato alle sue sole forze, senza la guida teologica della Grazia. In Dante coesistono l'ammirazione per la nobiltà dello spirito di Ulisse, desideroso di sempre nuovo sapere; e la coscienza del limite umano. Al «folle» viaggio di Ulisse si contrappone il viaggio «sacro» di Dante: il monte che l'eroe greco arriva a scorgere ma non può raggiungere è infatti quello del Purgatorio, al quale si dirige, ma con successo, anche Dante. Al modello umano e immanente del viaggio *orizzontale* di Ulisse, si contrappone il modello sovrumano e trascendente del viaggio *verticale* di Dante; il primo (di tradizione classica e «scientifica») tende all'allargamento illimitato dei confini del conoscere, il secondo (di tradizione ebraico-cristiana e teologica) tende a cogliere il significato universale della vita.

          Lo maggior corno de la fiamma antica
            cominciò a crollarsi mormorando,
87   pur come quella cui vento affatica;
        indi la cima qua e là menando,
            come fosse la lingua che parlasse,
90   gittò voce di fuori e disse: « Quando
      mi diparti' da Circe, che sottrasse
            me più d'un anno là presso a Gaeta,
93   prima che sì Enëa la nomasse,
      né dolcezza di figlio, né la pièta
            del vecchio padre, né 'l debito amore
96   lo qual dovea Penelopè far lieta,
      vincer potero dentro a me l'ardore
            ch'i' ebbi a divenir del mondo esperto
99   e de li vizi umani e del valore;
      ma misi me per l'alto mare aperto
            sol con un legno e con quella compagna
102   picciola da la qual non fui diserto.

85-87: *Il* (**lo**) *corno più grande* (**maggior**) *dell'antica fiamma cominciò ad agitarsi* (**crollarsi**) *mormorando proprio* (**pur**) *come quella* [*fiamma*] *che* (**cui**) *il vento agita* (**affatica**). **Lo maggior...**: nella fiamma biforcuta sono avvolte le anime di Ulisse e di Diomede; al corpo più grande corrisponde l'anima di Ulisse, sia perché è quella di maggiore importanza sia forse perché più colpevole. **Antica**: perché si tratta di anime morte da molto tempo; ma **antica** e **maggior** creano sùbito un'atmosfera di nobiltà e di grandezza, che la distanza nel tempo dei fatti narrati accresce, e che viene ulteriormente sottolineata dalla solennità di **crollarsi**, dalla indeterminatezza di **mormorando**, dallo sforzo di **affatica**.

88-102: *Quindi* (**indi**), *dimenando* (**menando**) *la cima qua e là come* [*se*] *fosse una* (**la**) *lingua che parlasse*, *emise* (**gittò...di fuori**); *ma vi sentì lo sforzo*) *la voce, e disse:* «*Quando mi allontanai* (**diparti'**) *da Circe, che mi trattenne* (**sottrasse me**) *più di un anno là presso a Gaeta,* [*ma*] *prima che Enea la chiamasse* (**nomasse**) *così* (**sì**), *né la tenerezza* (**dolcezza**) *per il* (**di**) *figlio* [*mio:* Telemaco], *né la reverenza* (**pièta**) *per il* (**del**) *vecchio padre* [Laerte], *né l'amore dovuto* (**debito**) *che* (**lo qual**) *doveva fare felice* (**lieta**) *Penelope, poterono* (**potero**) *vincere dentro di* (**a**) *me il desiderio* (**l'ardore**) *che io* (**ch'i'**) *ebbi di* (**a**) *divenire esperto* [: *di conoscere*] *del mondo, e dei* (**de li**) *vizi e della virtù* (**valore**) *umani; ma mi misi* (**misi me**) [*in*

L'un lito e l'altro vidi infin la Spagna,
fin nel Morrocco, e l'isola de' Sardi,
105   e l'altre che quel mare intorno bagna.
Io e' compagni eravam vecchi e tardi
quando venimmo a quella foce stretta
108   dov' Ercule segnò li suoi riguardi
acciò che l'uom più oltre non si metta;
da la man destra mi lasciai Sibilia,
111   da l'altra già m'avea lasciata Setta.

viaggio] *attraverso* (**per**) *il profondo* (**alto**) *mare aperto con una sola nave* (**legno**; *per* m e t o n i m i a) *e con quella piccola compagnìa dalla quale non ero stato* (**fui**) *abbandonato* (**diserto**). Con uno sforzo per parlare che ricorda quello di Pier della Vigna nella selva dei suicidi (canto XIII), inizia il racconto di Ulisse. E la rievocazione è sùbito occupata dal contrasto tra i sentimenti e i doveri familiari e il desiderio di conoscere ancora, di continuare a navigare in cerca di nuove esperienze: ma non bastano i legami con il figlio, con il padre, con la moglie Penelope a *vincere* l'**ardore** di chi deve spingersi sempre oltre. Così Ulisse parte di nuovo, con i compagni a lui rimasti fedeli. Dante non conosceva direttamente i poemi di Omero (i quali d'altra parte non raccontano della morte di Ulisse, né di questo viaggio), e non conosceva le numerose aggiunte alle avventure di Ulisse, scritte e circolanti anche in ambito r o m a n z o ; le sue informazioni derivavano dagli autori latini: Virgilio e Stazio parlano largamente dei famosi inganni di Ulisse (per cui Dante lo punisce qui tra i consiglieri di frode), Orazio delle vaste conoscenze che egli ebbe dei paesi del mondo e dei costumi umani, Cicerone e Seneca del suo invincibile desiderio di sapere e di conoscere. Questo racconto dell'ultimo viaggio di Ulisse è dunque un'originale invenzione dantesca, compiuta sulla base degli spunti offertigli dagli autori sopra citati. Dev'essere ben chiaro che la colpa di Ulisse *non* consiste nel viaggio che qui racconta, ma nell'essere egli stato un inventore e un consigliere di inganni. Il racconto del viaggio si collega alla sua colpa solo nel senso che rivela, come quella, un uso non corretto (non assistito dalla Grazia divina) dell'intelligenza. Si noti con quale efficacia Dante esprima, a livello formale, il contrasto che è detto tra affetti e doveri familiari, e desiderio di conoscenza: i tre **né** dei vv. 94 sg. indicano una lotta interiore faticosamente combattuta (e vinta) da quell'unico **ardore** riso-

lutamente contrapposto a ogni altra forza. E si noti la risoluzione improvvisa e virile del v. 100, con l'a l l i t t e r a z i o n e di **ma misi me** a dare il senso della fermezza della decisione, e lo spalancarsi di un orizzonte sconfinato in **alto mare aperto** anche grazie alla presenza in posizione accentata di vocali chiare: due /*a*/ e una /*e*/. **Circe...**: Circe è la maga che durante il viaggio di ritorno da Troia alla nativa Itaca ammaliò Ulisse legandolo al proprio fascino per un anno intero, presso il monte Circeo sulla costa del Lazio meridionale, dove poi Enea avrebbe fondato Gaeta (come racconta Virgilio nell'*Eneide*, VII, 1-4).

103-105: *Vidi l'una e l'altra costa* (**lito**) [*del mar Mediterraneo*; *quella europea e quella africana*] *fino alla* (**infin la**) *Spagna, fino al* (**nel**) *Marocco* (**Morrocco**), *e l'isola dei* (**de'**) *Sardi* [: *la Sardegna*] *e le altre* [*isole*] *che quel mare* [: *il Mediterraneo occidentale*] *bagna intorno* [: *Sicilia, Corsica, ecc.*]. Ulisse e compagni navigano cioè in lungo e in largo verso Occidente; e questa rievocazione dei luoghi visitati dà la misura della partecipazione intensa di Ulisse ad ogni nuova conquista della conoscenza.

106-111: *Io e i* (**e'**) [*miei*] *compagni eravamo vecchi e lenti* (**tardi**) *quando arrivammo* (**venimmo**) *a quella stretta apertura* (**foce**) *dove Ercole segnò i* (**li**) *suoi limiti* (**riguardi**), *affinché* (**acciò che**) *l'uomo non proceda* (**si metta**) *più oltre*; *a destra* (**da la man destra**) *mi lasciai Siviglia* (**Sibilia**), *dalla altra* [*parte*] *mi ero* (**m'avea**) *già lasciata Ceuta* (**Setta**). Dopo aver a lungo navigato, Ulisse e compagni giungono, ormai vecchi e indeboliti dagli anni, alle Colonne d'Ercole, l'odierno stretto di Gibilterra, attraverso il quale si passa dal mar Mediterraneo all'oceano Atlantico: erano lì, ancora al tempo di Dante, i confini del mondo conosciuto. Il fatto che Ulisse li superi non costituisce un pecca-

'O frati' dissi, 'che per cento milia
perigli siete giunti a l'occidente,

114   a questa tanto picciola vigilia
de' nostri sensi ch'è del rimanente
non vogliate negar l'esperïenza,

117   di retro al sol, del mondo sanza gente.
Considerate la vostra semenza:
fatti non foste a viver come bruti,

120   ma per seguir virtute e canoscenza '.
Li miei compagni fec' io sì aguti,
con questa orazion picciola, al cammino,

123   che a pena poscia li avrei ritenuti;
e volta nostra poppa nel mattino,
de' remi facemmo ali al folle volo,

126   sempre acquistando dal lato mancino.

to: il limite non è un precetto divino, ma ha un'origine mitica. Il punto è che Ulisse cerca ciò che senza l'aiuto della religione rivelata non può trovare: il suo naufragio non è il segno di una punizione divina, ma di un fallimento delle prerogative della mente umana in sé presa, del suo limite. **Ercole**: semidio della mitologia greca, secondo il mito piantò due colonne sulla costa spagnola e su quella africana all'altezza dello stretto di Gibilterra, a segnare i confini del mondo abitato e avvertire i naviganti di non spingersi oltre quel limite. **Sibilia** (Siviglia) è sulla costa spagnola, poco dopo lo stretto di Gibilterra; **Setta** (Ceuta) è sulla costa africana, all'inizio dello stretto: chi attraversi dal Mediterraneo all'Atlantico trova la prima a destra e la seconda a sinistra.

112-117: *Dissi: 'O fratelli* (**frati**)*, che siete giunti ai limiti occidentali* (**a l'occidente**) [*del mondo conosciuto*] *attraverso* (**per**) *centomila* (**cento milia** = moltissimi; indet.) *pericoli* (**perigli**)*, non vogliate negare la conoscenza* (**l'esperienza**) *del mondo senza abitanti* (**gente**)*,* [*navigando*] *dietro* (**di retro**) *al sole* [*: verso Occidente*]*, a questa così* (**tanto**) *breve* (**picciola**) *veglia* (**vigilia**) *dei* (**de'**) *nostri sensi che rimane* (**ch'è del rimanente**; modo latineggiante). Ulisse si rivolge ai compagni, in questo momento supremo delle loro esplorazioni, e li invita a procedere ancora, seguendo il sole, inoltrandosi nell'oceano: in una direzione nella quale Dante riteneva non esservi altro che acque, verso un mondo quindi disabitato. Ma l'**ardore** della conoscenza vuole superare anche questo limite; tanto più ora che il tempo che resta da vivere è poco e non può essere sprecato, secondo la nobile

concezione che trapela dalle parole di Ulisse. La *veglia dei sensi* è la vita, per contrapposizione al sonno della morte; i vv. 114 sg. significano dunque: *alla poca vita che ci resta ancora da vivere*.

118-120: *Considerate la vostra origine* (**semenza**)*: non foste creati* (**fatti**) *per* (**a**) *vivere come uomini-bestia* (**bruti**)*, ma per* [*in*]*seguire la virtù* (**virtute**) *e la conoscenza'*. Il breve discorso che Ulisse rivolge ai compagni si innalza in questa terzina conclusiva ad esprimere una concezione dell'uomo di grande nobiltà e fierezza. Si ricordi che stava allora cominciando la grande stagione dei viaggi. La diffusione dei commerci e dei traffici e la nascita di una classe mercantile preborghese incoraggiano d'altronde il senso d'iniziativa e d'intraprendenza dell'uomo. Dante condivide questo slancio, ma nello stesso tempo resta legato al senso medioevale del *limite*. Ulisse ha sfidato questo limite senza rendersi conto che il bisogno di conoscenza dell'uomo va subordinato a una ricerca di verità trascendente, rispetto alla quale l'orizzonte terreno della conoscenza è ben misera cosa.

121-126: *Con questo breve discorso* (**orazion picciola**) *io feci i* (**li**) *miei compagni così pronti* (**sì aguti**) *al cammino, che dopo* (**poscia**) *li avrei fermati* (**ritenuti**) *a stento* (**a pena**)*; e* [*ri*]*volta la nostra poppa verso oriente* (**nel mattino**) [*: con la prua a occidente*]*, facemmo dei rami ali al* [*nostro*] *folle volo, sempre guadagnando* (**acquistando**) *a sinistra* (**dal lato mancino**) [*: deviando lentamente verso Sud-Ovest e poi verso Sud*]. Il discorso di Ulisse (la cui facondia e abilità suaso-

Tutte le stelle già de l'altro polo
vedea la notte, e 'l nostro tanto basso,
129   che non surgëa fuor del marin suolo.
Cinque volte racceso e tante casso
lo lume era di sotto da la luna,
132   poi che 'ntrati eravam ne l'alto passo,
quando n'apparve una montagna, bruna
per la distanza, e parvemi alta tanto
135   quanto veduta non avëa alcuna.

ria sono cantate già nei poemi omerici) entusiasma i suoi compagni e così essi si mettono in viaggio verso Occidente (con la poppa a oriente) e poi verso Sud-Ovest e Sud, passando quindi al largo della costa occidentale dell'Africa. **Fec'io sì aguti**: si noti come nel verso 121 l'accento sulla 7ª sillaba metta in risalto quell'**io**, l'accento sull'8ª dia a quel **sì** un pungente risalto, ponendo lo slancio dei compagni al pari di quello dell'**io**/Ulisse, in virtù delle due /i/ t o n i c h e contigue; e il risalto di **sì** è accresciuto dalla d i a l e f e che lo stacca da **aguti**, parola che resta, così, sola in fine di verso, efficacissima (**fec'io sì | aguti**). **Nel mattino**: è espressione variamente interpretata. Secondo il senso da noi accolto, Ulisse si sofferma su quanto si stanno lasciando alle spalle, verso **poppa**, cioè tutto il mondo abitato e conosciuto. Secondo altri è solo un'indicazione di ora, a dire che il viaggio iniziò al mattino (infatti per arrivare a Gibilterra la poppa era già rivolta a oriente). Secondo altri ancora la poppa fu voltata da Est a Nord-Est, e la prua rivolta quindi a Sud-Ovest e poi, lentamente, a Sud (e anche a Sud-Est). In ogni caso su questo inizio del viaggio si stende l'effetto luminoso di **nel mattino** e l'audace slancio di **ali al folle volo** (espressione fittissima di /l/).

127-129: *La notte vedeva* [: di notte si vedevano] *già tutte le stelle dell'altro polo* [: quello antartico] *e il* ('l) *nostro* [*polo*] *così* (**tanto**) *basso* [*sull'orizzonte*] *che non emergeva* (**surgea fuor**) *dalla superficie* (**suolo**) *marina*. Ulisse e compagni hanno cioè oltrepassato l'equatore e sono entrati nell'emisfero meridionale, di cui si vedono ora tutte le stelle; mentre la stella polare è scomparsa sotto la linea dell'orizzonte, e così tutte le stelle conosciute. Il navigante parla in termini di precisione astronomica, realisticamente; è naturale che per esprimere l'enorme tragitto compiuto si serva di un riferimento alle stelle, unica guida per i marinai antichi. Eppure questa **notte** che improvvisamente segue,

nel racconto di Ulisse, al **mattino** della partenza, è quasi l'annuncio della sciagura imminente; ma soprattutto apre, con sintesi meravigliosa, uno spiraglio sul mistero e la trepidazione di quella navigazione, sotto un cielo ignoto ed estraneo, senza più alcun punto di riferimento familiare allo sguardo.

130-135: *La luce* (**lo lume**) [*della faccia*] *inferiore* (**di sotto**) *della* (**da la**) *luna* [*sì*] *era illuminata* (**racceso**) *cinque volte e altrettante* (**tante**) *spenta* (**casso** = cancellato) [: erano trascorse cinque lune, quasi cinque mesi], *da che* (**poi che**) [*ci*] *eravamo avventurati* (**'ntrati** = entrati) *nella difficile azione* (**ne l'alto passo**) *quando ci* (**n'** = ne) *apparve una montagna, scura* (**bruna**) *a causa della* (**per la**) *distanza, e mi parve* (**parvemi**) *tanto alta quanto non* [*ne*] *avevo* (**avea**) *veduta nessuna* (**alcuna**). La montagna alta e indistinta che appare agli occhi di Ulisse è il monte del Purgatorio, sulla cui cima sta il Paradiso terrestre: lì l'uomo ha abitato in eterna giovinezza prima che il peccato di superbia di Adamo ed Eva spingesse Dio a scacciarlo per sempre. La navigazione ha portato dunque Ulisse così lontano da intravvedere un simile mondo: ora egli manca dei mezzi necessari a spingersi oltre; il suo viaggio volge al termine: i limiti della conoscenza mondana sono raggiunti, e per andare oltre è indispensabile l'aiuto della scienza rivelata, cioè della dottrina teologica. Si osservi però con quanta cura Ulisse si soffermi su quella fuggevole e confusa visione: in un racconto improntato ad estrema sintesi, in cui nessun verso è dedicato a descrivere le peripezie del viaggio, questo indugio sulla più alta (benché parziale) conquista ha insieme la coscienza della follia dell'impresa (cfr. v. 125) e l'orgoglio di averla comunque tentata, fermandosi solo dinanzi ad un ostacolo non immaginabile né in alcun modo superabile. Anche sulla manifestazione concreta di questo ostacolo, cioè sulla tempesta, il racconto si sofferma con ricchezza di dettagli (cfr. vv. 137-142), a mostrarne la inesorabilità.

Noi ci allegrammo, e tosto tornò in pianto;
ché de la nova terra un turbo nacque

138   e percosse del legno il primo canto.
Tre volte il fe' girar con tutte l'acque;
a la quarta levar la poppa in suso
e la prora ire in giù, com' altrui piacque,

142   infin che 'l mar fu sovra noi richiuso».

136-138: *Noi ci rallegrammo* (**allegrammo**), *e sùbito* (**tosto**) [*l'allegria*] *si trasformò* (**tornò**) *in dolore* (**pianto**)*; poiché* (**ché**) *dalla* (**de la**) *terra nuova* [: appena avvistata] *nacque un turbine* (**turbo**), *e colpì* (**percosse**) *la parte* (**canto**) *anteriore* (**primo**) [: la prua] *della nave* (**legno**).

139-142: [*Il turbine*] *la* (**il** = lo) *fece* (**fe'**) [: la nave] *girare tre volte insieme alle acque* (**con tutte l'acque**; **tutte** ha valore avverbiale ed è riferito a **con**)*; alla quarta* [*volta le fece*] *sollevare* (**levar**) *la poppa in su* (**suso**) *e andare* (**ire**) *la prua* (**prora**) *in giù, come ad altri* (**altrui**) [: Dio] *parve giusto* (**piacque**)*, finché* (**infin che**) *il* ('**l**) *mare fu richiuso sopra* [*di*] *noi»*. Si noti la descrizione precisa ed essenziale del naufragio, il quale, senza alcun commento, è seguito realisticamente nei suoi momenti successivi: il rapido formarsi di un turbine di vento (v. 137), il suo abbattersi sulla nave a partire dalla prua (v. 138), il crearsi di un vortice attorno alla nave entro cui questa ruota tre volte (v. 139), l'inabissarsi della prua e il conseguente sollevarsi della poppa (vv. 140 sg.), il richiudersi del mare sulla nave sprofondata (v. 142). Il rapido accenno alla volontà divina (v. 141) è possibile ora che Ulisse ha coscienza delle ragioni del proprio fallimento, ma il racconto lascia intuire, con la sua precisa osservazione dei fenomeni, lo sguardo allibito dei marinai, sorpresi da una forza ignota e sopraffatti senza poter neppure lottare; anche se all'atteggiamento dei naufraghi si riferisce, direttamente, il solo v. 136.

Canto ——————————————————————————————— v. 138

La voce deriva dal lat. tardo *canthus* ('angolo dell'occhio', dal gr. χανθός [canthos]; cfr. sp. *canto* e franc. *chanteau* = 'tozzo di pane'). Propriamente il termine indica uno 'spigolo'; ma vale anche 'lato, fianco, parte' — cfr. *Inf.* XXVI, 138 e *Purg.* III, 89 —, anche in senso figur. nel significato di 'aspetto' — cfr. *Par.* III, 57. Oggi la voce è usata soprattutto in alcune locuzioni quali «a canto» (e, meglio, «accanto») = 'vicino, al lato', «dal canto (mio, tuo, suo ecc.)» = 'per quanto riguarda (me, te, lui ecc.)', «d'altro canto» = 'd'altronde, d'altra parte', ecc. Ovviamente l'omofono che deriva invece dal lat. *cantus* (vb. *canere*) significa 'suono emesso dagli uomini secondo una modulazione musicale' e anche 'scritto poetico' (p. es. i canti della *Commedia* sono cento, divisi in tre c a n t i c h e).

Canto XXVII

Dopo che Ulisse ha terminato il suo tragico racconto, si avvicina a Virgilio e Dante, sempre nell'ottava bolgia, Guido da Montefeltro. Egli fu tra le più astute e sottili personalità politiche e militari del Duecento. Guido chiede ai nuovi venuti di informarlo delle condizioni della sua terra, la Romagna: è ancora un'occasione perché Dante possa denunciare le lotte faziose e gli interessi di parte della vita politica contemporanea dell'Italia. Quindi è Guido a raccontare le ragioni della propria dannazione. Egli confessa la propria astuzia: «(...) l'opere mie/ non furon leonine, ma di volpe» *(vv. 74 sg.)*, cioè non usò la violenza ma gli inganni. Giunto alla vecchiaia, si pentì delle proprie colpe ed entrò nell'ordine dei frati francescani. Ma il papa Bonifacio VIII gli chiese di consigliarlo sul modo di aver la meglio dei propri nemici, la famiglia Colonna e i loro seguaci. Guido tentò di sottrarsi ad una azione che gli appariva contro i precetti della religione cristiana; ma Bonifacio gli promise di assolverlo in anticipo dal peccato che egli avrebbe commesso consigliandolo: così Guido accettò e gli diede il consiglio frodolento di fare ai suoi nemici grandi promesse e poi di non mantenerle una volta entrato nelle loro roccaforti. Benché il dannato racconti questi particolari per scusare la propria colpa, in verità essa emerge in modo evidente: il suo pentimento e la sua conversione si rivelano il frutto, forse anche inconsapevole, di un calcolo e di un accordo con la giustizia divina; così come egli preferisce l'assoluzione del pontefice alla giusta voce della propria coscienza. Il suo tardivo ravvedimento è un'estrema astuzia per salvarsi l'anima, non è frutto di sincerità autentica; così egli ricade nella colpa consigliando l'inganno al papa. Anche questo canto è rivolto quindi a considerare i limiti della ragione umana, alla quale non è possibile aggirare l'infallibilità della giustizia divina. E rappresenta inoltre un affresco vivace e articolato della vita dell'epoca, nel quale trova spazio la critica ricorrente della corruzione generale della società e di quella, particolarmente grave, della Chiesa, specie se guidata da papi faziosi e senza scrupoli come Bonifacio VIII.

Il canto si conclude con una vivace descrizione della lotta tra san Francesco e un demonio che si contesero l'anima di Guido dopo la sua morte; ma il diavolo poté avere la meglio perché colse la contraddizione dell'atteggiamento di Guido: essersi pentito continuando però a peccare ancora.

Canto XXVIII

Nella nona bolgia *dell'ottavo cerchio stanno i* seminatori di scandali e di scismi, *coloro cioè che hanno provocato discordie e lacerazioni o religiose o politiche o anche familiari e altro.*

I dannati appaiono orrendamente mutilati: il fondatore della religione musulmana, Maometto (560-633), ha il corpo lacerato dal mento al ventre, suo genero Alì ha la testa spaccata: la istituzione di una religione secondo Dante erronea ha infatti creato una frattura nella società umana ostacolando la sua unità religiosa. Similmente sono puniti gli altri dannati, tra i quali quel Mosca dei Lamberti di cui Dante aveva chiesto notizia a Ciacco (VI, 80), con le mani amputate e i moncherini sanguinanti: egli è additato come il colpevole delle prime lotte civili a Firenze.

Il c o n t r a p p a s s o è evidente: chi ha separato ciò che doveva restare unito, è punito nella propria stessa carne dalla separazione innaturale delle mutilazioni e delle ferite. Così come dichiara apertamente, in chiusura di canto, il trovatore che porta la testa in mano **a guisa di lanterna** *(v. 122), il provenzale Bertrand de Born; egli spinse il giovane Enrico III a ribellarsi contro il padre, del quale Bertrand era suddito:* **«Io feci il padre e 'l figlio in sé ribelli/ [...] /Perch'io parti' così giunte persone,/ partito porto il mio cerebro, lasso!,/dal suo principio ch'è in questo troncone./ Così s'osserva in me lo contrapasso»** *(«Io resi il padre e il figlio nemici tra loro [...] Dal momento che io divisi persone così congiunte, porto il mio cervello diviso, ahimé!, dal suo principio [: il midollo spinale] che è in questo tronco. Così si può osservare in me il contrappasso»; vv. 136 e 139-142).*

Canto XXIX

Prima di allontanarsi dalla nona bolgia, Virgilio si accorge che Dante vi indugia con lo sguardo più del consueto; e gliene chiede la ragione. Dante si giustifica dicendo di cercare qui un suo parente. E in effetti, gli risponde Virgilio, mentre Dante era distratto ad ascoltare Bertrand de Born, uno spirito che gli altri chiamavano Geri del Bello lo ha indicato e minacciato. Era costui un cugino del padre di Dante, assassinato senza che nessuno della famiglia ne avesse vendicato la morte, come le abitudini dell'epoca volevano con il riconoscimento in qualche modo delle stesse leggi. In Dante si rivela perciò il contrasto tra il pregiudizio mondano che ritiene disonorata una famiglia che non ha vendicato l'oltraggio subìto e il modello del perdono evangelico; e Virgilio, che capisce il turbamento dell'alunno, lo richiama al suo obiettivo cristiano: «**attendi ad altro**» (v. 24).

I due passano quindi nella decima ed ultima bolgia dell'ottavo cerchio. Qui Dante pone i falsatori di metalli (gli alchimisti), di persone (coloro che finsero di essere un altro), di monete (i falsari), di parole (coloro che finsero discorsi non veri): come si vede i vari peccati hanno tra loro un rapporto più apparente che profondo, secondo un criterio schematico e nominalistico (cioè legato alla somiglianza esterna e concettuale dei vari casi) ereditato dalla dottrina scolastica.

I falsatori di metalli (alchimisti) sono ricoperti da orribili croste, affetti da una specie di lebbra o scabbia, e con le unghie si graffiano come strappandosi di dosso le squame. Tra essi Dante incontra Griffolino d'Arezzo che gli racconta come fosse mandato al rogo a causa dello sciocco amico Albero da Siena: questi prese alla lettera la sua affermazione esagerata di conoscere perfino il segreto del volo e, irato che non gli volesse essere rivelato, profittò dei legami con il vescovo di Siena per farlo processare e condannare come eretico. Da questo vivace racconto derivano due meditazioni di Dante: la prima, che in gran parte resta implicita, sulla differenza che corre tra la fallibile giustizia degli uomini e quella infallibile di Dio (Griffolino è stato condannato sulla Terra per eresia, ma qui è punito giustamente come alchimista); la seconda, dichiarata apertamente, sulla vanità dei senesi. In questo caso al tono violentemente appassionato di altre invettive di Dante contro diverse città d'Italia si sostituisce un ammiccare distaccato e vivace; e ad esso partecipa anche, inserendosi nel discorso, il fiorentino Capocchio, manifestando il suo accordo con ironica dissimulazione.

Canto XXX

Con il canto XXX si conclude la descrizione dell'ottavo cerchio, ovvero di Malebolge, iniziata con il canto XVIII. Per la struttura e le ragioni organizzative della decima e ultima bolgia, dei falsatori, si veda il riassunto del canto precedente.

* * *

Dopo i falsatori di metalli, ovvero alchimisti, sempre nella decima bolgia Virgilio e Dante vedono le rimanenti tre categorie di peccatori. I falsatori di persona (Gianni Schicchi e Mirra) corrono invasati da una furia bestiale, aggredendo e straziando gli altri dannati. I falsatori di moneta (cioè i falsari) giacciono gonfiati dalla idropisia e riarsi dalla sete; tra essi è Maestro Adamo, che racconta la propria storia insistendo sull'odio per coloro che lo spinsero a peccare e sulla sete che lo perseguita. I falsatori di parola (cioè i bugiardi) giacciono anch'essi malati, stravolti da una febbre violenta che li fa fumare; tra essi è il greco Sinone che convinse con bugie e spergiuri i Troiani a portare il cavallo di legno ideato da Ulisse entro le mura della città. Tra Maestro Adamo e Sinone, posti l'uno accanto all'altro, scoppia una rissa: i due si scambiano percosse e insulti. Dante, in un momento di distrazione della coscienza, li ascolta incuriosito; il canto si chiude così con il duro rimprovero di Virgilio.

* * *

Il canto è diviso in tre parti grosso modo di eguale ampiezza. Nella prima, due ampie s i m i l i t u d i n i mitologiche preparano la fugace apparizione di Gianni Schicchi e di Mirra, segnando un momento di raffinato distacco retorico della narrazione e insieme suggerendo un nuovo imminente vivacizzarsi del clima. La seconda parte è occupata dalla presentazione di Maestro Adamo; essa si rivela tragicamente contradditoria: all'aspetto deforme e grottesco, sul quale Dante insiste con inusitata precisione, corrisponde un carattere eloquente e rancoroso, umanamente piagato, quale si rivela nel lungo discorso del dannato. Ma la contraddizione è superata nella terza parte grazie alla rissa volgare con il greco Sinone: l'autopresentazione di Maestro Adamo si rivela come un tentativo di riabilitare la propria persona, quasi di sottrárla all'atmosfera infernale; e lo scontro con il vicino lo rigetta nel fondo della sua abiezione, anche se il suo tentativo conserva una patetica e umana tragicità. Il rimprovero finale di Virgilio ha lo scopo di dichiarare, concludendosi la descrizione di Malebolge, la dignità del crudo realismo tante volte incontrato, distinguendo l'interesse giusto e motivato dalla **bassa voglia** della curiosità morbosa; e riaffermando così il carattere necessario di tutti gli aspetti dell'arte della *Commedia* e l'alta dignità del suo scopo.

La cifra stilistica del canto è varia e complessa: dall'alta retorica delle s i m i l i t u d i n i iniziali si passa al realismo della descrizione di Maestro Adamo, alla forte eloquenza della sua autopresentazione, al tono plebeo del diverbio con Sinone (in cui si avverte la capacità comico-realistica di Dante, modellata sulle opere di un Cecco Angiolieri e direttamente sperimentata in certe prove giovanili quali la tenzone con Forese). Tutti questi registri hanno però in comune un'adesione, molteplice ma unitaria, alla funzionalità della narrazione, al suo ritmo concreto. E da essi si stacca solo (ma con graduale progressione) l'intervento finale di Virgilio: posto a segnare una meditazione e una pausa, il trionfo della luce dell'intelligenza sul mondo brutale degli eventi.

Cfr. tavola 6.

Nel tempo che Iunone era crucciata
    per Semelè contra 'l sangue tebano,
3   come mostrò una e altra fïata,
Atamante divenne tanto insano,
    che veggendo la moglie con due figli
6   andar carcata da ciascuna mano,
gridò: « Tendiam le reti, sì ch'io pigli
    la leonessa e ' leoncini al varco »;
9   e poi distese i dispietati artigli,
prendendo l'un ch'avea nome Learco,
    e rotollo e percosselo ad un sasso;
12   e quella s'annegò con l'altro carco.
E quando la fortuna volse in basso
    l'altezza de' Troian che tutto ardiva,
15   sì che 'nsieme col regno il re fu casso,
Ecuba trista, misera e cattiva,

1-12: *Quando* (**nel tempo che**) *Giunone* (**Iunone**) *era adirata* (**crucciata**) *contro la stirpe* (**'l sangue**) *tebana a causa di* (**per**) *Semele, come mostrò più volte* (**una e altra fïata**), *Atamante divenne folle a tal punto* (**tanto insano**), *che vedendo* (**veggendo**) *la moglie andare caricata in entrambe le braccia* (**da ciascuna mano**) *con i due figli* [: con i due figli in braccio], *gridò:* «*Tendiamo le reti, così* (**sì**) *che io pigli al varco la leonessa e i* (**e'**) *leoncini*»; *e poi distese le mani* (**artigli**) *spietate* (**dispietati**), *afferrando* (**prendendo**) *quello* (**l'un**) [*dei due figli*] *che aveva nome Learco, e lo roteò* (**rotollo**) [*in aria*] *e lo sbatté* (**percosselo**) *contro* (**ad**) *un sasso; e quella* [: *la moglie*] *si annegò con l'altro carico* [: *l'altro figlio*]. L'esempio narrato si riferisce ad un episodio mitologico descritto dal poeta latino Ovidio nelle *Metamorfosi* (IV, 464-530). La dea Giunone, regina dell'Olimpo, adirata contro i tebani per causa degli amori del coniuge Giove con la tebana Semele, volle vendicarsi con una molteplice ritorsione (cfr. v. 3): perciò uccise la rivale e fece morire diversi parenti di questa. Qui in particolare Dante racconta di come l'ira di Giunone si accanì contro la sorella di Semele, Ino: la dea fece impazzire il marito di lei Atamante (v. 4), così che questi scambiò la moglie e i due figlioletti per leoni e li catturò (vv. 5-8), e uccise un figlio sbattendolo contro un sasso (vv. 9-11); e così che Ino, disperata, si annegò con l'altro figlio (v. 12).

13-21: *E quando la sorte* (**fortuna**) *fece scendere* (**volse in basso**) *l'altezza dei* (**de'**) *Troiani che ardiva tutto, così* (**sì**) *che il re* [: Priamo] *fu annientato* (**casso** = cancellato) *insieme col* [*suo*] *regno, Ecuba addolorata* (**trista**), *degradata* (**misera**) [: *dalla sua condizione regale*] *e schiava* (**cattiva** = prigioniera;

poscia che vide Polissena morta,
18   e del suo Polidoro in su la riva
del mar si fu la dolorosa accorta,
forsennata latrò sì come cane;
21   tanto il dolor le fe' la mente torta.
Ma né di Tebe furie né troiane
si vider mäi in alcun tanto crude,
24   non punger bestie, nonché membra umane,
quant' io vidi in due ombre smorte e nude,
che mordendo correvan di quel modo
27   che 'l porco quando del porcil si schiude.
L'una giunse a Capocchio, e in sul nodo
del collo l'assannò, sì che, tirando,
30   grattar li fece il ventre al fondo sodo.

dal lat. 'captivus'), *dopo* (**poscia**) *che vide Polissena uccisa* (**morta**), *e la addolorata* (**dolorosa**) *si accorse* (**si fu...accorta**) *del suo Polidoro* [: ucciso anch'esso] *sulla* (**in su la**) *riva del mare, forsennata gridò* (**latrò**) *così* (**sì**) *come un cane; tanto il dolore le rese* (**fe'** = fece) *stravolta* (**torta**; da 'torcere') *la mente*. Questo secondo esempio si riferisce alla storia di Ecuba, narrata ancora da Ovidio (*Metamorfosi*, XIII, 399-575). Ecuba, moglie del re troiano Priamo, dopo la sconfitta della sua gente e l'uccisione del marito (vv. 13-15), fu fatta schiava dai Greci vittoriosi (v. 16); dopo che ebbe vista la figlia Polissena sacrificata sulla tomba di Achille (v. 17) ed ebbe ritrovato il cadavere del figlio Polidoro sulla riva del mare (vv. 18 sg.), impazzì e si trasformò in cagna (v. 20). Ma Dante, a differenza di Ovidio, non si sofferma sulla metamorfosi da donna ad animale, e si limita a parlare dei latrati canini di Ecuba. La sintesi che egli compie del modello latino rende più drammatico e più umano l'episodio. Questo esempio di furore scatenato e quello simile che lo precede (vv. 1-12) hanno la funzione di preparare l'apparizione del secondo tipo di falsatori: coloro che imitarono altre persone a fine frodolento; essi infatti sono invasati da un furore disperato e terribile che si accanisce contro i compagni della bolgia: sono cioè perseguitati dalla giustizia divina e contemporaneamente suoi strumenti, in quanto accrescono le sofferenze degli altri dannati. Il c o n t r a p p a s s o potrebbe cogliersi in questo: chi offese le fattezze altrui con la propria imitazione ingan-

nevole, ora è costretto a offenderle con le aggressioni fisiche alla persona, verificando nella propria rabbia implacabile il misfatto del peccato commesso. **L'altezza de' Troian...**: si tratta di un'i p a l l a g e, in quanto ad *ardire tutto* sono i Troiani e non la loro altezza.

22-27: *Ma* [*non*] *si videro mai Furie né di Tebe né troiane tanto crudeli* (**crude**) *contro qualcuno* (**in alcun**), *non* [*si videro mai*] *istigare* (**punger**) *bestie né tanto meno* (**nonché**) *membra umane, quanto io vidi* [*fare*] *contro* (**in**) *due anime* (**ombre**) *pallide* (**smorte**) *e nude, che correvano mordendo nel modo* (**di quel modo**) *che* [*fa*] *il* (**'l**) *porco quando è liberato* (**si schiude**) *dal* (**del**) *porcile*. Cioè: nessuna Furia (ira) ha mai invasato uomini o bestie in modo altrettanto feroce che quelle che scatenano il forsennato furore dei due dannati che entrano in scena di corsa, neppure le Furie di Tebe (che invasarono Atamante) o di Troia (che invasarono Ecuba). Si ricordi che le Furie sono figure della mitologia, e rappresentano l'incitamento all'ira e alla follia. Altre interpretazioni di questo passo, non dissimili ad ogni modo nel significato sostanziale, ci sembrano meno calzanti di quella qui proposta, forte del parallelismo tra **in alcun** e **in due ombre** (v. 25).

28-30: *Una* [*delle due ombre*] *si avvicinò* (**giunse**) *a Capocchio, e lo azzannò* (**l'assannò**) *sulla nuca* (**in sul nodo del collo**; dove la testa è annodata, legata al tronco), *così*

144

E l'Aretin che rimase, tremando
        mi disse: « Quel folletto è Gianni Schicchi,
33   e va rabbioso altrui così conciando ».
        « Oh », diss' io lui, « se l'altro non ti ficchi
        li denti a dosso, non ti sia fatica
36   a dir chi è, pria che di qui si spicchi ».
        Ed elli a me: « Quell' è l'anima antica
        di Mirra scellerata, che divenne
39   al padre, fuor del dritto amore, amica.
        Questa a peccar con esso così venne,
        falsificando sé in altrui forma,
42   come l'altro che là sen va, sostenne,
        per guadagnar la donna de la torma,
        falsificare in sé Buoso Donati,
45   testando e dando al testamento norma ».

(sì) *che, trascinando[lo]* (tirando), *gli* (li) *fece grattare il ventre al fondo duro* (sodo) [*della bolgia*]. **Capocchio** è il dannato che stava parlando con Dante alla fine del canto precedente, punito tra i falsatori di metalli; nel **grattar** del v. 30 c'è un feroce sarcasmo, dato che Capocchio e i suoi compagni di pena sono soliti, per l'appunto, *grattarsi* le croste procurate loro dalla lebbra e dalla scabbia che li tormenta, come è detto nel canto precedente: qui il ventre *si gratta*, sì, ma contro la dura roccia che pavimenta la bolgia (e soprattutto in quel **sodo** in fine di verso si rivela la ferocia del sarcasmo).

31-33: *E l'Aretino che rimase* [*accanto a me*], *mi disse tremando: «Quel folletto* [*che ha azzannato Capocchio*] *è Gianni Schicchi e va rabbioso riducendo* (conciando) *in tal modo* (così) *il prossimo* (altrui)». **L'Aretin**: è Griffolino, con il quale Dante, come con Capocchio, stava parlando nel canto precedente, prima dell'irruzione dei due spiriti furiosi. **Tremando**: per lo spavento del pericolo scampato e per timore dell'altro spirito infuriato. **Folletto**: erano detti così gli spiriti maligni e bizzarri dipinti dalla fantasia popolare; l'aspetto alato, i movimenti rapidi e il carattere dispettoso dei folletti illumina con un sintetico tocco la figura di Gianni Schicchi, il cui nome stesso contribuisce a questa vivace rappresentazione. **Gianni Schicchi**: fiorentino, apparteneva alla famiglia dei Cavalcanti; morì prima del 1280. Il peccato per il quale è qui punito (e al quale è fatto riferimento ai vv. 42-45) fu di aver contraf-

di lui, Buoso: questi era appena morto e Gianni Schicchi riuscì a ingannare il notaio e a dettare un falso testamento fingendosi Buoso moribondo; così fece in modo che Simone ereditasse le sostanze dello zio, riservando per se stesso, in aggiunta, la migliore cavalla del defunto.

34-36: *Io gli* (lui = a lui) *dissi: «Oh così* (se; desiderativo, come altre volte) *l'altro* [*spirito*] *non ti* [*con*]*ficchi i* (li) *denti addosso, non ti sia fatica dire* (a dir) *chi* [*esso*] *è, prima* (pria) *che si fugga* (si spicchi) *di qui»*.

37-39: *Ed egli* (elli) [: Griffolino] [*rispose*] *a me: «Quella è l'anima antica* [: perché appartenente alla mitologia classica] *della scellerata Mirra, che divenne amante* (amica) *del* (al) *padre* [*al di*] *fuori dell'amore lecito* (dritto). Mirra, come narra Ovidio nelle *Metamorfosi* (X, 298-502), s'innamorò del padre Ciniro, re di Cipro, e per ottenere il suo scopo incestuoso si finse un'altra donna con la complicità della nutrice.

40-45: *Questa* [: Mirra] *giunse* (venne) *a peccare in tal modo* (così) *con esso* [: il padre], *falsificando sé* [*stessa*] *nell'aspetto* (in...forma) *di un'altra* (altrui), [*così*] *come l'altro* [*spirito*; cioè Gianni Schicchi] *che se ne* (sen) *va là, osò* (sostenne), *per appropriarsi* (guadagnar) *della migliore* (la donna =) [*cavalla*] *del gruppo* (torma), *imitare* (falsificare in sé) *Buoso Donati, testando e dando la forma* (norma) [*da se stesso voluta*] *al testamento»*. Per i vv. 40 sg., cfr. la nota

E poi che i due rabbiosi fuor passati

    sovra cu' io avea l'occhio tenuto,

48   rivolsilo a guardar li altri mal nati.

Io vidi un, fatto a guisa di lëuto,

    pur ch'elli avesse avuta l'anguinaia

51   tronca da l'altro che l'uomo ha forcuto.

La grave idropesì, che sì dispaia

    le membra con l'omor che mal converte,

54   che 'l viso non risponde a la ventraia,

faceva lui tener le labbra aperte

    come l'etico fa, che per la sete

57   l'un verso 'l mento e l'altro in sù rinverte.

---

precedente; per i vv. 42-45, cfr. la nota ai vv. 31-33.

46-48: *E dopo* (**poi**) *che furono* (**fuor**) *passati* [*oltre*] *i due* [*dannati*] *rabbiosi* [: Gianni Schicchi e Mirra] *sui quali* (**sovra cu'** = sopra cui) *io avevo soffermato* (**avea…tenuto**) *lo sguardo* (**l'occhio**), *lo rivolsi* (**rivolsilo**) [: lo sguardo] *a guardare gli* (**li**) *altri dannati* (**mal nati**) [*della bolgia*].

49-51: *Io vidi un* [*dannato*], *fatto a forma* (**guisa**) *di liuto, solo che egli* (**pur ch'elli**) *avesse avuto l'inguine* (**l'anguinaia**) *staccato* (**tronca**) *dal resto* (**da l'altro**) [*del corpo*] *che l'uomo ha* [*bi*]*forcuto* [: le gambe]. Cioè: se egli non avesse avuto le gambe, sarebbe stato simile a un liuto (antico strumento a corde pizzicate di forma simile agli archi, più grande della viola ma meno del violoncello): al ventre sarebbe corrisposta la cassa; e alla testa, al collo e al torace smagriti, il manico.

52-57: *La pesante* (**grave**) *idropisia* (**idropesì**) *che deforma* (**dispaia** = rende sproporzionate) *le membra con l'umore* (**l'omor** = i liquidi) *che trasforma* (**converte**) *in modo patologico* (**mal**; avv.) *in modo* (**sì** = così) *che il* (**'l**) *viso non corrisponde* (**risponde**) [*per proporzioni*] *al ventre* (**ventraia**), *gli* (**lui** = a lui) *faceva tenere le labbra aperte come fa il tisico* (**l'etico**), *il quale* (**che**) *per la sete ripiega* (**rinverte**) *un* [*labbro*] *verso il mento e l'altro in su*. La descrizione dell'aspetto fisico di questo dannato riunisce in sé definizioni e termini tecnici della scienza medica e imprevedibili ed eccentrici paralleli con oggetti estranei al campo della patologia. Di questa seconda specie è il paragone con il liuto dei vv. 49 sgg. Dalle cognizioni della medicina dell'epoca deriva l'aspetto tecnico del v. 53. Hanno poi tratti comuni ai due ambiti i riferimenti anatomici dei vv. 50 sg. (**anguinaia, l'altro che l'uomo ha forcuto**: per dire le gambe) e del v. 50 (**ventraia** = ventre gonfio), come pure la descrizione dell'atteggiamento delle labbra ai vv. 55 sgg. Questo oscillare tra registri lessicali e stilistici differenti determina il duplice carattere, grottesco e patetico, della figura. La quale si riconnette ad altri esempi, frequenti nei canti di Malebolge, di deformazione dell'umano; e se qui Dante indugia con maggiore insistenza sui particolari descrittivi, ciò dipende dal fatto che questa figura sconvolta di dannato rivelerà presto, con le parole che sta per pronunciare, una carica umana risentita e dolorante ma intensa: la descrizione del suo aspetto squallido e spropositato deve dare rilievo a tale imminente umanità, e contrastarvi, e infine circoscriverne il valore ed il significato. **La grave idropesì**: l'idropisia è una malattia del ricambio che rende lenta e patologica l'eliminazione dei liquidi, così che il ventre si gonfia e il volto si prosciuga (cfr. vv. 49-53); inoltre, benché il corpo sia rigonfio di liquidi che non riesce a smaltire, la malattia provoca una sete inestinguibile, dato che l'acqua bevuta non riesce ad essere utilizzata dall'organismo ma vi si accumula e ristagna (cfr. vv. 55-57). Il c o n t r a p p a s s o di tutt'e quattro le categorie dei falsatori è di essere falsati nella persona; in particolare i falsari sono colpiti dall'idropisia per c o n t r a p p a s s o della sete di ricchezze che li spinse a coniare monete false: pieni di acqua putrida, ma assetati sempre.

« O voi che sanz' alcuna pena siete,
e non so io perché, nel mondo gramo »,
60   diss' elli a noi, « guardate e attendete
a la miseria del maestro Adamo:
io ebbi, vivo, assai di quel ch'i' volli,
63   e ora, lasso!, un gocciol d'acqua bramo.
Li ruscelletti che de' verdi colli
del Casentin discendon giuso in Arno,
66   faccendo i lor canali freddi e molli,
sempre mi stanno innanzi, e non indarno,
ché l'imagine lor vie più m'asciuga
69   che 'l male ond' io nel volto mi discarno.

58-63: *Egli* (**elli**) *disse a noi: «O voi che siete nel mondo dolente* (**gramo**) *[: l'Inferno] senza nessun* (**sanz'alcuna**) *tormento* (**pena**), *e io non so perché, guardate e prestate attenzione* (**attendete**) *alla condizione miserabile* (**a la miseria**) *del maestro Adamo: io da vivo ebbi con abbondanza* (**assai**) *ciò* (**di quel**) *che io* (**ch'i'**) *volli, e ora, ahimé* (**lasso**)*!, desidero* (**bramo**) *una goccia* (**un gocciol**) *d'acqua.* **Maestro Adamo**: quasi senz'altro forestiero (forse inglese), fu al servizio dei signori del Castello di Romena (cfr. v. 73) nel Casentino (cfr. v. 65), i conti Aghinolfo, Guido e Alessandro (cfr. v. 77), e da essi fu indotto a «battere fiorini sotto il conio del comune di Firenze [: cfr. vv. 73 sg.], ch'erono [erano] buoni di peso, ma non di lega, però ch'egli [perché essi] erono di 21 carati dov'elli debbono [devono] essere 24, sì che tre carati v'avea [c'erano] dentro di rame o d'altro metallo [: cfr. vv. 89 sg.]... Nel fine, venendo un dì il maestro Adamo a Firenze, spendendo di questi fiorini, furono conosciuti essere falsati [si accorsero che erano falsi]; fu preso, e ivi fu arso [: cfr. v. 75]» (Anonimo fiorentino). Maestro Adamo è cioè punito tra i falsari, o falsatori di moneta. Il suo racconto è interamente occupato da due soli pensieri: il desiderio ardente di bere (vv. 63-72) e l'odio per chi lo indusse a peccare facendogli perdere l'anima (vv. 76-90). Dopo i falsatori di metalli (alchimisti) e i falsatori di persona, con i falsatori di moneta si incontra il terzo tipo di peccatori puniti in questa decima bolgia. Si noti la meraviglia dei vv. 58 sg., appena venata dall'invidia, nel vedere due uomini liberi dai tormenti; ma né la meraviglia né l'invidia possono durare o approfondirsi, dal momento che il dannato è tutto preso dalla propria smisurata sofferenza. Così invita i due visitatori a considerare con attenzione la sua pena, quasi cercando la loro pietà: **guardàte e attendéte**; e i due verbi sembrano pronunciati con lentezza e difficoltà a causa della distanza degli accenti (sulla 6ª e sulla 10ª sillaba). Si noti poi il contrasto tra la ricchezza da vivo, ricordata da un verso singhiozzante composto di ben nove vocaboli (v. 62) e l'attuale tormento (v. 63), espresso dalla forza di quel **bramo** in fine di verso e dalla pochezza dell'oggetto che basterebbe a saziare la sete: **un gocciol d'acqua**. E, da questo poco, ecco che lo sguardo si allarga, secondo un'associazione di immagini felicissima, a dare sfogo ai desideri costanti, e mai più realizzabili, del dannato.

64-69: *I* (**li**) *ruscelletti che discendono dai* (**de'** = dei) *verdi colli del Casentino* (**giuso**) *nell'* (**in**) *Arno, formando* (**faccendo**) *i loro canali freddi e umidi* (**molli**), *mi stanno sempre davanti* (**innanzi**) *[: nel pensiero], e non senza una ragione* (**indarno** = invano), *poiché* (**ché**) *la loro immagine mi asseta* (**m'asciuga**) *più ancora* (**vie più**) *che la* (**'l** = il) *malattia* (**male**) *per la quale io* (**ond'io**) *mi faccio magro* (**mi discarno**) *nel volto [: l'idropisia].* Cioè il pensiero della frescura umida dei corsi d'acqua che bagnano il Casentino (una zona della Toscana) rende la sete più insopportabile di quanto faccia la malattia in sé; infatti a Maestro Adamo è assegnato un c o n t r a p p a s s o «personalizzato», oltre a quello comune ai dannati della bolgia, come egli stesso spiega ai versi seguenti (70-72): la giustizia divina utilizza le esperienze individuali del dannato per accrescere le sue pene. Si noti, nella descrizione voluttuosa dei **ruscelletti**, come l'accento

La rigida giustizia che mi fruga
tragge cagion del loco ov' io peccai
72 a metter più li miei sospiri in fuga.
Ivi è Romena, là dov' io falsai
la lega suggellata del Batista;
75 per ch'io il corpo sù arso lasciai.
Ma s'io vedessi qui l'anima trista
di Guido o d'Alessandro o di lor frate,
78 per Fonte Branda non darei la vista.
Dentro c'è l'una già, se l'arrabbiate
ombre che vanno intorno dicon vero;
81 ma che mi val, c'ho le membra legate?

batta insieme sulla verisimiglianza realistica della rappresentazione e sulla lontananza degli oggetti nominati: il paesaggio ricco di acque rinasce e si accampa con evidenza potente nella mente del dannato solo perché egli ne possa soffrire; ecco così l'affettuoso diminutivo di **ruscelletti**, la ridente bellezza dei **verdi colli**, il corso placido di **discendon giuso**, la crudele evidenza di quel dosatissimo **freddi e molli** (aggettivi simili per lunghezza, accento, raddoppiamento), la consuetudine dei nomi propri al v. 65; ecco insomma tutta la configurazione di un paesaggio in sé riposato ma tragico e spasmodico se confrontato a **un gocciol d'acqua bramo**, o all'aridità di **m'asciuga** e di **mi discarno**.

73-72: *La severa* (**rigida**) *giustizia che mi tormenta* (**fruga**) *trae ragione* (**tragge cagion**) *dal luogo* (**del loco**) *dove io* (**ov'io**) *peccai per* (**a**) *farmi sospirare* (**metter...li miei sospiri in fuga** = far uscire i miei sospiri) [*di*] *più*. Il luogo dove Maestro Adamo aveva peccato è ricco di acque, per cui la giustizia divina se ne giova per farlo soffrire di più, accrescendo la sua sete con i ricordi di tale frescura. Ma si noti la forza di quella **giustizia** (non a caso definita **rigida**) quale emerge da quel **fruga** (= *assilla in profondità*); e si osservi la nota pietosa dei sospiri incalzanti e rapidi del v. 72 (**in fuga**), che completano la descrizione della bocca aperta per sete e sofferenza (vv. 55-57).

73-75: *Là* (**ivi**) [: si riferisce al «loco ov'io peccai» del v. 71] *è* [*il castello di*] *Romena, là dove io falsificai* (**falsai**) *la lega* [*del fiorino di Firenze*] *suggellata* [*con l'immagine*] *del Battista; per cui io* (**per ch'io**) *lasciai il corpo sù* [*nel mondo*] *arso* [: al rogo]. La

lega è la composizione della moneta (cfr. nota ai vv. 58-63); il fiorino di Firenze aveva impressa dal conio (**suggellata**) su una faccia l'immagine di san Giovanni Battista, protettore della città (e sull'altra faccia, un giglio).

76-78: *Ma se io vedessi qui l'anima malvagia* (**trista**) *di Guido o di Alessandro o di loro fratello* (**frate**), *non darei la vista* [: il vederli] *in cambio di* (**per**) *Fonte Branda*. La sete di Maestro Adamo, come dicono i vv. 63-72, è grandissima; ma ancora più grande è l'odio per coloro che lo indussero a peccare: ed egli, per il piacere di vederli qui puniti, rinuncerebbe a dissetarsi. **Lor frate**: è probabilmente Aghinolfo, secondo le notizie fornite dall'Anonimo fiorentino; o forse Ildebrandino, che fu vescovo di Arezzo. La **Fonte Branda** è con ogni probabilità quella celebre di Siena, come ritennero unanimi gli antichi commentatori; anche se in tempi più recenti si è scoperta l'esistenza di una fonte omonima nei pressi del castello di Romena: il senso, in ogni caso, non muta.

79-81: *Dentro* [*questa bolgia*] *ce ne è già una* (**c'è l'una già**) [: l'anima di Guido, morto nel 1292], *se le ombre furiose* (**arrabbiate**) [: quelle dei falsatori di persona] *che vanno intorno dicono il vero; ma* [*a*] *che mi giova* (**val**), *dal momento che ho* (**c'ho** = che ho) *le membra impedite* (**legate**)? Si noti lo slancio quasi entusiastico di **dentro c'è l'una già**, al quale si contrappone l'impedimento della malattia che nega al dannato di muoversi (e il v. 81 dà il senso di questa specie di paralisi, coi frequenti monosillabi e con gli accenti contigui sulla 4ª e sulla 5ª sillaba, a fermare il verso a metà, su **vàl** e su **c'hò**). E

S'io fossi pur di tanto ancor leggero
ch'i' potessi in cent' anni andare un'oncia,
84   io sarei messo già per lo sentiero,
cercando lui tra questa gente sconcia,
con tutto ch'ella volge undici miglia,
87   e men d'un mezzo di traverso non ci ha.
Io son per lor tra sì fatta famiglia:
e' m'indussero a batter li fiorini
90   ch'avevan tre carati di mondiglia ».
E io a lui: « Chi son li due tapini

allora è quasi inutile di sapere che Guido sia lì anche lui, se Maestro Adamo non può vederlo (**ma che mi val...?**): il suo desiderio di vendetta avrebbe soddisfazione ad assistere alla punizione del proprio traviatore; è però un desiderio non esaudibile, come la sete (e alla sete è simile): gli unici dannati della bolgia che si possano spostare sono infatti i falsificatori di persona (**l'arrabbiate ombre**), da cui infatti Maestro Adamo ha appreso della presenza di Guido.

82-87: *Se io fossi ancora agile* (**leggero**) *solo* (**pur**) *di tanto che io* (**ch'i'**) *potessi in cento anni procedere* (**andare**) [*di*] *un'oncia, io* [*mi*] *sarei messo già in cammino* (**per lo sentiero**), *cercandolo* (**cercando lui**) [: Guido] *tra questa folla* (**gente**) *deformata* (**sconcia**), *benché essa* (**con tutto ch'ella**) [: la bolgia] *gira intorno* (**volge**) [*per*] *undici miglia, e non ci è* (**ha**) *meno di un mezzo* [*miglio*] *di larghezza* (**di traverso**). Cioè: se avessi l'agilità sufficiente a spostarmi anche solo di un'oncia (la dodicesima parte di un piede, quindi pochissimo) in cento anni, ciò nonostante mi sarei messo a cercare Guido, benché la circonferenza della bolgia sia di undici miglia e la sua larghezza di mezzo. Si tratta naturalmente di un' i p e r b o l e , a significare la grandezza smisurata del rancore e dell'odio di Maestro Adamo per chi lo ha spinto a dannarsi (a tentare un calcolo del tempo necessario a perlustrare l'intera bolgia, sia pure in modo superficiale, si arriva facilmente a parecchi milioni di secoli!). Ma l' i p e r b o l e , oltre che ad esprimere questo odio, crea un vistoso parallelismo con il **goccriol d'acqua** del v. 63: in entrambi i casi il dannato riduce ipoteticamente al minimo le proprie pretese per mettere in risalto la grandezza del proprio desiderio e della propria sofferenza, se neppure quel poco gli verrà concesso («ho una sete così grande che

mi basterebbe una sola goccia d'acqua: e non ce l'ho»; «ho tale desiderio di vendetta, che mi basterebbe di potermi muovere appena, e cercherei Guido per vederlo soffrire: e non posso muovermi»). Dalla piccolezza della richiesta prende risalto l'immensità della dannazione: la atroce inesorabilità della sete, la pesante immobilità del corpo; e dall'i p e r b o l e prende corpo una vaga ma terribile consapevolezza del tempo infinito che deve venire, dell'eternità della pena. E dinanzi a questa consapevolezza in verità l'i p e r b o l e non è più tale, ma è anzi un calcolo realistico (e come tale ci sembra opportuno considerarlo) fatto dal dannato tra sé mille volte nel chiuso del suo disperato rancore; nel tempo illimitato dell'eternità, infatti, per lento che fosse il suo procedere, egli comunque finirebbe con l'arrivare al cospetto di Guido; e invece è immobile. **Non ci ha**: è una rima all'occhio, cioè più visibile che udibile alla lettura; con la pronuncia faticosa (**nòncia**), dà il senso di un progetto che si spegne per l'immensa difficoltà della realizzazione, quasi che la voce si indebolisse sfinita dinanzi al delinearsi di uno spazio così vasto.

88-90: *Per* [*causa*] *loro* [: i conti Guidi sopra nominati] *io sono tra una simile* (**sì fatta**) *compagnìa* (**famiglia**)*: essi* (**e'** = ei) *mi indussero a coniare* (**batter**) *i* (**li**) *fiorini che avevano tre carati di metallo vile* (**mondiglia** = scarto)». Torna, in una sintesi finale, il riferimento al peccato, che come un'ossessione si ripete due volte (qui e ai vv. 73-75); e il carattere di un'ossessione ha anche l'esattezza del riferimento all'aspetto tecnico del falso (**tre carati...**; per cui cfr. la nota ai vv. 58-63).

91-93: *E io* [*chiesi*] *a lui: «Chi sono i* (**li**) *due disgraziati* (**tapini**) *che fumano come le*

che fumman come man bagnate 'l verno,
93 giacendo stretti a' tuoi destri confini? ».
« Qui li trovai, e poi volta non dierno »,
rispuose, « quando piovvi in questo greppo,
96 e non credo che dieno in sempiterno
L'una è la falsa ch'accusò Gioseppo;
l'altr' è 'l falso Sinon greco di Troia:
99 per febbre aguta gittan tanto leppo ».
E l'un di lor, che si recò a noia
forse d'esser nomato sì oscuro,
102 col pugno li percosse l'epa croia.
Quella sonò come fosse un tamburo;
e mastro Adamo li percosse il volto
105 col braccio suo, che non parve men duro,

mani bagnate d'inverno ('l verno), *giacendo stretti [tra loro] ai (a') tuoi limiti (confini) destri [: alla tua destra]?*». C'è forse un velo di canzonatura nelle parole di Dante, il quale parla di **confini** a proposito del corpo di Maestro Adamo per alludere alla sua rigonfia vastità; manca comunque qualsiasi partecipazione o pietà per un mondo così abietto: Dante non si sofferma né sulla sete dolorosa né sull'odio del dannato; è solo curioso di sapere altro e di vedere altro, quasi svincolato dalla guida di Virgilio. Ma poiché la sua maturità non è ancora compiuta, questo stesso canto mostrerà i pericoli di un'eccessiva curiosità e il bisogno di riconfermare la supremazia spirituale di Virgilio. **Li due tapini**: sono i falsatori di parola, cioè i menzogneri, puniti da una febbre così violenta da farli fumare, così come fumano d'inverno le mani bagnate per l'evaporazione e la successiva condensazione del liquido; e si noti l'efficacia della presentazione di questa quarta (e ultima) categoria di dannati della bolgia.

94-96: [*Maestro Adamo mi*] *rispose: «Li trovai* [*già*] *qui quando caddi* (**piovvi**) *in questa bolgia* (**greppo** = luogo dirupato), *e poi non fecero* (**dieno** = diedero) *un movimento* (**volta**) *e non credo che* [*lo*] *faranno* (**dieno** = diano) *in eterno* (**in sempiterno**). Anche questi altri dannati sono dunque legati ad una eterna immobilità. E già si configura l'asfissiante situazione di vicinanza costretta e fastidiosa, resa più insopportabile per la malattia, in una inquietudine «che fa pensare al clima di latente ostilità sospesa nell'aria di una cella di prigione o di una corsia di ospedale» (Sapegno).

97-99: *Una è la bugiarda* (**falsa**) *che accusò Giuseppe; l'altro è il bugiardo* ('**l falso**) *Sinone greco di Troia: per febbre intensa* (**aguta**) *emanano* (**gittan**) *tanto puzzo di olio bruciato* (**leppo**)». **L'una...**: è la moglie di Putifarre che, indispettita dal fatto che Giuseppe aveva resistito al suo tentativo di sedurlo, lo accusò di aver tentato di violentarla, come racconta la *Bibbia* (*Gen.*, XXXIX, 6-23). **Sinòn**: è il greco che restò nei pressi di Troia quando i suoi compagni finsero di prendere il mare, e che convinse, con falsità e spergiuri, i Troiani ad introdurre nella città il cavallo di legno ideato da Ulisse; è detto **di Troia** in riferimento alle parole che, nell'*Eneide* virgiliana, gli rivolge il re troiano Priamo per manifestargli la sua fiducia, chiamandolo *noster*, cioè amichevolmente *uno dei nostri* (II, 148). **Leppo**: «è puzza d'arso unto [di grasso bruciato], come quando lo [il] fuoco s'appiglia [s'attacca] alla pentola o alla padella» (Buti).

100-102: *E uno di loro* [: Sinone], *che forse si ebbe a male* (**si recò a noia**) *di essere nominato* (**nomato**) *in modo così infamante* (**sì oscuro**; con valore di avv.), *gli* (**li**) *percosse col pugno la pancia* (**l'epa**) *dura* (**croia**). Inizia qui la rissa tra Maestro Adamo e Sinone, prima fisica e poi verbale; una delle scene più triviali e vivaci dell'*Inferno*.

103-108: *Quella* [: la pancia di Maestro Adamo] *suonò come* [*se*] *fosse un tamburo; e Maestro Adamo gli* (**li**) *percosse* [: a Sinone] *il volto col suo braccio, che non parve meno duro* [: del pugno di Sinone], *dicendo*

dicendo a lui: « Ancor che mi sia tolto
lo muover per le membra che son gravi,
108   ho io il braccio a tal mestiere sciolto ».
Ond' ei rispuose: « Quando tu andavi
al fuoco, non l'avei tu così presto:
111   ma sì e più l'avei quando coniavi ».
E l'idropico: « Tu di' ver di questo:
ma tu non fosti sì ver testimonio
114   là 've del ver fosti a Troia richesto ».
« S'io dissi falso, e tu falsasti il conio »,
disse Sinon; « e son qui per un fallo,
117   e tu per più ch'alcun altro demonio! ».

a lui: «Benché (**ancor che**) *mi sia negato* (**tol-to**) *di muovermi* (**lo muover**) *a causa delle* (**per le**) *membra che sono pesanti* (**gravi**)*, io ho il braccio abile* (**sciolto** = libero) *a questo scopo* (**a tal mestiere**) *[: dar pugni]».* La rissa si costruisce su un modello di simmetriche contrapposizioni tra i due: qui al pugno di Sinone corrisponde sùbito il pugno di Maestro Adamo.

109-111: *Per cui egli* (**ond'ei**) *[: Sinone] rispose: «Quando tu andavi al rogo* (**fuoco**)*, tu non l'avevi così agile* (**presto**) *[: eri legato]: ma altrettanto* (**sì**) *e [ancor] più [agile] l'avevi quando coniavi».* Passati i due dalle percosse alle contumelie, la rissa prosegue secondo il modello delle contrapposizioni simmetriche. Maestro Adamo ha detto di avere il braccio ancora **sciolto** per picchiare; Sinone gli risponde ricordandogli malignamente il momento del supplizio, quando il falsario era portato al rogo e aveva perciò le mani legate, e rinfacciandogli poi il suo peccato, dal quale erano derivate la condanna e la punizione divina. Da questa battuta di Sinone (ma sarebbe da comprendere anche quella precedente di Maestro Adamo), i due dannati si scambiano per un totale di cinque volte reciproci insulti, occupando volta lo spazio esatto di una terzina, dando anche alla struttura quell'aspetto simmetrico e contrapposto che si è detto. Gli insulti riguardano due aspetti: 1) il peccato e l'infamia (o la punizione mondana) che ne è derivata e ne deriva; 2) la sofferenza provocata dalla dannazione divina. I due dannati si rinfacciano cioè le proprie colpe e la propria miseria attuale. Se si pensa al discorso che Maestro Adamo ha rivolto a Dante e

a Virgilio (vv. 58-90), si vedrà che si tratta delle due ragioni che lo ossessionano: da un lato la sete e la patologica immobilità, dall'altro il peccato. Si rivela anche attraverso questo scambio di contumelie come i dannati siano interamente assorti nella propria condizione presente, costretti dal c o n t r a p p a s s o stesso a vivere entro l'apparente duplicità di colpa e punizione, corrispondente poi all'unica realtà della dannazione.

112-114: *E l'idropico* [: Maestro Adamo] *[gli disse]: «Riguardo a* (**di**) *questo tu dici* (**di'**) *il vero: ma tu non fosti testimone altrettanto* (**sì** = così) *veritiero* (**ver**) *a Troia quando* (**là 've** = là dove) *fosti richiesto del vero* [: pregato di dire la verità]».* Anche Maestro Adamo rinfaccia al rivale la sua colpa: dici di me il vero (sono stato un falsario e sono morto sul rogo), ma non dicevi il vero riguardo al cavallo di Troia (sei stato un bugiardo). La ferocia di queste battute sta nel loro carattere obliquo e insinuante; i due non si offendono, dapprincipio, in modo aperto. Il v. 110 e i vv. 113 sg. ricorrono infatti alla l i t o t e : **non l'avei tu così presto** = *lo avevi legato*, **tu non fosti sì ver testimonio** = *fosti bugiardo*. **Là 've del ver...**: si riferisce al momento in cui il re troiano Priamo, sotto le mura della città, gli chiese di dire la verità sul cavallo; e Sinone insisté nell'inganno (*Eneide* II, 150 sgg.).

115-117: *Sinone disse: «Se io dissi il falso, e tu falsasti il conio; e [io] sono qui per una colpa* (**fallo**)*, e tu per più [colpe] che qualunque* (**alcun**) *altro demonio!».* Sinone considera cioè come colpa ogni fiorino falso coniato da Maestro Adamo; e contrappone così

« Ricorditi, spergiuro, del cavallo »,
rispuose quel ch'avëa infiata l'epa;

120 « e sieti reo che tutto il mondo sallo! ».
« E te sia rea la sete onde ti crepa »,
disse 'l Greco, « la lingua, e l'acqua marcia

123 che 'l ventre innanzi a li occhi sì t'assiepa! ».
Allora il monetier: « Così si squarcia
la bocca tua per tuo mal come suole;

126 ché, s'i' ho sete e omor mi rinfarcia,
tu hai l'arsura e 'l capo che ti duole,
e per leccar lo specchio di Narcisso,

129 non vorresti a 'nvitar molte parole ».

tante colpe alla propria unica bugia. Ma Maestro Adamo gli rinfaccerà subito lo spergiuro, che aggrava la bugia, e la fama della sua colpevolezza, cioè l'infamia: tutti conoscono infatti l'episodio del cavallo di Troia, grazie anche al poema di Virgilio.

118-120: *Quegli* (**quel**) *che aveva la pancia* (**l'epa**) *gonfiata* (**infiata**) [: Maestro Adamo] *rispose: «Ricordati, spergiuro, del cavallo; e ti sia di tormento* (**sieti reo**) *che lo sa* (**sallo**) *tutto il mondo!».*

121-123: *Il* (**'l**) *greco* [: Sinone] *disse: «E a te* (**te**; in funzione di dat.) *sia di tormento* (**rea**) *la sete per la quale* (**onde**) *ti si screpola* (**ti crepa**) *la lingua, e* [*ti sia di tormento*] *l'acqua marcia* [: cfr. v. 53 e nota] *che ti gonfia come una siepe* (**t'assiepa**) *a tal punto* (**sì** = così) *il* (**'l**) *ventre davanti* (**innanzi**) *agli* (**a li**) *occhi!».* Il tono della sfida verbale cresce e si incattivisce; così Sinone rinfaccia all'altro il dolore e la mostruosità del suo stato attuale: cioè la sua pena. Si noti la velenosa espressività dei termini: **ti crepa, t'assiepa** (che costituisce un'i p e r b o l e); e si noti l'incisivo toccare i due motivi più dolorosi della condanna di Maestro Adamo: la **sete** e l'ingrossamento del **ventre** per il ristagnarvi dell'**acqua marcia**.

124-129: *Allora il falsario* (**monetier**) [*disse*]: *«E pure* (**così** = altrettanto) *si spacca* (**si squarcia**) *la tua bocca a causa della* (**per**) *tua malattia* (**mal**) *come al solito* (**come suole**); *dal momento che* (**ché**), *se io* (**s'i'**) *ho sete e il liquido* (**omor** = umore) *mi riempie* (**rinfarcia** = farcisce), *tu hai l'arsura* [: lo scottare della febbre e la sete ardente] *e la* (**'l** = il) *testa* (**capo**) *che ti duole, e non ci vorrebbero* (**non vorresti**) *molte parole a invitart*[*ti*]

per leccare l'acqua (**lo specchio di Narcisso**)». A differenza delle precedenti battute, questa di Maestro Adamo che chiude la baruffa occupa due terzine, giovandosi della maggiore ampiezza per vibrare un colpo velenosissimo di feroce espressività al rivale. Il lessico è altrettanto violento e deformante di quello di Sinone: bàstino quello **squarcia** riferito alla bocca e **rinfarcia**. Ma qui c'è poi una bieca violenza di immagini non priva di una certa perversa e maligna raffinatezza. Dopo aver restituito il colpo dell'allusione alla lingua che si spacca per la sete (vv. 124-127), riferendosi anche alle sofferenze che a Sinone provocano la febbre e il mal di testa, il falsario trova un'immagine efficacissima (vv. 128 sg.). *Tale è la tua sete*, egli dice press'a poco, *che non ci vorrebbe molto per invitarti a leccare uno stagno*. La ferocia sta soprattutto in tre elementi: 1) l'uso del verbo *leccare*, che fa pensare a un gesto bestiale e degradato; 2) l'uso della p e r i f r a s i dotta **lo specchio di Narcisso** per *acqua* (in riferimento al mito classico del giovinetto Narciso che s'innamorò della propria immagine riflessa in uno stagno), p e r i f r a s i che doveva riuscire ben chiara ad un greco; 3) inoltre la p e r i f r a s i, pur intendendo l'*acqua*, nomina pur sempre uno specchio; e nasce così inevitabilmente un'associazione tra *leccare* e *specchio*: immagine umiliante e quasi di inganno (anche per il riferimento all'inganno in cui cadde Narciso), in cui pare davvero che Sinone accetterebbe persino di leccare la superficie deludente di uno specchio, nell'illusione di una fresca bevuta. **Così si squarcia...**: dei vv. 124 sg. è possibile anche un'interpretazione diversa da quella da noi accolta; e cioè: *la tua bocca si apre a parlare ancora una volta perché tu abbia infine la peggio, come al soli-*

Ad ascoltarli er' io del tutto fisso,
quando 'l maestro mi disse: « Or pur mira,
132   che per poco che teco non mi risso! ».
Quand' io 'l senti' a me parlar con ira,
volsimi verso lui con tal vergogna,
135   ch'ancor per la memoria mi si gira.
Qual è colui che suo dannaggio sogna,
che sognando desidera sognare,
138   sì che quel ch'è, come non fosse, agogna,
tal mi fec' io, non possendo parlare,
che disïava scusarmi, e scusava
141   me tuttavia, e nol mi credea fare.
« Maggior difetto men vergogna lava »,
disse 'l maestro, « che 'l tuo non è stato;
144   però d'ogne trestizia ti disgrava.
E fa ragion ch'io ti sia sempre allato,
se più avvien che fortuna t'accoglia

to; come se Maestro Adamo alludesse ancora alle menzogne di Sinone e alla loro conseguenza di dannazione, e insieme gli annunciasse già che sta per avere la peggio nel litigio. Ma è spiegazione che convince meno.

130-132: *Io ero del tutto fisso ad ascoltarli, quando il ('l) maestro [: Virgilio] mi disse: «Continua ancora a guardare (or pur mira; pur* esprime la continuità dell'azione), *che per poco [avviene] che non mi infurio (risso) con te (teco)!».* Virgilio avverte che l'interesse di Dante è sconfinato nella curiosità e lo rimprovera duramente, quasi minacciandolo di avere con lui a sua volta una *rissa,* se queste gli piacciono tanto. L'intervento altero di Virgilio dà una nobile svolta alla narrazione, riportandola alle sue ragioni morali: di questo mutamento sono espressione, oltre che le parole del **maestro,** la vergogna bruciante di Dante e il conseguente conforto affettuoso di Virgilio per consolarlo (vv. 142-144).

133-135: *Quando io lo ('l = il) sentii parlare a me con ira, mi rivolsi (volsimi) verso [di] lui con tale vergogna, che [la vergogna] ancora mi resta (mi si gira) nella (per la) memoria.*

136-141: *Qual è colui che sogna il proprio (suo) male (dannaggio* = danno; francesismo) [: che ha un incubo], [e] *che sognando desi-*

dera sognare, così (sì) che desidera (agogna) quello che è [realmente], come [se] non fosse, tale divenni io (mi fec'io), non potendo (possendo) parlare, che desideravo (disiava) scusarmi, e infatti (tuttavia) mi (me) scusavo, e non (nol = non lo) *credevo (mi credea) di farlo (fare).* Come chi ha un incubo e pensa nel sogno: — Magari fosse solo un sogno — desidera quello che è già senza saperlo, così Dante vorrebbe scusarsi e, non riuscendo a parlare, già si scusa con il rivelare la sincerità della vergogna, ma senza sapere di farlo. Questo è il senso della s i m i l i t u d i n e . Ma si noti, oltre che la consueta perfetta rispondenza tra i due termini, come la raffinata preziosità stilistica delle due terzine esprima efficacemente la complessità della situazione psicologica sia del sognatore che di Dante. In particolare è grazie all'uso della r e p l i c a z i o n e che il meccanismo intricato del particolare stato d'animo trova la sua lucida definizione razionale: **sogna, sognando, sognare; scusarmi, scusava.**

142-148: *Il ('l) maestro [: Virgilio] disse: «Meno vergogna cancella (lava) una colpa (difetto) maggiore che non sia (è) stata la ('l = il) tua; perciò (però) liberati (ti disgrava* = alleggerisciti) *di ogni rimorso (trestizia). E fa' conto (ragion) che io ti sia sempre accanto (allato), se avverrà ancora (se più avvien) che il caso (fortuna) ti faccia trovare (t'accoglia) dove siano (sien) persone*

dove sien genti in simigliante piato:
ché voler ciò udire è bassa voglia ».

(genti) *in una simile lite* (**in simigliante pia-to**; **piato**, dal lat. 'placitum', è la lite in tri-bunale, la causa)*: perché* (**ché**) *voler udire ciò è una voglia abbietta* (**bassa**)». Virgilio consola Dante mostrandogli di aver compresa la sua vergogna; lo incoraggia promettendo di stargli sempre accanto, in futuro, in fran-genti simili; infine chiude il suo discorso (e il canto) spiegando le ragioni della sua ira: incuriosirsi di fatti volgari e provare piacere ad assistervi, è segno di desideri moralmen-te bassi e colpevoli. Non paia casuale che tale rimprovero di Virgilio sia collocato a questo punto: con il canto XXX infatti si conclude la descrizione dell'ottavo cerchio, Malebolge, nel quale la bassezza della mate-ria trattata potrebbe facilmente indurre ad un compiacimento della volgarità e della bas-sezza stessa, facendo della *Commedia* un'o-pera di avventure. Dante vuole per l'appun-to sottolineare la necessità intellettuale dei fatti narrati per riaffermare l'alto valore eti-co e dottrinale del suo poema. Egli compie quindi una distinzione, implicita ma eviden-te, tra **bassa voglia** e *voglia nobile*: è nobile il desiderio di vedere e di sperimentare an-che il male peggiore, al fine di conoscerlo e di distaccarsene; è abbietto invece il desi-derio di assistere a tutte le manifestazioni che il male può offrirci, oltre la necessità della conoscenza, per il piacere di una cu-riosità morbosa e fine a se stessa, che nep-pure il distacco o l'indignazione bastano a nobilitare. Allude a questa esigenza di tem-perare la curiosità a vantaggio dell'intelligen-za più di un ammonimento di Virgilio; e in particolare l'invito, rivolto al discepolo a pro-posito degli ignavi, «non ragioniam di lor, ma guarda e passa» (III, 51). Questa volta Dante ha guardato soffermandosi troppo a lungo, senza capire quando era giunto il mo-mento di passare oltre.

Forsennato ———————————————————————————— v. 20

La voce è il part. pass. del vb. *forsennare*= 'uscire di senno', derivato dal franc. ant. *forsener* (cfr. franc. mod. *forcené* e prov. *forsenar*). Il termine è tuttora in uso come agg., nel senso di 'pazzo', e come sost., ad indicare 'uno che è fuori di senno, di ragione'; il vb. è invece del tutto uscito dall'uso.

Greppo ———————————————————————————————— v. 95

La voce deriva dalla radice prelatina **krepp* attraverso il lat. mediev. *grippus*. È forma letter. per 'declivio scosceso e dirupato'; indica anche il 'ciglio della strada' o l' 'argine di un corso d'acqua'. In Dante, per estens., vale specificamente 'bolgia infernale'.

Insano ———————————————————————————————— v. 4

È voce semidotta derivata dal lat. *insānus*= 'non sano'. Il termine anticamente significava 'malato di mente, alienato'; e, in senso figur., 'folle, privo di ragione'. Benché il vocabolo sia tuttora in uso, il suo uso è per lo più ristretto all'ambito letter.

Canto XXXI

Virgilio e Dante si allontanano dall'ultima bolgia dell'ottavo cerchio e procedono in silenzio verso il grande pozzo che si apre al centro di Malebolge e sul cui fondo è il nono e ultimo cerchio, cioè il fondo dell'Inferno e il centro della Terra. Nella penombra che avvolge il pianoro sul quale camminano, Dante crede di scorgere in lontananza delle torri simili a quelle delle città fortificate; ma Virgilio lo informa che si tratta di giganti, in piedi sul fondo del pozzo, nel nono cerchio, che emergono con il busto al di sopra del ciglio dell'abisso. Uno di essi è Nembrot, che prima suona uno spaventoso corno da caccia, poi prende a parlare un linguaggio incomprensibile: come è narrato nella Bibbia, *egli fu il promotore della costruzione della Torre di Babele, che cercava di raggiungere il cielo, da cui nacque, per punizione, la confusione delle lingue umane. Vi sono poi altri giganti — attinti dalla mitologia classica, come Fialte e Briareo —, incatenati, che tentarono la scalata dell'Olimpo e furono fulminati da Giove. Dante li rappresenta esaltandone la grandezza e la forza fisica, ma mostrando la mancanza, per contrasto, di qualsiasi intelligenza: sono esempi di superbi vinti dalla superiore grandezza di Dio.*

*Per scendere al cerchio sottostante, Virgilio con lusinghiere parole prega Anteo di aiutarli; e il gigante prende in mano i due pellegrini e li deposita dolcemente sul fondo del pozzo, sul ghiaccio che forma il nono cerchio. È questo il momento più poetico e intenso del canto: quando il gigante fa venire in mente allo spaurito Dante, nel chinarsi, l'effetto che produce la Garisenda, una alta torre di Bologna, a chi la guardi dal basso, dalla parte ove essa pende, quando una nuvola le va incontro e pare che a muoversi, per un effetto ottico, non sia la nuvola ma la torre; e quando il repentino risollevarsi del gigante lo fa di colpo apparire dritto e alto come un albero di nave (***e come albero in nave si levò*** [: si risollevò], v. 145, con cui il canto si chiude, con un verso tronco, sciogliendo brillantemente la tensione accumulata nel corso dell'avventuroso episodio).*

Canto XXXII

Il nono cerchio, *fondo dell'Inferno e centro della Terra e dell'Universo, è formato dal lago ghiacciato Cocito. In esso sono puniti i* traditori, *divisi in quattro zone concentriche: 1)* Caina, *dove i* traditori dei parenti *sono immersi nel ghiaccio fino al collo; 2)* Antenora, *dove i* traditori della patria *stanno in posizione simile alla precedente, ma con il volto sollevato più esposto al gelo; 3)* Tolomea, *dove i* traditori degli ospiti *stanno distesi supini; 4)* Giudecca, *dove i* traditori dei benefattori *sono completamente immersi nel ghiaccio in posizioni diverse. La gravità dei peccati qui puniti e la inospitale atrocità del paesaggio e delle pene, rendono il lessico e lo stile più crudi ed esasperati, e l'atteggiamento di Dante più sdegnoso e violento che mai. Si pensi però che questa condanna così ferma del tradimento è, da parte di Dante, anche condanna delle forme disumane e crudeli della vita politica del Medio Evo, costellata di episodi violenti di tradimenti e di congiure: accanto a ragioni di ordine morale, agiscono dunque qui ragioni di alta ispirazione civile e politica. Le varie situazioni si succedono con incalzante rapidità e i dannati vengono presentati senza neppure un'ombra di pietà né di partecipazione umana.*

Nel canto XXXII sono descritte la Caina e l'Antenora. Nella Caina Dante vede due teste cozzare violentemente l'una contro l'altra: sono due fratelli che si uccisero a vicenda; ecco poi Camicione dei Pazzi, che assassinò un parente e che per iroso e cinico disprezzo rivela il nome proprio e di altri dannati. Nell'Antenora Dante colpisce violentemente con un piede la faccia di un dannato: tra i due nasce un diverbio, finché Dante lo minaccia di strappargli i capelli a ciocca a ciocca se non gli rivela il suo nome; e davvero inizia a porre in opera la sua minaccia, quando un altro dannato tradisce il compagno di pena nominandolo come Bocca degli Abati, colui che tradì i fiorentini guelfi nella battaglia di Montaperti determinandone la sconfitta. Scoperto, il traditore a sua volta tradisce altri dannati, confermando la legge che vuole i dannati fermi nel proprio peccato per l'eternità.

Infine si presenta alla vista di Dante uno spettacolo ancora più raccapricciante: un dannato rode la testa di un altro con fame bestiale.

Cfr. tavola 7.

Noi eravam partiti già da ello,
ch'io vidi due ghiacciati in una buca,
126 sì che l'un capo a l'altro era cappello;
e come 'l pan per fame si manduca,
così 'l sovran li denti a l'altro pose
129 là 've 'l cervel s'aggiugne con la nuca:
non altrimenti Tidëo si rose
le tempie a Menalippo per disdegno,
132 che quei faceva il teschio e l'altre cose.
« O tu che mostri per sì bestial segno
odio sovra colui che tu ti mangi,
135 dimmi 'l perché », diss' io, « per tal convegno,
che se tu a ragion di lui ti piangi,
sappiendo chi voi siete e la sua pecca,
nel mondo suso ancora io te ne cangi,
139 se quella con ch'io parlo non si secca ».

124-132: *Noi* [: Virgilio e Dante] [*ci*] *eravamo già allontanati* (**partiti**) *da quello* (**ello**) [: Bocca degli Abati], *che io vidi due* [*dannati*] *ghiacciati in una* [*unica*] *buca, in modo che* (**sì che**) *la testa di uno* (**l'un capo**) *faceva da* (**era**) *cappello all'altro; e come si mangia* (**manduca**) *il pane per fame, così quello che stava sopra* (**'l sovran**) *teneva conficcati* (**pose**; *il pass. rem. vale per trap., e indica un'azione che prosegue*) *i denti nell'* (**a l'**) *altro là dove* (**ove**) *il* (**'l**) *cervello si congiunge* (**s'aggiugne**) *con la colonna vertebrale* (**nuca**)*: Tideo rose* (**si rose** *indica intensità*) *le tempie di* (**a**) *Menalippo per odio* (**disdegno**) *in modo non diverso* (**non altrimenti**) *di quanto* (**che**) *colui* (**quei**) [: chi stava sopra] *faceva* [*con*] *il teschio e le altre cose* [: cervello, carni] [*di chi stava sotto*]. La presentazione della scena è freddamente distaccata, secondo l'atteggiamento tenuto da Dante in questo cerchio; ma è, nel distacco della descrizione, violentemente realistica: si noti la scelta di un lessico brutale (soprattutto ai vv. 127, 129 e 132); si noti la definizione quasi grottesca della posizione dei due dannati al v. 126; si noti la pesantezza con la quale gli accenti cadono, al v. 127, sui termini-chiave dell'atto cannibalico (**pàn, fàme, mandùca**). La freddezza distaccata di Dante già inizia ad addolcirsi in una partecipazione più accorata ai vv. 133-139, per poi lasciare nel canto seguente spazio alla umanità sconvolta di Ugolino e al proprio

stesso sdegno commosso. **Due**: si tratta di Ugolino della Gherardesca e dell'arcivescovo Ruggieri (cfr. il canto seguente e soprattutto la nota ai vv. 13-15). **Non altrimenti Tideo...**: secondo quanto narra il poeta latino Stazio nella *Tebaide* (VIII, 732-766), Tideo, uno dei sette re che assediarono Tebe, ferito a morte dal tebano Menalippo, ottenne dai compagni che gli fosse portata la testa del nemico per poterla rodere ferocemente prima di morire.

133-139: *Io dissi* [*a Ugolino*]*: «O tu che mostri con* (**per**) *un segno così* (**sì**) *bestiale* [*l'*] *odio verso* (**sovra**) *colui che tu mangi* (**ti mangi**; *cfr.* **si rose** *al v. 130*), *dimmi il* (**'l**) *perché, a questo patto* (**per tal convegno**), *che se tu ti duoli* (**ti piangi**) *a ragione di lui, sapendo* (**sappiendo**) *chi voi siete e il suo peccato* (**la sua pecca**), *io te ne ricambi* (**cangi**) *ancora su* (**suso**) *nel mondo, se quella* [*lingua*] *con la quale io* (**con ch'io**) *parlo non si secca»*. Colpito dalla terribile scena, Dante propone a Ugolino un patto: raccontami la tua storia, e se tu hai ragione di odiare così fortemente quest'uomo che vai rosicchiando, io in cambio potrò portare su nel mondo il racconto, infamando il tuo nemico. Il verso conclusivo del canto è probabilmente un'imprecazione volta a dare forza alla promessa di mantenere il patto; la sua brutalità si giustifica con la situazione degradata del contesto.

Canto XXXIII

Il canto XXXIII è strutturalmente diviso in due parti. Nella prima si completa la descrizione dell'Antenora, seconda zona del nono cerchio, dove sono puniti i traditori della patria; e qui si conclude l'episodio del conte Ugolino già iniziato nelle ultime terzine del canto precedente. Nella seconda parte del canto è descritta la terza zona del cerchio, la Tolomea, dove sono i traditori degli ospiti. Entrambe le parti del canto si concludono con un'invettiva di Dante (la prima, contro Pisa; la seconda, contro Genova), creando un equilibrio interno.

* * *

Il racconto di Ugolino della Gherardesca occupa la prima metà del canto: imprigionato a tradimento dall'arcivescovo Ruggieri insieme a due figli e a due nipoti, fu con loro lasciato morire di fame. Ugolino narra l'agonia nei particolari e poi torna a mordere furiosamente la testa di Ruggieri, rientrando nell'atteggiamento bestiale in cui Dante l'aveva veduto e descritto nello scorcio del canto XXXII. L'episodio è suggellato da una violenta invettiva di Dante contro Pisa, animata da un tono biblico.

Nella Tolomea i dannati sono distesi supini nel ghiaccio così che le stesse lacrime non possono sgorgare dai loro occhi, ma **riempion sotto 'l** [: il] **ciglio tutto il coppo** [: la cavità dell'occhio] (v. 99). Qui Dante incontra l'anima di frate Alberigo, che uccise a tradimento alcuni parenti con i quali era in lite, dopo aver finto di volersi rappacificare con loro. Poiché Dante si stupisce, sapendolo ancora vivo, di vederlo qui, Alberigo gli spiega che questa zona dell'Inferno ha il «privilegio» di ricevere le anime dei traditori degli ospiti, in casi particolarmente gravi, nel momento stesso in cui il peccato viene commesso; a governare il corpo che resta sulla Terra provvede un demonio. È questo appunto il caso di Frate Alberigo, come quello del genovese Branca D'Oria che questi indica a Dante: entrambi già nell'Inferno con l'anima e vivi con il corpo su nel mondo. Con lo sdegnoso e compiaciuto rifiuto di Dante di liberare al Frate gli occhi dal ghiaccio e con l'invettiva contro Genova si conclude il canto.

* * *

Il racconto di Ugolino è inserito tra gli episodi violenti di Bocca degli Abati e di Frate Alberigo come una pausa non meno violenta ma infinitamente più umana e raccolta. L'insieme dell'episodio ha una feroce ma alta dignità tragica. Anche Ugolino è un traditore, ma non c'è nessuna allusione alla sua colpa, se non quella, ai margini dell'episodio e dubitativa, dei vv. 85 sgg.: egli è qui presentato come vittima di un tradimento e di una ferocia che vanno al di là di ogni ammissibile vendetta; la pietà di Dante esploderà nell'invettiva contro questa ferocia disumana in nome della innocenza dei quattro fanciulli uccisi con Ugolino. E il racconto ha appunto il suo nucleo drammatico nel tormento subìto da Ugolino, che deve assistere alla morte dei figli; e che deve sopportare, impotente, il peso delle loro invocazioni di soccorso e reprimere la propria disperazione per non accrescere l'ansia dei fanciulli.

Eppure, per grande che sia il dolore umano di Ugolino e ingiusta l'azione che glielo ha procurato, ciò non lo riscatta dalla sua colpa. Egli è un tradito ma insieme un traditore. La legge divina non manca di punire l'una e l'altra colpa; ed essa pone Ugolino nella particolare condizione di rodere la testa del suo aguzzino, l'arcivescovo Ruggieri, non per dargli occasione di vendetta, bensì per rinfocolare eternamente il suo odio e il ricordo delle atrocità di quel mondo di soprusi e di violenze che egli ha anche subìto, e atrocemente, su di sé, ma a creare il quale ha attivamente e colpevolmente collaborato. Ugolino è stato cioè vittima di quella stessa ingiustizia alla quale ha dato il proprio contributo: traditore, appunto, è stato anche tradito. D'altra parte, Ruggieri sconta nel particolare aggravamento di pena il fio di un delitto particolarmente efferato.

Sul piano artistico, l'episodio del conte Ugolino è riconosciuto come uno dei più alti del poema. Ma il valore stilistico, formale, ecc. può essere adeguatamente capito e valutato solo all'interno delle ragioni etiche e intellettuali sopra considerate. Qui ci si limita perciò ad accennare (e altre indicazioni particolari si incontreranno nelle note al testo) alla impressionante coerenza della articolazione tematica, tutta giocata attorno a m e t a f o r e alimentari e di fame, fin dalla conclusione del canto precedente, e cioè dall'inizio dell'episodio.

La bocca sollevò dal fiero pasto
quel peccator, forbendola a' capelli
del capo ch'elli avea di retro guasto.

3

1-3: *Quel peccatore* [: Ugolino] *sollevò la bocca dal pasto feroce* (**fiero**)*, pulendola* (**forbendola**) *ai* (**a'**) *capelli della testa* (**capo**) *che egli aveva guastata* (**guasto**) *di dietro* (**di retro**). Quest'inizio risoluto riprende e condensa in una sintesi di tono tragico la situazione già descritta nello scorcio del canto precedente: un dannato rode con furiosa bestialità la nuca della testa di un altro; qui, spinto dall'invito di Dante, solleva la bocca dal suo pasto feroce e la pulisce nei capelli stessi della sua vittima. Il carattere bestiale e disumano della situazione raggiunge il suo culmine: basti pensare all'atto di pulirsi dal sangue e dalla carne umana sui capelli di un cranio **guasto**, cioè sfasciato e maciullato dai morsi famelici di Ugolino. Eppure la descrizione di Dante si serve qui della consueta precisione realistica per attenuare la violenza della situazione, anziché accrescerla; di ciò sono indizio certe scelte lessicali (come **capo** al v. 3, che era **teschio** al v. 132 del canto XXXII; come **bocca** al v. 1 contro **denti** del v. 128 del XXXII), nonché la strut-

tura sintattica della terzina, aperta da un complemento oggetto, con la forte a n a s t r o f e dei vv. 1 sg., volta a creare un tono tragico e quasi a definire un gesto eroico, dando a **quel peccator** (soggetto) una posizione di rilievo. Il fatto è che l'attenzione di Dante è ormai tutta presa dal rianimarsi in Ugolino di una umanità che sembrava impossibile, dal recupero quasi della dignità stravolta dall'odio perché stravolta dall'ingiustizia e fermata dalla punizione infernale in quello stravolgimento, in quell'ingiustizia e in quell'odio. In questo senso, il gesto stesso del dannato ne sancisce il momentaneo recupero di un equilibrio, con quel pulirsi la bocca, atto raccapricciante in sé (con i **capelli** dell'altro dannato egli si monda del suo stesso sangue che gli lorda la bocca) ma pur sempre atto di civiltà e di reinserimento in una convenzionale dignità sociale. Con questo esordio, dunque, il personaggio appare in sintonia con l'atmosfera disumana del Cocito, ma in qualche modo inserisce in essa una sofferta e disperata nota di umanità.

Poi cominciò: « Tu vuo' ch'io rinovelli
disperato dolor che 'l cor mi preme
6   già pur pensando, pria ch'io ne favelli.
Ma se le mie parole esser dien seme
che frutti infamia al traditor ch'i' rodo,
9   parlare e lagrimar vedrai insieme.
Io non so chi tu se' né per che modo
venuto se' qua giù; ma fiorentino
12   mi sembri veramente quand' io t'odo.
Tu dei saper ch'i' fui conte Ugolino,
e questi è l'arcivescovo Ruggieri:
15   or ti dirò perché i son tal vicino.
Che per l'effetto de' suo' mai pensieri,
fidandomi di lui, io fossi preso
18   e poscia morto, dir non è mestieri;
però quel che non puoi avere inteso,
cioè come la morte mia fu cruda,
21   udirai, e saprai s'e' m'ha offeso.

4-6: *Poi cominciò* [*a dirmi*]: «*Tu vuoi che io rinnovi* (**rinovelli**) *un dolore disperato che mi opprime* (**preme**) *il cuore* (**'l cor**) *già solo* (**pur**) *a pensarvi* (**pensando**), *prima* (**pria**) *che io ne parli* (**favelli**). Si tratta di una reminiscenza dell'*Eneide* virgiliana (II, 3): «Infandum, regina, iubes renovare dolorem» (= Mi comandi, o regina, di rinnovare un dolore inesprimibile). Ma il tono di Ugolino è più intenso e profondo, tragico anziché lirico.

7-9: *Ma se le mie parole devono* (**dien**) *essere seme* [: causa] *che procuri* (**frutti**) *infamia al traditore che io* (**ch'i'**) *rodo, vedrai parlare e piangere* (**lagrimar**) *contemporaneamente* (**insieme**). Ugolino si riferisce al **convegno** (cioè al patto) che Dante gli ha proposto (cfr. XXXII, 133-139), di raccontargli la causa del suo odio per quel dannato al quale rosicchia furiosamente la testa, in cambio di rendere note, se valide, le sue ragioni: per infamare il suo nemico Ugolino accetta così di parlare, benché ciò gli susciti **disperato dolor**. Il v. 9 (con lo z e u g m a **parlar e lagrimar vedrai**) ricorda un'analoga formula usata da Francesca (V, 126): **farò come colui che piange e dice**; ma per Francesca si tratta di ricordare un **tempo felice** stando ora **nella miseria** (cfr. V, 122 sg.), per Ugolino «passato e presente sono d'uno stesso colore, sono uno strazio solo» (De Sanctis).

10-12: *Io non so chi tu sei* (**se'**) *né in che*

modo (**per che modo**) *sei venuto quaggiù; ma quando io ti odo* [*parlare*] *mi sembri proprio* (**veramente**) *fiorentino*.

13-15: *Tu devi* (**dei**) *sapere che io* (**ch'i'**) *fui conte Ugolino, e questi* [: che rodo] *è l'arcivescovo Ruggieri: ora ti dirò perché* [*io*] *gli* (**i** = a lui) *sono un vicino simile* (**tal**) [: così feroce]. **Ugolino**: Ugolino di Guelfo della Gherardesca, conte di Donoratico, nacque nella prima metà del Duecento da ricca e nobile famiglia. Ebbe importanti incarichi politici. Nel 1275 tradì la fede ghibellina della sua casata e si accordò con i Guelfi per portarli al potere in Pisa: di qui la condanna di Dante tra i traditori politici. Dopo un fallimento iniziale, ottenne una effettiva signoria della città. Ma nel 1288 i Ghibellini, guidati dall'**arcivescovo Ruggieri** degli Ubaldini, ripresero il potere e rinchiusero Ugolino con due figli e due nipoti in una torre, e qui, dopo alcuni mesi di prigionia, li lasciarono morire di fame.

16-21: *Non è necessario* (**mestieri**) *dire* [: poiché sei fiorentino; ed era cosa nota in Toscana] *che a causa* (**per l'effetto**) *dei suoi* (**de' suo'**) [: di Ruggieri] *cattivi* (**mai** = mali) *pensieri, fidandomi di lui, io fossi catturato* (**preso**) *e poi* (**poscia**) *ucciso* (**morto**)*; perciò* (**però**) *udrai* [: nel mio racconto] *quel che non puoi avere saputo* (**inteso**), *cioè come la mia morte fu crudele* (**cruda**), *e saprai se egli* (**s'e'** = se ei) *mi ha offeso* [*veramente*].

Breve pertugio dentro da la Muda,
la qual per me ha 'l titol de la fame,
24   e che conviene ancor ch'altrui si chiuda,
m'avea mostrato per lo suo forame
più lune già, quand' io feci 'l mal sonno
27   che del futuro mi squarciò 'l velame.
Questi pareva a me maestro e donno,
cacciando il lupo e' lupicini al monte
30   per che i Pisan veder Lucca non ponno.
Con cagne magre, studïose e conte
Gualandi con Sismondi e con Lanfranchi
33   s'avea messi dinanzi da la fronte.

Fidandomi di lui: dopo la riscossa ghibellina nel 1288, Ugolino fu indotto da Ruggieri a rientrare in Pisa con l'offerta di trattare; gli fu poi a tradimento sobillato contro il popolo con l'accusa di aver tradito alcuni castelli pisani: il tradimento si distingue dalla semplice frode, come Dante ha chiarito nel canto XI, proprio per questa fiducia non rispettata.

22-27: *Un piccolo buco* (**breve pertugio**) *dall'interno della torre* (**dentro da la Muda**)*, che* (**la qual**) *a causa mia* (**per me**) *ha il nome* (**titol**) *della fame, e che è destino* (**conviene**) *che ancora imprigioni* (**si chiuda**) *altri* (**altrui**; dat.)*, già mi aveva mostrato attraverso* (**per**) *il* (**lo**) *suo foro* (**forame**) *più lune* [: erano già passati, in prigione, diversi mesi], *quando io feci il* (**'l**) *triste sogno* (**mal sonno**) [: l'incubo] *che mi aprì il velo* (**mi squarciò 'l velame**) *del futuro*. Dunque il racconto del conte Ugolino non si sofferma affatto sui caratteri generali del tradimento compiuto ai suoi danni dall'arcivescovo Ruggieri, dandone per scontata la conoscenza da parte dell'ascoltatore; ma passa sùbito al particolare della morte, secondo quanto annunciato dalla premessa dei vv. 16-21. E il racconto della morte è diviso in due parti: un incubo premonitore (vv. 28-36) e il suo puntuale avverarsi nei fatti (vv. 37-75). Si noti qui la consueta sintesi narrativa della poesia dantesca: come per il racconto di Ulisse, il trascorrere di parecchi mesi è definito in pochi versi, puntando direttamente all'esito della tragedia, al suo epilogo doloroso, cioè al suo cuore drammatico. Ma, di scorcio, si avverte il peso di quei mesi nella prigione soffocante, che lascia scorgere l'esterno solo da un **breve pertugio**, o **forame**. **Muda**: è pro-

priamente un luogo chiuso dove vengono tenuti gli uccelli a *mudare*, cioè a cambiar le penne; e veniva chiamata così la torre dei Gualandi di Pisa perché vi si tenevano le aquile di proprietà del Comune. Dopo la prigionia e la morte per fame di Ugolino, la torre venne chiamata spesso Torre della fame (cfr. v. 23).

28-30: *Questi* [: Ruggieri] *mi sembrava* (**pareva a me**) [*nel sogno*] *guida* (**maestro**) *e signore* (**donno**) *nel cacciare* (**cacciando**) *il lupo e i* (**e'**) *lupicini verso il* (**al**) *monte per il quale* (**per che**) *i Pisani non possono* (**non ponno**) *vedere Lucca*. Il sogno è palesemente simbolico. Questa prima parte riguarda il passato e rievoca la persecuzione e l'esilio imposti da Ruggieri (che guida la caccia) a Ugolino e ai suoi (**lupo** e **lupicini**). **Monte...**: è il monte di San Giuliano (o Pisano) che sorge tra Pisa e Lucca impedendo che da Pisa si possa vedere Lucca, e viceversa.

31-33: [*Ruggieri*] *si era* (**s'avea**) *messi dinanzi a sé* (**da la fronte**) [*le famiglie dei*] *Gualandi con Sismondi e con Lanfranchi con cagne magre* [*per la fame*]*, intente* (**studiose**) [*ad azzannare*] *ed esperte* (**conte**). Si tratta di una terzina efficacissima: il sogno presenta prima la furia delle cagne (che rappresentano il popolo minuto), poi le famiglie ghibelline di Pisa, e solo in ultimo si affaccia il mandante, colui che guida la caccia: Ruggieri; il quale è direttamente nominato da Ugolino una sola volta (v. 14) e per il resto è il punto di riferimento implicito delle sue parole, quasi un'ossessione che non lo abbandona mai (cfr. ai vv. 8, 15, 16, 17, 21, 28, 33): alla dimensione manifesta della pena corrisponde come al solito la dimensione interiore.

In picciol corso mi parìeno stanchi
lo padre e ' figli, e con l'agute scane
36   mi parea lor veder fender li fianchi.
Quando fui desto innanzi la dimane,
pianger senti' fra 'l sonno i miei figliuoli
39   ch'eran con meco, e dimandar del pane.
Ben se' crudel, se tu già non ti duoli
pensando ciò che 'l mio cor s'annunziava;
42   e se non piangi, di che pianger suoli?
Già eran desti, e l'ora s'appressava
che 'l cibo ne solëa essere addotto,
45   e per suo sogno ciascun dubitava;
e io senti' chiavar l'uscio di sotto
a l'orribile torre; ond' io guardai
48   nel viso a' mie' figliuoi sanza far motto.

34-36: *Dopo breve corsa* (**in picciol corso**) *mi sembravano* (**parìeno** = parevano) *stanchi il* (**lo**) *padre e i* (**e'**) *figli, e mi pareva* [*dì*] *vedere ferire* (**fender**) *loro i* (**li**) *fianchi con le acute zanne* (**l'agute scane**). Questa terzina riguarda l'aspetto propriamente premonitore del sogno simbolico: raffigura infatti l'esito tragico del destino di Ugolino e dei figli. Si noti che qui il velo simbolico è in gran parte infranto: il **lupo** e i **lupicini** diventano infatti **padre** e **figli**.

37-39: *Quando fui sveglio* (**desto**) *prima del mattino* (**innanzi la dimane**; dimane nell'accezione di 'mattino' dal lat. 'mane'), *sentii piangere fra il* (**'l**) *sonno i miei figlioli che erano con me* (**meco** = con me; con p l e o n a s m o), *e domandare del pane*. Dal sogno si passa alla realtà della prigione e lo scenario del carcere si arricchisce di colpo, solo a questo punto, con un magistrale espediente narrativo in direzione tragica, delle figure dei figli di Ugolino (in verità due figli e due nipoti; ma accomunati nell'unico sentimento paterno); e anche essi sognano la imminente sciagura, e nel sogno chiedono **del pane**. Il loro presagio è più ingenuo e diretto: essi sognano la fame che presto dovranno realmente patire; e dalle loro parole Ugolino capisce quale sarà il loro tormento e la loro morte: di qui l'esplosione di angoscia dei vv. 40-42.

40-42: *Sei* (**se'**) *ben crudele, se tu già non ti addolori* (**duoli**) *pensando ciò che il* (**'l**) *mio cuore presagiva* (**s'annunziava**)*; e se non piangi, di che* [*cosa*] *sei solito* (**suoli**) *pian-*

gere? Il racconto è interrotto, nel passaggio dal prologo allo svolgimento della tragedia vera e propria, per invocare la partecipazione dell'ascoltatore; così che viene in qualche modo evidenziata l'imperturbabilità del personaggio Dante: segno della sua completa maturità, a questo punto del viaggio, nei confronti del male. Lo sdegno e la commozione di Dante verranno dopo, dinanzi alla innocenza calpestata dei figli di Ugolino, per suggellare con una feroce invettiva il suo rifiuto della malvagità umana.

43-48: [*I figlioli*] *erano già desti, e si avvicinava* (**s'appressava**) *l'ora in cui* (**che**) *il cibo ci* (**ne**) *soleva esser portato* (**addotto**), *e ciascuno temeva* (**dubitava**) *a causa del* (**per**) *suo sogno; e io sentii inchiodare* (**chiavar**) *l'uscio sotto all'orribile torre; per cui io* (**ond'io**) *guardai nel viso ai miei* (**a' mie'**) *figlioli* (**figliuoi**) *senza parlare* (**sanza far motto**). La tragedia si dipinge con ineluttabile chiarezza: la porta della torre viene inchiodata su Ugolino e sui fanciulli come il coperchio di una bara. Da questo punto in poi, la narrazione procede per quadri animati da intensa energia plastica ed emotiva, mossi dalla ricerca di soccorso da parte dei figli nella protezione paterna e dalla disperata impotenza di Ugolino che non può aiutarli e che perciò si chiude in un unico definitivo silenzio dinanzi alle loro richieste. Così il ritmo è dato dall'alternarsi dei commoventi gesti dei figli e dal silenzio disperato del padre, un ritmo di ombre buie e di luci violente che si compone con il trascorrere dei giorni e delle notti nell'attesa della fine.

Io non piangëa, sì dentro impetrai:
piangevan elli; e Anselmuccio mio
51   disse: 'Tu guardi sì, padre! che hai?'.
Perciò non lagrimai né rispuos' io
tutto quel giorno né la notte appresso,
54   infin che l'altro sol nel mondo uscìo.
Come un poco di raggio si fu messo
nel doloroso carcere, e io scorsi
57   per quattro visi il mio aspetto stesso,
ambo le man per lo dolor mi morsi;
ed ei, pensando ch'io 'l fessi per voglia
60   di manicar, di sùbito levorsi
e disser: 'Padre, assai ci fia men doglia
se tu mangi di noi: tu ne vestisti
63   queste misere carni, e tu le spoglia'.

49-51: *Io non piangevo* (**piangea**), *a tal punto* (sì = così) *dentro diventai di pietra* (**impetrai**)*: essi* (**elli**) [: i figli] *piangevano; e il mio Anselmuccio disse: 'Tu guardi in un modo* (sì = così) [: intensamente], *padre!, che* [*cosa*] *hai?'*. Anselmo, il più giovane, chiede il perché del turbamento dell'uomo, del quale non sa rendersi ancora precisamente ragione, e l'angoscia della sua domanda riflette lo sguardo angoscioso di Ugolino: si noti l'allusiva sinteticità di quel **sì**, di quel **che hai?**, e l'abbandono ancora fiducioso di quel **padre!** E si noti la tenerezza disperata che ancora trapela (per il diminutivo e per il pronome possessivo) in quell'**Anselmuccio mio**.

52-54: *Non per questo* (**perciò non**) *io piansi* (**lagrimai**) *né risposi tutto quel giorno né la notte seguente* (**appresso**)*, finché* (**infin che**) *uscì nel mondo l'altro sole* [: fino al giorno dopo]. La figura di Ugolino si disegna attraverso le negazioni: **sanza far motto** (v. 48), **io non piangea** (v. 49), **non lagrimai né rispuos'io** (v. 52); si configura così un dolore muto e impotente, incapace di azione o di conforto e quindi di sfogo (se non, per un attimo, al v. 58; ma sùbito represso). E la figura di Ugolino si disegna anche nell'antitesi con l'atteggiamento dei fanciulli: al loro tentativo ansioso di comunicare al padre il proprio sgomento e di invocare da lui soccorso, corrisponde il muto negarsi di Ugolino. Si noti poi come le descrizioni temporali dilatino i giorni e le notti, dando il senso della lentezza atroce, per i prigionieri, di quell'attesa.

55-63: *Appena* (**come**) *fu entrata* (**si fu messo**) *un poco di luce* (**raggio**) *nel carcere doloroso, e io scorsi in* (**per**) *quattro visi il mio stesso aspetto, mi morsi tutt'e due* (**ambo**) *le mani per il* (**lo**) *dolore; ed essi* (**ei**)*, pensando che io lo* (**'l** = il) *facessi* (**fessi**) *per voglia di mangiare* (**manicar**)*, immediatamente* (**di subito**) *si alzarono* (**levorsi**) *e dissero:* «*Padre, sarà* (**fia**) *per noi* (**ci**) *assai meno doloroso* (**men doglia**) *se tu ti cibi* (**mangi**) *di noi: tu ci* (**ne**) *hai fatto* (**vestisti**) *queste misere carni, e tu distruggile* (**le spoglia**)». La disperazione di Ugolino esce per un solo momento e con un solo gesto dal silenzio e dall'immobilità, e sùbito a quel gesto rispondono in coro i figli, scattando, con un'offerta terribile che nasce da un malinteso. Ed ecco che qui la tragedia tocca forse il suo culmine perché qui si rivela appieno l'incomunicabilità tra padre e figli, che è la costante cupa e frustrante del dramma. La disperazione di Ugolino nasce dal non potere aiutare in alcun modo i figli, quella dei fanciulli dal non trovare nel padre l'aiuto consueto; l'incomunicabilità sta nel fatto che né i figli possono ammettere la disperazione impotente del padre, né Ugolino vuole udire le strazianti richieste di conforto dei figli: i fanciulli vorrebbero solo chiedere aiuto, e la distante immobilità del padre glielo impedisce; Ugolino vorrebbe solo dar sfogo alla disperazione, e lo sguardo implorante e vigile dei figli glielo vieta. Così l'atteggiamento di Ugolino impone a sé e agli altri il silenzio nella coscienza che le parole possono solo accrescere la comune sofferenza.

Queta'mi allor per non farli più tristi;
  lo dì e l'altro stemmo tutti muti;
66 ahi dura terra, perché non t'apristi?
Poscia che fummo al quarto dì venuti,
  Gaddo mi si gittò disteso a' piedi,
69 dicendo: 'Padre mio, ché non m'aiuti?'.
Quivi morì; e come tu mi vedi,
  vid' io cascar li tre ad uno ad uno
72 tra 'l quinto dì e 'l sesto; ond' io mi diedi,
già cieco, a brancolar sovra ciascuno,
  e due dì li chiamai, poi che fur morti.
75 Poscia, più che 'l dolor, poté 'l digiuno ».

64-66: *Allora mi quietai* (**queta'mi**) *per non farli più tristi; quel giorno* (**lo dì**) *e il seguente* (**l'altro**) *stemmo tutti muti; ahi dura terra, perché non ti apristi* [*a inghiottirci*]? Lo sfogo di Ugolino è represso (v. 64) per le ragioni espresse nella nota precedente, e il silenzio torna a imporsi per due lunghi giorni. L'invocazione del v. 66 che, come ai vv. 40-42, interrompe la narrazione, ne sottolinea anche qui un passaggio decisivo (in questo caso l'aprirsi della serie di morti), e dà sfogo a quel dolore disperato che al momento dei fatti doveva essere celato.

67-69: *Dopo* (**poscia**) *che fummo giunti* (**venuti**) *al quarto giorno* (**dì**), *Gaddo mi si gettò ai* (**a'**) *piedi disteso, dicendo: 'Padre mio, perché* (**ché**) *non mi aiuti?'.*

70-75: *Qui* (**quivi**) [: *ai miei piedi*] *morì; e come tu mi vedi,* [*così*] *io vidi cascare i* (**li**) *tre* [*altri*] *ad uno ad uno tra il* (**'l**) *quinto giorno* (**dì**) *e il sesto; per cui io* (**ond'io**), *già cieco, mi diedi* [: cominciai] *a brancolare sopra ciascuno, e li chiamai* [*per*] *due giorni* (**dì**) *dopo* (**poi**) *che furono* (**fur**) *morti. Poi* (**poscia**) *il digiuno fu più forte* (**più... poté**) *che il* (**'l**) *dolore».* Per quel che concerne la efficacissima descrizione delle morti dei quattro fanciulli (vv. 67-72), si notino tre importanti elementi. 1) Il modo in cui è espresso il trascorrere del tempo. Le notazioni temporali hanno una grande importanza nel racconto di Ugolino: esse esprimono il suo unico punto di riferimento esterno alla soffocante situazione del carcere e contemporaneamente rivelano di scorcio la dimensione psicologica del prigioniero, che misura, chiuso nel suo silenzio disperato, il tempo della vita nell'attesa dell'agonia e della

morte. Già ci siamo soffermati sulla lentezza del ritmo a proposito del v. 53 (**tutto quel giorno né la notte appresso**); un carattere ancora più lento e più scuro (anche per le due /u/ accentate finali) ha il v. 65 (**lo dì e l'altro stemmo tutti muti**). Il v. 67 (**poscia che fummo al quarto dì venuti**) ha anch'esso il medesimo tono (e, ancora, due /u/ t o n i c h e), ma in più un aspetto strascicato, e un ritmo più grave e faticoso, a esprimere la fatica dolorosa con cui si trascinano le vite dei cinque prigionieri. Poi ai vv. 71 sg. si giunge al crudo parallelismo tra il passare dei giorni e il morire dei figli (**ad uno ad uno / tra 'l quinto dì e 'l sesto**), in un'estrema esasperazione dell'immobilità impotente e spasmodicamente vigile e calcolante di Ugolino; fino al lapidario **due dì**, a significare, con l'inutile precisione che la disperazione induce a inserire nel racconto di una sventura, estremo appiglio, la sterile durata delle grida agonizzanti del prigioniero. 2) Collegato al vigile computare del tempo da parte di Ugolino, c'è la sua insistenza sulla propria condizione atroce di testimone, espressa tutta nella funzione visiva: si vedano i vv. 47 sg. (**guardai/ nel viso a' mie' figliuoi**) e 56 sg. (**io scorsi/ per quattro visi il mio aspetto stesso**) fino alla dichiarazione esplicita della crudezza insopportabile e nitida di questo vedere ai vv. 70 sg. (**come tu mi vedi,/ vid'io cascar...**); a tanto vedere, morti i figli, segue, nella bestiale agonia, la cecità (**già cieco**, v. 73). 3) La morte dei figli interrompe quel cortocircuito psicologico che tiene bloccato Ugolino costringendolo a reprimere il proprio dolore, ad assentarsi quasi (cfr. la nota ai vv. 55-63); ed egli può finalmente muoversi e gridare, riacquistando l'uso, fino ad allora impedito, dei gesti e della voce (**brancolar**, v. 73; **chiamai**, v.

Quand'ebbe detto ciò, con li occhi torti
riprese 'l teschio misero co' denti,
78   che furo a l'osso, come d'un can, forti.
Ahi Pisa, vituperio de le genti
del bel paese là dove 'l sì suona,
81   poi che i vicini a te punir son lenti,
muovasi la Capraia e la Gorgona,
e faccian siepe ad Arno in su la foce,
84   sì ch'elli annieghi in te ogne persona!

74); e come dall'impedimento autorepressivo si era esasperato l'aspetto visivo (cfr. punto 2), una volta cessato quello, ecco sopraggiungere una cecità improvvisa. Così che Ugolino passa dal solo guardare al solo gridare e muoversi: l'eccesso disumano di autocontenimento messo in opera nei giorni di agonia dei figli determina, morti questi, un'esplosione di cieca animalità; il medesimo amore paterno si riversa in un gesticolare e urlare più bestiali che umani: e siamo già virtualmente nella situazione infernale in cui la ferocia con la quale Ugolino morde il cranio dell'arcivescovo Ruggieri è un aspetto speciale della punizione divina nei confronti di quest'ultimo, eccezionalmente colpevole per la malvagità disumana del suo tradimento. E infatti, appena terminato il racconto su questa nota agonizzante di ferina follia, ecco che Ugolino riazzanna il **teschio** del nemico (vv. 76-78), sancendo una continuità tra la conclusione della tragedia mondana appena narrata e la condizione infernale. Che poi Ugolino, nel delirio dell'agonia, possa essersi cibato della carne dei figli, come da qualcuno (ma solo in tempi moderni) è stato sostenuto in forza dell'ambiguità del v. 75, è in verità poco probabile. Il v. 75, conclusivo del racconto, è certo un «verso fitto di tenebre e pieno di sottintesi» (De Sanctis); ma è spiegazione sufficiente il delirio che spinge Ugolino a correlare **dolore** e **digiuno** in un'assurda antitesi: il digiuno fu più forte del dolore perché lo fece morire mentre il dolore voleva proseguire in quell'insensato *brancolare* e *chiamare*. (Ed è inoltre possibile un'altra spiegazione del verso: il digiuno ebbe la forza per uccidermi, mentre non la aveva avuta il dolore; e perciò quello fu più forte di questo).

76-78: *Quando* [Ugolino] *ebbe detto ciò, con gli* (**li**) *occhi storti* (**torti**; da 'torcere') *ripre-* se il ('**l**) *misero teschio* [*di Ruggieri*] *con i* (**co'** = coi) *denti, che furono* (**furo**) *sull'osso* (**a l'osso**) *forti come* [*quelli*] *di un cane*. Si torna in questa terzina al lessico crudo e violento dei vv. 124-139 del canto precedente (cfr. la nota ai vv. 1-3): **torti, teschio, denti, osso, can, forti**. E si notino lo scatto bestiale di **co' denti**, quasi espressione o n o m a t o p e i c a dell'atto di azzannare, e la metrica del v. 78, con la disposizione martellante degli accenti su 2^a, 4^a e 6ª sillaba e poi con l'iroso inseguirsi su 8^a, 9^a e 10^a, a significare la furia disperata di quel mordere.

79-84: *Ahi Pisa, vergogna* (**vituperio**) *dei popoli* (**de le genti**) *del bel paese là dove* [*ri*]*suona il* ('**l**) *sì* [: l'Italia], *dal momento che* (**poi che**) *i vicini* [: fiorentini e lucchesi] *sono lenti a punirti* (**a te punir**), *si muovano* (**muovasi**; al sing.!) *la Capraia e la Gorgona, e facciano diga* (**siepe**) *all'* (**ad**) *Arno sulla* (**in su la**) *foce, così che esso* (**sì ch'elli**) [: l'Arno] *annieghi in te ogni persona!* L'invettiva di Dante, tra le più violente del poema, esplode con spontaneità e suggella potentemente la tragedia di Ugolino, segnando al contempo la c a t a r s i e il momento di più scoperta polemica politica dell'episodio. La possente fantasia dantesca attinge ai modi ispirati delle profezie e delle maledizioni bibliche, invocando dalla stessa natura l'adempimento di quella punizione (e vendetta) che gli uomini esitano a infliggere. La p e r i f r a s i del v. 80 per indicare l'Italia serve ad allargare la portata dell'offesa di **vituperio**, quasi dicesse *per quanti popoli vi siano nell'Italia intera, di tutti siete la vergogna*. La **Capraia** e la **Gorgona** sono due piccole isole dell'arcipelago toscano nel mare Tirreno, a non molta distanza dalla foce dell'Arno nelle cui prossimità, sul fiume, sorge Pisa.

Che se 'l conte Ugolino aveva voce
d'aver tradita te de le castella,

87   non dovei tu i figliuoi porre a tal croce.
Innocenti facea l'età novella,
novella Tebe, Uguiccione e 'l Brigata

90   e li altri due che 'l canto suso appella.

85-87: *Poiché* (**che**) *se il* (**'l**) *conte Ugolino aveva fama* (**voce**) *di averti tradito* (**di aver tradita te**) *riguardo ai castelli* (**de le castella**) [: cfr. nota ai vv. 16-21], *tu non dovevi* (**dovei**) *porre a tal supplizio* (**croce**) *i figlioli* (**figliuoi**). Da questo **aveva voce** così dubitativo si ricava che Dante non credeva a questo particolare aspetto del tradimento di Ugolino; il quale è qui dannato per ragioni più generali (cfr. la nota ai vv. 13-15).

88-90: *La giovane età* (**l'età novella**) *rendeva* (**facea**) *innocenti Uguccione e il* (**'l**) *Bri-* *gata* [: Nino, soprannominato 'il Brigata'] *e gli* (**li**) *altri due che il canto nomina* (**appella**) *sopra* (**suso**) [: cfr. vv. 50 e 68; Anselmuccio e Gaddo], [o] *nuova* (**novella**) *Tebe*. Si noti la r e p l i c a z i o n e di **novella** alla fine del v. 88 e al principio del v. 89, fondata sul significato equivoco del termine e coerente con il tono retorico ed eloquente dell'invettiva. **Tebe** è l'antica città della Grecia famosa per le atrocità lì avvenute, tra le quali lo scontro fratricida tra Eteocle e Polinice; e perciò Dante chiama Pisa **novella Tebe**.

Appellare _____ v. 90

La voce deriva dal lat. *appellāre* = 'rivolgere la parola, chiamare'; propriamente vale 'chiamare per nome, nominare' (è questo l'uso di Dante), ma è accezione di uso letter.; mentre è invece d'uso corrente il derivato *appello* (calco sul franc. *appel*) nel significato di 'chiamata per nome di persone, poste in elenco, per accertarne la presenza'. Oggi la voce si usa nella forma intr. *appellarsi*, con valore giuridico, a significare 'ricorrere in giudizio d'appello' e, per estens., 'ricorrere a qualcuno per ottenerne aiuto, giustizia, testimonianza, clemenza ecc.'.

Manicare _____ v. 60

È voce di area tosca, derivata dall'incrocio tra il lat. colloquiale *manducāre* = 'mangiare' e il lat. tardo *masticāre* = 'masticare'. È forma ant. e letter. per 'mangiare, nutrirsi, alimentarsi' (ed è questo l'uso di Dante). Il termine è oggi desueto, ma sopravvive nel derivato *manicaretto* = 'cibo o pasto particolarmente appetitoso e culinariamente elaborato'

166

Canto XXXIV

Nella quarta zona del nono cerchio, la Giudecca, stanno i traditori dei benefattori: essi sono completamente immersi nel ghiaccio, privati di qualsiasi vita, in un'assoluta spettralità (**l'ombre** [: le anime] **tutte erano coperte,/ e trasparìen** [: trasparivano] **come festuca** [: pagliuzza] **in vetro**; vv. 11 sg.).

Nel centro del pozzo infernale, centro della Terra e dell'Universo (secondo la c o n c e z i o n e   c o s m o l o g i c a   t o l e m a i c a seguita da Dante) sta Lucifero, un gigantesco mostro con tre teste e sei immense ali di pipistrello, agitando le quali provoca il vento che gela la palude di Cocito. Il re dell'Inferno, l'angelo che guidò la ribellione contro Dio, il centro e il simbolo di tutto il male universale, è presentato da Dante secondo i modi delle descrizioni medioevali del demonio, badando all'orrore e alla grandezza, ma non senza un certo pathos narrativo; anche se poi la descrizione diventa un po' troppo minuziosa, interessata soprattutto agli elementi allegorici della figurazione. Nelle tre bocche Lucifero maciulla Giuda (traditore di Cristo) e Bruto e Cassio (uccisori di Cesare): si rivela in questa scelta la complessa concezione religiosa e politica di Dante, il quale pone la figura storica del fondatore dell'Impero su un piano quasi uguale a quello riservato al Salvatore dell'umanità e fondatore della Chiesa.

Virgilio si cala lungo il corpo di Lucifero tenendo Dante in braccio e con grande fatica, giunto al centro della Terra, si rivolge e si arrampica lungo le gambe del diavolo ed esce dall'Inferno, entrando nell'altro emisfero terrestre. Qui i due seguono un cunicolo scavato nella roccia da un piccolo corso d'acqua e, dopo un lungo camminare senza posa, giungono infine alla superficie della Terra, **a riveder le stelle** (v. 139 e ultimo).

Purgatorio

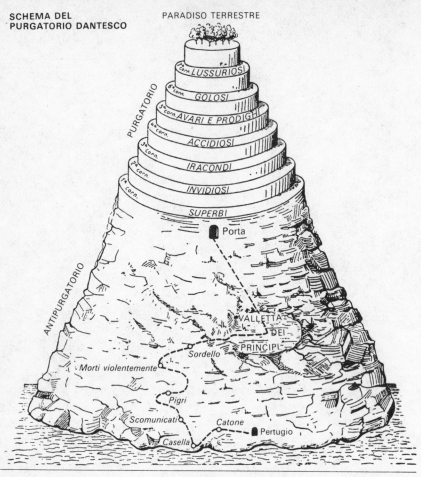

**SCHEMA DEL
PURGATORIO DANTESCO**

PARADISO TERRESTRE

7° corn. LUSSURIOSI

6° corn. GOLOSI

5° corn. AVARI E PRODIGHI

4° corn. ACCIDIOSI

3° corn. IRACONDI

2° corn. INVIDIOSI

1° corn. SUPERBI

PURGATORIO

Porta

ANTIPURGATORIO

VALLETTA
DEI
PRINCIPI

Sordello

Morti violentemente

Pigri

Scomunicati

Catone

Pertugio

Casella

UNIVERSO DANTESCO

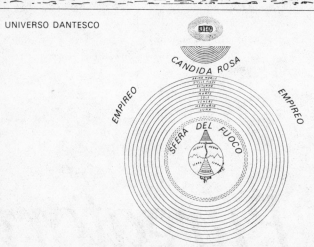

CANDIDA ROSA

EMPIREO

EMPIREO

PRIMO MOBILE
STELLE FISSE
SATURNO
GIOVE
MARTE
SOLE
VENERE
MERCURIO
LUNA

SFERA DEL FUOCO

INTRODUZIONE

1. Storia e caratteri del Purgatorio.

Il Purgatorio, come luogo ben definito dell'aldilà, non appartiene alle credenze originarie della cristianità. «Nel mondo dei cristiani dell'alto Medioevo, manichei nelle credenze di fatto, se non nella fede ufficiale, non c'è posto per un vero luogo intermedio nell'altro mondo più di quanto non ci sia posto per una popolazione intermedia tra potenti e poveri, clero e laici» (Le Goff). Solamente con molto ritardo, tra il XII e il XIII secolo, la rigida contrapposizione tra Inferno e Paradiso è arricchita dalla nuova concezione, collegata «a mutazioni profonde delle realtà sociali e mentali del Medioevo. Non lasciare più soli a fronteggiarsi i potenti e i poveri, i chierici e i laici, ma ricercare una categoria mediana — classi medie o terzo ordine — rientra nel medesimo processo e si riferisce a una società mutata» (Le Goff). Il Purgatorio, riconosciuto come argomento di fede con il Concilio di Lione nel 1274, è dunque un luogo intermedio dell'aldilà e costituisce una opportunità di raggiungere la salvezza attraverso l'espiazione di peccati non troppo gravi o dei quali ci si sia adeguatamente pentiti. È però da considerare che la medietà tra Inferno e Paradiso si rivela ben presto apparente: in quanto luogo riservato ad anime destinate alla salvezza ma bisognose di purificarsi, diverrà una specie di anticamera del Paradiso, nettamente contrapposto invece al mondo infernale dei dannati. Inoltre le caratteristiche del Purgatorio sono solo apparentemente assimilabili a quelle degli altri due «regni» dell'oltretomba cristiano: infatti il Purgatorio è temporalmente limitato, non solo perché le anime vi restano per un periodo definito, ma anche perché dopo il Giudizio universale esso è destinato a perdere la sua funzione e la sua ragion d'essere. «Il Purgatorio fa parte di un sistema, quello dei luoghi dell'aldilà, e non ha esistenza e significato se non in rapporto a tali altri luoghi» (Le Goff). In particolare il Purgatorio compie opera di mediazione tra il mondo e il Paradiso: assomiglia infatti al mondo per il suo carattere transitorio ed effimero, al Paradiso perché accoglie anime destinate comunque alla salvezza. Esso è così doppiamente contrapposto all'Inferno.

2. Caratteri del Purgatorio dantesco: rapporti con la Terra e con le altre cantiche.

Tutti questi elementi sono riscontrabili in qualche modo anche nella *Commedia* dantesca, benché sia opportuno tenere presente che Dante ha elaborato con grande originalità la materia che la tradizione (e, in questo caso, una tradizione recente) gli offriva.

Innanzitutto è fortemente sottolineato il carattere antitetico al mondo infernale. Alla profonda cavità ad imbuto dell'Inferno corrisponde il monte a forma di cono del Purgatorio: la cavità si sprofonda nelle viscere della Terra; il monte si innalza sull'emisfero opposto, unica terra nell'oceano inabitato. Il monte del Purgatorio — formato dal ritrarsi della terra al momento della caduta di Lucifero, cacciato dal cielo e precipitato da Dio nel centro della Terra — è il calco esatto della voragine dell'Inferno: e come il fondo dell'Inferno corrisponde al centro della Terra e dell'Universo (cioè al luogo dove meno la presenza di Dio è percepibile e dove tende a radunarsi tutto il male universale), così il Purgatorio si innalza al di sopra dell'atmosfera terrestre, immune dai turbamenti che questa comporta, verso il cielo.

Il Purgatorio è in antitesi con l'Inferno, nella *Commedia*, anche per un'altra ragione. Nell'*Inferno* assistiamo al progressivo scendere di Dante verso i peccatori peggiori, fino a Lucifero; nel *Purgatorio* invece vediamo Dante salire di gradino in gradino verso il cielo, purgando peccati via via più lievi.

All'*Inferno* corrisponde una condizione irrimediabilmente al di fuori della Grazia divina: Dante è solo uno spettatore di tale stato, dal quale deve imparare a fondo le conseguenze del peccato. L'Inferno gli si mostra come un mondo senza tempo, avvolto nelle tenebre eterne e privo di storia. Al *Paradiso* corrisponderà una condizione della Grazia pienamente realizzata, l'inveramento della città celeste, in armoniosa concordia perpetua; Dante parteciperà per una brevissima frazione di tempo a tale condizione. Il Paradiso è un mondo al di fuori del tempo, superiore alle vicende della storia terrena perché affermazione di un senso definitivo che nella storia si nasconde e che lì si realizza in completa pienezza. Il *Purgatorio* soltanto ha una storia in svolgimento: la purificazione delle anime; la quale si realizza di gradino in gradino in modo progressivo. E solo il Purgatorio è in una condizione temporale, legato al tempo del mondo e destinato ad estinguersi quando, con il Giudizio, questo verrà annullato. Mentre la cronologia del viaggio di Dante nell'Inferno è ricostruibile con fatica e attraverso riferimenti astratti, nel *Purgatorio* la narrazione è intessuta sui ritmi del giorno e della notte e vi incontriamo quattro albe e tre tramonti.

Nel *Purgatorio* Dante ci presenta un mondo più simile a quello terreno; e questa osservazione vale tanto per l'aspetto fisico del paesaggio e del trascorrere del tempo, quanto per l'atmosfera psicologica ed emotiva delle anime incontrate e di Dante stesso. Qui infatti non c'è l'atteggiamento pietrificato nel male dei dannati, tutto risolto in un antagonismo verso il mondo nel quale si sono persi e al di là del quale non sanno vedere; e non c'è neppure il sereno e definitivo distacco dei beati, superiori tanto alla propria vicenda individuale quanto al mondo in sé (eppure compassionevoli e indulgenti). Nelle anime del *Purgatorio* c'è con il mondo un legame forte e complesso: esse vedono ora appieno il senso delle cose, comprendono i propri limiti umani, aspirano alla perfezione celeste; eppure devono liberarsi a poco a poco delle proprie tendenze colpevoli, devono elaborare un distacco dal mondo mentre sono in una condizione che, tra quelle dell'aldilà, è la più simile al mondo. Nel Purgatorio ogni anima giunge quale è stata sulla Terra: potrà accedere al Paradiso quando avrà purificato se stessa e sarà matura per la dimensione celeste.

3. I MODI DELLA PURIFICAZIONE.

Nel Purgatorio le anime non subiscono la punizione divina, come nell'Inferno. Ad esse è offerta l'opportunità di rimuovere i propri limiti terreni, attraverso un ricco meccanismo di purificazione. Si consideri innanzitutto che l'ordine del *Purgatorio* non si riferisce a singole azioni colpevoli (come per l'*Inferno*), ma a tendenze peccaminose risalenti alla disposizione psicologica individuale. I peccati veri e propri messi in atto a causa di tale disposizione colpevole hanno già avuto il perdono di Dio in quanto le anime son potute accedere al Purgatorio solo dopo il pentimento sincero. Nel Purgatorio esse devono rimuovere la tendenza colpevole e assumerne una giusta. Ciò avviene attraverso tre modi.

1) **Le pene**. Esse apparentemente assomigliano a quelle dell'*Inferno* (e, tra l'altro, sono assegnate secondo l'eguale principio del c o n t r a p p a s s o), ma se ne differenziano in verità profondamente. Infatti nel *Purgatorio* la pena serve alle anime per esercitarsi «in uno sforzo contrario alla natura del loro peccato finché sentono di essere libere da quel difetto», così che la sofferenza qui è una «sofferenza risanatrice» (Auerbach). Per questa ragione le anime, a differenza che nell'*Inferno*, accolgono le loro pene con gioia e vi si dedicano con alacrità: esse sanno di avvicinarsi così alla beatitudine. La pena, nel *Purgatorio*, non colpisce l'anima per volontà divina al fine di punirla (come nell'*Inferno*), ma nasce, per così dire, dall'anima stessa come espressione della sua volontà di riabilitazione: le pene infernali smascherano l'anima del peccatore rivelandone la colpa, quelle del Purgatorio mostrano le forze positive delle anime, il loro sforzo (insufficiente sulla Terra e qui bastevole perché assistito dalla Grazia) di liberarsi dal peccato.

2) **La preghiera**. Tutte le anime pregano, invocando con ciò il soccorso divino, per sé e per i vivi. Dante sceglie inoltre le preghiere in modo che si adattino con particolare evidenza ai vari tipi di anime purganti.

3) **Gli exempla**. In tutte le cornici del Purgatorio si mostrano alle anime due tipi di esempi: uno della virtù opposta al loro vizio ed un altro del loro stesso peccato colto nel momento della punizione divina. Sono esempi, positivi e negativi, presi sia dai testi sacri (generalmente dalla *Bibbia*) che dalla tradizione classica. Il modo in cui essi si mostrano alle anime, affinché queste meditino sulle cattive conseguenze del proprio atteggiamento e imparino a coltivare la virtù opposta, è molto vario.

Un'altra differenza considerevole rispetto ai criteri dell'*Inferno* è che lì le anime sono assegnate definitivamente ad un unico girone, quello nel quale è punita la loro colpa più grave, che riassorbe in sé anche altre eventuali colpe minori; mentre nel *Purgatorio* le anime si fermano ad espiare in tutti i gironi, più o meno a seconda della necessità. Dante, per altro, fa in modo di incontrare ogni anima nel girone dove si espia la sua tendenza peccaminosa più caratteristica e grave, in ossequio alle finalità didascaliche ed esemplari del poema.

4. I caratteri fisici del Purgatorio dantesco.

L'altissimo monte del Purgatorio, le cui pendici sabbiose sono tutte circondate dal mare, è suddivisibile in tre zone.

1) **Antipurgatorio**. È nome coniato dai commentatori per indicare la parte del monte che precede la porta di ingresso vera e propria; esso è ancora avvolto dall'atmosfera terrestre. Vi stazionano, in attesa di entrare nel Purgatorio propriamente detto, le anime di coloro che si pentirono in fin di vita (per c o n t r a p p a s s o la giustizia divina, cui esse si rivolsero con grande ritardo, tarda ad accoglierle nel regno della penitenza). Sono divise in quattro gruppi: scomunicati, pigri ad operare il bene, morti di morte violenta, prìncipi negligenti.

2) **Purgatorio** propriamente detto. Vi si accede attraverso una porta guardata dall'angelo portinaio; è tutto al di sopra dell'atmosfera, esente da turbamenti. È diviso in *sette cornici* (o gironi), sorta di terrazze circolari, più piccole salendo verso l'alto. In esse sono distribuite le anime, a seconda delle tendenze malvage da espiare. I peccati sono meno gravi via via che si sale. La concezione cui Dante si rifà concepisce il peccato come una deviazione dell'amore dell'individuo. E secondo questa concezione distribuisce i sette peccati capitali nelle varie cornici. I: Amore di un oggetto sbagliato (*superbia*, 1ª cornice; *invidia*, 2ª cornice; *ira*, 3ª cornice), II: Amore troppo scarso del bene (*accidia*, 4ª cornice), III: Amore eccessivo di beni relativi (*avarizia*, 5ª cornice; *gola*, 6ª cornice; *lussuria*, 7ª cornice).

3) **Paradiso terrestre** (o Eden). È una sorta di altipiano posto sulla cima del monte, di grande bellezza naturale e di indescrivibile fascino. È il luogo che Dio aveva destinato all'uomo e da cui Adamo ed Eva furono cacciati dopo la loro disobbedienza. Rappresenta la condizione dell'uomo interamente libero dal peccato. È il punto di passaggio al cielo. Dante vi incontra Beatrice, la cui apparizione coincide con la sparizione di Virgilio: da quel momento in poi Dante dovrà essere guidato, più che dalla ragione e dalla sapienza umane (insufficienti a penetrare il mistero divino), dalla fede e dalla teologia, cioè dalla scienza della verità rivelata. L'Eden è anche il teatro di una fase particolarmente pregnante del viaggio ascensionale di Dante: Beatrice lo sottopone infatti ad una dura accusa, spingendolo a confessare le proprie colpe. Dopo tale definitiva confessione, egli è finalmente pronto ad innalzarsi verso il Paradiso.

5. I caratteri artistici del Purgatorio.

Così come l'*Inferno* è caratterizzato, sul piano delle forme, dalla ricchezza estrema dello stile (*pluristilismo*) e da contrasti violenti, il *Purgatorio* è piuttosto caratterizzato dalla medietà stilistica ed espressiva. Ciò non significa però povertà o monotonia: Dante, autore sperimentale quanti altri mai, non rinuncia ad una continua ricerca di varietà e di ricchezza, ma subordina in questo caso tale ricerca ad un'esigenza fortissima di uniformità e di equilibrio, rifuggendo gli estremi sia del tragico che del sublime, oppure smorzandoli sùbito nella serenità e nella domesticità.

Questa medietà di registro è in gran parte determinata dal carattere più umano e terrestre del paesaggio purgatoriale rispetto a quello degli altri due regni nonché dalla condizione meno estrema e drammatica del rapporto con le anime penitenti rispetto a quello con i dannati e con i beati. Nel *Purgatorio* gli incontri avvengono, si può dire, ad armi pari: le anime sono, come Dante, in cerca di purificazione e di crescita spirituale; non sono escluse per sempre dalla Grazia divina né già perfette rispetto ad essa. Per questa ragione qui Dante incontra il maggior numero di persone care e di amici (tanto da aver spinto i critici a definire il *Purgatorio* come c a n t i c a dell' a m i c i z i a), perché nel *Purgatorio* le anime hanno ancora i caratteri umani del mondo. E un carattere terrestre ha, con una funzione importantissima, il paesaggio; il quale in sé ha veramente pochissimo di sovrumano. E sarà a maggior ragione da ammirare il fatto che Dante abbia saputo descriverlo (e con una insistenza già in sé significativa) in modo da sottrarlo a qualsiasi rischio di «naturalismo», facendone a conti fatti uno scenario sovrannaturale quanto quello della prima e della terza c a n t i c a , ma per forza di atmosfere e di suggestioni, cioè per forza di scelte lessicali e stilistiche innanzitutto.

È anche necessario aggiungere che di questa atmosfera sono caratteristici alcuni sentimenti peculiari della prospettiva umana, quali la nostalgia (per il mondo, per la patria lontana, per il cielo) e il ripiegamento malinconico. Perché qui Dante sperimenta nella sua valenza anche interiore la condizione del pellegrino, del *viator*; condizione dell'uomo nel mondo in generale, e dell'esule in particolare.

6. DANTE-PERSONAGGIO NEL PURGATORIO.

Da quanto si è detto emerge il carattere peculiare di Dante-personaggio nel *Purgatorio*. Mentre nella prima c a n t i c a , come si è detto a suo tempo, egli è principalmente uno spettatore, in grado di interagire con l'ambiente circostante e con i suoi abitatori ma comunque estraneo alle pene, nel Purgatorio Dante-personaggio partecipa a pieno titolo della condizione medesima delle anime purganti. Egli non solo osserva, ma vive il processo della purificazione: entrando nel Purgatorio vero e proprio, l'angelo portinaio gli traccia sette P (allusive dei sette peccati capitali) sulla fronte, e Dante deve meritare che, una per volta, gli vengano cancellate all'uscita dai vari gironi. Naturalmente la sua partecipazione alle pene purgatoriali è simbolica e breve. Ma attraverso di essa Dante arricchisce la narrazione e sottolinea il carattere allegorico del viaggio: non semplice visione dell'aldilà (come era proprio della tradizione didascalica medioevale) ma itinerario verso Dio, concreto percorso di un individuo dalla perdizione alla salvezza, esempio per l'umanità tutta allontanatasi dalla via del bene.

Cfr. tavola 8.

Canto I

Il primo canto del *Purgatorio* ha la stessa funzione di introduzione del primo canto dell'*Inferno*. Secondo le regole retoriche classiche si apre con una p r o t a s i e con un'invocazione alle Muse. E, come il primo canto dell'*Inferno*, è fitto di riferimenti allegorici. Ma la materia qui è più spontanea e fresca: il rispetto di moduli classici tradizionali e la presenza di una ricca trama allegorica non appesantiscono la narrazione; anzi, il canto vive in un punto di equilibrio tra le intenzioni strutturali e simboliche e la loro incarnazione in paesaggi, situazioni, figure, gesti, discorsi di immediata efficacia espressiva. In particolare l'atmosfera generale del canto si giova del riferimento per contrasto al cupo mondo dell'Inferno.

* * *

Manca poco all'alba quando Virgilio e Dante, emersi dalle viscere della Terra e provenienti dal fondo dell'abisso infernale, possono nuovamente ammirare il cielo stellato che già comincia a rischiararsi. In esso spiccano per luminosità il pianeta Venere e una misteriosa costellazione non visibile nel cielo del mondo abitato. Infatti Dante si trova nell'emisfero meridionale del globo, sulla unica terra che ne emerge: il monte del Purgatorio.

Improvvisamente appare un vecchio dall'aspetto nobile e fiero: è Catone, l'uomo politico dell'antica Roma che lottò contro Cesare in difesa della libertà e, piuttosto che cadere in mano del tiranno, si uccise in Utica. Dante ne fa il custode del Purgatorio, in nome del suo amore esemplare per la libertà: il Purgatorio è infatti il luogo in cui l'uomo si libera faticosamente dalle proprie colpe attraverso la purificazione per innalzarsi al Paradiso. Virgilio spiega a Catone, perplesso a causa dell'apparizione dei due inconsueti visitatori, le ragioni del viaggio di Dante e quelle del proprio compito di guida; poi, su consiglio di Catone, deterge con la rugiada il volto di Dante, sporco della caligine infernale, e cinge l'alunno con un giunco. Intanto giunge l'alba, a illuminare il mare che circonda l'isola su cui sorge il Purgatorio.

* * *

La prima e più forte ragione di contrasto con l'atmosfera infernale è, in questo canto iniziale del *Purgatorio*, il paesaggio. La sua serenità riposante e la sua accogliente tranquillità infondono speranze per il cammino che resta ancora da compiere, annunciando sùbito che esso avverrà in condizioni ben più agevoli di quanto è stato finora. Il paesaggio è osservato dal punto di vista di Dante, che lo scopre a poco a poco con meraviglia e trepidazione: verificando, nel paesaggio e nell'alba incoraggiante che glielo mostra, la propria nuova condizione aperta alla Grazia. Su questa nota il canto si apre e su questa nota si chiude, con circolare armonia.

L'episodio centrale di Catone ha la funzione di permettere a Dante la dichiarazione esplicita, per bocca di Virgilio, delle ragioni generali del viaggio e del suo scopo in questa fase centrale: la ricerca della libertà, nel suo senso più alto e vasto. E ha la funzione di mostrare, di quella libertà, un'incarnazione emblematica nella figura stessa di Catone, che si è ucciso proprio per amore della libertà.

Quanto all'atteggiamento psicologico di Dante-personaggio, egli resta qui sempre in silenzio, umilmente pronto ai comandi di Virgilio e di Catone; trasognato dinanzi all'aprirsi di una dimensione, anche fisica, così nuova; pieno insieme di speranza e di slancio verso il cammino che gli si apre dinanzi, e ancora preso da un residuo di turbamento per le visioni infernali, espresso in una nota diffusa di malinconia. Il lavaggio del suo volto ad opera di Virgilio deve appunto cancellare quest'ultima traccia della prima tappa del viaggio, così come la recinzione con il giunco deve introdurlo correttamente, attraverso la necessaria umiltà, alla nuova prova di questo secondo tratto del cammino.

<blockquote>

      Per correr miglior acque alza le vele
        omai la navicella del mio ingegno,

3   che lascia dietro a sé mar sì crudele;
      e canterò di quel secondo regno
        dove l'umano spirito si purga

6   e di salire al ciel diventa degno.
      Ma qui la morta poesì resurga,
        o sante Muse, poi che vostro sono;

9   e qui Calïopè alquanto surga,
      seguitando il mio canto con quel suono
        di cui le Piche misere sentiro

12   lo colpo tal, che disperar perdono.

</blockquote>

1-6: *Ormai la piccola nave* (**navicella**) *del mio ingegno, che lascia dietro a sé un mare così crudele* [: l'Inferno], *alza le vele per percorrere* (**correr**) *acque migliori* [: il Purgatorio]*; e canterò* [*qui*] *di quel secondo regno* [: il Purgatorio; il primo è l'Inferno e il terzo il Paradiso] *dove l'anima* (**spirito**) *umana si purifica* (**si purga**) *e diventa degna di salire al cielo* [: in Paradiso]. Questi versi costituiscono la p r o t a s i del *Purgatorio* e informano il lettore riguardo all'argomento di questa seconda c a n t i c a . Si noti, qui e nelle terzine seguenti, il tono del tutto diverso da quello dell'*Inferno*: questa contrapposizione è sottolineata sia dallo slancio e dal movimento delle immagini (**correr, alza...**), sia dal riferimento esplicito alla materia che si lascia dietro le spalle (v. 3). Ci sono già l'entusiasmo e la trepidazione caratteristiche di questa cantica centrale della *Commedia*. L'immagine della **navicella** per indicare la fantasia umana (con le conseguenti **acque, vele, mar**) si ricollega ad una rappresentazione abbastanza frequente nelle letterature classiche.

7-12: *E quindi* (**ma**) *qui la poesia* (**poesì**) *dei morti* (**morta**) [: che ha finora trattato delle anime morte dei dannati] *risorga* (**resurga**) [: per parlare di anime salve], *o sante Muse, dal momento che* (**poi che**) [*io*] *sono vostro* [: mi offro a voi], *e qui si levi* (**surga** = sorga) [*in mio aiuto*] *un poco* (**alquanto**) *Calliope, accompagnando* (**seguitando**) *il mio canto con quella musica* (**suono**) *di cui le misere Piche provarono* (**sentiro**) *il* (**lo**) *colpo così fortemente* (**tal**) *che disperarono* [*del*] *perdono*. Dopo la p r o t a s i , ecco, secondo la tradizione retorica, l'invocazione alle Muse. Rivolgendosi ad esse con un tono di riverenza quasi religiosa, Dante le prega in nome della propria dedizione di aiutarlo; ed in particolare prega Calliope, la musa della poesia epica e la più importante delle Muse, di accompagnare il suo canto. E la prega di sorgere un poco (**alquanto**), mentre all'inizio del *Paradiso* le chiederà di levarsi del tutto in suo aiuto. **Quel suono...**: Dante allude ad un episodio mitico narrato nelle *Metamorfosi* dal poeta latino Ovidio (V, 302 sgg.): le figlie del re della Tessaglia Pierio, nove come le Muse, sfidarono queste ad una gara di canto. A vincerle bastò la sola Calliope, e con tanta superiorità che le sconfitte disperarono di essere perdonate; infatti furono per punizione trasformate in gazze (**Piche**).

Dolce color d'orïental zaffiro,
che s'accoglieva nel sereno aspetto
15 del mezzo, puro infino al primo giro,
a li occhi miei ricominciò diletto,
tosto ch'io usci' fuor de l'aura morta
18 che m'avea contristati li occhi e 'l petto.
Lo bel pianeto che d'amar conforta
faceva tutto rider l'orïente,
21 velando i Pesci ch'erano in sua scorta.
I' mi volsi a man destra, e puosi mente
a l'altro polo, e vidi quattro stelle
24 non viste mai fuor ch'a la prima gente.

13-18: *Un dolce* [: piacevole a vedersi, per s i n e s t e s i a] *colore di zaffiro orientale, che si raccoglieva* (**s'accoglieva**) *nell'aspetto sereno dell'aria* (**mezzo**), *limpida* (**puro**) *fino* (**infino**) *al primo giro* [: cfr. sotto], *rinnovò* (**ricominciò**) *ai* (**a li**) *miei occhi il piacere* (**diletto**) [*della sua visione*], *appena io* (**tosto ch'io**) *uscii fuori dell'aria* (**aura**) *infernale* (**morta**; cfr. v. 7 e nota) *che mi aveva rattristati* (**contristati**) *gli* (**li**) *occhi* [: la vista] *e il* (**'l**) *petto* [: l'anima, o la mente]. Dante insiste sul contrasto tra le tenebre lugubri dell'Inferno e questo nuovo paesaggio. La descrizione di esso è innanzitutto una descrizione del cielo, al quale è rivolta tutta l'attenzione; il che ricollega idealmente questo inizio del *Purgatorio* alla conclusione dell'*Inferno*: **e quindi uscimmo a riveder le stelle**. Il cielo è infatti la mèta del viaggio di Dante. E poi, in questo caso, la sua azzurra luminosità, nella calma serena che precede l'alba, contrasta ancor più fortemente con l'opprimente buio infernale. Questo cielo sereno, azzurro e limpido torna a rallegrare i sensi e la mente di Dante dopo la fosca privazione dell'abisso infernale. La calma distesa del paesaggio è suggerita anche, tra gli altri elementi, dalla d i e r e s i su **orïental**, che per ragioni metriche va considerato di quattro sillabe, in modo da imporre un'apertura e un indugio alla lettura (e ancora una d i e r e s i si incontra al v. 20 su **orïente** e al v. 26 su **settentrïonal**, in funzione analoga). **Orïental zaffiro**: lo zaffiro «è una pietra preziosa di colore [...] celeste e azzurro [...]. E [vi] sono due specie di zaffiri: l'una si chiama l'orientale, perché si trova in Media [: l'odierno Iran], che è nell'oriente, e questa è migliore che l'altra» (Buti). **Mezzo**: il mezzo è qualsiasi fluido in cui si trovino i corpi: qui indica l'aria. **Infino al primo**

giro: non è chiaro se Dante alluda al cielo della luna, al di sopra del quale non può comunque esservi né vento né impurità; oppure se si riferisca all'orizzonte. E sono possibili anche altre spiegazioni. Il senso non cambia: la limpidezza del cielo è assoluta.

19-21: *Il* (**lo**) *bel pianeta che spinge* (**conforta**) *ad amare* (**d'amar**) [: Venere] *faceva risplender* (**rider**) *interamente* (**tutto**) *l'oriente* [*del cielo*], *nascondendo* (**velando**) [*con la sua luce più forte*] *i Pesci* [: la costellazione] *che erano in sua compagnìa* (**scorta**) [: in congiunzione]. Dopo aver descritto la purezza dell'aria e la luce serena del cielo, Dante si sofferma su alcuni particolari. La luminosità di Venere nel cielo del Purgatorio allude al rapporto d'amore che lega le anime del Purgatorio a Dio e tra di loro.

22-24: *Io* (**i'**) *mi rivolsi* (**volsi**) *a destra* (**a man destra**), *e fissai l'attenzione* (**puosi mente**) *all'altro polo* [: quello antartico; si ricordi che il monte del Purgatorio sorge agli antipodi di Gerusalemme, nell'emisfero australe], *e vidi quattro stelle non viste mai* [*da nessuno*] *fuorché dai* (**fuor ch'a la; a** = da, compl. d'agente, alla latina) *primi uomini* (**gente**) [: Adamo ed Eva]. Le quattro stelle rappresentano le Virtù cardinali (giustizia, fortezza, temperanza e prudenza), la visione e il possesso pieno delle quali furono perduti dall'umanità con la cacciata di Adamo ed Eva dall'Eden. Le figurazioni allegoriche di questo canto, abbastanza frequenti, come nel primo dell'*Inferno*, sono al confronto assai meno rigide e schematiche: si tratta di punti di riferimento teologici e morali, è vero, ma sciolti in una raffigurazione di paesaggio del tutto naturale.

Goder pareva 'l ciel di lor fiammelle:
oh settentrïonal vedovo sito,

27   poi che privato se' di mirar quelle!
Com' io da loro sguardo fui partito,
un poco me volgendo a l'altro polo,

30   là onde 'l Carro già era sparito,
vidi presso di me un veglio solo,
degno di tanta reverenza in vista,

33   che più non dee a padre alcun figliuolo.

25-27: *Il cielo pareva gioire* (**goder**) *delle loro luci* (**fiammelle**; dim. di 'fiamma', alludendo alla debolezza e al tremolare della luce stellare)*: oh emisfero* (**sito** = luogo) *settentrionale tristemente spoglio* (**vedovo**), *dal momento che* (**poi che**) *sei privato di osservare* (**mirar**) *quelle* [*stelle*]*!* Dante credeva che solo l'emisfero settentrionale della Terra fosse abitato e allude quindi qui all'impossibilità per gli uomini di vedere le quattro stelle, che appartengono alla volta celeste dell'emisfero meridionale. Al contrario Dio aveva stabilito che l'uomo dovesse abitare proprio qui, nel Paradiso terrestre; ma con la disubbidienza di Adamo ed Eva e la loro cacciata la visione è stata perduta per l'umanità: cioè, allegoricamente, è stato perduto il possesso pieno e istintivo delle Virtù cardinali. **Poi che...**: può intendersi sia in senso temporale (*da quando*), alludendo alla cacciata dell'uomo dal Paradiso terrestre, sia in senso causale (*a causa del fatto che*).

28-33: *Appena io* (**com'io**) [*mi*] *fui distolto* (**partito** = separato) *dal guardarle* (**da loro sguardo**), *volgendomi* (**me volgendo**) *un poco all'altro polo* [: *quello artico*], *là da dove* (**onde**) *l'Orsa Maggiore* (**'l Carro**) *era già sparita* [*sotto l'orizzonte*], *vidi vicino a me* (**presso di me**) *un vecchio* (**veglio**) *solo, degno nell'aspetto* (**in vista** = *a vedersi*) *di tanto rispetto* (**reverenza**), *che nessun* (**alcun**) *figliuolo* [*ne*] *deve* (**non dee**) [*di*] *più al padre*. Il vecchio che qui appare a Dante è Marco Porcio Catone: estremo difensore delle libertà repubblicane di Roma, si oppose a Cesare e dinanzi alla vittoria di questo, piuttosto che sopravvivere sotto la sua tirannide, preferì uccidersi, in Utica, nel 46 a.C. E qui è necessario rispondere a due legittimi dubbi. Primo: come mai un pagano, e per di più un suicida, è non solo salvato ma eletto a custode del Purgatorio? Secondo: come mai un trattamento di così eccezionale favore è riservato proprio a un nemico di Cesare

e dell'Impero, attraverso i quali, secondo Dante, la Provvidenza divina ha offerto al mondo la strada della concordia civile? Per rispondere alla prima domanda si consideri che Catone è presentato in una luce di grande nobiltà e virtù da molti scrittori latini importantissimi per la formazione di Dante (Virgilio, Cicerone, Lucano); che Dante, come altri pensatori del suo tempo, era propenso a riconoscere la possibilità che anche alcuni pagani particolarmente virtuosi potessero essere salvati; infine che il suicidio è in casi eccezionali ammesso dagli stessi teologi cristiani (Agostino, Tommaso), quando «avvenga per suggerimento divino, per mostrare un esempio di forza virtuosa» (Agostino, *De civitate Dei*, I, 17 e 20). Il gesto di Catone è quindi non solo perdonabile, ma degno di essere esaltato come segno di virtù, di coerenza, di libertà; tale da fare dell'eroe latino una figura esemplare proprio di quelle qualità caratterizzanti il mondo del Purgatorio (e il discorso di Virgilio ai vv. 71-75 sottolineerà questo rapporto). Resta la seconda questione. Ebbene: il gesto nobilissimo di Catone è in sé moralmente giusto ed esemplare, anche se egli lo ha compiuto per disprezzo di quel potere politico da cui doveva nascere l'Impero; è come se Catone abbia obbedito direttamente ad una legge superiore di libertà, ignorando la sua complessa e necessaria incarnazione storica (che a quella legge sembrava contrastare). E d'altra parte l'Impero è in qualche modo un *rimedio* provvidenziale alla depravazione mondana: Catone, semplicemente, è estraneo a tale depravazione. Quanto alla raffigurazione che del romano offre Dante, si consideri che in essa culmina la descrizione del paesaggio dell'inizio del canto; e che la figura nobile e virtuosa di Catone è in stretto rapporto con il significato allegorico (e con la intensa rappresentazione lirica) del cielo stellato (cfr. vv. 37-39). L'apparizione della figura solenne è sottolineata dalla scelta del lessico (**ve-**

Lunga la barba e di pel bianco mista
portava, a' suoi capelli simigliante,
36   de' quai cadeva al petto doppia lista.
Li raggi de le quattro luci sante
fregiavan sì la sua faccia di lume,
39   ch'i' 'l vedea come 'l sol fosse davante.
« Chi siete voi che contro al cieco fiume
fuggita avete la pregione etterna? »,
42   diss' el, movendo quelle oneste piume.
« Chi v'ha guidati, o che vi fu lucerna,
uscendo fuor de la profonda notte
45   che sempre nera fa la valle inferna?
Son le leggi d'abisso così rotte?
o è mutato in ciel novo consiglio,
48   che, dannati, venite a le mie grotte? ».
Lo duca mio allor mi diè di piglio,
e con parole e con mani e con cenni
51   reverenti mi fe' le gambe e 'l ciglio.

glio, solo, degno, ecc.) e delle immagini (cfr. vv. 32 sg.). Catone è rappresentato come un patriarca o come un profeta (cfr. anche vv. 34-36).

34-36: *Portava la barba lunga e mista di pelo bianco* [: brizzolata], *simile* (**simigliante**) *ai* (**a'**) *suoi capelli, dei* (**de'**) *quali cadeva sul* (**al**) *petto una doppia ciocca* (**lista**) [: due ciocche]. Si noti, sul piano stilistico, la solennità impressa alla descrizione dall'a n a f o r a.

37-39: *I* (**li**) *raggi delle quattro sante stelle* (**luci**) [: cfr. vv. 23-27] *adornavano* (**fregiavan**) *a tal punto* (**sì** = così) *di luce* (**lume**) *la sua faccia, che io* (**ch'i'**) *lo* (**'l** = il) *vedevo* (**vedea**) *come* [*se*] *il* (**'l**) *sole* [*gli*] *fosse davanti*. Ciò significa che le quattro Virtù cardinali furono così fortemente presenti in Catone, da dare quasi l'impressione che egli fosse illuminato direttamente da Dio, del quale il sole è simbolo (cfr. *Inf.* I, 17 e nota).

40-42: *Egli* [: Catone] *disse* (**diss'el**), *muovendo quella peluria* (**piume**) [: la barba] *nobile* (**oneste**; dall'agg. lat. 'honestus' = virtuoso, retto): *«Chi siete voi che avete fuggita la prigione eterna* [: l'Inferno] [*risalendo*] *contro il* (**al**) [*corso del*] *fiume sotterraneo* (**cieco**)?* Catone allude al **ruscelletto** che precipita verso l'Inferno e che Virgilio e Dante hanno risalito per giungere alle pendici del monte del Purgatorio (cfr. *Inf.* XXXIV).

43-45: *Chi vi ha guidati, o che* [*cosa*] *vi fece luce* (**vi fu lucerna**), *per uscire* (**uscendo**) *fuori dalla* (**de la**) *notte profonda che rende* (**fa**) *sempre buia* (**nera**) *la voragine* (**valle**) *infernale* (**inferna**)?

46-48: *Le leggi dell'* (**d'**) *abisso* [*infernale*] *sono così infrante* (**rotte**)? *o è* [*stato*] *sostituito* (**mutato**) *in cielo* [: da Dio] *un nuovo* (**novo**) *decreto* [*a quello precedente*], *per cui* (**che**) *venite*, [*benché siate*] *dannati, alle mie* [: affidate alla mia custodia] *rocce* (**grotte**) [: in Purgatorio]?». Catone, che vede giungere Virgilio e Dante dall'Inferno, li crede dannati sfuggiti dalla loro condanna, e rivolge loro quattro brusche domande (chi siete? come avete fatto a fuggire? sono infrante le leggi infernali? è cambiata la volontà divina?); con esse il silenzio raccolto e riposante del paesaggio aurorale è perentoriamente rotto: la figura di Catone acquista, grazie al tono severo delle apostrofi una ancora maggiore fierezza morale. D'altro lato è infranta la sensazione, suggerita dall'aspetto rassicurante del luogo, che Dante sia giunto alla mèta. In queste domande, Catone ha anche modo di rivelare la propria funzione di guardiano (cfr. v. 48: **le mie grotte**).

49-51: *Allora la mia guida* (**duca**) [: Virgilio] *mi afferrò* (**diè di piglio**), *e con* [*le*] *parole e con* [*le*] *mani e con* [*i*] *cenni mi rese* (**fe'** = fece) *rispettosi* (**reverenti**) *le gambe e lo sguardo* (**'l ciglio**). Virgilio cioè fa ingi-

Poscia rispuose lui: « Da me non venni:
donna scese del ciel, per li cui prieghi

54   de la mia compagnia costui sovvenni.

Ma da ch'è tuo voler che più si spieghi
di nostra condizion com' ell' è vera,

57   esser non puote il mio che a te si nieghi.

Questi non vide mai l'ultima sera;
ma per la sua follia le fu sì presso,

60   che molto poco tempo a volger era.

Sì com' io dissi, fui mandato ad esso
per lui campare; e non li era altra via

63   che questa per la quale i' mi son messo.

Mostrata ho lui tutta la gente ria;
e ora intendo mostrar quelli spirti

66   che purgan sé sotto la tua balìa.

Com' io l'ho tratto, sarìa lungo a dirti;
de l'alto scende virtù che m'aiuta

69   conducerlo a vederti e a udirti.

---

nocchiare Dante a capo chino. Si noti la sinteticità dell'espressione (fino allo z e u g m a
del v. 51), a esprimere la rapida successione
degli atti e a sottolineare il carattere di ossequio rispettoso del gesto di Dante.

52-54: *Dopo* (**poscia**) [*Virgilio*] *gli* (**lui** = a lui)
[: a Catone] *rispose:* «*Non sono venuto* (**non
venni**) *di mia iniziativa* (**da me**)*: scese dal*
(**del**) *cielo una donna* [: Beatrice], *per le*
(**li** = i) *cui preghiere* (**prieghi**) *soccorsi* (**sovvenni**) *costui* [: Dante] *con la* (**de la**) *mia
compagnia*. Virgilio ricorda i fatti narrati ampiamente nel canto secondo dell'*Inferno* (vv.
52 sgg.), alludendo alla intercessione di Beatrice a favore di Dante e al proprio correre
in soccorso di questi.

55-57: *Ma poiché è* (**da ch'è**) *tua volontà* (**voler**) *che si spieghi* [: che spieghiamo] *con più
precisione* (**più**) *la nostra condizione* (**di...**;
costruzione latineggiante, con il 'de' di argomento) *come essa è* (**com'ell'è**) *veramente*
(**vera**), *non può* (**puote**) *essere che il mio* [*volere*] *si neghi a te*. La volontà di Virgilio non
può opporsi a quella di Catone, ed egli si
appresta dunque a darle soddisfazione spiegando più chiaramente la condizione propria
e di Dante.

58-60: *Questi* [: Dante] *non vide mai l'ultima sera* [: non è morto]*; ma a causa della*
(**per la**) *sua sconsideratezza* (**follia**) [*morale*]
le fu così vicino (**sì presso**) [: alla morte;

s'intende spirituale, cioè alla dannazione], *che
doveva passare* (**a volger era**) *molto poco
tempo* [*perché fosse perduto*]. Virgilio allude allegoricamente alla morte spirituale, cioè
alla dannazione, cui Dante è stato vicinissi-
mo nel momento di traviamento morale; ma
nel v. 58 è di certo presente un riferimento
alla morte materiale del corpo, a significare
che Dante è ancora vivo. Questa informazione è infatti assolutamente decisiva: serve
a far comprendere a Catone la necessità che
Virgilio lo guidi attraverso il Purgatorio. E
cfr. v. 77.

61-63: *Così* (**sì**) *come io ho* [*già*] *detto* (**dissi**) [: cfr. vv. 53 sg.], *fui mandato a lui* (**ad
esso**) [: per preghiera di Beatrice] *per salvarlo* (**lui campare**)*; e non vi* (**li**) *era altra via
che questa per la quale io* (**i'**) *mi sono messo*.

64-66: *Gli* (**lui** = a lui) *ho mostrata tutta la
popolazione* (**gente**) *colpevole* (**ria**) [: i vari
tipi di dannati]*; e ora intendo mostrar*[*gli*]
quegli (**quelli**) *spiriti che si purificano* (**che
purgan sé**) *sotto la tua custodia* (**balìa**).

67-69: *In che modo io* (**com'io**) *lo ho guidato* (**tratto**) [*fin qui*], *sarebbe* (**sarìa**) *lungo a
dirti; dall'alto* [: dal cielo, cioè da Dio] *scende il potere* (**virtù**) *che mi aiuta a condurlo*
(**conducerlo**) *a vederti e a udirti*. Virgilio riepiloga i moventi, i modi, lo scopo del viaggio; ribadisce la propria funzione e la necessità che Dante veda anche le anime del Pur-

---

Or ti piaccia gradir la sua venuta:
libertà va cercando, ch'è sì cara,
72   come sa chi per lei vita rifiuta.
Tu 'l sai, ché non ti fu per lei amara
in Utica la morte, ove lasciasti
75   la vesta ch'al gran dì sarà sì chiara.
Non son li editti etterni per noi guasti,
ché questi vive e Minòs me non lega;
78   ma son del cerchio ove son li occhi casti
di Marzia tua, che 'n vista ançor ti priega,
o santo petto, che per tua la tegni:
81   per lo suo amore adunque a noi ti piega.

gatorio; si richiama alla volontà divina che gli ha permesso di giungere fino a Catone e di guidare alla sua presenza lo stesso Dante. E si noti come la d i a l e f e al v. 69 isoli i singoli momenti dell'incontro con Catone (**vederti**, **udirti**), sottolineandone la eccezionalità e il valore.

70-72: *Ora ti piaccia gradire* [: accogli benevolmente] *la sua* [: di Dante] *venuta: va cercando la libertà, che è così cara, come sa chi per lei rifiuta la vita*. In questa terzina e nella seguente il discorso di Virgilio tocca il suo punto più intenso, illuminando contemporaneamente la figura di Dante e quella di Catone. La libertà che Dante cerca, sia chiaro, è la libertà «dal vizio e dal peccato» (Buti), e cioè la libertà morale intesa come fondamento della persona umana pienamente compiuta, base di ogni altra libertà, compresa quella politica. Qui infatti questa parola **libertà** senza specificazioni si allarga a comprendere un ideale umano e storico complessivo che riguarda ogni aspetto della persona, nella sua dimensione privata e in quella pubblica. L'unico attributo di questa libertà è l'essere **cara**, nel senso di *preziosa* (e *amata*) e, insieme, nel senso di *costosa*; per entrambe le ragioni, chi la apprezza arriva anche a rifiutare la vita, per lei. E qui è già evidente il riferimento al suicidio di Catone, che si chiarirà esplicitamente nella terzina seguente. Tra Dante e Catone è instaurato dunque un parallelismo: anche Dante cerca quella libertà per la quale Catone ha dato la vita. Non si tratta qui, come da qualcuno è stato ingiustamente affermato, di un tentativo di lusingare Catone per ottenere il permesso di entrare nel suo regno; le parole di Virgilio riflettono al contrario il profondo movente del viaggio e del poema dantesco: e forse in nessun altro luogo della *Comme-*

dia sono con altrettanta semplicità e intensità affermate le sue intime ragioni. Inoltre questo tema della libertà introduce al carattere peculiare del *Purgatorio*, che sta appunto nel progressivo conseguimento di essa: processo di liberazione integrale, a rendere possibile l'ascesa alla beatitudine del Paradiso. A questo proposito diviene più che mai chiara la ragione della presenza di Catone in questo luogo: la sua storia esemplare di adesione al valore della libertà può adeguatamente situarlo sulla soglia del regno nel quale alla libertà si anela attraverso la purificazione. E, appunto, **libero** sarà proclamato Dante da Virgilio sulla vetta del monte (XXVII, 140).

73-75: *Tu lo* ('**l** = il) *sai, che non ti fu amara* [: spiacevole] *la morte* [: morire] *per lei* [: la libertà] *in Utica, dove* (**ove**) *hai lasciato* (**lasciasti**) *il corpo* (**la vesta**) *che nel* (**ch'al**) *gran giorno* (**dì**) [: del Giudizio universale] *sarà così splendente* (**sì chiara**). Dalla considerazione generale del v. 72 (**come sa chi...**), Virgilio passa qui al caso particolare di Catone (**tu 'l sai...**), con la ripresa enfatica del verbo *sapere*. E dichiara apertamente l'esemplarità della scelta di Catone e la conseguente luminosità con la quale risorgerà il suo corpo, lasciato a Utica morendo, nel giorno del Giudizio; a richiamare per contrasto, con quest'ultimo particolare, la punizione dei suicidi (cfr. *Inf.* XIII), ai quali è tolto il corpo umano e dato in veste un tronco.

76-81: *Le leggi* (**li editti**) *eterne non sono* [*state*] *violate* (**guasti**) *da* (**per**) *noi, poiché* (**ché**) *questi* [: Dante] *vive e Minosse non mi tiene in suo potere* (**me non lega**)*; ma* [*io*] *sono del cerchio* [: il Limbo] *dove sono gli* (**li**) *occhi casti della tua Marzia, che nell'aspetto* ('**n vista**; '**n** = in) *ancor ti prega, o anima*

Lasciane andar per li tuoi sette regni;
grazie riporterò di te a lei,
84   se d'esser mentovato là giù degni ».
« Marzïa piacque tanto a li occhi miei
mentre ch'i' fu' di là », diss' elli allora,
87   « che quante grazie volse da me, fei.
Or che di là dal mal fiume dimora,
più muover non mi può, per quella legge
90   che fatta fu quando me n'usci' fora.
Ma se donna del ciel ti move e regge,
come tu di', non c'è mestier lusinghe:
93   bastisi ben che per lei mi richegge.
Va dunque, e fa che tu costui ricinghe
d'un giunco schietto e che li lavi 'l viso,
96   sì ch'ogne sucidume quindi stinghe;

(petto) *santa, di considerarla* (che...la
tegni = che...tu la tenga) *come* (per) *tua: in
nome del* (per lo) *suo amore dunque cedi*
(ti piega = piégati) *a noi* [: accontèntaci]. Virgilio rassicura ancora Catone: né lui né Dante
sono dannati; infatti Dante è ancora vivo
e Virgilio non è sotto il potere di Minosse
(cfr. *Inf.* V, 4 sgg.), che riguarda i peccatori
collocati nel secondo cerchio e nei cerchi ad
esso successivi; e Virgilio è nel primo, nel
Limbo. A questo punto il discorso tende a
farsi patetico: viene ricordata a Catone la
figura della amatissima moglie Marzia, la
quale si dichiara ancora sua. In nome di questo amore così grande, Virgilio prega Catone di concedere il passaggio.

82-84: *Lasciaci* (lasciane) *andare per i tuoi
sette regni* [: i sette gironi del Purgatorio];
riferirò (riporterò) *a lei* [: Marzia] *cose gradite* (grazie) *di te, se* [ti] *degni di essere nominato* (mentovato) *laggiù* [: all'Inferno]».
Virgilio, secondo un procedimento tipico del-
l'oratoria, si offre di ricambiare la condi-
scendenza di Catone portando sue notizie alla
moglie Marzia.

85-87: *Egli* (elli) [: Catone] *allora disse:
«Marzia piacque tanto ai miei occhi, finché
io* (mentre ch'i') *fui* (fu') *di là* [tra i vivi],
che quanti favori (grazie) *volle* (volse) *da me,
[tanti ne] feci* (fei).

88-90: *Ora che dimora di là dal fiume malvagio* (mal) [: l'Acheronte], *non mi può più
commuovere* (muover), *in nome di* (per) *quella legge che fu fatta* [da Dio] *quando* [io]
me ne andai (me n'usci' fora) [: dal Lim-
bo]. L'amore di Catone per Marzia è stato

grandissimo, come egli ricorda (vv. 85-87),
ma ora non può più avere per lui nessuna
efficacia, in nome di quella legge che separa
le anime elette da quelle escluse dalla Grazia; legge che fu fatta quando Cristo scese
nel Limbo per trarne le anime meritevoli di
essere salvate, compresa quella di Catone:
e prima di allora non c'erano anime elette.
Il distacco di Catone dagli affetti terreni, e
anche da quello profondo che lo legava alla
moglie, rivela il senso altissimo di quella *libertà* che egli rappresenta; e contrappone in
qualche modo la sua appartenenza alla legge stessa della Grazia al limite della ragione
umana quale si mostra nelle parole di
Virgilio.

91-93: *Ma se ti spinge* (move) [*ad andare*]
e [ti] *guida* (regge) *una donna del cielo, come tu dici* (di') [: cfr. vv. 53 sg.], *non c'è
bisogno* (mestier) [di] *lusinghe: è più che sufficiente* (bastisi ben; bastisi è una forma rifl.
p l e o n . di 'bastare') *che* [tu] *mi preghi*
(richegge = richieda) *in nome di* (per) *lei.*
La donna terrestre (Marzia) non ha più potere; ma quella celeste (Beatrice) è sufficiente a persuaderlo. Catone rifiuta l'argomento umano di Virgilio come *lusinga* e accoglie quello spirituale che gli compete: la
volontà di una beata.

94-99: *Va dunque, e recingi* (fa che tu...ri-
cinghe; ricinghe = recinga; e la p e r i -
f r a s i indica con più solennità il comando) *costui* [: Dante] *di un giunco liscio*
(schietto) *e lavagli* (fa...che li lavi) *il* ('l) *viso, così da cancellare* (sì ch⟨e⟩...
stinghe = così che tu stinga) *da lì* (quindi)
[: dal viso] *ogni sporcizia* (sucidume = su-

ché non si converrìa, l'occhio sorpriso
d'alcuna nebbia, andar dinanzi al primo
99   ministro, ch'è di quei di paradiso.
Questa isoletta intorno ad imo ad imo,
là giù colà dove la batte l'onda,
102   porta di giunchi sovra 'l molle limo:
null' altra pianta che facesse fronda
o indurasse, vi puote aver vita,
105   però ch'a le percosse non seconda.
Poscia non sia di qua vostra reddita;
lo sol vi mosterrà, che surge omai,
108   prendere il monte a più lieve salita ».
Così sparì; e io sù mi levai

diciume, per m e t a t e s i); *poiché* (**ché**) *non sarebbe conveniente* (**non si converrìa**) *comparire* (**andar**) *dinanzi al primo ministro* [*del Purgatorio*], *che è di quelli* (**quei**) *del Paradiso* [: un angelo], *con l'occhio offuscato* (**l'occhio sorpriso**; a b l a t i v o a s s o l u t o , alla latina) *da qualche* (**d'alcuna**) *impurità* (**nebbia**). I due atti che Catone fa compiere a Virgilio sono chiaramente allegorici. Il giunco rappresenta l'umiltà: «Iuncus oritur in locis bassis, in limi molli, et est sine nodo, brevis, flexibilis, et cedit ad impetum ondarum et curvat se ad terram» [Il giunco nasce nei luoghi bassi, nel fango molle, ed è senza nodi 〈cfr. **schietto**, v. 95〉, corto, flessibile, e cede alla forza delle onde e si piega fino a terra] (Benvenuto). Quanto al lavaggio del viso, sporco dei vapori e delle brutture infernali, significherà la definitiva eliminazione delle attitudini peccaminose. In tal modo Dante deve disporsi con umiltà e chiara volontà di bene ad accedere nel mondo del pentimento e della purificazione. Inoltre le parole di Catone «aprono una nuova prospettiva d'avventura con l'allusione al 'ministro... di paradiso'» (Raimondi).

100-105: *Questa isoletta* [: su cui sorge il monte del Purgatorio] *intorno in basso in basso* (**ad imo ad imo**) [: lungo la spiaggia], *laggiù nel punto* (**colà**) *dove l'onda la batte, produce* (**porta di**) *giunchi sopra* (**sovra**) *il fango* (**limo**) *molle: nessun'altra* (**null'altra**) *pianta che facesse fronda* [: rami e foglie] *o indurisse* (**indurasse**) [: con il tronco] *vi può* (**puote**) *avere vita, perché* (**però ch'**) *non cede* (**seconda**) *alle percosse* [*dell'onda*]. Catone indica ai due pellegrini dove possono trovare il giunco necessario a compiere il ri-

to che egli stesso ha suggerito; e contemporaneamente ne chiarisce il significato allegorico: solo una pianta umile, che si pieghi e non faccia fronda, può nascere alle pendici del Purgatorio, così come solo attraverso l'umiltà è possibile accedere ad esso. L'opposto dell'umiltà, cioè la superbia, non permette di mettersi sulla via della purificazione, così come la pianta rigida e fronzuta, che rappresenta appunto la superbia, non può nascere sulle prode del Purgatorio. Si noti, per inciso, il tornare in primo piano, in questa parte del discorso di Catone, e poi nella parte finale del canto, del motivo del paesaggio, a chiudere questo primo canto del *Purgatorio* in una simmetria di perfetto equilibrio strutturale. Anche in questa parte conclusiva, come nell'inizio del canto, è un paesaggio sereno e rassicurante che introduce all'atmosfera raccolta della seconda cantica.

106-108: *Dopo* (**poscia**) [*aver fatto quello che ho detto*] *il vostro ritorno* (**vostra reddita**) *non sia da questa parte* (**di qua**)*; il sole, che ormai sorge, vi mostrerà* (**mosterrà**) [*la via per*] *affrontare* (**prendere**) *il monte in una* (**a**) *salita più agevole* (**lieve**)». Secondo Benvenuto, Catone invita Virgilio e Dante a seguire la via segnata dal sole che sorge e a non ripercorrere la stessa strada a ritroso, una volta compiuti i riti del lavaggio e del giunco, per significare che, intrapresa la via della penitenza, non bisogna tornare indietro verso l'Inferno da cui ci si è appena allontanati.

109-111: *Così* [*detto, Catone*] *sparì; e io mi alzai* (**sù mi levai**) [: Dante era in ginocchio; cfr. v. 51] *senza parlare, e mi strinsi* (**ritras-**

sanza parlare, e tutto mi ritrassi
111 al duca mio, e li occhi a lui drizzai.
El cominciò: « Figliuol, segui i miei passi:
volgianci in dietro, ché di qua dichina
114 questa pianura a' suoi termini bassi ».
L'alba vinceva l'ora mattutina
che fuggìa innanzi, sì che di lontano
117 conobbi il tremolar de la marina.
Noi andavam per lo solingo piano
com' om che torna a la perduta strada,
120 che 'nfino ad essa li pare ire in vano.
Quando noi fummo là 've la rugiada
pugna col sole, per essere in parte
123 dove, ad orezza, poco si dirada,
ambo le mani in su l'erbetta sparte
soavemente 'l mio maestro pose:
126 ond' io, che fui accorto di sua arte,
porsi ver' lui le guance lagrimose:
ivi mi fece tutto discoverto
129 quel color che l'inferno mi nascose.

si) *tutto àlla mia guida* (**duca**) [: Virgilio], *e sollevai* (**drizzai**) *gli* (**li**) *occhi a lui* [: da che li teneva bassi; cfr. ancora v. 51]. Catone dispare d'improvviso così come era apparso; Dante si accosta a Virgilio e lo fissa per mostrargli d'esser pronto ad obbedire.

112-114: *Egli* (**el**) [: Virgilio] *cominciò* [*a dirmi*]*: «Figliuolo, segui i miei passi: rivolgiamoci* (**volgianci**) *in dietro, dato che* (**ché**) *di qua questa pianura declina* (**dichina**) *verso i* (**a'** = ai) *suoi limiti* (**termini**) *inferiori* (**bassi**) [: la costa]».

115-117: *L'alba vinceva* [: e scacciava] *l'ora mattutina* [: l'ultima ora notturna] *che fuggiva* (**fuggìa innanzi**), *così che* [*già*] *da* (**di**) *lontano riconobbi* (**conobbi**) *il tremolare del mare* (**de la marina**). L'ora mattutina è l'ultima ora della notte; l'alba la *vince* nel senso che la luce supera a poco a poco le tenebre mettendole in fuga. Attraverso questa luce Dante intuisce in lontananza il tremolare del mare. È una delle descrizioni di paesaggio più suggestive e famose della *Commedia*, come ve ne sono solo nel *Purgatorio*, dove gli eventi fisici ed astronomici sono osservati nella dimensione mondana.

118-120: *Noi* [: Virgilio e Dante] *andavamo attraverso* (**per**) *la pianura* (**piano**) *solitaria* (**solingo**) *come chi* (**com'om; om** = omo = chi,

impers.: cfr. il franc. 'on' e il ted. 'man') *torna a* [*cercare*] *la strada perduta, che fino* (**'nfino** = infino) *ad essa* [: a che l'ha ritrovata] *gli* (**li**) *pare* [*di*] *andare* (**ire**) *invano*.

121-129: *Quando noi fummo là dove* (**'ve** = ove) *la rugiada lotta* (**pugna**) [: resiste] *col sole, a causa del fatto che è* (**per essere**) *in un luogo* (**parte**) *dove, all'ombra* (**ad orezza**), *si asciuga* (**si dirada**) *poco* [: più lentamente], *il* (**'l**) *mio maestro* [: Virgilio] *pose delicatamente* (**soavemente**) *entrambe* (**ambo**) *le mani aperte* (**sparte**) *sull'* (**in su l'**) *erbetta: per cui io* (**ond'io**), *che mi resi conto* (**fui accorto**) *della sua azione* (**arte**) [: intenzione], *porsi verso di lui* (**ver' lui**) *le guance segnate di lacrime* (**lagrimose**): *qui* (**ivi**) [: sulle guance] [*Virgilio*] *mi rese* (**fece**) *interamente* (**tutto**) *visibile* (**discoverto**) *quel colore* [*naturale*] *che l'Inferno mi aveva nascosto* (**mi nascose**) [: con il sudiciume]. Così è compiuto uno dei due atti suggeriti da Catone: lavare il viso di Dante, sporco della caligine infernale, per comparire degnamente dinanzi all'angelo guardiano. Il gesto rituale ha certamente un valore allegorico, e vale un definitivo superamento dell'esperienza infernale; ma esso è sciolto in una scena di grande semplicità e naturalezza. Per questo ci sembra da rifiutare l'interpretazione di coloro che attribuiscono a **lagrimose** del v. 127 il significato di *bagnate di lacrime* (e

Venimmo poi in sul lito diserto,
che mai non vide navicar sue acque

132   omo che di tornar sia poscia esperto.
Quivi mi cinse sì com' altrui piacque:
oh maraviglia! ché qual elli scelse
l'umile pianta, cotal si rinacque

136   subitamente là onde l'avelse.

le lacrime sarebbero segno di contrizione); l'insieme di questa parte del canto richiede una lettura gioiosa e di apertura, piuttosto che meditativa o peggio contrita: **lagrimose** vale perciò *sporche delle lacrime versate*. Quante volte infatti abbiamo visto Dante piangere nell'Inferno! Ora i segni di quel turbamento vengono cancellati, e al di là della patina dolorosa, frutto dell'esperienza del male, Virgilio restituisce al volto dell'alunno, con gesto affettuoso di grande intensità (e insieme semplice), i suoi colori umani; restituendo Dante, con quel gesto, alla umanità aperta alla Grazia. Il lavaggio del viso contiene inoltre un riferimento all'*Eneide* virgiliana: prima di passare dal Tartaro agli Elisi, Enea si lava infatti a sua volta il viso (VI, 635 sg.).

130-132: *Poi giungemmo* (**venimmo**) *sulla spiaggia* (**in sul lito**) *deserta, che non vide mai navigare le sue acque nessuno* (**omo** = uomo; con valore impers.) *che sia* [*stato*] *dopo* (**poscia**) *in grado* (**esperto**) *di tornare* [*indietro*]. Con riferimento al tentativo di Ulisse (cfr. *Inf.* XXVI), il quale eccezionalmente giunse qui ma senza riuscire nel ritorno.

133-136: *Qui* (**quivi**) [: sulla spiaggia] *mi recinse* (**cinse**) [: con un giunco] *così* (**sì**) *come altri volle* (**altrui piacque** = ad altri fece piacere) [: allude a Catone; cfr. vv. 94 sg.]*: oh maraviglia! poiché* (**ché**) *quale egli* (**elli**) *colse* (**scelse**) *l'umile pianta* [: il giunco], *tale* (**cotal**) [: uguale] *rinacque* (**si rinacque**; il **si** è p l e o n .) *immediatamente* (**subitamente**) *là da dove* (**onde**) *l'aveva staccata* (**avelse**; latinismo). Si compie qui l'altro rito voluto da Catone; a significare l'umiltà con la quale Dante si accinge alla penitenza. Il rinascere immediato di un'altra pianta identica sul luogo di quella colta da Virgilio allude allegoricamente al fatto che «ex uno actu humilitatis nascitur alius» [da un atto di umiltà ne nasce un altro] (Benvenuto).

Balìa _____ v. 66

La voce deriva dal franc. ant. *baillie* = 'autorità, signoria' (dal vb. *baillir* = 'governare, reggere'). Propriamente significa 'potere, autorità'; in senso figur. indica generalmente un 'potere assoluto': «essere in balìa di qualcuno» significa perciò essere in suo potere, sottomesso alla sua volontà.

Mentovare _____ v. 84

È vb. di origine dotta, derivato dal franc. ant. *mentevoir* (dal lat. *mente habēre* = 'rammentare, avere in mente'). Significa 'richiamare qualcosa o qualcuno alla mente, alla memoria altrui; rievocare; citare'. È voce letter., oggi in disuso (si usano piuttosto *rammentare* e *menzionare*).

Tra i poeti latini prediletti da Dante, trova posto, insieme a Virgilio, a Ovidio e a Stazio, Lucano. Nel IV canto dell'*Inferno* egli è collocato accanto ad essi e ad Omero; e nel *Convivio* è definito «grande poeta» (IV, xxviii, 13).

M. Anneo Lucano nacque a Cordova (nel Sud della moderna Spagna) nel 39 d.C. e nel 65, giovanissimo, fu condannato a morte dall'imperatore Nerone come cospiratore. La sua opera principale è il poema in 10 libri *Pharsalia* [Farsaglia] (o *Bellum civile*), che narra le guerre civili tra Cesare e Pompeo.

Dante si ispirò in numerosi casi ad episodi del poema di Lucano, ed in particolare si servì di esso per la definizione di Catone nel canto I del *Purgatorio*. Benché infatti a salvare il virtuosissimo pagano Dante fosse indotto da numerose fonti (cfr. la nota a *Purg.* I, 28-33), l'influenza di Lucano è egualmente molto importante: questi definisce Catone «parens verus patriae, dignissimus aris,/ Roma, tuis» [vero padre della patria, degnissimo, o Roma, dei tuoi altari] (IX, 601 sg.). Da Lucano, poi, Dante deriva la fisionomia del personaggio (anche se la elabora originalmente in vista di un risultato diverso: Dante, nota Raimondi, «salda insieme i tratti dell'eroe romano e quelli più remoti del patriarca biblico»). Lucano racconta, p. es., che Catone aveva smesso di radersi la barba e di tagliarsi i capelli dall'inizio della guerra civile: «intonson rigidam in frontem descendere canos/ passus erat moestamque genis increscere barbam» [aveva lasciato che sulla fronte austera scendessero i bianchi capelli incolti e sulle guance crescesse una barba tetra] (II, 373 sg.). E Dante presenta Catone con barba e capelli lunghi e bianchi (cfr. *Purg.* I, 34-36). Da Lucano, inoltre, Dante deriva le notizie relative alla moglie di Catone, Marzia (cfr. vv. 78-81 e 85-87).

Canto II

Prosegue anche nel secondo canto la descrizione dell'alba con la quale comincia la parte del viaggio relativa al Purgatorio. E anzi qui la descrizione dell'evento astronomico si allarga a richiami cosmici e mitologici che la rendono solenne. Giova così ricordare che il tragitto nell'Inferno cominciava in un oscuro tramonto, e che proprio il secondo canto iniziava con **Lo giorno se ne andava e l'aere bruno...** Il contrasto ha naturalmente un significato simbolico, affidato al lontano riferimento strutturale, e sta a evidenziare che il cammino della purificazione è come una vita nuova piena di speranza, dopo la notte del male infernale e dopo la notte della vita umana.

* * *

Compiuto il rito purificatore, Virgilio e Dante sostano pensierosi sulla spiaggia, quando appare sul mare una luce che si avvicina velocissima alla riva: attraverso un incalzare di passaggi successivi, la luce si rivela emanata da un angelo che guida una navicella agile e leggera su cui sono trasportati gli spiriti destinati alla salvezza. Questi infatti si radunano, dopo la morte, alla foce del fiume Tevere in attesa di essere traghettati all'isola del Purgatorio. Sbarcati qui i passeggeri, l'angelo riparte dopo averli benedetti.

I nuovi venuti si mostrano smarriti ed esitanti, ignari del luogo; e invano chiedono il soccorso di Virgilio e di Dante. Anzi, accortisi che Dante è ancora vivo, se ne spaventano. A un tratto una delle anime si rivolge a Dante per abbracciarlo; e questi, pur senza riconoscerla, fa lo stesso: ma l'ombra è priva di sostanza e gli sfugge per tre volte dalle mani. Essa allora rivolge la parola a Dante, il quale, dalla voce, la riconosce: è il musicista Casella, suo compagno di giovinezza. I due si scambiano reciprocamente alcune notizie sulla propria condizione, e poi Dante prega l'amico di cantare per consolare il suo corpo ed il suo animo duramente provati. Casella intona una canzone dello stesso Dante, e nella dolcezza della musica tutti si abbandonano e si smemorano, dimenticando di procedere oltre, sulla via della purificazione. D'improvviso, però, giunge il guardiano Catone, che rimprovera le anime della loro negligenza e le esorta a iniziare il cammino della penitenza. Tutti fuggono intimoriti, come colombi al sopraggiungere di un pericolo.

* * *

Il motivo centrale del canto è il recupero di una dimensione umana che l'esperienza infernale ha completamente distrutto. L'atteggiamento smarrito e timoroso delle anime è uguale a quello di Dante, che si confonde con loro, creando una situazione ben diversa da quella caratteristica dell'*Inferno*, dove Dante era personaggio distaccato o spettatore e giudice. Mentre nell'*Inferno* è messo in scena il lato peggiore dell'umanità e del mondo, nel *Purgatorio* è presentato il lato migliore, l'aspetto più nobile e gentile della vita. Dante può recuperare, a poco a poco, i momenti spiritualmente più alti della propria formazione e della propria storia. E all'individualismo dell'*Inferno* succede ora una prospettiva collettiva: dal gruppo si staccano sì personaggi particolari, ma senza la violenta caratterizzazione individualizzante della prima c a n t i c a .

Il motivo centrale del canto è però soprattutto quello del limite dell'umano: da esso è infatti necessario staccarsi, per un compimento completo di quella perfezione individuale e di quella società celeste cui i valori mondani (come la musica) possono forse alludere, ma solo a scopo consolatorio. Qui invece è necessario rivolgersi all'azione purificatrice, sancendo il limite dell'orizzonte terreno, al quale le anime appena giunte sono ancora legate a causa della morte recente, e cui Dante si è illuso per un attimo di ricongiungersi nel momento dell'incontro ristoratore con Casella e con il suo canto. Il rimprovero di Catone viene a ricordare che un percorso difficile e lungo resta ancora da compiere, per passare dalla condizione di uomini giusti e nobili a quella di anime pure e libere, degne di ascendere a Dio.

Cfr. tavola 9.

     Già era 'l sole a l'orizzonte giunto
      lo cui meridïan cerchio coverchia
3   Ierusalèm col suo più alto punto;
     e la notte, che opposita a lui cerchia,
      uscia di Gange fuor con le Bilance,
6   che le caggion di man quando soverchia;
     sì che le bianche e le vermiglie guance,
      là dov' i' era, de la bella Aurora
9   per troppa etate divenivan rance.

1-9: Il ('l) sole era già giunto all'orizzonte il (lo) cui cerchio meridiano sovrasta (coverchia) Gerusalemme (Ierusalèm) col suo punto più alto [: lo z e n i t *]; e la notte, che gira (cerchia) [intorno alla Terra] contrapposta (opposita) [: nell'emisfero opposto] a lui [: il sole], si affacciava (uscìa...fuor) dal (di) Gange nella costellazione delle Bilance (con le Bilance) [: la Libra], che le cadono (caggion) di mano [: perché esce da quella costellazione] quando supera (soverchia) [la durata del giorno: dopo l'equinozio d'autunno]; così che, là dove io ero (dov'i'era) [: nel Purgatorio], le guance bianche e rosse (vermiglie) della bella Aurora divenivano giallo-dorate (rance) per eccessiva maturità (troppa etate).* Sono frequenti nel *Purgatorio* queste ampie p e r i f r a s i temporali, nelle quali la definizione dell'ora avviene attraverso vasti riferimenti astronomici. Il senso di questi nove versi, nella sostanza, è il seguente: il sole tramontava a Gerusalemme, agli antipodi del Purgatorio, e sorgeva quindi nel Purgatorio medesimo. Ma per una lettura più dettagliata, si consideri che Dante credeva abitato solo l'emisfero settentrionale della Terra, per un'estensione di 180 gradi di longitudine, dalle sorgenti del fiume Ebro, in Spagna, alla foce del fiume Gange, in India; e si consideri che il **sole** e la **notte** vengono intesi qui come due entità simili. I primi sei versi significano perciò: il sole era giunto all'orizzonte (al confine) di quell'emisfero il cui meridiano ha lo z e n i t in Gerusalemme, ed era cioè sull'Ebro, dove era mezzogiorno, mentre su Gerusalemme era il tramonto e sul Gange mezzanotte; di qui sorgeva infatti la notte (che percorre un giro opposto al sole), nella costellazione della Libra, dalla quale esce con l'equinozio d'autunno, quando la notte diventa più lunga del giorno (**soverchia**). Quanto ai vv. 7-9, con la personificazione mitologica e preziosa dell'Aurora, essi rispondono a un gusto tipica-

Noi eravam lunghesso mare ancora,
come gente che pensa a suo cammino,
12 che va col cuore e col corpo dimora.
Ed ecco, qual, sorpreso dal mattino,
per li grossi vapor Marte rosseggia
15 giù nel ponente sovra 'l suol marino,
cotal m'apparve, s'io ancor lo veggia,
un lume per lo mar venir sì ratto,
18 che 'l muover suo nessun volar pareggia.
Dal qual com' io un poco ebbi ritratto
l'occhio per domandar lo duca mio,
21 rividil più lucente e maggior fatto.
Poi d'ogne lato ad esso m'apparìo
un non sapeva che bianco, e di sotto
24 a poco a poco un altro a lui uscìo.

mente medioevale; e servono a riferire alla posizione di Dante i termini astronomici introdotti: nel Purgatorio sorge il sole, e infatti i colori tipici dell'aurora (bianco e rosso) lasciano il posto a quello che accompagna i primi raggi visibili (giallo-dorato, quasi arancione). Con quest'ultima osservazione, viene ripresa la descrizione attenta delle varie fasi dello spuntare del giorno iniziata nel canto precedente.

10-12: *Noi eravamo ancora presso* (**lunghesso**) *il mare, come chi* (**gente che**; in senso impers.) *pensa al suo cammino, che va col cuore* [: con il pensiero] *e resta fermo* (**dimora**) *col corpo*. Ci si ricollega alla situazione con la quale si è chiuso il primo canto: sulla spiaggia Virgilio e Dante pensano al cammino da compiere e già sono in movimento con il pensiero, benché fermi fisicamente.

13-18: *Ed ecco, quale Marte, colto* (**sorpreso**) *dal mattino, rosseggia a causa dei* (**per li** = per i) *vapori densi* (**grossi**) *verso occidente* (**nel ponente**) *in basso* (**giù**) *sopra la superficie marina* (**sovra 'l suol marino**), *tale* (**cotal**) *mi apparve, magari io* (**s'io** = se io; con il 'se' desiderativo) *la riveda* (**veggia**) *ancora* [: dopo morto; e quindi sia salvo], *una luce* (**un lume**) *venire* [: avvicinarsi] *così rapidamente* (**sì ratto**) *attraverso* (**per**) *il* (**lo**) *mare, che nessun volo* (**volar**) *eguaglia* (**pareggia**) *la sua velocità* (**'l muover suo**). La luce che si avvicina sul mare con così grande rapidità è l'imbarcazione che trasporta le anime destinate alla salvezza dalla foce del fiume Te-

vere, dove si radunano dopo morte (cfr. vv. 100-102), alla spiaggia del Purgatorio. La luce, per maggior precisione, è quella che emana dall'angelo nocchiero. L'avvicinamento è descritto «con un procedimento che oggi si direbbe cinematografico» (Sapegno): dapprima appare una luce rosseggiante per la distanza (simile a quella di Marte alle prime luci dell'alba), poi la luce si ingrandisce e si fa bianca e si determinano a poco a poco i contorni dell'angelo, finché è possibile descrivere con precisione i particolari dell'imbarcazione e della sua guida soprannaturale; e infine la luce è così forte che Dante deve abbassare lo sguardo. A questo punto, giunta la barca a riva, sarà possibile udire il canto dei passeggeri, prima che l'angelo li sbarchi e riparta velocemente. **Ed ecco**: è l'identico s t i l e m a che introduce l'avvicinarsi della barca dei dannati guidata da Caronte nel canto terzo dell'*Inferno* (v. 81); ed è superfluo sottolineare la differenza profonda delle due imbarcazioni e dei due episodi.

19-21: *Dal quale* [*lume*] *avendo io* (**com'io ebbi**) *un poco distolto* (**ritratto**; part. pass. da 'ritrarre') *lo sguardo* (**l'occhio**) *per interrogare* (**domandar**) *la* (**lo** = il) *mia guida* (**duca**) [: Virgilio], *lo rividi* (**rividil**) [: tornando a guardarlo] *diventato* (**fatto**) *più lucente e più grande* (**maggior**). Ciò esprime con grande efficacia e realismo la velocità della barca e, insieme, il modo con il quale Dante se ne rende conto.

22-24: *Poi da ogni* (**d'ogne**) *lato* [: a destra e a sinistra] *di* (**ad**) *esso* [: il lume] *mi ap-*

Lo mio maestro ancor non facea motto,
   mentre che i primi bianchi apparver ali;
27   allor che ben conobbe il galeotto,
gridò: « Fa, fa che le ginocchia cali.
   Ecco l'angel di Dio: piega le mani;
30   omai vedrai di sì fatti officiali.
Vedi che sdegna li argomenti umani,
   sì che remo non vuol, né altro velo
33   che l'ali sue, tra liti sì lontani.
Vedi come l'ha dritte verso 'l cielo,
   trattando l'aere con l'etterne penne,
36   che non si mutan come mortal pelo ».
Poi, come più e più verso noi venne
   l'uccel divino, più chiaro appariva:
39   per che l'occhio da presso nol sostenne,
ma chinail giuso; e quei sen venne a riva
   con un vasello snelletto e leggero,
42   tanto che l'acqua nulla ne 'nghiottiva.

parve (**m'apparìo**) *un bianco non meglio definibile* (**un non sapeva che bianco**), *e di sotto ad esso* (**a lui**) *a poco a poco* [*ne*] *uscì* (**uscìo**; con e p i t e s i *in -o*) *un altro* [: un'altro bianco]. Cominciano ad apparire i caratteri dell'angelo: il bianco indistinto delle ali e, sotto, quello della veste; ma i due bianchi non si definiscono ancora bene nei contorni, e sono solo un colore confuso.

25-30: *Il* (**lo**) *mio maestro* [: Virgilio] *ancora non diceva nulla* (**non facea motto**), *finché* (**mentre che**) *i primi bianchi* [: quelli ai due lati della luce; cfr. v. 22 sg.] *si rivelarono* (**apparver**) *ali; allorché riconobbe* (**conobbe**) *con sicurezza* (**ben**) *il nocchiero* (**galeotto**), *gridò*: «*Fa'*, *fa' di abbassare* (**che...cali**) *le ginocchia* [: inginòcchiati]. *Ecco l'angelo di Dio: unisci* (**piega**) *le mani* [: in atto di preghiera]*; ormai* [: da qui in avanti] *vedrai ministri* (**officiali**) *di questo genere* (**di sì fatti** = così fatti, tali). Dopo un silenzio assorto, Virgilio pronuncia un ordine concitato pieno di slancio e di commozione.

31-33: *Vedi* [*da solo*] *che rifiuta* (**sdegna**) *gli strumenti* (**li argomenti**) *umani, così* (**sì**) *che non vuole* [: non adopera] *remo, né altre vele* (**velo**; dal lat. 'velum') *che le sue ali,* [*per navigare*] *tra spiagge* (**liti**) *tanto* (**sì** = così) *lontane.* Le spiagge tra le quali l'angelo naviga sono quella alla foce del fiume Tevere (cfr. vv. 100-105) e questa del Purgatorio.

34-36: *Vedi come le ha* (**l'ha**) [: le ali] *dritte verso il* (**'l**) *cielo, tagliando* (**trattando**) *l'aria* (**l'aere**) *con le penne eterne, che non si mutano come pelo* [*o penne di animale*] *mortale* [: che sono cioè incorruttibili]». Sia questa terzina che quella precedente si aprono con un **vedi**, a indicare lo stupore di Virgilio e lo stupore riflesso di Dante; e anche a dipingere la leggerezza e la eccezionalità della figura dell'angelo. **Dritte verso 'l cielo**: a significare che da Dio solo gli viene l'energia che gli permette di muoversi. **Trattando**: può anche intendersi nel senso di *muovendo, agitando*.

37-42: *Poi, come l'angelo* (**l'uccel divino**) *venne più e più verso* [*di*] *noi, appariva più luminoso* (**chiaro**)*: così che* (**per che**) *l'occhio da vicino* (**da presso**) *non lo* (**nol**) *sopportò* (**sostenne**)*, ma lo abbassai* (**chinail** = il chinai = lo chinai) *giù* (**giuso**)*; e quegli* (**quei**) [: l'angelo] *se ne* (**sen**) *venne* [: si avvicinò] *a riva con una navicella* (**vasello** = vascello) *agile* (**snelletto**) *e leggera, tanto* [*leggera*] *che l'acqua* [*non*] *ne inghiottiva nulla.* L'ulteriore avvicinamento dell'angelo ne rende insostenibile allo sguardo la luminosità, e Dante deve abbassare gli occhi. E l'angelo si accosta alla riva con un'imbarcazione agile e leggera al punto da affondare pochissimo nell'acqua; infatti le anime che essa trasporta sono prive del corpo. Il **vasello** è il **più lieve legno** preannunciato dal nocchiero infernale Caronte a Dante (*Inf.* III, 93).

Da poppa stava il celestial nocchiero,
tal che faria beato pur descripto;

45 e più di cento spirti entro sediero.
' *In exitu Isräel de Aegypto* '
cantavan tutti insieme ad una voce

48 con quanto di quel salmo è poscia scripto.
Poi fece il segno lor di santa croce;
ond' ei si gittar tutti in su la piaggia:

51 ed el sen gì, come venne, veloce.
La turba che rimase lì, selvaggia
parea del loco, rimirando intorno

54 come colui che nove cose assaggia.

43-45: *Il nocchiero celeste* (**celestial**) [: divino] *stava a* (**da**) *poppa, tale* [*nell'aspetto*] *che farebbe* (**faria**) *beato* [*già*] *solo* (**pur**) *descritto* [: colui che ne sentisse la descrizione]; *e dentro* (**entro**) [*la barca*] *sedevano* (**sediero**) *più di cento* [: moltissime; indet.] *anime* (**spirti** = spiriti). La l e z i o n e del v. 44 è assai incerta, e altri legge *parea beato per iscritto* (*pareva che avesse scritta nell'aspetto la sua beatitudine*). Il confronto con l'episodio di Caronte nel canto III dell'*Inferno* diviene inevitabile in questa terzina, sia per l'uso dell'identico termine **nocchiero** (III, 98) che per la descrizione dell'atteggiamento delle anime (qui composte e ordinate, nel traghetto infernale affrante e ammucchiate). Si direbbe che Dante abbia costruito d'intenzione un parallelismo tra i due episodi, soprattutto al fine di rendere più evidente la serenità del secondo. **Descripto**, per *descritto*, ricalca la desinenza latina del participio passato, dalla quale deriva quella italiana per a s s i m i l a z i o n e .

46-48: «*In exitu Israel de Aegypto*» *cantavano* [: i 'cento spirti'] *tutti insieme all'unisono* (**ad una voce**) *con quanto di quel salmo è scritto dopo* (**poscia**). «*In exitu Israel de Aegypto*» [Quando Israele uscì dall'Egitto] è il primo versetto del Salmo CXIII della *Bibbia*, che le anime cantano in coro secondo i modi monodici del canto fermo gregoriano, tipico delle celebrazioni liturgiche medioevali. Tale concorde coralità, caratteristica del *Purgatorio*, esprime bene l'atteggiamento volto alla socialità delle anime purganti, sempre riunite a gruppi e ben lontane da quell'individualismo egoista che è per Dante l'origine prima di ogni peccato e che è perciò esasperato al massimo grado nelle anime dell'Inferno. In questo senso la collettività del Purgatorio è l'espressione del superamento dei limiti storici della socialità umana, e soprattutto dei particolarismi feroci tipici della civiltà comunale; ed è insieme la prefigurazione della città celeste, esempio di carità reciproca e di concordia. Il Salmo CXIII celebra la liberazione degli Ebrei dalla schiavitù egiziana: e allude perciò allegoricamente alla liberazione di queste anime dalla schiavitù del peccato nel mondo e alla loro volontà di ringraziare Dio per esser giunte alla soglia della loro libertà e della loro vera patria.

49-51: *Poi* [*l'angelo*] *fece loro il segno della* (**di**) *santa croce; e quindi essi* (**ond'ei**) *si gettarono* (**si gittar**) [: scesero rapidamente] *tutti sulla* (**in su la**) *spiaggia* (**piaggia**): *ed egli* (**el**) *se ne* (**sen**) *andò* (**gì**; da 'gire') *velocemente* (**veloce**) *come era venuto* (**come venne**). La benedizione che l'angelo rivolge alle anime prima di sbarcarle è segno di incoraggiamento e di augurio; e insieme definisce la loro definitiva appartenenza al regno di Dio.

52-54: *La folla* (**turba**) [: delle anime] *che rimase lì, pareva* (**parea**) *inesperta* (**selvaggia**) *del luogo* (**loco**), *e riguardava* (**rimirando**) *intorno come* [*fa*] *colui che sperimenta* (**assaggia**) *cose nuove*. Tra il v. 51 e il v. 52 c'è un forte cambiamento di prospettiva: scomparso l'angelo, la situazione torna simile al momento che precede la sua apparizione (cfr. vv. 10-12); ma ora accanto allo stupore sbigottito di Dante c'è questo gruppo di anime non meno stupite e sbigottite; e Dante si accompagnerà presto ad esse, significando il superamento, anche per se stesso, dell'egoismo individualista del peccato. Intanto si osservi il comportamento timoroso e incerto di queste anime e lo si confronti

Da tutte parti saettava il giorno
lo sol, ch'avea con le saette conte
57   di mezzo 'l ciel cacciato Capricorno,
quando la nova gente alzò la fronte
ver' noi, dicendo a noi: « Se voi sapete,
60   mostratene la via di gire al monte ».
E Virgilio rispuose: « Voi credete
forse che siamo esperti d'esto loco;
63   ma noi siam peregrin come voi siete.
Dianzi venimmo, innanzi a voi un poco,
per altra via, che fu sì aspra e forte,
66   che lo salire omai ne parrà gioco ».
L'anime, che si fuor di me accorte,
per lo spirare, ch'i' era ancor vivo,
69   maravigliando diventaro smorte.
E come a messagger che porta ulivo
tragge la gente per udir novelle,
72   e di calcar nessun si mostra schivo,

con quello delle anime dell'Inferno, specie nei cerchi più bassi: quell'umanità che nella prima c a n t i c a si era progressivamente stravolta e annientata, ora è a poco a poco recuperata.

55-60: *Il sole* (lo sol; sogg.) *che aveva* (avea) *con le frecce* (saette) *esperte* (conte) *cacciato Capricorno da* (di) *mezzo il* ('l) *cielo, saettava da ogni parte* (da tutte parti) *la luce del giorno* (il giorno; compl. ogg.) [: era giorno pieno], *quando la gente giunta di recente* (nova) *alzò la testa* (la fronte; per s i n e d d o c h e) *verso di noi* (ver' noi), *dicendoci* (dicendo a noi)*: «Se voi [la] conoscete* (sapete), *mostrateci* (mostratene) *la via per andare* (di gire; cfr. v. 51) *al monte».* Il sole è rappresentato come un cacciatore che insegue la preda, secondo la tradizione classica che identificava il sole con il dio Apollo, armato di arco e frecce. In questo caso la preda è il Capricorno (capra), una costellazione che in primavera si trova a 90 gradi dal punto dove sorge il sole, e quindi allo z e n i t del Purgatorio (mezzo 'l ciel), e che per la rotazione terrestre si sposta nella direzione opposta a quella del sole, dando l'impressione di esserne messa in fuga.

61-63: *E Virgilio rispose [a loro]: «Forse voi credete che siamo esperti di questo* (d'esto) *luogo* (loco)*; ma noi [invece] siamo forestieri* (peregrin) *come siete voi.*

64-66: *Siamo venuti* (venimmo) *or ora* (dianzi), *un poco prima di voi* (innanzi a voi), *attraverso* (per) *un'altra strada* (via), *la quale* (che) *fu così* (sì) *difficile e faticosa* (aspra e forte; cfr. *Inf.* I, 5) *che il* (lo) *salire ormai ci* (ne) *parrà un piacere* (gioco)». Alla richiesta gentile delle anime, Virgilio risponde con cortesia: per non dare l'impressione di rifiutare l'aiuto richiesto, spiega la condizione propria e di Dante, eguale a quella delle altre anime, e anzi aggravata dall'aver già affrontato un'esperienza dolorosa. E c'è, insieme, nelle ultime parole di Virgilio, una nota incoraggiante, per sé e per i suoi interlocutori; quasi dicesse: abbiamo superato una strada irta di difficoltà, questa salita tanto più facile non sarà certo insuperabile!

67-69: *Le anime che si furono* (fuor) *accorte, quanto a me* (di me), *che io* (ch'i') *ero* (era) *ancora vivo, a causa del [mio] respirare* (per lo spirare), *meravigliando[si] diventarono* (diventaro) *pallide* (smorte). Il fatto che Dante respiri fa capire alle anime che egli è vivo. E ciò le fa impallidire per lo stupore, sì, ma anche per il ripresentarsi inaspettato dei caratteri di quella vita e di quel mondo dal quale si sono appena separate morendo, e non ancora del tutto distaccate.

70-75: *E come la gente accorre* (tragge = trae) *dal* (a) *messaggero che porta ulivo per udire notizie* (novelle), *e nessuno si mostra schivo di fare calca* (calcar) [: nessuno evita la res-

       così al viso mio s'affisar quelle
       anime fortunate tutte quante,
75   quasi oblïando d'ire a farsi belle.
       Io vidi una di lor trarresi avante
       per abbracciarmi, con sì grande affetto,
78   che mosse me a far lo somigliante.
       Ohi ombre vane, fuor che ne l'aspetto!
       tre volte dietro a lei le mani avvinsi,
81   e tante mi tornai con esse al petto.
       Di maraviglia, credo, mi dipinsi;
       per che l'ombra sorrise e si ritrasse,
84   e io, seguendo lei, oltre mi pinsi.
       Soavemente disse ch'io posasse;
       allor conobbi chi era, e pregai
87   che, per parlarmi, un poco s'arrestasse.

sa], *così tutte quante quelle anime fortunate* [: perché salve] *si fissarono (s'affisar) al mio viso, quasi dimenticando (obliando) di andare (d'ire) a purificarsi (a farsi belle*; cioè 'migliorarsi'). La consuetudine dei messaggeri di portare in mano un ramo d'ulivo in caso di notizie di vittoria o di pace era viva ancora ai tempi di Dante, e ne derivava un particolare accalcarsi della folla, desiderosa di udire le belle notizie.

76-78: *Io vidi una di loro farsi (trarresi* = tirarsi) *avanti per abbracciarmi, con così (sì) grande affetto, che spinse (mosse) me a fare altrettanto (lo somigliante)* [: riabbracciarla].

79-81: *Ahi (ohi)* [che sono] *ombre inconsistenti (vane) tranne (fuor) che nell'aspetto! tre volte avvinsi le mani dietro a lei* [per abbracciarla], *e* [altret]*tante ritornai (mi tornai) con esse al petto.* È qui richeggiato l'incontro di Enea con il padre Anchise negli Elisi, narrato da Virgilio nell'*Eneide* (VI, 700-702): «Ter conatur ibi collo dare brachia circum,/ ter frustra comprensa manus effugit imago,/ par levibus ventis volucrique simillima somno» [Per tre volte tentò di cingergli il collo con le braccia,/ per tre volte l'ombra stretta inutilmente gli sfuggì di mano,/ simile a un vento leggero e a un sogno sfuggente come un volo]. Si noti, ancora una volta, che Dante tratta le anime ora come incorporee e ora come solide; si consideri, comunque, che il primo caso è di gran lunga più frequente qui che nell'Inferno, a confermare la maggiore spiritualità di questa c a n t i c a .

82-84: *Mi dipinsi* [: rivelai sul mio volto], *credo, di meraviglia; per cui (che) l'anima (l'ombra)* [: che aveva tentato di abbracciarmi] *sorrise e si ritrasse, e io mi spinsi (pinsi) oltre* [: mi mossi] *seguendola (seguendo lei).* La situazione si ribalta: allo stupore delle anime per il respirare di Dante, segue ora lo stupore di Dante stesso per l'inconsistenza di quelle. Il sorriso dell'anima sancisce appunto questo rovesciamento e, anche, la superiorità di chi conosce la fragilità delle cose terrene, compresa quella del corpo di cui è stata privata con la morte. Ed è anche un sorriso un po' imbarazzato, come di chi avverta ancora il disagio di una condizione radicalmente mutata; e ciò ben s'accorda con il tema generale del canto, che è quello del recupero dell'umanità distrutta nell'abisso infernale ma anche del suo limite ancora non adeguatamente trasceso. Si guardi l'umanità ingenua di questi atti, compreso il movimento di Dante per seguire l'anima.

85-87: *Con voce dolcissima (soavemente) mi disse di fermarmi (disse ch'io posasse)* [: di non tentare oltre di abbracciarlo]*; allora riconobbi (conobbi) chi era, e* [lo] *pregai che si fermasse (s'arrestasse) un poco per parlarmi.* L'anima capisce lo stato d'animo di Dante, che non sa arrendersi all'evidenza e tenterebbe ancora di abbracciarla; per questo lo invita a desistere dal farlo. E a queste prime parole, dalla dolcezza della voce, Dante lo riconosce: **allor...** (cioè, dopo che ebbe parlato). Ciò si spiega facilmente se si pensa che l'anima è quella del musicista e cantante fiorentino Casella (come Dante dirà al v. 91). Di lui sappiamo assai poco: il suo nome com-

Rispuosemi: « Così com' io t'amai
nel mortal corpo, così t'amo sciolta:
90   però m'arresto; ma tu perché vai? ».
« Casella mio, per tornar altra volta
là dov' io son, fo io questo vïaggio »,
93   diss'io; « ma a te com'è tanta ora tolta? ».
Ed elli a me: « Nessun m'è fatto oltraggio,
se quei che leva quando e cui li piace,
96   più volte m'ha negato esto passaggio;
ché di giusto voler lo suo si face:
veramente da tre mesi elli ha tolto
99   chi ha voluto intrar, con tutta pace.

pare in qualche antico codice e probabilmente egli musicò alcune canzoni di Dante, come quella che canterà qui al v. 112. Il modo in cui si svolge l'incontro tra i due rivela un'amicizia profonda, resa più intensa dal comune amore per la musica e la letteratura.

88-90: *Mi rispose* (**rispuosemi**)*: «Così come io ti ho amato* (**t'amai**) *[quando ero] nel corpo mortale, così ti amo sciolta [da esso]: perciò* (**però**) *mi fermo* (**m'arresto**)*; ma tu perché vai [ancora vivo, nel regno dei morti]?».* Casella usa il femminile perché parla riferendosi a sé come ad un'anima: e della propria anima riconferma a Dante l'affetto, anche ora che essa si è staccata (**sciolta**) dal corpo. In nome di quell'affetto accetta di fermarsi con Dante, come questi gli ha chiesto. Quindi passa sùbito ad interessarsi della strana condizione dell'amico, con premura affettuosa più che con curiosità.

91-93: *Io dissi [a lui]: «Casella mio, io faccio* (**fo**) *questo viaggio per tornare [dopo morto] un'altra volta qui* (**là**) *dove io sono; ma a te perché è* (**com'è**) *[stato] sottratto* (**tolta**) *tanto tempo* (**ora**)*?»* Dante risponde brevemente alla domanda dell'amico: faccio questo viaggio per divenire degno di tornare definitivamente qui dopo la morte. Poi si interessa prontamente a sua volta alle sorti dell'amico, e gli chiede perché sia giunto qui con ritardo. Da ciò e dalla risposta di Casella, si deduce che questi era morto da qualche tempo e che ha dovuto aspettare un poco prima che l'angelo si decidesse a trasportarlo fino al Purgatorio. E le ragioni di questa attesa non sono chiarite né comprensibili. Si noti piuttosto come lo stile defini-

sca perfettamente (e con la solita capacità sintetica di Dante) lo slancio generoso dei due amici. Entrambi espongono con noncurante brevità la propria condizione, per poi passare ad interrogare l'amico riguardo alla sua; si osservi il parallelismo dei s i n t a g m i ai vv. 90 e 93 (**ma tu...**, **ma a te...**), quasi che ognuno dicesse: «Ma non parliamo di me; dimmi di te, piuttosto». Anche **Casella mio**, con il pronome posposto (cosa rara in Dante), esprime lo slancio dell'affetto. **Tanta ora tolta**: allude al fatto che il ritardo nel trasporto *toglie* a Casella *tempo* (**ora**) utile per purificarsi e allontana il giorno della ascesa al cielo.

94-99: *Ed egli* (**elli**) *[: Casella] [disse] a me: «[Non] mi è [stato] fatto nessun torto* (**oltraggio**)*, se colui* (**quei**) *[: l'Angelo nocchiero] che prende* (**leva**) *quando e chi* (**cui**) *gli piace mi ha negato più volte questo* (**esto**) *transito* (**passaggio**)*; perché* (**ché**) *la* (**lo** = il) *sua [volontà] deriva* (**si face** = si fa) *da* (**di**) *[una] volontà* (**voler**) *giusta [: quella di Dio]: tuttavia* (**veramente**)*, dal lat. 'verum' = ma) da tre mesi egli* (**elli**) *ha preso* (**tolto**)*; dal lat. 'tollo, is' = prendere) senza opporsi* (**con tutta pace**) *chi ha voluto entrare [nella barca].* Casella conferma di non essere stato trasportato subito dall'angelo (v. 96), e anzi lascia capire che sta normalmente all'angelo di decidere quando prendere sulla navicella le varie anime in attesa (v. 95); ma non spiega in alcun modo le ragioni dell'indugio, negando però di aver subìto alcun torto, dato che l'angelo agisce secondo l'ispirazione divina, giusta per eccellenza (vv. 94 e 97). Aggiunge poi che da tre mesi l'angelo prende a bordo chiunque senza opporsi: e la ragio-

Ond' io, ch'era ora a la marina vòlto
dove l'acqua di Tevero s'insala,
102   benignamente fu' da lui ricolto.
A quella foce ha elli or dritta l'ala,
però che sempre quivi si ricoglie
105   qual verso Acheronte non si cala».
E io: «Se nuova legge non ti toglie
memoria o uso a l'amoroso canto
108   che mi solea quetar tutte mie voglie,
di ciò ti piaccia consolare alquanto
l'anima mia, che, con la sua persona
111   venendo qui, è affannata tanto! ».

ne è (come aggiungiamo noi e come i contemporanei di Dante capivano bene) che da
tre mesi, e cioè dal Natale 1299, ha avuto
inizio il G i u b i l e o proclamato da papa Bonifacio VIII.

100-102: *Per cui io* (**ond'io**), *che ero* (**ch'e-
ra**) *allora* (**ora**) *rivolto* (**vòlto**) *verso il mare*
(**a la marina**) [*là*] *dove diviene salata* (**s'insala**) [: alla foce] *l'acqua del* [*fiume*] *Tevere,
fui* (**fu'**) *benignamente accolto* (**ricolto**) *da
lui* [: l'Angelo]. L'interpretazione di questa
terzina non è né facile né sicura. Casella vuol
forse dire che al momento del G i u b i l e o
finalmente l'angelo lo ha accolto sulla navicella. Ma perché allora egli è giunto qui solo ora, dopo tre mesi? O forse era altrove,
e non alla foce del Tevere, fino a quel giorno? E, in questo caso, dove e perché? In
verità nessuna spiegazione è convincente.

103-105: *A quella foce* [*del Tevere*] *ha egli*
(**elli**) [: l'angelo] *ora rivolte* (**dritta**) *le ali* (**l'a-
la**); *per* m e t o n i m i a), *perché* (**però che**)
sempre si raduna (**ricoglie** = raccoglie) *lì* (**quivi**) *chiunque* (**qual**) *non scende* (**si cala**) *verso Acheronte*». Il fatto che le anime desti-
nate alla salvezza si radunino dopo la morte
alla foce del Tevere, presso Roma, è un'invenzione originale di Dante, e non trova riscontro nei testi teologici della cristianità; sta
a significare la funzione determinante attribuita da Dante alla Chiesa (la cui sede è appunto in Roma) nel compiere opera di mediazione tra la terra e l'aldilà, seguendo la
via della salvezza. **Verso Acheronte**: al fiume infernale Acheronte, come si ricorderà,
convengono le anime dei dannati (cfr. *Inf.*
III, 122 sg.).

106-111: *E io* [*dissi a lui*]*: «Se una legge nuova* [: nuova per Casella che è appena giun-
to] *non ti toglie memoria o facoltà* (**uso**) *al
canto d'amore che era solito* (**solea**) *acque-
tare* (**quetar**) *in me* (**mi**) *tutti i miei desideri*
(**voglie**), *ti piaccia* [: ti prego di; formula di
cortesia] *consolare con esso* (**di ciò**) [: il can-
to] *la mia anima, che, venendo qui con il
mio corpo* (**persona**), *è tanto affaticata* (**affannata**)!*»*. Dante prega dunque l'amico di
cantare per consolare il suo spirito duramente
provato dal difficile viaggio. Nella sua richiesta tocca pateticamente l'argomento della
propria originale condizione, unico fra tutti
ad essere lì con l'anima e con il corpo, e
perciò umanamente affranto; ed anche particolarmente incline a ricercare le consola-
zioni abituali della vita terrena, alla quale
è ancora legato. Quest'atteggiamento, peraltro, tenderà presto a contagiarsi alle altre
anime ancora non compiutamente separate
dagli affetti mondani; e ne parteciperà lo
stesso Virgilio, che qui, come altre volte nel
Purgatorio, non appare completamente al-
l'altezza del suo compito, facendosi distrarre anche lui dalla malìa del canto (con ciò
Dante intende ricordare al lettore i limiti della
sapienza umana e dell'umana ragione, che
Virgilio rappresenta). **Amoroso canto**: è probabilmente il canto monodico caratteristico
delle poesie d'amore, legato alla lirica provenzale; **amoroso** è quindi un'indicazione tecnica e non d'argomento. **Che mi solea quetar**...: scrive Dante nel *Convivio* (II, XIII, 24):
«La musica trae a sé li spiriti umani [i sentimenti e i pensieri], che sono quasi principalmente vapori del cuore, sì che quasi cessano
da ogni operazione [si abbandonano alla musica, obliandovisi]».

'*Amor che ne la mente mi ragiona*'
cominciò elli allor sì dolcemente,

114   che la dolcezza ancor dentro mi suona.

Lo mio maestro e io e quella gente
ch'eran con lui parevan sì contenti,

117   come a nessun toccasse altro la mente.

Noi eravam tutti fissi e attenti
a le sue note; ed ecco il veglio onesto

120   gridando: « Che è ciò, spiriti lenti?

qual negligenza, quale stare è questo?
Correte al monte a spogliarvi lo scoglio

123   ch'esser non lascia a voi Dio manifesto ».

112-114: '*Amor che ne la mente mi ragiona*' *cominciò egli* (**elli**) [: Casella] *allora* [*a cantare*] *così* (**sì**) *dolcemente, che la dolcezza mi* [*ri*]*suona ancora nell'animo* (**dentro**). *Amor...*: è il primo verso di una canzone di Dante stesso, raccolta e commentata nel terzo trattato del *Convivio*: essa fu composta dopo la morte di Beatrice in lode di una donna gentile, la quale è, allegoricamente, la filosofia. Ci si è spesso chiesti le ragioni che hanno indotto Dante a scegliere qui questo testo. Il significato va ricercato nel senso complessivo dell'episodio, che rappresenta un abbandonarsi ai ricordi del mondo e alle sue consuetudini, e che verrà presto interrotto, per questa ragione, dal rimprovero di Catone. Se si pensa che Beatrice, incontrando Dante nel Paradiso terrestre, sulla cima del Purgatorio, lo rimprovererà di essersi allontanato da lei per seguire la filosofia, si capisce che qui la lode della filosofia contenuta nella canzone intonata da Casella vuole arricchire e meglio definire questo momento di sopravvalutazione dell'umano. E con ciò diviene più comprensibile anche il comportamento di Virgilio, che si lascia sedurre dal canto anche perché egli è incarnazione allegorica appunto dei valori della ragione e dunque della filosofia. Diviene più comprensibile anche il rimprovero di Catone, volto a mostrare l'insufficienza di quei valori e la necessità di procedere, attraverso la purgazione, verso la vetta del monte, verso la scienza rivelata, e cioè, per Dante, verso Beatrice.

115-117: *Il* (**lo**) *mio maestro* [: Virgilio] *e io e quella gente* [: le anime sbarcate] *che erano con lui* [: con Casella] *parevamo* (**parevan**; alla 3ª pers. plur.) *così* (**sì**) *contenti, come* [*se*] *a nessuno occupasse* (**toccasse**) *la mente altro* [*pensiero*]. L'abbandono a que-

sto momento improvviso di umana tranquillità è completo: tutti ascoltano trasognati il canto di Casella, dimenticando ogni altra cosa, e, perfino, lo scopo stesso del proprio viaggio, quello di purificarsi. L'umanità, intesa come reciprocità di affetti e comunione di intenzioni, è qui pienamente recuperata. Basti confrontare questa situazione con quelle dell'Inferno. Ma l'umanità non è sufficiente, neppure nel suo aspetto più nobile, a raggiungere la salvezza.

118-121: *Noi eravamo tutti fissi* [: rapiti e concentrati] *e attenti al suo* [: di Casella] *canto* (**a le sue note**)*; ed ecco* [*apparire*] *il vecchio* (**veglio**) *dignitoso* (**onesto**) [: Catone] *nell'atto di gridare* (**gridando**; il gerundio vale per il part. pres.)*: «Che significa* (**è**) *ciò, spiriti pigri* (**lenti**)*? che* (**qual**) *negligenza, che* (**quale**) *indugiare* (**stare**) *è questo* [*vostro*]*?* L'improvvisa apparizione di Catone, il suo incalzante rimprovero e l'esortazione finale (vv. 122 sg.) spezzano l'incanto della scena e ne rivelano il limite morale. Il dovere delle anime è infatti quello di liberarsi dei peccati e delle tendenze peccaminose del mondo, e ciò può avvenire solo attraverso un impegno sollecito, e non certo abbandonandosi alle consuetudini accattivanti della Terra. L'idea che Dante ha dell'arte è lontana da qualsiasi moderno estetismo: il valore supremo della vita non può essere l'arte, ma la tensione etica e religiosa che Catone rappresenta (come già era apparso nel primo canto).

122-123: *Correte al monte* [*del Purgatorio*] *a liberarvi* (**spogliarvi**) *della scorza* (**lo scoglio**) [*di peccati*] *che non lascia essere a voi manifesto Dio* [: che vi impedisce la visione di Dio]». Alla pigrizia e all'indugio delle anime, Catone contrappone efficacemente questo **correte**.

Come quando, cogliendo biado o loglio,
li colombi adunati a la pastura,
126   queti, sanza mostrar l'usato orgoglio,
se cosa appare ond' elli abbian paura,
subitamente lasciano star l'esca,
129   perch' assaliti son da maggior cura;
così vid' io quella masnada fresca
lasciar lo canto, e fuggir ver' la costa,
com' om che va, né sa dove rïesca;
133   né la nostra partita fu men tosta.

124-133: *Come quando i* (**li**) *colombi* [*che sono*] *radunati* (**adunati**) *per il pasto* (**a la pastura**) *raccogliendo* (**cogliendo**) [*col becco*] *biada o loglio, queti, senza mostrare la consueta* (**l'usato**) *baldanza* (**orgoglio**) [*nell'incedere*], *se appare* [*qual*]*cosa della quale essi* (**ond'elli**) *abbiano paura, lasciano stare* [: *abbandonano*] *immediatamente* (**subitamente**) *il cibo* (**l'esca**) *perché sono assaliti da una preoccupazione* (**cura**) *maggiore; così io vidi quella schiera* (**masnada**) [*giunta di*] *recente* (**fresca**) *lasciare* [*di ascoltare*] *il* (**lo**) *canto* [*di Casella*], *e fuggire verso* (**ver'**) *la costa* [*del monte*], *come chi* (**om**; impers.) *va e non* (**né**) *sa dove vada a finire* (**rïesca**); *né la nostra* [: *di Virgilio e di Dante*] *partenza fu meno immediata* (**tosta**). Con questa fuga generale verso il monte si chiude il canto. L'ampia s i m i l i t u d i n e serve a descrivere i tre momenti della scena. Primo momento: i colombi intenti a beccare il mangime = le anime tutte prese dall'ascolto di Casella. Secondo momento: l'apparizione di un pericolo = l'apparizione e il rimprovero di Catone. Terzo momento: l'abban-dono del cibo da parte dei colombi = l'abbandono del canto e la fuga da parte delle anime. Si notino due cose importanti. Il paragone con il mondo animale, frequente anche nell'*Inferno*, è qui di tono completamente differente: esso serve a descrivere e non, come di norma nell'*Inferno*, a deformare in modo caricaturale e grottesco; e questo spiega anche la scelta, per le s i m i l i t u d i n i del *Purgatorio*, di animali umili e domestici (qui i colombi, nel canto successivo le pecorelle). È fin troppo facile sottolineare l'aderenza realistica (e quasi impressionistica) della descrizione dei colombi, a partire da quell'**orgoglio** che allude all'incedere pettoruto di tali volatili; ma ci si soffermi almeno sul mirabile effetto o n o m a t o p e i c o dei vv. 124-127, in cui sembra davvero di udire il verso tipico dei colombi, soprattutto grazie alla rima -*oglio* dei vv. 124 e 126 (con ripresa interna in **cOGLIendo** al v. 124) e ai nessi consonantici di nasale + dentale (/*nd*/) o nasale + labiale (/*mb*/): **quaNDo** e **coglieNDo** (v. 124), **coloMBi** (v. 125), **oND'elli** (v. 127).

La voce ha una storia complessa, specie per quel che riguarda il significato. Essa deriva dal lat. mediev. *galea* ('nave a remi'), probabilmente derivato a sua volta dal gr. tardo γαλαία [galàia] ('specie di nave usata dai pirati'). Come sost. la voce indicava 'colui che nelle galee, o in genere in un'imbarcazione a remi, era addetto a vogare' — cfr. *Purg.* II, 27, con significato specifico di 'nocchiero'. Tuttavia, poiché spesso gli addetti a remare erano costretti a farlo in quanto schiavi o simili, il termine ha acquistato una sfumatura negativa ad indicare, ancora oggi, un 'condannato ai lavori forzati, alla galera (cioè alla prigione)' e addirittura un 'ergastolano'. La stessa voce, però, può avere anche un significato ed un'etimologia del tutto diversi, sia come sost. che come agg.: e cioè 'colui che favorisce l'amore tra due persone', dal nome di Galeotto (cfr. franc. *Galehault*), che nel ciclo dei romanzi brettoni favorì l'amore tra Lancillotto e Ginevra — cfr. *Inf.* V, 137.

La voce è il dimin. di *vaso* (derivato dal lat. tardo *vasum*). Il termine ha diversi significati: 'grembo materno', 'recipiente' — cfr. *Inf.* XXII, 82 —, 'barca, nave' — cfr. *Purg.* II, 41. Oggi la voce è del tutto fuori uso (i dimin. di *vaso* nell'ital. mod. sono *vasetto* o *vasino*), anche se sopravvive in *vasellame* ('insieme di stoviglie per apparecchiare una tavola'; cfr. franc. *vaisselle*). Il termina ital. mod. *vascello* = 'nave' deriva piuttosto dal dimin. lat. di *vasum*: *vascellum* ('urna funeraria'; e cfr. ant. franc. *vaissel* e franc. *vaisseau*).

Canto III

Tra il pendìo che si stacca dalla spiaggia e la porta del Purgatorio c'è una zona nella quale sono relegati vari gruppi di anime costrette per diverse ragioni a ritardare alquanto l'inizio della purificazione. Uno di questi gruppi è quello degli scomunicati, di coloro che furono cioè dichiarati dal papa in condizione di peccato mortale e come tali esclusi dalla comunità della Chiesa. Bisogna però tenere presente che la scomunica fu spesso usata dai papi per ragioni esclusivamente politiche, al fine di subordinare al proprio potere i sovrani che rifiutavano di riconoscerlo (si pensi che i sudditi erano dispensati dall'obbedire a un sovrano scomunicato).

* * *

Turbati dalla vergogna per il rimprovero di Catone, Virgilio e Dante fuggono verso il monte. All'orizzonte è intanto sorto il sole e Dante si spaventa di vedere in terra solo la propria ombra e non quella del maestro. Virgilio lo rassicura, invitandolo ad accettare senza esigere una spiegazione impossibile il mistero divino della immaterialità dei corpi dei defunti, trasparenti eppure visibili e atti a soffrire. Di qui il discorso si allarga a considerare l'opportunità di accontentarsi di quanto la Rivelazione afferma, senza voler capire tutto; e Virgilio allude malinconicamente ai sapienti che fallirono in questo folle tentativo e che ora soffrono nel Limbo l'esclusione dalla visione di Dio.

Giunti dove la salita diviene ripida, i due pellegrini si fermano senza sapere in quale punto sia possibile inerpicarsi per la montagna. A un tratto appare una schiera di anime e Virgilio e Dante gli si fanno incontro. Sono anime di scomunicati che si pentirono in tempo e furono perdonati da Dio. Dante li presenta con simpatia, nel loro procedere lentissimo, nel loro meravigliarsi della presenza di un vivo nel regno dei morti, nel loro atteggiamento concorde e corale, in perfetta comunione. Da costoro i due pellegrini ricevono le indicazioni utili al cammino.

La parte finale del canto è occupata dalla figura del re svevo Manfredi, il quale racconta come la persecuzione ecclesiastica si accanisse contro di lui anche dopo morto; mentre egli era salvo grazie al pentimento sopraggiunto in punto di morte.

* * *

Il tema centrale del canto è quello della comunione e dell'esclusione. Esso è presente nell'esortazione di Virgilio, escluso dalla Grazia. È presente anche nella storia delle anime degli scomunicati, esclusi dalla comunità religiosa; ed ora riammessi in essa grazie al perdono divino. È presente infine, in forma esemplare, nella storia di Manfredi, escluso perfino dalla sepoltura, e invece — grazie al pentimento — recuperato dalla misericordia di Dio alla comunione delle anime beate. Ed è tema che tocca lo stesso Dante, vivo tra morti e perciò turbato e diffidente, finché le parole di Virgilio, ispirate per una volta a fede e non a ragione, lo congiungono al cammino di quei pentiti, in una breve, simbolica unione.

Collegato a questo tema fondamentale, che contribuisce a determinare la unità del canto, è il motivo dei limiti del giudizio umano. Secondo Dante, tali limiti sono stati colpevolmente dimenticati dall'operato fazioso dei papi, anche se il giudizio di condanna si stempera qui in un distacco di equilibrata superiorità. Di qui un altro tema ancora di questo canto: quello dell'umiltà (costante in questo inizio di c a n t i c a e comunque caratteristico di tutto il *Purgatorio*), necessaria per affidarsi al superiore giudizio divino, per pentirsi, per chiedere perdono, per accontentarsi della verità offerta dalla Rivelazione.

Nell'appendice I sono presentate le traduzioni dei vv. 79-93 del canto.

> Avvegna che la subitana fuga
>   dispergesse color per la campagna,
> 3   rivolti al monte ove ragion ne fruga,
> i' mi ristrinsi a la fida compagna:
>   e come sare' io sanza lui corso?
> 6   chi m'avrìa tratto su per la montagna?
> El mi parea da sé stesso rimorso:
>   o dignitosa coscïenza e netta,
> 9   come t'è picciol fallo amaro morso!
> Quando li piedi suoi lasciar la fretta,
>   che l'onestade ad ogn' atto dismaga,
> 12   la mente mia, che prima era ristretta,
> lo 'ntento rallargò, sì come vaga,
>   e diedi 'l viso mio incontr' al poggio

1-6: *Benché* (**avvegna che**) *la fuga improvvisa* (**subitana**) *disperdesse* (**dispergesse**) *coloro* [: le altre anime] *per la pianura* (**campagna**), *verso il* (**rivolti al**) *monte* [*del Purgatorio*] *dove la giustizia* (**ragion**) [*divina*] *ci* (**ne**) *tormenta* (**fruga**) [: per purificarci], *io* (**i'**) *mi strinsi* (**ristrinsi**) *alla fidata* (**fida**) *compagnìa* (**compagna**) [: Virgilio]*: e come io sarei corso senza* [*di*] *lui? chi mi avrebbe* (**avrìa**) *condotto* (**tratto**) *su per la montagna?* Questo inizio si ricollega alla conclusione del canto precedente: messe in fuga dal rimprovero di Catone, le anime si sono disperse nella zona pianeggiante che precede l'inizio della salita al monte; invece Dante è rimasto vicino alla propria guida.

7-9: *Egli* (**el**) [: Virgilio] *mi pareva rimorso* [: punto dal rimorso] *da se stesso: o coscienza nobile* (**dignitosa**) *e pura* (**netta**), *come una piccola* (**picciol**) *manchevolezza* (**fallo**) *ti procura* (**t'è**) [*un*] *rimorso* (**morso**) *amaro!* Vir-

gilio è rimproverato dalla propria coscienza per essere venuto meno alla sua funzione di maestro e di guida; e in verità il rimprovero di Catone non colpiva lui, che certo non era lì per purgarsi. Come altre volte qui le lodi che Dante rivolge a Virgilio servono a restituire al maestro le sue alte qualità, dopo che una situazione particolarmente difficile o insidiosa ha mostrato il limite delle sue competenze.

10-15: *Quando i* (**li**) *suoi* [: di Virgilio] *piedi lasciarono* (**lasciar**) *la fretta* [: quando rallentò], *che sminuisce* (**dismaga**) *il decoro* (**l'onestade**) *ad ogni atto, la mia mente, che prima era raccolta* (**ristretta**) [: su un solo pensiero], *aprì* (**rallargò**) *la* [*sua*] *attenzione* (**lo 'ntento** = l'intento), *così come desiderosa* (**vaga**) [: di conoscere], *e rivolsi* (**diedi**) *il mio sguardo* (**'l viso mio**) *verso* (**incontr'** = incontro) *il monte* (**al poggio**) *che si solle-*

15   che 'nverso 'l ciel più alto si dislaga.

Lo sol, che dietro fiammeggiava roggio,
    rotto m'era dinanzi a la figura,
18   ch'avëa in me de' suoi raggi l'appoggio.

Io mi volsi dallato con paura
    d'essere abbandonato, quand' io vidi
21   solo dinanzi a me la terra oscura;

e 'l mio conforto: «Perché pur diffidi?»,
    a dir mi cominciò tutto rivolto:
24   «non credi tu me teco e ch'io ti guidi?

Vespero è già colà dov' è sepolto
    lo corpo dentro al quale io facea ombra;
27   Napoli l'ha, e da Brandizio è tolto.

Ora, se innanzi a me nulla s'aombra,
    non ti maravigliar più che de' cieli
30   che l'uno a l'altro raggio non ingombra.

va dal mare (**si dislaga**) *più alto verso* ('**nverso** = inverso) *il* ('**l**) *cielo*. Virgilio a poco a poco si riprende dal turbamento e dal rimorso, e rallenta il passo riacquistando pienamente la propria dignità: secondo il g a l a t e o cortese la fretta toglie decoro agli atti. Vedendo il maestro più calmo, anche Dante esce dal turbamento che teneva interamente occupati i suoi pensieri e solleva lo sguardo verso il monte, desideroso di conoscenza e di nuove esperienze, cioè nuovamente rientrato nel giusto stato d'animo del viaggio. *Intento*, dal lat. *intentio* (*intenzione*), è termine della filosofia scolastica e significa il rivolgersi attivo dell'intelletto a un oggetto di conoscenza. **Si dislaga**: è un n e o l o g i s m o di conio dantesco formato dal prefisso *dis-* che significa contrapposizione, e qui allontanamento, e da *lago* (= acqua); sta a dire che il monte verso il quale Dante rivolge lo sguardo è quello che più di ogni altro si allontana dall'acqua, cioè dal mare, e quindi il più alto: con un solo vocabolo è abbracciato l'intero orizzonte, come tracciando un rapidissimo salto dal mare alla cima del monte, a delimitare lo spazio di questa seconda tappa del viaggio ultraterreno.

16-18: *Il* (**lo**) *sole, che dietro* [*le spalle*] *fiammeggiava rosso* (**roggio**), *mi era rotto davanti* (**dinanzi**) *al corpo* (**a la figura**), *poiché* (**ch'** = ché) *aveva in me l'appoggio dei* (**de'**) *suoi raggi*. Cioè davanti a Dante si disegnava l'ombra avendo egli il sole alle spalle.

19-24: *Io mi volsi di lato* (**dallato**) [: verso Virgilio] *con paura di essere* [*stato*] *abbandonato, quando io vidi la terra scura* (**oscura**) [: per l'ombra] *solo davanti* (**dinanzi**) *a me; e il* ('**l**) *mio conforto* [: Virgilio] *mi cominciò a dire rivolto interamente* (**tutto**) [*verso di me*]: *«Perché dubiti* (**diffidi**) *ancora* (**pur**)? *non credi tu che io* [*sia*] *con te* (**me teco**) *e che io ti guidi?* Dante vede davanti a sé la propria ombra, ma non quella di Virgilio, e teme di esserne stato abbandonato. Nel mondo apparentemente così umano di questo Purgatorio si accumulano a poco a poco elementi che ne definiscono la sovrannaturale realtà; e Dante deve abituarvisi e conoscerli. Teoricamente le anime, in quanto prive di corpo, sono impalpabili anche nell'Inferno; ma lì Dante se ne dimentica spesso: l'Inferno è infatti il luogo dove l'aspetto materiale del mondo è, anziché trasceso, esasperato e degradato.

25-27: *È già sera* (**vespero**) *là* (**colà**) *dove è sepolto il* (**lo**) *corpo dentro al quale io facevo* (**facea**) *ombra; lo ha* (**l'ha**) [: il mio corpo; cioè lo conserva] *Napoli, ed è* [*stato*] *tolto da Brindisi* (**Brandizio**). Virgilio morì a Brindisi nel 19 a.C. e il suo corpo fu seppellito a Napoli per volere di Augusto.

28-30: *Ora, se davanti* (**innanzi**) *a me non si forma nessuna ombra* (**nulla s'aombra**), *non meravigliarti* (**non ti maravigliar**) *più che* [*di quanto ti meravigli*] *dei* (**de'**) *cieli che l'uno non impedisce* (**ingombra**) *all'altro* [*il giungere della*] *luce* (**raggio**). Secondo la con-

A sofferir tormenti, caldi e geli
simili corpi la Virtù dispone
33 che, come fa, non vuol ch'a noi si sveli.
Matto è chi spera che nostra ragione
possa trascorrer la infinita via
36 che tiene una sustanza in tre persone.
State contenti, umana gente, al *quia*;
ché, se potuto aveste veder tutto,
39 mestier non era parturir Maria;
e disïar vedeste sanza frutto
tai che sarebbe lor disio quetato,
42 ch'etternalmente è dato lor per lutto:
io dico d'Aristotile e di Plato
e di molt' altri »; e qui chinò la fronte,
45 e più non disse, e rimase turbato.

cezione medioevale il cosmo era occupato da sfere concentriche, dette cieli, trasparenti (cfr. la scheda *La concezione medioevale dell'Universo*). Allo stesso modo sono trasparenti i corpi dei defunti.

31-33: *A soffrire* (**sofferir**) *tormenti, caldi e geli dispone simili corpi la potenza divina* (**Virtù**), *che non vuole che a noi si sveli come fa*. La possibilità che corpi immateriali soffrano pene fisiche è un miracolo della potenza divina, impenetrabile agli occhi degli uomini.

34-36: *È matto chi spera che la nostra ragione possa percorrere* (**trascorrer**) *la via infinita che segue* (**tiene**) [*Dio, il quale è*] *una* [*unica*] *sostanza in tre persone*. Il discorso di Virgilio si allarga a poco a poco verso temi più alti e più generali, rivolgendosi al mistero delle azioni di Dio, incomprensibili agli occhi degli uomini, e rivolgendosi al mistero stesso della divinità in sé. La ragione umana non può seguire la via infinita dell'operare di Dio, di quel Dio che è uno e trino. Virgilio allude qui al dogma della Trinità, secondo cui le tre persone (Padre, Figlio e Spirito Santo) sono un'unica sostanza (cioè il Dio cristiano esiste contemporaneamente sotto tre forme pur essendo unico).

37-45: *Restate* (**state**) *paghi* (**contenti**), *o uomini* (**umana gente**), *all'esistenza* (**quia**) [: *senza voler sapere il perché delle cose divine*]; *poiché* (**ché**), *se aveste potuto* (**potuto**) *capire* (**veder**) *tutto* [*da soli*], *non era necessario* (**mestier**) [*per*] *Maria* [*di*] *partorire*

(**parturir**) [*Cristo*]; *e vedeste desiderare* (**disïar**) [*la conoscenza completa*] *senza risultato* (**sanza frutto**) [*uomini*] *tali* (**tai**) *che* [*se fosse possibile questa conoscenza*] *il loro desiderio* (**disio**) *si sarebbe acquetato* (**quetato**), *che gli* (**lor**) *è dato* [*invece*] *eternamente* (**etternalmente**) *per castigo* (**lutto**) [: *nel Limbo*]: *io parlo* (**dico**) *di Aristotele e di Platone* (**Plato**) *e di molti altri*»; *e qui* [*Virgilio*] *chinò la fronte, e non disse altro* (**più**), *e rimase turbato*. Il discorso di Virgilio, allargatosi a considerare l'inspiegabilità delle azioni divine e di Dio stesso, tocca infine nella sua essenza il limite degli strumenti conoscitivi umani, cioè il limite della ragione: ed è il limite della sua stessa persona storica e della sua funzione allegorica nel poema. Il maestro addita la necessità di accontentarsi del **quia**, cioè della semplice esistenza, affermata dalla teologia, delle cose divine; afferma cioè la necessità di essere soddisfatti della verità rivelata della dottrina cristiana, senza pretendere di **veder tutto**. E lo afferma a partire da una duplice considerazione: 1) proprio per l'insufficienza della ragione umana è stata necessaria, per riunire gli uomini a Dio, la nascita di Gesù Cristo da Maria; 2) prima della Incarnazione di Cristo, che ha dato al mondo la dottrina rivelata, hanno cercato invano la conoscenza dell'inconoscibile uomini così dotti che sarebbero certo giunti alla meta, se questo fosse stato possibile. E invece essi sono eternamente condannati a restare all'oscuro della verità che cercavano, non avendola cercata nella direzione giusta: tra questi antichi sapienti sono i filosofi greci Aristotele e Platone, e molti altri, tra i quali lo stesso Virgilio: il quale,

Noi divenimmo intanto a piè del monte:
quivi trovammo la roccia sì erta,
48   che 'ndarno vi sarìen le gambe pronte.
Tra Lerice e Turbìa la più diserta,
la più rotta ruina è una scala,
51   verso di quella, agevole e aperta.
« Or chi sa da qual man la costa cala »,
disse 'l maestro mio fermando 'l passo,
54   « sì che possa salir chi va sanz' ala? ».
E mentre ch'e' tenendo 'l viso basso
essaminava del cammin la mente,

infatti, a questo punto, è vinto dalla malinconia e tace, china la testa, si turba. Le ragioni dottrinali sono strettamente congiunte, in questo passo, a quelle psicologiche e
narrative: l'ammonizione di Virgilio viene da
chi ha pagato e paga di persona la limitatezza della ragione umana non soccorsa dal lume della Rivelazione e della Grazia. Questa
conclusione del suo discorso rivela anzi una
nota che affiorava già nei versi precedenti,
tutti attraversati dal sentimento dell'esclusione e della limitatezza: si veda la distanza malinconica nella quale viene a collocarsi l'esistenza terrena di Virgilio e il suo residuo corporeo ai vv. 25-27, si veda l'arrestarsi
impotente della spiegazione al v. 33, si veda
la ripresa energica al v. 34 e si veda, infine,
la commossa eloquenza dei vv. 37-42 e lo
spegnersi r e t i c e n t e del discorso al v.
44, con allusione a se stesso. D'altra parte,
in questo mondo tutto aperto alla speranza
e volto alla rigenerazione, il solo Virgilio si
aggira senza altro scopo che quello di guidare Dante, restandogli comunque interdetto sia di sperare che di rigenerarsi. Così ben
s'intende qui questo sfogo represso di tristezza e di rimpianto. Inoltre il tema dell'e-
sclusione caratterizza questo canto, oltre che
per la figura di Virgilio, per il gruppo di
anime nelle quali Dante sta per imbattersi:
quelle degli scomunicati, cioè degli esclusi
dalla comunità dei fedeli; e tra esse spicche-
rà la figura di Manfredi, escluso dalla sepoltura, dai riti funebri, dalla sua terra. **Al
quia**: nel linguaggio della filosofia scolastica *quia*, o *quia est*, significa *il che*, *il fatto
che esiste*, contrapposto al *perché* e al *come*. **Mestier non era...**: può anche significare, secondo l'interpretazione del Benvenuto,
che se Dio avesse consentito che gli uomini
conoscessero tutte le cose non avrebbe proibito ad Adamo ed Eva di mangiare il frutto
dell'albero della scienza del bene e del male,

così che quelli non avrebbero disobbedito,
il genere umano non si sarebbe dannato e
non sarebbe stata necessaria la nascita di Cristo per redimerlo. Il senso, sostanzialmente,
non cambia. **Etternalmente...**: il **lutto**, cioè
la pena, degli antichi virtuosi **è** quella, come
si ricorderà, di essere esclusi dalla vista divina e quindi dalla conoscenza del suo segreto; essi sono — come Aristotele, Platone e
Virgilio stesso — nel Limbo (cfr. *Inf.* IV).

46-48: *Noi* [: Virgilio e Dante] *giungemmo*
(**divenimmo**) *ai piedi* (**a piè**) *del monte: qui*
(**quivi**) *trovammo la roccia così ripida* (**erta**), *che invano* ('**ndarno**=*indarno*) *le gambe lì* (**vi**=ivi) *sarebbero* (**sarìen**) *volenterose*
(**pronte**). La buona volontà e l'impegno non
sarebbero stati sufficienti a tentare l'arram-
picata.

49-51: *Il dirupo* (**la...ruina**) *più inaccessibile*
(**diserta**) *e più scosceso* (**rotta**) *tra Lerici e
Turbia è una scala agevole e spaziosa* (**aperta**), *rispetto a* (**verso di**) *quella* [: del monte
del Purgatorio]. Il castello di *Lèrici* è nei
pressi del fiume Magra nella parte orientale
della Liguria, *Turbìa* è un borgo vicino Niz-
za. I due riferimenti definiscono perciò la
costa ligure, particolarmente impervia e a pic-
co sul mare.

52-54: *Il* (**'l**) *mio maestro* [: Virgilio] *fermando
il passo* [: arrestandosi], *disse: «Ora chissà
da che parte* (**da qual man**) *la costa digrada*
(**cala**) [*più dolcemente*], *così che possa salire
chi procede* (**va**) *senza le ali* (**sanz'ala**) [: chi
non vola]?».

55-60: *E mentre egli* (**ch'e'** = che ei) [: Virgi-
lio] *interrogava* (**essaminava**) *la mente intorno al* (**del**; è il '*de*' lat. di argomento) *cammino tenendo il* (**'l**) *viso basso, e io guarda-*

57
   e io mirava suso intorno al sasso,
    da man sinistra m'apparì una gente
     d'anime, che movìeno i piè ver' noi,

60
   e non pareva, sì venïan lente.
    « Leva », diss' io, « maestro, li occhi tuoi:
     ecco di qua chi ne darà consiglio,

63
   se tu da te medesmo aver nol puoi ».
    Guardò allora, e con libero piglio
     rispuose: « Andiamo in là, ch'ei vegnon piano;

66
   e tu ferma la spene, dolce figlio ».
    Ancora era quel popol di lontano,
     i' dico dopo i nostri mille passi,

69
   quanto un buon gittator trarrìa con mano,
    quando si strinser tutti ai duri massi
     de l'alta ripa, e stetter fermi e stretti

72
   com' a guardar, chi va dubbiando, stassi.
    « O ben finiti, o già spiriti eletti »,
     Virgilio incominciò, « per quella pace

75
   ch'i' credo che per voi tutti s'aspetti,

vo (**mirava**) *in alto* (**suso** = su) *intorno alla roccia* (**al sasso**), *da sinistra* (**da man sinistra**) *mi apparve* (**m'apparì**) *una schiera* (**una gente**) *di anime che muovevano* (**movìeno**) *i piedi* (**piè**) *verso* (**ver'**) [*di*] *noi, e non pareva, tanto* (**sì** = così) *avanzavano* (**venïan**) *lentamente* (**lente**). È il primo gruppo di anime penitenti che Dante incontra. Si noti il contrasto significativo tra questo gruppo lento, gentile e, come si vedrà presto, timoroso, e le individualità esasperate dell'Inferno. Sono anime, queste, che tardarono a pentirsi fino all'ultimo e che morirono scomunicate dalla Chiesa, ma perdonate da Dio. Il fatto che camminino così lente allude allegoricamente alla lentezza con la quale giunsero a pentirsi.

61-63: *Io dissi* [*a Virgilio*]*: «Maestro, alza* (**leva**) *i* (**li**) *tuoi occhi: ecco* [*venire*] *di qua chi ci* (**ne**) *darà consiglio* [*: informazioni*]*, se tu non lo* (**nol**) *puoi avere da te solo* (**medesmo** = medesimo)*».*

64-66: [*Virgilio*] *allora guardò, e con aspetto* (**piglio**) *rasserenato* (**libero**) [*mi*] *rispose: «Andiamo verso quella parte* (**in là**) [*: incontro a loro*]*, visto che* (**ch'** = ché = poiché) *essi* (**ei**) *procedono* (**vegnon** = vengono = si avvicinano) *lentamente* (**piano**); *e tu rafforza* (**ferma**) *la speranza* (**spene**), *dolce figlio».*

67-72: *Quella schiera* (**quel popol**) *era anco-*

ra lontana (**di lontano**), *io* (**i'**) *intendo* (**dico**) *dopo che noi avevamo fatti mille passi* (**dopo i nostri...**), *quanto un buon lanciatore* (**gittator**) *lancerebbe* (**trarrìa** = trarrebbe) *con mano* [*una pietra*], *quando si strinsero tutti ai duri massi dell'alta roccia* (**ripa**), *e rimasero* (**stetter**) *fermi e uniti* (**stretti**) *come chi va* [*: sogg.*] *si ferma* (**stassi** = si sta) *a guardare, colto da un dubbio* (**dubbiando**). Virgilio e Dante hanno percorso mille passi e li separa ancora dalla schiera di anime un buon tiro di pietra, quando esse si fermano perplesse, e forse un poco timorose, unendosi tutte strette alla roccia. Il loro stupore si spiega per la vista inconsueta e inaspettata di due figure isolate e procedenti in direzione opposta a quella normale e ad un passo così diverso per ritmo. **Com'a guardar...**: il v. 72 si presta a diverse interpretazioni, sia perché **dubbiando** può significare *dubitando* ma anche *temendo*, sia perché può essere riferito a **stassi** (come abbiamo fatto sopra) ma anche a **va** (e il senso è: *come si ferma a guardare chi* [*sogg.*] *cammina dubitando*; così che, meno verosimilmente, la condizione di dubbio, o di timore, diviene una costante nelle anime purganti).

73-78: *Virgilio incominciò* [*a dire loro*]*: «O morti* (**finiti**) *in grazia di Dio* (**ben**), *o spiriti già eletti* [*: destinati alla salvezza*], *in nome di* (**per**) *quella pace* [*eterna*] *che io* (**ch'i'**) *credo sia aspettata* (**s'aspetti** = si aspetti) *da*

ditene dove la montagna giace,
sì che possibil sia l'andare in suso;
78   ché perder tempo a chi più sa più spiace ».
Come le pecorelle escon del chiuso
a una, a due, a tre, e l'altre stanno
81   timidette atterrando l'occhio e 'l muso;
e ciò che fa la prima, e l'altre fanno,
addossandosi a lei, s'ella s'arresta,
84   semplici e quete, e lo 'mperché non sanno;
sì vid' io muovere a venir la testa
di quella mandra fortunata allotta,
87   pudica in faccia e ne l'andare onesta.
Come color dinanzi vider rotta
la luce in terra dal mio destro canto,
90   sì che l'ombra era da me a la grotta,
restaro, e trasser sé in dietro alquanto,
e tutti li altri che venìeno appresso,
93   non sappiendo 'l perché, fenno altrettanto.

voi (**per voi**; compl. di agente) *tutti, diteci* (**ditene**) *dove la montagna digrada* (**giace**) [: *è meno ripida*]*, così* (**sì**) *che sia possibile l'andare verso l'alto* (**in suso** = in sù)*; poiché* (**ché**) *perdere tempo a chi più sa* [: *a chi è più saggio*] *più dispiace* (**spiace**)». Il riferimento conclusivo al valore del tempo, che il saggio ben conosce, unisce un motivo classico e tradizionale alla concezione cristiana che sottolinea la preziosità del tempo, da utilizzare per la salvezza dell'anima in modo sollecito e impegnato.

79-87: *Come le pecorelle escono dal recinto* (**del chiuso**) *una alla volta* (**a una**), [*o*] *a due,* [*o*] *a tre, e le altre stanno* [*in attesa di uscire*] *timidette abbassando* (**atterrando**) *gli occhi e il* (**'l**) *muso; e ciò che fa la prima, anche* (**e**) *le altre fanno, stringendosi* (**addossandosi**) *a lei, se essa* (**s'ella**) *si ferma* (**s'arresta**)*, docili* (**semplici**) *e tranquille* (**quete**)*, e non sanno il perché* (**lo 'mperché** = imperché) [*del fermarsi*]*; così* (**sì**) *io vidi allora* (**allotta**) *muover*[*si*] *per* (**a**) *venire* [*verso di noi*] *i primi* (**la testa** = quasi *l'avanguardia*') *di quella schiera* (**mandra**) *fortunata, umile* (**pudica**) *in volto* (**in faccia**) *e composta* (**onesta**) *nel procedere* (**ne l'andare**)*.* Questa delle **pecorelle** è una delle s i m i l i t u d i n i giustamente più lodate del poema. La descrizione è calzante per ritmo, pause, accenti, oltre naturalmente che per scelta di immagini e di lessico. Si guardi almeno l'osservazione attenta al dettaglio del

v. 80 (**a una, a due, a tre**); e si guardi la sintassi spezzata e insieme dolce, senza scosse, dei vv. 82-84: a rendere il movimento delle pecore, a balzi e attraverso una successione di atti diversi. Ma quello che più conta è che l'osservazione non si esaurisce in un puro gusto descrittivo di tipo impressionistico; si collega al contrario al carattere intimo delle anime e, anche, ai temi generali dei primi canti del *Purgatorio*. Le pecore sono osservate e ritratte con simpatia e tenerezza (ne sono prova, se non altro, i due diminutivivezzeggiativì **pecorelle** e **timidette**). Nel loro atteggiamento non si esprime una condizione di timore o di stupidità imitativa, ma un sentimento concorde, una collettività corale; e si esprime l'obbedienza mite ad una legge superiore alla quale le anime si affidano senza esigere una comprensione completa del suo significato. In questo senso il loro atteggiamento di umiltà si ricollega alla esortazione di Virgilio ad accontentarsi della Rivelazione della legge divina, e al rito del giunco nel primo canto.

88-93: *Appena* (**come**) *quelli* (**color**) [*che erano*] *davanti* (**dinanzi**) *videro interrotta* (**rotta**) *la luce* [*del sole*] *in terra alla mia destra* (**dal mio destro canto**)*, così che l'ombra si stendeva* (**era**) *da me alla roccia* (**grotta**)*, si fermarono* (**restaro**)*, e si ritrassero* (**trasser sé**) *un poco* (**alquanto**) *indietro, e tutti gli altri che venivano* (**venìeno**) *dietro* (**appresso**) *fecero* (**fenno**) *altrettanto, non sapendo*

« Sanza vostra domanda io vi confesso
che questo è corpo uman che voi vedete;
96   per che 'l lume del sole in terra è fesso.
Non vi maravigliate, ma credete
che non sanza virtù che da ciel vegna
99   cerchi di soverchiar questa parete ».
Così 'l maestro; e quella gente degna
« Tornate », disse, « intrate innanzi dunque »,
102   coi dossi de le man faccendo insegna.
E un di loro incominciò: « Chiunque
tu se', così andando volgi 'l viso: ·
105   pon mente se di là mi vedesti unque ».
Io mi volsi ver' lui e guardail fiso:
biondo era e bello e di gentile aspetto,
108   ma l'un de' cigli un colpo avea diviso.

(sappiendo) *il* ('l) *perché.* Si ripete all'inverso la situazione dei vv. 16 sgg. Lì Dante si è spaventato non vedendo in terra l'ombra di Virgilio; qui le anime purganti si sorprendono nel vedere che il corpo di Dante produce ombra. Proseguono le sorprese e i contrasti tra umano e sovrannaturale tipici di questi canti iniziali del *Purgatorio*; ma in una atmosfera discreta e serena, senza la violenza e l'urto delle contrapposizioni infernali. Nella descrizione dell'atteggiamento delle anime, e specie nei vv. 92 sg., è ripresa la s i m i l i t u d i n e con le **pecorelle** dei versi precedenti.

94-102: *Il* ('l) *maestro* [: Virgilio] [*disse* così: «*Senza che voi lo domandiate* (**sanza vostra domanda**) *io vi dichiaro* (**confesso**) *che questo* [: di Dante] *che voi vedete è corpo umano; dal quale* (**per che**) *la* ('l = il) *luce* (**lume**) *del sole è interrotta* (**fesso**) *in terra. Non meravigliatevi, ma credete* [*piuttosto*] *che* [*egli*] *cerchi di superare* (**soverchiar**) *questa parete non senza una forza* (**virtù**) *che venga* (**vegna**) *dal cielo* [: da Dio]»; *e quella gente eletta* (**degna**): «*Tornate* [*indietro*]; *procedete* (**intrate**) *dunque davanti* (**innanzi**) [*a noi*]», *disse, facendo segno* (**insegna**) *con i dorsi delle mani.* Virgilio dichiara apertamente alle anime la stranezza della situazione; e le invita ad aver fiducia che essa dipende dalla volontà divina. A questo punto giunge la risposta delle anime penitenti alla richiesta dei vv. 76 sg., raffigurata con grande efficacia e semplicità: è una risposta data in coro, e accompagnata da un gesto collettivo

della mano, a indicare cortesemente la direzione da tenere. Da questa collettività la personalità di Manfredi è sul punto di emergere come una voce solista che spicchi nell'armonia di un coro senza turbarla o contrapporvisi.

103-105: *E uno di loro incominciò* [*a dirmi*]: «*Chiunque tu sei* (**se'**), *continuando a camminare* (**così andando**) *rivolgi* (**volgi**) *gli occhi* ('**l viso**) [*per guardarmi*]: *cerca di ricordare* (**pon mente** = 'fa' mente locale') *se di là* [*nel mondo*] *mi vedesti mai* (**unque**; dal lat. 'unquam')».

106-108: *Io mi* [*ri*]*volsi verso* (**ver'**) [*di*] *lui e lo guardai* (**guardail** = il guardai) *fissamente* (**fiso**): *era biondo e bello e di aspetto nobile* (**gentile**), *ma una ferita* (**un colpo**) *aveva diviso uno dei* (**l'un de'**) *cigli.* È uno dei più celebri ritratti della *Commedia*, per sintesi ed efficacia: i tre aggettivi del v. 107, sapientemente distribuiti nell'andatura attenta del ritmo (a dire l'indugio dello sguardo di Dante), definiscono già la figura di Manfredi nella sua regale giovanile fierezza; la ferita del verso seguente lo qualifica come uomo di guerra. Il ritratto è addolcito però dalla malinconia provocata dal mancato perdono degli uomini: il **diviso** del v. 108 anticipa anche già il tema della separazione dalla comunità dei fedeli in seguito alla scomunica papale. Manfredi, così, spicca sulle altre anime non per la sua eccezionalità, ma al contrario per essere esemplare della situazione di tutte le altre.

Quand' io mi fui umilmente disdetto
d'averlo visto mai, el disse: « Or vedi »;
111   e mostrommi una piaga a sommo 'l petto.
Poi sorridendo disse: « Io son Manfredi,
nepote di Costanza imperadrice;
114   ond' io ti priego che, quando tu riedi,
vadi a mia bella figlia, genitrice
de l'onor di Cicilia e d'Aragona,
117   e dichi 'l vero a lei, s'altro si dice.
Poscia ch'io ebbi rotta la persona
di due punte mortali, io mi rendei,
120   piangendo, a quei che volontier perdona.

109-111: *Quando io* (**io**) *ebbi negato* (**mi fui... disdetto**) *gentilmente* (**umilmente**) *di averlo mai visto, egli* (**el**) *disse: «Ora guarda* (**vedi**)*»; e mi mostrò* (**mostrommi**) *una piaga nella parte alta del torace* (**a sommo 'l petto**) [: sul cuore].

112-117: *Poi disse sorridendo: «Io sono Manfredi, nipote dell'imperatrice Costanza* [*d'Altavilla*]*; per cui* (**ond'io**) *ti prego che, quando tu ritorni* (**riedi**) [*sulla Terra*]*, vada* (**vadi**) *dalla* (**a**) *mia bella figlia, genitrice dei sovrani* (**de l'onor**) *di Sicilia* (**Cicilia**) *e d'Aragona, e dica* (**dichi**) *la* ('l = il) *verità* (**vero**) *a lei* [*riguardo alla mia condizione*]*, se si dice altro* [: che sono dannato]. L'aspetto, l'atteggiamento, i gesti, le parole: tutto qualifica la nobiltà di Manfredi e insieme ne evidenzia un aspetto in qualche modo simpaticamente adolescenziale. Si veda quel chiedere a Dante di riconoscerlo, quel mostrargli la ferita mortale, quel sorridere per dire che non è nulla, che è solo un ricordo del passato, che ora ben altre cose contano, eppure anche per un poco di vanagloria non del tutto spenta. Questa unione di fierezza nobile e di ingenuità, di distacco rassegnato e di malinconia rivela la simpatia di Dante per il personaggio. **Manfredi**, figlio naturale di Federico II e nipote di Arrigo VI e di Costanza d'Altavilla, fu di fatto re dell'Italia meridionale dal 1250 al 1266, quando fu sconfitto e ucciso nella battaglia di Benevento dalle truppe di Carlo d'Angiò, alleate del papa. Fu capo del partito ghibellino e fieramente avverso al papa, dal quale fu scomunicato a più riprese. Dante apprezzò il suo talento artistico e la sua capacità politica, pur senza riconoscersi nel suo estremismo e senza condividere le qualità morali del personaggio, rappresentato dai cronisti guelfi dell'epoca

come dissoluto e volto alla lussuria. L'incontro con Manfredi alle pendici del Purgatorio ha un significato esemplare: rivela insieme la misericordia di Dio, anche nei confronti dei peggiori peccatori, e la possibilità che il giudizio umano sbagli, anche se espresso dal Pontefice. Torna così ad essere esaltata l'umiltà, sia nel pentimento fiducioso del peccatore Manfredi, sia, per contrapposizione, nel giudizio senza indulgenza del mondo. All'umiltà allude implicitamente anche il racconto di Manfredi, specie per il contrasto tra la regalità della sua condizione e la sorte crudele dei suoi resti mortali. Ma di contrasti è intessuto, più in generale, l'intero episodio: contrasto tra i peccati orribili e il pentimento e la salvezza di Manfredi, contrasto tra il giudizio del mondo e quello divino, ecc. Su di essi si erge la Provvidenza divina, imperscrutabile agli occhi degli uomini, che sono perciò invitati a rimettersi umilmente ad essa. **Genitrice...**: la figlia di Manfredi, Costanza, sposa di Pietro III d'Aragona, era madre di Federico, re di Sicilia dal 1296, e di Giacomo, salito al trono d'Aragona dopo la morte del padre.

118-120: *Dopo* (**poscia**) *che io ebbi trafitto* (**rotta**) *il corpo* (**la persona**) *da due ferite* (**punte**) *mortali* [: alla testa e al torace; cfr. vv. 108 e 111]*, io mi affidai* (**rendei**)*, piangendo, a colui* (**quei**) [: Dio] *che perdona volentieri*. Il pentimento estremo delle proprie colpe, sottolineato dal pianto di contrizione, salva l'anima di Manfredi: la benevolenza di Dio si contrappone implicitamente alla presunzione senza pietà degli uomini. **Mi rendei**: significa propriamente *mi convertii*; non è solo un pentimento, ma una vera e propria *conversione*.

Orribil furon li peccati miei;
ma la bontà infinita ha sì gran braccia,

123 che prende ciò che si rivolge a lei.
Se 'l pastor di Cosenza, che a la caccia
di me fu messo per Clemente allora,

126 avesse in Dio ben letta questa faccia,
l'ossa del corpo mio sarìeno ancora
in co del ponte presso a Benevento,

129 sotto la guardia de la grave mora.
Or le bagna la pioggia e move il vento
di fuor dal regno, quasi lungo 'l Verde,

132 dov'· e' le trasmutò a lume spento.
Per lor maladizion sì non si perde,
che non possa tornar, l'etterno amore,

135 mentre che la speranza ha fior del verde.
Vero è che quale in contumacia more
di Santa Chiesa, ancor ch'al fin si penta,

138 star li convien da questa ripa in fore,
per ognun tempo ch'elli è stato, trenta,

121-123: *I* (**li**) *miei peccati furono orribili; ma la infinita bontà* [*di Dio*] *ha braccia così grandi* (**sì gran**), *che accoglie* (**prende**) *ciò che si rivolge a lei.*

124-129: *Se il vescovo* (**pastor**) *di Cosenza, che fu messo allora da* (**per**) [*papa*] *Clemente* [*IV*] *a perseguitarmi* (**a la caccia di me**), *avesse capito* (**letta**) *bene quest'aspetto* (**faccia**) [*di misericordia*] *in Dio, le ossa del mio corpo sarebbero* (**sarìeno**) *ancora all'estremità* (**in co**; dal lat. 'caput' = testa, sommità) *del ponte* [*sul fiume Calore*] *presso a Benevento, sotto la custodia del pesante* (**grave**) *mucchio di pietre* (**mora**). Manfredi era stato sepolto sotto un ammasso di pietre dai soldati nemici (eppure pietosi) ai piedi del ponte sul fiume Calore, perché non poteva essere sepolto in luogo sacro in quanto scomunicato. L'accanimento del papa non si accontentò di questo, ma, secondo alcuni, fece riesumare dalla sepoltura i resti del suo nemico e li fece spargere entro i confini del proprio regno. Il vescovo di Cosenza che eseguì l'ordine papale non seppe vedere l'aspetto della misericordia, che pure convive, in Dio, con quello della giustizia.

130-132: *Ora le* [: le ossa di Manfredi] *bagna la pioggia e le agita* (**move**) *il vento fuori del regno, quasi lungo il* [*fiume*] *Gariglione* (**Verde**), *dove egli* (**dov'e'** = dove ei) [: il vescovo di Cosenza] *le trasportò* (**trasmutò**)

a lume spento. Il trasporto al buio e con i ceri spenti era d'uso con i cadaveri degli eretici e degli scomunicati. I resti di Manfredi vengono trasportati fuori del **regno** meridionale ed entro i confini dello Stato pontificio, strappate alla terra su cui Manfredi aveva esercitato il suo potere e riconsegnate al potere papale: così, simbolicamente, veniva confermata, da morto, la sua dipendenza dal Pontefice, quella dipendenza che egli, da vivo, si era rifiutato di riconoscere. La condanna di Dante non è rivolta all'atto in sé, quanto alla confusione tra le ragioni politiche e di parte e le ragioni spirituali che dovrebbero animare le azioni della Chiesa.

133-135: *L'eterno amore* [: la grazia divina] *non si perde per le loro* [: dei pastori] *maledizione* [: le scomuniche] *a tal punto* (**sì** = così) *che non possa ritornare* (**tornar**), *finché* (**mentre che**) *la speranza ha un poco* (**fior**) *di vita* (**verde**) [: finché c'è la possibilità di pentirsi ed essere perdonati, cioè fino alla morte].

136-141: *Vero è che chi* (**quale**) *muore scomunicato* (**in contumacia**) *dalla* (**di**) *Santa Chiesa, se* (**ancor ch⟨e⟩**) *alla fine* [: in punto di morte] *si penta, gli* (**li**) *è necessario* (**convien**) *stare fuori* (**in fore**) *da questa parete* (**ripa**) [: senza entrare nel vero e proprio Purgatorio], *trenta* [*volte*] *per ogni* (**ognun**) *tempo che egli è stato nella sua osti-*

                    in sua presunzïon, se tal decreto
141   più corto per buon prieghi non diventa.
                Vedi oggimai se tu mi puoi far lieto,
                    revelando a la mia buona Costanza
                    come m'hai visto, e anco esto divieto;
145   ché qui per quei di là molto s'avanza ».

natezza (**in sua presunzïon**), *se tale sentenza* (**decreto**) *non diventa più corta grazie a* (**per**) *preghiere* (**prieghi**) *valide* (**buon**) [: fatte da cristiani in grazia di Dio]. In questi versi è spiegata la condizione delle anime di questo gruppo, scomunicati che attesero a pentirsi l'estremo istante di vita, e che scontano il tempo vissuto in condizione di scomunicati attendendo un tempo trenta volte maggiore prima di iniziare il vero e proprio processo di purgazione. Le preghiere possono accorciare tale attesa; e per questo Manfredi, congedandosi da Dante, insisterà perché egli informi la figlia Costanza della sua condizione: quella Costanza che egli ha chiamato prima **bella** (v. 115) e ora chiamerà **buona** (v. 143), in armonia con la chiusa raccolta del canto, e in accordo con i **buon prieghi** del v. 141.

142-145: *Vedi oramai* (**oggimai**) *se tu mi puoi fare lieto* [: giovare], *rivelando alla mia buona Costanza come mi hai visto* [: in quale condizione], *e anche* (**anco**) *questo* (**esto**) *divieto* [: la legge che mi impedisce di entrare nel Purgatorio per un lungo tempo, accorciabile con le sue preghiere]; *poiché* (**ché**) *qui grazie a* (**per**) *coloro* (**quei**) [*che sono*] *di là* [*nel mondo*: i vivi] *si avanza* [*nella purificazione*] *molto»*.

Contumacia _____ v. 136

È voce dotta derivata dal lat. *contumācia* = 'riluttanza, testardaggine, arroganza' (cfr. franc. *contumace*). Anticamente il termine indicava un 'atteggiamento di disobbedienza o di noncuranza nei confronti di un superiore o di un'istituzione' (è questo l'uso di Dante), 'stato di ribellione'. Oggi indica una precisa situazione giuridica che riguarda il 'rifiuto o l'omissione di presentarsi in giudizio'; quindi per «processo in contumacia» s'intende 'processo svolto in assenza della parte contumace, interessata'. Oppure *contumacia* indica il 'periodo d'isolamento a cui vengono sottoposte persone o merci provenienti da luoghi infetti' e quindi potenzialmente contagiose.

Fesso _____ v. 96

È il part. pass. del vb. *fendere*, con valore di agg. Deriva dal part. pass. lat. *fissus* ('spaccato') di *findĕre* ('fendere'). Cfr. franc. *fesse* e sp. *hende*. La voce ha molti significati; in senso proprio vale 'diviso da un taglio nel senso della lunghezza' e quindi indica per estens. gli zoccoli di certi animali, divisi da un taglio, o genericamente 'ogni cosa rotta, incrinata, bucata, ecc.'. Tali significati sono tuttora vivi, benché prevalga di gran lunga, come agg., il significato di 'stupido, sciocco, sprovveduto' (o, come sost., 'persona stupida, ecc.'). L'uso di Dante in *Purg*. III, 96 nel senso di 'interrotto' è particolare (è l'unico ad usare la voce per indicare la 'separazione, o interruzione, di una massa liquida o fluida'; nel caso specifico, l'aria).

Canto IV

Terminato il racconto di Manfredi e separatisi dalle anime degli scomunicati, Virgilio e Dante si inerpicano faticosamente per uno stretto sentiero verso la cima non distinguibile del monte. Dante è presto spossato per la fatica e, in una breve sosta, Virgilio gli dà alcuni ragguagli astronomici e, comunque, relativi al viaggio che resta da compiere. Tra l'altro lo informa che la salita al monte è più faticosa al principio e quasi piacevole sul finale (il che allegoricamente significa che la via del pentimento e della penitenza è più ardua ad essere intrapresa che proseguita).

Improvvisamente una voce interrompe ironicamente la previsione un po' enfatica di Virgilio: «Forse/ che di sedere in pria avrai distretta» (Forse prima [di giungere alla meta] avrai bisogno di sederti [per riposare]; vv. 98 sg.). È il fiorentino Belacqua, costretto ad aspettare, insieme ad altre anime, altrettanto tempo che la durata della propria vita prima di accedere al Purgatorio, a causa della pigrizia che mostrò da vivo nel pentirsi, aspettando il momento estremo. Nello scambio di battute con Dante riecheggia una consuetudine di scherzi stemperata nella certezza serena della salvezza. L'anima di Belacqua si rivela ancora legata a quella stessa indolente pigrizia mostrata in vita, eppure Dante è animato da una comprensiva indulgenza; così che quest'incontro e questa tappa della faticosa ascesa assumono la funzione di esprimere le umane esigenze della carne, la gradualità del suo adeguarsi allo slancio generoso ma difficile dello spirito verso l'alto.

Mentre Virgilio e Dante si allontanano dalle anime dei pigri, Dante è incuriosito dall'attenzione che le anime rivolgono a lui accorgendosi che è vivo, e Virgilio lo ammonisce severamente a non curarsi di altro che della propria meta: «**Vien dietro a me, e lascia dir le genti:/ sta come torre ferma, che non crolla** [: muove] / **già mai la cima per soffiar di venti**» *(vv. 13-15).*

Poi i due pellegrini si imbattono in un nuovo gruppo di anime, anch'esse in attesa di accedere al Purgatorio: sono peccatori che morirono di morte violenta e che si pentirono *in extremis* con le ultime forze. Raccontano brevemente a Dante la propria storia Iacopo del Cassero, ucciso a tradimento per ragioni politiche, Bonconte da Montefeltro, morto nella battaglia di Campaldino e Pia dei Tolomei, senese, uccisa dal marito forse per gelosia o per accedere a nuove nozze.

Il legame complesso con il mondo, dal quale si separarono bruscamente (il momento della morte corrispose per loro con quello del pentimento), rende queste anime più desiderose ancora delle altre di essere riconosciute e ricordate nel mondo, nella speranza di ottenere preghiere dai propri cari. Mentre il loro racconto, incentrato sul momento decisivo in cui furono uccise, denuncia, su un piano più generale, la degenerazione violenta della società comunale, cui si contrappongono la infinita misericordia di Dio e l'anelito individuale al bene, che, benché tardivo, fu sincero.

E uno incominciò: « Ciascun si fida
del beneficio tuo sanza giurarlo,
66   pur che 'l voler nonpossa non ricida.

64-66: *E uno* [*degli spiriti*] *incominciò* [*a dirmi*]: «*Ciascuno* [*di noi*] *si fida del tuo favore* (**beneficio**) *senza* [*bisogno di*] *giurarlo* [: senza che tu ne faccia giuramento], *purché un'impossibilità* (**nonpossa**) [: sogg.] *non rompa* (**ricida** = recida) *la* [*tua*] *volontà* ('**l voler**; '**l** = il) [: compl. ogg.]. Nei versi precedenti, incalzato dalle anime desiderose di ottenere suffragi dai vivi per abbreviare il proprio cammino di purificazione, Dante ha promesso loro di aiutarle (facendosi, al ritorno nel mondo, messaggero della loro condizione), ed ha unito alla promessa un giuramento. Ora un'anima si stacca dal gruppo

Ond' io, che solo innanzi a li altri parlo,
   ti priego, se mai vedi quel paese
69 · che siede tra Romagna e quel di Carlo,
   che tu mi sie di tuoi prieghi cortese
   in Fano, sì che ben per me s'adori
72 pur ch'i' possa purgar le gravi offese.
   Quindi fu' io; ma li profondi fóri
   ond' uscì 'l sangue in sul quale io sedea,
75 fatti mi fuoro in grembo a li Antenori,
   là dov' io più sicuro esser credea:
   quel da Esti il fe' far, che m'avea in ira
78 assai più là che dritto non volea.
   Ma s'io fosse fuggito inver' la Mira,
   quando fu' sovragiunto ad Orïaco,
81 ancor sarei di là dove si spira.

e cortesemente dichiara di fidarsi dell'aiuto promesso da Dante senza necessità di giuramenti.

67-72: *Per cui io* (**ond'io**), *che parlo da solo davanti* (**innanzi**) *agli* (**a li**) *altri, ti prego, se mai vedi* [: ti trovi a visitare] *quel paese che si stende* (**siede**) *tra la Romagna e il regno* (**quel**) *di Carlo* [*II d'Angiò*: il Regno di Napoli] [: allude alla Marca Anconitana], *di farmi la gentilezza* (**che tu mi sie...cortese**; **sie** = sia) [*di portare*] *le tue preghiere* (**prieghi**) *in Fano* [: dove sono i miei parenti] *affinché* (**sì che** = così che) *si preghi* (**s'adori**) *per me utilmente* (**ben**) [: da parte di persone in grazia di Dio] *così che io* (**pur ch'i'**) *possa purgare i* [*miei*] *gravi peccati* (**offese**; sottint.: a Dio). Chi parla è Iacopo del Cassero, importante uomo politico nativo di Fano nelle Marche (confinanti a Nord con la Romagna e a Sud con il Regno di Napoli, retto nel 1300 da Carlo II d'Angiò — cfr. v. 69 —): si oppose ai tentativi espansionistici del signore della vicina Ferrara, Azzo VIII d'Este (cfr. v. 77), e da lui fu fatto assassinare due anni dopo mentre si recava a Milano dove era stato chiamato come podestà.

73-78: *Io fui* [*nativo*] *di qui* (**quindi**) [: di Fano]; *ma le ferite* (**fóri**) *profonde dalle quali* (**ond'**) *uscì il* (**'l**) *sangue nel* (**in sul**) *quale io* [: anima] *avevo sede* (**sedea**) *mi furono* (**fuoro**) *fatte nel territorio di Padova* (**in grembo a li Antenori**; **a li** = agli), *là dove io credevo* (**credea**) *di essere più* [*al*] *sicuro: lo* (**il**) *fece* (**fe'**) *fare* [: tale omicidio] *quello*

[: Azzo VIII] *di* (**da**) *Este, che mi odiava* (**m'avea in ira**) *assai di più* (**più là**) *che non fosse giustificabile* (**che dritto non volea** = che il diritto non consentiva). Iacopo si sofferma brevemente sulle proprie vicende, senza eccessi passionali. Il legame che ancora lo avvince alla Terra (tipico di queste anime dell'Antipurgatorio) lo spinge a parlare del momento decisivo della morte, che ha segnato il confine tra la vita terrena e quella eterna, oltre che, con il pentimento, tra il destino di dannazione e la salvezza conquistata; e d'altra parte la condizione di anima ormai salva toglie al racconto ogni nota polemica o vendicativa. Iacopo allude qui alla propria uccisione, messa in atto dai sicari di Azzo VIII d'Este che lo raggiunsero e trucidarono nel territorio di Padova, dove egli credeva di essere al sicuro (ed è probabile che qui si voglia alludere ad una complicità più o meno palese dei padovani con Azzo). **In sul quale io sedea**: secondo la concezione fisiologica medioevale il sangue era la sede dell'anima. **Li Antenori**: sono chiamati così i padovani con allusione alla mitica fondazione di Padova da parte dell'esule troiano Antenore.

79-81: *Ma se io fossi fuggito verso* (**inver'** = inverso) *Mira, quando fui raggiunto* (**sovragiunto**) [*dai sicari*] *ad Oriago, sarei ancora di là dove si respira* (**spira**) [: nel mondo, vivo]. Iacopo fu raggiunto dai suoi sicari ad Oriago; se da qui fosse fuggito verso Nord, in direzione del paese di Mira, sarebbe riuscito a salvarsi.

Corsi al palude, e le cannucce e 'l braco
m'impigliar sì ch'i' caddi; e lì vid' io

84 de le mie vene farsi in terra laco ».

Poi disse un altro: « Deh, se quel disio
si compia che ti tragge a l'alto monte,

87 con buona pïetate aiuta il mio!

Io fui di Montefeltro, io son Bonconte;
Giovanna o altri non ha di me cura;

90 per ch'io vo tra costor con bassa fronte ».

E io a lui: « Qual forza o qual ventura
ti travïò sì fuor di Campaldino,

93 che non si seppe mai tua sepultura? ».

« Oh! », rispuos' elli, « a piè del Casentino
traversa un'acqua c'ha nome l'Archiano,

96 che sovra l'Ermo nasce in Apennino.

82-84: [Invece] corsi verso la (al) palude, e le canne (le cannucce) [palustri] e il fango ('l braco) mi impigliarono in modo tale (sì = così), che io caddi; e lì [: dove caddi, nella palude] io vidi formarsi (farsi) in terra un lago (laco) del mio sangue (de le mie vene)». La scelta sbagliata della direzione della fuga porta Iacopo nella palude, dove le canne e il fango lo ostacolano permettendo agli inseguitori di raggiungerlo ed ucciderlo. Il racconto si conclude con grande evidenza descrittiva sulla visione, ancora viva, dello spandersi rapido del sangue, a formare in terra un lago; e questa vivida immagine si ricollega ad altre espressioni del racconto: **li profondi fóri** (v. 73), **uscì 'l sangue...** (v. 74).

85-87: Poi un altro [spirito] disse: «Ah (deh), magari (se; desiderativo) possa realizzarsi (si compia) quel desiderio (disio) che ti trae (tragge) verso la cima del monte (a l'alto monte), aiuta [anche] il mio [desiderio affine di beatitudine] con compassione (pietate) valida (buona) [: procurandomi suffragi validi e pregando tu stesso per me]! Appena Iacopo ha concluso il suo racconto, sùbito un'altra anima comincia a parlare: i vari individui non si impongono, isolati, come nell'Inferno, ma partecipano di una «coralità» in cui l'elemento collettivo tende sempre a prevalere. Qui l'incalzare degli incontri allude anche alla ressa delle anime, nell'Anti-purgatorio particolarmente desiderose di essere riconosciute e ricordate.

88-90: Io fui [della famiglia] dei (di) Montefeltro, io sono Bonconte; [mia moglie] Giovanna o altri [miei parenti] non hanno (ha; al sing. con due sogg.) cura di me [: non pregano per la mia anima]; per cui io (ch'io) vado (vo) tra costoro con la testa (fronte) bassa [: per tristezza e forse vergogna]». Bonconte da Montefeltro fu, come il padre Guido (cfr. Inf. XXVII), tra i capi del partito ghibellino. Morì nella battaglia di Campaldino (alla quale aveva partecipato anche Dante, sul fronte opposto) l'11 giugno 1289, mentre era al comando dell'esercito aretino. **Io fui... io son...:** l'appartenenza alla nobile e potente famiglia dei Montefeltro non ha più valore né importanza nella nuova dimensione ultraterrena, e Bonconte umilmente ne sottolinea il distacco, alludendo forse anche alla noncurante dimenticanza della moglie e dei congiunti (cfr. v. 89).

91-93: E io [dissi] a lui: «Quale forza [: intervento sovrannaturale o umano] o quale caso (ventura) ti trasportò (travïò)) così (sì) lontano (fuor) da (di) Campaldino, che non si seppe mai [il luogo della] tua sepoltura [: che il tuo corpo non fu più ritrovato]?». Il particolare, storicamente fondato, era certamente ben noto a Dante, che aveva partecipato allo scontro.

94-96: Egli (elli) [mi] rispose: «Oh! ai piedi (a piè) [: nel Sud] del Casentino scorre un fiume (traversa un'acqua) che ha nome Archiano, che nasce sull' (in) Appennino sopra l'Eremo [di Camaldoli]. Si noti la descrizione ampia del paesaggio, resa suggestiva dall'apertura sospirante della risposta di Bonconte, con quell'oh! separato da una pausa dal resto del racconto: la domanda

---

Là 've 'l vocabol suo diventa vano,
arriva' io forato ne la gola,
99   fuggendo a piede e sanguinando il piano.
Quivi perdei la vista e la parola;
nel nome di Maria fini', e quivi
102   caddi, e rimase la mia carne sola.
Io dirò vero, e tu 'l ridi' tra ' vivi:
l'angel di Dio mi prese, e quel d'inferno
105   gridava: "O tu del ciel, perché mi privi?
Tu te ne porti di costui l'etterno
per una lagrimetta che 'l mi toglie;
108   ma io farò de l'altro altro governo!".

di Dante riporta anche quest'anima al ricordo del momento decisivo della morte; ed è perciò domanda pertinente, tra queste anime segnate da morte violenta. **Casentino**: una zona nel Nord-Est della Toscana.

97-99: *Là dove* ('ve = ove) *il* ('l) *suo* [: dell'Archiano] *nome* (**vocabol**) *si perde* (**diventa vano**) [: perché sfocia nel fiume Arno], *io arrivai ferito* (**forato**) *alla* (**ne la**) *gola, fuggendo a piedi e* [*in*]*sanguinando* [: trans.] *la pianura* (**il piano**). Ferito a morte, Bonconte fugge a piedi e giunge sanguinando alla confluenza del torrente Archiano con il fiume Arno, nei pressi di Bibbiena. La sorte di Bonconte presenta sorprendenti affinità con quella di Iacopo del Cassero: entrambi fuggono e spargono il loro sangue in ampi spazi.

100-102: *Qui* (**quivi**) *persi* (**perdei**) *la vista e la parola* [: i sensi]; *morii* (**fini'**) *pronunciando il* (**nel**) *nome di Maria, e qui* (**quivi**) *caddi, e rimase solo il mio corpo* (**carne**) [: senza l'anima]. Alla confluenza tra l'Archiano e l'Arno Bonconte giunge sfinito e dissanguato: perde i sensi e cade morto a terra affidandosi, in un estremo pentimento, alla Madonna. Si noti l'effetto di abbandono di **fini'** (=*finii*), da pronunciarsi come un sospiro a causa del t r o n c a m e n t o e della d i a l e f e sottolineata dal segno di interpunzione. Vale la pena di riferire una v a r i a n t e proprio nell'interpunzione di questi versi: alcuni editori pongono virgola dopo **vista** e non punto e virgola dopo **parola**, che si lega così al verso seguente (*terminai di parlare nominando Maria*). Tale l e z i o n e , resa efficace sul piano artistico soprattutto dall' e n j a m b e m e n t , ha contro di sé la frequenza dell'espressione «perdere la vista e la parola» nel senso di

venir meno, morire; ma Dante potrebbe averla variata volontariamente per ottenere un effetto più vivo.

103-105: *Io* [*ti*] *dirò* [*ora*] *la verità* (**vero**), *e tu ripetila* ('l **ridi'** = ridillo; 'l = il = lo) *tra i vivi: un angelo di Dio mi prese, e il diavolo* (**quel d'inferno**; sottint. 'angelo') *gridava: 'O tu del cielo, perché mi privi* [*di quest'anima peccatrice che mi appartiene*]*?'* Morto Bonconte, la sua anima viene presa da un angelo, e il demonio cerca di opporsi a questo atto che avverte come un furto, giacché Bonconte era stato un peccatore. Questi *contrasti* (fra angeli e demoni, fra bene e male) sono tipici della mentalità medioevale, che è essenzialmente dualistica.

106-108: *Tu ti porti via* (**te ne porti**) *la parte immortale* (**l'etterno**) [: l'anima] *di costui per una lagrimuccia* (**lagrimetta**) [*di pentimento*] *che me la* ('l **mi** = il mi) *toglie* [: l'anima, compl. ogg.]; *ma io farò dell'altra* [*parte*: quella non immortale, cioè il corpo] *diverso* (**altro**) *trattamento* (**governo**) [: rispetto a quello, di salvezza e beatitudine, riservato all'anima immortale]*!*». Il diavolo, vinto, deve rinunciare all'anima di Bonconte; così che non gli resta che la perfida ironia della allusione alla **lagrimetta** (quasi che voglia mettere in dubbio l'autenticità del pentimento) e la vendetta di straziare il corpo esanime. Un analogo confronto tra potenze celesti e infernali per il possesso di un'anima si trova nel canto XXVII dell'*Inferno*, e il rapporto strutturale è accresciuto dal fatto che lì l'anima oggetto di contesa è quella di Guido da Montefeltro, padre di Bonconte. In quel caso, però, il diavolo aveva avuto la meglio: a nulla era valsa a Guido una lunga opportunistica penitenza senza vero pentimento,

Ben sai come ne l'aere si raccoglie
quell' umido vapor che in acqua riede,
111   tosto che sale dove 'l freddo il coglie.
Giunse quel mal voler che pur mal chiede
con lo 'ntelletto, e mosse il fummo e 'l vento
114   per la virtù che sua natura diede.
Indi la valle, come 'l dì fu spento,
da Pratomagno al gran giogo coperse
117   di nebbia; e 'l ciel di sopra fece intento,
sì che 'l pregno aere in acqua si converse;
la pioggia cadde, e a' fossati venne
120   di lei ciò che la terra non sofferse;
e come ai rivi grandi si convenne,
ver' lo fiume real tanto veloce
123   si ruinò, che nulla la ritenne.
Lo corpo mio gelato in su la foce

così come qui un attimo solo di sincero pentimento è sufficiente a Bonconte per la salvezza. E questo appunto è il senso che i due episodi esprimono (accresciuto dal legame strutturale), a ricordare la infinità della giustizia e della misericordia divine, oltre che la debolezza del giudizio umano (che credeva Guido salvo e Bonconte dannato).

109-111: *Sai bene come si condensa* (**raccoglie**) *nell'aria* (**aere**) *quel vapore umido e si ritrasforma* (**riede** = ritorna) *in acqua non appena* (**tosto che**) *sale dove il* (**'l**) *freddo* [: sogg.] *lo* (**il**) *raggiunge* (**coglie**). Questa terzina introduce con una premessa di carattere meteorologico la tempesta suscitata dal demonio: secondo una concezione derivata dal filosofo greco Aristotele, l'acqua evapora dalla superficie terrestre e si innalza sotto forma di vapore fino alla seconda regione dell'aria, che è fredda, e qui si ritrasforma in acqua ricadendo sotto forma di pioggia.

112-114: *Quella volontà malvagia* (**quel mal voler**) [: il diavolo] *che aspira* (**chiede**) *solo* (**pur**) *al male con la* [*sua*] *intelligenza* (**lo** ⟨*i*⟩*'ntelletto*) *unì* (**giunse** = congiunse) *e mosse il vapore* (**fummo**) *e il* (**'l**) *vento con il potere* (**per la virtù**) *che* [*gli*] *diede la sua natura* [*di angelo*; benché degradato]. Cioè: il diavolo mise in movimento il meccanismo naturale che provoca la pioggia radunando il vapore (**giunse...il fummo**) e muovendo il vento (**mosse...'l vento**) che lo portasse verso l'alto. Altri spiega, diversamente, **giunse** con *sopraggiunse*; ma in verità il diavolo è già presente da tempo sulla scena. Né con-

vincono altre spiegazioni più complesse e ingegnose. La distanza tra i due verbi (**giunse... mosse**) e la p e r i f r a s i per indicare il diavolo (**quel mal voler...**) servono ad accrescere il senso di tenebroso mistero che avvolge i fenomeni atmosferici ormai sul punto di manifestarsi.

115-123: *Quindi* (**indi**), *come fu spento il giorno* (**'l dì**) [: scesa la notte], [*il diavolo*] *coperse di nebbia da Pratomagno agli alti monti* (**al gran giogo**) [*dell'Appennino*]*; e fece il cielo negli strati più alti* (**di sopra**) *così* (**sì**) *nuvoloso* (**intento** = denso), *che l'aria* (**'l... aere; 'l** = il) *satura* (**pregno**) [*di umidità*] *si condensò* (**converse** = trasformò) *in acqua; cadde la pioggia, e quella parte* (**ciò**) *di essa* (**lei**) *che la terra non assorbì* (**sofferse**) *giunse* (**venne**) *ai fossati; e come si raccolse* (**si convenne**) *nei torrenti* (**rivi grandi**), *si precipitò* (**si ruinò**) *tanto velocemente* (**veloce**) *verso* (**ver'**) *il fiume principale* (**real**) [: l'Arno], *che nulla la trattenne* (**ritenne**). Grandiosa descrizione del temporale notturno: annunciato dalla nebbia, dalle nuvole e dall'umidità dell'atmosfera e poi scatenato in una pioggia battente che la terra non riesce ad assorbire e che perciò si riversa nei canali e di qui, sempre più impetuosamente, nei torrenti e infine nell'Arno. **Da Pratomagno al gran giogo**: i due riferimenti delimitano l'intera regione del Casentino.

124-129: *L'Archiano impetuoso* (**rubesto**) [: sogg.] *trovò il* (**lo**) *mio corpo gelato sulla foce* [: alla confluenza con l'Arno]*; e lo* trovò l'Archian rubesto; e quel sospinse

126 ne l'Arno, e sciolse al mio petto la croce
ch'i' fe' di me quando 'l dolor mi vinse;
voltòmmi per le ripe e per lo fondo,

129 poi di sua preda mi coperse e cinse ».
« Deh, quando tu sarai tornato al mondo
e riposato de la lunga via »,

132 seguitò 'l terzo spirito al secondo,
« ricorditi di me, che son la Pia;
Siena mi fe', disfecemi Maremma:
salsi colui che 'nnanellata pria

136 disposando m'avea con la sua gemma ».

(quel) *sospinse nell'Arno, e sciolse la croce che io* (ch'i') *avevo fatto* (fe' = feci) *delle mie braccia* (di me) *sul* (al) *mio petto quando il rimorso* ('l dolor) *mi sopraffece* (vinse) [: al momento del pentimento]; *mi rivoltò* (voltòmmi) *lungo* (per) *le rive* (ripe) *e lungo il* (per lo) *fondo, poi mi coperse e avvolse* (cinse) *con i suoi detriti* (di sua preda)». Il corpo ormai gelido di Bonconte è trascinato dal torrente in piena verso l'Arno e poi nascosto tra i detriti del fiume (fango, sassi ecc., chiamati **preda** perché *predati*, portati via, dal fiume alle rive). Sia il racconto di Bonconte che quello di Iacopo del Cassero hanno il proprio centro drammatico nello strazio dei rispettivi corpi. Non si dimentichi a tale proposito che queste sono anime di morti di morte violenta, in cui il destino atroce del corpo ha coinciso con il pentimento in punto di morte. La rievocazione di quel destino si sofferma perciò sul passaggio drammatico da una vita all'altra e insieme allude, in una prospettiva più generale, alla crudeltà della società comunale, assistita, nel suo operato, solo dalla malignità del diavolo. **Sciolse al mio petto la croce...**: il particolare si unisce ad altri relativi all'estremo momento di vita di Bonconte ed aiuta ad illuminarlo: si pensi al **nome di Maria** pronunciato come ultima parola (v. 101) e alla **lagrimetta** (v. 107). **Quando 'l dolor mi vinse...**: qualche commentatore preferisce spiegare **dolor**, anziché con *rimorso dei peccati commessi*, con *agonia della morte*; ma si è ben visto (cfr. vv. 100-102) che le due cose sono in verità contemporanee, e qui semmai l'associazione con la croce fatta sul petto porta a pensare soprattutto al pentimento.

130-136: *Il terzo spirito tenne dietro* (seguitò) *al secondo* [*dicendomi*]: «*Ah* (deh), *quando tu sarai ritornato al mondo e* [*ti sarai*] *riposato della lunga via* [*percorsa*], *ricordati* (ricorditi; imper. impers.) *di me, che mi chiamo* (son) *Pia; nacqui a* (mi fe' = mi fece) *Siena, morii in* (disfecemi) *Maremma: lo sa* (salsi = sallosi = se lo sa) [: *come morii*] *colui che prima* [*di uccidermi*]*mi aveva inanellata* ('nnanellata) *con il suo anello* (gemma) *sposando*[*mi*] (disposando)». Ai racconti di Iacopo e di Bonconte — in cui risuona, pur nel distacco, una nota di violenza e di sangue — tiene dietro la voce sommessa di Pia, la quale cortesemente prega Dante di ricordarsi di lei dopo essere tornato al mondo e dopo essersi riposato del faticoso cammino: augurio gentile e insieme spia di un carattere delicato e malinconico, incline al raccoglimento e pudicamente ritroso. In questa **Pia**, benché senza averne mai ricevuta documentaria certezza, fin dall'antichità i commentatori hanno riconosciuta la senese Pia dei Tolomei, la quale sarebbe stata uccisa, intorno al 1297, dal marito Nello dei Pannocchieschi, per desiderio di nuove nozze o forse per gelosia. **Siena mi fe'...**: l'antitesi a chiasmo del v. 134 esprime bene il carattere introverso e pudico di Pia, che pur facendosi avanti per raccontare la propria storia, vuole ritrarsi sùbito nel gruppo delle altre anime, senza restare troppo allo scoperto. Le parole di Pia, musicalmente intonate, esprimono tale delicatezza attraverso l'allusività del racconto (la stessa cerimonia del matrimonio è evocata solo attraverso il particolare gentile dell'anello). **'Nnanellata pria...**: in un'unica cerimonia avveniva il dono dell'anello e lo sposalizio.

La voce deriva dal lat. *iugum* (dalla radice *iug-* del vb. *iungĕre* = 'unire'; cfr. franc. *joug*, prov. *jo*, sp. *jugo*). Il vocabolo indica propriamente uno 'strumento di legno usato per attaccare i bovini all'aratro o altri animali da tiro al carro'; e in senso figur. vale 'vincolo oppressivo, stato di soggezione, autorità tirannica'. Tali significati (e quello figur. soprattutto) sono anche oggi vivi. Il vocabolo indica altresì la 'cima tondeggiante di un monte e anche il monte stesso o il valico alpino' — cfr. *Purg.* V, 166, *Par.* I, 16 e XI, 48, (a significare, per trasl., le 'divinità che abitano il Parnaso').

Canto VI

Come nel canto sesto dell'*Inferno* Dante aveva fatto parlare Ciacco delle sventure di Firenze, così qui, nel sesto del *Purgatorio*, egli stesso si sofferma a considerare con una violenta apostrofe le condizioni miserabili dell'Italia; a completare la rispondenza strutturale, nel sesto canto del *Paradiso* lo sguardo si allargherà alla dimensione ancora più ampia dell'Impero. Situato in posizione mediana tra il canto politico dell'*Inferno* e quello del *Paradiso*, questo del *Purgatorio* partecipa di entrambi gli ambiti degli altri due, assumendo quasi una funzione di raccordo tra di essi: i due suoi principali argomenti politici sono infatti la colpa dell'Imperatore, che abbandona l'Italia al suo destino, e lo stato di corruzione di Firenze.

* * *

Dante si libera a fatica dalla ressa delle anime che lo incalzano perché si ricordi di loro sulla Terra, in modo da procurar loro suffragi per affrettare il cammino verso la salvezza. Una volta di nuovo solo con Virgilio, è colto da un dubbio: come vanno d'accordo l'immutabilità del giudizio divino e il fatto che siano possibili tali accorciamenti di pena? Virgilio gli spiega che la contraddizione è apparente, dato che le preghiere dei vivi in grazia di Dio in favore dei defunti danno alla giustizia divina la soddisfazione dovutale per riscattare le loro colpe.

A un tratto appare ai due pellegrini un'anima in atteggiamento fiero e sdegnoso. Virgilio le si avvicina per chiedere informazioni sul cammino, ed ella a sua volta lo interroga per sapere chi essi siano e da dove vengano. Virgilio inizia appena a rispondere («**Mantova...**») che l'altro si alza in piedi e lo abbraccia con slancio dicendo «**O Mantovano, io sono Sordello della tua stessa terra**».

Alla vista di un sentimento di patria così fraterno e spontaneo, Dante esplode in una feroce apostrofe contro le condizioni attuali dell'Italia, lacerata da conflitti, abbandonata dall'imperatore in mano a tirannelli locali e alle ingerenze temporali dei papi.

* * *

L'argomento politico non giunge improvviso, come può sembrare, ma è preparato dai canti precedenti, dove Dante ha udito il racconto di cupe vicende di sangue, tutte segnate da odii di parte e da inique ragioni (cfr. l'episodio di Manfredi nel canto III e quelli di Iacopo del Cassero, di Bonconte da Montefeltro e di Pia dei Tolomei nel canto V).

L'invettiva di Dante è costruita su tre elementi principali, cui corrispondono tre capisaldi della sua concezione politica: 1) il rimprovero all'imperatore di tenere in abbandono l'Italia, centro dell'Impero (critica alla politica localistica e feudale dell'imperatore); 2) l'accusa al papato e alle gerarchie ecclesiastiche di occuparsi di questioni politiche di attinenza del potere imperiale (critica alla politica temporale e teocratica della Chiesa); 3) il dispetto dinanzi al prevalere di un'organizzazione particolaristica, disgregante la già fragile unità dell'Impero (critica delle autonomie locali e della civiltà comunale). La parte finale dell'apostrofe è dedicata a Firenze, particolarmente meritevole di critiche per l'instabilità politica e la corruzione sociale.

Rispetto a pagine analoghe dell'*Inferno* ci sono qui una maggiore superiorità e un più maturo distacco, pur senza che vengano meno la fremente passione politica e lo sdegno morale. Piuttosto paiono affievolite le speranze di un prossimo rinnovamento, ormai completamente affidato agli imperscrutabili disegni della Provvidenza, mancando uomini capaci di attuarlo.

Lo stile attinge ai modi delle invettive bibliche, arricchendosi di m e t a f o r e patetiche e di figure retoriche tipiche dei modi oratori: l ' a n t i f r a s i , l ' i r o n i a e l a r e p l i c a z i o n e .

> Ma vedi là un'anima che, posta
> sola soletta, inverso noi riguarda:
> 60   quella ne 'nsegnerà la via più tosta».
> Venimmo a lei: o anima lombarda,
> come ti stavi altera e disdegnosa
> 63   e nel mover de li occhi onesta e tarda!
> Ella non ci dicëa alcuna cosa,
> ma lasciavane gir, solo sguardando
> 66   a guisa di leon quando si posa.
> Pur Virgilio si trasse a lei, pregando
> che ne mostrasse la miglior salita;

58-60: «*Ma osserva* (**vedi**) *là un'anima che, stando* (**posta**) *sola soletta, guarda* (**riguarda**) *verso* (**inverso**) [*di*] *noi: quella ci* (**ne**) *mostrerà* ('**nsegnerà** = insegnerà) *la via più rapida* (**tosta**)».

61-63: *Giungemmo* (**venimmo**) *da* (**a**) *lei: o anima lombarda, come te* [*ne*] *stavi* (**ti stavi**) *fiera* (**altera**) *e schiva* (**disdegnosa**) *e nel movimento* (**nel mover**) *dello* (**de li** = degli) *sguardo* (**occhi**) *dignitosa* (**onesta**) *e lenta* (**tarda**)!

64-66: *Ella non ci diceva nulla* (**alcuna cosa**), *ma ci lasciava* (**lasciavane**) *andare* (**gir**), *solo guardando*[*ci*] (**sguardando**; indica intensità e prolungamento del guardare) *nel modo* (**a guisa**) *di un leone quando si riposa* (**si posa**). La presentazione di Sordello avviene attraverso l'enunciazione di una serie di caratteristiche plastiche ed emotive che ne definiscono l'interna concentrazione morale, oltre che la statuaria solennità dell'aspetto. Si noti l'insistenza su tre elementi: l'im-

mobilità (**posta**, v. 58; **ti stavi**, v. 62), la solitudine (**sola soletta**, v. 59; con ripresa al v. 72: **romita**), lo sguardo nobilmente fisso sui due sconosciuti (**inverso noi riguarda**, v. 59; v. 63; **sguardando**, v. 65). A questo si aggiunga l'atteggiamento schivo che non rivela però superbia ma reale altezza d'animo (vv. 62 sg.); e si aggiunga il silenzio carico di *pathos* (v. 64). Il tutto infine trova una efficace sintesi nella s i m i l i t u d i n e potente del v. 66 con il leone che si riposa.

67-75: *Solo* (**pur**) *Virgilio si accostò* (**si trasse**) *a lei, pregando*[*la*] *che ci* (**ne**) *mostrasse la via migliore per salire* (**la miglior salita**)*; e quella non rispose alla sua domanda* (**dimando**), *ma ci interrogò* (**ci 'nchiese** = ci inchiese) *del* (**di**) *nostro paese* [*di provenienza*] *e della* [*nostra*] *condizione* (**vita**)*; e la* ('**l** = il) *dolce guida* (**duca**) [: Virgilio] *incominciava* [*a dirgli*] «*Mantova* (**Mantua**) ...», *e l'anima* (**l'ombra**), [*fino ad allora*] *tutta chiusa* (**romita**) *in sé, si alzò* (**surse**) *verso*

69	e quella non rispuose al suo dimando,
	ma di nostro paese e de la vita
	ci 'nchiese; e 'l dolce duca incominciava
72	« Mantüa ... », e l'ombra, tutta in sé romita,
	surse ver' lui del loco ove pria stava,
	dicendo: «O Mantoano, io son Sordello
75	de la tua terra!»; e l'un l'altro abbracciava.
	Ahi serva Italia, di dolore ostello,
	nave sanza nocchiere in gran tempesta,
78	non donna di provincie, ma bordello!

(ver') [di] lui dal luogo (del loco) nel quale (ove) stava fino ad allora (pria), dicendo: «O Mantovano, io sono Sordello della tua [stessa] terra!»; e l'uno abbracciava l'altro. Il fatto che Sordello non risponda alla domanda di Virgilio e anzi ne faccia a sua volta una, non implica un atteggiamento di scortesia o di superbia; ma rivela piuttosto la concentrazione del magnanimo attorno ad un pensiero e ad un interesse: è come se Sordello semplicemente non si accorgesse neppure della domanda rivoltagli, avendone già in mente una da rivolgere egli stesso. La risposta di Virgilio, sùbito interrotta alla prima significativa parola, intendeva certamente ricalcare l'epitaffio posto sulla sua tomba (ed attribuito al poeta stesso), il quale inizia appunto dicendo «Mantua me genuit» [mi generò Mantova]. Al nome di Mantova, l'improvviso slancio di Sordello muta di scatto la situazione con un vero e proprio colpo di scena; e viene a dare al carattere del personaggio il tocco finale: alla fierezza nobile e distaccata si associano dunque i più intensi e affettuosi sentimenti di patria e di fratellanza umana. Da questa sincerità di rapporto tra concittadini, benché sconosciuti, prende l'avvio la dolorosa e sdegnata invettiva politica di Dante nei versi seguenti. **Sordello**: nacque a Goito, vicino Mantova, al principio del Duecento; fu uomo di corte apprezzato e onorato specie per le sue notevoli doti poetiche. È tra i più significativi poeti italiani in lingua provenzale («Trovatori»); e Dante stesso ne loda il valore artistico nel *De vulgari eloquentia*. Le sue rime sono d'argomento erotico e soprattutto politico, con un atteggiamento fiero e spregiudicato nei confronti dei potenti, dei quali rimprovera vizi e mancanze. In ciò è necessario ravvisare una ragione essenziale ai fini della scelta di Dante di collocarlo in questo luogo preciso del poema, a preparazione del tema politico dominante in questo canto e nel seguen-

te; ed a ciò si legano anche i modi della sua caratterizzazione fisica e morale. **Pur...**: taluni preferiscono intendere *ciò nonostante*, cioè: *malgrado l'aspetto fiero di Sordello.*

76-78: *Ahi serva Italia, sede* (**ostello**) *di dolore, nave senza pilota* (**nocchiere**) *in gran tempesta, non signora* (**donna**; dal lat. 'domina' = padrona) *di province, ma postribolo* (**bordello**)*!* Si apre qui una lunga invettiva politica, una delle pagine più frementi di sdegno del poema. Apparentemente essa segna un momento contrapposto al tono distaccato e sereno dominante nell'Antipurgatorio, riportando in primo piano, bruscamente, temi e passioni (oltre che lessico e stile) che sembravano tramontati con la prima c a n t i c a . Ma il contrasto è, appunto, apparente. Sia perché i temi qui trattati in modo esplicito e diretto sono pure presenti, in modi impliciti ma egualmente evidenti, in questi canti iniziali del *Purgatorio* (basti pensare ai morti di morte violenta incontrati nel canto precedente e dei quali tratta ancora la parte iniziale di questo, e al personaggio di Manfredi); sia perché il tono di questa invettiva è sì violento e commosso, ma in modo diverso rispetto ad episodi analoghi dell'*Inferno*: esiste cioè una specificità del timbro che si adegua alla nuova dimensione spirituale e se ne lascia ispirare. In particolare, quel distacco dai limiti terreni già osservato nei canti precedenti qui non si riduce ma al contrario si allarga: le ragioni personali e i risentimenti di parte, che ispiravano i precedenti momenti politici del poema, qui si risolvono in gran parte in un accoramento profondo ma disinteressato, volto a cogliere con obiettività (restando al di fuori e al di sopra delle parti), anche se con indignazione, le cause reali della gravità della situazione. C'è poi un malinconico sottofondo pessimistico, quasi l'incapacità di confidare in una prossima rinascita, la coscien-

Quell' anima gentil fu così presta,
sol per lo dolce suon de la sua terra,
81 di fare al cittadin suo quivi festa;
e ora in te ńon stanno sanza guerra
li vivi tuoi, e l'un l'altro si rode
84 di quei ch'un muro e una fossa serra.
Cerca, misera, intorno da le prode
le tue marine, e poi ti guarda in seno,
87 s'alcuna parte in te di pace gode.
Che val perché ti racconciasse il freno
Iustinïano, se la sella è vòta?
90 Sanz' esso fora la vergogna meno.
Ahi gente che dovresti esser devota,
e lasciar seder Cesare in la sella,
93 se bene intendi ciò che Dio ti nota,

za delle difficoltà storiche che si oppongono a qualsiasi miglioramento. **Serva**: assente l'imperatore, il potere dei vari signori corrisponde ad una tirannia, privando i cittadini della libertà che può essere garantita, secondo Dante, solo dalla Monarchia universale. **Non donna...**: «non provincia, ma signora delle province» è definita l'Italia nelle leggi giustinianee; ed ora essa è ridotta, con forte contrasto, a **bordello**, essendo governata non secondo diritto ma dandosi in potere a chiunque la vuole.

79-84: *Quell'anima nobile* (**gentil**) [: Sordello] *fu così pronta* (**presta**), *solo per il dolce suono* [*del nome*] *della sua terra, di fare festa qui* (**quivi**) [: in Purgatorio] *al suo concittadino* (**cittadin**); *e ora in te i* (**li**) *tuoi vivi* [: abitanti] *non stanno senza guerra, e tra* (**di**) *quelli* (**quei**) *che serrano* (**serra**; al sing.) *un muro ed una fossa* [: tra concittadini] *si sbranano* (**si rode**) *l'un l'altro*. Il contrasto tra lo slancio affettuoso di Sordello, nel vedere un suo concittadino, e l'odio che dilania le città italiane al loro interno (oltre che metterle l'una contro l'altra in guerra) è acuito dal fatto che Sordello e Virgilio sono ormai in una dimensione che trascende i limiti della cittadinanza, appartenenti ad un'unica patria universale: a **quivi** (cioè *nell'aldilà*) si contrappone **li vivi tuoi**.

85-87: *Esamina* (**cerca**), *infelice* (**misera**), *le tue regioni sul mare* (**marine**) *intorno alle coste* (**da le prode**), *e poi guàrdati nelle regioni interne* (**in seno**), *se qualche* (**s'alcuna**) *tua* (**in te**) *parte gode della* (**di**) *pace*. L'Italia era dilaniata da guerre interne, sia tra le repubbliche marinare che tra le città dell'interno.

88-90: *Che giova* (**val**) *il fatto che* (**perché**) *Giustinïano* (**Iustiniano**) *ti abbia riaccomodato* (**ti racconciasse**) *il freno* [*delle leggi*], *se la sella* [: *il trono imperiale*] *è vuota?* *Senza di esso* (**sanz'esso**) [: *il freno; cioè le leggi*] *la vergogna sarebbe* (**fora**) *minore* (**meno**) [: ci sarebbe infatti qualche giustificazione al disordine civile e politico]. L'imperatore Giustiniano (sec. VI) promulgò un codice rimasto in vigore per tutto il Medio Evo; ma Dante si chiede a che cosa servano le leggi se manca il potere che dovrebbe farle rispettare. Si noti come la d i e r e s i sul nome **Iustinïano** lo nobiliti, costringendo la voce, nella lettura, a soffermarvisi. In effetti la figura di Giustiniano era profondamente ammirata da Dante che, nel canto VI del *Paradiso*, darà proprio a lui il compito di trattare il tema politico in relazione alla dimensione dell'Impero.

91-96: *Ahi gente* [*di Chiesa*] *che dovresti essere devota* [: dedicarti solo a cose spirituali], *e lasciare Cesare* [: *l'imperatore*] *sedere sulla* (**in la**) *sella* [: al potere], *se capisci* (**intendi**) *bene ciò che Dio ti prescrive* (**nota**), *guarda come questa* (**esta**) *bestia* (**fiera**) [: *l'Italia*] *è diventata* (**fatta**) *ribelle* (**fella**) *a causa del fatto che non è* (**per non esser**) *governata* (**corretta**) *dagli speroni, da quando* (**poi che**) *ponesti mano alla briglia* (**predella**). Qui Dante entra nel merito della contesa tra potere della Chiesa e potere imperiale, e cioè nella più importante questione politica del suo tempo. Dio ha prescritto ai

guarda come esta fiera è fatta fella
per non esser corretta da li sproni,
96 poi che ponesti mano a la predella.
O Alberto tedesco ch'abbandoni
costei ch'è fatta indomita e selvaggia,
99 e dovresti inforcar li suoi arcioni,
giusto giudicio da le stelle caggia
sovra 'l tuo sangue, e sia novo e aperto,
102 tal che 'l tuo successor temenza n'aggia!
Ch'avete tu e 'l tuo padre sofferto,
per cupidigia di costà distretti,
105 che 'l giardin de lo 'mperio sia diserto.
Vieni a veder Montecchi e Cappelletti,
Monaldi e Filippeschi, uom sanza cura:
108 color già tristi, e questi con sospetti!
Vien, crudel, vieni, e vedi la pressura
de' tuoi gentili, e cura lor magagne;

suoi fedeli, egli dice, di occuparsi di cose spirituali, lasciando al potere politico la sua sfera di competenze (si allude al noto precetto evangelico: «Dà a Cesare ciò che è di Cesare e a Dio ciò che è di Dio», *Mt* XXII, 21). Da quando invece il papa e la Chiesa vogliono sostituirsi all'imperatore, l'Italia giace senza una guida capace di domare i suoi contrastanti interessi interni. Dalla **sella** del verso 89 parte una prolungata implicita s i m i l i t u d i n e tra l'Italia e una bestia da cavalcatura: la **sella** spetterebbe a Cesare, all'imperatore, il solo capace di fare il giusto uso degli **sproni**.

97-102: *O Alberto tedesco che abbandoni costei* [: l'Italia, sempre paragonata ad una cavalcatura] *che è divenuta* (**fatta**) *indomita e selvaggia, e* [*invece*] *dovresti inforcare i* (**li**) *suoi arcioni, cada* (**caggia**) *sulla tua famiglia* (**sovra 'l tuo sangue**) *una giusta vendetta* (**giudicio**) *dal cielo* (**da le stelle**), *e sia strana* (**novo**) *e evidente* (**aperto**), *tale che il* (**'l**) *tuo successore ne abbia* (**n'aggia**) *timore* (**temenza**)! Alberto d'Asburgo, imperatore dal 1298 al 1308, si dedicò interamente al regno di Germania, seguendo l'esempio del padre Rodolfo; di qui quel **tedesco** polemicamente associato al nome. Crebbero sotto il suo potere sull'Italia, di fatto non esercitato, sia le pretese temporali dei papi che le lotte interne. Contro di lui e contro la sua casata Dante invoca un castigo divino che scoraggi il successore dal disinteressarsi delle cose d'Italia. Il successore fu poi quell'Arrigo VII nel quale

Dante ripose, per un certo tempo, tante speranze. **Giusto giudicio**: si noti l'effetto violento della forte a l l i t t e r a z i o n e.

103-105: *Poiché* (**ch'** = ché) *tu e tuo padre* [: Rodolfo] *avete tollerato* (**sofferto**) *che il giardino dell'Impero* (**de lo 'mperio**) [: l'Italia] *sia abbandonato* (**diserto**) [*a se stesso*], *trattenuti* (**distretti**) *per cupidigia delle cose di lassù* (**di costà**) [: di Germania]. Si noti il disprezzo di quel **di costà**, indeterminatamente contrapposto al **giardin de lo 'mperio**.

106-108: *Uomo senza scrupoli* (**sanza cura**), *vieni a vedere Montecchi e Cappelletti, Monaldi e Filippeschi, i primi* (**color**) *già vinti* (**tristi**), *e i secondi* (**questi**) *timorosi* (**con sospetti**) [: di esserlo; e cioè in lotta]*! I nomi di famiglie qui riportati corrispondono a diverse fazioni politiche dell'epoca, ricostruibili con parecchie incertezze. Quel che più conta è il senso dell'allusione, che non lascia adito a dubbi: dovunque, in Italia, o si è stati sopraffatti o si lotta per il potere, vivendo **con sospetti**. Manca cioè qualsiasi segno di concordia civile e di ordine politico. Per questo Dante invita polemicamente l'imperatore a verificare di persona le conseguenze terribili del suo disinteresse.

109-111: *Vieni, crudele, vieni, e guarda* (**vedi**) *lo stato di oppressione* (**la pressura**) *dei* (**de'**) *tuoi signori* (**gentili** = nobili; cioè feudatari di investitura imperiale), *e soccorri* (**cura**) *i loro danni* (**magagne**); *e* [*se vieni*] *ve-*

111	e vedrai Santafior com' è oscura!
	Vieni a veder la tua Roma che piagne
	vedova e sola, e dì e notte chiama:
114	« Cesare 'mio, perché non m'accompagne? ».
	Vieni a veder la gente quanto s'ama!
	e se nulla di noi pietà ti move,
117	a vergognar ti vien de la tua fama.
	E se licito m'è, o sommo Giove
	che fosti in terra per noi crucifisso,
120	son li giusti occhi tuoi rivolti altrove?
	O è preparazion che ne l'abisso
	del tuo consiglio fai per alcun bene
123	in tutto de l'accorger nostro scisso?
	Ché le città d'Italia tutte piene
	son di tiranni, e un Marcel diventa
126	ogne villan che parteggiando viene.

drai Santafiora come è decaduta (oscura)! I feudatari dell'imperatore vedevano sgretolarsi il proprio potere a causa del rafforzamento dei Comuni, in assenza dell'imperatore, e ne era esempio Santafiora, contea degli Aldobrandeschi, cui Siena aveva strappato intorno al 1300 gran parte dei territori. Ma la l e z i o n e com'è oscura è alquanto incerta. C'è infatti chi legge, com'è sicura o come si cura. In questi due casi il senso della terzina potrebbe essere esattamente opposto: i feudatari sarebbero additati all'imperatore come *tiranni* anziché come *oppressi*, le loro **magagne** sarebbero *colpe* o *soprusi* anziché *danni*, il verbo **cura** del v. 110 anziché *soccorri* significherebbe *poni rimedio* (*poni rimedio* alle loro *colpe* o *soprusi*) e Santafiora sarebbe appunto un esempio di malgoverno da parte dei feudatari.

112-114: *Vieni a vedere la tua Roma che piange* (**piagne**) *vedova e sola* [: abbandonata dall'imperatore], *e giorno* (**dì**) *e notte invoca* (**chiama**): *«O mio Cesare, perché non stai con me* (**non m'accompagne**)*?»*. Roma, capitale dell'Impero, è presentata metaforicamente come sposa dell'imperatore (chiamato **Cesare** secondo l'uso romano); e è definita **vedova** in quanto lasciata **sola** da esso.

115-117: *Vieni a vedere quanto si vuole bene* (**s'ama**) *la gente! e se* [*non*] *ti tocca* (**move**) *nessuna* (**nulla**) *pietà di noi* [*italiani*], *vièniti* (**ti vien**) *a vergognare della tua* [*cattiva*] *fama*. Dopo l'accoramento, l'ironia: ovviamente il **s'ama** del v. 115 è un'a n t i -

f r a s i , così come la **fama** del v. 117 nasconde un senso malizioso, rivelato dal **vergognar**.

118-120: *E se mi è lecito, o sommo Cristo* (**Giove**) *che fosti crocifisso per noi sulla* (**in**) *Terra, sono i* (**li**) *tuoi occhi giusti rivolti altrove?* Pare incredibile a Dante che Dio consenta una tale degenerazione della società, dopo aver sacrificato se stesso sulla croce per redimere l'umanità. E spera che ciò nasconda un progetto di rinnovamento voluto dal cielo e per il momento incomprensibile agli occhi degli uomini (vv. 121-123).

121-123: *Oppure* (**o**) [*tutto questo male*] *è* [*una*] *preparazione che fai nel profondo* (**abisso**) *delle tue intenzioni* (**consiglio**) *per* [*procurare*] *un qualche* (**alcun**) *bene*, [*in modo*] *completamente* (**in tutto**) *separato* (**scisso**) *dal nostro avvedercene* (**de l'accorger nostro**)?

124-126: *Infatti* (**ché** = poiché) *le città d'Italia sono tutte piene di tiranni, e ogni villano che prende a fare politica* (**parteggiando viene** = che entra in una fazione, o parte) *diventa un Marcello* [: si ribella al potere imperiale]. Si allude, con il solito sdegno aristocratico, alla facilità con cui chiunque raggiunge un qualche potere solo che si dedichi alla politica, contrastando di fatto il potere dell'imperatore così come fece il nobile Claudio Marcello, console nel 50 a.C., con Cesare. Ma al nobile contrapporsi di quel romano tien dietro una ben diversa meschinità di interessi: questo il senso del riferimento.

Fiorenza mia, ben puoi esser contenta
di questa digression che non ti tocca,
129   mercé del popol tuo che si argomenta.
Molti han giustizia in cuore, e tardi scocca
per non venir sanza consiglio a l'arco;
132   ma il popol tuo l'ha in sommo de la bocca.
Molti rifiutan lo comune incarco;
ma il popol tuo solicito risponde
135   sanza chiamare, e grida: « I' mi sobbarco! ».
Or ti fa lieta, ché tu hai ben onde:
tu ricca, tu con pace e tu con senno!
138   S'io dico 'l ver, l'effetto nol nasconde.
Atene e Lacedemona, che fenno
l'antiche leggi e furon sì civili,
141   fecero al viver bene un picciol cenno

127-129: *O mia Firenze* (**Fiorenza**)*, puoi ben esser contenta di questa digressione* [: rispetto alla narrazione del poema] *che non ti riguarda* (**tocca**)*, grazie al* (**mercé del**) *tuo popolo che si dà da fare* (**si argomenta**) [: per non meritare tali accuse]. La parte conclusiva dell'apostrofe di Dante è riservata a Firenze, suo costante punto di riferimento emotivo ed ideale. Si inizia con l'ironia (vv. 127-137), presto apertamente dichiarata (v. 138); si passa poi ad un tono meno violento (benché ancora ironico), a considerare tristemente la situazione infelice della città (vv. 139-144); fino alla conclusione dolente e malinconica (vv. 145-151).

130-132: *Molti hanno* [*il senso della*] *giustizia in cuore, eppure* (**e**) [*esso*] *viene espresso* (**scocca**) *senza fretta* (**tardi**) *affinché non venga* (**per non venir**) *a mostrarsi* (**a l'arco**) *senza riflessione* (**sanza consiglio**) [*sufficiente*]; *ma il tuo popolo* [: i fiorentini] *la ha* [: la giustizia] *sulle labbra* (**in sommo de la bocca** = sulla punta della bocca) [*e non nel cuore*]. Il parallelo tra l'arco e il parlare è una tipica m e t a f o r a dantesca (cfr. p. es. XXXI, 16 sg.): alla freccia corrisponde la parola, all'arco la bocca. Il senso è dunque: in altre città vi sono molti uomini giusti nel cuore e prudenti nel farsi avanti per timore di sbagliare; in Firenze tutti sono pronti ad esprimere giudizi, senza troppo riflettere.

133-135: *Molti rifiutano incarichi pubblici* (**lo comune incarco**)*; ma il tuo popolo risponde*

sollecito [*anche*] *senza essere stato invitato* (**sanza chiamare**)*, e grida: «Io* (**i'**) *mi metto al lavoro* (**mi sobbarco**)*!».* Ancora ironia: i fiorentini si precipitano a occupare posti pubblici, anche senza invito, con lo scopo evidente di avvantaggiarsene personalmente; ma in **«I' mi sobbarco»** è imitata una dedizione rassegnata a un dovere cui non ci si voglia sottrarre, come varrebbe «E va bene, farò io questo lavoro, se proprio devo». Il senso corretto è però rivelato da quel **sanza chiamare**: senza alcun invito.

136-138: *Ora rallégrati* (**ti fa lieta**)*, poiché* (**ché**) *tu* [*ne*] *hai ben ragione* (**onde** = di che)*: tu ricca, tu con pace, e tu con saggezza* (**senno**)*! Se io dico il* (**'l**) *vero, i fatti* (**l'effetto**) *non lo* (**nol** = non il = non lo) *nascondono.* Cioè: è evidente dai fatti che Dante non parla seriamente. Si tratta, ancora, di a n t i f r a s i . Anche se, in verità, **ricca** Firenze lo era davvero, e molto; ma Dante allude probabilmente, come si ricava dal contesto, ad una ricchezza spirituale che invece pareva mancarle del tutto. Oppure, come hanno notato Casini-Barbi e Porena, l'ironia è più complessa, essendo vera la prima affermazione e non le altre due, ravvisando Dante proprio nella eccessiva ricchezza la causa prima delle discordie e delle sregolatezze politiche.

139-144: *Atene e Sparta* (**Lacedemona**)*, che fecero* (**fenno**) *le* [*più*] *antiche leggi e furono tanto* (**sì** = così) *civili, produssero* (**fecero**) *per la buona organizzazione sociale* (**al viver bene**) [*appena*] *un piccolo inizio* (**un picciol cen-**

verso di te, che fai tanto sottili
provedimenti, ch'a mezzo novembre
144   non giugne quel che tu d'ottobre fili.
Quante volte, del tempo che rimembre,
legge, moneta, officio e costume
147   hai tu mutato, e rinovate membre!
E se ben ti ricordi e vedi lume,
vedrai te somigliante a quella inferma
che non può trovar posa in su le piume,
151   ma con dar volta suo dolore scherma.

no) [: ben poco] *rispetto a* (**verso di**) *te* [: Firenze], *che prendi* (**fai**) *provvedimenti* [*legislativi*] *così* (**tanto**) *sottili, che non arriva* (**giugne** = giunge) *a metà* (**mezzo**) *novembre quel che tu fili* [: decidi] *a ottobre.* Dante allude qui alla breve durata delle deliberazioni legislative in Firenze. L'ironia è duplice: da un lato c'è il paragone (risolto a favore di Firenze, ancora una volta per a n t i f r a s i) con le ordinate Atene e Sparta (le cui costituzioni di Solone e di Licurgo furono a lungo considerate modelli di leggi insuperati); dall'altro c'è la m e t a f o r a implicita del *filare* (v. 144) per *legiferare*, da cui l'aggettivo **sottili** del v. 142 riceve una sinistra sfumatura: potrebbe, in sé, significare *ingegnosi, raffinati*, ma rispetto al filare prende piuttosto il senso di *fragili, inconsistenti*, appunto come un filo sottile. Ancora una volta l'ironia sta nella apparente serietà delle affermazioni, smascherate però da un qualche particolare marginale che ne rovescia il significato.

145-147: *Quante volte, relativamente al* (**del**) *tempo che ricordi* (**rimembre**) *hai tu cambiato* (**mutato**) *legge, moneta, cariche pub-* *bliche* (**officio**) *e mode* (**costume**), *e rinnovato la popolazione* (**membre**)*!* All'instabilità delle leggi, della moneta, dell'organizzazione statale (**officio**) e delle abitudini di moda, corrisponde l'instabilità degli stessi abitanti, ora esiliati ed ora richiamati in patria a seconda dell'alterna sorte della lotta tra le fazioni. E quest'ultimo riferimento tocca da vicino la condizione di esiliato di Dante stesso.

148-151: *E se ti ricordi bene e vedi con chiarezza* (**lume**), *vedrai* [*che*] *te* [*sei*] *somigliante a quella malata* (**inferma**) *che non riesce a* (**può**) *trovare una posizione* (**posa**) [*che le dia sollievo*] *nel letto* (**in su le piume**), *ma cerca di allontanare* (**scherma**) *il suo dolore con il rigirarsi* (**con dar volta**) [: cambiando continuamente posizione]. La conclusione dell'apostrofe (e del canto) è amaramente seria e pensosa: Firenze è come un'ammalata che non trovi requie nel letto e si illuda di alleviare le proprie sofferenze rigirandosi di qua e di là; con il che si allude ai continui inutili cambiamenti nella città denunciati nelle terzine precedenti e soprattutto ai vv. 145-147.

Ostello v. 76

La voce deriva dal franc. ant. *ostel* (cfr. franc. mod. *hôtel*), derivato a sua volta dal lat. tardo *hospitale* = 'alloggio per forestieri' (neutro sostantivato dell'agg. *hospitālis*). Il termine indica un 'luogo in cui si dimori temporaneamente; albergo' e per estens. 'asilo, ospitalità, rifugio' — cfr. *Par.* XVII, 70 — e anche 'patria, città nativa, paese d'origine' — cfr. *Par.* XV, 132 —; indica anche, in senso generico e figur., 'sede, luogo deputato ad accogliere qualcosa' — è il caso di *Purg.* VI, 76 in riferimento ai vizi, ai mali, alle sventure. Oggi il termine si usa essenzialmente ad indicare un 'edificio adibito al pernottamento (per lo più a pagamento) di persone di passaggio; albergo', e soprattutto nella locuz. «ostello della gioventù», che indica un 'albergo riservato ai giovani, poco costoso' (cfr. ingl. «youth hostel» di cui la forma ital. è un calco).

Romito v. 72

La voce deriva, come sost., dal lat. tardo *eremita* (dall'agg. gr. ἔρεμος [èremos] = 'solitario, deserto'; cfr. franc. *ermite*, *ermitage*, sp. *eremitorio*) incrociato con *romaeus* ('viaggiatore, pellegrino': in Occidente il pellegrino è «colui che va a Roma»); e vale 'eremita'. Come agg. significa, analogamente, 'solitario, concentrato in se stesso' — secondo l'uso di Dante. La voce è viva ancor oggi, ma di uso raro e letter.

Canto VII

L'inizio del canto riprende la narrazione là dove era stata interrotta, nel canto precedente, dall'apostrofe di Dante all'Italia; la riprende cioè dall'abbraccio tra Virgilio e Sordello che aveva dato lo spunto alla digressione.

Sordello chiede a Virgilio chi egli sia e, udito il nome del sommo poeta, torna ad abbracciarlo con umiltà, incredulo dell'onore ricevuto. Poi Virgilio informa l'altro della propria condizione e del viaggio, soffermandosi malinconicamente sui caratteri del Limbo, sede assegnatagli per non aver avuto fede e nella quale è preclusa ogni possibile speranza di rigenerazione.

Sordello informa i due pellegrini che, tramontato il sole, diviene impossibile proseguire di un passo verso il monte (il che allegoricamente significa che senza l'assistenza della Grazia divina è impossibile procedere sulla via della purificazione e della salvezza). Così, su consiglio di Sordello stesso, Virgilio e Dante decidono di passare la notte in una valletta splendida di fiori colorati e indicibilmente armoniosa: copia sovrannaturale dei parchi aristocratici, le cui valenze allegoriche non sono del tutto chiare. La valletta è popolata di personaggi illustri che furono in vita potenti ma non seppero fare buon uso del proprio potere: imperatori, re, prìncipi e signori locali, tutti negligenti nel governare ed ora rimorsi dal pentimento e dalla consapevolezza di avere spesso lasciato successori incapaci e corrotti. Sordello li nomina e li mostra nelle diverse pose della contrizione e del rimorso.

Canto VIII

Era già l'ora che volge il disio
    ai navicanti e 'ntenerisce il core
    lo dì c'han detto ai dolci amici addio;
e che lo novo peregrin d'amore
    punge, se ode squilla di lontano
    che paia il giorno pianger che si more;

Era già [giunta] l'ora [serale] che cambia (**volge**) *desiderio* (**il disio**) *ai naviganti* [: anziché voler andare ancora avanti, voler tornare indietro] *e intenerisce* [*loro*] *il cuore nel giorno* (**lo dì**) *che hanno detto addio ai loro amici;* [*l'ora*] *che fa sentire più intensamente l'amore* [*: la nostalgia*] (**d'amore punge**) *chi è in viaggio da poco* (**lo novo peregrin**), *se ode una campana* (**squilla**) *da lontano che sembri* (**paia**) *piangere il giorno che muore* (vv. 1-6).

È cioè il tramonto. Ma questi versi iniziali del canto, tra i più celebri e ammirati del poema, introducono già, oltre che l'ora serale, il clima particolare dell'episodio; che è quello malinconico e insieme fiducioso di un viaggio appena all'inizio. Infatti il canto, nel suo insieme, segna un ulteriore, difficile momento di distacco dai limiti del mondo e del peccato.

Virgilio, Sordello e Dante si apprestano a trascorrere la notte nella valletta dei prìncipi. Qui Dante si sofferma in due brevi dialoghi: con l'amico Nino Visconti, che accenna con misurato dolore alla moglie che lo ha già dimenticato passando a nuove nozze, e con Corrado Malaspina, del quale Dante loda la discendenza, tra le poche ancora animate dai valori della civiltà cortese.

Il momento centrale del canto è occupato però da una misteriosa scena allegorica: un serpente è messo in fuga da due angeli **verdi come fogliette pur mo** [*: or ora*] **nate** (v. 28).

Gli sforzi umani per separarsi dai vincoli terreni, espressi nei dialoghi con Nino Visconti e con Corrado Malaspina, sono assistiti dalla Grazia divina, incarnata nella protezione degli angeli dalla tentazione.

Lo stato d'animo dei penitenti e di Dante stesso è quello di chi è certo della meta luminosa, ma ancora portato a ripiegarsi sul passato e a ricordare con nostalgia il mondo; specialmente al sopraggiungere dell'ora serale, invitante alla malinconia. Se non che l'aiuto sovrannaturale della Grazia basta a ridare la necessaria fiducia al penitente, favorendone l'avvicinamento all'ideale serenità celeste: per ora è, quest'ultimo, un movimento ancora umano e conflittuale (e perciò drammatico e patetico), a poco a poco lo vedremo divenire trascendente e compiuto.

Canto IX

Ricco di invenzioni narrative e strutturalmente importante è il canto nono, con il quale si conclude la parte relativa all'Antipurgatorio e si entra nel mondo della purificazione vero e proprio. La densità delle figurazioni allegoriche non appesantisce il ritmo del racconto, vivace e fantasioso, ricco di imprevisti e di novità.

Dante si è addormentato, nella valletta dei prìncipi, sul prato fiorito. All'alba sogna di essere rapito da un'aquila che lo solleva fino alla sfera del fuoco. Al risveglio si ritrova dinanzi alla porta di ingresso del Purgatorio vero e proprio, con il solo Virgilio. Questi gli racconta che a portarlo fin lì nel sonno è stata santa Lucia, simbolo della Grazia illuminante.

La porta è posta in cima a tre gradini: il primo di marmo candido, il secondo di pietra scura, ruvida e crepata, il terzo di porfido rosso come sangue. Sulla soglia di diamante sta l'angelo guardiano, dal volto luminoso e dal vestito color cenere, con una spada in mano. Dante gli chiede inginocchiato di aprirgli la porta; e l'angelo gli incide con la spada sette P sulla fronte e poi con due chiavi (d'argento e d'oro) gli apre la porta. Al rumoroso spalancarsi dell'uscio, dall'interno Dante ode cantare il Te Deum come in una immensa chiesa.

Il tutto rappresenta allegoricamente il sacramento della penitenza: l'angelo è il sacerdote; i tre gradini simboleggiano la contrizione del cuore, la confessione dei peccati, l'espiazione con le opere; le due chiavi rappresentano il potere dei ministri divini di perdonare le colpe e di assolvere i peccatori pentiti. Le sette P (= PECCATO) tracciate dall'angelo sulla fronte di Dante, rappresentano i sette peccati capitali (superbia, invidia, ira, accidia, avarizia, gola, lussuria): Dante dovrà espiarli nei sette gironi del Purgatorio.

Canto X

Virgilio e Dante si arrampicano faticosamente lungo uno stretto sentiero che li porta alla prima cornice (o girone) del Purgatorio: questa si presenta come una piccola zona pianeggiante (della larghezza di circa cinque metri) che si sviluppa per tutta la circonferenza del monte. Qui i superbi *purificano il loro peccato portando sulle spalle enormi macigni: secondo il consueto criterio del c o n t r a p p a s s o , ora sono costretti a tenere umilmente bassa quella testa che troppo vollero tenere alta in vita.*

*Come nelle altre cornici del Purgatorio, alla punizione si associa la visione, al fine di contribuire ad eliminare la tendenza peccaminosa, di episodi esemplari di umiltà (così come, lo vedremo nel canto seguente, di esempi di superbia punita), secondo la tecnica tipicamente medioevale dell'*exemplum: *nel Medio Evo era infatti frequentissimo l'uso di storie esemplari, sia nei discorsi dei predicatori che negli affreschi delle chiese; la cultura, specialmente morale, si basava, ad ogni livello sociale, anche e spesso soprattutto su di esse. In questo caso, si tratta di tre bassorilievi marmorei scolpiti con arte sovrumana, così da dare sensazioni, oltre che visive, uditive ed olfattive. Il primo rappresenta la scena dell'Annunciazione, in cui la Vergine accetta umilmente la volontà divina che l'ha scelta come madre di Cristo; il secondo, il volontario umiliarsi di Davide; il terzo, il piegarsi dell'imperatore Traiano a dare personalmente giustizia ad una povera vedovella.*

Canto XI

Proseguendo nella descrizione della prima cornice (superbi) del Purgatorio, iniziata nel canto precedente, Dante riporta una preghiera delle anime e si afferma su tre tipi esemplari di superbi.

* * *

La prima parte del canto è occupata da un'ampia p a r a f r a s i del *Padre nostro*, recitata dalle anime chine sotto il peso dei massi.

Terminata la preghiera, Virgilio chiede che gli venga mostrata la strada. Gli risponde l'anima di Umberto Aldobrandeschi, orgoglioso e prepotente feudatario toscano vissuto nella prima metà del Duecento, il quale accenna brevemente alla propria storia insistendo nel denunciare il proprio peccato.

Un'altra anima si torce intanto sotto il masso per vedere Dante e, riconosciutolo, lo chiama affettuosamente: è il miniatore Oderisi da Gubbio, amico di Dante e a lui legato dal comune amore per l'arte. Oderisi si sofferma lungamente sulla fragilità e l'inutilità della gloria terrena, alla quale aveva da vivo superbamente aspirato. Poi mostra a Dante l'anima del senese Provenzano Salvani, lentissima nel procedere sotto un enorme peso: questi aspirò arrogantemente a essere il signore assoluto di Siena; Oderisi ricorda però un atto di Provenzano che gli ha consentito di affrettare i tempi della purificazione, evitando una sosta nell'Antipurgatorio: per salvare un amico si era una volta umiliato a mendicare nella piazza del Campo. Il discorso di Oderisi si conclude con una pudica allusione al futuro esilio di Dante, quando anch'egli proverà l'umiliazione di mendicare per poter vivere.

* * *

L'equilibrio artistico del canto sta principalmente in un sapiente incontro di invenzioni narrative e di motivi autobiografici, benché questi ultimi restino sempre in secondo piano. I tre superbi sui quali Dante si sofferma sono tre tipi esemplari nella società del Duecento: il nobile feudatario arrogante (Umberto), l'artista presuntuoso (Oderisi), il protagonista ambizioso della vita politica cittadina (Provenzano); ma rappresentano anche tre tendenze dell'animo di Dante alla superbia: quella legata alla nobiltà di sangue, quella legata al valore di artista, quella legata all'esperienza politica prima dall'esilio. La seconda, senza dubbio, è quella principale; e infatti Dante vi si sofferma con molto maggiore insistenza. Un altro elemento autobiografico emerge poi nell'allusione finale all'esilio, e alla mortificazione continua che esso comporta. A differenza che nell'*Inferno*, qui Dante non è solo osservatore, ma partecipa simbolicamente al processo di purificazione delle altre anime, anch'egli più o meno bisognoso, a seconda dei casi, di liberarsi dei peccati che esse espiano.

Un'altra ragione di interesse e di validità artistica del canto sta nella lotta che è dato di vedere nelle anime purganti (specialmente in Umberto Aldobrandeschi) tra la istintiva tendenza peccaminosa alla superbia e la volontà di superarla con la contrizione e con il pentimento. Viene mostrata, insomma, una situazione, psicologica e narrativa, di grande complessità, colta nella sua dinamica evolutiva.

Cfr. tavola 10.

« O Padre nostro, che ne' cieli stai,
   non circunscritto, ma per più amore
3   ch'ai primi effetti di là sù tu hai,
   laudato sia 'l tuo nome e 'l tuo valore
   da ogne creatura, com' è degno
6   di render grazie al tuo dolce vapore.
   Vegna ver' noi la pace del tuo regno,
   ché noi ad essa non potem da noi,

1-6: «*O Padre nostro, che stai nei* (**ne'**) *cieli, non* [*perché sei*] *contenuto limitatamente* (**circunscritto**) [*in essi*], *ma per il più grande* (**più**) *amore che tu hai lassù* (**di là sù**) *per le prime opere* (**ai primi effetti**) [*della tua creazione*: cieli e angeli], *sia lodato da ogni creatura il* (**'l**) *tuo nome e* [*sia lodata*] *la tua potenza* (**valore**), [*così*] *come è doveroso* (**degno**) *rendere grazie al tuo dolce spirito* (**vapore**). I vv. 1-24 contengono una p a r a f r a s i del *Pater noster*, posta in bocca ai superbi. Quello della preghiera è un elemento determinante del processo di purificazione, e anche altrove si incontrano anime che pregano. Ma solo qui Dante riporta per intero il testo di una preghiera, dandone per di più una versione rifatta ed ampliata. La ragione sta nel fatto che il *Pater noster* è preghiera di lode e di esaltazione di Dio, quanto mai adatta ad esprimere la piccolezza e la relatività della dimensione umana, e quindi assai opportunamente fatta recitare ai superbi. Inoltre Dante ha ampliato, del testo originale, proprio quelle parti che esprimono di più l'umiltà della condizione umana, cui tutto deve venire da Dio (cfr. soprattutto i vv. 7-9). Dalla preghiera, così rimaneggiata, emerge anche la profonda delusione del mondo e dei beni terreni (cfr. v. 14), sentimento caratteristico di tutto il *Purgatorio*, ma qui più che altrove intenso e motivato. Vi è poi un senso di stanchezza e di affanno, espresso nella brevità dei periodi e nella frequenza delle pause imposte da una sintassi ricca di proposizioni subordinate, quasi singhiozzante; così come si addice ad una preghiera recitata in espiazione di un troppo baldanzoso orgoglio (e, si ricordi, di sotto al peso di grevi massi). Queste prime due terzine corrispondono alle parole «*Pater noster, qui es in coelis, santificetur nomen tuum*» [O padre nostro, che sei nei cieli, sia santificato il tuo nome]. Nella prima terzina Dante chiarisce il senso teologicamente corretto di quell'*in coelis* (= **ne' cieli**): Dio non è circoscritto da nulla, in quanto infinito, ma tutto anzi comprende e circoscrive; solo che *nei cieli* egli è particolarmente presente con il suo amore per le prime cose create. Nella seconda terzina amplia il riferimento della lode a Dio: non solo *nomen tuum* (= **'l tuo nome**), ma anche **'l tuo valore** e il **tuo dolce vapore**; e non è certo da escludere l'ipotesi, avanzata per primo dal Landino, che al *valore* corrisponda il Padre, al *nome* il Figlio (Verbo), al *vapore* lo Spirito Santo, così che la terzina sarebbe una lode della Trinità di Dio. Entrambi gli ampliamenti operati da Dante servono ad accrescere l'affermazione della grandezza di Dio e ad umiliare di conseguenza, al confronto, le pretese della superbia umana.

7-9: *Venga* (**vegna**) *a* (**ver'** = verso) *noi la pace del tuo regno* [: il Paradiso], *poiché* (**ché**) *noi da noi* [*soli*] *non possiamo* (**potem**) [*ar-*

s'ella non vien, con tutto nostro ingegno.

Come del suo voler li angeli tuoi

fan sacrificio a te, cantando *osanna*,

12 così facciano li uomini de' suoi.

Dà oggi a noi la cotidiana manna,

sanza la qual per questo aspro diserto

15 a retro va chi più di gir s'affanna.

E come noi lo mal ch'avem sofferto

perdoniamo a ciascuno, e tu perdona

18 benigno, e non guardar lo nostro merto.

Nostra virtù che di legger s'adona,

non spermentar con l'antico avversaro,

21 ma libera da lui che sì la sprona.

Quest' ultima preghiera, segnor caro,

già non si fa per noi, ché non bisogna,

24 ma per color che dietro a noi restaro».

rivare] *ad essa con tutti i nostri sforzi* (**ingegno**), *se ella non viene* [*per Grazia divina*]. Si noti la potente e l l i s s i del v. 8; il verbo *venire*, che vi è sottinteso, è ripetuto sia al v. 7 che al v. 9: manca al v. 8, così che anche la sintassi dà il senso della insufficienza dei soli mezzi umani, esprimendone con un vuoto la incompiutezza.

10-12: *Come i* (**li** = gli) *tuoi angeli sacrificano* (**fan sacrificio**) *a te* [: Dio] *la propria* (**suo**) *volontà* (**voler**), *cantando* [*le tue*] *lodi* (**osanna**), *così facciano gli* (**li**) *uomini delle proprie* (**de' suoi**) [*volontà*]. Ancora la p a r a f r a s i insiste sull'umiliazione dell'uomo rispetto a Dio: al sacrificio della volontà individuale si deve associare il gioioso inno di lode al Creatore, come negli angeli.

13-15: *Dacci* (**dà...a noi**) *oggi il nutrimento* (**manna**) *quotidiano* (**cotidiana**), *senza il quale attraverso* (**per**) *questo tormentoso* (**aspro**) *deserto va indietro* (**a retro**) *chi più si affatica* (**s'affanna**) *di andare* (**gir**) [*avanti*]. La **cotidiana manna** corrisponde al *pane quotidiano* che è non solo il cibo materiale dell'uomo ma soprattutto quello spirituale (l'unico necessario a queste anime), e corrisponde in qualche modo alla assistenza della Grazia divina. Questo spiega la implicita reminiscenza biblica rivelata dai termini **manna** e **diserto**: la *manna* è infatti il cibo che Dio mandò in soccorso agli Ebrei che attraversavano il *deserto*; cioè: chiedono implicitamente queste anime che Dio le assista come assistette gli Ebrei nel deserto. **Aspro diserto**: è la Terra, della quale fa parte anche il Purgatorio; sia i vivi che i penitenti hanno bisogno della Grazia per giungere al cielo.

16-18: *E* [*così*] *come noi perdoniamo a ciascuno il* (**lo**) *male che abbiamo subìto* (**sofferto**), *anche* (**e**) *tu perdona misericordioso* (**benigno**), *e non guardare* [: non giudicare] *i* (**lo** = il) *nostri meriti* (**merto**). Ancora si insiste sul tema della propria pochezza.

19-21: *Non mettere alla prova* (**spermentar** = sperimentare) *la nostra forza* (**virtù**) [: morale] *che facilmente* (**di legger**) *si piega* (**s'adona**) *con l'antico nemico* (**avversaro** = avversario) [: il demonio], *ma libera[la] da lui che tanto* (**sì** = così) *la spinge* (**sprona**) [*al male*].

22-24: *Adorato* (**caro**) *Signore* (**segnor**), *quest'ultima preghiera non si fa più* (**già**) *per noi, giacché* (**ché**) [*ormai*] *non è necessaria* (**non bisogna**; impers.), *ma per coloro che sono rimasti* (**restaro** = restarono) *dietro di* (**a**) *noi* [: sulla Terra; i vivi]». Molto opportunamente Dante fa che questi superbi concludano la preghiera con un dichiarato atto di generosità, loro che sulla Terra pensarono solamente a se stessi. **Quest'ultima preghiera**: cioè *quest'ultima parte della preghiera*; e si discute, tra i commentatori, se si riferisca alla sola terzina precedente oppure a tutta la seconda parte della preghiera (vv. 13-21), che sembra riguardare bisogni propri piuttosto dei viventi. Entrambe le tesi sono sostenibili.

Così a sé e noi buona ramogna
quell' ombre orando, andavan sotto 'l pondo,

27   simile a quel che talvolta si sogna,
disparmente angosciate tutte a tondo
e lasse su per la prima cornice,

30   purgando la caligine del mondo.
Se di là sempre ben per noi si dice,
di qua che dire e far per lor si puote

33   da quei c'hanno al voler buona radice?
Ben si de' loro atar lavar le note
che portar quinci, sì che, mondi e lievi,

36   possano uscire a le stellate ruote.
« Deh, se giustizia e pietà vi disgrievi
tosto, sì che possiate muover l'ala,

39   che secondo il disio vostro vi lievi,
mostrate da qual mano inver' la scala
si va più corto; e se c'è più d'un varco,

42   quel ne 'nsegnate che men erto cala;
ché questi che vien meco, per lo 'ncarco
de la carne d'Adamo onde si veste,

25-30: *Così quelle anime* (**ombre**), *pregando* (**orando**) *per* (**a**) *sé* [: già salve] *e* [*per*] *noi* [*vivi*] *buon augurio* (**ramogna**), *andavano sotto il peso* (**'l pondo**) [: dei massi], *simile a quel* [*peso*] *che talvolta si sogna* [: negli incubi], *tutte in giro* (**a tondo**) *sù lungo* (**per**) *la prima cornice, diversamente* (**disparmente**) *oppresse* (**angosciate**) [: dal peso, a seconda della gravità del peccato] *e sfinite* (**lasse**), *purificando* (**purgando**) *la nebbia* (**caligine**) [*peccaminosa*] *del mondo.* **Ramogna**: è parola rarissima (Dante la usa solo qui) di difficile spiegazione; oltre che quello di *augurio* è stato proposto il senso di *purificazione.* **Simile a quel...**: il peso dei massi trasportati dai superbi è simile a quello che a volte sembra schiacciarci negli incubi. **Caligine**: altra parola usata solo in questo punto del poema; allude al fumo o nebbia che il peccato di superbia stende dinanzi agli occhi, impedendo di vedere, al di fuori di se stessi, le cose nelle loro giuste proporzioni. L'uso di un lessico ricercato serve a introdurre una materia di particolare rilievo culturale, quale sta per emergere nell'incontro con Oderisi, in cui si discorrerà di arte e di gloria.

31-33: *Se di là* [: nell'aldilà, in Purgatorio] *si dice sempre ben* [: si prega sempre] *per noi* [*vivi*], *di qua* [: nel mondo] *che si deve* (**si puote** = si può) *dire e fare per loro* [: ani-

me purganti] *da* [*parte di*] *quelli* (**quei**) *che hanno alla volontà* (**voler**) [*di far bene*] *un buon appiglio* (**radice**) [: essendo in grazia di Dio]? **Dire e far**: preghiere e opere di bene. **Quei c'hanno al voler...**: i vivi in grazia di Dio, i soli che possano unire alla volontà di far bene la possibilità, essendo ascoltati ed esauditi.

34-36: *Si deve* (**de'** = dee) *veramente* (**ben**) *aiutarli* (**loro atar**) [*a*] *lavare le macchie* (**note**) *che portarono* (**portar** = portaro) [*morendo*] *da qui* (**quinci**) [: il mondo], *così* (**sì**) *che, puri* (**mondi**) *e leggeri* (**lievi**) [: senza colpa], *possano salire* (**uscire**) *alle sfere* (**ruote**) *delle stelle* (**stellate**) [: al cielo].

37-45: [: Parla Virgilio] «*Ah* (**deh**), *magari* (**se**; augurale) *che la giustizia e la pietà* [*divine*] *vi liberino dal peso* (**disgrievi**; al sing.) *presto* (**tosto**), *così* (**sì**) *che possiate muovere le ali* [: levarvi a volo], *che vi sollevino* (**vi lievi**) *secondo il vostro desiderio* (**disio**) [: al cielo], *mostrate[ci] da quale parte* (**mano**) *si va più rapidamente* (**corto**) *verso* (**inver'**) *la scala* [*che sale alla seconda cornice*]; *e se c'è più di un passaggio* (**varco**), *mostrateci* (**ne 'nsegnate** = ci insegnate) *quello* (**quel**) *che scende* (**cala**) *meno ripido* (**erto**); *poiché* (**ché**) *questi che viene con me* (**meco**) [: Dante], *per il peso* (**lo 'ncarco** = l'incarco) *della carne di Adamo* [: il corpo umano] *di cui* (**on-**

45   al montar sù, contra sua voglia, è parco ».

          Le lor parole, che rendero a queste

            che dette avea colui cu' io seguiva,

48   non fur da cui venisser manifeste;

          ma fu detto: « A man destra per la riva

            con noi venite, e troverete il passo

51   possibile a salir persona viva.

         E s'io non fossi impedito dal sasso

            che la cervice mia superba doma,

54   onde portar convienmi il viso basso,

         cotesti, ch'ancor vive e non si noma,

            guardere' io, per veder s'i' 'l conosco,

57   e per farlo pietoso a questa soma.

---

de) è [*ancora*] *ricoperto* (**si veste**), *a salire* (**al montar sù**) *è lento* (**parco**) *contro la sua volontà* (**voglia**)».

46-51: *Le loro* [: dei superbi] *parole, che risposero* (**rendero**) *a queste* [: dei vv. 37-45] *che aveva* (**avea**) *dette colui che* (**cu'** = cui) *io seguivo* [: Virgilio], *non fu* (**fur** = furono; riferito a 'parole') *comprensibile* (**manifeste**; *da chi* (**cui**) *provenissero* (**venisser**)*; ma fu detto*: «*Venite con noi a destra* (**a man destra**) *lungo la parete* (**per la riva**), *e troverete il passaggio* (**passo**) [*al secondo girone*] *che può essere salito da* (**possibile a salir**) *persona viva*. Dal gruppo dei superbi si leva sùbito la risposta alla domanda di Virgilio; ma poiché le anime camminano a testa bassa, schiacciati sotto il peso dei massi, Dante non capisce chi sia a parlare. D'altra parte chi risponde lo fa usando dapprincipio il plurale, come parlando a nome di tutti quanti. Questo inizio di discorso anonimo fa contrasto con il peccato di superbia di queste anime; e mostra la corrispondenza di una nuova condizione interiore all'aspetto esteriore della pena: ciò non poteva ovviamente accadere alle anime dell'Inferno.

52-57: *E se io non fossi impedito dal sasso che doma la mia testa* (**cervice**) *superba, per cui* (**onde**) *mi è necessario* (**convienmi** = mi conviene = devo) *tenere* (**portar**) *il viso basso, io guarderei costui* (**cotesti**) [: Dante] *che vive ancora e non dice il suo nome* (**non si noma**), *per vedere se io* (**s'i'**) *lo* (**'l** = il) *conosco, e per renderlo* (**farlo**) *pietoso di* (**a**) *questo peso* (**soma**). Dopo aver risposto a nome di tutti alla domanda di Virgilio, l'anima passa dalla prima persona plurale alla prima singolare (vv. 52 sgg.). E qui sarà bene dire sùbito che nelle parole di questo su-

perbo (il cui nome è Umberto Aldobrandeschi — cfr. nota sg. —) convivono due tensioni opposte: una derivante dal peccato mondano, e l'altra dalla purificazione in corso. Il che mostra la dinamica della penitenza nel suo stesso farsi, svelandone l'intimo meccanismo. Da una parte c'è il desiderio di umiliarsi, calcando l'accento sul proprio peccato e sulla bassezza della propria condizione presente; dall'altro si nota ancora un residuo di superbia o, almeno, di fierezza ed alterigia. Della prima tendenza sono sintomatici soprattutto i vv. 53 sg., 57, 60, 63 sg., 67-72; della seconda, soprattutto i vv. 52, 55 sg., 58 sg., 61, 65 sg. Come si vede (e come un'analisi attenta rivela appieno) i due motivi sono strettamente intrecciati. Per meglio dire, a ogni ritorno di superbia segue uno slancio di volontaria umiliazione: un caso in tal senso evidente è quello dei vv. 58-60, quando, dopo aver ricordato con enfasi la propria illustre origine e il fiero nome paterno, Umberto Aldobrandeschi umilmente chiede se quel nome sia per caso conosciuto. Questo non significa, beninteso, che le anime del Purgatorio si mostrino ancora avvolte nel peccato come furono in Terra. Significa, piuttosto, che Dante mostra nelle anime purganti il carattere processuale e contraddittorio, la difficile lotta, con cui si liberano a poco a poco dal peccato. È questa, appunto, la grande concezione del *Purgatorio* dantesco: non narrare di peccatori irrecuperabili (questo è l'*Inferno*), e neppure di beati perfetti (questo è il *Paradiso*), ma di animi viziati, ora impegnati a eliminare da sé la tendenza peccaminosa della loro vita. **Non si noma**: è improbabile che l'espressione contenga un rimprovero a Dante, che non si è presentato; ma certo rivela un po' di impazienza e forse di dispetto per non po-

Io fui latino e nato d'un gran Tosco:
Guiglielmo Aldobrandesco fu mio padre;
60   non so se 'l nome suo già mai fu vosco.
L'antico sangue e l'opere leggiadre
de' miei maggior mi fer sì arrogante,
63   che, non pensando a la comune madre,
ogn' uomo ebbi in despetto tanto avante,
ch'io ne mori', come i Sanesi sanno,
66   e sallo in Campagnatico ogne fante.
Io sono Omberto; e non pur a me danno
superbia fa, ché tutt' i miei consorti
69   ha ella tratti seco nel malanno.
E qui convien ch'io questo peso porti
per lei, tanto che a Dio si sodisfaccia,
72   poi ch'io nol fe' tra ' vivi, qui tra ' morti ».

---

terlo guardare. **Soma**: può intendersi sia il *carico* di un animale da fatica che l'animale stesso (*bestia da soma*); e, in questo secondo caso, il senso dell'umiliazione è più forte.

58-60: *Io fui italiano* (**latino**) *e figlio* (**nato**) *di un* (**d'un** = da un) *grande* (**gran**) [: importante] *toscano* (**Tosco**)*: Guglielmo Aldobrandeschi fu mio padre; non so se il* (**'l**) *suo nome fu giammai* [*udito*] *da voi* (**vosco** = con voi). Guglielmo Aldobrandeschi fu un potente e famoso signore della Maremma toscana, nemico acerrimo del Comune di Siena, vissuto nella prima metà del Duecento. Il figlio Umberto, che qui sta parlando (cfr. v. 67), proseguì nell'ostilità del padre verso i senesi, alleandosi a Firenze; morì nel 1259, forse soffocato nel suo letto da un sicario per conto del Comune di Siena o più probabilmente combattendo contro i senesi in difesa del castello di Campagnatico (cfr. vv. 65 sg.). Cfr. anche la nota precedente.

61-66: *L'antichità del* [*mio*] *sangue* (**l'antico sangue**) [: della famiglia] *e le imprese* (**opere**) *valorose* (**leggiadre**) *dei* (**de'**) *miei antenati* (**maggior**) *mi resero* (**fer** = fecero) *così superbo* (**sì arrogante**), *che, non pensando alla comune origine* (**madre**) [*degli uomini*], *ebbi in disprezzo* (**despetto**) [: disprezzai] *ogni uomo a tal punto* (**tanto avante**), *che io ne morii, come sanno i senesi e* [*come*] *sa* (**sallo** = lo sa; **lo** è p l e o n .) [*perfino*] *ogni ragazzo* (**fante**) *in Campagnatico*. **La comune madre**: è possibile che Dante alluda ad Eva, dalla quale son nati tutti gli uomini;

oppure alla terra, generatrice della vita di tutti; oppure, in senso generale, alla origine di ognuno da una donna. Il significato non cambia: gli uomini sono uguali e nessuno può ragionevolmente sentirsi superiore agli altri. **Come i Sanesi...**: della morte di Umberto sapevano bene i senesi, che o l'avevano fatto trucidare o l'avevano ucciso in battaglia, e sapevano bene a Campagnatico, dove la morte era avvenuta, perfino i bambini; e perciò egli non si sofferma a raccontarla. Noi, al contrario, disponiamo di due versioni dei fatti discordanti (cfr. nota precedente).

67-69: *Io sono Umberto* (**Omberto**)*; e la superbia non fa danno solamente* (**pur**) *a me, giacché* (**ché**) *essa* (**ella**) *ha trascinati* (**tratti**) *con sé* (**seco**) *alla rovina* (**nel malanno**) *tutti i miei parenti* (**consorti**). La superbia era dunque un vizio di famiglia per gli Aldobrandeschi, i quali, per causa sua, si erano ai tempi di Dante già ridotti di numero e di potenza, rispetto alla prosperità passata: erano, cioè, caduti in rovina (**nel malanno**) sia nel senso mondano di quest'ultima parola (rovina economica e politica), sia in quello religioso (rovina morale).

70-72: *E per causa sua* (**per lei**) [: la superbia] *è necessario* (**convien**) *che io porti questo peso* [: il masso], *poiché io* (**poi ch'io**) *non lo* (**nol**) *feci* (**fe'**) [: di portarlo; cioè di pentirmi ed espiare] *tra i* (**tra'**) *vivi, qui tra i morti, fino a che* (**tanto che**) *sia data soddisfazione* (**si sodisfaccia**) *a Dio* [: espiando la colpa e ristabilendo l'equilibrio turbato con il peccato]*»*.

Ascoltando chinai in giù la faccia;
e un di lor, non questi che parlava,
75 si torse sotto il peso che li 'mpaccia,
e videmi e conobbemi e chiamava,
tenendo li occhi con fatica fisi
78 a me che tutto chin con loro andava.
« Oh! », diss' io lui, « non se' tu Oderisi,
l'onor d'Agobbio e l'onor di quell' arte
81 ch'alluminar chiamata è in Parisi? ».
« Frate », diss' elli, « più ridon le carte
che pennelleggia Franco Bolognese:
84 l'onore è tutto or suo, e mio in parte.
Ben non sare' io stato sì cortese
mentre ch'io vissi, per lo gran disio
87 de l'eccellenza ove mio core intese.
Di tal superbia qui si paga il fio;
e ancor non sarei qui, se non fosse

73-78: *Ascoltando chinai la faccia in giù; e uno di loro* [: dei superbi], *non questi che parlava* [: Umberto Aldobrandeschi], *si torse* [: per guardare Dante] *sotto il peso che li* [: i superbi] *ostacola nei movimenti* (**li 'mpaccia** = li impaccia), *e mi vide* (**videmi**) *e mi riconobbe* (**conobbemi**) *e* [*mi*] *chiamava, tenendo con fatica gli* (**li**) *occhi fissi su di* (**a**) *me che andavo tutto chino con loro.* Umberto ha appena finito di parlare che un'altra anima si interessa a Dante, riuscendo a guardarlo da sotto il peso del masso con una faticosa torsione e riconoscendolo: si noti la grande naturalezza della scena sintetizzata al v. 76, la concisa successione dei momenti e il passaggio dal passato remoto all'imperfetto (**vide...**, **conobbe...**, **chiamava**), a dire la rapidità del *vedere* e del *riconoscere* e la insistenza, poi, del *chiamare*. **Ascoltando chinai...**: anche Dante partecipa simbolicamente, per un breve tratto, alla pena; e del peccato di superbia egli si dichiara apertamente colpevole in *Purg.* XIII, 136-138 (cfr. anche il v. 78).

79-81: *Io gli* (**lui** = a lui) *dissi: «Oh! non sei tu Oderisi, l'onore di Gubbio* (**Agobbio**) *e l'onore di quell'arte che in Parigi* (**Parisi**) *è chiamata alluminare* (dal franc. 'enluminer') [: la miniatura]*?».* Oderisi da Gubbio fu un celebre miniatore morto probabilmente nel 1299; lavorò a lungo a Bologna, dove incontrò l'altro maggiore miniatore dell'epoca, **Franco** (cfr. v. 83), e dove forse Dante lo conobbe. L'usanza di adornare con decorazioni codici e pergamene era molto diffu-

sa nel Medio Evo e pare che vi si dedicasse da dilettante lo stesso Dante. Tutto il colloquio con Oderisi rivela una consuetudine di comuni interessi artistici e, si direbbe, una tendenza comune alla superbia; da quest'ultima nasce in Oderisi l'esigenza di dichiarare solennemente all'amico una nuova prospettiva, nella dimensione dell'eterno, che vede la relatività e la caducità delle cose terrene, anche di quelle che sembrano sfidare il tempo come la gloria. Se in Umberto Aldobrandeschi abbiamo veduto il manifestarsi di una tensione interiore e di un conflitto, in Oderisi ci si mostra una fase, per così dire, molto più compiuta della purificazione.

82-84: *Egli* (**elli**) [: Oderisi] *disse* [*a me*]: *«Fratello* (**frate**), *splendono* (**ridon**; che implica un'idea di vivacità) [*di*] *più le carte che dipinge* (**pennelleggia**) *Franco bolognese* [: cfr. nota precedente]*: ora l'onore* [*della fama*] *è tutto suo, e mio* [*solo*] *secondariamente* (**in parte**). Oderisi ammette di essere stato superato dal rivale.

85-87: *Certo* (**ben**) *io non sarei stato così generoso* (**cortese**) *finché io* (**mentre ch'io**) *vissi, per il* (**lo**) *gran desiderio* (**disio**) *di eccellere* (**de l'eccellenza**) *al quale* (**ove**) *il mio cuore fu rivolto* (**intese**).

88-90: *Qui si paga il fio* [: la pena] *di tale superbia; e non sarei ancora qui, se non fosse che, potendo* (**possendo**) [*ancora*] *peccare* [: ancora in vita]*, mi rivolsi* (**volsi**) *a Dio* [*pentendomi*]. **E ancor non sarei qui...**: l'es-

90	che, possendo peccar, mi volsi a Dio.
	Oh vana gloria de l'umane posse!
	com' poco verde in su la cima dura,
93	se non è giunta da l'etati grosse!
	Credette Cimabue ne la pittura
	tener lo campo, e ora ha Giotto il grido,
96	sì che la fama di colui è scura.
	Così ha tolto l'uno a l'altro Guido
	la gloria de la lingua; e forse è nato
99	chi l'uno e l'altro caccerà del nido.
	Non è il mondan romore altro ch'un fiato
	di vento, ch'or vien quinci e or vien quindi,
102	e muta nome perché muta lato.

sersi pentito, senza attendere l'ultimo momento di vita, quando avrebbe avuto tempo per insistere nel proprio peccato, ha affrettato la venuta di Oderisi in questa cornice, evitandogli l'attesa nell'Antipurgatorio.

91-93: *O gloria inconsistente* (**vana**) *del valore* (**posse** = possibilità, poteri) *umano! come* [*la gloria*] *resiste* (**dura**) *brevemente* (**poco**) *rigogliosa* (**verde**) *sulla vetta* (**in su la cima**), *se non è seguita* (**giunta**) *da tempi* (**etati**) *di decadenza* (**grosse** = rozze)! Solo quando intervenga un periodo di barbarie, la gloria dei grandi artisti (e, in generale, degli uomini di valore) dura più a lungo; ma solamente perché nessuno è in grado di competere con essi.

94-99: *Nella pittura Cimabue credette* [*di*] *dominare* (**tener**) *il* (**lo**) *campo, e ora Giotto ha la* [*maggiore*] *fama* (**il grido**), *così* (**sì**) *che la fama di quegli* (**colui**) [: Cimabue] *è* [*stata*] *oscurata* (**scura**). *Allo stesso modo* (**così**) *l'uno* [: Guido Cavalcanti] *ha tolto all'altro Guido* [: Guido Guinizelli] *la gloria della lingua* [: il primato letterario]; *e forse è nato chi caccerà dalla pregevole posizione* (**del nido**) *l'uno e l'altro*. A conferma dell'instabilità (e quindi della inutilità) della gloria terrena, Oderisi cita due esempi che si affiancano a quello già implicito nel precedente riferimento a se stesso e a **Franco bolognese**. Il primo esempio riguarda la pittura: **Cimabue** (fiorentino, nato intorno al 1240, morto dopo il 1300) è stato superato da **Giotto** (nato nei pressi di Firenze intorno al 1265, morto nel 1337); ed è notevole che Dante si riferisca ai due maggiori pittori fiorentini del suo tempo. Il secondo esempio riguarda la letteratura, e tocca quindi molto più da

vicino gli interessi e le competenze di Dante: Guido Cavalcanti (cfr. *Inf.* X, 61-63 e nota) ha superato per fama Guido Guinizelli (grande rimatore bolognese in volgare, maestro dello stilnovismo, nato intorno al 1235 e morto nel 1276), ma è già nato chi supererà l'uno e l'altro. Sembra un'allusione a Dante stesso, e ciò potrebbe apparire incoerente, perché, proprio nel canto dove si purga la superbia, Dante ne darebbe una prova manifesta, facendosi proclamare il maggiore poeta del momento. Ma si considerino tre fatti: 1) Dante ebbe sempre piena coscienza della propria obiettiva importanza storica; 2) la responsabilità dell'allusione è lasciata ad un altro, sul piano narrativo, ed è, oltre che indeterminata, attenuata da un **forse**; 3) anziché essere motivo di esaltazione, essa induce Dante all'umiltà (come dichiarerà ai vv. 118-120), mostrando come ogni gloria umana sia destinata a estinguersi e ad essere superata. Infatti come Cavalcanti ha superato Guinizelli e Dante ha superato entrambi, fatalmente verrà un altro poeta che supererà Dante; sono questi l'insegnamento e la facile conclusione logica del discorso di Oderisi. Anziché essere una manifestazione di superbia, dunque, questa allusione di Dante a se stesso serve a introdurre (e con molta cautela) un motivo apertamente autobiografico, con il fine di coinvolgere anche l'autorevole personaggio nel processo di purificazione, di indurlo a **bona umiltà** (v. 119).

100-102: *La fama* (**romore** = rumore; ha una sfumatura sprezzante) *mondana non è altro che un soffio* (**fiato**) *di vento, che ora viene da una parte* (**quinci**) *e ora viene da un'altra parte* (**quindi**), *e cambia* (**muta**) *nome perché cambia* (**muta**) *direzione* (**lato**). La fama

Che voce avrai tu più, se vecchia scindi
    da te la carne, che se fossi morto
105   anzi che tu lasciassi il ' pappo ' e 'l ' dindi ',
pria che passin mill' anni? ch'è più corto
    spazio a l'etterno, ch'un muover di ciglia
108   al cerchio che più tardi in cielo è torto.
Colui che del cammin sì poco piglia
    dinanzi a me, Toscana sonò tutta;
111   e ora a pena in Siena sen pispiglia,
ond' era sire quando fu distrutta
    la rabbia fiorentina, che superba
114   fu a quel tempo sì com' ora è putta.
La vostra nominanza è color d'erba,
    che viene e va, e quei la discolora
117   per cui ella esce de la terra acerba ».
E io a lui: « Tuo vero dir m'incora
    bona umiltà, e gran tumor m'appiani;

del mondo «oggi si chiama Oderisi, Cima-bue, Cavalcante; domani Franco, Giotto e Dante; a quel modo che il vento prende diversi nomi secondo la direzione da cui spira» (Sapegno).

103-108: *Che fama* (**voce**) *avrai più tu, se separi* (**scindi**) *il corpo* (**la carne**) *da te* [: se muori] *vecchio, che se fossi morto prima* (**anzi**) *che tu abbandonassi* (**lasciassi**) [*i modi infantili di dire*] *'pappo' e 'dindi'* [: da bambino], *entro* (**pria che passin** = prima che trascorrano) *mille anni? che sono* (**ch'è**) [*rispetto*] *all'eterno uno spazio più breve* (**corto**) *che un muover di ciglia* [*rispetto*] *alla rivoluzione celeste* (**al cerchio...in cielo**) *che si compie* (**è torto** = si rivolge) *più lentamente* (**tardi**). Rispetto all'eternità non c'è fama che abbia senso; dopo mille anni, essere morti bambini o vecchi non cambia: si è comunque dimenticati. E mille anni rispetto all'eterno sono meno che un battere di ciglia rispetto al tempo di rivoluzione del cielo delle stelle fisse, calcolato in 36.000 anni (infatti il secondo rapporto è tra due grandezze finite, il primo tra una finita ed una infinita). **Pappo** e **dindi** nel linguaggio infantile significano rispettivamente *pane* e *monete*.

109-114: *Tutta la Toscana parlò* (**sonò** = risuonò) [*di*] *colui che dinanzi a me avanza* (**piglia** = prende) *così* (**sì**) *poco nel cammino* (**del cammin**) [: per il gran peso del suo masso]; *e ora se ne* (**sen**) *bisbiglia* (**pispiglia**) *ap-*

pena in Siena, della quale (**ond'** = onde) [*egli*] *era signore* (**sire**) *quando fu stroncata* (**distrutta**) *la prepotenza* (**rabbia**) *fiorentina, che a quel tempo fu superba così* (**sì**) *come ora è corrotta* (**putta** = puttana). L'anima indicata da Oderisi a Dante è quella di Provenzano Salvani, nominato al v. 121; costui era capo dei Ghibellini in Siena ed ebbe parte importante nella vittoria contro i fiorentini a Montaperti nel 1260 (cfr. vv. 112 sg.), che fermò l'aggressività espansionistica di Firenze (**superba/ fu**, vv. 113 sg.); nel 1269 i senesi furono sconfitti però a loro volta dai fiorentini a Colle di Valdelsa e Provenzano fu decapitato. Ebbe fama di uomo superbo e attaccato al potere (cfr. vv. 122 sg.). **La rabbia fiorentina...**: ancora Dante rivolge l'attenzione alla sua Firenze, passata in pochi decenni dalla superbia espansionistica alla corruzione creata dalle ricchezze, alle quali essa si vende come una meretrice (**putta**).

115-117: *La vostra* [: del mondo] *fama* (**nominanza**) *è* [*del*] *colore dell'erba* [: di un verde che dura poco], *che viene e va, e la scolorisce* (**discolora**) *quegli* (**quei**) [*stesso*] *grazie a cui* (**per cui**) *ella esce tènera* (**acerba**) *dalla* (**de la**) *terra* [: il sole]». Il sole fa spuntare l'erba nei prati ed egli stesso poi la secca, togliendole il verde; così come il tempo dà la fama e poi la toglie.

118-120: *E io* [*dissi*] *a lui* [: Oderisi]*: «Il tuo discorso* (**dir**) *veritiero* (**vero**) *mi infonde in*

120   ma chi è quei di cui tu parlavi ora?».

    «Quelli è», rispuose, «Provenzan Salvani;

     ed è qui perché fu presuntüoso

123   a recar Siena tutta a le sue mani.

    Ito è così e va, sanza riposo,

     poi che morì: cotal moneta rende

126   a sodisfar chi è di là troppo oso».

    E io: «Se quello spirito ch'attende,

     pria che si penta, l'orlo de la vita,

129   qua giù dimora e qua sù non ascende,

    se buona orazïon lui non aita,

     prima che passi tempo quanto visse,

132   come fu la venuta lui largita?».

    «Quando vivea più glorïoso», disse,

     «liberamente nel Campo di Siena,

135   ogne vergogna diposta, s'affisse;

    e lì, per trar l'amico suo di pena,

     ch'e' sostenea ne la prigion di Carlo,

138   si condusse a tremar per ogne vena.

---

cuore (**m'incora**) *una saggia* (**bona** = buona) *umiltà, e* [*con esso*] *appiani in me* (**m'appiani**) [*il*] *gran gonfiore* (**tumor**) [*della superbia*]: *ma chi è quegli* (**quei**) *di cui tu ora* [: ai vv. 109-114] *parlavi?».*

121-123: [*Oderisi mi*] *rispose: «Quegli* (**quelli**) *è Provenzano Salvani; ed è qui* [: tra i superbi] *perché ebbe l'ambizione* (**fu presuntuoso**) *di* (**a**) *fare propria* (**recar…a le sue mani**) *tutta Siena.* Cfr. la nota ai vv. 109-114. **Presuntüoso**: si noti come la d i e r e s i gonfi espressivamente la parola, come gonfio è l'animo del superbo.

124-126: *È andato* (**ito**) *così* [: appesantito dal masso] *e va* [*tuttora*], *senza riposo, da quando* (**poi che**) *morì: chi nel mondo* (**di là**) *ha osato* (**è…oso**; come nel lat. 'ausus est') *troppo* [: per eccessiva presunzione] *rende tale* (**cotal**) *moneta* [: sconta tale pena] *per* (**a**) *soddisfare* [*la giustizia divina*]».

127-132: *E io* [*dissi a Oderisi*]: «*Se quell'anima* (**spirito**) *che attende, prima* (**pria**) *di pentirsi* (**che si penta**), *il limite* (**l'orlo**) *della vita, staziona* (**dimora**) *quaggiù* [: nell'Antipurgatorio] *e non sale* (**ascende**) *quassù* [: nel Purgatorio vero e proprio] *prima che passi* [*tanto*] *tempo quanto visse, se non lo* (**lui** = a lui) *aiutano* (**aita**) *preghiere* (**orazion**) *valide* (**buona**), *come fu concesso* (**largita**) *a lui* (**lui**; dat.) [: Provenzano] *di venire* (**la**

venuta**) [: così presto in Purgatorio]?».* Dante pone a Oderisi questo dubbio: se chi si pente, come Provenzano, nel momento estremo di vita deve prima sostare nell'Antipurgatorio tanto tempo quanto visse, se non lo aiutano preghiere valide (cosa difficile per un uomo come Provenzano, la cui fama era certamente sgradita), come è possibile che il Salvani sia già qui e non nell'Antipurgatorio?

133-138: [*Oderisi*] *disse* [*a me*]: «*Quando era nel pieno della gloria* (**vivea più glorïoso**), *superata* (**diposta**) *ogni vergogna, si piantò* (**s'affisse**) [*a mendicare*] *spontaneamente* (**liberamente**) *nel Campo di Siena; e lì si ridusse* (**condusse**) *a tremare tutto quanto* (**per ogne vena** = a fibra a fibra) [*di vergogna*] *per liberare* (**trar**) *un suo amico dalla* (**di**) *pena, che egli* (**ch'e'** = che ei) *sopportava* (**sostenea**) *nella prigione di Carlo* [*d'Angiò*]. Oderisi risponde al dubbio di Dante. C'è stato un episodio nella vita del superbo Provenzano che lo ha in qualche modo riscattato, così da spingere la giustizia e la misericordia di Dio a consentirgli di affrettare l'inizio della purificazione vera e propria (cfr. v. 142). L'episodio vede Provenzano eccezionalmente piegarsi nell'umiliazione e nella mortificazione: il re Carlo d'Angiò aveva imprigionato un caro amico di Provenzano e aveva posto una taglia fortissima, di diecimila fiorini d'oro, con poco tempo per pagarla, dopo di che lo avrebbe ucciso; Provenzano così si

Più non dirò, e scuro so che parlo;
    ma poco tempo andrà, che ' tuoi vicini
    faranno sì che tu potrai chiosarlo.
142 Quest' opera li tolse quei confini ».

mise nella piazza del Campo a chiedere soccorso, «non sforzando alcuno, ma umilmente domandando aiuto» (Ottimo), così che i senesi, commossi dall'eccezionale atteggiamento del loro superbo signore, largamente lo soccorsero, e Provenzano poté salvare l'amico. La grandezza drammatica della scena sta proprio nel contrasto tra la superbia del protagonista e la fermezza con la quale egli sa per una volta piegarla umiliandosi (si noti l'incisività decisa di s'affisse e dell'a b l a t i v o   a s s o l u t o di ogne vergogna diposta al v. 135, la risolutezza di liberamente al v. 134 e di si condusse al v. 138 e l'efficace contrasto tra quando vivea più glorioso al v. 133 e tremar per ogne vena al v. 138); e la drammaticità è accresciuta dal fatto che Provenzano, a pochi passi da Oderisi e da Dante, non dica neppure una parola né reagisca in alcun modo al racconto, ma resti chino sotto il peso della punizione e del peccato, umilmente impegnato a conquistarsi la beatitudine.

139-141: *Non dirò altro [che questo], e so che parlo in modo incomprensibile* (**scuro**) *[per te]; ma passerà* (**andrà**) *poco tempo che i* (**che'**) *tuoi concittadini* (**vicini**) *[: i fiorentini] faranno in modo* (**sì** = così) *che tu potrai comprenderlo* (**chiosarlo**) *[: quanto dico].* Verrà cioè presto il tempo in cui Dante, esiliato da Firenze, sarà costretto, esule, a mendicare e ad umiliarsi egli stesso per vivere, così che capirà meglio le allusioni alla vergogna di Provenzano. L'accenno pudìco al tema autobiografico dell'esilio allarga la portata drammatica della scena precedente, coinvolgendo pateticamente la stessa dolorosa esperienza di Dante nella descrizione del **tremar per ogne vena** di Provenzano.

142: *Questo atto* (**opera**) *[: mendicare per l'amico] gli* (**li**) *[: a Provenzano] evitò* (**tolse**) *quei confinamenti* (**quei confini**) *[: nell'Antipurgatorio]».* Si conclude la risposta di Oderisi a Dante.

Calìgine _____ v. 30

È voce dotta derivata dal lat. *calīgo, caligĭnis* ('fumo, nuvola densa e scura; oscurità'). Il senso proprio, ancora oggi in uso, è 'offuscamento dell'atmosfera causato dalla presenza di pulviscolo nell'aria'. Dante usa però il vocabolo in senso figur. (oggi non più vivo), con il significato di 'offuscamento spirituale dovuto al peccato'.

Pondo _____ v. 26

È voce dotta derivata dal lat. *pondŭs, pondĕris* (da *pendĕre* = 'pesare'; alle lingue germ. pervenne come nome di pesi speciali: cfr. ted. *pfund* e ingl. *pound*). Il termine, esclusivamente ant. e letter., significa 'peso, cosa grave'; ed oggi è rimasto nell'uso solo in forme derivate: *ponderare* ('valutare, soppesare'), *ponderazione, ponderoso,* ecc.

Canto XII

Con il canto dodicesimo si conclude la descrizione della prima cornice, dei superbi. Come nel canto decimo Dante aveva descritto esempi di umiltà posti sulla parete della montagna, così qui descrive esempi di superbia punita posti in terra perché le anime purganti li calpestino. Le iniziali dei tredici esempi (uno per terzina), distribuiti in tre gruppi, ripetendosi per ogni gruppo quattro volte, costituiscono l'a c r o s t i c o VOM, uomo, essere superbo per costituzione.

Prima di condurli alla soglia della seconda cornice, l'angelo guardiano cancella con l'ala dalla fronte di Dante una delle sette P tracciatevi dall'angelo portinaio (cfr. canto IX), a significare che Dante si è purificato del primo peccato, la superbia. Dante si sente più leggero e non capisce il perché, così che Virgilio lo invita a toccarsi la fronte; e il discepolo, sentendosi come **color che vanno/ con cosa in capo non da lor saputa** *(vv. 127 sg.)*, si accorge che le P sono diventate sei; e Virgilio sorride del suo stupore.

Canto XIII

Giunti alla seconda cornice *del Purgatorio, Virgilio e Dante odono brevi frasi sussurrate nell'aria da spiriti invisibili; le frasi ricordano esempi di carità e hanno la stessa funzione che nel girone precedente i bassorilievi.*

Appoggiate alla parete del monte, sorreggendosi l'un l'altro e in abito di penitenza, stanno le anime degli invidiosi. *La loro pena è descritta da Dante con crudele realismo e senza simpatia: essi hanno gli occhi cuciti. Il c o n t r a p p a s s o è evidente: chi peccò guardando con invidia i beni altrui e con soddisfazione gli altrui danni, è costretto a purificarsi attraverso un'astinenza dal guardare, udendo gli esempi di carità sussurrati dagli spiriti nell'aria.*

Dante si ferma a parlare con la senese Sapia, *la quale, per odio di Provenzano Salvani e dei propri concittadini, sperò che essi fossero sconfitti dai fiorentini nella battaglia di Colle di Valdelsa (1269); cosa che infatti avvenne: così che ella fu presa da una gioia sfrenata e folle. Pentitasi in fin di vita, poté accedere subito alla purificazione evitando la sosta nell'Antipurgatorio grazie alle preghiere di un sant'uomo: Pier Pettinaio.*

La nota caratteristica dell'episodio di Sapia senese sta nella violenza assurda delle situazioni cui il suo racconto fa riferimento e soprattutto nel loro contrasto con la nuova dimensione della purificazione, nella quale quella violenza, quegli odii e quelle meschinità paiono lontani e incredibili; così che ella può considerarli, oltre che con distacco, quasi con ironia, ormai «**cittadina/ d'una vera città**» *(vv. 94 sg.).*

Canto XIV

Ancora nella seconda cornice, degli invidiosi, Virgilio e Dante odono
due anime che parlano di loro, desiderose di sapere chi essi siano. Così
i due pellegrini si fermano alquanto: le due anime sono quelle dei romagnoli
Guido del Duca e Rinieri da Calboli. Udito che Dante è fiorentino, Guido
traccia un fosco panorama della situazione di Firenze e della Toscana, dege-
nerate e corrotte. Poi rievoca le condizioni passate della Romagna, anch'essa caduta in uno stato di malvagia bassezza morale, mentre un tempo vi
regnavano **amore e cortesia** *(v. 110)*. La coscienza del presente è così dolorosa che Guido ne è vinto e prega Dante di lasciarlo solo perché possa sfogare
il pianto.

Mentre si allontanano dalle anime degli invidiosi, Virgilio e Dante odono, come nel canto precedente, spiriti invisibili sussurrare nell'aria brevi frasi, relative, questa volta, ad esempi di invidia punita.

Il tema politico del canto, tristemente drammatico, completa il quadro
cupo e desolato già tracciato nell'incontro con Sapia nel canto precedente
e con i superbi nella prima cornice. L'accentuazione pessimistica si stempera
tuttavia nella consapevolezza dei limiti delle cose terrene e della necessità
di distaccarsene.

Canto XV

Un angelo addita a Virgilio e Dante il sentiero per giungere alla terza cornice, e cancella dalla fronte di Dante la seconda P. Durante il cammino Virgilio spiega a Dante che la causa principale dei mali del mondo è l'invidia, la quale nasce perché gli uomini desiderano i beni terreni, che più si dividono e più diminuiscono; mentre al contrario i beni celesti restano intatti quanti che ne siano i possessori e anzi si accrescono: come la luce solare che non si sminuisce per illuminare più oggetti, e anzi come luce riflessa da specchi, che si accresce. La pacata riflessione di Virgilio si ricollega, in un tono di equilibrata superiorità, ai temi dei canti precedenti, tutti imperniati sulla considerazione della corruzione mondana; e riprende, ad un livello didascalico e dottrinale (ma con efficacia e forza di immagini), i temi altrove affrontati con urgenza di passione politica e morale.

Sulla soglia della terza cornice, degli irosi, Dante è colto da visioni estatiche di mansuetudine, le quali svolgono la solita funzione di exempla positivi.

Il canto si chiude con l'annuncio di una nuova dimensione narrativa e fantastica: sui due scende una nebbia fitta e nera che rapidamente oscura la luce.

Canto XVI

Il buio annunciato nella chiusa del canto precedente avvolge tutta la terza cornice, *dove sono le anime degli* irosi *(e il c o n t r a p p a s s o · è evidente: basti pensare all'espressione* il fumo dell'ira*). Qui Dante non vede
nulla ma solo ode la voce delle anime che pregano.*

*La condizione astratta permette a Dante di esprimere, nel discorso di
Marco Lombardo (con il quale si ferma a colloquiare), le proprie convinzioni sulle cause storiche della decadenza mondana. Marco le addita infatti
nella mancanza di separazione tra il potere imperiale e quello ecclesiastico.*

*Se si tien conto che le premesse filosofiche della parte del discorso di
Marco più propriamente politica implicano la responsabilità umana (legata
al libero arbitrio), e non astrologica, dei mali del mondo, e se si pensa alla
portata filosofica del discorso di Virgilio nel canto precedente, si vedrà come
Dante abbia scelto questi canti centrali del* Purgatorio *(e della* Commedia*)
per ribadire le proprie convinzioni, non solo politiche ma filosofiche e dottrinali, e le ragioni costitutive del poema stesso. Tale nodo riflessivo si estende, oltre che al canto XV e a questo XVI, anche ai canti XVII e XVIII.*

Canto XVII

Appena i due pellegrini escono dal fumo tenebroso che avvolge la cornice degli irosi, Dante è ripreso da visioni estatiche, simili a quelle del canto XV (al momento di entrare nella terza cornice), questa volta però rappresentanti esempi di ira punita. Quando riprende coscienza, un angelo gli cancella la terza P dalla fronte e indica la strada per salire al quarto girone. La notte però scende rapidamente e, appena giunti in cima alla salita, Virgilio e Dante devono arrestarsi, mancandogli, con il tramonto, le forze. Virgilio approfitta della sosta per spiegare a Dante l'ordinamento del Purgatorio (e si ricorderà che qualcosa di simile è accaduta anche nel canto XI dell'Inferno).

Nel Purgatorio la classificazione delle anime non è basata sui peccati commessi, come nell'Inferno, ma sulle tendenze peccaminose. Alla base dell'animo umano sta comunque l'amore, dal quale può però anche derivare il vizio; ciò avviene in tre casi: 1) se l'amore si rivolge al male, così che si ami il male del prossimo (superbia, invidia, ira); 2) se l'amore è troppo fiacco o negligente verso il bene, così che non si ami abbastanza il Bene supremo, che è Dio (accidia); 3) se l'amore si rivolge con eccessiva forza a beni terreni, così da amare senza misura cose limitate e imperfette (avarizia, gola, lussuria). Le inclinazioni peccaminose del primo gruppo sono state già viste da Dante nelle prime tre cornici e descritte nei canti precedenti; nella quarta cornice, dove ora si trova, vedrà espiata l'accidia; nei tre gironi seguenti si purificheranno le tendenze raccolte nel terzo gruppo.

Canto XVIII

Nella prima metà del canto prosegue l'ampia parentesi dottrinale di questa parte centrale del Purgatorio. Dante pone al maestro alcuni dubbi, rispondendo ai quali Virgilio ha modo di chiarire meglio l'importanza del libero arbitrio. Nell'animo umano — spiega Virgilio — è innato l'amore ed è innata la tendenza a raggiungere gli obiettivi che esso gli prefigge, ma resta sempre uno spazio per la libera volontà di accettare o di rifiutare l'impulso degli istinti, così come di indirizzare l'amore a un obiettivo anziché a un altro.

La seconda parte del canto descrive l'espiazione dell'accidia nella quarta cornice. È quasi mezzanotte e Dante sta per essere vinto dal sonno, quando improvvisamente giunge, correndo, una schiera di anime che purificano con questo intenso fervore la pigrizia spirituale della loro vita; esse gridano esempi di sollecitudine verso il bene ed esempi di accidia punita. Tra di essi è un vecchio abate del monastero di san Zeno presso Verona, il quale rimprovera la decadenza morale del monastero, guidato da un corrotto, portato all'alta carica dal signore della città Alberto della Scala: ancora un esempio del male derivante dalla commistione di potere temporale e potere spirituale; e ancora un esempio della corruzione morale della società.

Allontanatasi la schiera di anime, Dante si addormenta.

Canto XIX

Il sogno di Dante, già annunciato in chiusura del canto precedente, svolge a mò di exemplum, con chiara funzione allegorica, il tema del rapporto tra amore e ragione trattato da Virgilio nei canti precedenti, e insieme annuncia i caratteri dei peccati puniti nei tre ultimi gironi (avarizia, gola, lussuria), legati a un eccessivo amore di beni terreni: appare, nel sonno, a Dante una femmina deforme da ogni punto di vista, la quale però a poco a poco si trasforma divenendo bella e ammaliante come le antiche sirene; ma Virgilio, spinto da una santa donna, le strappa le vesti e le scopre il ventre fetido, così che Dante, per la puzza, si sveglia. La femmina rappresenta la tentazione dei beni terreni, dalla quale l'uomo, con l'aiuto della ragione, assistita dalla filosofia, deve liberarsi.

Dopo che un angelo ha cancellato dalla fronte di Dante la quarta P, i due pellegrini entrano nella quinta cornice, dove gli avari (e i prodighi) giacciono riversi con il viso a terra raccolti in preghiera: essi confessano la propria colpevole sopravvalutazione delle ricchezze del mondo. Dante si ferma a parlare con il papa Adriano V, il quale racconta brevemente la propria storia esemplare di avaro infine pentitosi e spiega il modo della pena con la consueta legge del c o n t r a p p a s s o : «Sì come l'occhio nostro non s'aderse [: s'innalzò] / in alto, fisso a le cose terrene,/ così giustizia [: sogg.] qui a terra il merse [: lo sprofondò]» (vv. 118-120).

1. *Inferno*: Pagina d'introduzione (ms. senese, ca. 1345).
   Firenze, Biblioteca Laurenziana, Plut. 40.3, c. 1r.

2. *Inferno II*: Esortazione di Beatrice a Virgilio (ms. lombardo, ca. 1400). Firenze, Biblioteca Nazionale, B.R. 39, c. 8r.

3. *Inferno V*: I Lussuriosi (ms. fiorentino, sec. XV).
   Firenze, Biblioteca Laurenziana, Plut. 40.7, c. 10v.

4. *Inferno VI*: I Golosi e Cerbero (ms. fiorentino, sec. XV).
Firenze, Biblioteca Laurenziana, Plut. 40.7, c. 12r.

5. *Inferno XV*: I Sodomiti (ms. fiorentino, sec. XIV).
Firenze, Biblioteca Nazionale, Palat. 313, c. 35v.

6. *Inferno XXX*: I Falsatori (ms. lombardo, ca. 1400).
Firenze, Biblioteca Nazionale, B.R. 39, c. 124r.

7. *Inferno XXXII*: I Traditori (ms. fiorentino, sec. XIV).
Firenze, Biblioteca Nazionale, Palat. 313, c. 74v.

8. *Purgatorio*: Pagina d'introduzione (ms. bolognese e fiorentino, 1392-1420 ca.).
Firenze, Biblioteca Laurenziana, Conv. soppr. 204, c. 95v.

9. *Purgatorio II*: L'Angelo nocchiero (ms. fiorentino, ca. 1335-45). Firenze, Biblioteca Laurenziana, Strozz. 152, c. 31v.

10. *Purgatorio XI*: I Superbi (ms. lombardo, ca. 1400).
Firenze, Biblioteca Nazionale, B.R. 39, c. 189v.

11. *Purgatorio XXIV*: I Golosi (ms. nord-italiano datato 1456).
Firenze, Biblioteca Laurenziana, Plut. 40.1, c. 178r.

12. *Paradiso*: Pagina d'introduzione (ms. fiorentino, ca. 1398).
Firenze, Biblioteca Laurenziana, Temp. 1, c. 62r.

13. *Paradiso I*: Ascesa al Cielo (ms. lombardo, ca. 1400).
Firenze, Biblioteca Nazionale, B.R. 39, c. 292v.

14. *Paradiso III*: Il Cielo della Luna (ms. nord-italiano, datato 1456).
Firenze, Biblioteca Laurenziana, Plut. 40.1, c. 219r.

15. *Paradiso VI*: Il Cielo di Mercurio (ms. lombardo, ca. 1400).
Firenze, Biblioteca Nazionale, B.R. 39, c. 318r.

Le illustrazioni della presente Antologia riproducono alcune delle miniature più significative dal punto di vista artistico ed iconografico che completano i numerosi manoscritti della *Commedia* apparsi da un decennio dopo la morte di Dante fino alla seconda metà del sec. XV.

La scelta, che riguarda scuole miniatorie dell'Italia centrale e settentrionale, è stata effettuata presso due delle storiche biblioteche fiorentine: la Nazionale e la Laurenziana (anche la Biblioteca Riccardiana possiede importanti codici danteschi), e le miniature proposte dovrebbero rendere conto della tradizione di illustrazione che si stabilisce nella composizione e nei motivi proprio a Firenze nel sec. XIV.

Nel medioevo miniare o illuminare un testo significava arricchire, ingentilire il codice dal punto di vista estetico e materiale oltre che dal punto di vista simbolico nell'evidenziare la suddivisione interna dell'opera.

Con la *Commedia*, che diventa quasi subito un testo importante, una verità rivelata come la *Bibbia*, il miniaturista si trovava davanti al compito di esprimere i contenuti danteschi, la poesia vivida, e di dover visualizzare concetti non precedentemente espressi in pittura o in scultura come visioni mistiche, sensazioni soggettive di odori o rumori.

Spesso le descrizioni dantesche sono così ricche che il miniaturista doveva scegliere le parti della scena da rappresentare, e perciò le illustrazioni venivano a volte eseguite seguendo delle brevi istruzioni scritte in margine dal capo-bottega o dal copista in accordo con il committente: istruzioni che poi di solito venivano raschiate via dalle pergamene.

Mentre le convenzioni per illustrare la *Commedia* si formarono per lo più entro la sfera del codice miniato, a volte la pittura monumentale rappresentava uno stimolo importante per il miniaturista. La stessa *Commedia* di Dante è piena di riferimenti ad opere d'arte figurative che avevano impressionato l'autore (miniature di Oderisi da Gubbio, mosaici del «bel San Giovanni») e secondo Leonardo Bruni Dante stesso esercitava la pittura.

Nello statuto senese dell'arte dei pittori (1356) si afferma l'importanza delle immagini per le persone che non sanno leggere, ma non è solo questo lo scopo delle illustrazioni della *Commedia*. Spesso l'apparato iconografico dei codici danteschi costituisce un vero e proprio commento al testo. Commentari ed illustrazioni devono infatti essere considerati strettamente collegati, in quanto entrambi cercano di interpretare il significato del nuovo poema.

Le illustrazioni nella maggior parte dei casi sono legate alle lettere iniziali istoriate ed ai bordi decorati all'inizio di ogni cantica, e ben presto si sviluppa una scelta di soggetti più o meno fissa.

Molto spesso l'iniziale N o la pagina di apertura dell'*Inferno* contengono l'immagine dell'autore, seduto come gli Evangelisti, o in piedi con il libro in mano. A volte si trova una scena narrativa con Dante perduto nella foresta, mentre incontra le tre fiere, o insieme a Virgilio che arriva in aiuto. Anche l'inizio del *Purgatorio* viene spesso illustrato da una sintesi narrativa del viaggio del Poeta.

Appariva invece più difficile trovare il soggetto giusto per l'iniziale L che apre la terza cantica, il *Paradiso*, e il miniaturista si rivolgeva perciò ad immagini tradizionali come «Maiestas Domini» oppure «Vergine in trono con Santi» integrati, però, dalle figure di Dante e di Beatrice.

Sembra che i primi illustratori della *Commedia* (sec. XIV) si ispirarono in parte ai codici miniati dell'*Eneide* di Virgilio (Dante e Virgilio nella barca di Caronte, l'aspetto di Cerbero, prima parte del *Purgatorio*), mentre nella letteratura antica non si trovava nessun modello figurativo né per Lucifero, né per il concetto di Paradiso. Per questi ultimi risultava invece prodigiosa l'arte medioevale a cominciare dai mosaici del Battistero fiorentino fino agli affreschi giotteschi della Cappella degli Scrovegni a Padova ed a quelli di Buffalmacco del Camposanto a Pisa.

I primi commentatori figurativi trattano comunque la *Commedia* come la *Bibbia* con spiegazioni visive dei significati allegorici, morali ed analogici all'interno delle lettere iniziali con poche e determinate scene. Più tardi si arricchiscono i soggetti con illustrazioni narrative collocate solitamente nel margine inferiore delle pergamene. Le figure appaiono stereotipate, poste su sfondi con indicazioni generiche dei luoghi: foresta, valle, montagna, sole o stelle equivalenti a Terra, Inferno, Purgatorio, Paradiso, ed i personaggi che agiscono o parlano sono evidenziati da gesti enfatici.

L'illustrazione miniata della *Commedia*, intesa come abbellimento o commento, cessa con le edizioni a stampa della seconda metà del sec. XV. La tecnica di riproduzione impone un rinnovamento anche dell'integrazione figurativa che nei secoli XV-XVI utilizza l'incisione e la xilografia.

Per l'iconografia dantesca rinascimentale rimangono fondamentali gli affreschi di Luca Signorelli nel Duomo di Orvieto ed i disegni di Sandro Botticelli riprodotti in numerose edizioni cinquecentesche della *Commedia*.

BENTE KLANGE ADDABBO

Per un approfondimento bibliografico, cfr.: P. BRIEGER, M. MEISS, C. S. SINGLETON, *Illuminated Manuscripts of the Divine Comedy*, 2 voll., New York 1969.

Canto XX

Il canto è quasi interamente occupato dall'incontro di Dante con Ugo Capeto, fondatore (intorno all'anno 1000) della casa regnante di Francia. Questi espia il proprio peccato di cupidigia, dal quale è stata segnata l'intera dinastia con un crescendo di brama e di cinismo che Ugo stesso denuncia in una accorata e violenta descrizione dei propri discendenti. Il tono vivacemente polemico è caratterizzato da uno stile di forte tinta e s p r e s s i o n i s t i c a , fino a modi plebei. Il tema etico-politico tocca profondamente la concezione di Dante, che nei soprusi della casa di Francia vedeva una delle cause della decadenza generale, specie nel tentativo di asservire agli interessi francesi l'operato della Chiesa. Quest'ultimo motivo trova una colpevole riprova nell'imprigionamento di papa Bonifacio VIII (e poco importa, in questo caso, che si tratti di un nemico di Dante) da parte di Filippo il Bello.

Ugo Capeto informa inoltre Dante che le anime della quinta cornice recitano esse stesse i consueti exempla: di giorno esempi di povertà virtuosa e di generosità, di notte esempi di avarizia e di ingordigia punite.

Mentre Virgilio e Dante si allontanano da Ugo, un violento terremoto scuote il monte; e ad esso segue un canto di lode al cielo intonato da tutti gli spiriti («**Gloria in excelsis** [...] **Deo**, v. 135). Dante passa dal timore alla curiosità, senza osare di chiedere spiegazioni a Virgilio.

Canto XXI

A soddisfare la curiosità di Dante riguardo al terremoto e al canto collettivo di gloria con i quali si è chiuso il canto precedente, appare un'anima eccezionalmente esente da pene. È il poeta latino Stazio, vissuto nel I sec. d. C., autore della Tebaide, dell'Achilleide *(incompiuta)* e delle Selve *(ignote nel Medio Evo)*; Dante immagina che egli si sia convertito al Cristianesimo, benché ciò non risulti da nessuna fonte. Stazio informa i due pellegrini, su cortese richiesta di Virgilio, che il terremoto non è stato provocato da cause fisiche come sulla Terra (il monte del Purgatorio è esente da tutte le alterazioni terrestri, compresi venti e precipitazioni), ma da una causa sovrannaturale: il compimento dell'espiazione da parte di un'anima. Infatti Stazio, dopo secoli di penitenza, ha improvvisamente sentito l'impulso di innalzarsi verso l'alto, il che è prova della raggiunta beatitudine; e a tale evento si sono accompagnati in segno di festa, come di consueto, il terremoto e il canto di gloria.

Stazio rivela chi egli sia, parlando con orgoglio della propria opera di poeta, e riconoscendo però la funzione decisiva dell'esempio di Virgilio: per essere vissuto ai tempi del suo modello, Stazio sarebbe disposto a restare ancora un anno in Purgatorio. Da queste dichiarazioni nasce una vivace scenetta, con Virgilio che non vorrebbe essere riconosciuto, ma che è tradito da un **lampeggiar di riso** *(v. 114)* sul volto di Dante; scenetta che si conclude con lo stupore di Stazio nel sapere la verità e con il suo gettarsi di slancio ai piedi di Virgilio per abbracciarlo umilmente, dimenticando per l'emozione l'inconsistenza dei loro corpi.

Il canto, ricco di vivacità narrativa, è particolarmente segnato dall'esaltazione *(preumanistica, è stato detto)* dei valori della poesia (che danno il **nome che più dura e più onora** [: quello cioè di poeta], *v. 85*). Vi si delinea per altro già (e più evidente diverrà nel canto seguente) la malinconica contrapposizione tra Virgilio e Stazio, l'uno escluso e l'altro ammesso alla Grazia: ed è il tema dei voleri imperscrutabili della divina Provvidenza.

Canto XXII

Il canto è occupato quasi per intero dal colloquio tra Virgilio e Stazio, cui Dante assiste silenzioso con rispettosa attenzione. Stazio spiega che si trovava nel quinto cerchio non per avarizia ma, al contrario, per prodigalità. Lo spinse a pentirsene per tempo proprio un luogo dell'Eneide virgiliana; così come dall'annuncio profetico di rinnovamento della quarta egloga delle Bucoliche gli venne il primo slancio alla conversione. Egli può quindi opportunamente dichiarare a Virgilio: «**Per** [: grazie a] **te poeta fui, per te cristiano**» (v. 73).

Il canto segna una profonda meditazione di Dante medesimo (la cui biografia spirituale si identifica profondamente con quella di Stazio) sul rapporto tra il Cristianesimo e la grande civiltà precristiana, culminata nell'opera di Virgilio. I punti di contatto vengono sottolineati per rivelare l'utilità, anche per il cristiano, di quell'immenso patrimonio culturale (e Stazio è, appunto, esempio di tale utilità); ma resta la coscienza che tra i due momenti intercorre un abisso che solo la Rivelazione può colmare. Così acquista una malinconica rilevanza esemplare la storia di Virgilio, dalla cui opera altri può ricevere stimolo alla salvezza, restandone escluso però egli stesso; gli dice espressivamente a tale proposito Stazio: «**Facesti come quei che va di notte,/ che porta il lume dietro e sé non giova** [: illumina la strada a chi lo segue e non a se stesso]» (vv. 67 sg.).

Nella sesta cornice, dove un angelo introduce i tre poeti dopo aver cancellato dalla fronte di Dante la quinta P, appare un albero rovesciato, carico di frutti profumati e dai cui rami scende un liquido invitante. Dall'interno delle fronde una voce recita esempi di temperanza nei desideri della gola.

Canto XXIII

Nella *sesta cornice*, la cui descrizione è iniziata nella parte finale del canto precedente, Dante incontra le anime dei *golosi*; e tra queste riconosce quella dell'amico Forese Donati, con il quale si ferma a discorrere delle reciproche storie individuali e dei corrotti costumi fiorentini. L'incontro con Forese non si esaurisce in questo canto, ma si stende ad occupare anche una buona parte di quello seguente.

* * *

Mentre Dante cerca di capire da dove provengano le voci udite dall'interno dell'albero posto nella sesta cornice (vd. canto precedente), Virgilio lo ammonisce a riprendere il cammino. E subito i due pellegrini, in compagnia di Stazio (vd. canti XXI e XXII), si imbattono in un gruppo di anime di golosi in preghiera. Terribilmente magri e segnati dalla fame e dalla sete, essi guardano avidamente i frutti degli alberi senza poterne mangiare, e da ciò deriva il loro pauroso dimagrimento.

Queste notizie sono fornite a Dante dal caro amico Forese Donati, l'incontro e il colloquio con il quale costituiscono il centro ispiratore e il maggior motivo drammatico del canto. L'amicizia con Forese, sincera e profonda, era stata nondimeno segnata da una volgare *Tenzone*, scambio di offese in versi, e soprattutto da un comune traviamento morale (di cui i modi plebei della *Tenzone*, tipici della letteratura realistico-borghese, erano stati, anch'essi, una spia). L'incontro nel Purgatorio rovescia i caratteri del rapporto tra i due, ora impegnati entrambi (benché in modi diversi) a purificarsi dal peccato e a ritrovare la via della Grazia.

Un momento importante del discorso di Forese riguarda, ancora una volta, la degenerazione di Firenze, le cui donne si abbandonano ad una moda lasciva e immorale; maggior ragione di merito per la **vedovella** di Forese, Nella, tra le pochissime oneste e devote: le sue preghiere di suffragio hanno anzi consentito al marito di accelerare i tempi della purificazione.

Dante racconta a sua volta di come Virgilio lo stia conducendo dalla selva del peccato a Beatrice.

* * *

Il canto è tra i più intimamente legati alle vicende della biografia spirituale e letteraria di Dante. Strutturalmente prepara l'incontro con Beatrice, che avverrà nella parte finale della c a n t i c a , e la confessione intera, da parte di Dante, del traviamento morale seguìto alla morte di lei.

Il rapporto con Forese si esplica in una luce duplice, la cui complessità è segnata dalle numerose contrapposizioni presenti nel canto: da un lato c'è la gioia per la beatitudine alla quale entrambi gli amici sono avviati, la fiducia nel futuro di pace; dall'altro c'è il ricordo del passato di dissipazione e fors'anche di vizio, che ancora fa vergognare e pesa. Ebbene: questa duplicità è la condizione stessa del pentimento e della purificazione, in quanto è il rapporto tra un *prima* turbato e perturbante e un *dopo* sereno e rasserenante, e dunque il momento di difficile passaggio tra il peccato e la beatitudine.

Per capire questo delicato insieme di ragioni personali e generali, è necessario riferirsi al carattere di ritrattazione (o di p a l i n o d i a) dell'episodio rispetto alla giovanile *Tenzone*; così che la nuova dimensione spirituale si configura anche come nuova dimensione letteraria. È questa la ragione che spinge Dante ad inserire nell'episodio dell'incontro con Forese uno scambio di battute con il poeta Bonagiunta (cfr. canto XXIV, vv. 34-63); ad affermare la validità del proprio nuovo impegno letterario, ben diverso da quello immorale e dissoluto della *Tenzone* con Forese.

Mentre che li occhi per la fronda verde
ficcava ïo sì come far suole
chi dietro a li uccellin sua vita perde,
lo più che padre mi dicea: « Figliuole,
vienne oramai, ché 'l tempo che n'è imposto
più utilmente compartir si vuole ».
Io volsi 'l viso, e 'l passo non men tosto,
appresso i savi, che parlavan sìe,
che l'andar mi facean di nullo costo.
Ed ecco piangere e cantar s'udìe
' *Labïa mëa, Domine* ' per modo
tal, che diletto e doglia parturìe.

3   (v. 3)
6   (v. 6)
9   (v. 9)
12   (v. 12)

1-6: *Mentre* (**che** è p l e o n .) *io affondavo* (**ficcava**) *lo sguardo* (**li occhi**; **li** = gli) *nella* (**per la** = attraverso la) *fronda verde* [*dell'albero*] *così come è solito* (**suole**) *fare chi perde la propria* (**sua**) *vita dietro agli* (**a li**) *uccellini* [: per cacciarli], *il* (**lo**) *più che padre* [: Virgilio] *mi diceva:* «*Figliuolo* (**figliuole**; è forma vocat., latineggiante), *ormai vieni* (**vienne** = ne vieni), *dato che* (**ché**) *bisogna* (**si vuole**) *distribuire* (**compartir**) *più utilmente il* ('**l**) *tempo che ci è* (**n'è** = ne è) *assegnato* (**imposto**) [: per la salita del Purgatorio]». **Per la fronda verde**: Dante cerca di vedere da dove provengano le voci che ha udito dall'interno dell'albero capovolto (cfr. riassunto del canto precedente). **Ficcava ïo**: si noti l'intensità del desiderio di conoscenza in Dante, espresso sia dalla violenza espressiva del verbo che dalla d i e r e s i su **ïo**.

7-9: *Io rivolsi* (**volsi**) *il* ('**l**) *viso, e* [*rivolsi*] *non meno in fretta* (**tosto**) *i passi, dietro* (**appresso**) *i poeti* (**savi** = saggi) [: Virgilio e Stazio], *i quali* (**che**) *parlavano in tal modo* (**sìe** = sì, con l' e p i t e s i toscana *-e* = così), *che mi rendevano* (**facean**) *il cammino* (**l'andar**) *di nessuna fatica* (**di nullo costo**).

10-12: *Ed ecco si udì* (**s'udìe**) *piangere e cantare* «*Labia mea, Domine*» *in* (**per**) *modo tale che generò* (**parturìe** = partorì; ancora, come **udìe** del v. 10, con e p i t e s i) [*in me*] *piacere* (**diletto**) *e dolore* (**doglia**). I golosi cantano l'inizio del *Miserere* (nei *Salmi* biblici, L, 17): «*Domine, labia mea aperies; et os meum annuntiabit laudem tuam*» [o Signore, aprirai le mie labbra; e la mia bocca annuncerà la tua lode]. E tale preghiera ben si addice a mostrare il pentimento di chi

« O dolce padre, che è quel ch'i' odo? »,
comincia' io; ed elli: « Ombre che vanno

15   forse di lor dover solvendo il nodo ».
Sì come i peregrin pensosi fanno,
giugnendo per cammin gente non nota,

18   che si volgono ad essa e non restanno,
così di retro a noi, più tosto mota,
venendo e trapassando ci ammirava

21   d'anime turba tacita e devota.
Ne li occhi era ciascuna oscura e cava,
palida ne la faccia, e tanto scema

24   che da l'ossa la pelle s'informava.
Non credo che così a buccia strema
Erisittone fosse fatto secco,

27   per digiunar, quando più n'ebbe tema.

adoperò la bocca solo per mangiare e bere, aprendo le labbra solo per l'impulso della gola. Si noti l'indugio imposto dalla doppia d i e r e s i su **labïa** e su **mëa**, quasi imitando la lentezza del canto ed evidenziando il procedere sospiroso della preghiera. **Diletto e doglia**: il *piacere* di udire una preghiera così devota si accompagna al *dolore* di assistere alla sofferenza di chi la canta; e di tale duplicità di atteggiamento questo canto dà numerosi esempi, a metà via tra il ripiegamento malinconico sul passato torbido e lo slancio fiducioso verso il futuro glorioso: di questo contrasto, caratteristico dello stato d'animo purgatoriale, l'incontro con Forese darà a Dante esperienza più che altrove diretta, riportandolo ai ricordi dell'amicizia dissennata mentre per entrambi si è aperta una nuova e definitiva prospettiva.

13-15: *Io cominciai* [*a dire a Virgilio*]: *«O dolce padre, che* [*cosa*] *è ciò* (**quel**) *che io* (**ch'i'**) *odo?»; ed egli* (**elli**) [*mi rispose*]: *«Forse* [*sono*] *anime* (**ombre**) *che vanno sciogliendo* (**solvendo**) *il nodo del loro dovere* [: espiando il debito dei propri peccati]».

16-21: *Così* (**sì**) *come fanno i pellegrini* (**peregrin**) *assorti nei loro pensieri* (**pensosi**), *quando raggiungono* (**giugnendo**) *lungo la strada* (**per cammin**) *gente sconosciuta* (**non nota**), *che si voltano* (**volgono**) *verso di* (**ad**) *essa e non si fermano* (**non restanno**), *così una schiera* (**turba**) *di anime silenziosa* (**tacita**) *e devota* [: assorta in preghiera] *venendo dalle nostre spalle* (**di retro a noi**) *con incedere rapido* (**più tosto mota**), *ci osservava con stupore* (**ci ammirava**) *passando oltre*

(**trapassando**) [: superandoci]. La s i m i l i- t u d i n e che introduce questa schiera di anime prepara l'atmosfera raccolta (intima e malinconica) dell'incontro con l'amico Forese; si notino gli aggettivi **pensosi** (v. 16), **tacita** e **devota** (v. 21); si noti l'incedere rapido e silenzioso, quasi uno scorrere di fantasmi, delle **ombre** (v. 14): **giugnendo** (v. 17), **si volgono** e **non restanno** (v. 18), **più tosto mota** (v. 19), **venendo e trapassando** (v. 20). Al tono generale della s i m i l i t u d i n e, quale ora si è detto, collabora anche l'immagine del **peregrin** (v. 16) in se stessa, immagine di *esilio* e di *viaggio lontano dalla propria terra* (rinforzata, in tale accezione, da quel **gente non nota** — v. 17 —). Ci si soffermi inoltre sulla descrizione di queste anime, efficacissima non solo per scelte lessicali e stilistiche, ma anche per distribuzione delle «tinte» legate alla fonetica: domina su tutte le altre vocali, in posizione t o n i c a, la /a/ (vv. 20 sg.: **trapassàndo** – **ammiràva** e **ànime** – **tàcita**; e poi anche ai vv. 22 — **càva** — e sg. — **pàlida, fàccia** —), espressiva dell'aspetto diafano e spettrale delle anime; ma anche la /u/ acquista a tratti un particolare rilievo (e soprattutto al v. 22 — **ciascùna** e **oscùra** —), a esprimere la cupa macerazione di quei corpi.

22-27: *Ciascuna* [*anima*] *era oscura e scavata* (**cava**) *negli* (**ne li**) *occhi, pallida nella faccia, e tanto smagrita* (**scema**; *da* 'scemare' = diminuire), *che la pelle prendeva forma* (**s'informava**) *dalle ossa: non credo che Eresitone* (**Erisittone**) *fosse rinsecchito* (**fatto secco**) *così alla sola pelle* (**a buccia strema**), *a causa del digiuno* (**per digiunar**), *quando ne*

Io dicea fra me stesso pensando: ' Ecco
 la gente che perdé Ierusalemme,
30 quando Maria nel figlio diè di becco! '.
Parean l'occhiaie anella sanza gemme:
 chi nel viso de li uomini legge ' omo '
33 ben avrìa quivi conosciuta l'emme.
Chi crederebbe che l'odor d'un pomo
 sì governasse, generando brama,
36 e quel d'un'acqua, non sappiendo como?
Già era in ammirar che sì li affama,
 per la cagione ancor non manifesta
39 di lor magrezza e di lor trista squama,
ed ecco del profondo de la testa
 volse a me li occhi un'ombra e guardò fiso;

ebbe più timore (**tema**) [: del digiuno]. La descrizione dell'aspetto dei golosi ricorda in apparenza quella dei sodomiti nel canto XV dell'*Inferno*. Ma lì c'è una degenerazione tutta materiale ed esterna delle fattezze, consumate dalla pioggia di fuoco; qui la consunzione avviene per tormento interiore. Lì vi è il segno della punizione; qui quello della espiazione e della purificazione. Lì al tormento corrisponde la colpa; qui, il protendersi verso la beatitudine. Anche per questo la descrizione dello smagrimento dei golosi, benché particolareggiata ed espressiva, non è crudele ma quasi dolentemente elegiaca: perché essi non subiscono alcuna offesa diretta, se non attraverso la condizione particolare della propria coscienza, rivolta ad espiare la colpa mondana. Il riconoscimento di Forese, così, non porta al violento contrasto suscitato da quello di Brunetto Latini nell'*Inferno*; piuttosto è il coerente svolgimento del tono caratteristico di questo canto. **Erisittone**: narra il poeta latino Ovidio nelle *Metamorfosi* (VIII, 726 sgg.) che Eresitone fu punito con una fame insaziabile dalla dea Cerere, perché aveva abbattuto una quercia in un bosco a lei sacro, e che egli, dopo aver venduti tutti i propri averi e la figlia per procurarsi cibo, finì con il mangiare la carne stessa del proprio corpo (ed è questo il momento cui allude Dante al v. 27, in cui Eresitone temette di non aver più nulla per saziarsi).

28-30: *Io pensando dicevo* (**dicea**) *fra me stesso: 'Ecco la gente che perdé Gerusalemme, quando Maria affondò i denti* (**diè di becco**) *nel figlio!'*. Dante allude agli Ebrei abitanti di Gerusalemme, che nel 70 d.C. subirono un assedio così duro (e terminato con la per-

dita della città), che la fame spinse una donna di nome Maria a divorare bestialmente il proprio figlioletto.

31-33: *Le occhiaie parevano anelli senza gemme; chi nel viso degli* (**de li**) *uomini legge 'omo'* [: uomo] *qui* (**quivi**) [: nei visi dei golosi] *avrebbe* (**avrìa**) *facilmente* (**ben**) *riconosciuta* (**conosciuta**) *la* [lettera] *emme*. Altre immagini potenti di questa spaventosa consunzione corporea: occhiaie come castoni di anello vuoti, senza pietra preziosa; parti rilevate dell'ossatura del viso in piena evidenza. **Chi nel viso...**: allude ad una opinione di alcuni teologi medioevali, secondo la quale nel volto umano poteva leggersi OMO, formando gli occhi le due O, inserite, come nelle epigrafi, negli spazi interni della M gotica maiuscola, formata dalla linea degli zigomi, delle sopracciglia e del naso. Nei golosi la magrezza rende particolarmente evidenti i tratti che formano la M.

34-36: *Chi, non sapendo* (**sappiendo**) *come* (**como**) [*ciò avvenga*], *crederebbe che l'odore di un frutto* (**pomo**) *e quello di un'acqua, generando desiderio* (**brama**) [*di mangiare e di bere*], *potessero ridurre* (**governasse**; al sing.) *in queste condizioni* (**sì** = così)?

37-42: *Ero* (**era**) *attento* (già indica intensità) *a pensare con meraviglia* (**in ammirar**) *che* [*cosa*] *li affama così* (**sì**), *perché* (**per la cagione**) *ancora* [*a me*] *non* [*era*] *evidente* (**manifesta**) [*la causa della* (**di**) *loro magrezza e della loro dolorosa* (**trista**) *pelle squamosa* (**squama**) [: spaccata, come a squame], *ed ecco un'anima* (**ombra**) *rivolse* (**volse**) *gli* (**li**) *occhi a me dal* (**del**) *profondo della testa* [: entro le cupe occhiaie] *e* [*mi*] *guardò fis-*

42   poi gridò forte: «Qual grazia m'è questa?».
    Mai non l'avrei riconosciuto al viso;
     ma ne la voce sua mi fu palese

45   ciò che l'aspetto in sé avea conquiso.
    Questa favilla tutta mi raccese
     mia conoscenza a la cangiata labbia,

48   e ravvisai la faccia di Forese.
    «Deh, non contendere a l'asciutta scabbia
     che mi scolora», pregava, «la pelle,

51   né a difetto di carne ch'io abbia;
    ma dimmi il ver di te, di' chi son quelle
     due anime che là ti fanno scorta;

54   non rimaner che tu non mi favelle!».

so; poi gridò forte: «Quale grazia è questa per me (**m'** = mi)*?».*

43-45: *Non lo avrei mai riconosciuto dal* (**al**) *viso; ma nella sua voce mi fu evidente* (**palese**) *ciò che l'aspetto aveva nascosto* (**in sé...conquiso; conquiso** = conquistato) *[: l'identità].* Dante riconosce l'altro dalla voce, essendogli irriconoscibile, per lo smagrimento, dai lineamenti del volto.

46-48: *Questa scintilla* (**favilla**) *[: la voce] mi riaccese interamente* (**tutta**) *la mia conoscenza di quel volto* (**a la...labbia**) *cambiato* (**cangiata**), *e riconobbi* (**ravvisai**) *la faccia di Forese.* L'immagine, potente, è di un fuoco che si riaccende per una scintilla; e così fa la memoria di Dante con l'amico: la voce è un piccolo indizio, ma basta a resuscitare interamente la conoscenza dell'altro. **Forese**: appartenente alla potente famiglia dei Donati, Forese fu fratello di Corso, il capo della parte nera e nemico di Dante, e di Piccarda, che Dante incontrerà nel Paradiso (canto III). Morì nel 1296. L'amicizia tra Forese e Dante è testimoniata, oltre che da questo episodio, dalla *Tenzone* (sfida) poetica tra i due (relativa agli anni sùbito seguenti il 1290). Essa si compone di sei sonetti (tre di Dante e tre di Forese) violentemente satirici, nei quali i riferimenti volgari e gli argomenti plebei rientrano nella precisa tradizione letteraria del genere realistico-borghese; e anzi la *Tenzone* costituisce un importante precedente stilistico di parecchi luoghi della stessa *Commedia* (come, p. es., lo scambio di ingiurie tra Maestro Adamo e Sinone nel XXX del-

l'*Inferno*). Ma è anche vero che quello scambio di ingiurie riguarda il momento di traviamento morale e intellettuale di cui Beatrice rimprovererà Dante alle soglie del Paradiso, riguarda una precisa esperienza dell'amicizia con Forese, un momento per entrambi in forte contrasto con la situazione del Purgatorio nella quale si incontrano. Da questo contrasto nasce gran parte della drammaticità dell'episodio, che si configura come una vera e propria p a l i n o d i a . Al passato di dissipazione della loro amicizia allude malinconicamente Dante ai vv. 115-117. L'incontro del Purgatorio costituisce un coraggioso tentativo di rielaborare quei momenti di smarrimento morale e di restituire intatto alla coscienza il rapporto con l'amico. Si tratta di una pagina di profonda ispirazione autobiografica, ma tesa al raggiungimento di un distacco dalle ragioni personali della esperienza terrena.

49-54: *[Forese mi] pregava: «Oh* (**deh**), *non badare* (**contendere**) *all'arida screpolatura* (**asciutta scabbia**) *che mi rende pallida* (**scolora**) *la pelle, né a mancanza* (**difetto**) *di carne che io abbia; ma dimmi la verità* (**il ver**) *riguardo a* (**di**) *te, di' chi sono quelle due anime* [: Virgilio e Stazio] *che là ti fanno da guida* (**scorta**)*; non rimanere senza parlare* (**che tu non mi favelle** = che tu non mi parli)*!».* Ben si esprime l'ansia e la concitazione di Forese; il quale prega l'amico di non lasciarsi turbare dal suo aspetto deturpato e di raccontargli come sia giunto fin lì, ecc. **Scabbia**: una deturpante malattia della pelle; qui è usato per m e t o n i m i a (la causa per l'effetto).

« La faccia tua, ch'io lagrimai già morta,
mi dà di pianger mo non minor doglia »,
57   rispuos' io lui, « veggendola sì torta.
Però mi di', per Dio, che sì vi sfoglia;
non mi far dir mentr' io mi maraviglio,
60   ché mal può dir chi è pien d'altra voglia ».
Ed elli a me: « De l'etterno consiglio
cade vertù ne l'acqua e ne la pianta
63   rimasa dietro, ond' io sì m'assottiglio.
Tutta esta gente che piangendo canta
per seguitar la gola oltra misura,
66   in fame e 'n sete qui si rifà santa.
Di bere e di mangiar n'accende cura
l'odor ch'esce del pomo e de lo sprazzo
69   che si distende su per sua verdura.
E non pur una volta, questo spazzo
girando, si rinfresca nostra pena:
72   io dico pena, e dovrìa dir sollazzo,
ché quella voglia a li alberi ci mena,
che menò Cristo lieto a dire ' Elì ',
75   quando ne liberò con la sua vena ».

55-57: *Io gli risposi* (**rispuos'io lui**)*: «La tua faccia, che io già piansi* (**lagrimai**) *morta* [: quando moristi]*, ora* (**mo**) *mi dà un dolore* (**doglia**) *non minore, tale da* (**di**) *piangere, vedendola* (**veggendola**) *così sfigurata* (**sì torta**). Dante dimostra all'amico che il suo volto non gli provoca ribrezzo ma solo dolore, come quando ne fu privato dalla morte.

58-60: *Perciò* (**però**) *dimmi* (**mi di'**)*, in nome di* (**per**) *Dio, che* [cosa] *vi consuma* (**sfoglia**) *così* (**sì**)*; non mi far parlare* (**dir**) *mentre io mi meraviglio* [: mentre sono stupito e incuriosito]*, poiché* (**ché**) *può spiegarsi* (**dir**) *male chi è pieno di un altro interesse* (**voglia**)*». Dante, prima di parlare di sé, vuole sapere dall'amico la causa della magrezza sua e delle altre anime di questa cornice, per non parlare pensando ad altro, essendo la sua attenzione concentrata su un effetto così straordinario.

61-63: *Ed egli* (**elli**) [: Forese] [disse] *a me: «Dalla* (**de l'** = de la) *volontà* (**consiglio**) *eterna* [di Dio] *scende* (**cade**) [: si infonde] *nell'acqua e nella pianta rimasta* (**rimasa**) *dietro* [: cfr. canto precedente, e, in questo, v. 1 e nota] *una virtù* (**vertù**) [: un potere]*, per la quale io* (**ond'io**) *mi consumo* (**m'assottiglio**) *così* (**sì**).

64-66: *Tutta questa* (**esta**) *gente che piangendo canta* [: cfr. v. 10 e nota] *per aver seguito* (**per seguitar**) *la gola oltre misura, qui si rifà pura* (**santa**) *per mezzo della* (**in**) *fame e della* ('n=in) *sete*. È la solita legge del c o n t r a p p a s s o .

67-69: *L'odore che emana* (**esce**) *dall'albero* (**del pomo**) *e dallo spruzzo* (**de lo sprazzo**) [d'acqua] *che si distende lungo* (**su per**) *la sua vegetazione* (**verdura**) *ci* (**n'**) *accende desiderio* (**cura**) *di bere e di mangiare*.

70-75: *E, percorrendo in tondo* (**girando**) *questo piano* (**spazzo**) [: la cornice], *la nostra pena si rinnova* (**rinfresca**) *non una volta soltanto* (**pur**)*: io dico pena, e dovrei dire piacere* (**sollazzo**)*, poiché* (**ché**) *ci conduce* (**mena**) *agli* (**a li**) *alberi quel desiderio* (**quella voglia**) [stesso] *che condusse* (**menò**) *Cristo a dire lieto 'Elì'* [: al martirio]*, quando ci* (**ne**) *liberò* [: dal peccato originale] *con il suo sangue* (**vena**; per m e t o n i m i a)*».
E non pur una volta...: gli alberi che causano la fame e la sete, cioè, sono più d'uno.
Io dico pena...: torna il contrasto già rilevato a proposito del v. 12 (**diletto e doglia**), accentuato qui e meglio motivato. Alla sofferenza fisica (**pena**) si accompagna, nelle anime del Purgatorio, il piacere spirituale

E io a lui: « Forese, da quel dì
nel qual mutasti mondo a miglior vita,
78 cinqu' anni non son vòlti infino a qui.
Se prima fu la possa in te finita
di peccar più, che sovvenisse l'ora
81 del buon dolor ch'a Dio ne rimarita,
come se' tu qua sù venuto ancora?
Io ti credea trovar là giù di sotto
84 dove tempo per tempo si ristora ».
Ond' elli a me: « Sì tosto m'ha condotto
a ber lo dolce assenzo de' martìri
87 la Nella mia: con suo pianger dirotto,
con suoi prieghi devoti e con sospiri
tratto m'ha de la costa ove s'aspetta,
90 e liberato m'ha de li altri giri.

(sollazzo) di sapere che si soffre per uno scopo santo, purificando se stessi nel dolore, così che i golosi si avvicinano agli alberi, che acuiranno il loro tormento, con la stessa lietezza con cui Cristo affrontò la morte, sapendo di liberare con essa l'umanità dalla colpa originale. «Elì»: Cristo sulla croce, poco prima di morire, esclamò: «Elì, Elì, lamma sabachtani?», parole ebraiche che significano: «Dio, Dio, perché mi hai abbandonato?» (Mt XXVII, 46).

76-78: E io [dissi] a lui: «Forese, da quel giorno (dì) nel quale cambiasti (mutasti) mondo [passando] a miglior vita [: moristi], non sono trascorsi (vòlti) finora (infino a qui) cinque anni. Forese era infatti morto nel 1296 e il viaggio oltremondano di Dante si svolge nel 1300.

79-84: Se la possibilità (possa) di peccare ancora (più) fu finita in te prima che sopraggiungesse (sovvenisse) l'ora della buona contrizione (dolor) [: il pentimento] che ci (ne) ricongiunge (rimarita) a Dio, come sei (se') tu già (ancora) venuto quassù? Io credevo (credea) [di] trovarti (ti...trovar) laggiù di sotto [: nell'Antipurgatorio] dove si compensa (ristora) tempo per tempo». Dante chiede a Forese come mai egli sia già qui e non nell'Antipurgatorio, come tocca a chi si è pentito in fin di vita e dove si compensa il tempo di vita trascorso senza rivolgersi a Dio con altrettanto tempo da trascorrere prima di iniziare il vero e proprio processo di purificazione. E Forese, dichiara Dante, si è pentito quando ormai era privo della possibilità

di peccare ancora (vv. 79-81), cioè, appunto, in fin di vita.

85-90: Per cui egli (ond'elli) [: Forese] [rispose] a me: «A bere il dolce assenzio delle pene (de' martìri; de' = dei) così presto (sì tosto) mi ha condotto la mia Nella: con [il] suo piangere dirotto, con [le] sue preghiere (prieghi) devoti e con [i suoi] sospiri mi ha sottratto (tratto) alla (de la) pendice (costa) dove si aspetta [: l'Antipurgatorio], e mi ha liberato dagli (de li) altri [cinque] gironi (giri). Le preghiere devote e insistenti della vedova di Forese, Nella, gli hanno permesso di evitare l'attesa nell'Antipurgatorio e la sosta nei primi cinque gironi, dove egli doveva scontare peccati più leggeri, conducendolo sùbito alla sesta cornice per scontarvi il suo peccato più grave, la gola. Dolce assenzo: l'assenzio è un infuso di erbe amarissimo, e l'accostamento con l'aggettivo dolce determina quindi un o s s i m o r o , ancora ampliato dal séguito (de' martìri), da collegare ad altre espressioni simili dei vv. 12 e 72 e a quanto al proposito si è detto. Nella: della moglie di Forese sappiamo solo quanto Dante riferisce qui e quanto lo stesso Dante scrive nel primo sonetto della Tenzone con l'amico, dove ella è, con scherno volgare, rappresentata addolorata e vogliosa per il disamore del marito, dimentico dei doveri coniugali. Anche per quanto riguarda Nella, questo episodio costituisce una consapevole profonda .p a l i n o d i a (e si veda, in particolare, a questo proposito, il v. 92, che viene a smentire in modo diretto le insinuazioni di Dante nella Tenzone).

Tanto è a Dio più cara e più diletta
la vedovella mia, che molto amai,
93   quanto in bene operare è più soletta;
ché la Barbagia di Sardigna assai
ne le femmine sue più è pudica
96   che la Barbagia dov' io la lasciai.   ·
O dolce frate, che vuo' tu ch'io dica?
Tempo futuro m'è già nel cospetto,
99   cui non sarà quest' ora molto antica,
nel qual sarà in pergamo interdetto
a le sfacciate donne fiorentine
102   l'andar mostrando con le poppe il petto.
Quai barbare fuor mai, quai saracine,
cui bisognasse, per farle ir coperte,
105   o spiritali o altre discipline?
Ma se le svergognate fosser certe
di quel che 'l ciel veloce loro ammanna,
108   già per urlare avrìan le bocche aperte;
ché, se l'antiveder qui non m'inganna,
prima fien triste che le guance impeli
111   colui che mo si consola con nanna.

91-96: *La mia vedovella, che molto amai, è tanto più cara e più diletta a Dio quanto è più sola* (il dim. **soletta**, come **vedovella**, esprime pietà e simpatia) *nel* (**in**) *bene operare; dal momento che* (**ché**) *la Barbagia in* (**di**) *Sardegna è assai più pudìca per quel che riguarda* (**ne**) *le sue femmine che la Barbagia dove io la lasciai* [: Firenze]. La **Barbagia** è propriamente una regione della Sardegna centrale abitata ai tempi di Dante da popolazioni di costumi primitivi e rozzi; l'uso del v. 96, però, trasforma per traslato (secondo i modi dell'a n t o n o m a s i a) il nome geografico in nome comune, forse più per ragioni esterne (Barbagia = barbarie) che per precise notizie sulla scostumatezza di quelle donne sarde, che non risulta da nessuna fonte; per Dante Firenze è una nuova Barbagia.

97-102: *O dolce fratello* (**frate**)*, che vuoi tu che io dica? Mi è già visibile* (**nel cospetto**) *un tempo futuro, rispetto al quale* (**cui**) *quest'ora non sarà molto antica* [: quindi un futuro non lontano]*, nel quale sarà proibito* (**interdetto**) *dal pulpito* (**in pergamo**) [*delle chiese*] *alle sfacciate donne fiorentine di* (**l'** = lo) *andar mostrando il petto con le mammelle* (**poppe**). Forese passa ad una profezia: sta per venire il giorno in cui la degenerazione della moda sarà tale che dai pulpiti

delle chiese si dovrà proibire solennemente (e ufficialmente, stando al v. 105) alle donne di mostrare il petto. Non si hanno notizie certe relativamente a tali proibizioni (forse ve ne fu una del vescovo di Firenze nel 1310).

103-105: *Quali* (**quai**) *barbare, quali saracene* [*vi*] *furono mai alle quali* (**cui**) *fosse necessario* (**bisognasse**)*, per farle andare* (**ir** = ire) *coperte, o leggi* (**discipline**) *ecclesiastiche* (**spirituali**) *o altre* [: civili]*?* Dal che si ricava che ai decreti religiosi si unirono anche, nella Firenze di quegli anni, quelli civili. **Barbare... saracine...**: la mancanza di cultura o della fede cristiana (*saracene* = maomettane) sarebbero agli occhi di Dante delle attenuanti.

106-111: *Ma se le svergognate si rendessero conto* (**fosser certe**) *di ciò* (**quel**) *che il cielo prepara* (**ammanna**) *loro a breve scadenza* (**veloce**)*, avrebbero* (**avrìan**) *già le bocche aperte per urlare; poiché* (**ché**)*, se la preveggenza* (**l'antiveder**) *non mi inganna su questo punto* (**qui**)*,* [*le donne fiorentine*] *saranno* (**fien**) *dolenti* (**triste**) *prima che impeli le guance* [: raggiunga la pubertà] *colui che ora* (**mo**) *si consola con* [*la ninna-*]*nanna* [: chi ora è bambino]. La profezia di Forese passa a toni biblici, prevedendo per le svergognate

Deh, frate, or fa che più non mi ti celi!
vedi che non pur io, ma questa gente

114   tutta rimira là dove 'l sol veli ».
Per ch'io a lui: « Se tu riduci a mente
qual fosti meco, e qual io teco fui,

117   ancor fia grave il memorar presente.
Di quella vita mi volse costui
che mi va innanzi, l'altr' ier, quando tonda

120   vi si mostrò la suora di colui »,
e 'l sol mostrai; « costui per la profonda
notte menato m'ha de' veri morti

123   con questa vera carne che 'l seconda.
Indi m'han tratto sù li suoi conforti,
salendo e rigirando la montagna

donne fiorentine una imminente punizione (dieci-quindici anni dopo il 1300, data del viaggio). Parole simili si leggono in una lettera di Dante del marzo 1311, in relazione alla discesa contro Firenze di Arrigo VII; ma le sventure annunciate da Dante non si avverarono. Ed è indizio troppo tenue per attribuire a quel periodo la composizione di questo canto. Dante potrebbe qui riferirsi anche alla sconfitta subìta dai fiorentini nel 1315 a Montecatini, oppure a una punizione indeterminata sulla quale conti la sua fiducia nella giustizia divina. Si noti la potenza delle immagini: la bellezza compiaciuta e spensierata delle fiorentine è d'un colpo devastata dal terrore (il v. 108 contorce le loro espressioni in un *urlo* non di dolore ma di paura). È possibile, per altro, che il *se* del v. 109 abbia valore affermativo: *così come la nostra facoltà di leggere nel futuro non mi inganna...*

112-114: *Oh* (**deh**), *fratello* (**frate**), *ora non nasconderti più a me* (**fa che più non mi ti celi**) [: raccontami la tua storia]*! vedi che non io soltanto* (**pur**) *ma* [anche] *tutta questa gente* [: le altre anime della cornice] *guarda stupita* (**rimira**) *là dove* [tu] *veli il* (**'l**) *sole* [: la tua ombra]». È il consueto stupore delle anime nello scoprire la insolita presenza di un vivo.

115-117: *Per cui io* (**per ch'io**) [*dissi*] *a lui* [: Forese]*: «Se tu richiami* (**riduci**) *alla memoria* (**a mente**) *quale* [tu] *fosti con me* (**meco**), *e quale io fui con te* (**teco**) [: la vita che conducemmo insieme], *ancora sarà* (**fia**) *doloroso* (**grave**) *il ricordare* (**memorar**) *pre-*

sente. Il centro drammatico dell'episodio è in questi versi, in questa amara confessione di Dante: se ripensiamo alla vita immorale che abbiamo condotto insieme, ci sarà doloroso ancora oggi quel ricordo. Non allude Dante di certo solo alla *Tenzone* poetica, ma ad uno stile di vita degenerato (come rivela anche il v. 118) di cui la *Tenzone* è solo un'espressione e un aspetto. Forese si sta già purificando di quella vita, porta chiari i segni dello sforzo spirituale sul volto emaciato: non ha bisogno di dichiarare il proprio cambiamento; Dante, che è ancora vivo, deve invece farlo: deve, cioè, spiegare come si sia separato da quelle esperienze e come stia cercando di riavvicinarsi pienamente alla Grazia. È questo il senso del racconto che segue; non tanto una rapida notizia *esterna* all'amico sui modi della propria venuta, quanto una dichiarazione dell'evoluzione *interiore* da **quella vita** (v. 118) a **Beatrice** (v. 128): dalla perdizione alla salvezza.

118-123: *Da* (**di**) *quella vita* [: immorale] *mi allontanò* (**volse**) *questi* (**costui**) *che mi cammina* (**va**) *innanzi* [: Virgilio], *pochi* [: cinque] *giorni fa* (**l'altr'ier**; indet.), *quando vi si mostrò tonda* [: piena] *la sorella* (**suora**) [: la luna] *di quegli* (**colui**)», *e indicai* (**mostrai**) *il* (**'l**) *sole*. «*Costui* [: Virgilio] *mi ha condotto* (**menato**) *attraverso* (**per**) *la profonda notte* [: le tenebre infernali] *dei* (**de'**) *veri morti* [: i dannati, morti spiritualmente] *con questa* [mia] *vera carne* [: corpo vivo] *che lo* ('l=il) *segue* (**seconda**).

124-126: *Di lì* (**indi**) [: dall'Inferno] *mi han-*

126   che drizza voi che 'l mondo fece torti.
       Tanto dice di farmi sua compagna,
       che io sarò là dove fia Beatrice:
129   quivi convien che sanza lui rimagna.
       Virgilio è questi che così mi dice»,
       e addita'lo; « e quest' altro è quell' ombra
       per cuï scosse dianzi ogne pendice
133   lo vostro regno, che da sé lo sgombra ».

---

no (m'han) tratto su i (li) suoi aiuti (conforti), salendo e aggirando (rigirando) la montagna [del Purgatorio] che raddrizza (drizza) [: purifica] voi che il ('l) mondo rese
(fece) storti (torti) [: peccatori].

127-129: [Virgilio] dice che mi accompagnerà (di farmi sua compagna = che mi terrà come sua compagnìa) finché (tanto...che) io
sarò là dove sarà (fia) Beatrice: lì (quivi) è

necessario (convien) che [io] rimanga (rimagna) senza [di] lui.

130-133: Questi che mi dice così è Virgilio»,
e lo indicai (addita'lo = lo additai); «e quest'altro [: Stazio] è quell'anima (ombra) per
cui il (lo) vostro regno [: il Purgatorio], che
lo allontana (lo sgombra) da sé [: perché pu-
rificato], scosse poco fa (dianzi) ogni [sua]
pendice [: con il terremoto di esultanza; cfr.
canti XX e XXI]».

Secondare ———————————————————————————— v. 123

La voce deriva dal lat. *secundāre* = 'seguire, tener dietro, aiutare', vb. denominale da *se-*
cundus nel senso di 'favorevole, propizio'. Indica 'il seguire, l'andar dietro a qualcuno
sia nel moto, sia nel pensare, sia nel parlare' — cfr. *Purg.* XXIII, 123 —; anche 'seguitare,
succedere, venir dopo' — cfr. *Purg.* XXIX, 91 e *Par.* I, 34. La forma intrans. ha, tra
gli altri, il significato di 'cedere, piegarsi' — cfr. *Purg.* I, 105. Oggi è di uso raro; più
frequente *assecondare*, ma con accezione più ristretta ('obbedire, concordare').

Verdura ———————————————————————————————— v. 69

La voce deriva dal lat. volg. *virdis* (lat. class. *virĭdis*) = 'verde' (cfr. franc. *verdure* e sp.
verdura). Il termine indica propriamente 'una quantità di erba e di piante verdeggianti',
e anche 'il fogliame di un albero' — come in Dante. Oggi tuttavia si usa nel significato
di 'erbaggi ed ortaggi commestibili' (p. es. cicoria, spinaci ecc.). Il significato ant. sopravvive nel termine, raro e letter., *verzura*.

Canto XXIV

Prosegue il racconto dell'incontro con Forese, il quale informa Dante che la sorella Piccarda è già in Paradiso, laddove il fratello Corso, violento capo della parte nera e nemico di Dante, sta per ricevere la tremenda punizione del cielo. I due amici si lasciano, nella certezza di rincontrarsi presto in una dimensione di eterna pace, ben diversa da quella del mondo che **di giorno in giorno più di ben si spolpa** [: si spoglia] (v.80). Poi Forese si allontana velocemente per tornare alla penitenza.

Il colloquio con Forese è interrotto a metà dall'inserimento di un episodio minore, secondo un modo tipico dell'arte della *Commedia*. Episodio minore per ampiezza (occupa i vv. 34-63 del canto), ma importantissimo sul piano strutturale e storico-critico. Il lucchese Bonagiunta Orbicciani, poeta attardato su modi provenzaleggianti, volti a privilegiare l'aspetto sensuale della poesia erotica, annuncia profeticamente a Dante che una donna di nome Gentucca gli renderà cara, negli anni dell'esilio, la corrotta Lucca. Poi lo saluta iniziatore di un nuovo modo di poetare, il **dolce stil novo** (v. 57); così Dante può sinteticamente affermare i principi della propria poetica, legati alla concezione intima e religiosa dell'Amore.

> *Allontanandosi dalla sesta cornice, Virgilio, Dante e Stazio vedono un altro albero (cfr. canto XXII) dall'interno del quale voci misteriose recitano esempi di gola punita. Un angelo cancella dalla fronte di Dante un'altra P ed indica ai pellegrini la strada per ascendere alla settima e ultima cornice.*

* * *

Benché sia organizzato attorno a diversi temi e si componga di diversi momenti narrativi, il canto trova una sua profonda unità sostanziale. Si consideri innanzitutto il forte legame strutturale con il canto precedente, sottolineato non solo dalla continuazione dell'incontro con Forese, ma dallo stesso inserimento dell'episodio di Bonagiunta. Infatti, come nel canto XXIII Dante ha ricordato il momento di proprio smarrimento morale, legato all'episodio letterario della volgare *Tenzone* con Forese, così qui egli si sofferma, per contrasto, sulla più lontana esperienza giovanile della *Vita Nuova*, ricollegando la propria condizione presente a quei germi positivi e individuandovi un precedente letterariamente valido da contrapporre a quello rifiutato della *Tenzone*. L'analisi della propria vita passata produce il ritrovamento di una strada giusta ma poi smarrita: verso di essa si getta qui un ponte che colleghi l'esperienza della *Vita Nuova* alla *Commedia*.

A questa profonda ragione ispiratrice del canto si riconnettono in modo segreto ma strettissimo anche i riferimenti alla beata Piccarda e alla gentile Gentucca, che si affiancano alla figura esemplare di Nella, già rievocata nel canto che precede. E il rapporto è legato alla funzione centrale della donna in quella poetica stilnovistica che Dante perentoriamente qui definisce, alla importanza dell'Amore come ragione di crescita spirituale anche di tipo strettamente religioso. Queste tre figure di donna contrapposte alla generale corruzione e degradazione morale offrono alla teorizzazione dello «stil nuovo» un vivo esempio; e alludono, entro il nuovo orizzonte della *Commedia* (più ampio e radicale di quello giovanile della *Vita Nuova*, ma ad esso ricollegabile), alla figura di Beatrice, di colei cioè che si rivela tramite tra la giovinezza devota del poeta e la sua definitiva maturità, soccorrendolo nello smarrimento che ha occupato la parte centrale della sua vita.

Cfr. tavola 11.

> Né 'l dir l'andar, né l'andar lui più lento
> facea; ma, ragionando, andavam forte,
> 3 sì come nave pinta da buon vento;
> e l'ombre, che parean cose rimorte,
> per le fosse de li occhi ammirazione
> 6 traean di me, di mio vivere accorte.
> E io, continüando al mio sermone,
> dissi: «Ella sen va sù forse più tarda
> 9 che non farebbe, per altrui cagione.
> Ma dimmi, se tu sai, dov' è Piccarda;
> dimmi s'io veggio da notar persona
> 12 tra questa gente che sì mi riguarda».

1-6: *Né il parlare* ('l dir) *rendeva* (facea) *più lento l'andare, né l'andare* [*rendeva più lento*] *quello* (lui) [: il parlare]*; ma conversando* (ragionando), *camminavamo* (andavam) *in fretta* (forte), *così* (sì) *come una nave spinta* (pinta) *da buon vento; e le anime* (l'ombre), *che parevano* (parean) *cose stramorte* (rimorte) [: per l'aspetto emaciato], *si meravigliavano* (ammirazione traean = prendevano meraviglia) *di me attraverso* (per) *le orbite* (fosse) *degli* (de li) *occhi, accorte*[*si*] *del mio esser vivo* (di mio vivere). Forese e Dante (accompagnati da Virgilio e da Stazio) camminano svelti parlando con alacrità, attraverso la folla spettrale delle anime stupite di vedere un vivo. *Né 'l dir l'andar...*: l'e l l i s s i esprime bene, con la rapidità della sintassi, la rapidità del passo e della parola. **Rimorte**: è intensivo dell'agg. *morte*; e vale *morte due volte*.

7-9: *E io, continuando il* (al) *mio discorso* (sermone) [: interrotto alla fine del canto precedente], *dissi* [*a Forese*]: «*Ella* [: l'anima di Stazio; cfr. XXIII, 131-133] *forse se ne* (sen) *va sù più lenta* (tarda) *di quanto* (che) *non farebbe* [: da sola], *a causa di altri* (per altrui cagione) [: perché deve adattarsi al passo di un vivo, Dante, e ai ritmi del suo viaggio].

10-12: *Ma dimmi dov'è Piccarda, se tu* [*lo*] *sai;* [*e*] *dimmi se io vedo* (veggio) [*qualche*] *persona degna di nota* (da notar) *tra questa folla* (gente) *che mi guarda così intensamente* (sì mi riguarda)». Due richieste: sapere del destino oltremondano di Piccarda (sorella di Forese) e se vi siano persone degne di parola (con il che Dante si riferisce a uno degli scopi esemplari e dichiarati del viaggio e della *Commedia*).

« La mia sorella, che tra bella e buona
non so qual fosse più, trïunfa lieta
15 ne l'alto Olimpo già di sua corona ».
Sì disse prima; e poi: « Qui non si vieta
di nominar ciascun, da ch'è sì munta
18 nostra sembianza via per la dïeta.
Questi », e mostrò col dito, « è Bonagiunta,
Bonagiunta da Lucca; e quella faccia
21 di là da lui più che l'altre trapunta
ebbe la Santa Chiesa in le sue braccia:
dal Torso fu, e purga per digiuno
24 l'anguille di Bolsena e la vernaccia ».
Molti altri mi nomò ad uno ad uno;
e del nomar parean tutti contenti,
27 sì ch'io però non vidi un atto bruno.
Vidi per fame a vòto usar li denti
Ubaldin da la Pila e Bonifazio
30 che pasturò col rocco molte genti.
Vidi messer Marchese, ch'ebbe spazio
già di bere a Forlì con men secchezza,

13-15: [: Forese risponde:] «*Mia sorella* (l'art. **la** preposto al pron. pers. seguìto dal rapporto parentale è uso tosc. ancora vivo) [: Piccarda], *che non so tra bella e buona che cosa* (**qual**) *fosse* [*di*] *più, trionfa già in Paradiso* (**ne l'alto Olimpo**), *lieta della* (**di**) *sua corona»*. Dante la incontrerà infatti nel cielo della Luna (*Par*. III, 34 sgg.). **Corona**: è il segno di gloria e insieme il premio per aver faticosamente conquistata la beatitudine.

16-18: *Così* (**sì**) [*Forese*] *disse prima; e poi* [*aggiunse*]: *«Qui è necessario* (**non si vieta** è una l i t o t e) *dire il nome di ciascuno* (**di nominar ciascun**), *dal momento che* (**da ch'**) *il nostro aspetto* (**sembianza**) *è così consumato* (**sì munta...via**); espressione efficacissima) *a causa del* (**per la**) *digiuno* (**dieta**).

19-24: *Questi»*, *e indicò* (**mostrò**) *con il dito, «è Bonagiunta, Bonagiunta da Lucca; e quella faccia dietro di lui* (**di là da lui**) *più scavata* (**trapunta**) *delle* (**che l'**) *altre ebbe nelle* (**in le**) *sue braccia* [: come uno sposo] *la Santa Chiesa* [: fu papa]: *venne* (**fu**) *da Tours* (**Torso**), *e purga con il* (**per**) *digiuno le anguille di Bolsena e la vernaccia»*. **Bonagiunta** Orbicciani degli Overardi fu un modesto poeta lucchese della seconda metà del Duecento, forse conosciuto da Dante. L'altra anima è Martino IV, papa dal 1281 al 1285, che era stato tesoriere della cattedrale

di Tours; la fama della sua gola fece nascere aneddoti e satire; e si diffuse la notizia, ripresa dal Lana, che il suo piatto preferito fossero le anguille (che si faceva portare dal lago di **Bolsena**, nell'alto Lazio) annegate nella **vernaccia** (un vino bianco d'origine ligure e prodotto soprattutto in Toscana) e arrostite.

25-27: [*Forese*] *mi nominò* (**nomò**) *ad uno ad uno molti altri; e di essere nominati* (**del nomar**) *tutti si rivelavano* (**parean**) *contenti* [: sperando preghiere di suffragio], *così* (**sì**) *che io quindi* (**però** = perciò) *non vidi* [*neppure*] *un gesto* (**atto**) *scontento* (**bruno**).

28-30: *Vidi Ubaldino della* (**da la**) *Pila e Bonifacio, che guidò spiritualmente* (**pasturò**) *con il bastone vescovile* (**col rocco**) *molte popolazioni* (**genti**), *usare a vuoto* (**a vòto**) *i* (**li**) *denti per fame*. **Ubaldin**: Ubaldino degli Ubaldini (detti *della Pila* dal nome di un castello del Mugello), morto forse nel 1291, è il padre dell'arcivescovo Ruggeri (*Inf*. XXXIII, 14 sgg.); Bonifacio dei Fieschi, genovese, fu arcivescovo di Ravenna dal 1274 al 1294. Entrambi avevano fama di golosi.

31-33: *Vidi messere Marchese, che ebbe in passato* (**già**) *opportunità* (**spazio**) *di bere a Forlì con meno sete* (**secchezza**) [*di qui*], *e fu tale* [: bevitore] *al punto* (**sì** = così) *che*

33   e sì fu tal, che non si sentì sazio.
        Ma come fa chi guarda e poi s'apprezza
           più d'un che d'altro, fei a quel da Lucca,
36   che più parea di me aver contezza.
        El mormorava; e non so che « Gentucca »
           sentiv' io là, ov' el sentìa la piaga
39   de la giustizia che sì li pilucca.
        « O anima », diss'io, « che par sì vaga
           di parlar meco, fa sì ch'io t'intenda,
42   e te e me col tuo parlare appaga ».
        « Femmina è nata, e non porta ancor benda »,
           cominciò el, « che ti farà piacere
45   la mia città, come ch'om la riprenda.
        Tu te n'andrai con questo antivedere:
           se nel mio mormorar prendesti errore,
48   dichiareranti ancor le cose vere.
        Ma di' s'i' veggio qui colui che fore
           trasse le nove rime, cominciando
51   ' Donne ch'avete intelletto d'amore ' ».

---

non si sentì [mai] sazio. **Marchese** degli Argogliosi, di Forlì, fu podestà di Faenza nel 1296. Racconta il Benvenuto un aneddoto che Dante dovette aver presente per questi versi: chiesto a un coppiere che cosa dicessero di lui, questi gli rispose: «Che state sempre a bere»; e Marchese gli rispose: «E perché non dicono che ho sempre sete?». **Messer**: era titolo onorifico, dal provenzale *meser*, franc. *monsieur* (= signore).

34-36: *Ma come fa chi guarda [varie persone che ha intorno] e poi mostra di apprezzare* (**s'apprezza**) *più uno* (**d'un**) *che gli altri* (**d'altro**), *[così] feci* (**fei**) *con* (**a**) *quel [Bonagiunta] da Lucca, che pareva* (**parea**) *avere più cognizione* (**contezza**) *di me* [: conoscermi meglio].

37-39: *Egli* (**el**) *mormorava; e io [gli] sentivo [dire] non so che «Gentucca» là* [: sulla bocca] *dove egli* (**ov'el**) *sentiva* (**sentìa**) *la tortura* (**piaga**) [: fame e sete] *della giustizia [divina] che li consuma* (**pilucca**) *così*. Bonagiunta si mostra desideroso di parlare con Dante, di dirgli qualcosa; e Dante lo sente parlare sottovoce, riuscendo a cogliere solo la parola «Gentucca». Se si collega questo nome isolato ai vv. 43-45, non c'è dubbio che si tratta del nome di una donna lucchese (forse Gentucca Morla) che si rivelò cortese e ospitale con Dante durante il suo esilio; che si alluda ad un amore, come qual-

cuno ha ipotizzato, è improbabile e comunque non ricavabile dal testo.

40-42: *Io dissi [a Bonagiunta]: «O anima che ti mostri* (**par**) *così desiderosa* (**sì vaga**) *di parlare con me* (**meco**), *fa' in modo* (**sì** = così) *che io ti capisca* (**intenda**), *e appaga te e me con il tuo parlare».*

43-45: *Egli* (**el**) [: Bonagiunta] *cominciò [a dirmi]: «È [già] nata una donna* (**femmina**), *e ancora non porta il velo* (**benda**) [: è ancora ragazza], *che ti farà piacere la mia città* [: Lucca], *per quanto* (**come ch'⟨e⟩**) *se ne dica male* (**om la riprenda** = la si rimproveri). Nel canto XXI dell'*Inferno* Dante ha accusato egli stesso Lucca di essere città corrotta; ora aggiunge, più che un ripensamento, un'eccezione. **Benda**: è il velo che gli statuti comunali prescrivevano alle donne sposate.

46-48: *Tu te ne andrai [di qui] con questa profezia* (**antivedere**; vb. sostantivato): *se per il* (**nel**) *mio mormorare sei stato preso da qualche dubbio* (**prendesti errore**), *i fatti reali* (**le cose vere**) *faranno in te chiarezza* (**dichiareranti**) *meglio* (**ancor**).

49-51: *Ma di' se io* (**s'i'**) *vedo* (**veggio**) *qui colui che diede l'avvio* (**fore trasse** = trasse fuori) *alla nuova poesia* (**le nove rime**), *[con la canzone] che comincia* (**cominciando**)

E io a lui: « I' mi son un che, quando
Amor mi spira, noto, e a quel modo
54 ch'e' ditta dentro vo significando ».
« O frate, issa vegg'io », diss' elli, « il nodo
che 'l Notaro e Guittone e me ritenne
57 di qua dal dolce stil novo ch'i' odo!

Donne ch'avete intelletto d'amore». La richiesta di Bonagiunta è retorica: egli ha già
riconosciuto Dante; e vuole solo lodarlo gentilmente, riconoscendogli il merito di aver
fondato una nuova tradizione lirica. Sappiamo che questa opinione era assai diffusa tra
i contemporanei di Dante, e che egli stesso
vedeva nella canzone citata da Bonagiunta
il passaggio ad un nuovo modo di poetare,
più ispirato e diretto. La canzone **Donne
ch'avete intelletto d'amore** è la prima della
Vita Nuova: Dante si rivolge alle donne che
hanno competenza **(intelletto)** d'amore per
dichiarare i termini della poetica stilnovistica.

52-54: *E io* [*dissi*] *a lui* [: Bonagiunta]*: «Io*
(**i' mi**; il **mi** è p l e o n .) *sono uno* [*di quei
poeti*] *che, quando Amore mi ispira* (**spira**),
annoto (**noto**) [: quel ch'egli suggerisce], *e
vado* (**vo**) [*poi*] *esprimendo*[*mi*] (**significando**) *in* (**a**) *quel modo che egli* (**ch'e'** = che ei)
[*mi*] *detta* (**ditta**) *interiormente* (**dentro**)». Si
è voluto vedere in questa risposta di Dante
l'affermazione consapevole di una poetica,
quella dello «stil nuovo». È però da osservare che l'affermazione di Dante (*la mia novità è quella di scrivere quel che l'amore mi
detta*), oltre che essere propria della lirica
cortese generalmente considerata, serve principalmente a rifiutare per umiltà l'eccessiva
lode dell'interlocutore, spegnendo tra l'altro
il proprio merito individuale in un atteggiamento collettivo (ripreso da Bonagiunta al
v. 58 con **vostre penne**). È pur vero che probabilmente il significato della terzina è meno facile di come sembra a prima vista, e
che la novità di Dante sarebbe non tanto
quella di seguire fedelmente l'ispirazione
amorosa, ma, più profondamente, di «rappresentare nella poesia il processo di elevazione interiore che ha avuto inizio con l'a-
more» (Bosco); e l'**Amore** è da intendersi
diversamente che nel senso erotico della lirica tradizionale, divenendo un'esperienza globale di carattere religioso. La terzina riguarda quindi una novità stilistica ma anche (e
forse soprattutto) una novità filosofica, un
rinnovamento del punto di vista del poeta,

sprofondato nell'interiorità dell'io e sottratto il più possibile alla tipologia tradizionale
dell'esperienza erotica biograficamente intesa. Sul piano più ampio della struttura, il
colloquio con Bonagiunta serve a definire un
aspetto positivo e fecondo del passato di
Dante, la cui intensità raccolta e il cui impegno di arte rigoroso ben possono essere contrapposti al traviamento esistenziale e letterario della *Tenzone* con Forese. Nel giro di
due canti, così, Dante rielabora il proprio
passato di uomo e di poeta, toccando i due
poli opposti della propria esperienza. Ed anche questa funzione importante rende indispensabile, benché non agevole, una lettura
approfondita di questi versi, troppo tormentati da letture cavillose o arbitrarie ma anche, a volte, troppo semplicisticamente li-
quidati.

55-57: *Egli* (**elli**) [: Bonagiunta] *disse: «O fratello* (**frate**), *ora* (**issa**) *io vedo* (**vegg'io**) *l'o-
stacolo* (**il nodo**) *che fermò* (**ritenne**) *il* (**'l**)
Notaro e Guittone e me [**a**] *di qua del* (**dal**)
dolce stil nuovo che io (**ch'i'**) [*ora*] *capisco*
(**odo**)! Issa, *ora*: non per le parole di Dante,
ma per la condizione di verità e di umiltà
del nuovo stato (come conferma il **veggio
ben** del v. 58); il che sottolinea il valore religioso della nuova poetica richiamata da Dante come riferimento esemplare della propria
biografia spirituale. Il **Notaro** è Jacopo da
Lentini, morto verso il 1250, *notaio* del re
di Sicilia Federico II; fu un importante rimatore della scuola poetica siciliana, ed è
qui citato come simbolo di essa nella sua interezza. **Guittone** d'Arezzo, morto nel 1294,
fu il più significativo poeta toscano prima
dello stil nuovo. **Dolce stil novo**: è definizione celebre e intensa della nuova poetica
(cui si legano i nomi, oltre che di Dante stesso, di Guinizelli e di Cavalcanti); è sottolineata l'importanza dello *stile*, come momento
fondamentale della invenzione poetica, il
quale deve rispondere a una *novità* di ispirazione filosofica e a una *nobile gentilezza*
(**dolce**) retorica.

Io veggio ben come le vostre penne
di retro al dittator sen vanno strette,
60   che de le nostre certo non avvenne;
e qual più a gradire oltre si mette,
non vede più da l'uno a l'altro stilo »;
63   e, quasi contentato, si tacette.

58-63: *Io [ora] vedo* (**veggio**) *bene come le vostre penne se ne* (**sen**) *vanno strette dietro* (**di retro**) *al dettatore* (**dittator**) [: Amore], [*cosa*] *che delle nostre* [*penne*] [: di noi poeti provenzaleggianti; cfr. v. 56] *certamente* (**certo**) *non avvenne; e chi* (**qual**) *si mette a guardar meglio* (**gradire** = procedere oltre), *non vede altra differenza* (**più**) *dall'uno all'altro stile* [: il nostro e il vostro]*»; e, quasi* [*interamente*] *soddisfatto* (**contentato**), *tacque* (**si tacette**). **E qual più a gradire...**: vuol dire che uno studio attento delle due poeti-che non rivela altra differenza che questa che si è detta; il che non sminuisce l'importanza della novità, e vuol dire che la differenza è quella sola, sì, ma decisiva. Merita però di essere presa in considerazione l'interpretazione dello Shaw, che così intende i vv. 61 sg.: *e chiunque si metta a studiare i due stili non vede meglio di me la differenza che li separa.* Il che ben si accorda con **vegg'io** (v. 55) e **io veggio** (v. 58) posti ad apertura delle due terzine precedenti, e qui ripresi dal **non vede** del v. 62, legato a **qual...**

Ammirazione _____ v. 5

È voce dotta derivata dal lat. *admirātio, admirationis* = 'ammirazione'. Oggi essa indica soltanto 'il sentimento di contemplazione di fronte ad un oggetto di particolare bellezza o di rispetto e stima di fronte ad una persona dotata di eccezionali virtù'. Anticamente (e in Dante) valeva 'meraviglia, stupore' — cfr. *Purg.* XXIV, 5 —; e cfr. anche *ammirare* = 'guardare con meraviglia' in *Purg.* XXIII, 20 e *ammirare* = 'meravigliarsi' in *Purg.* XXIII, 37 e *Par.* I, 98.

Retro _____ v. 59

È avv. derivante dal lat. *retro* = 'dietro' (cfr. sp. *redro*). La voce sta per 'dietro', (oggi unicamente in uso, anche se *retro* resiste in molti composti, con valore di prefisso: *retrocedere, retrogrado, retroguardia, retrospettivo, retroscena*, ecc.). Dante usa la voce sia in senso proprio che trasl., soprattutto nella forma «di retro a» — cfr. *Inf.* XIII, 124 e XXVI, 117; *Purg.* XXIV, 59 e *Par.* VI, 50 —; e anche in senso figur., con il significato di 'seguendo l'esempio di' — cfr. *Par.* I, 35.

Serm-o, -one _____ v. 7

La voce deriva dal lat. *sermo, sermōnis* = 'insieme di parole, discorso' (da *serĕre* = 'intrecciare, legare insieme'). Il termine indica un 'ragionamento, generalmente nel suo insieme' — cfr. *Inf.* XIII, 21 —, ma anche 'il semplice parlare' — cfr. *Inf.* XIII, 138 e *Purg.* XXIV, 7. Oggi il vocabolo indica prevalentemente un 'discorso sacro o moraleggiante' (e, nel secondo caso, non senza ironia).

Nella seconda metà del Duecento due erano le principali tendenze poetiche: quella di tradizione siciliana e quella dottrinale. Della prima erano illustri esponenti Iacopo da Lentini (il **Notaro** di *Purg.* XXIV, 56) e, in Toscana, Bonagiunta da Lucca (l'interlocutore di Dante ai vv. 34-63 del canto citato). Della seconda i rappresentanti più significativi erano Guittone d'Arezzo (cfr. v. 56) e Guido Guinizelli. Fu da un'evoluzione di tale seconda tendenza che nacque la nuova poetica del dolce stil novo, approfondendo una concezione già presente nel Guinizelli, che pone al centro dell'attenzione la problematica dell'amore. Amore, però, inteso come un momento di esperienza globale dell'animo virtuoso, di carattere quasi religioso. A questa concezione corrisponde l'idealizzazione della donna e del sentimento che lega a lei; e corrisponde anche una più alta consapevolezza delle responsabilità artistiche del poeta, chiamato da questa esperienza intima e complessa ad un maggior rigore espressivo e ad una più matura fedeltà linguistica alla propria sensibilità.

I più importanti rappresentanti di tale tendenza furono, oltre al già citato Guinizelli, Guido Cavalcanti e Dante stesso, al quale anzi era probabilmente riconosciuto il merito di aver scritto la prima *canzone* secondo la nuova poetica: *Donne ch'avete intelletto d'amore*. È in questa prospettiva che si svolge il dialogo tra Bonagiunta e Dante nel canto XXIV del *Purgatorio*, dove la novità dello stil novo non deve essere ridotta (per quel che riguarda i vv. 52-54) semplicemente ad una maggiore fedeltà psicologica nell'espressione del sentimento, ma intesa come novità formale e dottrinale insieme, e anzi come tentativo di rinnovare gli strumenti espressivi della lirica per renderli conformi ad un'esigenza di alto valore spirituale e culturalmente assai complessa. Non è un caso che il riferimento a tale orizzonte implichi nelle parole di Bonagiunta e di Dante un giudizio non solo artistico ma anche religioso positivo: e d'altra parte l'esperienza stilnovistica della *Vita Nuova* è quella alla quale Dante ricongiunge, dopo il traviamento, la ricerca della *Commedia*; e dalla *Vita Nuova* deriva il personaggio che nel poema più di ogni altro opera per la salvezza di Dante: Beatrice.

Canto XXV

Mentre Virgilio, Dante e Stazio si arrampicano faticosamente verso la settima cornice, Dante è assillato da un dubbio, ed è più volte sul punto di rivelarlo ai suoi accompagnatori, ma poi ogni volta rinuncia, temendo di essere importuno, **quale il cicognin che leva** [: alza] **l'ala/ per voglia di volare, e non s'attenta** [: non osa]/ **d'abbandonar lo nido, e giù la cala** (vv. 10-12). Come altre volte, è lo stesso Virgilio ad incoraggiarlo. Il dubbio riguarda la pena dei golosi: come è possibile che dimagriscano corpi apparenti, privi della necessità del nutrimento? La risposta è affidata da Virgilio a Stazio, che la svolge in un'ampia ed articolata lezione, riferendosi alla concezione dei filosofi scolastici (Tommaso ed Alberto Magno in particolare), affermando la fondamentale unità organica dell'uomo, conservata nell'anima anche quando egli sia privato del corpo.

La generazione dell'uomo, spiega Stazio, avviene attraverso l'incontro della virtù attiva del seme maschile con l'elemento ricettivo femminile; in un primo momento il nuovo essere è simile ad una pianta, fornito solo di anima vegetativa, poi (differenziandosi i vari organi) diviene come un animale bruto, fornito anche di anima sensitiva; compiuta nel feto anche la formazione del cervello, centro delle funzioni sensitive, Dio, compiaciuto alla vista di un simile miracolo di natura, vi infonde un nuovo spirito, l'intelletto possibile. Questo assimila le caratteristiche dell'anima vegetativa e dell'anima sensitiva, dando vita ad un essere che vive, sente e pensa avendo coscienza di se stesso. Alla morte, l'anima si separa dalla carne; ma porta con sé sia le facoltà umane (vegetativa e sensitiva) che quella divina (intellettiva): quest'ultima aumentata dalla mancanza dei limiti corporei, le prime inerti per la mancanza degli organi materiali. Appena l'anima è giunta alla sua destinazione di castigo eterno o di penitenza temporanea, sùbito la virtù informativa che è in lei prende ad agire sullo spazio aereo che la circonda costruendo in esso un corpo apparente, privo di sostanza, ma capace di godere e di soffrire. E questo spiega il dimagrimento delle anime dei golosi, come altri fenomeni simili.

Intanto i tre sono giunti alla settima cornice: qui i lussuriosi si aggirano tra le fiamme che si sprigionano violentemente dalla parete di roccia, cantando un inno devoto e gridando esempi di castità.

Canto XXVI

Nella settima cornice, Dante, con il suo corpo di vivente, provoca la solita curiosità tra le anime dei lussuriosi. Questi, avvolti nelle fiamme, sono divisi in due schiere: l'una di quelli che peccarono contro natura (omosessuali), l'altra di quelli che peccarono in modo **ermafrodito** (v. 82), cioè eterosessuali. Le due schiere procedono nel fuoco in direzioni opposte, gridando esempi di lussuria punita; incrociandosi si fermano un attimo gli uni di fronte agli altri, scambiandosi un breve affettuoso saluto e un casto bacio. Sia le fiamme che il bacio di saluto svolgono una evidente funzione purificatoria, secondo i soliti modi del c o n t r a p p a s s o : come i lussuriosi cedettero alla fiamma della passione sensuale, così ora si purificano resistendo a questa fiamma; e i baci ricordano loro il passato peccaminoso, rivelandogli insieme una nuova prospettiva di castità.

Dante si ferma a parlare con il grande poeta bolognese Guido Guinizelli (cfr. XI, 97 e nota), salutandolo iniziatore di un modo nuovo di poetare, quello dello stil nuovo. Ma Guido si schermisce umilmente esaltando piuttosto la grandezza del trovatore provenzale Arnaldo Daniello, che è lì accanto a lui; questi si rivolge cortesemente a Dante nel suo linguaggio nativo, ricordando con dolore il proprio passato peccaminoso e aspettando fiducioso la imminente beatitudine.

Canto XXVII

Per poter proseguire verso la cima del monte, Dante deve attraversare il muro di fuoco dei lussuriosi. Questo atto vuole significare la sua partecipazione simbolica anche a questa tappa della purificazione, e prelude inoltre all'ingresso nell'Eden (o Paradiso terrestre), protetto, secondo la Bibbia, dal fuoco. Dante, timoroso, in un primo momento si rifiuta di obbedire, così che Virgilio è costretto a ricorrere ad un argomento estremo: «Or vedi, figlio:/ tra Beatrice e te è questo muro [di fuoco]» (vv. 35 sg.). Così Dante si convince e segue il maestro tra le fiamme. Guidati da un canto angelico, essi riescono dall'altra parte, nel punto dove si accede alla salita per la vetta del monte, guardata da un angelo luminosissimo.

Mentre Virgilio, Stazio e Dante si arrampicano, giunge il tramonto, così che son costretti a trascorrere la notte a metà salita. Qui Dante sogna la biblica Lia, bella e giovane, che va cogliendo fiori e accenna alla sorella Rachele, sempre assorta nei suoi pensieri; le due figure, simbolo della vita attiva e di quella contemplativa, preannunciano quelle che Dante sta per incontrare nell'Eden: Matelda (cfr. canto seguente) e Beatrice.

Alle prime luci del nuovo giorno, i tre si alzano dal riposo notturno e giungono rapidamente sulla cima del monte, alle porte del Paradiso terrestre; qui Virgilio solennemente proclama compiuta la purificazione spirituale di Dante e conclusa la propria missione in suo soccorso: per procedere oltre la ragione umana è insufficiente, ed è necessario l'aiuto della scienza rivelata, cioè di Beatrice.

* * *

Il canto è tra i più variati e insieme unitari del poema: tutto vi esprime la consapevolezza della solennità del momento e dell'alta meta raggiunta. La narrazione trova due centri di gravità: uno nella definitiva caratterizzazione di Virgilio, sul punto di uscire di scena (e anche l'ostacolo iniziale dell'attraversamento delle fiamme giova a colorire di un tono intimo l'ultimo aiuto del maestro al discepolo); l'altro nello slancio di Dante verso Beatrice (la cui apparizione è prossima), e cioè verso la nuova e ultima fase del viaggio, attraverso la beatitudine dell'Eden e del Paradiso.

Nell'appendice I sono presentate le traduzioni dei vv. 124-142 del canto.

E già per li splendori antelucani,
    che tanto a' pellegrin surgon più grati,
111   quanto, tornando, albergan men lontani,
le tenebre fuggìan da tutti lati,
    e 'l sonno mio con esse; ond' io leva'mi,
114   veggendo i gran maestri già levati.
« Quel dolce pome che per tanti rami
    cercando va la cura de' mortali,
117   oggi porrà in pace le tue fami ».
Virgilio inverso me queste cotali
    parole usò; e mai non furo strenne
120   che fosser di piacere a queste iguali.
Tanto voler sopra voler mi venne
    de l'esser sù, ch'ad ogne passo poi
123   al volo mi sentìa crescer le penne.
Come la scala tutta sotto noi
    fu corsa e fummo in su 'l grado superno,
126   in me ficcò Virgilio li occhi.suoi,

109-114: *E già per i chiarori diffusi* (**gli splendori**) *che precedono l'alba* (**antelucani** = prima della luce), *che sorgono* (**surgon**) *tanto più graditi* (**grati**) *ai* (**a'**) *pellegrini, quanto, sulla via del ritorno* (**tornando**), *[essi]* [: i 'pellegrini'] *si trovano* (**albergan**) *meno lontani* [*dalla casa e dalla patria*], *le tenebre* [: sogg.] *fuggivano da tutti i lati, e con esse* [*fuggiva*] *il* (**'l**) *mio sonno; per cui io* (**ond'io**) *mi alzai* (**leva'mi**), *vedendo* (**veggendo**) *i grandi* (**gran**) *maestri* [: Virgilio e Stazio] *già in piedi* (**levati** = alzati). Alle prime luci del giorno, Dante si alza. Ed è un'alba che giunge gradita per la vicinanza della meta, come giunge tanto più gradito il nuovo giorno a chi è in viaggio, quanto più (trovandosi sulla via del ritorno) è prossimo alla propria casa e alla patria: la s i m i l i t u d i n e tra la situazione dei **pellegrin** e quella di Dante resta implicita, ma è evidente. La distanza di Dante dalla propria casa e dalla propria patria terrene è qui largamente ripagata dalla prossimità alla vera patria celeste e a Beatrice. Si confronti, per contrasto, questa alba con il tramonto che apre il canto VIII: anche lì ci si soffermava sullo stato d'animo del pellegrino, di chi viaggia lontano dalla propria terra, ma per dire la condizione malinconica della distanza e della nostalgia (e anche in quel caso la s i m i l i t u d i n e con lo stato d'animo di Dante restava implicita).

115-117: [: Parla Virgilio] «*Quel frutto* (**pome**) *dolce* [: la felicità] *che il desiderio* (**la cura**) *degli uomini* (**de' mortali; de'** = dei) *va cercando per tanti rami* [: per tante strade], *oggi* [*stesso*] *darà soddisfazione* (**porrà in pace**) *alle tue voglie* (**fami**)». Virgilio annuncia al discepolo che è sul punto di raggiungere il Paradiso terrestre, dove sta quella felicità intatta che gli uomini cercano invano affannosamente sulla Terra. Si noti la coerenza delle immagini m e t a f o r i c h e : **pomi, rami, fami.**

118-120: *Virgilio mi* (**inverso me** = a me) *rivolse* (**usò**) *queste parole solenni* (**cotali** = tali = così importanti)*; e non* [*vi*] *furono* (**furo**) *mai belle notizie* (**strenne** = doni) *che fossero uguali* (**iguali**) *a queste per il* (**di**) *piacere* [*che mi diedero*].

121-123: *Mi venne tanta voglia* (**voler**) *aggiunta alla voglia* (**sopra voler**) [*che già avevo*] *di* (**de l'**) *essere sù* [: in cima al monte], *che poi ad ogni passo mi sentivo* (**sentìa**) *crescere le ali* (**le penne**) *per volare* (**al volo**) [: per andare sempre più in fretta]. La salita dalla settima cornice alla cima del monte (dove è il Paradiso terrestre) avviene rapidissimamente: Dante percorre di corsa tutta la **scala.**

124-129: *Come la scala fu corsa tutta sotto* [*dì*] *noi, e fummo sul* (**in su 'l** = in su il) *gradino* (**grado**) *più alto* (**superno**), *Virgilio fissò* (**ficcò** dice l'intensità dello sguardo) *in me*

e disse: « Il temporal foco e l'etterno
veduto hai, figlio; e se' venuto in parte
129   dov' io per me più oltre non discerno.
Tratto t'ho qui con ingegno e con arte;
lo tuo piacere omai prendi per duce;
132   fuor se' de l'erte vie, fuor se' de l'arte.
Vedi lo sol che 'n fronte ti riluce;
vedi l'erbette, i fiori e li arbuscelli
135   che qui la terra sol da sé produce.
Mentre che vegnan lieti li occhi belli
che, lagrimando, a te venir mi fenno,
138   seder ti puoi e puoi andar tra elli.

i (**li** = gli) *suoi occhi, e disse: «Figlio, hai visto* (**veduto**) *il fuoco* [: le pene] *temporaneo* (**temporal**) [: il Purgatorio] *e quello* (**l'** = lo) *eterno* [: l'Inferno]*; e sei* (**se'**) *giunto* (**venuto**) *in un luogo* (**in parte**) *dove io da me* (**per me**) [*solo*] *non distinguo* (**discerno**) [*il cammino*] *più oltre.* Giunti sulla cima del Purgatorio, alle soglie dell'Eden e quindi del Paradiso, è venuto il momento per Virgilio di separarsi da Dante, il quale dovrà proseguire il viaggio assistito dalla scienza rivelata, cioè dalla fede, rappresentata allegoricamente da Beatrice; infatti ci si sta per addentrare in un territorio al di fuori delle possibilità della ragione e della sapienza umane in sé considerate. Questo, sul piano strutturale, è il significato dell'addio di Virgilio, che, dopo questo canto, non parla più, benché accompagni ancora Dante fino all'arrivo vero e proprio di Beatrice, dopo il quale sparirà definitivamente (cfr. XXX, 49 sgg.). Ma è naturale che dietro il significato allegorico dell'episodio sia presente, e anzi fortissimo, un valore narrativo di profonda e patetica grandezza. Si osservi il modo sobrio e virile con cui è concepito questo congedo: l'accento di Virgilio batte con energia sull'importanza della meta faticosamente raggiunta, sulla nuova positiva condizione spirituale del discepolo; allude appena, con pudìco riserbo, all'imminente distacco (v. 139), mantenendo del tutto implicita la tristezza del proprio destino di escluso (v. 129). Facile sarebbe stato, in un momento simile, cadere nella eloquenza; Dante appronta invece, per queste estreme parole del maestro, un ritmo lento e scandito, intimamente solenne, un lessico chiaro e dignitoso, senza eccessi sentimentali o enfatici, ed uno stile robusto, non turbato, nella sua incisività, dalle trovate retoriche dei vv. 132 e 141.

130-132: *Ti ho condotto* (**tratto**) *qui con la ragione* (**ingegno**) *e con le risorse pratiche* (**arte**); *a questo punto* (**omai**) *prendi per guida* (**duce**) *il* (**lo**) *tuo piacere; sei* (**se'**) *fuori delle vie ripide* (**erte**), [*sei*] *fuori delle* [*vie*] *strette* (**arte**). L'animo di Dante è ormai purificato ed egli può seguire le proprie disposizioni naturali (**piacere**) senza timore di sbagliare; non ha bisogno di altra guida che della propria coscienza.

133-135: *Vedi il* (**lo**) *sole che ti splende* (**riluce**) *in* (**'n**) *fronte; vedi le erbette, i fiori e gli arboscelli che qui* [: nell'Eden] *la terra produce da sé sola.* Il sole che splende sul viso di Dante è da intendere allegoricamente come un mostrarsi speciale della Grazia divina. Le **erbette** ecc. alludono al paesaggio incantato del Paradiso terrestre (cfr. canto seguente), nel quale la vegetazione nasce spontanea, senza bisogno del lavoro umano, come nella mitica età dell'oro (cfr. le *Metamorfosi* di Ovidio, I, 101 sg.) e come nella terra abitata dai primi uomini, secondo la *Bibbia*.

136-138: *Finché* (**mentre che**) *vengono* (**vegnan**) *i* (**li** = gli) *lieti occhi belli* [*di Beatrice*] *che, lagrimando* [: cfr. *Inf.* II, 116 sg.], *mi fecero* (**fenno**) *venire da* (**a**) *te, ti puoi sedere o puoi camminare* (**andar**) *tra essi* (**elli**) [: erbette, fiori e arboscelli del v. 134]. Nell'attesa di Beatrice, Dante può comportarsi come meglio crede; e Virgilio dice questo per dimostrargli concretamente la verità dell'affermazione del v. 131: il discepolo, così spesso esortato o rimproverato nel corso del lungo viaggio, ora è libero e puro nei suoi desideri.

Non aspettar mio dir più né mio cenno;
libero, dritto e sano è tuo arbitrio,
e fallo fora non fare a suo senno:
142   per ch'io te sovra te corono e mitrio ».

139-142: *Non aspettare più mie parole* (**mio dir**) *né miei cenni; la tua volontà* (**tuo arbitrio**) *è libera, retta* (**dritto**) *e sana, e sarebbe* (**fora**) *un errore* (**fallo**) *non fare secondo il* (**a**) *suo intendimento* (**senno**) [: non assecondarla]*: perché io ti proclamo signore e guida di te stesso* (**te sovra te corono e mitrio**)». Virgilio dichiara definitivamente conclusa la propria missione (v. 139); torna sulla necessità, per Dante, di seguire il proprio impulso purificato; proclama solennemente il discepolo guida e padrone di se stesso. **Libero**: «dalla servitù del peccato» (Buti); **dritto**: rivolto al bene; **sano**: guarito, attraverso l'esperienza del viaggio e la purificazione, dalle proprie tendenze peccaminose, e restitui-to alla originale purezza. **Corono e mitrio**: la *corona* era simbolo dell'autorità imperiale, la *mitria* di quella spirituale; ma è improbabile che qui si voglia alludere ai due diversi ambiti di riferimento: «né Virgilio infatti è in grado di conferire altrui l'autorità spirituale, che lo trascende; né Dante stesso è maturo per accoglierla» (Sapegno). Si tratterà, quindi, di una formula di particolare solennità. E si ricordi la formula, simile, con la quale Dante aveva dichiarato la propria intenzione definitiva di seguire Virgilio, all'inizio del poema: «**tu duca, tu segnore, e tu maestro**» (*Inf.* II, 140); a questo punto Virgilio restituisce a Dante il potere che questi liberamente gli aveva riconosciuto.

Pom -o, -e ———————————————————————————————— v. 115

La voce deriva dal lat. *pomus* e *pomum* = 'albero' e 'frutto' (cfr. franc. *pomme*, sp. *pomo*, rum. *poama*). Il termine indica genericamente un 'frutto commestibile di forma tondeggiante' — cfr. *Inf.* XIII, 6 —; e, in senso ant. e letter., anche 'l'albero da frutto e in particolare il melo'. In senso figur. sta per 'bene intensamente desiderato e di grande valore' e, per a n t o n o m a s i a, 'la visione di Dio' — frequente in Dante; cfr. *Purg.* XXVIII, 115. Oggi con *pomo* si indica per lo più 'l'impugnatura sferica o tondeggiante di un bastone o ombrello ecc.' oppure 'la parte che deve essere impugnata, anch'essa sferica o tondeggiante, per azionare un meccanismo'. Assai diffusa è poi la forma popol. «pomo d'Adamo» per indicare quella 'sporgenza della parte anteriore del collo, soprattutto negli individui di sesso maschile, che si sposta verso l'alto con la deglutizione'.

Strenna ———————————————————————————————— v. 119

La voce deriva dal lat. *strena* ('buon pronostico'); cfr. franc. *étrenne*, sp. *estrena*. Il termine aveva ancora anticamente il significato di 'buon pronostico, bella notizia', cui fa riferimento Dante. Oggi vive solo nel significato di 'dono, regalo' fatto in un'occasione particolare (p. es. «strenna natalizia»).

Canto XXVIII

Il canto si apre con la descrizione del Paradiso terrestre, nel quale Dante, ormai proclamato da Virgilio signore delle proprie azioni, si avventura desideroso di nuove conoscenze. Qui incontra una giovane e bellissima donna, Matelda, figura della condizione umana prima del peccato originale e della felicità ancora raggiungibile sulla Terra per chi si rivolga alle virtù morali e intellettuali.

Matelda spiega a Dante, che glielo chiede, le condizioni caratteristiche del Paradiso terrestre, posto al di sopra delle alterazioni proprie della Terra: in esso il vento è provocato dalla circolazione delle sfere celesti (ed è perciò costante e moderato) e le acque di due fiumicelli sgorgano direttamente dal volere divino, senza bisogno di piogge. I due fiumicelli sono il Lete (che toglie a chi beve le sue acque la memoria del peccato) e l'Eunoè (che richiama il ricordo del bene operato sulla Terra). Matelda aggiunge poi che questo mondo fu presentito dai poeti classici nelle loro descrizioni dell'età dell'oro; al che Dante si volge a Virgilio e a Stazio sorridendo.

* * *

Il canto segna un importante momento di passaggio, nella struttura del poema: cambiano lo scenario e la prospettiva stessa del viaggio. Per la prima volta si apre a Dante un orizzonte di beatitudine e non di pena, e per la prima volta egli non segue Virgilio ma lo precede, guida egli stesso dei propri passi. Questa condizione, per meglio dire, è quella in cui Virgilio lo aveva soccorso nel primo canto dell'*Inferno*, quando Dante cercava di allontanarsi dalla **selva oscura**; e anche qui c'è una selva nella quale Dante si aggira con le proprie sole forze. Il richiamo strutturale rende più evidente il significato di questa svolta del viaggio: la guida di Virgilio ha condotto Dante, attraverso le visioni dei dannati e attraverso la purgazione, ad una condizione di nuova maturità spirituale, così che egli può proseguire da solo verso le mete trascendentali cui lo condurrà Beatrice. La *selva* del peccato è divenuta la *selva* della perfezione terrena: a questa trasformazione ha presieduto la figura di Virgilio, il quale restituisce Dante a se stesso in questa mutata prospettiva.

Matelda, che per alcuni canti assume nei confronti di Dante la funzione di guida, compie in qualche modo una mediazione tra Virgilio e Beatrice.

Lo stile del canto, specie nella parte relativa alla descrizione dell'Eden e di Matelda, risente profondamente della tradizione provenzale e stilnovistica, e si ricollega quindi alla esperienza poetica giovanile di Dante, benché con una maturità e sapienza artistiche senza paragone maggiori; anche attraverso questa spia si annuncia l'apparizione di Beatrice e nel contempo acquista maggior significato la vasta rievocazione autobiografica dei canti conclusivi del *Purgatorio*.

Vago già di cercar dentro e dintorno
   la divina foresta spessa e viva,
3   ch'a li occhi temperava il novo giorno,
sanza più aspettar, lasciai la riva,
   prendendo la campagna lento lento
6   su per lo suol che d'ogne parte auliva.
Un'aura dolce, sanza mutamento
   avere in sé, mi ferìa per la fronte
9   non di più colpo che soave vento;
per cui le fronde, tremolando, pronte
   tutte quante piegavano a la parte
12   u' la prim' ombra gitta il santo monte;

1-6: [*Essendo*] *già* [: prima dell'incoraggiamento di Virgilio; cfr. XXVII, 133-138] *desideroso* (**vago**) *di esplorare* (**cercar**) *in profondità* (**dentro**) *e in estensione* (**dintorno**) *la divina foresta* [: l'Eden] *folta* (**spessa**) *e viva, che attenuava* (**temperava**) [: con la sua ombra] *agli* (**a li**) *occhi* [*miei*] *il giorno appena iniziato* (**novo**) [: lo splendore della luce mattutina], *senza aspettare oltre* (**più**), *lasciai il margine* (**la riva**) [: del piano], *avviandomi per la* (**prendendo la**) *pianura* (**campagna**) *lento lento sul suolo* (**su per lo suol**) *che profumava* (**auliva**) *da ogni parte.* Questo inizio di canto crea uno stacco netto rispetto alla conclusione del precedente, aprendo ad una prospettiva del tutto nuova la narrazione e cambiando radicalmente lo scenario del viaggio. Il canto precedente si è chiuso con le solenni parole d'addio di Virgilio, le quali hanno lasciato trasparire il nuovo paesaggio dell'Eden. Esso è infatti apparso alla vista dei pellegrini appena giunti al termine della salita; ma Dante non si è fermato a descrivere la nuova visione: ha lasciato prima che la sua guida lo proclamasse signore di se stesso e dichiarasse conclusa la propria missione; così che, dopo quelle parole, questa nuova prospettiva di paesaggio rivelasse più ancora il proprio significato allegorico nella struttura del poema (infatti nell'Eden è rappresentato il massimo livello di perfezione consentito all'uomo, quello che ora Dante ha raggiunto grazie agli insegnamenti di Virgilio e alla purificazione purgatoriale). Inoltre Dante, preso dalla cu-

riosità intensa del nuovo luogo, può evitare qualsiasi risposta a Virgilio, che sarebbe fuori luogo, e gettarsi ad esplorare il Paradiso terrestre come se il senso delle parole del maestro gli fosse ancora chiaro solo a metà: cioè come se avesse capito l'importanza del momento sul piano della propria crescita spirituale e sùbito si accingesse a prendere l'iniziativa, ma ancora non fosse consapevole che ciò comporta di necessità il distacco da Virgilio. La nuova condizione spirituale e psicologica di Dante è rivelata in queste due terzine iniziali sia dall'aggettivo **vago** che apre il canto, e che significa un desiderio intenso ma indeterminato per oggetto e per modi, sia dal **lento lento** del v. 5 che dà la misura della meraviglia di Dante dinanzi alla nuova visione.

7-21: *Un'aria* (**aura**) *dolce* [: mite, per s i n e s t e s i a], *senza avere in sé cambiamento* (**mutamento**) [: per direzione ed intensità], *mi colpiva* (**ferìa**) *in* (**per la**) *fronte di una forza* (**di...colpo**) *non maggiore* (**più**) *che un vento gradevole* (**soave**); *a causa del quale* (**per cui**) *le fronde* [*degli alberi*], *tremolando, si piegavano* (**piegavano** è intrans.) *docili* (**pronte**) *tutte quante verso* (**a**) *la parte dove* (**u'** = lat. 'ubi') *il santo monte* [*del Purgatorio*] *proietta* (**gitta**) *l'ombra del sorgere del sole* (**la prim'ombra**) [: quindi verso occidente]; *non però* [*le fronde erano*] *tanto allontanate* (**sparte**) *dalla loro posizione dritta* (**dal loro esser dritto**) [: tanto piegate], *che gli uccelletti* (**augelletti**) [*sparsi*] *per le cime*

non però dal loro esser dritto sparte

tanto, che li augelletti per le cime

15   lasciasser d'operare ogne lor arte;

ma con piena letizia l'ore prime,

cantando, ricevìeno intra le foglie,

18   che tenevan bordone a le sue rime,

tal qual di ramo in ramo si raccoglie

per la pineta in su 'l lito di Chiassi,

21   quand' Ëolo scilocco fuor discioglie.

Già m'avean trasportato i lenti passi

dentro a la selva antica tanto, ch'io

24   non potea rivedere ond' io mi 'ntrassi;

ed ecco più andar mi tolse un rio,

che 'nver' sinistra con sue picciole onde

27   piegava l'erba che 'n sua ripa uscìo.

Tutte l'acque che son di qua più monde,

parrìeno avere in sé mistura alcuna

[degli alberi] smettessero (**lasciasser**) di mettere in opera (**d'operare**) tutte le loro attività (**ogne lor arte**) [: cantare, volare, nidificare...]; ma [al contrario], cantando, ricevevano (**ricevìeno**) le prime ore [del giorno; cioè l'alba] tra le foglie, le quali (**che**) facevano da accompagnamento (**tenevan bordone**) al loro (**sue**) canto (**rime**), [accompagnamento] simile a quello che (**tal qual**) si forma (**raccoglie**) di ramo in ramo nella (**per la**) pineta sulla spiaggia (**in su 'l lito**) di Classe (**Chiassi**; oggi prevale la forma dotta dal lat. 'Classis'), quando Eolo [: il dio dei venti] libera (**fuor discioglie**) lo Scirocco (**scilocco**). La descrizione del Paradiso terrestre, già accennata nelle due terzine che aprono il canto e nelle parole di congedo di Virgilio che chiudono il canto precedente, qui si definisce meglio e si completa. I caratteri dominanti sono quelli della serenità e dell'armonia: tutti gli elementi del paesaggio cooperano a un equilibrio senza scosse; negli eventi naturali domina la costanza e la moderazione (il vento è leggero e uniforme, gli alberi stormiscono dolcemente, gli uccelletti cantano con gioia). Dante ha certamente tenuto presenti gli esempi dei poeti classici (Ovidio in modo particolare) e le loro descrizioni dell'età dell'oro; ma ha cercato una musicalità che desse, più ancora dei particolari descrittivi, un senso di pace e di armonia. E se l'Eden rappresenta allegoricamente la condizione dell'uomo quale Dio lo aveva creato, prima che il peccato originale lo separasse da essa, allora questo bosco ordinato e concorde rappresenta in allegoria un modello di società umana, e prefigura la perfezione di quella celeste dell'Empireo. **Bordone**: è, nella musica polifonica del Medio Evo, la nota bassa e tenuta di fondo (tenor), sulla quale le altre voci svolgono le proprie modulazioni contrappuntistiche (discanto); così gli uccelli fanno rispetto al suono grave e regolare dello stormire delle fronde. **Chiassi**: Classe era un antico centro dell'Adriatico settentrionale nei pressi di Ravenna. **Eolo**: è il mitico re dei venti, che teneva rinchiusi in una grotta e liberava a suo piacere. **Scilocco**: parola d'origine araba, è forma antica per Scirocco, vento di Sud-Est.

22-27: *I passi lenti già mi avevano* (**m'avean**) *condotto* (**trasportato**) *tanto dentro all'antica selva* [dell'Eden], *che io non potevo* (**potea**) *rivedere da dove io* (**ond'io**) *fossi entrato* (**mi 'ntrassi** = mi intrassi; **mi** è p l e o n .); *ed ecco mi impedì* (**tolse**) *di procedere* (**andar**) *oltre* (**più**) *un fiumicello* (**rio**), *il quale* (**che**) *con le sue piccole onde piegava verso* ('**nver**' = inverso) *sinistra l'erba che era cresciuta* (**uscìo**) *sulla* ('**n** = in) *sua riva* (**ripa**). Il piccolo fiume è il *Lete* (come Dante spiega più avanti), e la sua descrizione completa il paesaggio dell'Eden senza turbarne la armoniosa serenità, e anzi inserendosi in essa.

28-33: *Tutte le acque che di qua* [: sulla Terra] *sono più pure* (**monde**), *parrebbero* (**parrìeno**) *avere in sé qualche* (**alcuna**) *impurità*

30   verso di quella, che nulla nasconde,
      avvegna che si mova bruna bruna
      sotto l'ombra perpetüa, che mai
33   raggiar non lascia sole ivi né luna.
      Coi piè ristetti e con li occhi passai
      di là dal fiumicello, per mirare
36   la gran varïazion de' freschi mai;
      e là m'apparve, sì com' elli appare
      subitamente cosa che disvia
39   per maraviglia tutto altro pensare,
      una donna soletta che si gìa
      e cantando e scegliendo fior da fiore
42   ond' era pinta tutta la sua via.

(mistura) *rispetto a* (verso di) *quella, che* [*non*] *nasconde nulla, benché* (avvegna che) *scorra* (si mova) *scura scura* (bruna bruna) *sotto l'ombra eterna* (perpetua) [*del bosco*], *che non lascia mai irraggiare* (raggiar) *qui* (ivi) [*né il*] *sole né* [*la*] *luna.* L'acqua del fiumicello è limpidissima, sebbene scorra nell'ombra e sia quindi scarsamente illuminata.

34-42: *Con i piedi rimasi fermo* (ristetti) *e con gli* (li) *occhi passai* [*al*] *di là del fiumicello, per osservare* (mirare) *la grande varietà* (variazion) *dei* (de') *vivaci* (freschi) *rami fioriti* (mai); *e là* [: al di là del fiumicello] *mi apparve, così come* (sì com'elli; elli è p l e o n.) *appare improvvisamente* (subitamente) [*una*] *cosa che a causa della* (per) *meraviglia* [*che provoca*] *distoglie* (disvia) *ogni altro pensiero* (tutto altro pensare) [*dalla mente*], *una donna tutta sola* (soletta) *che passeggiava* (si gìa = se ne andava) *e cantando e scegliendo qualche fiore tra i fiori* (fior da fiore) [: cogliendo fiori], *dei quali* (ond'⟨e⟩) *era colorato* (pinta) *tutto il suo cammino* (via). L'apparizione di questa figura femminile, una perfetta miniatura stilnovistica, è naturale e spontanea; essa si colloca in questo paesaggio gentile e raffinato e lo completa. La donna è Matelda (cfr. XXXIII, 119 e nota), alla quale Dante asse-

gna il compito di guidarlo in questa parte del viaggio. Sua funzione ordinaria è quella di introdurre le anime rivolte al Paradiso ai riti c a t a r t i c i conclusivi; e tale funzione ella esercita anche nei confronti di Dante. Matelda è in qualche modo figura intermedia tra Virgilio e Beatrice: ha ancora la funzione pedagogica e didascalica del primo e già allude a quella trascendente e teologica della seconda. Una sua prefigurazione è ravvisabile nella Lia del sogno di Dante nel canto precedente. Però Matelda rappresenta, sul piano allegorico e strutturale, qualcosa di ancor più importante: «Matelda è la figura della condizione umana prima del peccato [originale], quando l'uomo abitava il paradiso terrestre dove ella ancora abita [...]. Ella esemplifica la natura umana quale fu prima del peccato e come sarebbe continuata ad essere se il peccato non fosse stato compiuto» (Singleton). Rappresenta anche la condizione di beatitudine raggiungibile dall'uomo dopo il peccato originale: ella è l'incarnazione dei valori mondani che Dante è andato recuperando in questa seconda tappa del viaggio, nella prospettiva della loro validità relativa, cioè nella prospettiva della trascendenza e della fede: è la figura di Virgilio nella prospettiva di Beatrice. **Mai** = *maggi* (ant.): rami fioriti che a primavera si ponevano alla finestra e all'uscio.

Mistura
v. 29

È voce dotta derivata dal lat. *mixtūra* = 'fusione, miscuglio' (da *mixtus* = 'misto, mescolato'; cfr. sp. *mestura*). Il termine indica propriamente il 'processo di miscelazione di vari elementi liquidi, gassosi, fluidi o, anche, solidi in un insieme più o meno omogeneo'; e anche 'qualsiasi combinazione o miscuglio, specie di sostanze naturali' — cfr. *Inf.* VI, 100 —; e ancora 'presenza o aggiunta di una o più sostanze eterogenee in altre' e quindi 'scoria, residuo, impurità' — cfr. *Purg.* XXVIII, 29.

È un agg. dotto derivato dal lat. *mundus* ('pulito, netto'; cfr. il vb. ital. derivato *mondare* = 'pulire', il franc. *monder*, lo sp. *mondo* e *mondar*). Il termine ha il significato di 'pulito, privo di sporcizia o di impurità, candido'; riferito a un liquido vale 'limpido, terso' — cfr. *Purg.* XXVIII, 28. In senso figur. significa 'che non è contaminato moralmente; libero da vizi, errori, colpe; innocente' e anche 'che si è purificato dai peccati, redento' — cfr. *Purg.* XI, 35. La voce ha inoltre il significato di 'sbucciato, ripulito dell'involucro (un frutto)'. Oggi il vocabolo si usa soprattutto nei derivati, di conio regionale, *mondezza* = 'spazzatura' (da *immondizia*, con a f e r e s i) e *mondezzaio* = 'luogo in cui sono ammassate o gettate le immondizie in grande quantità', anche in senso figur.: 'luogo sporco e disordinato'.

DANTE E OVIDIO

Uno dei poeti classici più studiati e ammirati da Dante fu senz'altro il latino Publio Ovidio Nasone; probabilmente secondo, nella considerazione di Dante, al solo Virgilio.

Ovidio nacque a Sulmona (nell'odierno Abruzzo) nel 43 a.C. e morì, in esilio, sul Mar Nero nel 17 d.C. La sua vasta opera poetica è principalmente dedicata alla celebrazione spensierata dell'amore e all'esaltazione della grandezza di Roma, senza la profondità e l'altezza drammatica di altri poeti romani (come Lucrezio o Virgilio), ma con una ricchezza inventiva e una sfavillante varietà stilistica. L'opera principale di Ovidio sono le *Metamorfosi*, poema in 15 libri contenente una ricchissima raccolta di miti relativi a trasformazioni da un essere a un altro (in greco *metamorfosi* significa appunto 'trasformazione'). Nel corso del Medioevo le *Metamorfosi* furono una delle opere classiche più conosciute e ammirate, e costituirono un veicolo importante del repertorio mitologico.

Nella *Commedia* si incontrano numerosissimi spunti ripresi dalle *Metamorfosi* e si può anzi dire che il poema ovidiano costituì per Dante il serbatoio inesauribile della mitologia classica (e non a caso i riferimenti a Ovidio ricorrono con frequenza nelle note di questo commento: cfr. p. es. *Inf.* XXX, 1-12, 13-21 e 37-39). Ma dalle *Metamorfosi* Dante trasse anche s i m i l i t u d i n i, espressioni e suggestioni di vario genere. Alla descrizione della foresta dell'Eden e di Matelda (*Purg.* XXVIII, 1-42), p. es., non è estraneo un influsso ovidiano:

> Silva coronat aquas, cingens latus omne, suisque
> frondibus, ut velo, Phoebeos summovet ignes;
> frigora dant rami, varios humus umida flores;
> perpetuum ver est. Quo dum Proserpina luco
> ludit, et aut violas aut candida lilia carpit,
> dumque puellari studio calathosque sinumque
> implet, et aequales certat superare legendo

[Una foresta corona le acque circondando il luogo da ogni lato, e con le sue fronde fa da schermo ai raggi infuocati del sole; i rami danno frescura, la terra umida genera diversi fiori; la primavera dura eternamente. Proserpina va per diletto in questo luogo, e coglie viole o candidi gigli, e riempie di fiori i canestri e le pieghe della veste con slancio di fanciulla, e gareggia a superare le compagne cogliendone di più] (V, 388-394).

Canto XXIX

I canti dal XXIX al XXXIII costituiscono un'imponente rappresentazione allegorica, all'interno della quale è inserita l'immersione di Dante nel Lete e nell'Eunoè e, soprattutto, il primo incontro con la irata Beatrice, che lo accusa per il traviamento che lo ha colto dopo la morte di lei. Nel loro insieme questi canti costituiscono per molti aspetti il cuore drammatico della *Commedia* e ne rappresentano la genesi insieme personale e religiosa.

Il canto XXIX è occupato per intero da una solenne processione nella quale è raffigurata la storia dell'umanità concepita dal punto di vista della religione cattolica; il canto XXXII è dedicato in particolare ad una rappresentazione allegorica relativa alle vicende della Chiesa dalla Redenzione di Cristo alla degenerazione presente. Nel mezzo, ad occupare i canti XXX e XXXI, stanno l'apparizione trionfale di Beatrice, la sua severa accusa a Dante, il pentimento e la confessione di questi.

La struttura rivela in modo evidente che tra le vicende generali della Chiesa e dell'umanità e quelle individuali di Dante esiste uno stretto rapporto. Dante non pecca certo di superbia, ma sottolinea solamente quel che si rivela già in molti altri luoghi del poema (e che abbiamo cercato all'occorrenza di mettere in luce); e cioè che nella *Commedia* è narrato l'esemplare riscatto di un'anima (quella di Dante) dal peccato e la sua purificazione e ascensione al cielo, sì, ma che anche, contemporaneamente, in tale riscatto è indicata una possibilità e suggerita una strada per l'intero popolo cristiano, per l'umanità tutta. La personale vicenda di Dante trova qui largo spazio perché assume questo significato esemplare ed universale. D'altra parte il desiderio di purificare se stesso dal peccato e di avvicinarsi a Dio è in Dante tutt'uno con il desiderio di vedere riformate la Chiesa e la società del suo tempo: l'aspirazione alla salvezza individuale è saldamente congiunta con quella alla rigenerazione dell'umanità.

* * *

Ancora con Virgilio (muto e stupito nell'ultima sua apparizione, dinanzi ad una visione che non sa spiegarsi) e con Stazio, Dante procede lungo il fiume parallelamente alla bella Matelda. Ad un tratto un bagliore ed una musica attraggono la sua attenzione; e dal bosco appare un'imponente e solenne processione la cui descrizione occupa gran parte del canto.

* * *

L'aspetto alquanto descrittivo ed intellettualistico della descrizione del corteo sacro, tipicamente medioevale, nulla toglie all'importanza di questo canto, sia per le ragioni strutturali che più sopra si è detto, sia perché Dante affronta qui il cuore della propria concezione religiosa, unendo all'interesse dottrinale la passione civile e morale; preparandosi altresì a collocare la propria intima confessione entro questo potente quadro di cosmica ampiezza.

La musicalità e l'apparente impressionismo dell'apertura del canto non devono trarre in inganno il gusto del lettore moderno: quel che soprattutto conta, per Dante, è testimoniare realisticamente l'accadere dei fatti, tanto più se meravigliosi e incredibili, adducendone anche le ragioni scientifiche; quel che soprattutto conta (diversamente che per molte poetiche moderne) è il controllo razionale dei fenomeni esterni, anche di quelli sovrannaturali.

<blockquote>
Cantando come donna innamorata,
   continüò col fin di sue parole:

3   ' *Beati quorum tecta sunt peccata!* '.
E come ninfe che si givan sole
   per le salvatiche ombre, disïando

6   qual di veder, qual di fuggir lo sole,
allor si mosse contra 'l fiume, andando
   su per la riva; e io pari di lei,

9   picciol passo con picciol seguitando.
Non eran cento tra ' suoi passi e ' miei,
   quando le ripe igualmente dier volta,
</blockquote>

1-3: [*Matelda*] *continuò, appena finito di parlare* (**col fin di sue parole**), *cantando come donna innamorata:* «*Beati quorum tecta sunt peccata!*». Appena finito di parlare, Matelda inizia un canto appassionato, tratto dai *Salmi* biblici (XXXI, 1); il salmo originale, per l'esattezza, dice «*Beati quorum remissae sunt iniquitates et quorum tecta sunt peccata*» [beati coloro le cui iniquità sono perdonate e coloro i cui peccati sono cancellati]. E il salmo è qui posto a proposito, dato che Dante è sul punto di attraversare il fiume Lete, che toglie, appunto, la memoria dei peccati. **Cantando come...**: l'inizio del canto, fortemente musicale, si lega alle reminiscenze stilnovistiche del canto precedente. E cfr. «cantava come fosse 'namorata» dello stilnovista Cavalcanti (XLVI, 7). **Innamorata**: vale, in questo caso, *fervente di devozione*.

4-9: *E come le ninfe che se ne andavano* (**si givan**) *sole per le ombre dei boschi* (**selvatiche**), *desiderando* (**disïando**) *alcune* (**qual**) *di vedere il* (**lo**) *sole* [*e*] *altre* (**qual**) *di fuggir[lo]*, *allora* [*Matelda*] *si incamminò* (**si mosse**) *contro la corrente del fiume* (**contra 'l fiume**) [: il Lete], *andando lungo* (**su per**) *la riva; e io* [*andavo*] *pari di lei* [: benché separato dal fiume], *accompagnando* (**seguitando**) *con* [*passi*] *brevi* (**picciol** = piccolo) [*i suoi*] *brevi* (**picciol**) *passi.* Il paragone tra il procedere di Matelda e quello delle ninfe dei boschi rievoca l'atmosfera indeterminata e mitica dell'inizio del canto precedente, isolando la figura della donna su uno sfondo incantato. Suggestivo anche il procedere di Dante a fianco della donna, adattando il proprio passo a quello di lei, al di là del Lete. **Ninfe**: semidivinità mitiche dei boschi.

10-12: *Tra i* (**tra'**) *suoi* [: di Matelda] *e i* (**e '**) *miei passi non erano cento* [: non avevamo fatti cento passi tra tutt'e due, cioè cinquanta per uno], *quando le rive* (**ripe**) *curvarono* (**dier volta; dier** = diedero) *parallela-*

per modo ch'a levante mi rendei.

Né ancor fu così nostra via molta,
quando la donna tutta a me si torse,
15   dicendo: « Frate mio, guarda e ascolta ».

Ed ecco un lustro sùbito trascorse
da tutte parti per la gran foresta,
18   tal che di balenar mi mise in forse.

Ma perché 'l balenar, come vien, resta,
e quel, durando, più e più splendeva,
21   nel mio pensier dicea: 'Che cosa è questa?'.

E una melodia dolce correva
per l'aere luminoso; onde buon zelo
24   mi fe' riprender l'ardimento d'Eva,

che là dove ubidìa la terra e 'l cielo,
femmina, sola e pur testé formata,
27   non sofferse di star sotto alcun velo;

sotto 'l qual se divota fosse stata,
avrei quelle ineffabili delizie
30   sentite prima e più lunga fïata.

mente (**igualmente**), *così* (**per modo**) *che mi trovai rivolto* (**mi rendei**) *a levante* [: Est]. La svolta del fiume annuncia la imminente svolta della narrazione (dal v. 16), come l'esortazione di Matelda al v. 15.

13-15: *Né la nostra via fu ancora molta* [: non percorremmo molta strada] *in quella direzione* (**così**), *quando la donna* [: Matelda] *si rivolse* (**torse**) *tutta a me, dicendo:* «*Fratello* (**frate**) *mio, guarda e ascolta* [: sta' attento]».

16-18: *Ed ecco balenò* (**trascorse**) *una luce* (**un lustro**) *improvvisa* (**sùbito**) *da tutte le parti attraverso* (**per**) *la gran foresta, così forte* (**tal**) *che mi spinse a ipotizzare* (**mi mise in forse**) *che fosse un lampo* (**di balenar**).

19-21: *Ma poiché* (**perché**) *il* (**'l**) *lampeggiare* (**balenar**), *come viene, cessa* (**resta**) [: viene e cessa in un sol attimo], *ed essa* (**e quel**) [: la luce], *continuando* (**durando**), *splendeva sempre più* (**più e più**), *dicevo* (**dicea**) *tra me stesso* (**nel mio pensier**): «*Che cosa è questa?*».

22-30: *E attraverso* (**per**) *l'aria* (**l'aere**) *luminosa si spandeva* (**correva**) *una dolce melodia; per cui* (**onde**) *un giusto* (**buon**) *sdegno* (**zelo**) *mi spinse a* (**fe'** = fece) *biasimare* (**riprender**) *la temerarietà* (**l'ardimento**) *di Eva, la quale* (**che**), *mentre* (**là dove**) *la terra e*

il cielo [: tutto l'Universo] *ubbidivano* (**ubidìa**) [*alla volontà divina*], [*benché*] *femmina, sola e appena* (**pur testé**) *creata* (**formata**), *non tollerò* (**non sofferse**) *di restare* (**star**) *sottoposta ad alcun limite* (**sotto alcun velo**) [: quello posto da Dio alla conoscenza del bene e del male]*; se fosse rimasta sottomessa* (**divota**) *entro il quale, avrei provate* (**sentite**) *prima e più a lungo* (**più lunga fïata**) *quelle indicibili* (**ineffabili**) *delizie* [*dell'Eden*]. Alla forte e misteriosa luminosità si aggiunge un'altrettanto misteriosa melodia, entrambe per ora indistinte; ma la dolcezza è tale da spingere Dante a rimpiangere d'aver perduto (lui e l'umanità tutta) una simile beatitudine per colpa di una donna che non tollerò il limite impòstole da Dio e con la propria disobbedienza determinò la cacciata dell'uomo, per sempre, dal Paradiso terrestre. Ad Eva era infatti attribuita dai teologi scolastici la maggiore responsabilità del peccato originale. Si noti in questi versi (e altrove in questo inizio di canto) l'insistere attento sulle varie sensazioni, analizzandone il progressivo manifestarsi e chiarirsi. **Sola**: senza possibilità di essere corrotta da altri né sostenuta nel suo ardimento. **Pur testé formata**: appena uscita dalle mani del Creatore, e quindi del tutto innocente. **Velo**: è il limite che Dio pose ai primi uomini, cui proibì solo di cibarsi dei frutti dell'albero del bene e del male; e cioè il velo di innocenza posto dal Creatore dinanzi agli occhi di Adamo ed Eva.

Mentr' io m'andava tra tante primizie
de l'etterno piacer tutto sospeso,
33   e disïoso ancora a più letizie,
dinanzi a noi, tal quale un foco acceso,
ci si fe' l'aere sotto i verdi rami,
36   e 'l dolce suon per canti era già inteso.
O sacrosante Vergini, se fami,
freddi o vigilie mai per voi soffersi,
39   cagion mi sprona ch'io mercé vi chiami.
Or convien che Elicona per me versi,
e Uranìe m'aiuti col suo coro
42   forti cose a pensar mettere in versi.
Poco più oltre, sette alberi d'oro
falsava nel parere il lungo tratto
45   del mezzo ch'era ancor tra noi e loro;
ma quand' i' fui sì presso di lor fatto,
che l'obietto comun, che 'l senso inganna,
48   non perdea per distanza alcun suo atto,
la virtù ch'a ragion discorso ammanna,
sì com' elli eran candelabri apprese,

31-36: *Mentre io me [ne] andava* (**m'anda-va; m'** = mi) *tutto assorto* (**sospeso**) *tra tanti anticipi* (**primizie**) *della beatitudine* (**piacer**) *eterna, e desideroso* (**disioso**) *di ancora maggiori* (**ancora a più**) *letizie, dinanzi a noi l'a-ria* (**aere**) *sotto i verdi rami si fece* (**ci si fe'** = si fece per noi, ai nostri occhi) *proprio come* (**tal quale**) *un fuoco* (**foco**) *acceso, e il dolce suono* [: cfr. v. 22] *era già distinguibile* (**inteso**) *come un canto corale* (**per canti**). Le sensazioni vaghe dei primi momenti cominciano, avvicinandosi l'oggetto che le produce, a evidenziarsi e a precisarsi: il chiarore diviene forte come un incendio e la melodia si definisce come il canto di un coro.

37-39: *O Vergini sacrosante* [: le Muse], *se talvolta* (**mai**) *per voi ho sopportato* (**soffer-si**) *fami, freddi e veglie* (**vigilie**), *una ragione* (**cagion**) *[importante] mi spinge* (**sprona**) *a invocarvi* (**ch'io...vi chiami**) *in aiuto* (**mer-cé**). Come in altri momenti di particolare importanza drammatica e di eccezionale difficoltà artistica, Dante invoca il soccorso della Grazia; lo fa attraverso l'invocazione alle Muse, divinità pagane protettrici delle arti. Qui, in particolare, acquista un significativo rilievo il riferimento alla propria storia personale, con l'affermazione implicita della devozione ad un ideale alto e difficile di arte, per il quale è necessario pagare un doloroso

prezzo: la vicenda biografica di Dante, che nei canti XXX e XXXI sarà investita dalle severe accuse di Beatrice, qui afferma la impegnativa moralità della vocazione poetica.

40-42: *Ora è necessario* (**convien**) *che Elico-na* [: sede delle Muse] *spanda* (**versi**) *per me* [le acque ispiratrici delle sue fonti], *e Ura-nia* (**Uranìe**) [: la Musa che presiede alle scienze sovrannaturali] *mi aiuti con le sue compagne* (**col suo coro**) [: le altre otto Mu-se] *a mettere in versi cose difficili* (**forti**) *a pensar[si]* [: e quindi tanto più difficili a met-tersi in poesia].

43-51: *[Dopo che eravamo andati] poco più oltre, il lungo spazio* (**tratto**) *di aria* (**del mez-zo**) *che era ancora tra noi* [: Dante e Matel-da] *e loro mostrava l'impressione inganne-vole* (**falsava nel parere**) *di sette alberi d'o-ro; ma quando io* (**quand'i'**) *[mi] fui avvicinato* (**presso...fatto**) *a* (**di**) *loro così* (**sì**) *che l'oggetto* (**obietto**) [: i presunti sette al-beri d'oro] *comune* [a più sensi], *che inganna il* (**'l**) *[singolo] senso* [: qui la vista], *non perdeva* [: non mi nascondeva] *per la distan-za alcuna sua caratteristica* (**atto**), *la [mia] facoltà percettiva* (**la virtù**) *che porge* (**am-manna**) *alla ragione materia di giudizio* (**di-scorso**), *percepì nitidamente* (**sì...apprese**) *che essi* (**com'elli**) *erano candelabri, e nelle voci*

e ne le voci del cantare ' *Osanna* '.

Di sopra fiammeggiava il bello arnese

più chiaro assai che luna per sereno

54   di mezza notte nel suo mezzo mese.

Io mi rivolsi d'ammirazion pieno

al buon Virgilio, ed esso mi rispuose

57   con vista carca di stupor non meno.

Indi rendei l'aspetto a l'alte cose

che si movìeno incontr' a noi sì tardi,

---

che cantavano (**del cantare**) [*percepì*] '*Osanna*'. Prosegue l'analisi particolareggiata del progressivo definirsi delle sensazioni all'avvicinarsi della grande processione: in un primo momento, per la distanza, Dante crede di scorgere sette alberi d'oro; ma, avvicinandosi, può meglio valutare l'oggetto e capisce che si tratta di sette candelabri. Intanto si precisa anche il canto, potendosi distinguere in esso la parola «osanna». Dante non si accontenta di fornire questi puri dati sensoriali, ma ne offre anche la spiegazione scientifica, quale gli consentivano le conoscenze del tempo: l'uomo medioevale non può infatti rinunciare a cogliere la ragione unificante di tutti i fenomeni, specie in un caso come questo, in cui l'errore iniziale di giudizio riguarda una manifestazione della divinità. E la spiegazione si appoggia sulla esistenza di una categoria aristotelico-scolastica definita *sensibile comune* (qui **obietto comun**), riguardante ciò che è soggetto alla percezione di più sensi e non di uno solo (come, p. es., i colori), e che più facilmente quindi inganna quando sia percepibile nelle sue qualità da un senso soltanto (cfr. v. 47); in questo caso i candelabri sono soggetti alla percezione del tatto e della vista, così che la vista da sola, in un primo tempo, si inganna per la distanza riguardo alle qualità più propriamente tangibili di essi (credendoli **alberi**: cfr. vv. 43 sg.). Solo quando la distanza si è accorciata al punto da rendere ben distinguibili tutti i particolari dell'oggetto, la vista può bastare; e la facoltà percettiva nel suo insieme può offrire alla ragione dati validi (vv. 48 sg.). **Osanna**: è parola ebraica di augurio, diffusa attraverso la *Bibbia* nell'uso liturgico; corrisponde al lat. *salve*.

52-54: *L'insieme dei bei candelabri* (**il bello arnese**; il sing. ha valore collettivo, e sottolinea l'aspetto unitario del simbolo) *fiammeggiava in alto* (**di sopra**) *assai più luminosa-mente* (**chiaro**) *che la luna a metà del suo ciclo* (**nel suo mezzo mese**) [: piena], *nel pieno della notte* (**di mezza notte**), *attraverso* (**per**) [*un cielo*] *sereno*. La imponente processione allegorica, nella quale è rappresentata la storia della Chiesa (e dell'umanità), è aperta da sette candelabri luminosissimi. Essi rappresentano lo spirito settemplice di Dio dal quale derivano i sette doni dello Spirito Santo (sapienza, intelletto, consiglio, fortezza, scienza, pietà e timor di Dio): tale rappresentazione fu suggerita a Dante, principalmente, dall'*Apocalisse* di san Giovanni. Le fiamme dei candelabri tracciano nell'aria sette liste lunghissime dei colori dell'iride (cfr. vv. 73-78): esse servono a proteggere la processione e a significare, quindi, che la storia della Chiesa deve svolgersi assistita dallo Spirito Santo.

55-57: *Io mi rivolsi pieno di meraviglia* (**d'ammirazion**) *al saggio* (**buon**) *Virgilio, ed egli* (**esso**) *mi rispose con un aspetto* (**con vista**) *non meno pieno* (**carca** = carica) *di stupore*. Dinanzi alla straordinaria apparizione, Dante cerca in qualche modo spiegazione, come d'abitudine, presso il maestro; ma questi lo ha chiaramente avvertito, alle soglie dell'Eden, di non aspettarsi più aiuto da lui (cfr. XXVII, 139), e qui conferma la propria inettitudine (cioè l'inettitudine della sola ragione umana) a spiegare fatti che riguardano la teologia. Il significato allegorico della scena è evidente, ma sciolto in una prospettiva narrativa di grande spontaneità. È questa, si badi, l'ultima volta che vediamo Virgilio sulla scena: il suo volto, eccezionalmente carico di meraviglia, è l'espressione più efficace della fine della sua funzione.

58-60: *Quindi* (**indi**) *rivolsi* (**rendei**) *lo sguardo* (**l'aspetto**) *alle cose eccezionali* (**alte**) [: i candelabri] *che si muovevano* (**movìeno**) *verso di noi* (**incontr'a noi**) *così lentamente*

60   che foran vinte da novelle spose.
                La donna mi sgridò: « Perché pur ardi
                  sì ne l'affetto de le vive luci,
63   e ciò che vien di retro a lor non guardi? ».
                Genti vid' io allor, come a lor duci,
                  venire appresso, vestite di bianco;
66   e tal candor di qua già mai non fuci.
                L'acqua imprendëa dal sinistro fianco,
                  e rendea me la mia sinistra costa,
69   s'io riguardava in lei, come specchio anco.
                Quand' io da la mia riva ebbi tal posta,
                  che solo il fiume mi facea distante,
72   per veder meglio ai passi diedi sosta,
              e vidi le fiammelle andar davante,
                lasciando dietro a sé l'aere dipinto,
75   e di tratti pennelli avean sembiante;
              sì che lì sopra rimanea distinto
                di sette liste, tutte in quei colori
78   onde fa l'arco il Sole e Delia il cinto.

(sì tardi), *che sarebbero state* (**foran**) *superate* (**vinte**) *da novelle spose* [: che ritualmente procedevano lente nel lasciare la casa paterna].

61-63: *La donna* [: Matelda] *mi gridò in tono di rimprovero* (**mi sgridò**)*: «Perché ti concentri* (**ardi sì**) *esclusivamente* (**pur**) *nell'interesse* (**ne l'affetto**) *delle chiare* (**vive**; quasi 'vivide') *luci* [: i candelabri], *e non guardi ciò che viene dietro* (**di retro**) *di loro* (**a lor**)*?»*.

64-66: *Allora io vidi venire dietro* (**appresso**) [*ai candelabri*], *come alle loro guide, genti vestite di bianco; e di qua* [: sulla Terra] *non vi fu* (**fuci**) *mai un simile* (**tal**) *candore*. Il fatto che queste **genti** seguano i candelabri come loro guide ne dice la fede e l'osservanza perfette (cfr. nota ai vv. 82-84). La rappresentazione di queste figure, vestite di bianco, ricorda molto da vicino i martiri del mosaico nella navata centrale di S. Apollinare Nuovo a Ravenna (sec. VI) e non è da escludere che Dante possa averne effettivamente tratto ispirazione.

67-69: *L'acqua* [*del Lete*] *splendeva* (**imprendëa**) [*riflettendo la luce dei candelabri*] *alla* [*mia*] *sinistra* (**dal sinistro fianco**)*, e inoltre* (**anco**) *mi rimandava* (**rendea me**) [: specchiato] *il mio fianco* (**costa**) *sinistro, se io guardavo* (**riguardava**) *in lei, come uno specchio*.

70-78: *Quando io, dalla* [*parte della*] *mia riva occupai* (**ebbi**) *una posizione* (**posta**) *tale che solo il fiume mi separava* (**mi facea distante**) [*dalla processione*], *per veder meglio fermai* (**diedi sosta**) *i passi, e vidi le fiammelle* [*in cima ai candelabri*] *procedere* (**andar davante**) *lasciando dietro di* (**a**) *sé l'aria* (**aere**) *colorata* (**dipinto**)*, e sembravano* (**avean sembiante**) *pennelli tirati* (**tratti**) [*da un pittore su di una superficie*]*; così* (**sì**) *che lo spazio sovrastante* (**lì sopra**) [*il corteo*] *rimaneva segnato* (**distinto**) *da sette bande* (**liste**)*, tutte di* (**in**) *quei colori dei quali* (**onde**) *il sole fa l'arco*[*baleno*] *e la luna* (**Delia**) *l'alone* (**il cinto**). Dante procede verso Est e la processione verso Ovest. Quando Dante si trova, sulla sua riva, in corrispondenza della testa della processione, sull'altra (e cioè alla minima distanza consentitagli dalla presenza del fiume, che comunque li separa), si ferma a osservare. E si accorge che le **fiammelle** dei candelabri lasciano nell'aria, al di sopra della processione, **sette liste** colorate dei colori dell'iride (non è chiaro, per altro, se ogni striscia contenga tutti i colori, o se essi compaiono uno per striscia). Per il significato delle sette strisce cfr. la nota ai vv. 52-54. **Delia**: è la dea Diana della mitologia classica, nata a Delo, identificata con la luna; il *cinto* è l'*alone* che la luna forma quando l'atmosfera è ricca di umidità e nel quale si possono scorgere i colori dell'iride.

Questi ostendali in dietro eran maggiori
che la mia vista; e, quanto a mio avviso,

81   diece passi distavan quei di fori.

Sotto così bel ciel com' io diviso,
ventiquattro seniori, a due a due,

84   coronati venìen di fiordaliso.

Tutti cantavan: « *Benedicta* tue
ne le figlie d'Adamo, e benedette

87   sieno in etterno le bellezze tue! ».

Poscia che i fiori e l'altre fresche erbette
a rimpetto di me da l'altra sponda

90   libere fuor da quelle genti elette,

sì come luce luce in ciel seconda,
vennero appresso lor quattro animali,

93   corónati ciascun di verde fronda.

79-81: *Questi stendardi* (**ostendali**) [: le strisce colorate] *si stendevano indietro più* (**eran maggiori**) *che la mia vista* [: non ne vedevo la fine]; *e, per quel che mi pareva* (**quanto a mio avviso**), *quelli* (**quei**) *esterni* (**di fori** = di fuori) *distavano* [*tra loro*] *dieci passi*. La lunghezza delle strisce (e quindi della processione) non è visibile ad occhio, mentre la larghezza complessiva è di circa dieci passi. In questo ultimo particolare gli antichi commentatori (e molti moderni) hanno visto un'allusione ai Dieci Comandamenti consegnati da Dio a Mosè. Ma si noti soprattutto la solenne, grandiosa figurazione dell'insieme: al riparo di così imponente struttura sta per apparire agli occhi di Dante (e del lettore) un corteo rappresentante la storia della Chiesa e cioè, secondo la concezione religiosa medioevale (ereditata dalla p a t r i s - t i c a), dell'intera umanità. Ed entro così solenne struttura Dante inserirà, caricata di alti significati simbolici, la propria vicenda personale di purificazione, dopo che al centro della processione sarà apparsa Beatrice trionfante.

82-84: *Sotto un cielo così bello* [: una specie di vasto e variopinto baldacchino] *come io descrivo* (**diviso**), *procedevano* (**venìen** = venivano) *a due a due ventiquattro vecchi* (**seniori**), *coronati di giglio* (**fiordaliso**). I ventiquattro vecchi rappresentano gli altrettanti libri del Vecchio Testamento (quella parte della *Bibbia* scritta prima della venuta di Cristo): l'immagine deriva da una personificazione analoga dell'*Apocalisse* (IV, 4), presente anche in san Girolamo. Le vesti (cfr. v. 65) e i fiori bianchi significano la purezza

di fede con cui è atteso il Messia in questi testi biblici.

85-87: *Tutti cantavano: «Tu* (**tue**) [*sia*] *benedetta* (**benedicta**) *tra* (**ne**) *le figlie* [: le discendenti] *di Adamo* [: le donne], *e benedette siano* (**sieno**) *in eterno le tue bellezze!»*. Sono le parole del *Vangelo* che l'Angelo rivolge a Maria annunciandole la maternità («Benedetta tu fra le donne», *Luca*, I, 28) unite alle lodi di Elisabetta a Maria (*Luca*, I, 42) e a frasi bibliche avvertite come profetiche («Tu sei benedetta più di tutte le donne sulla Terra; e sarai benedetta in eterno», *Iudith*, XIII, 18). Qui tali lodi potrebbero anche essere intese come rivolte, anziché a Maria, a Beatrice (di cui tutta la processione è in qualche modo l'apoteosi), e in questo caso loderebbero in lei la Rivelazione (d'altra parte strettamente congiunta alla figura di Maria, madre di Cristo).

88-93: *Dopo* (**poscia**) *che i fiori e le altre tenere* (**fresche**) *erbette di fronte a me* (**a rimpetto di me**) *sull'* (**da l'**) *altra sponda* [*del fiume*] *furono* (**fuor**) *sgombrate* (**libere**) *da quelle anime* (**genti**) *degne* (**elette**) [: i ventiquattro vecchi], *così* (**sì**) *come in cielo costellazione* (**luce** = stella) *segue* (**seconda**) [*a*] *costellazione* (**luce**), *giunsero* (**vennero**) *dietro di loro* (**appresso lor**) *quattro animali, tutti* (**ciascun**) *coronati di verde fronda*. Dopo che i ventiquattro vecchi hanno lasciato per un attimo libero il prato sull'altra sponda di fronte a Dante, ecco giungere quattro animali, così come una costellazione segue all'altra nel movimento dei cieli. I quattro animali, la cui descrizione occupa i vv.

Ognuno era pennuto di sei ali;
le penne piene d'occhi; e li occhi d'Argo,

96   se fosser vivi, sarebber cotali.

A descriver lor forme più non spargo
rime, lettor; ch'altra spesa mi strigne,

99   tanto ch'a questa non posso esser largo;

ma leggi Ezechïel, che li dipigne
come li vide da la fredda parte

102   venir con vento e con nube e con igne;

e quali i troverai ne le sue carte,
tali eran quivi, salvo ch'a le penne

105   Giovanni è meco e da lui si diparte.

Lo spazio dentro a lor quattro contenne
un carro, in su due rote, trïunfale,

108   ch'al collo d'un grifon tirato venne.

92-105, rappresentano i quattro Vangeli, secondo una concezione, anche iconografica, assai diffusa: Dante stesso cita (vv. 100 e 105) il profeta biblico *Ezechiele* (I, 4-14) e soprattutto l'*Apocalisse* di san Giovanni («... quattro animali, pieni di occhi davanti e dietro [...]. E ciascuno dei quattro animali aveva sei ali, piene di occhi intorno e dentro», IV, 6 e 8; e cfr. vv. 94-96). Le corone verdi rappresentano la speranza: con l'annuncio evangelico si riapre per l'umanità, redenta dal peccato originale, la via della salvezza.

94-96: *Ognuno aveva sei ali pennute* (**era pennuto di sei ali**)*; le penne* [*erano*] *piene di occhi; e gli* (**li**) *occhi di Argo, se fossero vivi, sarebbero tali* (**cotali**) [: vigili e profondi]. Le sei ali alludono forse alla rapida diffusione del Cristianesimo; e i molti occhi alla capacità di comprensione e di penetrazione del Verbo evangelico. **Argo**: è il mitico mostro con cento occhi che fu posto a guardia di Io per tenerne lontano Giove, che ne era innamorato; Mercurio lo uccise dopo averlo fatto addormentare con i suoi racconti.

97-105: *A descrivere il loro aspetto* (**forme**), *o lettore, non spendo* (**spargo**) *più rime* [: parole]*; poiché* (**ch'** = ché) *mi incalza* (**strigne**) *altra spesa* [: altra necessità di spendere parole]*, così* (**tanto**) *che per* (**a**) *questa* [: relativa ai quattro animali] *non posso essere* [*più*] *generoso* (**largo**)*; ma leggi Ezechiele, che li descrive* (**dipigne** = dipinge) *come li vide venire dal Nord* (**da la fredda parte**) *con vento e con nubi e con fuoco* (**igne**)*; e quali li* (**i**) *troverai* [*descritti*] *nel suo libro* (**ne le**

sue càrte), *tali* [: uguali] *erano qui* (**quivi**) [: nell'Eden], *salvo che per quel che riguarda* (**a**) *le ali* (**penne**) [*san*] *Giovanni* [: l'Apocalisse] *è* [*d'accordo*] *con me* (**meco**) *e dissente* (**si diparte** = si separa) *da lui* [: Ezechiele]. Dante si scusa con il lettore di non poter descrivere con più dettagli i quattro animali (e si tratta, ovviamente, di un modo retorico) e invita chi volesse saperne di più a leggere il libro del profeta Ezechiele e l'*A-pocalisse* di san Giovanni (per cui cfr. nota ai vv. 88-93), quasi citando le autorevoli fonti delle sue descrizioni per difendersi in anticipo dalle accuse di stravaganza. **Altra spesa**: la m e t a f o r a introdotta con l'uso traslato di **spargo** (*spendo*) al v. 97 è ripresa con insistenza al v. 98 da **spesa** e al v. 99 da **largo** (*generoso*); è sottinteso un parallelo tra lo spendere monete e lo spendere (cioè usare) parole. **Come li vide...**: per i vv. 100-102 cfr. *Ezechiele*, I, 4: «e vidi, ed ecco veniva da settentrione un vento violento, e una grande nube, e fuoco avvolgente». **Salvo ch'a le penne...**: Ezechiele parla infatti di quattro ali per animale, anziché di sei come Dante (e come san Giovanni nell'*Apocalisse*).

106-108: *Lo spazio tra* (**dentro a**) *loro quattro* [: gli animali] *conteneva* (**contenne**) *un carro trionfale, su* (**in su**) *due ruote* (**rote**), *che avanzava* (**venne**) *tirato dal* (**al**) *collo di un grifone*. I quattro animali (cioè i Vangeli) sono dunque posti in quadrato, in corrispondenza degli angoli di un carro trionfale trascinato da un grifone. Il carro rappresenta la Chiesa, protetta dai Vangeli e dal **grifone** (animale favoloso metà leone e metà

Esso tendeva in sù l'una e l'altra ale
tra la mezzana e le tre e tre liste,
111   sì ch'a nulla, fendendo, facea male.
Tanto salivan che non eran viste;
le membra d'oro avea quant' era uccello,
114   e bianche l'altre, di vermiglio miste.
Non che Roma di carro così bello
rallegrasse Affricano, o vero Augusto,
117   ma quel del Sol sarìa pover con ello;
quel del Sol che, svïando, fu combusto
per l'orazion de la Terra devota,
120   quando fu Giove arcanamente giusto.

aquila): in quest'ultimo è rappresentato il Cristo. Come si vede la processione si svolge secondo una successione ideale e anche cronologica: al Vecchio Testamento segue il Cristo con i Vangeli e la Chiesa; dopo verranno anche gli altri testi che formano con i Vangeli il Nuovo Testamento (vv. 133-150).

109-111: *Esso* [: il grifone] *tendeva l'una e l'altra ala* (**ale**) *in sù tra la* [*striscia*] *di mezzo* (**mezzana**) *e le tre e tre strisce* [*dei lati*], *in modo che* (**sì ch'** = così che), *tagliando* (**fendendo**) [*l'aria e la copertura delle strisce*], [*non*] *faceva* (**facea**) *male a* [: non ne interrompeva] *nessuna* (**nulla**). Il grifone procede al centro, e le sue ali si innalzano verso l'alto passando senza interromperle tra le sette strisce colorate (cfr. vv. 73-78) che ricoprono tutto il corteo (lasciandosene tre a destra e tre a sinistra e avendone una — la **mezzana** — tra le due ali): con allusione alla concordia tra l'opera di Cristo e la sapienza dello Spirito Santo (cfr. nota ai vv. 52-54).

112-114: [*Le ali del grifone*] *salivano tanto* [*in alto*] *che non erano visibili* (**viste**) [*fin lassù*]; [*il grifone*] *aveva le membra d'oro per la parte di* (**quant'era**) *uccello* [: aquila] *e le altre* [*membra*] *bianche frammiste* (**miste**) *di rosso* (**vermiglio**). Le ali del grifone-Cristo salgono fino a Dio, e perciò l'occhio non può seguirle. La natura doppia del grifone, di aquila e di leone, rappresenta le due nature del Cristo (uomo e Dio insieme): le parti di aquila (**uccello**), cioè testa e ali, sono d'oro, e rappresentano l'aspetto divino; le parti di leone (**l'altre**) sono bianche, e rappresentano la carne umana nella sua assoluta purezza, e sono macchiate (**miste**) dal sangue versato da Gesù (**vermiglio**).

115-120: *Con un* (**di**) *carro così bello non solo Roma non festeggiò* (**non che Roma... rallegrasse**) *Scipione l'Africano* (**Affricano**) *ovvero* [*Ottaviano*] *Augusto, ma quello* (**quel**) [: *carro*] *del Sole* [*persino*] *apparirebbe* (**sarìa** = sarebbe) *povero a confronto di* (**con**) *esso* (**ello**) [: quello del corteo]; *quello* (**quel**) *del Sole che, uscito dal suo corso* (**svïando**), *fu bruciato* (**combusto**) *per preghiera* (**orazion**) *della Terra devota, quando Dio* (**Giove**) *fu segretamente* (**arcanamente**) *giusto*. Per descrivere lo splendore del carro, Dante usa due termini di paragone, dichiarando entrambi nettamente inferiori (**pover**) rispetto ad esso. Il primo è un riferimento storico ai carri trionfali che salutavano le vittorie dei grandi condottieri romani (e forse questo ricordo storico ha avuto parte importante, per l'idea di rappresentare la Chiesa con un carro); il secondo è un riferimento mitologico al carro del sole, fulminato da Giove su preghiera della Terra allorché l'inesperto Fetonte, postosi alla sua guida, rischiava di arderla. Il poeta latino Ovidio, raccontando tale mito, descrive il carro del sole come preziosissimo (*Metamorfosi*, II, 107-110). Non è per altro del tutto chiaro il senso di quell'**arcanamente giusto**: le azioni di Dio sono sempre giuste e imperscrutabili, certo; ma qui forse Dante vuol dire che Dio interverrà con i suoi fulmini a punire anche le deviazioni di quell'altro carro, quello della Chiesa (e si vedano le parole rivolte da Dante ai cardinali in *Epist.*, XI, 5: «vos [...] per manifestam orbitam Crucifixi currum Sponse regere negligentes, non aliter quam falsus auriga Pheton exorbitastis» [voi trascurate di condurre il carro della Chiesa sulla via chiaramente indicata da Cristo, e siete usciti di strada non diversamente che il falso auriga Fetonte].

Tre donne in giro da la destra rota
venìan danzando; l'una tanto rossa
123   ch'a pena fora dentro al foco nota;
l'altr' era come se le carni e l'ossa
fossero state di smeraldo fatte;
126   la terza parea neve testé mossa;
e or parëan da la bianca tratte,
or da la rossa; e dal canto di questa
129   l'altre toglìen l'andare e tarde e ratte.
Da la sinistra quattro facean festa,
in porpore vestite, dietro al modo
132   d'una di lor ch'avea tre occhi in testa.
Appresso tutto il pertrattato nodo
vidi due vecchi in abito dispari,
135   ma pari in atto e onesto e sodo.
L'un si mostrava alcun de' famigliari
di quel sommo Ipocràte che natura
138   a li animali fe' ch'ell' ha più cari;
mostrava l'altro la contraria cura

121-129: *Dalla* [*parte della*] *ruota destra* [*del carro*] *procedevano* (**venìan** = venivano) *danzando in tondo* (**in giro**) *tre donne: una tanto rossa che appena sarebbe stata* (**fora**) *visibile dentro al fuoco; la seconda* (**l'altr'⟨a⟩**) *era* [*verde*] *come se le carni e le ossa* [*sue*] *fossero state fatte di smeraldo; la terza pareva neve appena* (**testé**) *caduta* (**mossa**)*; e a momenti* (**or** = ora) *parevano* (**parean**) *guidate* (**tratte**) *dalla bianca, a momenti* (**or**) *dalla rossa; e al* (**dal**) *canto di questa* [: la rossa] *le altre regolavano* (**toglìen** = toglievano = prendevano) *l'andare a tratti* (**e**) *lente* (**tarde**) *a tratti* (**e**) *svelte* (**ratte**) [: il ritmo]. Le tre donne rappresentano le tre Virtù teologali: la rossa è la carità, la verde la speranza e la bianca la fede; i vv. 127-129 significano che per un certo aspetto la fede è la più importante, ma sotto un altro aspetto lo è la carità, e che è quest'ultima a rendere operanti le altre (la carità in senso teologico è amore di Dio e del prossimo).

130-132: *Dalla* [*parte*] *sinistra* [*del carro*] *procedevano festosamente* (**facean festa**) *quattro* [*donne*], *vestite di color* (**in**) *porpora, regolandosi al ritmo* (**dietro al modo**) *di una di loro che aveva* (**ch'avea**) *tre occhi in testa*. Queste altre quattro donne rappresentano le Virtù cardinali (prudenza, fortezza, giustizia, temperanza), vestite di **porpora** (rosso cupo) per indicare che senza la carità esse sono prive di valore. Sono guidate dalla prudenza (che deve regolare le altre opportuna-

mente); essa ha tre occhi in testa perché le occorrono «buona memoria de le cose vedute, buona conoscenza de le presenti e buona provedenza [preveggenza] de le future» (Dante, *Convivio*, IV, XXVII, 5). Si noti l'importanza della gerarchia all'interno tanto della formazione complessiva del corteo quanto di ogni suo elemento: le Virtù teologali sono più importanti delle cardinali, e perciò stanno nel posto di maggior prestigio, alla destra del carro (cfr. vv. 121 e 130); e una graduatoria è formulata per le Virtù teologali (vv. 127-129) nonché accennata per le cardinali (vv. 131 sg.). La concezione di Dante risente dell'importanza grandissima della gerarchia nella società medioevale, caratterizzata da una forte rigidità della struttura sociale e politica, e da fitti rapporti di subordinazione e di potere.

133-135: *Dietro a* (**appresso**) *tutto il gruppo* (**nodo**) [*di figure*] *già descritto* (**pertrattato**) *vidi* [*venire*] *due vecchi in abito diverso* (**dispari**), *ma uguali* (**pari**) *nell'atteggiamento* (**in atto**) *dignitoso* (**onesto**) *e costante* (**sodo**).

136-141: *Uno* (**l'un**) *mostrava di essere* (**si mostrava**) [: per l'abito; cfr. v. 134] *uno* (**alcun**) *dei* (**de'**) *seguaci* (**famigliari**) *di quel sommo Ippòcrate che la natura creò* (**fe'** = fece) *per il bene degli* (**a li**) *animali che essa ha* (**ch'ell'ha**) *più cari* [: gli uomini]*; l'altro mostrava un'attività* (**cura**) *opposta* (**contraria**) *con una spada lucida e tagliente*

con una spada lucida e aguta,

141   tal che di qua dal rio mi fe' paura.
Poi vidi quattro in umile paruta;
e di retro da tutti un vecchio solo

144   venir, dormendo, con la faccia arguta.
E questi sette col primaio stuolo
erano abitüati, ma di gigli

147   dintorno al capo non facëan brolo,
anzi di rose e d'altri fior vermigli;
giurato avria poco lontano aspetto

150   che tutti ardesser di sopra da' cigli.
E quando il carro a me fu a rimpetto,
un tuon s'udì, e quelle genti degne
parvero aver l'andar più interdetto,

154   fermandosi ivi con le prime insegne.

(**aguta** = aguzza), *al punto* (**tal**) *che mi fece* (**fe'**) *paura* [*benché fossi*] *al di qua del* (**dal**) *fiume* (**rio**). I due nobili vecchi sono san Luca e san Paolo. Il primo rappresenta qui gli *Atti degli Apostoli*, di cui è l'autore; come rivela l'abito, era un medico, cioè un seguace del grande studioso greco antico di medicina Ippocrate, che Dante dice creato dalla natura per beneficio degli uomini, che egli curava. Il secondo è l'autore delle *Epistole* (rivolte alle prime comunità di cristiani), che qui rappresenta, ed è raffigurato con una lunga spada secondo una diffusa tradizione; l'attività che egli mostra di esercitare è perciò opposta a quella del medico: non curare, ma ferire; e Paolo di Tarso fu effettivamente un instancabile combattente della fede cristiana.

142-144: *Poi vidi* [*venire*] *quattro* [*figure*] *in atteggiamento* (**paruta**) *umile; e dietro a* (**di retro da**) *tutti venire, dormendo, un vecchio solitario* (**solo**), *espressivo con la faccia penetrante* (**arguta**). I quattro in umile atteggiamento rappresentano le minori Epistole cattoliche, di Pietro, Giovanni, Giacomo e Giuda. Il vecchio addormentato rappresenta l'*Apocalisse* di san Giovanni, opera che descrive una visione profetica avuta in stato di estasi (e perciò il sonno e l'espressione **arguta**).

145-150: *E questi* [*ultimi*] *sette* [: vv. 133-144] *erano vestiti* (**abitüati**) *come il* (**col** = con il) *primo* (**primaio**) *gruppo* (**stuolo**) [: i ventiquattro vecchi; quindi di bianco; cfr. vv. 65 sg.], *ma dintorno alla testa* (**capo**) *non avevano* (**facean** = facevano) *una ghirlanda*

(**brolo** = giardino) *di gigli, ma* (**anzi**) *di rose e di altri fiori rossi* (**vermigli**): *uno sguardo* (**aspetto**) [: un osservatore] *poco lontano avrebbe* (**avrìa**) *giurato che tutti avessero fiamme* (**ardesser**) [*vere*] *al di sopra dei* (**sopra da'**; **da'** = dai) *cigli* [: tanto acceso era il rosso di quelle rose e di quegli altri fiori]. Il colore dei fiori allude alla *carità* (cfr. vv. 122 sg.) che animò gli scritti dei primi propagatori della religione cristiana. E si veda il parallelismo con il colore delle corone dei quattro animali al v. 93: verdi, come si addice ai Vangeli, i quali non avrebbero ragione di esistere senza la *speranza* (cfr. vv. 124 sg.) in ciò che in essi è affermato; e si veda anche il colore delle ghirlande dei ventiquattro vecchi: bianche (v. 84), perché senza *fede* gli scritti del Vecchio Testamento (che predìcono la venuta del Messia) non potevano nascere ne possono essere intesi.

151-154: *E quando il carro fu di fronte* (**a rimpetto**) *a me, si udì un tuono, e quelle genti onorevoli* (**degne**) *parvero avere vietato* (**interdetto**) *il procedere* (**l'andar**) *più* [*oltre*], *e si fermarono* (**fermandosi**) *lì* (**ivi**) *insieme alle* (**con le**) *prime insegne* [: i candelabri]. Un tuono, espressione di un comando divino, ferma ad un tratto la processione proprio mentre il carro si trova, dall'altra parte del fiume, in corrispondenza di Dante. Sul carro, come si vedrà nel canto successivo, sta Beatrice. «Così si compie la prima parte della visione, in cui la Chiesa viene incontro all'uomo penitente, come quella che custodisce i misteri divini e i mezzi per cui egli può conseguire la grazia del Signore» (Casini-Barbi).

Largo _____ v. 99

L'agg. deriva dal lat. *largus* ('abbondante, che nasce in gran quantità'; cfr. franc. *large*, sp. e port. *largo*), che soppiantò nell'uso *latus* ('vasto, abbondante'; cfr. l'ital. mod. *latitudine*) anche grazie alla vicinanza fonetica con *longus* ('lungo'). Il significato principale è 'di notevole dimensione' — cfr. *Inf.* V, 41 —, 'abbondante', anche in senso figur. (con accezione positiva) — cfr. *Inf.* I, 80 —; e tale significato è vivo anche oggi, in molteplici accezioni: 'che ha una certa estensione in senso trasversale; spazioso; che non aderisce al corpo (di un abito); grasso; di grosso formato; abbondante; comprensivo'; in linguistica, 'aperto (un suono, una vocale)'. Sono frequenti anche espressioni avverbiali, come «al largo» = 'in alto mare' — e cfr. «di largo» = 'largamente' in *Par.* XXXIII, 92. L'agg. ha poi anche il significato di 'generoso' — cfr. *Purg.* XXIX, 99 —, che oggi sopravvive in alcune voci, come il sost. *larghezza* (cfr. franc. *largesse* e sp. *largueza*) e nei vb. *largire* ed *elargire* (cfr. franc. *élarger*).

Lista _____ v. 77

È voce dotta derivata dal lat. mediev. *lista* (di origine germ.; cfr. ted. *leiste* e ingl. *list*; cfr. anche franc. ant. *listre*, franc. *liste*, prov. e sp. *lista*, port. *listra*). Il vocabolo indica la 'forma allungata e stretta di un pezzo di stoffa, di carta, di legno, ecc.; striscia'; ma anche, per estens., 'tutto ciò che si presenta con forma allungata' — cfr. *Purg.* I, 36 e XXIX, 77 e *Par.* XV, 23. Oggi il termine, pur mantenendo i vari significati elencati, ed altri ancora, è usato soprattutto ad indicare un 'elenco, redatto per lo più secondo determinati criteri (alfabetico, cronologico ecc.) e a fini pratici (di verifica, riscontro ecc.)'; in genere 'elencazione di cose (p. es.: «lista del bucato», «lista del giorno»; cfr. *listino* dei prezzi) o di persone (p. es.: «lista dei candidati»)'.

Primìzia _____ v. 31

La voce deriva dal lat. tardo *primitia* (dal lat. class. *primitĭae*, *primitiārum*, astratto di *primus* = 'primo'; cfr. franc. *prémices*). Il termine indica propriamente (e questo è il significato oggi ancora vivo) un 'frutto (o un ortaggio) precocemente maturato e considerato quindi merce rara e pregiata'; per estens. vale 'cosa nuova' (p. es. una notizia fornita con notevole anticipo). Nell'uso di Dante del *Purgatorio* si incontra questo secondo significato nella particolare accezione di 'anticipo, assaggio'.

Canto XXX

Il canto XXX è congiunto al precedente, rappresentando una fase ulteriore della grande processione allegorica. Ma soprattutto si ricollega al seguente: infatti i canti XXX e XXXI costituiscono, insieme, una pausa (o una *stazione*) della processione, pausa occupata dal primo colloquio di Dante con Beatrice, fatto di aspre accuse. Tale episodio sarebbe inconcepibile senza il racconto della discesa di Beatrice nel Limbo per invocare il soccorso di Virgilio (*Inf.* II): la durezza della beata non avrebbe lo spessore affettuoso e umano che la sua tenerezza per Dante in quell'altro episodio lontano le conferisce.

* * *

Arrestatasi la processione dinanzi a Matelda, Stazio e Dante, appare finalmente Beatrice, avvolta dalla nuvola dei fiori lanciati in alto dagli angeli in suo onore. Dante prima ancora di veder bene e riconoscere l'amata sente riaccendersi, per un misterioso potere che emana da lei, l'antica passione. Così si volge a Virgilio per cercare soccorso; ma Virgilio è sparito: alla guida umana si sostituisce quella celeste.

Mentre Dante piange per la scomparsa del maestro, Beatrice lo ammonisce a riservare il pianto al dolore ben più forte che sta per ferirlo. Infatti ella comincia a rimproverarlo duramente, ricordando il traviamento morale ed intellettuale seguito alla morte dell'amata, che con la sua presenza lo aveva fino ad allora guidato sulla retta via. E non valgono a placare lo sdegno di Beatrice neppure le parole di pietà pronunciate dagli angeli in favore di Dante: è necessario per dare soddisfazione alla giustizia divina che questi ripaghi con il pentimento e il rimorso doloroso i peccati commessi, prima che gli venga consentito di bere l'acqua del fiume Lete, che cancellerà in lui il ricordo del male compiuto.

* * *

Attraverso le parole di Beatrice, qui e nel canto seguente, Dante offre una confessione profonda del proprio smarrimento morale: egli chiarisce e definisce così la genesi intima della *Commedia*, quale nel primo canto dell'*Inferno* era stata solo enunciata allegoricamente. La genericità di quell'allegoria iniziale è ora largamente compensata da un vasto episodio di rievocazione personale, che non ha l'uguale nel poema, se non forse nell'incontro con Cacciaguida (*Par.* XV-XVII).

Se è vero che nelle accuse di Beatrice Dante si confessa, è anche vero che, sul piano narrativo, esse delineano i contorni di una figura femminile profondamente caratterizzata. La sua durezza impietosa, lo si capisce bene, nasce dall'affetto; e d'altra parte il lettore conosce dal secondo canto dell'*Inferno* quale sia stata la sua premura amorevole per salvare l'amico sfortunato. Anche grazie a questo lontano ma importantissimo riferimento la figura di Beatrice si presenta ricca di una umana femminilità, per niente soffocata dalla sua funzione allegorica. Le sue parole ripercorrono l'esperienza della *Vita Nuova* dal suo punto di vista, benché sempre in riferimento alla vicenda di Dante, che è quella che conta: la figura di Beatrice, là stilizzata e silenziosa, qui si concretizza e si presenta capace non solo di ispirare gentili sentimenti, ma di introdurre il suo «fedele» alla salvezza e di guidarlo verso il cielo.

In effetti tutto questo episodio dell'incontro con Beatrice si ispira profondamente all'atmosfera della *Vita Nuova*, ricollegando la definitiva maturità di Dante a quella esperienza giovanile. Né poteva essere altrimenti, dato che qui è potentemente richiamata in vita, e con una funzione di primissimo piano, colei che dell'opera giovanile era stata l'ispiratrice e la d e u t e r a g o n i s t a . Ma il cambiamento è grande, e non solo perché Beatrice è qui protagonista, un soggetto dotato di vita propria, non un oggetto esclusivo della contemplazione di Dante; ma perché, soprattutto, quella vicenda che nella *Vita Nuova* era terrena e individuale ora aspira a farsi soprasensibile ed esemplare, secondo la prospettiva universalizzante propria di tutta la *Commedia*. La gracile storia d'amore adolescenziale dell'opera giovanile qui si presenta come vicenda di alto valore esemplare senza nulla perdere, tuttavia, della sua intensità umana ed emotiva, quasi, si sarebbe tentati di dire, passionale.

> Io vidi già nel cominciar del giorno
> la parte oriental tutta rosata,
> 24 e l'altro ciel di bel sereno addorno;
> e la faccia del sol nascere ombrata,
> sì che, per temperanza di vapori,
> 27 l'occhio la sostenea lunga fïata:
> così dentro una nuvola di fiori
> che da le mani angeliche saliva
> 30 e ricadeva in giù dentro e di fori,
> sovra candido vel cinta d'uliva
> donna m'apparve, sotto verde manto
> 33 vestita di color di fiamma viva.

22-33: *Io vidi spesso* (**già**) *alle prime luci* (**nel cominciar**) *del giorno la parte orientale* [*del cielo*] *tutta rosata, e l'altro* [*lato del*] *cielo adorno di bel sereno; e* [*vidi*] *la faccia del sole sorgere* (**nascere**) *velata* (**ombrata**), *così* (**sì**) *che l'occhio la sopportava* (**sostenea**) *a lungo* (**lunga fiata**), *grazie all'attenuamento* (**per temperanza**) *operato dai* (**di**) *vapori: così dentro una nuvola di fiori che saliva dalle mani degli angeli* (**angeliche**) *e ricadeva in giù dentro* [*il carro*] *e fuori, mi apparve una* *donna cinta di ulivo sopra un candido velo* [*e*] *vestita di colore di fiamma viva* [*: rosso*] *sotto verde manto.* Più volte Dante ha assistito ad albe serene, nelle quali il globo del sole che sorge è velato di vapori e l'occhio può perciò fissarlo senza restarne abbagliato; simile a quelle albe è l'apparizione di Beatrice, il cui volto abbagliante è velato da una nuvola di fiori gettati in aria dagli angeli: questo il senso generale della s i m i l i t u d i n e . Si noti almeno, nella mirabile strut-

E lo spirito mio, che già cotanto
  tempo era stato ch'a la sua presenza
36   non era di stupor, tremando, affranto,
  sanza de li occhi aver più conoscenza,
  per occulta virtù che da lei mosse,
39   d'antico amor sentì la gran potenza.
  Tosto che ne la vista mi percosse
  l'alta virtù che già m'avea trafitto
42   prima ch'io fuor di püerizia fosse,
  volsimi a la sinistra col respitto
  col quale il fantolin corre a la mamma
45   quando ha paura o quando elli è afflitto,
  per dicere a Virgilio: 'Men che dramma
  di sangue m'è rimaso che non tremi:
48   conosco i segni de l'antica fiamma';

tura di queste quattro terzine, come nella prima parte della similitudine (che si stende per due terzine esatte) siano del tutto assenti gli e n j a m b e m e n t s, a favorire il tono raccolto e pacato dei versi, tutti in sé conclusi; e come gli enjambements siano invece frequenti nella seconda parte della similitudine (cioè nella terza e nella quarta terzina), ad esprimere l'ansiosa meraviglia con la quale Dante contempla la scena. D'altra parte nell'apparizione di Beatrice, posta al termine di una solenne e calcolata coreografia di vasta portata scenografica, convergono le principali ragioni ispiratrici del poema: la maturità di Dante si ricollega all'esperienza giovanile della *Vita Nuova*, forte di una ben superiore ricchezza umana e spirituale; e l'intera sua vicenda biografica è assunta a storia esemplare, secondo la tecnica medioevale dell'*exemplum* (la cultura medioevale era fondata infatti sulla fiducia nella trasparenza trascendentale degli eventi mondani, e quindi nel valore eterno della stessa esperienza autobiografica). **Sovra candido vel...**: il vestito di Beatrice è rosso; il manto che lo copre, verde; il velo è bianco e cinto di una ghirlanda di ulivo. I colori alludono alle Virtù teologali (fede, speranza e carità), attributi, come dice il nome, della teologia, allegoricamente rappresentata appunto da Beatrice; l'*ulivo* può significare la pace o, essendo consacrato a Minerva, dea classica della sapienza, la sapienza stessa (e cfr. v. 68).

34-39: *E il mio spirito, che già era stato tanto* (**cotanto**) *tempo che non era alla sua* [: di Beatrice] *presenza, tremando, turbato*

(**affranto**) *di ammirazione* (**stupor**), *sentì la grande forza* (**gran potenza**) *dell'* (**d'** = di) *antico amore, senza aver* [*ricevuto*] *maggiore* (**più**) *conoscenza* [*di lei*] *per mezzo degli* (**de li**) *occhi* [: senza neppure averla vista bene], [*solo*] *a causa di* (**per**) *un misterioso* (**occulta**) *potere* (**virtù**) *che emanò* (**mosse**) *da lei.* L'animo di Dante, che dalla morte di Beatrice non avvertiva il turbamento di un incontro con lei, è ripreso dall'antico amore senza neppure averla ben vista, velata com'è di fiori, solo per un misterioso potere emanato dalla sua presenza. **Cotanto**: dieci anni, essendo Beatrice morta nel 1290 (e immaginandosi il viaggio avvenuto nel 1300). **Non era di stupor...**: cfr. *Vita Nuova*, XIV: «mi parve sentire uno [un] mirabile tremore incominciare nel mio petto da la sinistra parte e distendersi di subito per tutte le parti del mio corpo [...]. Levai li [gli] occhi, e mirando le donne, vidi tra loro la gentilissima Beatrice»; e altri passi simili.

40-54: *Non appena poi* (**tosto che**) *la grande bellezza* (**l'alta virtù**) *che già mi aveva ferito* (**trafitto**) *prima che io fossi fuori della fanciullezza* (**di puerizia**) [: ancora bambino], *mi colpì* (**percosse**) *gli occhi* (**ne la vista**) [: appena vidi apertamente Beatrice], *mi rivolsi* (**volsimi**) *alla* [*mia*] *sinistra con la fiducia* (**col respitto**) *con la quale il bambino* (**fantolin**) *corre dalla* (**a la**) *mamma quando ha paura o quando è* (**elli** è p l e o n.) *afflitto, per dire* (**dicere**) *a Virgilio:* «*Mi è rimasto* (**rimaso**) *meno di una goccia* (**men che dramma**) *di sangue che non tremi: riconosco* (**conosco**) *i segni dell'antica passione* (**fiamma**)»; *ma Virgilio ci* [: Dante e Stazio]

> ma Virgilio n'avea lasciati scemi
> di sé, Virgilio dolcissimo patre,
51   Virgilio a cui per mia salute die'mi;
> né quantunque perdeo l'antica matre,
> valse a le guance nette di rugiada
54   che, lagrimando, non tornasser atre.
> « Dante, perché Virgilio se ne vada,
> non pianger anco, non piangere ancora;
57   ché pianger ti conven per altra spada ».

aveva (**n'avea** = ne aveva) *abbandonati* (**lasciati scemi di sé** = lasciati privi di sé), *Virgilio dolcissimo padre* (**patre**), *Virgilio al quale* (**a cui**) *mi affidai* (**die'mi** = mi diedi) *perché mi salvasse* (**per mia salute**) [*dalla dannazione*]*; né tutto ciò che* (**quantunque**; dal lat. 'quantum unquam') [: le bellezze dell'Eden] *perdette* (**perdeo**) *la madre originaria* (**antica**) [: Eva] *bastò perché* (**valse a... che**) *le* [*mie*] *guance*, [*già*] *pulite* (**nette**) *con la* (**di**) *rugiada* [: cfr. I, 121-129], *non ridivenissero* (**tornasser**) *scure* (**atre**) [*di pianto*]. Al mostrarsi di Beatrice, Dante è colpito dalla stessa passione che già lo aveva preso quasi all'età di nove anni, con i quali termina la puerizia (vd. v. 42 e cfr. *Vita Nuova*, II, 2), e si volge verso Virgilio per cercare sostegno. Solo a questo punto si accorge che la sua guida è scomparsa; anzi, è da ritenere che Virgilio sia andato via all'apparire di Beatrice, con un passaggio di funzioni carico di valore allegorico: ora Dante, condotto alla soglia della beatitudine dalla ragione umana, per proseguire deve affidarsi alla scienza rivelata, cioè alla fede e alla teologia. Accortosi che il *dolcissimo padre* non c'è più, Dante piange, macchiando nuovamente le proprie guance, già deterse per volere di Catone con la rugiada alle pendici del Purgatorio; né lo trattiene dall'abbandonarsi a questo sfogo l'essere circondato dalle bellezze del Paradiso terrestre, quelle bellezze perdute da Eva, la prima madre degli uomini, a causa del suo peccato. L'apparizione di Beatrice e la sparizione di Virgilio sono tutt'uno; il che, come si è detto, ha un importante valore allegorico. Ma, ancora una volta, è da notare la naturalezza della scena, la capacità di risolvere un passaggio così delicato e impegnativo con mezzi puramente narrativi, senza alcuna enfasi retorica. La stessa citazione letterale dell'*Eneide* virgiliana al v. 48 serve ad esprimere — quasi in un segno d'intesa o di confidenza letteraria e umana — la fiducia e l'abbandono con i quali Dante si rivolge al maestro e a rendere più drammatica la scoperta della sua sparizione; e in tal senso risulta del tutto naturale la r e p l i c a z i o n e del nome **Virgilio**. La scomparsa di Virgilio riguarda quindi il piano narrativo, e comporta la perdita della cara guida (la morte narrativa del d e u t e r a g o n i s t a delle prime due cantiche); riguarda il piano dell'allegoria, con il passaggio di consegne dalla ragione alla fede; riguarda il piano della cultura e della civiltà, con la affermazione del limite della tradizione classica e della sapienza pagana pure largamente ammirate e rispettate da Dante. **Respitto**: probabilmente dal franc. ant. *respit* (cfr. il prov. *respieit*) = 'attesa, speranza' e anche 'riguardo'; o forse dal lat. *respicere* = 'guardare'. **Dramma**: unità di peso piccolissima (un ottavo di oncia); cioè *quasi nulla* o *nulla*. **Conosco i segni...**: cfr. *Eneide*, IV, 23: «adgnosco veteris vestigia flammae».

55-57: [: Parla Beatrice] «*Dante, non piangere ancora* (**anco**), *non piangere ancora,* [*solo*] *perché Virgilio se ne è andato* (**se ne vada**)*; perché* (**ché**) *sarai costretto* (**ti conven**) *a piangere per* [*ben*] *altro dolore* (**spada**)». Beatrice apostrofa Dante duramente, sùbito rivolgendosi a lui direttamente (ed è la prima volta che ciò accade) con il nome proprio; e gli chiede di non sprecare lagrime per l'umano dolore della scomparsa di Virgilio, dovendone versare presto molte nel ricordo e nella confessione delle proprie colpe: ed è già invito a staccarsi dai valori del mondo aspirando a una meta più alta. Al v. 56 la ripetizione delle medesime parole (con piccola variante) rende più aspro l'invito di Beatrice, aggravando il peso del verso seguente: ella invita Dante a non piangere non per consolarlo, ma solo perché egli deve riservare le lagrime per un dolore ben più intenso e giustificato.

Quasi ammiraglio che in poppa e in prora
viene a veder la gente che ministra
60 per li altri legni, e a ben far l'incora;
in su la sponda del carro sinistra,
quando mi volsi al suon del nome mio,
63 che di necessità qui si registra,
vidi la donna che pria m'apparìo
velata sotto l'angelica festa,
66 drizzar li occhi ver' me di qua dal rio.
Tutto che 'l vel che le scendea di testa,
cerchiato de le fronde di Minerva,
69 non la lasciasse parer manifesta,
regalmente ne l'atto ancor proterva
continüò come colui che dice
72 e 'l più caldo parlar dietro reserva:
« Guardaci ben! Ben son, ben son Beatrice.

58-66: *Come* (**quasi**) *un ammiraglio che va* (**viene**) *in poppa e in prora* [*della sua nave*] *per* (**a**) *vedere l'equipaggio* (**la gente**) *che è all'opera* (**ministra**; vb.) *sulle* (**per li**) *altre navi* (**legni**; per m e t o n i m i a), *e lo incuora a far bene;* [*così*], *quando mi volsi al suono del mio nome, che qui si trascrive* (**registra**) *per* (**di**) *necessità, sulla* (**in su la**) *sponda sinistra del carro vidi la donna che prima* (**pria**) *mi era apparsa* (**m'apparìo**) [: Beatrice] *velata sotto la festa degli angeli* (**angelica**) *alzare* (**drizzar**) *gli* (**li**) *occhi verso* (**ver'**) *me* [*al*] *di qua del* (**dal**) *fiumicello* (**rio**). Dopo un primo momento, nel quale Beatrice è parsa ripresentarsi quale Dante la aveva amata in vita, riaccendendo in lui l'antica passione, l'atteggiamento della donna meglio si definisce come quello di una guida ben più potente e sicura di Virgilio e, specie in questa fase, come quello di un giudice. Con ciò Dante è costretto a mettere in secondo piano, per il momento, il proprio amore, ancora terreno, per lei, e a sottoporsi ad un vero e proprio interrogatorio e processo, fino alla confessione e al pentimento. Viene così cancellata l'impressione che l'incontro con Beatrice si ricollegasse senza scosse all'esperienza giovanile della *Vita Nuova*: questa Beatrice non è più la stessa; non è più l'adolescenziale proiezione o l'idealizzazione giovanile di allora, ma è una figura matura e autosufficiente, capace di incarnare il ruolo altamente allegorico che le è affidato nel poema mostrando nel contempo una carica intensissima, benché implicita, di femminilità. Silenziosa sempre nella *Vita Nuo-*

va, ora Beatrice prende la parola; e rimprovera, dall'alto di una regale beatitudine, il «suo» Dante. Questa s i m i l i t u d i n e con l'alacre esercizio del potere e della guida da parte dell'**ammiraglio** di una flotta sta appunto a sottolineare tale nuovo volto di Beatrice, a rendere più tangibile il suo nuovo ruolo di guida e di signora della successiva crescita spirituale di Dante. **Che di necessità...**: Dante si scusa di infrangere una norma retorica che vieta allo scrittore di nominarsi e di parlare di sé, e dice di aver riferito il proprio nome non per vanità ma per esigenza di verità e di realismo.

67-73: *Benché* (**tutto che**) *il* (**'l**) *velo che le scendeva dalla* (**di**) *testa, cinto* (**cerchiato**) *dalle fronde sacre a* (**di**) *Minerva* [: l'ulivo], *non la lasciasse apparire* (**parer**) *completamente visibile* (**manifesta**), *sempre* (**ancor**) *regalmente altera* (**proterva**) *nell'atteggiamento* (**ne l'atto**), *continuò come colui che parla* (**dice**) *e* [*intanto*] *riserba* (**reserva**) *per ultimo* (**dietro**) *i discorsi* (**'l...parlar**) *più severi* (**caldo**): *«Guarda bene qui* (**guardaci ben**; **ci**=qui)! *Veramente* (**ben**) *sono, veramente sono Beatrice.* Il velo che Beatrice ha sul capo le copre parte del volto, ma Dante vede bene ugualmente il suo aspetto sdegnato e insieme regale; mentre lei riprende a parlargli, con l'aria di chi dirà via via cose più dure proseguendo nel discorso. E intanto dice il proprio nome: ed è già come un primo rimprovero a chi la aveva dimenticata non seguendo la strada da lei indicata.

Come degnasti d'accedere al monte?

75   non sapei tu che qui è l'uom felice?».

Li occhi mi cadder giù nel chiaro fonte;

ma veggendomi in esso, i trassi a l'erba,

78   tanta vergogna mi gravò la fronte.

Così la madre al figlio par superba,

com' ella parve a me; perché d'amaro

81   sente il sapor de la pietade acerba.

Ella si tacque; e li angeli cantaro

di sùbito ' In te, Domine, speravi ';

84   ma oltre ' pedes meos ' non passaro.

74-75: *Come ti sei degnato* (**degnasti**) [*alla fine*] *di accedere al monte* [*del Purgatorio*]? *non sapevi* (**sapei**) *tu* [*già da tempo*] *che qui l'uomo è felice?*». Questa interpretazione della domanda di Beatrice non è l'unica possibile; ma la dura ironia che essa implica ben si addice al tono generale di Beatrice in queste prime battute, essendo in qualche modo, a ben pensare, già ironico il verso precedente, quasi che ella dicesse «guarda bene qua, se non credi ai tuoi occhi: è veramente qui la tua amata Beatrice! Finalmente ti sei degnato di venire! Eppure lo sapevi da tempo che le cose stavano così come ora vedi: che qui è la vera felicità». E una qualche intenzione sarcastica sarà possibile leggere anche nelle prime parole di Beatrice, al v. 56; e cfr. anche XXXI, 68. Questa sarcastica durezza va spiegata con ragioni allegorico-strutturali e con altre, invece, psicologiche: Beatrice muove le sue accuse in nome della propria funzione allegorica, ma si comporta nel modo, risentito e ferito, di chi ha subito un tradimento. È opportuno ad ogni modo considerare il fatto che molti interpreti spiegano diversamente: *come hai osato, come ti sei ritenuto degno di salire fin qui? non sapevi che qui vi è l'uomo felice, puro da ogni colpa (come tu non sei)?* Ma è lettura forzata, se non altro perché Dante è salito, come entrambi (e il lettore) sanno benissimo, proprio per la volontà di Beatrice e con il suo aiuto.

76-78: *Gli* (**li**) *occhi* [: lo sguardo] *mi caddero* [*per vergogna*] *giù nel ruscello* (**fonte**) *chiaro; ma vedendomi* [*riflesso*] *in esso, li* (**i**) *spostai* (**trassi**) *sull'* (**a l'**) *erba, tanta* [*fu la*] *vergogna* [*che*] *mi appesantì* (**gravò**) *la testa* (**fronte**; *per* s i n e d d o c h e) [: vedendo nello specchio delle acque la mia immagine umiliata e colpevole].

79-81: *Ella* [: Beatrice] *sembrò* (**parve**) [*spietata*] *a me, così come al figlio sembra* (**par**) *spietata* (**superba**) *la madre; perché il sapore dell'affetto* (**pietade**) [*che si esprime in modo*] *duro* (**acerba**) *sa* (**sente**) *di amaro*. Cioè, sotto l'atteggiamento duro di Beatrice si nasconde l'affetto per Dante, così come nei rimproveri della madre al figlio si nasconde il suo affetto; ma Dante avverte per il momento solo la crudeltà, come il figlio che subisce i rimproveri materni. Questa s i m i l i t u d i n e , di grande forza espressiva per sinteticità e per penetrazione psicologica, richiama l'altra lontana apparizione di Beatrice nel poema, nel secondo canto dell'*Inferno*. Lì ella era stata, nel convincere Virgilio a soccorrere Dante, piena solo di parole compassionevoli e dolci per lo sfortunato amico; qui, dopo che il suo tentativo di salvarlo si mostra quasi compiuto ed egli è al cospetto di lei, l'atteggiamento di Beatrice è completamente mutato. È un cambiamento apparente, necessario a perfezionare la purificazione di Dante con il pentimento; eppure è un cambiamento psicologicamente prezioso per illuminare l'umanità (e, anzi, la femminilità) di Beatrice, la quale, senza questi canti del *Purgatorio*, non avrebbe la stessa profonda e ricca caratterizzazione. E d'altra parte questa scena non avrebbe senso senza quella del canto secondo dell'*Inferno*, né quella acquisterebbe adeguato spessore drammatico senza questa: ancora una volta la struttura dell'opera, con i suoi rimandi interni anche lontani, è importante alla sua comprensione e, anzi, è un modo di manifestarsi del suo significato e della sua grandezza.

82-84: *Ella* [: Beatrice] *tacque* (**si** è p l e o n .); *e gli* (**li**) *angeli cantarono* (**cantaro**) *immediatamente* (**di sùbito**) *'In te, Domine, speravi'; ma non andarono oltre* (**oltre non...passaro**) *'pedes meos'*. Gli angeli che

Sì come neve tra le vive travi
　　per lo dosso d'Italia si congela,
87　　　　soffiata e stretta da li venti schiavi,
　　poi, liquefatta, in sé stessa trapela,
　　　　pur che la terra che perde ombra spiri,
90　　　　sì che par foco fonder la candela;
　　così fui sanza lagrime e sospiri
　　　　anzi 'l cantar di quei che notan sempre
93　　　　dietro a le note de li etterni giri;
　　ma poi che 'ntesi ne le dolci tempre
　　　　lor compartire a me, par che se detto
96　　　　avesser: ' Donna, perché sì lo stempre?',
　　lo gel che m'era intorno al cor ristretto,
　　　　spirito e acqua fessi, e con angoscia
99　　　　de la bocca e de li occhi uscì del petto.
　　Ella, pur ferma in su la detta coscia

sono con Beatrice sul carro intervengono in favore di Dante, quasi parlando in sua vece, dicendo a Beatrice «Egli si è affidato a Dio, alla sua misericordia: perdònalo, dunque!». La parte del salmo biblico che gli angeli cantano (XXX, 1-9) suona così: «*In te, Domine, speravi; non confundar in aeternum; in iustitia tua libera me. In manus tuas commendo spiritum meum: liberabis me, Domine. Nec conclusisti me in manibus inimicis; statuisti in loco spatioso pedes meos*» [in te, o Signore, ho sperato; fa' che io non resti deluso in eterno; salvami nella tua giustizia. Affido nelle tue mani la mia anima; tu mi salverai, o Signore. Non mi hai consegnato nelle mani del demonio; ma hai fermato i miei piedi in un luogo sicuro].

85-99: *Così come sui monti dell'Appennino* (**per lo dosso d'Italia**; l'Appennino è il dosso, quasi la spina dorsale, d'Italia) *la neve si congela tra i rami* (**le vive travi**; quelli che saranno travi ed ora, vivi, sono rami d'alberi), *spinta* (**soffiata**) *e indurita* (**stretta**) *dai* (**da li**) *venti di Schiavonia* (**schiavi**) [: di Nord-Est], [*e*] *poi, sciolta* (**liquefatta**), *scola* (**trapela**) *su* (**in**) *se stessa, appena* (**pur che**) *la terra dove le ombre sono cortissime* (**che perde ombra**) [: le regioni meridionali e l'Africa in particolare] *spiri* [*i suoi venti caldi*], *così* (**sì**) *che sembra* (**par**) *fuoco che fonde* (**fonder**) *la candela; così* [*io*] *rimasi* (**fui**) *senza piangere* (**lagrime**) *e sospirare* (**sospiri**) *prima* (**anzi**) *del* (**'l** = il) *cantare di quelli* (**quei**) [: gli angeli] *che sempre accordano il proprio canto* (**notan**; seguono le note) *seguen-*

do (**dietro a**) *le note delle sfere* (**giri**) *eterne* [: che cantano ispirati dall'armonia universale, segno della volontà divina]*; ma dopo* (**poi**) *che li* (**lor**) *udii* (**'ntesi** = intesi) *compatirmi* (**compartire a me**) *nelle* [*loro*] *dolci modulazioni* (**tempre**), *come* (**par che**) *se avessero detto: 'Donna, perché lo mortifichi* (**stempre**) *così?', il gelo che mi era stretto* (**ristretto**) *intorno al cuore* (**cor**) *si fece* (**fessi** = si fe') *sospiri* (**spirito**) *e lagrime* (**acqua**), *e dolorosamente* (**con angoscia**) *uscì dal* (**del**) *petto attraverso* (**de**) *la bocca e attraverso* (**de**) *gli* (**li**) *occhi*. La s i m i l i t u-d i n e analizza in modo particolareggiato e minuto il passaggio dallo sbigottimento di Dante nell'udire il duro rimprovero di Beatrice (mentre egli avrebbe avuto bisogno di essere consolato per la scomparsa di Virgilio), allo sfogo doloroso e difficile (**con angoscia**) del pianto e dei lamenti dopo che gli angeli si mostrano pietosi di lui. Il dettaglio della descrizione del disgelo sui monti dell'Appennino vale a precisare nei particolari la condizione psicologica di Dante, che il rimprovero di Beatrice ha gelato dolorosamente come il vento del Nord gela la neve sui rami e che la partecipazione pietosa degli angeli scioglie nel pianto come il vento del Sud scioglie il ghiaccio.

100-108: *Ella* [: Beatrice], *restando* (**stando**) *sempre* (**pur**) *ferma sul lato* (**coscia**) [*già*] *detto del carro* [: il sinistro], *rivolse* (**volse**) *poi* (**poscia**) *così le sue parole agli angeli* (**sustanze**) *pietosi* (**pie**)*: «Voi ȩgliate* (**vigilate**) *nella luce* (**dìe** = giorno) *eterna* [*di Dio*], *in mo-*

                    del carro stando, a le sustanze pie
102   volse le sue parole così poscia:
                « Voi vigilate ne l'etterno dìe,
                    sì che notte né sonno a voi non fura
105   passo che faccia il secol per sue vie;
                onde la mia risposta è con più cura
                    che m'intenda colui che di là piagne,
108   perché sia colpa e duol d'una misura.
                Non pur per ovra de le rote magne,
                    che drizzan ciascun seme ad alcun fine
111   secondo che le stelle son compagne,
                ma per larghezza di grazie divine,
                    che sì alti vapori hanno a lor piova,
114   che nostre viste là non van vicine,
                questi fu tal ne la sua vita nova
                    virtüalmente, ch'ogne abito destro
117   fatto averebbe in lui mirabil prova.
                Ma tanto più maligno e più silvestro
                    si fa 'l terren col mal seme e non cólto,
120   quant' elli ha più di buon vigor terrestro.

do che (sì che) [né] notte [: ignoranza] né sonno [: pigrizia] nascondono (non fura = non ruba) a voi [alcun] movimento (passo) che il mondo (secol) compia (faccia) lungo le sue strade (per sue vie); per cui (onde) la mia risposta [: che segue] è piuttosto rivolta (è con più cura) ad essere intesa (che m'intenda) [da] colui [: Dante] che piange (piagne) [al] di là [del fiume], perché la [sua] colpa e il [suo] dolore siano (sia; al sing.) di eguale grandezza (d'una misura). Gli angeli conoscono direttamente da Dio ogni evento del mondo, e quindi l'analisi del traviamento morale e intellettuale di Dante che Beatrice sta per fare non serve a loro (che già sanno ogni cosa) ma a provocare in Dante il giusto pentimento, così che il rimorso lo faccia soffrire in modo commisurato alla gravità dei suoi peccati.

109-117: Non soltanto (non pur) per influsso (ovra = opera) dei cieli (de le rote magne = delle grandi sfere), che indirizzan (drizzan) ogni (ciascun) creatura (seme) a un fine determinato (ad alcun fine) a seconda di quali (secondo che le) costellazioni (stelle) siano in congiunzione (compagne) [: con i cieli al momento della nascita), ma [anche] per abbondanza (larghezza) di grazie divine, che hanno al loro manifestarsi (piova =

pioggia) così (sì) alte cause (vapori = nuvole) [: il volere di Dio], che i nostri sguardi (viste) [: di beati e di angeli] non si avvicinano (non van vicine; van = vanno) [: non giungono a capire] ad esse (là), questi [: Dante] fu tale potenzialmente (virtualmente) nella sua giovinezza (vita nova), che in lui ogni buona (destro) attitudine (abito) avrebbe prodotto (fatto) [se assecondata] risultati (prova) meravigliosi (mirabil). Dante è stato favorito in due modi: dagli influssi astrali, essendo nato sotto il segno dei Gemelli, favorevole agli studi e alle lettere; dalla Grazia diretta di Dio, che gli ha concesso doti non comuni, per ragioni imperscrutabili. Qualsiasi positiva disposizione avrebbe quindi dato in lui buoni frutti, solo che egli la avesse assecondata. Si noti come in questi versi trapeli la profonda e affettuosa ammirazione di Beatrice per Dante; e come d'altra parte già si prepari, per logica conseguenza, il rimprovero.

118-120: Ma il ('l) terreno si fa tanto più cattivo (maligno; che è parola molto forte) e selvatico (silvestro), ricevendo semi cattivi (col mal seme) e non [essendo] coltivato (cólto), quanto più egli (quant'elli...più) ha un forte (buon) vigore naturale (terrestro). Questo, è sottinteso, è stato il caso di Dante.

Alcun tempo il sostenni col mio volto:
mostrando li occhi giovanetti a lui,
123   meco il menava in dritta parte vòlto.
Sì tosto come in su la soglia fui
di mia seconda etade e mutai vita,
126   questi sì tolse a me, e diessi altrui.
Quando di carne a spirto era salita
e bellezza e virtù cresciuta m'era,
129   fu' io a lui men cara e men gradita;
e volse i passi suoi per via non vera,
imagini di ben seguendo false,
132   che nulla promession rendono intera.
Né l'impetrare ispirazion mi valse,
con le quali e in sogno e altrimenti
135   lo rivocai: sì poco a lui ne calse!
Tanto giù cadde, che tutti argomenti
a la salute sua eran già corti,
138   fuor che mostrarli le perdute genti.

121-123: *Per qualche tempo* (**alcun tempo**) *lo* (**il**) *indirizzai bene* (**sostenni**) *con il mio volto: mostrandogli* (**mostrando...a lui**) *gli* (**li**) *occhi* [*miei*] *giovinetti lo* (**il**) *guidavo* (**menava**) *con me* (**meco**) *rivolto* (**vòlto**) *verso una direzione* (**in...parte**) *corretta* (**dritta**). L'analisi di Beatrice riprende il racconto della *Vita Nuova*, nella quale Dante più volte si sofferma sull'esemplare importanza, per lui, della presenza di Beatrice, sufficiente, con il suo aspetto, a tenerlo sulla retta via; il che avvenne dal 1274 (anno del primo incontro) al 1290 (anno della morte di lei).

124-126: *Non appena* (**sì tosto come**) *fui sulla* (**in su la**) *soglia della giovinezza* (**di mia seconda etade**) [: al compimento dei venticinque anni di età] *e cambiai* (**mutai**) *vita* [: passando dalla vita terrena a quella celeste, con la morte], *questi* [: Dante] *si sottrasse* (**tolse**) *a me e si diede* (**diessi** = si diè) *ad altri* (**altrui**). **Diessi altrui**: spiega il Buti: «ad altri studii e amori». C'è probabilmente un'allusione all'episodio della *donna gentile* (cfr. *Vita Nuova*, XXXV-XXXVII), alla quale Dante si rivolse dopo la morte di Beatrice, e che rappresenta (secondo le successive esplicite spiegazioni allegoriche di Dante stesso) la filosofia, il cui studio Dante intraprese per consolarsi della morte dell'amata. Ma c'è anche allusione ad altri amori veri e propri, testimoniati dalle opere di Dante.

127-132: *Quando ero* (**era**) *salita* [*passando*] *da* (**di**) *carne a spirito e mi erano aumentate* (**cresciuta m'era**; al sing. con due sogg.) *sia* (**e**) *bellezza che* (**e**) *virtù, io gli* (**a lui**: Dante) *divenni* (**fu' io** = fui io) *meno cara e meno gradita; e rivolse* (**volse**) *i suoi passi per una via sbagliata* (**non vera**), *seguendo false immagini di bene, che* [*non*] *mantengono interamente* (**rendono intera**) *nessuna* (**nulla**) *promessa* (**promession**). Proprio quando, passata con la morte ad una più alta perfezione spirituale, Beatrice era cresciuta in bellezza e in virtù, Dante si incamminò per una strada lontana da lei, seguendo illusioni mondane, alle quali seguono fatalmente il disinganno e la delusione. Si badi bene, però, che anche questo concetto è nella *Vita Nuova* (cfr. p. es. XXXIII, 8).

133-135: *Né mi giovò* (**valse**) *l'ottenere con preghiere* (**l'impetrare**) [*da Dio*] *ispirazioni* [*al bene*] *con le quali lo richiamai* (**rivocai**) [*sulla retta via*] *e in sogno e in altro modo* (**altrimenti**): *tanto* (**sì** = così) *poco gliene* (**a lui ne**) *importò* (**calse**)! Anche di queste apparizioni di Beatrice è narrato nella *Vita Nuova* (XXXIX e XLII).

136-138: *Cadde* [*moralmente*] *tanto in basso* (**giù**), *che tutti i rimedi* (**argomenti**) *per salvarlo* (**a la salute sua**) *erano ormai* (**già**) *insufficienti* (**corti**), *fuorché mostrargli i dannati* (**le perdute genti**). Ecco il passaggio dai fatti raccontati nella *Vita Nuova* (fin qui ripercorsi da Beatrice dal suo punto di vista, complementare a quello di Dante) alla *Com-*

Per questo visitai l'uscio de' morti,
e a colui che l'ha qua sù condotto,
141   li preghi miei, piangendo, furon porti.
Alto fato di Dio sarebbe rotto,
se Letè si passasse e tal vivanda
fosse gustata sanza alcuno scotto
145   di pentimento che lagrime spanda ».

media: già la terzina seguente racconta fatti narrati nel poema (cfr. *Inf.* II).

139-141: *Per questo visitai la soglia* (**l'uscio**) *dei* (**de'**) [*veri*] *morti* [: i dannati] *e rivolsi* (**furon porti**) *le mie preghiere* (**li preghi miei**), *piangendo, a colui* [: Virgilio] *che lo ha condotto quassù.* È quanto si narra nel secondo canto dell'*Inferno*.

142-145: *Sarebbe infranta* (**rotto**) *una profonda* (**alto**) *disposizione* (**fato**) *di Dio se* [*Dante*] *attraversasse* (**si passasse**) [*il fiume*] *Lete e una simile* (**tal**) *bevanda* (**vivanda =** cibo) *fosse gustata senza qualche* (**alcuno**) *risarcimento* (**scotto**) *di pentimento che faccia versare* (**spanda**) *lagrime».* Poiché il Lete cancella il ricordo dei peccati commessi, sarebbe contro la profonda volontà divina che Dante potesse attraversarlo e bere la sua acqua senza prima aver pagato interamente, con il pentimento e il pianto di contrizione, il prezzo dei peccati commessi. Anche da questa considerazione emerge il valore di confessione di tutto questo colloquio con Beatrice; a maggior ragione se si tien conto del fatto che l'analisi spietata da lei condotta del traviamento di Dante acquisterà veramente valore ai fini del perdono solo allorché verrà ripresa da Dante stesso con una esplicita ammissione (cfr. XXXI, 34-36 e 40-42).

Furare _____ v. 104

È voce semidotta derivata dal lat. *furāri* (da *fur, furis* = 'ladro'). È vocabolo ant. e letter. per 'rubare, sottrarre indebitamente qualcosa a qualcuno'; per estens. vale anche 'nascondere, occultare, impedire di conoscere', come nell'esempio di Dante. Dalla stessa radice deriva la voce dell'ital. mod. *furto* ('latrocinio, rapina').

Netto _____ v. 53

L'agg. deriva dal lat. *nitĭdus* (dal vb. *nitēre* = 'brillare') nella forma sincopata *nit'dus* (*nitĭdus* resta nell'ital. *nitido* e nel port. *nedeo*) : cfr. franc. *net*, sp. *neto*. La voce sta per 'pulito nella persona e negli atti, accuratamente lavato e deterso di ogni sporcizia' — cfr. *Purg.* XXX, 53. In senso figur. può assumere varie accezioni, tra le quali quella di 'candido, onesto' — cfr. *Purg.* III, 8. Oggi il termine si usa soprattutto, per estens., riferendosi a qualcosa 'che abbia contorni precisi, ben delineati, ben marcati' o si dice 'di un colore deciso, senza sfumature' o 'di un suono che si sente distintamente, che ha un timbro limpido'; oppure nelle locuz. «al netto» ('sottrazione da un guadagno delle spese vive o della tara da un peso') e «di netto» ('con un unico movimento, di colpo, d'un tratto'). Da *netto* nel significato di 'pulito' derivano anche, fra gli altri, *nettezza* ('pulizia di una persona, di una cosa o di un luogo'; cfr. «nettezza urbana») e *nettàre* ('pulire; lavare una ferita, ecc.').

Ella [Beatrice] appare in figura di sole che nasce velato da nebbie mattutine. Per prima cosa noteremo, naturalmente, la precisione dell'immagine rispetto alla situazione immediata. Come ricorderemo, il nostro viso è ancora rivolto ad oriente e nel giardino sono le prime ore del giorno. Poi, sul carro si levano figure di angeli che gettano fiori sì da farne una vera e propria nube. Ed entro, o meglio, attraverso questa nube appare Beatrice. L'immagine è precisa. Ma vuol essere più di questo: essa risponde a un proposito più ampio e realizza un disegno più vasto che ora siamo in condizione di scorgere meglio. Dobbiamo infatti sapere che l'immagine di un sole nascente poteva portare con sé una carica di significato simbolico consolidata nell'uso di una lunga tradizione. Quella del sole nascente era l'immagine di Cristo, l'immagine stabilita per la Sua venuta. Più avanti, ne avremo la conferma anche in Paradiso dove, in quello che è davvero il Suo trionfo, Cristo appare come un sole [*Par.* XXIII]. E ora qui, al centro della scena, dove il configurarsi stesso della processione sembrava invocare Lui, [...] ora è Beatrice ad esserci finalmente presentata proprio da quell'immagine che per tanto tempo era servita a presentare la venuta di Cristo:

> Io vidi già nel cominciar del giorno
> la parte orïental tutta rosata,
> e l'altro ciel di bel sereno addorno;
> e la faccia del sol nascere ombrata,
> sì che per temperanza di vapori
> l'occhio la sostenea lunga fïata:
> così dentro una nuvola di fiori
> che da le mani angeliche saliva
> e ricadeva in giù dentro e di fori,
> sovra candido vel cinta d'uliva
> donna m'apparve...
>
> (*Purgatorio*, XXX 22-32)

Finalmente sul carro al centro c'è qualcuno in trionfo. Ciò che era stato invocato in tante maniere, ora è lì. Uno schema è completo. A venire non è Cristo — è Beatrice, che viene *come* Cristo.

Ci resta però da osservare un particolare ancor più interessante. Come abbiamo visto, il disegno che è venuto configurandosi sotto i nostri occhi non segnalava semplicemente *una* venuta di Cristo. In realtà, proprio per il fatto che la processione della Scrittura poteva simboleggiare il tempo stesso, e, una volta fermatasi, suggerire la fine del tempo; e per il fatto che abbiamo intuito di aver davanti, in un certo senso, il tempo giunto alla sua conclusione, con tutti gli occhi fissi al centro, noi (dal momento che questo è lo schema cristiano del tempo) abbiamo potuto cogliere il segnale relativo alla possibile imminenza di un giorno del Giudizio.

Ma si realizza questo particolare dello schema? Quando appare Beatrice, viene soddisfatto, trova rispondenza, questo segnale di un giorno del Giudizio? Senza dubbio. [...]

La venuta di Beatrice ha pienamente soddisfatto tutto ciò che postulava lo schema. Qui Beatrice viene come verrà Cristo nella sua ultima venuta: in una nube di gloria, alla fine del tempo e al centro del tempo — a giudicare. L'analogia è completa.

Comprendiamo infatti ben presto che Beatrice è venuta a giudicare — a giudicare con la massima severità colui il cui nome è la prima parola che ella pronuncia: Dante.

E da Beatrice ora ascoltiamo i rimproveri che ci riportano alla mente il ruolo che ella aveva avuto nella vita del poeta. Beatrice ripercorre i fatti del passato, leggendoli nel Libro della Memoria. [...] Qui la *Commedia* accoglie entro di sé l'esperienza della *Vita Nuova*: viene costruendosi, si potrebbe dire, sopra quell'opera giovanile. [...]

Per prima cosa si osservi questo: l'analogia di Beatrice con Cristo, realizzata sotto i nostri occhi negli ultimi canti del *Purgatorio*, non è affatto un modo arbitrario o decorativo escogitato da un poeta per lodare la sua donna. Quell'analogia trova il suo pieno e mirabile sostegno nel ruolo che Beatrice ha avuto nella vita di Dante. Se vogliamo scorgere ciò, dobbiamo, a questo punto, tenere compresenti la *Vita Nuova* e la *Commedia* — ed è qualcosa che qui ci invita a fare lo stesso poema. Dalla *Vita Nuova* sappiamo come Beatrice fosse entrata nella vita del poeta come un miracolo, come un amore disceso dal Cielo a illuminare un cammino che ascende alla salvezza.

[...] Qui abbiamo i rimproveri di Beatrice che ci invitano a tenere *Vita Nuova* e *Divina Commedia* l'una accanto all'altra.

[...] Nella *Vita Nuova* si vede Beatrice che lascia la vita terrena e sale al cielo in compagnia di una schiera di angeli, avvolta in una nube e accompagnata dal grido di *Osanna*. Al centro della *Divina Commedia* Beatrice viene, anzi ritorna, accompagnata da una schiera di angeli, in una nube di gloria e in una compagnia il cui primo grido è di nuovo *Osanna*. Ma di tutti questi particolari quello che colpisce di più è che la morte di Beatrice al centro della *Vita Nuova* è simile alla morte di Cristo [...] — simile alla morte di Cristo e simile a un'ascensione. E al centro della *Commedia*, il ritorno di Beatrice, ciò che dunque è, letteralmente, la seconda venuta di Beatrice assomiglia non a *una* venuta, ma all'*ultima* venuta di Cristo — nel giorno del Giudizio. [...]

Al centro dell'opera di questo poeta cristiano, per due volte percepiamo il riflesso del grande modello che egli seguì: al centro della *Vita Nuova*, la morte di Beatrice è simile a quella di Cristo e la sua dipartita è simile a un'ascensione; e al centro della *Divina Commedia* Beatrice viene, in quella che è la sua seconda venuta, come Cristo verrà nella Sua ultima. Un poema umano partecipa così per analogia a un poema divino, e quello può riconoscersi fatto a immagine di questo. In questo modo, un poema fa quel che fanno tutte le cose in un universo cristiano: partecipa alla vera esistenza, partecipa all'Essere.

---

* Charles S. Singleton (1909-84) è stato il critico che meglio di ogni altro ha saputo fare tesoro della lezione di Auerbach, del quale ha ripreso e sviluppato la concezione figurale, valorizzando l'aspetto allegorico della *Commedia* Charles S. Singleton, *La poesia della Divina Commedia*, Il Mulino, Bologna 1978, pp. 76-85.

Canto XXXI

Questo canto (e in special modo la prima parte di esso) è strettamente congiunto, sul piano strutturale e tematico, al precedente. Proseguono infatti i rimproveri di Beatrice, finché, nella seconda parte, Dante, pentito, è introdotto ai riti purificatori finali e alla visione del volto di Beatrice.

* * *

Mentre nel canto XXX Beatrice ha ripercorso i momenti del traviamento esistenziale di Dante parlando in terza persona, rivolta agli angeli che le fanno corona, qui nel canto XXXI ella si rivolge direttamente a Dante usando la seconda persona. Questo la porta ad incalzarlo con ancora maggiore durezza, ricordandogli i peccati commessi, finché Dante è colto da pentimento profondo e, fissando il volto ancora velato ma egualmente bellissimo di Beatrice, sviene, vinto dal rimorso per aver preferito a tale incorruttibile bellezza i beni fuggevoli del mondo.

Lo svenimento ha una vera e propria funzione c a t a r t i c a . Al tornare dei sensi, infatti, Dante si trova immerso nel fiume Lete, tra le braccia di Matelda; e qui riceve quasi un secondo battesimo, che cancella dalla sua memoria ogni traccia del male commesso, restituendogli una assoluta purezza.

Così purificato, Dante è introdotto dalle Virtù cardinali e da quelle teologali alla contemplazione progressiva dello splendore del volto di Beatrice, specchio di Dio, che infine si toglie il velo e appare nella sua sovrannaturale bellezza.

* * *

I problemi esegetici posti da questo canto sono strettamente congiunti a quelli introdotti dal precedente (di cui si veda quindi l'introduzione). Qui, semmai, si fa più precisa e circoscritta l'accusa di Beatrice. Ma ciò nonostante non ci è possibile definire con chiarezza a che cosa corrisponda, sul piano biografico, il traviamento di Dante. Certamente esso non si limitò al tradimento della memoria di Beatrice con altre donne, nel quale caso lo spessore di questo incontro si ridurrebbe ad una fin troppo meschina gelosia; eppure vi fu anche questo, uno smarrimento erotico di Dante. E vi fu un tradimento di tipo intellettuale (attestato dal *Convivio*), con una sopravvalutazione della filosofia, e cioè della possibilità di conoscenza della mente umana abbandonata a se stessa; mentre Beatrice aveva indicato a Dante, nella giovinezza, e ribadisce ora con ben maggiore forza persuasiva, la superiorità della teologia, e cioè della Grazia divina e della Rivelazione. Anche questo tipo di smarrimento indusse Dante a rivolgersi ai beni incerti del mondo anziché a quelli eterni del Cielo. È possibile, forse, che vi sia stato, in relazione a questo «tradimento» della teologia a favore della filosofia, anche un atteggiamento non ortodosso da parte di Dante sul piano strettamente religioso; ma non si può affermarlo con certezza, né tanto meno parlare di tendenze ereticali.

Piuttosto è importante tenere presente che decisivo, per la genesi di questo episodio, fu il fatto che Dante avvertisse come colpevole ed erroneo il momento della propria vita che va dalla morte di Beatrice (1290) alla data immaginata per il viaggio oltremondano (o, meglio, un periodo compreso entro queste due date); il che implica una valutazione anche delle prospettive interiori e non solo dei dati biografici obiettivabili.

Secondo l'Auerbach in questo incontro con Beatrice nell'Eden, Dante si purifica di un peccato che differisce da tutti quelli contemplati nei gironi sottostanti; di un peccato quindi eccezionale, solamente suo, legato alla particolare generosità della Grazia divina nei suoi confronti: il non aver assecondato con pienezza il cammino che Beatrice gli aveva indicato e che i suoi doni naturali gli permettevano di compiere, questo sarebbe il traviamento di cui qui Dante è accusato, pentito, purificato. Né questa interpretazione contrasta con quanto sopra si è detto.

> « O tu che se' di là dal fiume sacro »,
>> volgendo suo parlare a me per punta,
> 3   che pur per taglio m'era paruto acro,
>> ricominciò, seguendo sanza cunta,
>> « dì, dì se questo è vero: a tanta accusa
> 6   tua confession conviene esser congiunta ».
>> Era la mia virtù tanto confusa,
>> che la voce si mosse, e pria si spense
> 9   che da li organi suoi fosse dischiusa.
>> Poco sofferse; poi disse: « Che pense?
>> Rispondi a me; ché le memorie triste
> 12   in te non sono ancor da l'acqua offense ».

1-6: [Beatrice] rivolgendomi (volgendo... a me) direttamente (per punta) il suo parlare, che mi era già sembrato (paruto) severo. (acro = aspro) benché (pur) in forma indiretta (per taglio), ricominciò [a dirmi], proseguendo (seguendo) senza indugio (cunta; dal lat. 'cunctari'): «O tu [: Dante] che sei [al] di là del (dal) fiume sacro [: il Lete] di', di' se questo è vero; a tanta accusa è necessario (conviene) che sia associata (esser congiunta) la tua confessione». Questo «impetuoso principio di canto» (Momigliano) si ricollega al canto precedente. Qui Beatrice prende a rivolgersi direttamente a Dante, usando la seconda (per punta) persona, dove nel canto precedente aveva usato la terza (per taglio) e si era rivolta agli angeli (cfr. vv. 103 sgg.). Le m e t a f o r e per punta e per taglio si ricollegano all'immagine della spada al v. 57 del canto precedente.

7-9: La mia lucidità intellettuale (virtù) era tanto sconvolta (confusa), che la [mia] voce si mosse [per parlare], e si spense prima (pria) che fosse emessa (dischiusa) dagli organi adatti (suoi) [: gola e bocca]. Dante cerca di rispondere, ma le parole gli si fermano in gola.

10-12: [Beatrice] pazientò (sofferse) un poco; poi disse: «Che pensi? Rispondimi (rispondi a me); perché (ché) in te i tristi ricordi (memorie) [del peccato] non sono [state] ancora cancellati (offense) dall'acqua [: del Lete]». Il ritardo con il quale Dante si accinge a confessare le proprie colpe, già denunciate da Beatrice, è immotivato: egli ricorda ancora quei peccati che bevendo l'acqua del Lete, dopo la confessione, dimenticherà.

Confusione e paura insieme miste
mi pinsero un tal « sì » fuor de la bocca,
15   al quale intender fuor mestier le viste.
Come balestro frange, quando scocca
da troppa tesa, la sua corda e l'arco,
18   e con men foga l'asta il segno tocca,
sì scoppia' io sottesso grave carco,
fuori sgorgando lagrime e sospiri,
21   e la voce allentò per lo suo varco.
Ond' ella a me: « Per entro i mie' disiri,
che ti menavano ad amar lo bene
24   di là dal qual non è a che s'aspiri,
quai fossi attraversati o quai catene
trovasti, per che del passare innanzi
27   dovessiti così spogliar la spene?
E quali agevolezze o quali avanzi
ne la fronte de li altri si mostraro,
30   per che dovessi lor passeggiare anzi? ».

13-15: *Turbamento* (**confusione**) *e paura uniti* (**miste**) *insieme mi fecero uscire* (**pinsero** = spinsero) *un tal «sì» fuori della bocca, a intendere il quale furono necessari* (**fuor mestier**) *gli occhi* (**le viste**).

16-21: *Come la balestra, quando fa partire il colpo* (**scocca**) *da una tensione* (**da...tesa**) *eccessiva* (**troppa**), *spezza* (**frange**) *la sua corda e l'arco,* [e] *la freccia* (**l'asta**) [*quindi*] *raggiunge* (**tocca**) *il bersaglio* (**segno**) *con meno forza* (**foga**), *così* (**sì**) *io sotto tale* (**sottesso**) *pesante* (**grave**) *oppressione* (**carco** = carico) *scoppiai emettendo* (**fuori sgorgando**) *lagrime e sospiri, e la voce si affievolì* (**allentò**; intrans.) *attraverso* (**per**) *la* (**lo** = il) *sua uscita* (**varco**) [: *la bocca*]. La potente s i m i - l i t u d i n e spiega in che modo Dante, emotivamente teso e compresso, emetta un «sì» debolissimo: è cioè una similitudine volta a spiegare una precisa condizione psicologica. Come una balestra (strumento da guerra in qualche modo simile all'arco) troppo tesa si spezza e lascia partire la freccia senza energia, così l'eccessiva tensione interiore di Dante gli fa sgorgare pianto e sospiri e la risposta (il «sì») esce dalla bocca priva di forza. La bocca è s p e s s o accostata per m e t a f o r a all'arco (o alla balestra) e la parola alla freccia; in questo caso, poi, allo spezzarsi della corda corrisponde il piangere e il sospirare: entrambi i fatti scaricano l'energia compressa verso una direzione diversa da quella giusta (la freccia nel caso dell'arco, la parola nel caso della bocca), perdendo la forza necessaria al suo fine (raggiungere il bersaglio o essere udita). Questa similitudine militare si riconnette all'immagine della **spada** (cfr. vv. 2 e 3 e nota) e ad altre analoghe metafore successive (cfr. vv. 25, 41 sg., 55, 59, 63), alludendo al tono generalmente conflittuale dell'episodio.

22-27: *Per cui ella* (**ond'ella**) [: Beatrice] *a me* [*rispose*]: «*Attraverso* (**per entro**) *i desideri* (**disiri**) *di me* (**mie'** = miei), *che ti portavano* (**menavano**) *ad amare il* (**lo**) *bene* [: Dio], [*al*] *di là del* (**dal**) *quale non* [*vi*] *è* [*cosa*] *alla quale* (**a che**) *si possa aspirare* (**s'aspiri**), *quali* (**quai**) *fossi che attraversano la strada* (**attraversati**) *o quali* (**quai**) *catene* [: *quali ostacoli*] *trovasti, perché ti dovesse* (**dovessiti** = ti dovessi) *così abbandonare* (**spogliar**) *la speranza* (**la spene**) *di procedere* (**del passare**) *oltre* (**innanzi**) [: *verso la salvezza*]? Beatrice incalza Dante, che ha già riconosciuto la propria colpevolezza (benché in modo debole e smarrito), chiedendogli che cosa lo abbia ostacolato nel seguire la strada da lei segnatagli. **Fossi**...: i **fossi attraversati** e le **catene** erano sbarramenti posti a difesa dei castelli medioevali; e qui vale *ostacoli*.

28-30: *E quali comodità* (**agevolezze**) *e quali vantaggi* (**avanzi**) [*ti*] *si mostrarono* (**mostraro**) *nell'aspetto* (**ne la fronte**) *degli* (**de li**) *altri* [*beni*], *perché* [*tu*] *dovessi corteggiarli*

Dopo la tratta d'un sospiro amaro,
a pena ebbi la voce che rispuose,
33   e le labbra a fatica la formaro.
Piangendo dissi: « Le presenti cose
col falso lor piacer volser miei passi,
36   tosto che 'l vostro viso si nascose ».
Ed ella: « Se tacessi o se negassi
ciò che confessi, non fora men nota
39   la colpa tua: da tal giudice sassi!
Ma quando scoppia de la propria gota
l'accusa del peccato, in nostra corte
42   rivolge sé contra 'l taglio la rota.
Tuttavia, perché mo vergogna porte
del tuo errore, e perché altra volta,
45   udendo le serene, sie più forte,
pon giù il seme del piangere e ascolta:

(lor passeggiare anzi = passare e ripassare davanti a loro, come fanno gli innamorati)?».

31-33: *Dopo l'emissione* (**la tratta**; da 'trarre') *di un sospiro amaro, ebbi a stento* (**a
pena**) *la voce per rispondere* (**che rispuose**),
e le labbra la formarono (**formaro**) *a fatica*.
Dante sospira e dà forma di parole alla poca voce che gli resta per rispondere.

34-36: *Piangendo dissi: «Le cose presenti* [:
i beni del mondo] *sviarono* (**volser**) *i miei
passi con la loro falsa bellezza* (**piacer**), *appena* (**tosto che**) *il* (**'l**) *vostro viso si nascose*
[: appena Beatrice morì]». In questa breve
confessione, che riprende il nucleo delle accuse di Beatrice stessa, Dante tocca il centro
psicologico e morale del proprio traviamento: finché Beatrice è stata viva, egli ha seguìto la strada che l'amata gli indicava; morta Beatrice, il fascino delle cose **presenti**, cioè
dei beni mondani sùbito godibili, lo ha distolto da quella via. Bene spiega Marti che
il traviamento di Dante è innanzitutto «il giudizio a posteriori che Dante emette sulla propria vita, su tutta la propria attività negli
anni che precedettero immediatamente l'esilio e che egli considera divergenti dalla via
che Beatrice stilnovistica gli aveva indicata»;
e si trattò certamente di un traviamento non
solo erotico-sentimentale, ma anche intellettuale, religioso e persino artistico. Vale la
pena di osservare che, mentre Beatrice dà
del *tu* a Dante, questi le rivolge il *voi*, come
ad un superiore; e così continuerà ad essere
fino a *Par.* XXXI, 79 sgg., quando anche
Dante apparterrà alla città dei beati e la di-

stanza con Beatrice sarà colmata (Momigliano ha per primo notato tale cambiamento).

37-39: *Ed ella* [: Beatrice] [*mi disse*]: «*Se* [*tu*]
tacessi o se [*tu*] *negassi ciò che confessi, la
tua colpa non sarebbe* (**fora**) *meno nota* [*a
me e agli angeli*]: *da tale giudice* [: Dio] *la
conosciamo* (**sassi** = si sa)!

40-42: *Ma quando l'accusa del peccato prorompe* (**scoppia**) *dalla propria* [*stessa*] *bocca*
(**gota**) [: con la confessione], *nella* (**in**) *nostra corte* [: nel tribunale del cielo] *la ruota*
(**rota**) *si rivolge* (**rivolge sé**) *contro il* (**'l**) *taglio* [*della lama*]. Cioè: la confessione del
peccatore rende meno tagliente, meno severa, la spada della giustizia divina, smussan-
do la lama anziché affilarla (la **rota** è quella
dell'arrotino, per m e t a f o r a). Il senso
di questa terzina e di quella precedente è:
la tua confessione non serve a renderci più
certi della tua colpevolezza, che ci è nota
attraverso la partecipazione alla onniscienza
di Dio, ma a rendere te degno di misericordia; infatti mentre nei tribunali della Terra
la confessione dà la prova della colpevolezza (e comporta quindi la condanna), nel tribunale celeste è già un primo segno di pentimento e un primo passo verso la salvezza.

43-48: *Ciò nonostante* (**tuttavia**), *perché ora*
(**mo**) [*tu*] *provi* (**porte**) *vergogna del tuo errore, e perché un'altra volta, udendo le sirene* (**serene**) [: subendo le lusinghe dei beni
illusori], [*tu*] *sia* (**sie**) *più forte, deponi* (**pon
giù**) *le ragioni* (**il seme**) *del piangere* [: càl-
mati e quindi smetti di piangere] *e ascolta:*

48   sì udirai come in contraria parte
      mover dovìeti mia carne sepolta.
      Mai non t'appresentò natura o arte
      piacer, quanto le belle membra in ch'io
51   rinchiusa fui, e che so' 'n terra sparte;
      e se 'l sommo piacer sì ti fallìo
      per la mia morte, qual cosa mortale
54   dovea poi trarre te nel suo disio?
      Ben ti dovevi, per lo primo strale
      de le cose fallaci, levar suso
57   di retro a me che non era più tale.
      Non ti dovea gravar le penne in giuso,
      ad aspettar più colpo, o pargoletta
60   o altra novità col sì breve uso.

così udrai (**sì udirai**) *come il fatto che io fossi morta* (**mia carne sepolta**) *ti avrebbe dovuto* (**dovìeti**) *spingere* (**mover**) *in direzione opposta* (**in contraria parte**) [: rispetto a quella che hai invece seguìto]. **Udendo le serene**: le sirene sono creature mitiche abitatrici dei mari, metà donne e metà pesci, che allettavano con il loro canto dolcissimo i marinai e poi li divoravano; è qui il loro significato m e t a f o r i c o .

49-54: *Natura o arte non ti presentarono* (**non t'appresentò**; concordato al sing.) *mai una bellezza* (**piacer**) *eguale alle* (**quanto le**) *belle membra nelle quali io* (**in ch'io** = in cui io) *fui rinchiusa, e che* [*ora*] *sono* (**so'**) *disperse* (**sparte**) *in terra; e se a causa della* (**per la**) *mia morte ti mancò* (**fallìo**) *così* (**sì**) *la* (**'l** = il) *suprema* (**sommo**) *bellezza* (**piacer**) [*terrena*], *quale* [*altra*] *cosa mortale doveva poi indurti* (**trarre te**) *a desiderarla* (**nel suo disio**)*?* Il corpo di Beatrice è stata, tra le cose terrene, la più bella che Dante abbia conosciuto; esso, con la morte, ha rivelato la illusorietà e la fugacità dei beni mondani: che cos'altro (comunque meno bello), dopo questa lezione, può aver acceso il desiderio di Dante, riportandolo ad illudersi del valore delle cose terrene? Si noti il contrasto tra quell'esemplare e insuperabile bellezza del corpo mortale di Beatrice e il suo parlarne, nella prospettiva dell'eterno e della vera libertà ultraterrena, come di una prigione (**rinchiusa fui**), quasi con un poco di disprezzo (**e che so' 'n terra sparte**): anche questo contrasto serve a sottolineare la differenza tra l'ottica terrena (illusoria, parziale, caduca) e quella celeste (ben fondata, assoluta, eter-

na), quella differenza, appunto, che Dante aveva perduto di vista nel traviamento seguito alla morte di Beatrice.

55-57: *Ti dovevi* [: ti saresti dovuto] *piuttosto* (**ben**), *in conseguenza del* (**per lo**) *primo colpo* (**strale** = freccia) *ricevuto dalle* (**de le**) *cose ingannevoli* (**fallaci**) [*del mondo*], *innalzarti* (**levar suso** = sollevare sù) [: verso il cielo] *dietro* (**di retro**) *a me che non ero più tale* [: fallace]. La lezione ricevuta con la morte di Beatrice riguardo alla vanità delle cose terrene avrebbe dovuto spingere Dante a rivolgersi alle sole cose celesti, fisso al destino ultraterreno di Beatrice, entrata con la morte a far parte dei beni veramente affidabili.

58-60: *Non ti doveva* [: non ti avrebbe dovuto] *far abbassare* (**gravar** = appesantire) *le ali* (**le penne**; per m e t o n i m i a) *verso il basso* (**in giuso** = in giù), *nell'attesa di* (**ad aspettar**) *un'altra* (**più**) [*inevitabile*] *delusione* (**colpo**), *o giovanetta* (**pargoletta**) *o altra esperienza nuova* (**novità**) *con un diletto* (**uso**) *così* (**sì**) *fugace* (**breve**) [: sogg.]. La delusione ricevuta dai beni del mondo non avrebbe dovuto spingere Dante ad abbassarsi a desiderare cose ancora più incerte e fuggevoli (quella del *volo* è m e t a f o r a introdotta dal **levar suso** del v. 56, con più vigore ripresa in questa terzina e infine in quella seguente). In questi versi, per bocca di Beatrice, Dante giunge a toccare il punto più esplicito della propria confessione: nella **pargoletta** è certo da riconoscere l'allusione ad amori seguìti alla morte di Beatrice — e ad

Novo augelletto due o tre aspetta;
  ma dinanzi da li occhi de’ pennuti
63 rete si spiega indarno o si saetta ».
Quali fanciulli, vergognando, muti
  con li occhi a terra stannosi, ascoltando
66 e sé riconoscendo e ripentuti,
tal mi stav’ io; ed ella disse: « Quando
  per udir se’ dolente, alza la barba,
69 e prenderai più doglia riguardando ».
Con men di resistenza si dibarba
  robusto cerro, o vero al nostral vento
72 o vero a quel de la terra di Iarba,
ch’io non levai al suo comando il mento;
  e quando per la barba il viso chiese,
75 ben conobbi il velen de l’argomento.

uná *pargoletta* sono dedicate alcune liriche delle *Rime*; ma è altresì da ricordare la portata più ampia e profonda del riferimento, che implica anche una deviazione di carattere intellettuale e religioso, probabilmente un privilegiare la filosofia rispetto alla teologia (e questo potrebbe far pensare che la **pargoletta** corrisponda alla *donna gentile*, di dichiarato valore allegorico: cfr. XXX, 126 e nota). **Novità**: è la l e z i o n e accolta dal Petrocchi, contro la f a c i l i o r *vanità*, e significa «cosa, esperienza ancora non conosciuta, ma che si desidera conoscere» (Reggio).

61-63: *L'uccellino* (**augelletto**) *nato da poco* (**novo**) *aspetta due o tre* [*colpi, prima di imparare la lezione*]; *ma inutilmente* (**indarno**) *si spiega la rete o si lanciano frecce* (**si saetta**) *davanti agli* (**dinanzi da li**) *occhi dei* (**de’**) *pennuti* [: *degli uccelli adulti, ormai esperti*]». Cioè: il fatto che Dante non fosse un ragazzo, ma un uomo fatto, aggrava il suo errore; infatti non gli mancava l'esperienza per evitarlo. L'immagine deriva dalla *Bibbia* (*Prov.*, I, 17): «Si tende inutilmente la rete davanti agli occhi dei pennuti».

64-69: *Quali i fanciulli, vergognando*[*si*], *stanno* (**stannosi** = si stanno; il *si* pseudoriflessivo è p l e o n .) *muti con gli* (**li**) *occhi a terra, ascoltando e riconoscendosi colpevoli* (**sé riconoscendo**) *e pentiti* (**ripentuti**), *tale stavo io* (**mi stav'io**); *ed ella* [: Beatrice] *disse* [*a me*]: «*Dal momento che* (**quando**) [*già*] *al solo ascoltar*[*mi*] (**per udir**) *sei* (**se’**)

addolorato (**dolente**), *alza la faccia* (**la barba**; per s i n e d d o c h e), *e nel guardar*[*mi*] (**riguardando**) *proverai* (**prenderai**) *più dolore* [*ancora*]». **Sé riconoscendo**: è termine tecnico; indica il riconoscersi colpevole e anche il dichiararsi pentito. **La barba**: non significa necessariamente che Dante fosse barbuto, ma sottolinea il fatto che è un uomo adulto e non un bambino, ricollegandosi così ai vv. 61-63. **Prenderai più doglia riguardando**: perché vedendo la bellezza paradisiaca di Beatrice capirà meglio la sua superiorità rispetto alla **pargoletta** e alle altre **novità**, e quindi la gravità del proprio peccato.

70-75: *Si sradica* (**si dibarba**) *con meno* (**con men di**) *resistenza un robusto cerro, sia* (**o vero**) *al vento di tramontana* (**nostral⟨e⟩**;... perché spira dal Nord Europa), *sia* (**o vero**) *a quello* (**quel**) [: *vento*] *africano* (**de la terra di Iarba**; cioè della Libia, di cui Iarba era re), *di quanto io* (**ch'io**) *non faticai a sollevare* (**non levai**) *il mento al suo* [: di Beatrice] *comando; e quando indicò* (**chiese**) *il viso per mezzo della* (**per la**) *barba* [: cfr. v. 68], *capii* (**conobbi**) *chiaramente* (**ben**) *la durezza* (**il velen**) *dell'espediente* (**de l'argomento**) [*retorico*]. Dante obbedisce all'invito di Beatrice e alza il viso; ma ciò gli costa uno sforzo enorme, espresso nell' i p e r b o l e del paragone con lo sradicarsi del **cerro** (un albero simile alla quercia), anche perché ha colto pienamente il senso velenoso dell'espediente retorico di Beatrice (cfr. nota precedente).

E come la mia faccia si distese,
    posarsi quelle prime creature
78   da loro aspersïon l'occhio comprese;
e le mie luci, ancor poco sicure,
    vider Beatrice volta in su la fiera
81   ch'è sola una persona in due nature.
Sotto 'l suo velo e oltre la rivera
    vincer parìemi più sé stessa antica,
84   vincer che l'altre qui, quand' ella c'era.
Di pentèr sì mi punse ivi l'ortica,
    che di tutte altre cose qual mi torse
87   più nel suo amor, più mi si fe' nemica.
Tanta riconoscenza il cor mi morse,
    ch'io caddi vinto; e quale allora femmi,
90   salsi colei che la cagion mi porse.

76-81: *E appena* (**come**) *la mia faccia si raddrizzò* (**si distese**), *lo sguardo* (**l'occhio**) [*mio*] *percepì* (**comprese**) *che quegli angeli* (**quelle prime creature**; tra le prime ad essere create) *avevano cessato* (**posarsi**; periodo di costruzione latineggiante) *dal loro spargere* (**aspersïon**) [*fiori*]; *e i miei occhi* (**le mie luci**), *ancora incerti* (**poco sicure**) [: per vergogna e timore], *videro Beatrice rivolta* (**volta**) *verso* (**in su**) *il grifone* (**la fiera**) *che è una sola persona in due nature*. Dante solleva il viso, e la scena che appare al suo sguardo è mutata: gli angeli si sono fermati e Beatrice è fissa a guardare il grifone (cfr. XXIX, 106-108 e nota), che rappresenta il Cristo e che unisce le due diverse **nature** di aquila e di leone in un'unica **persona**, così come Cristo è insieme Dio e uomo. Terminato il rimprovero, Beatrice allontana la propria attenzione da Dante, in una superiorità che ne innalza la figura.

82-84: [*Sebbene*] *sotto il* ('**l**) *suo velo e* [*sebbene*] *oltre il fiume* (**la rivera**) [: il Lete] [*Beatrice*] *mi pareva* (**parìemi**) *superare* (**vincer**) [*in bellezza*] *se stessa quale l'avevo conosciuta in Terra* (**antica**), *più di quanto* (**che**) *superasse* (**vincer**) *qui* [: sulla Terra] *le altre* [*donne*], *quando* (**quand'ella**; **ella** è p l e o n .) *vi era* (**c'era**) [: da viva]. Rivelatasi a Dante, Beatrice ottiene lo scopo dichiarato al v. 69: Dante è sbigottito dalla sua eccezionale bellezza, superiore alla bellezza di lei stessa viva più di quanto questa superasse sulla Terra quella delle altre donne. Si consideri che qui si fa evidente, e viene in primo piano, la funzione allegorica di Beatrice, che rappresenta la dottrina rivelata, cioè la fede e

la teologia. La sua bellezza si rivela dunque naturalmente nell'atto di contemplare il mistero dell'Incarnazione del Cristo, momento centrale della religione cristiana. In questo passaggio dal rimprovero all'intangibile ed enigmatica distanza di tale contemplazione, si compie il passaggio al carattere più proprio di Beatrice nel *Paradiso*, guida spirituale ed esempio mai del tutto attingibile dell'aspirazione alla divinità; ma questo suo carattere, che qui si va delineando, apparirebbe enormemente meno ricco e profondo senza i precedenti per così dire umanizzanti di questi due ultimi canti e del secondo dell'*Inferno*.

85-87: *In quel momento* (**ivi**=lì) *mi trafisse* (**punse**) *a tal punto* (**sì**=così) *l'ortica* [: il rimorso] *del pentimento* (**di pentèr**), *che di tutte le altre cose, quella che* (**qual**) *più mi attrasse* (**torse**) *ad amarla* (**nel suo amor**), *più mi divenne* (**mi si fe'**=mi si fece) *odiosa* (**nemica**). A vedere la celeste bellezza di Beatrice, Dante è colto dal pentimento e dal rimorso, comprendendo con chiarezza il proprio errore. **L'ortica**: è immagine che esprime con efficacia l'intensità quasi fisica e bruciante del pentimento. **Qual mi torse più...**: *quel che più mi costrinse ad amarlo* (cioè le cose che Dante più aveva amato); in **torse** è contenuta un'idea di «perversione e sforzo» (Tommaseo).

88-90: *Tanta coscienza* (**riconoscenza**) [*della mia colpa*] *mi rimorse* (**morse**) *il cuore, che io caddi sopraffatto* (**vinto**) [*da essa*, svenuto]; *e quale io divenni* (**femmi**=mi feci) *allora, lo sa* (**salsi**=se lo sa) *colei* [: Beatrice]

Poi, quando il cor virtù di fuor rendemmi,
la donna ch'io avea trovata sola
93 sopra me vidi, e dicea: « Tiemmi, tiemmi! ».
Tratto m'avea nel fiume infin la gola,
e tirandosi me dietro sen giva
96 sovresso l'acqua lieve come scola.
Quando fui presso a la beata riva,
' *Asperges me*' sì dolcemente udissi,
99 che nol so rimembrar, non ch'io lo scriva.
La bella donna ne le braccia aprissi;
abbracciommi la testa e mi sommerse
102 ove convenne ch'io l'acqua inghiottissi.

---

che mi offrì (**porse**) *la ragione* (**cagion**) [: di perdere i sensi]. Lo svenimento di Dante, provocato dalla consapevolezza piena del proprio errore al cospetto della sovrumana bellezza di Beatrice, ha un chiaro valore allegorico, e significa la «liberazione dal peccato» attraverso la «morte mistica» (Pietrobono), cioè l'ultima fase della purificazione, cui l'immersione rituale nel Lete sta per imprimere la definitiva compiutezza.

91-93: *Poi, quando il cuore mi restituì* (**rendemmi**) *le facoltà* (**virtù**) *esterne* (**di fuor**) [: quando rinvenni], *vidi china su di* (**sopra**) *me la donna che io avevo trovato sola* [: Matelda; cfr. XXVIII, 37 sgg. e nota], *e diceva: «Tieniti a me* (**tiemmi** = tienimi), *tieniti a me!»*. **Quando il cor virtù...**: secondo le credenze della fisiologia medioevale, nelle forti emozioni il sangue si ritira tutto al cuore, lasciando pallide e fredde le membra e togliendo ai sensi il rapporto con l'esterno. Qui quindi Dante vuole dire: *quando il cuore restituì il sangue ai vasi periferici ridando vigore ai sensi cui spetta di mantenere il rapporto con l'esterno.*

94-96: [*Matelda*] *mi aveva trasportato* (**tratto**) *nel fiume* [*Lete*] *fino alla* (**infin la**) *gola, e se ne andava* (**sen giva**) *sull'acqua* (**sovresso l'acqua**) *leggera* (**lieve**) *come una barchetta* (**scola** = gondola; dal venez. 'scaula') *tirandomisi* (**tirandosi me**) *dietro*. La scena è di alto contenuto drammatico, e vale un nuovo battesimo (e la tecnica del battesimo per immersione era ancora viva in Firenze ai tempi di Dante): Matelda si trascina dietro Dante, immerso nel fiume fino alla gola, sfiorando la superficie dell'acqua con leggiadra leggerezza. In questo ufficio, Matelda conferma le proprie qualità di femminile gentilezza e premura: alla abitatrice dell'Eden spetta il compito di introdurre nel regno della perfezione terrena le anime del Purgatorio, preparandole con questi estremi riti purificatori ad ascendere al cielo.

97-99: *Quando fui vicino* (**presso**) *alla riva beata, si udì* (**udissi**) [*cantare*] *'Asperges me' così dolcemente, che non lo* (**nol**) *so ricordare* (**rimembrar**), *nonché* (**non ch'io**) [*tanto meno*] *scriverlo* (**lo scriva**). Matelda fa attraversare il Lete a Dante tirandoselo dietro e, quando sono vicini alla riva **beata**, oltre la quale cioè sta la beatitudine (e Beatrice con gli angeli), Dante ode gli angeli cantare dolcemente il versetto nono del *Salmo* L della *Bibbia*, che nella sua interezza significa: «Aspergimi [: bagnami] di issopo [: un profumo tratto dalla pianta omonima], e sarò purificato; lavami, e sarò più candido che neve».

100-102: *La bella donna* [: Matelda] *aprì le braccia* (**ne le braccia aprissi; aprissi** = si aprì; è compl. di relazione)*; mi abbracciò* (**abbracciommi**) *la testa e mi sommerse* [*nell'acqua*] *per cui* (**ove**) *fu inevitabile* (**convenne**) *che io inghiottissi l'acqua*. Il rito si compie con questi gesti altamente simbolici: l'aprirsi delle braccia allude all'accoglienza misericordiosa e amorevole del penitente nel regno beato, l'abbracciare la testa indica il congiungersi delle virtù intellettuali del penitente alla condizione positiva della beatitudine. Bevendo l'acqua del Lete, poi, Dante cancella da sé il ricordo dei peccati commessi e la memoria stessa del peccato originale di Adamo ed Eva, patrimonio negativo di colpa di tutta l'umanità; e così si consegna completamente rinnovato nella purezza alla **beata riva** (cfr. terzina seguente).

Indi mi tolse, e bagnato m'offerse
dentro a la danza de le quattro belle;
105 e ciascuna del braccio mi coperse.
« Noi siam qui ninfe e nel ciel siamo stelle;
pria che Beatrice discendesse al mondo,
108 fummo ordinate a lei per sue ancelle.
Merrenti a li occhi suoi; ma nel giocondo
lume ch'è dentro aguzzeranno i tuoi
111 le tre di là, che miran più profondo ».
Così cantando cominciaro; e poi
al petto del grifon seco menarmi,
114 ove Beatrice stava volta a noi.
Disser: « Fa che le viste non risparmi;
posto t'avem dinanzi a li smeraldi
117 ond' Amor già ti trasse le sue armi ».

103-105: [*Matelda*] *mi tolse di lì* (**indi**) [: dal fiume], *e mi consegnò* (**m'offerse**) *bagnato dentro* [*il cerchio*] *delle quattro belle* [: le Virtù cardinali; cfr. XXIX, 130-132 e nota] *danzanti* (**a la danza**)*; e ciascuna* [*di esse*] *mi coprì* (**coperse**) *con il* (**del**) *braccio.* Matelda consegna Dante, purificato dei peccati e con ancora evidenti i segni di tale purificazione (**bagnato**) alle quattro Virtù cardinali (prudenza, giustizia, fortezza e temperanza), le quali lo ricoprono ritualmente con il braccio per significare che lo accompagneranno d'ora in avanti proteggendolo dal vizio contrario.

106-108: [: Parlano le quattro belle] *«Qui noi siamo ninfe e nel cielo siamo stelle: prima* (**pria**) *che Beatrice discendesse nel* (**al**) *mondo, fummo destinate* (**ordinate**) [*da Dio*] *a lei come* (**per**) *sue ancelle.* Le quattro Virtù cardinali, che qui appaiono sotto forma di ninfe (semidivinità pagane dei boschi, in coerente rapporto con la selva dell'Eden), nel cielo si mostrano sotto forma di stelle (cfr. I, 22-24 e nota), create da Dio per illuminare il mondo; esse prepararono la discesa di Beatrice (figura della verità rivelata e della teologia) fin dall'epoca precristiana. Infatti le Virtù cardinali appartennero anche alla civiltà pagana, e sono anzi il punto di incontro tra questa e quella cristiana (cfr. Catone; I, 37-39 e nota); ma la civiltà cristiana, che fu preparata *anche* grazie alle Virtù cardinali, qualificò se stessa grazie soprattutto alle Virtù teologali (cfr. la terzina seguente), vere guide verso la divinità.

109-111: *Ti porteremo* (**merrenti** = ti meneremo) *dai* (**a li** = agli) *suoi* [: di Beatrice] *occhi; ma nella luce* (**lume**) *gioiosa* (**giocondo**) *che è dentro* [*di essi*] *aguzzeranno i tuoi* [*occhi*] *le tre* [*ninfe che sono*] *di là* [: cfr. XXIX, 121-129 e nota], *che vedono* (**miran**) *più in profondità* (**più profondo**)».* **Le tre...**: sono le Virtù teologali (fede, speranza, carità), capaci di guidare con maggiore profondità alla contemplazione delle cose divine.

112-114: *Così* [*le quattro belle*] *cominciarono* [*a dire*] *cantando; e poi mi condussero* (**menarmi** = mi menarono) *con sé* (**seco**) *al petto del grifone* [: che rappresenta Cristo; cfr. XXIX, 108 e nota], [*là*] *dove* (**ove**) *Beatrice stava rivolta* (**volta**) *verso di* (**a**) *noi.*

115-117: [*Le quattro belle*] *dissero: «Non risparmiare* (**fa che...non risparmi**) *gli sguardi* (**le viste**) [: guarda con la massima intensità possibile]*; ti abbiamo* (**t'avem**) *posto dinanzi agli* (**a li**) [*occhi brillanti come*] *smeraldi* [: quelli di Beatrice] *dai quali* (**ond'⟨e⟩**) *Amore un tempo* (**già**) *ti lanciò* (**ti trasse**) *le sue frecce* (**armi**)».* Dante è invitato a contemplare intensamente gli occhi di Beatrice, quegli occhi che da giovane lo fecero innamorare e lo indirizzarono al bene e che ora devono introdurlo alla visione e alla comprensione delle cose divine. Ancora una volta è ribadita la continuità di questo momento centrale del viaggio (e della *Commedia*) con la vicenda giovanile della *Vita Nuova*, dopo la parentesi (ormai rimossa dalla purificazione) del traviamento. Per tutto il *Paradiso* lo sguardo di Beatrice avrà una gran-

Mille disiri più che fiamma caldi
strinsermi li occhi a li occhi rilucenti,
120   che pur sopra 'l grifone stavan saldi.
Come in lo specchio il sol, non altrimenti
la doppia fiera dentro vi raggiava,
123   or con altri, or con altri reggimenti.
Pensa, lettor, s'io mi maravigliava,
quando vedea la cosa in sé star queta,
126   e ne l'idolo suo si trasmutava.
Mentre che piena di stupore e lieta
l'anima mia gustava di quel cibo
129   che, saziando di sé, di sé asseta,
sé dimostrando di più alto tribo
ne li atti, l'altre tre si fero avanti,
132   danzando al loro angelico caribo.

de importanza, divenendo un vero e proprio mezzo di elevazione per Dante.

118-120: *Mille desideri* (**disiri**) *più caldi che fiamma costrinsero i miei occhi* (**strinsermi li occhi** = mi costrinsero gli occhi) *verso gli* (**a li** = agli) *occhi rilucenti* [*di Beatrice*], *che stavano sempre* (**pur**) *fissi* (**saldi**) *sul* (**sopra 'l**) *grifone*. I vv. 118 sg. sono pieni di passione, e dicono (come molti altri indizi di questi canti) il confluire del sentimento umano d'amore per Beatrice nel sovrumano protendersi verso il suo valore allegorico.

121-123: *Come il sole* [*si riflette*] *nello* (**in lo**) *specchio, non diversamente* (**non altrimenti**) *la fiera doppia* [: metà leone e metà aquila; cioè l'uomo-Dio; cioè Cristo] *vi splendeva* (**raggiava**) *dentro* [: negli occhi di Beatrice], *ora con atteggiamenti* (**reggimenti**) *di un tipo* (**con altri**) [: umani], *ora dell'altro* (**con altri**) [: divini]. Dante vede riflesso negli occhi di Beatrice il grifone, il quale mostra ora la sua natura di uomo e ora quella di Dio, e cioè il suo mistero. Il che allegoricamente significa che Dante contempla il divino non direttamente (per ciò ancora non è infatti maturo) ma attraverso la mediazione di Beatrice; così gli uomini, attraverso la teologia, possono vedere il mistero dell'Incarnazione e, in genere, le cose divine.

124-126: *O lettore, pensa se io mi maravigliavo* (**maravigliava**), *nel vedere* (**quando vedea; vedea** = vedevo) *l'oggetto* (**la cosa**) [: il grifone] *restare* (**star**) *in sé fermo* (**queta**), *mentre* (**e**) *nella sua immagine* (**ne l'idolo suo**) [: quella riflessa negli occhi di Beatrice] *si*

andava trasformando (**si trasmutava**) [*continuamente*; dalla natura umana a quella divina, e viceversa; cfr. v. 123]. Il grifone in sé, direttamente osservato, appare a Dante immobile nel suo aspetto; mentre l'immagine del grifone riflessa negli occhi di Beatrice si muta incessantemente. Il che significa che solo nella riflessione umana (guidata dalla teologia) le due nature di Cristo appaiono distinte (e diversamente non sono concepibili), mentre nella persona reale di Cristo stesso (il grifone) esse sono indissolubilmente congiunte in un unico essere; e il mistero sta proprio in questo. **Pensa, lettor...**: come in altri momenti particolarmente drammatici o significativi del poema, Dante si rivolge in modo diretto al lettore, chiamandolo a partecipare al racconto con le proprie emozioni e riflessioni; si tratta di un espediente retorico non raro anche nelle letterature classiche.

127-132: *Mentre la mia anima, piena di stupore e lieta, godeva* (**gustava**) *di quel nutrimento* (**cibo**) [*spirituale*] *che, nel dare di se stesso pieno soddisfacimento* (**saziando di sé**), *dà* [*nuovo*] *desiderio di sé* (**di sé asseta**), *si fecero* (**fero**) *avanti le altre tre* [: le Virtù teologali, rappresentate come tre donne; cfr. XXIX, 121-129], *dimostrandosi* (**sé dimostrando**) *nel comportamento* (**ne li atti**) *di maggiore* (**più alto**) *valore* (**tribo** = classe, casta; lat. 'tribus'; cfr. l'ital. mod. 'tribù'), *danzando al* [*suono del*] *loro angelico canto* (**caribo**). La contemplazione del grifone riflesso negli occhi di Beatrice soddisfa il desiderio di Dante di conoscere le cose divine, e contemporaneamente accende in lui un

« Volgi, Beatrice, volgi li occhi santi »,
era la sua canzone, « al tuo fedele
135   che, per vederti, ha mossi passi tanti!
Per grazia fa noi grazia che disvele
a lui la bocca tua, sì che discerna
138   la seconda bellezza che tu cele ».
O isplendor di viva luce etterna,
chi palido si fece sotto l'ombra
141   sì di Parnaso, o bevve in sua cisterna,
che non paresse aver la mente ingombra,
tentando a render te qual tu paresti
là dove armonizzando il ciel t'adombra,
145   quando ne l'aere aperto ti solvesti?

sempre nuovo desiderio di conoscenza. Si noti la r e p l i c a z i o n e di **sé**, tre volte, ai vv. 129 sg. (rafforzata dalla presenza della /s/ anche in **saziando**, in **asseta** e in **dimostrando**), volta a sottolineare l'insistenza del guardare di Dante e il riaccendersi, circolarmente, di nuovo desiderio ad ogni successiva soddisfazione. **Di più alto tribo**: la superiorità delle Virtù teologali su quelle cardinali sancisce la superiorità della civiltà cristiana (cui le Virtù teologali appartengono in modo esclusivo) su quella precristiana (con la quale il Cristianesimo condivide il possesso delle Virtù cardinali).

133-135: *La loro* (**sua**) [: delle tre Virtù teologali] *canzone diceva* (**era**) «*Volgi, o Beatrice, volgi* (**li**) *occhi santi verso il* (**al**) *tuo fedele* [: Dante] *che, per vederti, ha fatto* (**mossi**) *tanti passi!* **Fedele**: cfr. *Inf.* II, 98; significa sia *innamorato* che *devoto*, e vale quindi a congiungere i due diversi rapporti (quello umano della *Vita Nuova* e quello trascendente del *Paradiso*, che si sta aprendo) di Dante con Beatrice.

136-138: *Per grazia fa a noi la grazia di disvelare* (**che disvele**) *a lui* [: Dante] *la tua bocca, così che* [*egli*] *veda* (**discerna**) *la seconda bellezza che tu nascondi* (**cele** = celi) [*ancora con il velo*]». Le Virtù teologali intercedono per Dante, chiedendo a Beatrice di liberarsi completamente il viso dal velo, così da mostrare a Dante, dopo gli occhi, anche la seconda bellezza del proprio volto: la bocca. C'è un'evidente intenzione allegorica, in questa successione; evidente ma non, per noi, chiara. È utile ricordare quanto Dante annota nel *Convivio* (III, VIII, 8): «Nella faccia massimamente in due luoghi opera l'a-

nima [...], cioè ne li [negli] occhi e ne la [nella] bocca»; ed è opportuno tenere presente che alla visione degli occhi di Beatrice Dante è introdotto dalle Virtù cardinali (cfr. v. 109) ed a quella della bocca dalle Virtù teologali: così che questa **seconda bellezza** deve intendersi come una maggiore pienezza di splendore, come un offrirsi più compiuto della divinità allo sguardo di Dante.

139-145: *O* [*Beatrice,*] *specchio* (**isplendor**) *della* (**di**) *viva luce eterna* [*di Dio*]*, chi* [: quale poeta] *si fece pallido con impegno* (**sì**) *sotto l'ombra del* (**di**) [*monte*] *Parnaso, o bevve dalla* (**in**) *sua fonte* (**cisterna**)*, che non sembrasse* (**paresse**) *avere la mente impedita* (**ingombra**)*, tentando di* (**a**) *esprimere* (**render**) *quale tu ti mostrasti* (**te qual tu paresti**) *là* [: nell'Eden] *dove con le sue armonie* (**armonizzando**) *il cielo rappresenta imperfettamente la tua immagine* (**t'adombra**)*, quando ti sciogliesti* (**solvesti**) [*dal velo*] *nell'aria libera* (**ne l'aere aperto**)? Dante rivolge a Beatrice, specchio della **luce etterna** di Dio, un interrogativo con cui si chiude il canto, affermando, con la domanda, l'inadeguatezza per la lingua umana (foss'anche quella di un poeta favorito dal cielo) di esprimere la bellezza di Beatrice completamente liberata dal velo: essa, in quanto divina, è per l'uomo indicibile. La conclusione del canto, come sospesa nell'interrogativo, apre verso una prospettiva di spazi vasti e luminosi la materia della narrazione, e sottolinea lo smarrimento e l'entusiasmo di Dante in questo primo contatto vero e proprio con il divino. Si veda quale attenta distribuzione di luci ed ombre caratterizzi questa domanda conclusiva; ad un primo ed ultimo verso luminosissimi (**isplendor** e **viva luce;**

aere aperto) corrisponde il prevalere di tinte ombrose nei versi centrali (**palido, ombra, ingombra, adombra**): infatti il primo verso è per la lucentezza della divinità quale si mostra in Beatrice e l'ultimo per Beatrice medesima, mentre i versi centrali riguardano l'inadeguatezza degli sforzi umani a rendere tale splendore e la stessa imperfezione del Paradiso terrestre rispetto ad esso. **Parnaso**: secondo la tradizione classica è il monte di Apollo, dio delle arti, e delle Muse, loro protettrici. **Cisterna**: è la fonte Castalia sul monte Parnaso. **Là dove armonizzando...**: il verso si presta a diverse interpretazioni, ed è stato infatti variamente spiegato; noi abbiamo proposto la lettura più semplice, con la quale si perde però parte della ricchezza e della profondità del verso legate soprattutto al p o l i s e n s o di **armonizzando** (*facendo armonie*, ma anche *essendo armonioso*, ecc.) e di **t'adombra** (*ti imita imperfettamente*, ma anche *ti raffigura*): così che il v. 144 potrebbe anche leggersi (come fa il Mazzoni) come un'affermazione del rapporto organico tra lo splendore del cielo e quello di Beatrice, anziché come un'affermazione della superiorità di questa sul cielo stesso dell'Eden; nel primo caso Dante si riferirebbe al cielo come a un «vestigio della divina bontà e bellezza». Ma la costruzione del periodo (anche in relazione a quanto osservato a proposito dell'alternarsi di luce ed ombra) e l'insistere sull'eccezionalità dello splendore del volto di Beatrice in sé, quale che sia lo sfondo, fanno propendere piuttosto per l'altra lettura.

Cisterna   v. 141

Il vocabolo deriva dal sost. lat. *cisterna* (da *cesta* = 'cista, paniere') = 'serbatoio di acqua piovana' (cfr. franc. ant. *cisterne*, franc. *citerne*, sp. *cisterna*). Indica un 'serbatoio per il raccoglimento e la conservazione dell'acqua piovana' (cfr. derivati e composti mod. come *nave-cisterna*, *autocisterna* = 'veicoli adattati, con un serbatoio, al trasporto di liquidi'). Anticamente significava anche 'fonte' (ma non risultano altri esempi, oltre il luogo di Dante in questione, di questa accezione).

Doglia   v. 69

La voce deriva dal lat. tardo **dolia* (neutro plur. di *dolium*, deverbale di *dolēre*, sopravvissuto in *cordolium* = 'cordoglio'). È vocabolo letter. che indica un 'dolore fisico' — cfr. *Inf.* I, 102 — 'o morale: angoscia' — cfr. *Purg.* XXXI, 69. Oggi la voce si usa solo al plur. *doglie* per designare i dolori che precedono e accompagnano il parto.

Ìdolo   v. 126

È voce dotta derivata dal lat. *īdolum* ('immagine', dal gr. εἴδωλον [èidolon] = 'simulacro'; cfr. franc. *idole* e sp. *idolo*). Il termine indica un 'oggetto venerato perché ritenuto sacro, divino o simbolo della divinità'. Dante usa la forma ant. e letter., con valore etimologico di 'immagine, figura'. Oggi la voce indica per lo più una 'persona fatta oggetto di ammirazione fanatica o di venerazione (non senza sfumature ironiche o spregiative)'.

Canto XXXII

Dante fissa Beatrice con tale intensità che le Virtù teologali lo invitano a distogliere un poco lo sguardo, non essendo ancora maturo a tale contemplazione. A questo punto, Dante si accorge che la processione si è rimessa in cammino, in senso inverso rispetto al canto XXIX. Dopo un po', essa si ferma dinanzi ad un grande albero senza foglie e tutti mormorano il nome di Adamo: è l'albero della scienza del bene e del male, posto nell'Eden da Dio. Adamo ed Eva vollero cibarsi dei suoi frutti contro il comando divino, perdendo l'innocenza e il Paradiso terrestre; esso rappresenta la giustizia divina, spogliata delle sue foglie a causa di quella colpa originale. Davanti agli occhi di Dante, la pianta si ricopre rapidamente di foglie purpuree, alludendo alla Redenzione operata da Cristo con il suo sangue. Poi il grifone, cioè Cristo, lega il carro (la Chiesa) all'albero, e torna in cielo con tutto il corteo. Beatrice si siede presso le radici dell'albero e invita Dante ad osservare attentamente quanto sta per avvenire, così da scriverlo, quando sarà tornato sulla Terra, «in pro [: per il bene] del mondo che mal vive» (v. 103): suprema investitura, volta a sottolineare, in un momento solenne, l'alta funzione spirituale attribuita da Dante alla Commedia.

I fatti che si susseguono con incalzante rapidità rappresentano allegoricamente le vicende della Chiesa dopo la Redenzione. Un'aquila si abbatte veloce, lacerando fiori e rami dell'albero, a percuotere il carro (le persecuzioni degli imperatori romani — l'aquila è il simbolo dell'Impero — contro i primi cristiani); quindi una volpe affamata è messa in fuga da Beatrice (le eresie corrette dalla sorveglianza della teologia). Torna l'aquila e lascia le sue penne sul carro (la donazione dell'imperatore Costantino alla Chiesa), mentre dal cielo si ode una voce lamentarsene. Un drago (gli scismi e l'espansione dell'islamismo) spezza e porta via una parte del carro. Intanto, corrotta dai possessi temporali inaugurati con la donazione di Costantino, la Chiesa (il carro) si trasforma in un mostro con sette teste e dieci corna, quale è raffigurato da san Giovanni nell'Apocalisse. Infine una sfacciata puttana prende posto sul carro, sorvegliata da un gigante che la percuote e poi la rapisce con sé: la Chiesa, corrotta e lacerata da discordie, è in balìa del re di Francia, che la insulta (con allusione all'offesa di Anagni di Filippo il Bello a Bonifacio VIII) e la rapisce (con allusione al trasferimento della sede papale ad Avignone, in Francia).

La scena è di potente significato morale e di alta ispirazione storica e polemica, anche se risolta nei modi visionari e profetici tipicamente medioevali (con particolare contiguità con il g i o a c h i m i t i s m o); Dante vi traccia, più che una semplice storia della Chiesa, una vera e propria storia dell'umanità, rivelando di concepire gli avvenimenti successivi alla Redenzione del Cristo come una seconda caduta dopo quella originale di Adamo.

Canto XXXIII

Alla trasformazione allegorica del carro (che rappresenta la Chiesa) in mostro ed al suo rapimento da parte del gigante, segue il lamento delle sette Virtù e l'annuncio profetico di Beatrice di un imminente rinnovamento spirituale della Chiesa, operato da un messo di Dio, probabilmente un imperatore (forse quell'Enrico VII in cui Dante ripose tante speranze): questi punirà duramente i colpevoli della corruzione e della decadenza dell'istituto ecclesiastico e ristabilirà il giusto rapporto tra Impero e Papato.

Attraverso le oscure parole della profezia di Beatrice, Dante ha modo di riaffermare la propri fiducia nella giustizia divina, ricollegandosi alla profezia del Veltro *nel primo canto dell'*Inferno, *forte di una concezione assai più definita e matura sul piano politico e spirituale; ed ha modo di insistere sul valore preparatorio del poema rispetto a tale profonda riforma civile e religiosa.*

A mezzogiorno Dante, accompagnato da Beatrice, da Matelda, dalle sette Virtù e da Stazio, giunge alla sorgente del Lete e dell'Eunoè e qui, per ordine di Beatrice, è condotto da Matelda a bere le acque del secondo, che rinnovano la memoria delle opere buone; cosicché, del tutto purificato, è pronto ad ascendere al cielo.

Un fatto importante di questo canto è il trasformarsi dell'atteggiamento di Beatrice, non più severa accusatrice ma guida e maestra materna, presa tutta dal suo compito di chiarire i dubbi di Dante indicandogli la strada da seguire: così sarà la Beatrice del Paradiso.

Dinanzi ad esse Ëufratès e Tigri
veder mi parve uscir d'una fontana,
114   e, quasi amici, dipartirsi pigri.
« O luce, o gloria de la gente umana,
che acqua è questa che qui si dispiega
117   da un principio e sé da sé lontana? ».
Per cotal priego detto mi fu: « Priega
Matelda che 'l ti dica ». E qui rispuose,
120   come fa chi da colpa si dislega,
la bella donna: « Questó e altre cose
dette li son per me; e son sicura
123   che l'acqua di Letè non gliel nascose ».

112-114: *Dinanzi ad esse* [: le sette donne che precedono Dante e Stazio, le Virtù cardinali e teologali, che si sono appena fermate] *mi parve* [*di*] *vedere uscire da un'unica sorgente* (**d'una fontana**) *il Lete e l'Eunoè* (**Eufratès e Tigri**), *e separarsi pigramente* (**pigri**), *quasi* [*come*] *amici* [*costretti a separarsi*]. Dante è giunto, parlando con Beatrice e in compagnia di Stazio e delle sette donne, alla sorgente del Lete e dell'Eunoè. E chiama i due fiumi dell'Eden *Tigri* ed *Eufrate* paragonandoli implicitamente ai fiumi gemelli mesopotamici che, secondo la *Bibbia*, nascevano anch'essi da un'unica sorgente (*Gen.*, II, 10-14).

115-117: [: Dante chiede a Beatrice:] «*O luce, o gloria dell'umanità* (**de la gente umana**), *che acqua è questa che sgorga* (**si dispiega**) *da un'unica sorgente* (**da un principio**) *e si allontana da se stessa* (**sé da sé lontana**) [: dividendosi in due corsi distinti]*?*».

118-123: *Per effetto di* (**per**) *questa* (**cotal**) [*mia*] *preghiera* (**priego**) [: umile domanda] *mi fu detto* [*da Beatrice*]: «*Prega Matelda che te* (**ti**) *lo* ('*l* = il) *dica*». *E a questo punto* (**qui**) *la bella donna rispose* [: Matelda] *rispose* [*a Beatrice*], *come fa chi si libera* (**dislega** = scioglie) *da una colpa* [*di cui sia accusato*]: «*Questo e altre cose gli* (**li**) *sono* [*state*] *dette da* (**per**) *me; e sono sicura che l'acqua del* (**di**) [*fiume*] *Lete* [: che dà l'oblio del male] *non gliele* (**gliel**) *nascose* [*alla memoria*]». Dante prega Beatrice di dirgli che fiumi siano quelli che nascono dalla duplice sorgente; Beatrice lo invita a chiederlo a Matelda; Matelda dichiara di averglielo già detto (e lo ha fatto invero in XXVIII, 121-133) e che Dante non può averlo dimenticato per aver bevuto l'acqua del Lete, che toglie, in-

fatti, solo la memoria del male. **Matelda**: il nome della **bella donna**, apparsa a Dante all'inizio del canto XXVIII, viene rivelato solo a questo punto, quando gran parte della sua funzione è stata espletata; vero è che le resta da compiere l'ultimo importante rito, quello di immergere Dante nell'Eunoè per il definitivo compimento della sua purificazione. Quanto all'identità storica di Matelda, gli interpreti antichi erano d'accordo nel riconoscervi la contessa Matilde di Canossa (1046-1115), fermamente devota alla parte papale nel momento più acerbo della lotta per le investiture. A molti moderni è parso strano che Dante scegliesse una acerrima nemica dell'Impero per una funzione così importante (ma il caso di Catone non è molto dissimile), per non parlare di altri particolari poco fedeli alla persona storica di Matilde di Canossa, che era, per esempio, una fiera combattente ed è qui rappresentata come una delicata fanciulla (ma è anche vero che di Matilde, Dante, come i suoi contemporanei, dovette conoscere poche notizie). Così sono nate numerose ipotesi. Senz'altro la più suggestiva propone di riconoscere in Matelda «una delle amate subalterne di Dante», e precisamente la *donna gentile* della *Vita Nuova*, specie se si spiegasse il **come tu se'** usa del v. 128 con *come già praticasti* (Contini, che riprende un'idea di Natali); si creerebbe un rapporto strutturalmente plausibile con Beatrice, con la rievocazione giovanile tipica dei canti dell'Eden, con il ritorno ideale all'esperienza della *Vita Nuova*. Naturalmente la figura della donna gentile, già nella *Vita Nuova* fortemente simbolica, avrebbe subìto qui un'ulteriore idealizzazione, adattandosi alla funzione assegnatale (Cfr. anche la nota a XXIX, 32-34). **Come fa chi da colpa...**: perché «chi sa, e non insegna, è [ha] colpa» (Landino).

E Bëatrice: « Forse maggior cura,
che spesse volte la memoria priva,
126   fatt' ha la mente sua ne li occhi oscura.
Ma vedi Eünoè che là diriva:
menalo ad esso, e come tu se' usa,
129   la tramortita sua virtù ravviva ».
Come anima gentil, che non fa scusa,
ma fa sua voglia de la voglia altrui
132   tosto che è per segno fuor dischiusa;
così, poi che da essa preso fui,
la bella donna mossesi, e a Stazio
135   donnescamente disse: « Vien con lui ».
S'io avessi, lettor, più lungo spazio
da scrivere, i' pur cantere' in parte
138   lo dolce ber che mai non m'avrìa sazio;
ma perché piene son tutte le carte
ordite a questa cantica seconda,
141   non mi lascia più ir lo fren de l'arte.

124-126: *E Beatrice* [*disse a Matelda*]*: «Forse un interesse* (**cura**) *maggiore, che spesse volte toglie* (**priva**) *la memoria, ha resa* (**fatt'ha**) *la sua mente oscura rispetto a quel che ora vede* (**ne li occhi**). La visione della processione simbolica e l'incontro con Beatrice hanno forse oscurato la memoria di Dante rispetto a quanto gli aveva detto Matelda, così che ora egli crede di non sapere che cosa sia quel che vede.

127-129: *Ma vedi l'Eunoè che si dirama da quella parte* (**che là diriva**)*: conducilo* [: Dante] *ad esso, e come tu sei* (**se'**) *solita* (**usa**)*, rianima* (**ravviva**) *la sua indebolita* (**tramortita**) *capacità* (**virtù**) [*della memoria*]*».* Come nel Lete Dante ha rimosso il ricordo dei peccati commessi, così nell'Eunoè deve ora ritrovare e rinforzare il ricordo del bene operato, completando la preparazione per ascendere al cielo. Anche questo secondo rito è abitualmente assistito da Matelda, come rivela il fatto che ella lo faccia compiere anche a Stazio (cfr. vv. 134 sgg.) e il **come tu se' usa** rivoltole da Beatrice (ma cfr. a tal proposito la nota ai vv. 118-123).

130-135: *Come un'anima nobile* (**gentil**)*, che non adduce* (**fa**) *scuse* [*per sottrarsi al suo compito*]*, ma conforma* (**fa**) *il proprio desiderio* (**sua voglia**) *al* (**de la**) *desiderio* (**voglia**) *altrui non appena* (**tosto che**) [*questo*] *è manifestato* (**fuor dischiusa**) *con qualche segno* (**per segno**)*; così la bella donna* [: Matelda]*, dopo* (**poi che**) *avermi preso* (**da essa preso fui**) [*per mano*]*, si avviò* (**mossesi** = si mosse)*, e disse con grazia signorile* (**donnescamente**) *a Stazio: «Vieni* [*anche tu*] *con lui».* Dante insiste ancora sulla gentilezza di Matelda, pronta ad obbedire alla volontà di Beatrice non appena questa la abbia in qualche modo manifestata.

136-141: *Se io avessi, o lettore, più lungo spazio per* (**da**) *scrivere, io* (**i'**) *racconterei* (**cantere'** = canterei) *ancora* (**pur**) *per quel che è possibile* (**in parte**) *il* (**lo**) *dolce bere* [*le acque dell'Eunoè*] *che non mi avrebbe* (**m'avrìa**) *mai saziato* (**sazio**)*; ma poiché* (**perché**) *le carte dedicate* (**ordite** = preparate) *a questa seconda cantica* [: il Purgatorio] *sono tutte piene, il* (**lo**) *freno dell'arte* [: la misura e l'equilibrio] *non mi lascia procedere* (**ir** = ire = andare) *oltre* (**più**)*.* **Cantica**: il termine compare solo qui, nella *Commedia;* nelle *Epistole* (XIII, 26) Dante spiega che il poema si divide in tre *cantiche* e ogni *cantica* in *canti.* **Lo fren de l'arte**: allude all'equilibrio strutturale dell'opera, che non tollera asimmetrie, specie nelle poetiche medioevali, rigidamente fedeli ad un ideale altamente calcolato e armonioso di arte.

Io ritornai da la santissima onda
rifatto sì come piante novelle
rinovellate di novella fronda,
145 puro e disposto a salire a le stelle.

142-145: *Io ritornai* [: alla riva, presso Beatrice] *dall'acqua* (**onda**) *santissima* [*dell'Eunoè*] *rinvigorito* (**rifatto**) *così* (**sì**) *come giovani* (**novelle**) *piante rinnovate* (**rinovellate**) *di nuove* (**novella**) *fronde, puro e pronto* (**disposto**) *a salire alle stelle* [: in Paradiso]. La conclusione del canto, e della c a n t i c a , è gioiosa ed entusiastica, specialmente grazie alla r e p l i c a z i o n e dei vv. 143 sg. (**novelle, rinovellate, novella**), volta ad esprimere la rinnovata condizione di Dante, la sua nuova *purezza* e la imminente ascesa al cielo. **Stelle**: è la parola con cui si concludono le tre le c a n t i c h e , con armonioso richiamo strutturale, ad indicare che la vera meta dell'esistenza umana è nel cielo, in Dio.

Cura _____ v. 124

La voce deriva dal lat. *cura* = 'preoccupazione, attenzione' (cfr. franc. *cure* e sp. *cura*). Il vocabolo ha molti significati. I principali sono: 'interessamento attento ad una persona o ad una cosa, provvedendo alle sue necessità'; 'impegno nello svolgimento di qualcosa' — cfr. *Par.* XI, 1 —; 'pensiero, compito, preoccupazione' — cfr. *Purg.* XXXIII, 124 —; 'fine, intenzione, scopo' — cfr. *Purg.* XXX, 106 —; in senso figur. 'rimedio estremo per superare una situazione grave (morale, politica ecc.)'; come forma letter. indica 'affanno, dolore' e anche 'desiderio, voglia' — cfr. *Purg.* XXIII, 67. La locuzione «avere cura di qualcosa o di qualcuno» vale 'occuparsene attivamente, proteggere'. Oggi il vocabolo, pur mantenendo molti dei significati elencati (benché alcuni siano decisamente ant. e letter.), si usa soprattutto per indicare la 'terapia, l'insieme delle prescrizioni di un medico per guarire una malattia' e in locuzioni affini (cfr. p. es. «cura termale» e «casa di cura»).

Paradiso

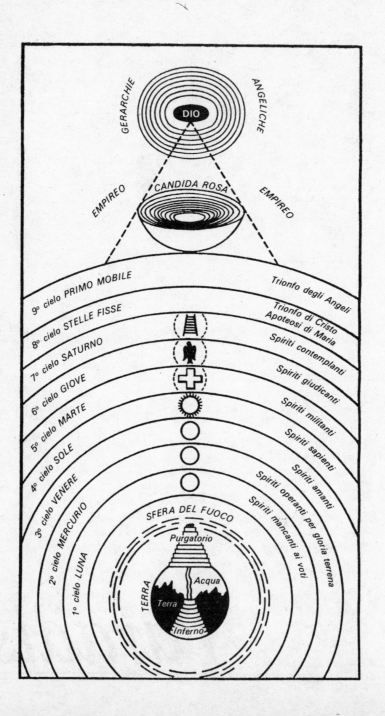

INTRODUZIONE

1. LA CITTÀ CELESTE.

La struttura e i caratteri dell'*Inferno* e del *Purgatorio* di Dante sono concepiti in contrapposizione tra loro, eppure mantengono caratteri comuni. Infatti il legame che entrambi questi regni intrattengono con la dimensione terrena è piuttosto evidente, mentre nel *Paradiso* esso è molto meno forte, quasi assente. Inoltre, benché i beati appaiano distribuiti in sette ordini (come nel *Purgatorio*), lo spazio sia suddiviso in nove zone più una (come nell'*Inferno*) e tra la struttura delle tre c a n t i c h e sia possibile individuare molte altre affinità, le differenze che distinguono il *Paradiso* dall'*Inferno* e dal *Purgatorio* sono molto più interessanti e significative delle analogie.

Innanzitutto si consideri che il Paradiso è la *città celeste* perfetta e definitiva, non soggetta a turbamenti né a trasformazioni. In essa sono accolti i giusti dopo la morte, ed il loro numero è stato stabilito da Dio da sempre: raggiunto tale numero il mondo finirà e con il Giudizio universale avverrà la suddivisione finale tra salvi e dannati e tutti rivestiranno i propri corpi mortali (i dannati per accrescere le proprie pene e i beati per godere più pienamente della felicità paradisiaca). Il numero degli uomini destinati alla salvezza corrisponde esattamente a quello degli angeli che si ribellarono a Dio sùbito dopo essere stati creati e che furono scaraventati con il loro capo, Lucifero, sulla Terra creando la voragine infernale. Tali angeli furono un decimo del totale. Quindi il Paradiso è destinato ad essere abitato per nove decimi da angeli e per un decimo da uomini. Tutta la storia umana, in questa ottica, è concepita come un grandioso convergere a questo fine trascendente, alla realizzazione del disegno divino: poiché tale fine (nei suoi modi e tempi) è già stabilito da Dio, l'uomo è soggetto alla *predestinazione*; ma poiché la realizzazione di esso segue le strade complesse e imprevedibili della storia, individuale e collettiva, l'uomo è padrone del *libero arbitrio*.

2. LA STRUTTURA DEL PARADISO. LA VERA SEDE DEI BEATI.

In una prospettiva strettamente spaziale, il Paradiso è tutto ciò che sta al di sopra della sfera del fuoco, che segna il confine tra le cose contingenti (deperibili e mutevoli) e le cose trascendenti (incorruttibili ed eterne): le prime sono al di sotto di essa, le seconde al di sopra. Il Paradiso si divide in *nove cieli* (o sfere) concentrici via via più grandi, contenuti tutti dall'*Empireo*, una specie di decimo cielo che si distingue dagli altri per essere immobile. Nell'Empireo ha propriamente sede Dio, benché la sua presenza si manifesti in forma mediata anche in ogni altra parte dell'Universo: entro l'Empireo è contenuto il *cielo nono* (o *Primo Mobile*), al quale la potenza divina si trasmette come movimento rapidissimo. Dal Primo Mobile tale movimento si comunica via via ai cieli sottostanti, differenziandosi, grazie all'intervento operativo degli angeli. Raggiunge infine la Terra (al centro dell'Universo) influenzandola in diversi modi a seconda dell'influsso degli astri (il quale, così, è accettato da Dante ma ricondotto all'ordine emanato da Dio).

La maggiore diversità rispetto all'Inferno e al Purgatorio è che nel Paradiso tutte le anime sono in un'unica zona, l'ultima, cioè nell'Empireo.

Infatti, come la potenza di Dio scende dall'Empireo verso il basso, così tutto l'Universo aspira a ricongiungersi a Dio, suo creatore, protendendosi verso l'alto: il moto stesso dei cieli è determinato (nell'ottica di questo secondo sistema) dall'amore dell'Universo per Dio e dal desiderio di ricongiungersi a lui. L'*ordine universale* è quindi il frutto di *due sistemi* paralleli e cooperanti: il distribuirsi della potenza di Dio verso il basso e il manifestarsi del desiderio di Dio verso l'alto; cioè è doppiamente il frutto dell'intervento di Dio, come Potenza e come Amore. Il rapporto che intercorre tra i due termini e che determina la condizione dell'Universo nel loro perfetto equilibrio è la Sapienza o Giustizia infinita di Dio. Così che l'unico essere divino si manifesta, nell'unico ordine universale, in tre modi, secondo il proprio carattere uno e trino (alla Potenza corrisponde Dio-Padre, alla Sapienza Dio-Figlio, all'Amore Dio-Spirito Santo).

Ci si chiederà quale rapporto ci sia tra questa aspirazione degli esseri verso l'alto e la collocazione di tutti i beati nell'Empireo, al cospetto diretto di Dio. Ebbene: è ovvio che i giusti, liberi dagli impedimenti del peccato, si innalzino fino alla meta della propria coscienza, senza il raggiungimento della quale non vi sarebbe completo appagamento né perciò beatitudine. Dunque le anime del Paradiso sono interamente appagate e beate. Ma tutte nello stesso modo, senza tener conto dei diversi meriti individuali? Infatti, come di diversa gravità possono essere i peccati, così diversamente grandi, è ovvio, possono essere i meriti.

Dante ha dovuto trovare una soluzione soddisfacente a questo problema. Se non era infatti possibile formare una graduatoria nei premi (ciò infatti avrebbe reso imperfetta la condizione di tutti i gradi di beatitudine, con l'unica eccezione del più elevato), non era neppure possibile ignorare l'obiettiva diversità delle singole esperienze terrene. Inoltre la narrazione stessa avrebbe corso il rischio di divenire monotona e ripetitiva, dovendo limitarsi alla semplice descrizione dell'Empireo.

Dante dà una soluzione a entrambi questi problemi, sia quello dottrinale che quello artistico. In effetti, se tutte le anime beate hanno la loro sede nell'Empireo al cospetto diretto di Dio, non tutte raggiungono per questo il medesimo grado di beatitudine. Infatti la beatitudine consiste nella *visione di Dio*. Ma questa, benché sia possibile in egual modo per tutti i beati, produce un risultato diverso, in termini di beatitudine, a seconda della condizione interiore delle varie anime. Cioè: ognuna ha modo di appagarsi interamente nei propri desideri, ma ognuna ha desideri diversi e quindi un diverso grado di beatitudine. In questo modo è soddisfatta sia l'esigenza di rendere pienamente realizzato ogni livello di beatitudine, sia quella di riconoscere le differenti condizioni individuali rispetto alla Grazia divina.

3. LA DISTRIBUZIONE DEI BEATI.

Resta da considerare in che modo questa complessa situazione, caratterizzante la dimensione interiore delle anime ma non visibile all'esterno di esse, sia stata resa percepibile da Dante; cioè in che modo egli ne abbia dato un'espressione artistica che gli permettesse, al contempo, di arricchire la struttura narrativa della c a n t i c a , rendendo possibile un meccanismo simile a quello dei due regni già descritti.

Dante ha immaginato che la Grazia divina abbia eccezionalmente creato le condizioni perché ai suoi occhi umani (e perciò imperfetti) fosse visibile la dimensione interiore delle anime. E poiché la mente umana è in grado di capire solo ciò che le si manifesta attraverso i sensi, le anime si sono distribuite nei vari cieli a seconda del proprio livello di beatitudine. Ma la provvisoria dislocazione dei beati più o meno lontani dall'Empireo rimanda solamente alla loro condizione interiore nei confronti della beatitudine e della Grazia, secondo i criteri appena illustrati; la sede vera di tutti è in realtà l'Empireo. Anzi, giunto al termine del suo viaggio, nell'Empireo, a Dante si mostrano per una seconda volta tutte le anime del Paradiso, manifestandoglisi (dopo che gli è stata sensibilmente chiarita la loro diversità interiore) la vera forma del Paradiso. In più nell'Empireo a Dante è concesso di vedere i beati come saranno dopo il Giudizio universale, e cioè con i propri corpi terreni.

Bisogna ora considerare secondo quale criterio le anime si mostrano a Dante nei vari cieli.

Si tenga intanto presente che i beati si distribuiscono solo nei primi *sette cieli*, che prendono il nome da altrettanti pianeti (come tali erano considerati anche la Luna e il Sole). L'*ottavo cielo* è quello delle *stelle fisse*, il nono è il Primo Mobile, come si è già visto, al di là del quale sta l'Empireo.

La posizione dei beati nei primi sette cieli è determinata secondo un duplice criterio, corrispondente ai due sistemi dell'ordine universale dei quali si è parlato sopra: 1) i beati sono in questo o in quel cielo a seconda che abbiano ricevuto dall'uno o dall'altro maggiore influsso nella loro vita, e cioè a seconda che siano stati caratterizzati in un modo o nell'altro dagli astri (infatti ad ogni pianeta ed al cielo relativo corrisponde una tendenza particolare); 2) i beati sono diversamente disposti rispetto alla Grazia divina e quindi rispetto alla beatitudine a seconda del modo nel quale vissero, e cioè a seconda di come seppero realizzare la propria aspirazione al bene. Come si vede, al punto 1) corrisponde la *predestinazione* e al punto 2) il *libero arbitrio*: le due cose non sono e non possono essere mai in contraddizione tra loro, né l'una limita in alcun modo l'altra, anche se la loro coincidenza sembra rendere ciò inevitabile. Si tratta di un mistero insondabile per la ragione umana (e per Dante esso costituisce uno dei più frequenti motivi di dubbio e di riflessione).

Le anime si mostrano dunque nei vari cieli a seconda di quale fu l'influsso che determinò maggiormente il loro ben operare. Si tratta generalmente di influssi positivi, con l'eccezione del *primo cielo*, della *Luna* (e, in qualche misura, del secondo, di Mercurio): la tradizione astrologica attribuiva alla Luna l'origine di influssi mutevoli; e infatti vi compaiono anime che non poterono adempiere un voto fatto sulla Terra (caratterizzate dunque da una mancanza). Nel *secondo cielo*, di *Mercurio*, si mostrano i beati che agirono bene spinti da desiderio di gloria, e quindi ancora eccessivamente legati alla prospettiva limitante del mondo. Gli altri cinque cieli sono invece forniti di caratteri positivi: *terzo cielo*, di *Venere* (*amanti*); *quarto cielo*, del *Sole* (*sapienti*); *quinto cielo*, di *Marte* (*martiri e combattenti per la fede*); *sesto cielo*, di *Giove* (*governanti giusti*); *settimo cielo*, di *Saturno* (*dediti alla vita contemplativa*).

4. ORIGINALITÀ DEL PARADISO: NARRAZIONE E DOTTRINA.

Un'altra notevole diversità rispetto alle due c a n t i c h e precedenti è che nel *Paradiso* manca in qualche modo la drammaticità che caratterizza le altre due. Sul piano narrativo, infatti, il viaggio prosegue senza possibilità di conflitti o di sorprese. Questo fatto dipende dalla mancanza di un rapporto di tensione con la dimensione terrena. Tale rapporto c'è ed è evidente nell'*Inferno* e nel *Purgatorio*. Nel *Paradiso*, no. Secondo la visione religiosa di Dante ciò che caratterizza in modo peculiare (e drammatico) la Terra è il peccato, ovvero lo scontro tra male e bene. Di ciò nel Paradiso non può esservi traccia: qui il peccato è non solo purificato ma addirittura rimosso. Non ne resta neppure il ricordo, che turberebbe la perfetta felicità. La coscienza del male è cosa distaccata e quasi estranea. Può indurre a indignazione e a compianto, ma non coinvolge umanamente gli interlocutori: come la Beatrice discesa nel Limbo ad invocare per Dante il soccorso di Virgilio, i beati possono accostarsi ai mali del mondo e ai suoi drammatici conflitti, ma senza esserne toccati.

Eppure Dante sa compensare questa perdita: se manca il dramma nel suo rapporto con gli interlocutori (d'altra parte assai più rari e meno caratterizzati che nelle prime due c a n t i c h e), intensamente drammatica è la sua progressiva conquista della beatitudine, compiuta attraverso un continuo interrogarsi della coscienza assistita dalla guida di Beatrice. Più ancora che nelle prime due tappe del viaggio, è qui decisiva la maturazione di Dante, per facilitare la quale la stessa struttura del Paradiso si modifica, adattandosi (come si è visto) alle caratteristiche della mente umana. E infatti la maturazione di Dante riguarda qui in modo quasi esclusivo il piano della conoscenza. Tutte le complesse tematiche affrontate nel corso del poema qui vengono riprese e definitivamente risolte.

È naturale che un particolare risalto abbiano i temi di carattere teologico e dottrinale; ma essi si inquadrano in un sistema che li rende interessanti (anche quando siano in sé lontani dalla sensibilità moderna) in una prospettiva narrativa. Si deve ricordare infatti che all'origine della *Commedia* vi è il traviamento di Dante, caratterizzato anche da un allontanamento dalla ortodossia religiosa. Ora, il riaffrontare quegli stessi temi, ma nella diversa prospettiva della fede e della

Grazia, comporta necessariamente una riconsiderazione intellettuale della propria biografia. Ancora una volta, e su un piano elevato come mai in passato, la *Commedia* si presenta come un'unione di universale e di particolare, e anzi come una suprema prova di fiducia nel valore universale dell'esperienza individuale.

Accanto ai problemi più squisitamente dottrinali trovano poi posto le grandi tematiche politiche del poema, ma ridotte qui all'essenziale, affrontate nei loro nuclei più altamente significativi (la Chiesa, l'Impero, Firenze), e considerate con definitiva lucidità e distacco.

Gli aspetti terrestri non sono quindi rimossi: alla base delle questioni teologiche è possibile scorgere una matrice autobiografica e i grandi temi politici non sono esclusi ma anzi considerati con inedita profondità. Il terrestre, per così dire, è accolto solo in positivo: gli aspetti degradati e corrotti sono guardati sempre nella prospettiva del riscatto e della giustizia superiore che porranno fine, con un'opera di riforma o con la punizione, al male. E così la concezione politica di Dante, che raggiunge nel *Paradiso* un massimo di tensione morale nel giudizio pessimistico sulla situazione storica, tocca anche, nel complesso, il suo punto di più alta serenità ed equilibrio, nella certezza appagante del trionfo finale del bene. Se in questa ottica la condanna degli uomini, spesso corrotti e irresponsabili, si fa più sferzante e fondata, la fiducia nelle grandi istituzioni storiche create dalla Provvidenza divina si rafforza: corrotti papi, imperatori, monaci e frati; ma incorruttibili nel loro significato universale Chiesa, Impero, Ordini monastici.

5. Il realismo metafisico del Paradiso. La luce.

La poesia dantesca resta sempre, anche in questa fase così impegnativa, intensamente realistica; ed inevitabilmente si nutre di riferimenti alla Terra anche quando debba descrivere fenomeni trascendenti e sovrumani. Ma s i m i l i t u d i n i , m e t a f o r e , ecc. con il mondo terreno non ci fanno mai distrarre dall'originalissimo mondo del tutto ultra-umano immaginato da Dante, e anzi convergono a definirlo e a crearlo.

Dante si trovava infatti, dovendo comporre il *Paradiso*, dinanzi ad un difficile problema: o dare anche a questo regno una struttura fisica (e cioè definirlo materialmente) e quindi tradirne la spiccata spiritualità, oppure rispettare quest'ultima negandosi però l'opportunità di descriverlo. Ancora una volta la soluzione adottata riesce a dare una risposta positiva a entrambe queste esigenze. Dante infatti concepisce il Paradiso in termini fisici, ma utilizzando elementi del mondo fisico che possano facilmente esprimere l'immaterialità: e cioè luci e suoni, elementi fisici ma intangibili e per così dire «spirituali».

In particolare *la luce* ha una funzione di capitale importanza: tutto ciò che si manifesta a Dante appare sotto forma di luce. Se si considera che Dio stesso è rappresentato come luce, apparirà evidente che il motivo della luce non è solo un «tema paesistico», ma «si carica di una più vasta responsabilità, di ordine schiettamente teologico» (Getto). La luce ha un vero e proprio significato allegorico: rappresenta la Grazia nel senso più ampio del termine; e non a caso alla luce costante e crescente dei cieli del Paradiso si contrappone il buio eterno dell'Inferno e l'alternarsi di giorni e di notti nel Purgatorio (dove di notte è impossibile qualsiasi progresso nella purificazione).

6. Il tema dell'ineffabile.

Resta infine da considerare un'altra peculiarità del *Paradiso*, che potrebbe essere definita *tema dell'ineffabile* (cioè dell'indicibile). Anche nell'*Inferno* e nel *Purgatorio* si incontrano a volte dichiarazioni di insufficienza espressiva e artistica da parte dell'autore; ma nel *Paradiso* esse sono, oltre che di gran lunga più frequenti ed intense, caratterizzate da un preciso valore narrativo e teologico insieme. In una *prospettiva narrativa* si consideri che spesso la trama del *Paradiso* è sostenuta proprio dall'impegno di adeguare le facoltà della lingua e dell'arte all'oggetto che esse devono esprimere: nell'ultimo canto, addirittura, Dante sembra raccontare piuttosto il proprio sforzo di poeta che non la propria esperienza di protagonista. Infatti il tema dell'ineffabile costituisce una chiave per la conoscenza delle cose trascendenti che Dante riprende da una importante tradizione precedente. E questo aspetto del problema ci introduce alla *prospettiva teologica*: l'esperienza dell'indicibilità è un'esperienza di limite dell'umano, e perciò in essa si rivela, negandosi alla conoscenza diretta, la divinità; toccare il tema dell'ineffabile è avvicinarsi a Dio attraverso la parola, anche se la parola non può mai toccare Dio ma solo verificare la sua indicibilità: il modo di parlare di Dio sta proprio in questo parlare del non poterne parlare. Il tema dell'ineffabile consiste all'incirca in questo. Ciò che poi caratterizza l'originalità e la grandezza di Dante rispetto, per esempio, all'atteggiamento dei mistici, è il suo impegno intellettuale ed artistico ad avvicinarsi quanto più è possibile all'espressione appagante, a conquistare con la parola il territorio dell'indicibilità e con la conoscenza il campo dell'inconoscibile. In Dante, anzi, l'impegno razionale della conoscenza fa tutt'uno con lo sforzo artistico dell'espressione; anche se il primo può appagarsi nella visione finale di Dio e il secondo deve invece arrendersi alla propria limitatezza umana: il tema dell'ineffabile riguarda anche questo incolmabile scarto.

7. I caratteri artistici del Paradiso.

Da quanto si è fin qui detto, e in particolare dalle ultime osservazioni, risultano già chiare le peculiarità artistiche principali della terza c a n t i c a . Qui basterà perciò aggiungere che nel *Paradiso*, innanzitutto, Dante raggiunge il massimo livello di sapienza formale, conquistando una definitiva sicurezza di rapporto tra lucidità e vigore logico-sintattici e versificazione. La struttura metrica (verso, strofe, rima) è piegata alle esigenze del pensiero o, meglio, utilizzata in tutte le sue valenze espressive. Nel giro del periodo, nella costruzione delle dimostrazioni, degli episodi, dei canti dominano la circolarità (segno di perfezione e di equilibrio) e lo slancio verticale all'innalzamento. Al vigore plastico, alla dissonante ricchezza, allo stile e al lessico bassi e violenti dell'*Inferno* qui si sostituiscono un vigore interiore eminentemente intellettuale ed una ricchezza armoniosa e potente insieme; alle mezze-tinte e alla varietà tonale del *Purgatorio* si contrappongono qui i colori sicuri ed un disegno incisivo e luminoso nella sua nettezza.

Nella terza c a n t i c a Dante riesce a fondere un'espressività ricca di suggestioni analogiche (in riferimento ad una materia definibile, d'altra parte, solo per analogia) e un rigoroso controllo logico-razionale. Il risultato è un'espressione-pensiero che corrisponde, nel contempo, a un'istanza visionaria e a un impianto rigorosamente concettuale.

Canto I

Come l'*Inferno* costituisce una progressiva degradazione dell'umano e il *Purgatorio* una sua faticosa riconquista, così il *Paradiso* rappresenta un mondo lontano dall'umano, ovvero una sublimazione di esso. Il mondo delle prime due cantiche (e di quella centrale soprattutto) può quindi ampiamente giovarsi dei riferimenti terreni: l'azione della potenza divina vi si esercita in modi fisicamente familiari al lettore, solo forzando o ignorando alcune delle leggi della Terra, non rovesciandole. Nel *Paradiso* Dante costruisce invece un mondo del tutto originale; e non tanto perché quel che gli appare sia inconsueto (questo varrebbe anche per le altre cantiche), quanto perché i *modi* del suo stesso viaggiare si trasformano e si trasforma il suo rapporto con lo spazio circostante. Qui non troviamo una terra sconosciuta: qui non troviamo più alcuna terra; non cose ignote: ma leggi (fisiche, innanzitutto) mutate. E, quel che più conta, Dante rinuncia a spiegare secondo criteri terreni i fenomeni ultraterreni del *Paradiso*; e fornisce ragioni che costituiscono esse stesse un rovesciamento del consueto orizzonte del mondo umano.

Naturalmente un impegno così alto pare quasi insostenibile per le facoltà poetiche; e infatti Dante, nel p r o e m i o con il quale si apre il primo canto (come già per le altre due cantiche), non si limita ad invocare le Muse, ma si rivolge ad Apollo (dio delle arti) direttamente, a chiedere il soccorso della Grazia divina per un'impresa così ardua.

* * *

Dopo l'ampia (vv. 1-36) introduzione (che contiene, oltre che l'*invocazione* ad Apollo, l'*esposizione* del tema del *Paradiso*), si entra nel vivo della narrazione.

Gli astri, la stagione e l'ora sono particolarmente benigni nel momento in cui Dante si solleva quasi volando dal Paradiso terrestre: fissando lo sguardo di Beatrice, fisso a sua volta nel sole, Dante si sente uscire dai propri limiti umani (*trasumanare*); il suono armonioso prodotto dalla rotazione delle sfere celesti e l'aumentare della luminosità del cielo accendono nell'animo di Dante, che non si rende conto di essersi sollevato da terra, una intensa curiosità. Beatrice, così, gli spiega che egli sta correndo verso l'alto più veloce di un fulmine. Al nuovo dubbio di Dante (su come sia possibile che un corpo pesante si innalzi su elementi leggeri quali l'aria), Beatrice risponde come maternamente pietosa per l'ignoranza e l'ingenuità di Dante: la sua spiegazione non riguarda le leggi fisiche in sé considerate, ma introduce un ordine diverso di argomentazioni, di tipo piuttosto metafisico e teologico.

L'ordine fisico dell'Universo — dice Beatrice — è espressione della potenza divina, che in tutte le cose si riflette; esso è l'emanazione di un ordinamento di tipo morale che spinge per naturale impulso ogni essere nel luogo assegnatogli: il luogo dell'anima umana è l'Empireo, e se essa ne è invece ordinariamente lontana è perché gli esseri dotati di intelligenza (e quindi di libero arbitrio) possono deviare volontariamente dal cammino loro assegnato; ma Dante, purificato e libero quindi dal peso del peccato, naturalmente procede verso la sede vera dell'uomo, cioè verso il cielo.

* * *

La difficoltà dei concetti e l'impegno dialettico e retorico necessario ad esprimerli sono ampiamente trascesi dal vigore delle espressioni, dal controllo assoluto delle potenti immagini. Il lettore è introdotto fin dal primo verso in una dimensione del tutto inconsueta, davvero a contatto con l'esperienza dell'ordine universale quale è stato concepito dalla teologia cristiana nel solco della lezione aristotelica. Già appaiono per altro evidenti le peculiarità del *Paradiso*: lo slancio mistico unito sempre ad un controllo razionale assoluto; il prevalere delle percezioni visive ed uditive, in un mondo che si mostra principalmente attraverso luci e musiche (o parole); la densità vertiginosa della lingua, capace di raggiungere contemporaneamente la più evidente espressività concettuale e la massima concentrazione stilistica e lessicale, in un'atmosfera di chiarezza e di profondità ineguagliabili.

Cfr. tavole 12 e 13.

La gloria di colui che tutto move
per l'universo penetra e risplende
3 in una parte più e meno altrove.

1-3: *La potenza* (**gloria**) *di colui che muove* (**move**) *tutte le cose* (**tutto**) [: Dio] *penetra e risplende nell'intero* (**per**) *universo in una parte* [*di*] *più e in un'altra* (**altrove**) [*di*] *meno*. Anche la terza c a n t i c a si apre con un'introduzione p r o e m i a l e , secondo il modello retorico classico. I vv. 1-12 (*propositio*) indicano per l'esattezza l'argomento del *Paradiso* e si soffermano sulle difficoltà di trattare una materia così ardua; il p r o e m i o vero e proprio riguarda i vv. 13-36 (*invocatio*). Questa parte introduttiva è nel suo insieme molto più ampia che nel *Purgatorio* (dodici versi) e nell'*Inferno* (tre versi), in conseguenza delle maggiori difficoltà di quest'ultimo momento dell'opera. L'apertura della c a n t i c a è grandiosa e solenne; il lettore è posto sùbito di fronte al tema centrale del *Paradiso*: la grandezza e l'universalità della **gloria** di Dio; e sùbito, deve misurarsi con il linguaggio densamente filosofico (o, meglio, teologico) che a questa terza parte del poema meglio compete. Per questi versi iniziali del *Paradiso* possia-

mo giovarci del commento stesso di Dante (*Epist.* XIII, 61-64), che spiega **gloria** con «divinum lumen» e «divinum radium» [luce divina, raggio divino] e **penetra e risplende** con «penetrat, quantum ad essentiam; risplendet, quantum ad esse» [penetra, quanto all'essenza; risplende, quanto all'essere]. **Colui che tutto move**: è definizione aristotelica di Dio, motore primo ed immobile dell'Universo. Lo stesso termine **move** torna nell'ultimo verso della c a n t i c a (e del poema), riferito sempre a Dio, con perfetta rispondenza strutturale; ma anziché alla **gloria** l'attenzione sarà rivolta all'*amore* di Dio: al principio di questa ultima e più ardua parte del viaggio quel che impressiona il poeta è la forza di Dio, che riempie di sé l'Universo; alla fine sarà l'amore che gli ha consentito di giungere alla sua diretta contemplazione ed a capire l'armonia segreta di tutte le cose. **In una parte più...**: la grandezza di Dio si manifesta con diversi gradi di intensità in tutte le cose, a seconda della loro maggiore o minore capacità di accoglierla.

Nel ciel che più de la sua luce prende
fu' io, e vidi cose che ridire
6   né sa né può chi di là sù discende;
perché appressando sé al suo disire,
nostro intelletto si profonda tanto,
9   che dietro la memoria non può ire.
Veramente quant' io del regno santo
ne la mia mente potei far tesoro,
12   sarà ora materia del mio canto.
O buono Appollo, a l'ultimo lavoro
fammi del tuo valor sì fatto vaso,
15   come dimandi a dar l'amato alloro.

4-9: *Io andai* (**fu'** = fui) *nel cielo che riceve* (**prende**) *maggiormente* (**più**) *la* (**de la**) *sua* [: di Dio] *luce, e vidi cose che chi discende di lassù né sa né può ridire; perché il nostro intelletto, avvicinandosi* (**appressando sé**) *all'oggetto del proprio desiderio* (**al suo disire**), [**vi**] *si immerge* (**profonda** = sprofonda) *a tal punto* (**tanto**) *che la memoria non può star*[**gli**] (**ire**) *dietro*. Dante ha ricordato che Dio è ovunque nell'Universo, ma che la luce della sua presenza penetra più o meno intensamente nei vari luoghi; ora aggiunge di essere stato nel cielo più illuminato da Dio, in quello quindi dove la sua presenza è più forte, cioè l'Empireo, come spiega Dante stesso (*Epist.* XIII, 66-68 e 74). Qui ha visto cose che non può ripetere sia perché le ha dimenticate (**né sa**) sia perché le possibilità linguistiche non sono all'altezza (**né può**), ancora secondo le spiegazioni di Dante (*ivi*, 83 sg.). Infatti nella visione di Dio, che rappresenta la massima aspirazione dell'intelletto umano, questo perde il completo controllo delle proprie facoltà e non può in seguito richiamare alla memoria se non imperfettamente la profondità della propria visione, concessa dalla Grazia divina e non raggiunta per via razionale. Dante non è certo un mistico, ma qui si allude apertamente all'*excessus mentis* [fuoriuscita della mente, sottintendendo: dal corpo; e cioè: estasi] dei mistici (cfr. *ivi*, 79-81). **Fu' io**: il soggetto è messo in posizione di rilievo, evidenziandosi l'eccezionalità dell'esperienza cui si sta facendo riferimento. **Suo disire**: il desiderio più profondo ed alto di conoscenza da parte dell'intelletto umano è rivolto a Dio; e il concetto è espresso qui con sintesi potente, come al verso seguente **si profonda** (*profondarsi* = addentrarsi nella contemplazione di cose profonde).

10-12: *Ciò nonostante* (**veramente**; come il lat. 'verum') *quel tanto* (**quant'⟨o⟩**) *del Paradiso* (**regno santo**) *di cui io potei fare tesoro nella mia memoria* (**mente**), *ora sarà materia del mio canto* [: della mia poesia]. Ammette quindi Dante, anticipatamente, che la narrazione di questa parte del viaggio è condotta utilizzando ricordi non lucidi; vuole cioè che il lettore colga, in questa c a n t i c a, uno sforzo maggiore di espressione che si manifesta come tensione all'obiettività, senza mai raggiungerla, essendo qui in gioco esperienze negate alla piena dicibilità della parola umana. È, questo, il tema dell'ineffabile, costante nel *Paradiso* (e cfr., già in questo canto, i vv. 70 sg.). Si noti tuttavia che, anche in questo caso, Dante rifugge dall'approssimazione o dalla vaghezza, appoggiandosi alle risorse della logica e, soprattutto, alla precisione delle sue conoscenze dottrinali.

13-15: *O valente* (**buono**) *Apollo, per l'* (**a l'**) *ultima fatica* (**lavoro**) [: comporre il Paradiso] *rendimi* (**fammi**) *recipiente* (**vaso**) *tanto ripieno* (**sì fatto**) *del tuo valore, quanto* (**come**) *richiedi* (**dimandi**) *per concedere* (**a dar**) *l'alloro* [*da te*] *amato*. Inizia qui l'invocazione ad Apollo. Nell'*Inferno* (II, 7) e nel *Purgatoro* (I, 9; XXIX, 41) Dante si è rivolto alle Muse; ora, dinanzi ad un'impresa tanto più difficile, si rivolge direttamente al mitico dio delle arti. Naturalmente questo fatto ha un significato: le Muse rappresentano le risorse umane e «tecniche» del mezzo poetico, Apollo l'assistenza divina della Grazia; qui, per l'appunto, le prime sono insufficienti e necessita il soccorso di quest'ultima. Ad Apollo Dante chiede di infondergli tante qualità di poesia quante il dio stesso ne chiede per concedere il suo riconoscimento. L'**allo-**

Infino a qui l'un giogo di Parnaso
assai mi fu; ma or con amendue
18 m'è uopo intrar ne l'aringo rimaso.
Entra nel petto mio, e spira tue
sì come quando Marsïa traesti
21 de la vagina de le membra sue.
O divina virtù, se mi ti presti
tanto che l'ombra del beato regno
24 segnata nel mio capo io manifesti,
vedra'mi al piè del tuo diletto legno
venire, e coronarmi de le foglie
27 che la materia e tu mi farai degno.
Sì rade volte, padre, se ne coglie
per trïunfare o cesare o poeta,
30 colpa e vergogna de l'umane voglie,
che parturir letizia in su la lieta
delfica deïtà dovrìa la fronda
33 peneia, quando alcun di sé asseta.

ro (o *lauro*) era **amato** da Apollo perché la ninfa Dafne, da lui desiderata, si era trasformata in alloro per sfuggirgli (come narra il poeta latino Ovidio nelle *Metamorfosi* I, 452 sgg.); ma c'è anche una velata allusione (più chiara ai vv. 25-27) al desiderio di essere ufficialmente incoronato poeta (il che veniva fatto, appunto, con una corona di alloro), desiderio confermato da altre fonti e però non soddisfatto.

16-18: *Fino* (**infino**) *a qui mi è stato* (**fu**) *sufficiente* (**assai**) *un giogo di Parnaso; ma ora mi è necessario* (**m'è uopo**) *entrare* (**intrar**) *nella impresa* (**aringo** = 'campo di gara' e anche 'gara') *rimasta* (**rimaso**) *con ambedue* (**amendue**) [*i gioghi di Parnaso*]. Il monte Parnaso aveva due cime (o gioghi), l'una sacra alle Muse, l'altra (Cirra, cfr. v. 36) ad Apollo; finora è stata sufficiente la prima (cioè l'aiuto delle Muse), ora sono necessarie entrambe (cioè serve anche l'aiuto di Apollo).

19-21: [*O Apollo,*] *entra nel mio petto e canta* (**spira**) *tu* (**tue**; con e p i t e s i in -e) *così* (**sì**) *come quando tirasti fuori* (**traesti**) *Marsia dal fodero* (**de la vagina**) *delle sue membra*. Dante invita Apollo a cantare attraverso di lui per significare che offre la propria arte a Dio come suo docile e fedele strumento. E chiede ad Apollo di usare il meglio delle proprie risorse, come quando fu sfidato dal satiro Marsia ad una gara di canto e poi, vittorioso, lo scorticò per punirne l'au-

dacia (cfr. Ovidio, *Metamorfosi* VI, 382-400). La **vagina de le membra** è la *pelle*.

22-27: *O valore* (**virtù**) *divino, se ti concedi* (**presti**) *a me* (**mi**) *tanto che io possa esprimere* (**manifesti**) [*almeno*] *l'immagine sbiadita* (**ombra**) *impressa* (**segnata**) *nella mia mente* (**nel mio capo**), *mi vedrai* (**vedra'mi**) *venire al piede* (**piè**) *della tua pianta* (**legno**; per m e t o n i m i a) *diletta* [: l'alloro; cfr. v. 15], *e incoronarmi* (**coronarmi**) *delle foglie di cui* (**che**) *la materia* [: elevata] *e tu* [: il tuo aiuto] *mi farete* (**farai**; concordato solo con il secondo dei due sogg. e perciò al sing.) *degno*. Per l'accenno all'incoronazione poetica (che avveniva con una corona di alloro) cfr. la nota ai vv. 13-15.

28-33: *O padre, se ne* [: di alloro] *coglie così rare* (**rade**) *volte per il fatto che trionfi* (**per triunfare**) *un imperatore* (**cesare**) *o un poeta, colpa e vergogna delle aspirazioni* (**voglie**) *umane, che quando la fronda di Dafne* (**peneia**) *asseta qualcuno* (**alcun**) *di \sé* [: è desiderata], [*ciò*] *dovrebbe* (**dovrìa**) *provocare* (**parturir** = partorire) *gioia* (**letizia**) *nella* (**in su la**) *lieta divinità* (**deità**) *di Delfo* (**delfica**) [: Apollo]. Il senso è questo: in tempi così tristi, in cui i desideri degli uomini sono rivolti a tutt'altro che alla gloria e in cui quindi ben raramente essa viene raggiunta, già il solo aspirare ad essa dovrebbe allietare il dio delle arti. **Fronda peneia**: è sempre l'alloro; **peneia** = di Dafne, figlia di Peneo. Cfr. nota ai vv. 13-15.

Poca favilla gran fiamma seconda:
forse di retro a me con miglior voci
36   si pregherà perché Cirra risponda.
Surge ai mortali per diverse foci
la lucerna del mondo; ma da quella
39   che quattro cerchi giugne con tre croci,
con miglior corso e con migliore stella
esce congiunta, e la mondana cera
42   più a suo modo tempera e suggella.
Fatto avea di là mane e di qua sera
tal foce, e quasi tutto era là bianco
45   quello emisperio, e l'altra parte nera,
quando Beatrice in sul sinistro fianco
vidi rivolta e riguardar nel sole:

34-36: [*A volte*] *un grande* (**gran**) *incendio* (**fiamma**) *segue* (**seconda**) *una piccola* (**poca**) *scintilla* (**favilla**)*: forse dopo di* (**di retro a**) *me si pregherà con voci migliori* [: da poeti più dotati] *perché Apollo* (**Cirra** è la cima del monte Parnaso sacra al dio) *risponda* [*con il suo aiuto*]. Cioè: forse il mio esempio spingerà altri a tentare; e, se io non riuscirò, riusciranno altri più dotati di me (**con miglior voci**), ottenendo l'aiuto del cielo. È atto di umiltà. Anche se è possibile un'interpretazione diversa (improbabile, benché suggestiva): *forse pregheranno per la riuscita della mia impresa i beati stessi e Beatrice, intercedendo presso Dio*.

37-42: *La lampada* (**lucerna**) *del mondo* [: il sole] *sorge per i* (**ai**) *mortali* [: gli uomini] *da* (**per**) *diversi sbocchi* (**foci**) [*dell'orizzonte*]*; ma da quello in cui si intèrsecano* (**che giugne** = che congiunge) *quattro cerchi formando* (**con**) *tre croci,* [*essa*] *esce congiunta con una costellazione* (**stella**) *più favorevole* (**migliore**) *e con un corso più lieto* (**miglior**)*, e forma* (**tempera**) *e caratterizza* (**suggella**) *la materia* (**cera**) *del mondo* (**mondana**) *più a proprio* (**suo**) *modo.* Terminata la parte p r o e m i a l e del canto, si torna qui nel vivo della narrazione. Ed innanzitutto viene definita la condizione temporale e soprattutto astrologica dell'azione. I vv. 37-42 riguardano la stagione e la costellazione; i vv. 43-45, l'ora. Il senso è all'incirca questo: era l'equinozio di primavera, il sole era nella costellazione dell'Ariete, era mezzogiorno. Si tratta di tre condizioni particolarmente favorevoli: la primavera è la stagione più lieta e vitale, il mezzogiorno l'ora più luminosa e serena; e nell'Ariete il sole era al momento della creazione del mondo.

Le p e r i f r a s i dantesche sono però alquanto complesse e lasciano adito a dubbi; così che l'interpretazione qui riportata è certo la più probabile (e la più accettata), ma non la sola possibile. **Quattro cerchi giugne...**: la *foce*, cioè il punto dell'orizzonte, da cui il sole sorge due volte l'anno (negli equinozi di primavera e d'autunno — e qui interessa il primo) vede l'intersecarsi di **quattro cerchi**, cioè di quattro linee curve, che (secondo l'interpretazione più probabile) sono l'*orizzonte* stesso, l'*equatore*, l'*eclittica* e il *coluro equinoziale*. Intersecandosi, questi **quattro cerchi** formano **tre croci** (non regolari, cioè non formanti croci a bracci quattro angoli retti); in ciò potrà vedersi, volendo, un'allusione allegorica alle Virtù cardinali e alle Virtù teologali (quattro e tre rispettivamente), anch'esse cooperanti alla felice disposizione astrale. **Miglior corso**: perché apre il periodo più favorevole dell'anno, quello primaverile. **La mondana cera**: la materia del mondo è paragonata a **cera** per dire la sua fragilità e la sua possibilità di essere plasmata da parte di Dio. **Più a suo modo**: esercitando al massimo i propri benèfici influssi. Il soggetto è il sole (**la lucerna del mondo**), che nel momento più favorevole dell'anno può meglio operare per il bene del mondo.

43-48: *Tale sbocco* (**foce**) [: il sole] *aveva* (**avea**) *fatto di là* [: nel Purgatorio] *mattino* (**mane**) *e di qua* [: sulla Terra] *sera, e quell'emisfero* (**emisperio**) [: del Purgatorio] *era quasi tutto illuminato* (**bianco**)*, e l'altra parte* [: l'emisfero della Terra abitata] *buia* (**nera**) [: nel Paradiso terrestre era mezzogiorno]*, quando vidi Beatrice rivolta dalla parte* (**in sul...fianco**) *sinistra e guardare intensamente* (**riguardar**) *verso il* (**nel**) *sole: così* (**sì**) *non*

aguglia sì non li s'affisse unquanco.
E sì come secondo raggio suole
    uscir del primo e risalire in suso,
51   pur come pelegrin che tornar vuole,
così de l'atto suo, per li occhi infuso
    ne l'imagine mia, il mio si fece,
54   e fissi li occhi al sole oltre nostr' uso.
Molto è licito là, che qui non lece
    a le nostre virtù, mercé del loco
57   fatto per proprio de l'umana spece.

---

vi (**li**) *si affissò* [: nel sole] *mai* (**unquanco**; dal lat. 'umquam') [*neppure*] *un'aquila* (**aguglia**). Per i vv. 43-45 si ricordi che, secondo la concezione dantesca, la terra abitata occupava un emisfero e il Purgatorio sorgeva, al centro dell'oceano, nell'altro. Il senso qui è: il sole, nato da quel punto favorevole che è stato detto ai vv. 37-42, aveva portato il giorno nel Purgatorio e poi illuminato tutto l'emisfero dove esso sorge, portando intanto la sera e poi estendendo le tenebre all'emisfero opposto, quando Beatrice ecc. Cioè: nel cielo del Purgatorio il sole era alla metà del suo corso, ed era perciò mezzogiorno. La narrazione, che alla conclusione del *Purgatorio* si era interrotta mentre Dante gustava l'acqua del fiume Eunoè, riprende qui con una situazione alquanto mutata: senza più fare riferimento a Stazio (che immaginiamo avviato alla beatitudine), né a Matelda o alle Virtù (che immaginiamo ritirate sullo sfondo della scena), Dante (evidentemente uscito dall'Eunoè) si accorge che Beatrice fissa intensamente il sole, più di quanto possa mai aver fatto un'aquila (che, per opinione comune, ha la vista a ciò particolarmente dotata). È appena il caso di ricordare il valore allegorico del sole, immagine di Dio. Si noti piuttosto come l'immagine dell'aquila, incontrastata regina degli uccelli, introduca «un elemento di tensione e come il presagio del volo imminente» (Sapegno).

49-54: *E così* (**sì**) *come dal* (**del**) *primo* [: il raggio di incidenza] *si genera sempre* (**uscir suole** = è solito uscire) *un secondo raggio* [: di rifrazione] *e risale* (**risalire**; legato a **suole**, come **uscir**) *in alto* (**in suso**), *come un pellegrino che desidera* (**vuole**) *tornare* [*in patria*], *così dal suo* [: di Beatrice] *atto* [: fissare il sole], *entrato* (**infuso**) *nella mia mente* (**imagine**) *attraverso* (**per**) *gli* (**li**) *oc-*

chi, si generò (**si fece**) *il mio* [*atto*], *e fissai* (**fissi**) *gli* (**li**) *occhi nel* (**al**) *sole al di là delle nostre possibilità* (**oltre nostr'uso**) [*umane*]. Beatrice fissa il sole; Dante la osserva e la imita, fissandolo anch'egli: dall'azione di Beatrice si genera quella di Dante come da un raggio di luce specchiato ne viene riflesso un altro. Questo è il senso generale della s i m i l i t u d i n e . Ed è però da osservare come essa sia intimamente legata alla situazione che deve esprimere: allo sguardo di Beatrice corrisponde il primo raggio, quello di incidenza; allo sguardo di Dante, il secondo, quello di rifrazione. Anche per questa ragione, preferiamo spiegare il v. 51 (una s i m i l i t u d i n e nella s i m i l i t u d i n e) con l'immagine del pellegrino che ha nostalgia di tornare a casa piuttosto che con quella del *falco pellegrino* che ha afferrato la preda e vuole risalire verso l'alto (come interpretano diversi commentatori); è come se l'inciso del v. 51 dicesse il desiderio della luce di tornare verso il sole (il che concorda con la rappresentazione dell'universale desiderio di Dio data a più riprese in questo canto) e insieme suggerisse il desiderio particolare di Beatrice (che dal cielo si è allontanata e ad esso sta per tornare) e di Dante stesso. Se il sole, come si è più volte ricordato, è immagine di Dio, il fatto che Dante giunga a guardarlo direttamente su ispirazione di Beatrice significherà allegoricamente che egli giunge alla contemplazione di Dio attraverso la mediazione della Rivelazione.

55-57: *Là* [: nel Paradiso terrestre] *è consentito* (**è licito**) *alle nostre facoltà sensoriali* (**virtù**) [*fare*] *molte cose* (**molto**) *che qui* [: sulla Terra] *non è consentito* (**non lece**), *grazie al* (**mercé del**) *luogo* (**loco**) *creato* (**fatto**) [*da Dio*] *come dimora* (**per proprio**) *della spe-*

Io nol soffersi molto, né sì poco,
    ch'io nol vedessi sfavillar dintorno,
60   com' ferro che bogliente esce del foco;
e di sùbito parve giorno a giorno
    essere aggiunto, come quei che puote
63   avesse il ciel d'un altro sole addorno.
Beatrice tutta ne l'etterne rote
    fissa con li occhi stava; e io in lei
66   le luci fissi, di là sù rimote.
Nel suo aspetto tal dentro mi fei,
    qual si fe' Glauco nel gustar de l'erba
69   che 'l fe' consorto in mar de li altri dèi.

cie (spece) umana. Questa terzina spiega il v. 54: Dante può fissare gli occhi nel sole in modo sovrannaturale perché è, purificato, nelle condizioni dei primi uomini prima del peccato originale; sta in quell'Eden dove essi stavano prima di esserne cacciati, creato da Dio per la felicità degli uomini.

58-63: *Io non lo* (**nol**) *sopportai* (**soffersi**) [: il sole] *molto, ma non* (**né**) *così* (**sì**) *poco che io non lo* (**nol**) *vedessi scintillare* (**sfavillar**) *dintorno, come ferro che esce incandescente* (**bogliente**) *dal fuoco; e immediatamente* (**di sùbito**) *parve che fosse* (**essere**) *aggiunto giorno a giorno* [: che la luce del giorno fosse raddoppiata], *come* [se] *Dio* (**quei che puote** = colui che può tutto) *avesse adornato* (**addorno**) *il cielo di un altro sole*. Questo aumentare della luce è interpretato da alcuni commentatori come il primo segno dell'innalzarsi di Dante verso il cielo, il cui momento egli d'altra parte non indica con precisione. La luce aumenterebbe per l'avvicinarsi alla sfera del fuoco, posta tra la superficie terrestre e il cielo della Luna (dove Dante giungerà nel canto II).

64-66: *Beatrice stava tutta fissa con gli* (**li**) *occhi nelle sfere celesti* (**ne l'etterne rote**); *e io fissai* (**fissi**) *in lei gli occhi* (**le luci**), [*dopo averli*] *distolti* (**rimote**) *di lassù* [: dal sole]. Ancora Beatrice ha la funzione di mediare la contemplazione di cose sovrannaturali: prima il sole/Dio, ora l'ordine universale delle sfere. Si noti la r e p l i c a z i o n e **fissa-fissi**, a significare l'insorgere in Dante della stessa concentrazione di Beatrice.

67-69: *Guardandola* (**nel suo aspetto**) *dentro divenni* (**mi fei** = mi feci) *tale quale di-*

venne (**si fe'**) *Glauco assaporando l'erba* (**nel gustar de l'erba**) *che lo* (**'l** = il) *rese* (**fe'**) *in mare compagno* (**consorto**) *degli* (**de li**) *altri dei* [: una divinità marina]. Fissando Beatrice, Dante si sente internamente trascendere la condizione umana e quasi assumerne una divina, come accadde al mitico Glauco. Racconta Ovidio nelle *Metamorfosi* (XIII, 898-968) che Glauco, pescatore della Beozia, avendo notato che assaggiando una certa erba i pesci da lui catturati risuscitavano, volle mangiarne e sùbito divenne una divinità marina. A questo passaggio molti commentatori riferiscono l'inizio dell'ascensione vera e propria di Dante al cielo (cfr. anche nota ai vv. 58-63); ma la cosa ci sembra di secondaria importanza: Dante non ha indicato con esattezza il momento di distacco da terra sia perché egli stesso ne è inconsapevole fino all'avvertimento di Beatrice (vv. 91-93), sia perché il trascendimento della condizione umana materiale avviene gradualmente e per passaggi successivi, come una progressiva liberazione dai vincoli della carne. Con questo non bisogna credere che si tratti di un fatto solo interiore, un viaggio dello spirito senza il corpo (cfr. al contrario i vv. 73-75); ma certamente qui avviene il passaggio da un tipo di narrazione, benché meravigliosa, possibile, legata a un orizzonte di riferimento in qualche modo fisico ed umano, ad un tipo di narrazione radicalmente nuovo, senza più rapporti con il mondo materiale: tale passaggio non può ovviamente essere indicato con un riferimento preciso; il suo portare al di là dell'umano è il vero argomento di queste terzine. La grandezza di Dante starà, d'ora in avanti, nel non rinunciare mai ad esprimere questa nuova dimensione spirituale e celeste, pur nella consapevolezza della sua sostanziale inesprimibilità.

Trasumanar significar *per verba*
non si porìa; però l'essemplo basti
72   a cui esperïenza grazia serba.
S'i' era sol di me quel che creasti
novellamente, amor che 'l ciel governi,
75   tu 'l sai, che col tuo lume mi levasti.
Quando la rota che tu sempiterni
desiderato, a sé mi fece atteso
78   con l'armonia che temperi e discerni,
parvemi tanto allor del cielo acceso
de la fiamma del sol, che pioggia o fiume
81   lago non fece alcun tanto disteso.

70-72: *Superare i limiti dell'umano* (**trasumanar**) *non si potrebbe* (**porìa**) *esprimere* (**significar**) *con parole* (**per verba**; è espressione lat.); *perciò* (**però**) *basti l'esempio* (**l'essemplo**) [*di Glauco*] *a colui al quale* (**a cui**) *la Grazia* [*divina*] *riserva* (**serba**) *l'esperienza* [*di ciò*]. Le parole non possono esprimere la condizione provata da Dante, così che egli invita il lettore cristiano ad accontentarsi dell'esempio mitologico di Glauco per intuire un evento del quale avrà egli stesso esperienza quando sarà chiamato dalla Grazia alla beatitudine.

73-75: *Se io* (**s'i'**) [*innalzandomi*] *ero* (**era**) [*solo*] *quella parte* (**quel**) *di me che* [*tu*] *hai creato* (**creasti**) *per ultima* (**novellamente**) [: l'anima], *lo sai tu, amore che guidi* (**governi**) *i cieli* [: Dio], *che mi sollevasti con la tua luce* (**col tuo lume**). Sono riecheggiate la parole di san Paolo quando racconta il suo rapimento al terzo cielo (*II Cor.* XII, 3): «sive in corpore sive extra corpus nescio, Deus scit» [non so se con il corpo o senza, lo sa Dio]. Ma Dante non propone un dubbio, bensì sottolinea una certezza: *lo sa Dio che ero con il corpo*; e il modo un po' ambiguo serve a rispettare il mistero di un'esperienza comunque sovrannaturale. **Novellamente**: l'anima razionale è creata da Dio e infusa nel corpo per ultima, quando l'anima vegetativa e quella sensitiva sono già compiute (cfr. *Purg.* XXV).

76-81: *Quando la rotazione* (**la rota**) [*dei cieli*] *che tu* [: Dio] *fai durare in eterno* (**sempiterni**) *perché* [*essi*] *desiderano di ricongiungersi a te* (**desiderato**), *attrasse la mia attenzione* (**a sé mi fece atteso**=mi rese attento a sé) *con l'armonia che* [*tu*] *regoli* (**temperi**) *e distingui* (**discerni**), *mi parve allora* [*che*] *tanta parte* (**tanto**) *del cielo* [*fosse*] *accesa*

dalla (**de la**) *fiamma del sole, che pioggia o fiume non fecero* (**fece**; concordato al sing.) *nessun* (**alcun**) *lago altrettanto* (**tanto**) *vasto* (**disteso**). Il senso è: quando, innalzandosi, Dante percepì l'armonia che emana dalla rotazione delle sfere celesti, si accorse contemporaneamente che il cielo era colmo di luce in modo eccezionale. Musica e luce gli danno per primi il senso dell'innalzamento: e di musiche e di luci saranno costituite gran parte delle sensazioni del *Paradiso*. **La rota che tu sempiterni desiderato**: la frase è di sintetica densità concettuale, e splendidamente espressiva; ma alquanto ardua da comprendere. Si allude al movimento rotatorio delle sfere celesti (**rota**) che Dio (**tu**) rende eterno (**sempiterni**) infondendo in esse il desiderio di ricongiungersi alla loro origine, cioè a Dio stesso (**desiderato**); come dire che il motore dei cieli (e quindi del moto universale) è il loro desiderio di ricongiungersi a Dio: la causa del moto è Dio in quanto **desiderato**. **Armonia**: l'opinione che il movimento dei cieli provocasse una musica sublime era di origine pitagorica e platonica; benché respinta da Aristotele e dalla tradizione scolastica, qui Dante la riprende forse attraverso la mediazione del *Somnium Scipionis* di Cicerone e di alcuni Padri della Chiesa. **Temperi e discerni**: i due termini fanno pensare che Dante alludesse, con il termine **armonia**, non alla musica in senso generico ma con maggiore precisione alla tecnica contrappuntistica. **Che pioggia o fiume...**: la luce che invade il cielo è paragonata ad un lago vastissimo, così grande che né pioggia né fiume ne hanno mai creato uno uguale. Da quale causa dipenda tale aumento della luminosità, non è comprensibile con sicurezza: secondo alcuni commentatori, dall'attraversamento della sfera del fuoco (cfr. anche vv. 58-63 e nota); secondo altri, dall'avvicinarsi al sole (o, anche, alla luna).

La novità del suono e 'l grande lume
di lor cagion m'accesero un disio
84   mai non sentito di cotanto acume.
Ond' ella, che vedea me sì com'io,
a quïetarmi l'animo commosso,
87   pria ch'io a dimandar, la bocca aprìo
e cominciò: « Tu stesso ti fai grosso
col falso imaginar, sì che non vedi
90   ciò che vedresti se l'avessi scosso.
Tu non se' in terra, sì come tu credi;
ma folgore, fuggendo il proprio sito,
93   non corse come tu ch'ad esso riedi ».
S'io fui del primo dubbio disvestito
per le sorrise parolette brevi,
96   dentro ad un nuovo più fu' inretito
e dissi: « Già contento *requïevi*
di grande ammirazion; ma ora ammiro
99   com' io trascenda questi corpi levi ».
Ond' ella, appresso d'un pïo sospiro,
li occhi drizzò ver' me con quel sembiante

82-84: *La novità del suono e la* ('l = il) *grande luce* (**lume**) *accesero in me* (**m'accesero**) *un desiderio* (**disio**) *di [conoscere la] loro causa* (**cagion**) *non avvertito* (**sentito**) *mai di tale intensità* (**di cotanto acume**).

85-90: *Per cui ella* (**ond'ella**) [: Beatrice], *che vedeva [in] me come me stesso* (**sì com'io**), *aprì* (**aprìo**; *con* e p i t e s i *in -o*) *la bocca per* (**a**) *quietarmi l'animo turbato* (**commosso**) *prima* (**pria**) *che io [la aprissi] per* (**a**) *domandare* (**dimandar**) *[spiegazioni], e cominciò [a dirmi]: «Ti rendi* (**fai**) *ottuso* (**grosso**) *[a comprendere] da te stesso* (**tu stesso**) *con supposizioni sbagliate* (**col falso imaginar**) *[credendo di essere ancora sulla Terra], così* (**sì**) *che non vedi* [: non capisci] *ciò che vedresti* [: capiresti] *se le avessi rimosse* (**scosso**).

91-93: *Tu non sei* (**se'**) *sulla* (**in**) *Terra, così* (**sì**) *come tu credi; ma nessun* (**non**) *fulmine* (**folgore**), *allontanandosi* (**fuggendo**) *dalla sua sede* (**il proprio sito**), *corse come tu che torni* (**riedi**) *ad essa* [: nella tua vera sede, che è il cielo]». **Folgore, fuggendo...**: si riteneva che il fulmine fosse fuoco che si staccasse dalla sua sede (la sfera del fuoco) e contro le leggi naturali scendesse sulla Terra (cfr. v. 115). **Ad esso riedi**: Dante sta tornando

al **proprio sito** perché la vera sede dell'uomo è il Paradiso; cfr. *Convivio* (IV, XXVIII, 2): «La nobile anima ne l'ultima etade [dopo il Giudizio universale] ... ritorna a Dio, sì come a quello [quel] porto onde [da cui] ella si partìo [partì] quando venne ad intrare [entrò] nel mare di questa vita».

94-99: *Se io fui liberato* (**disvestito** = spogliato) *dal* (**del**) *primo dubbio grazie alle* (**per le**) *poche e semplici parole* (**parolette brevi**) *dette sorridendo* (**sorrise**) *[da Beatrice], fui* (**fu'**) *inviluppato* (**inretito**) *[di] più dentro ad un nuovo [dubbio] e dissi [a Beatrice]: «Poco fa* (**già**) *mi sono acquietato* (**requievi**; *vb. lat.*) *soddisfatto* (**contento**) *riguardo a* (**di**) *un grande stupore* (**ammirazion**)*; ma ora mi stupisco* (**ammiro**) *del fatto che io* (**com'io**) *mi innalzi al di sopra di* (**trascenda**) *questi corpi leggeri* (**levi** = lievi)». La spiegazione di Beatrice ai vv. 88-93 soddisfa una prima curiosità di Dante, ma ne accende una maggiore: come è possibile che egli, con un corpo pesante, si innalzi al di sopra di corpi leggeri come l'aria e il fuoco?

100-105: *Per cui ella* (**ond'ella**) [: Beatrice] *dopo* (**appresso d'⟨i⟩**) *un sospiro pietoso* (**pio**), *rivolse* (**drizzò**) *gli* (**li**) *occhi verso* (**ver'**) *me con quell'atteggiamento* (**sembiante**) *che*

102   che madre fa sovra figlio deliro,
           e cominciò: « Le cose tutte quante
           hanno ordine tra loro, e questo è forma
105   che l'universo a Dio fa simigliante.
           Qui veggion l'alte creature l'orma
           de l'etterno valore, il qual è fine
108   al quale è fatta la toccata norma.
           Ne l'ordine ch'io dico sono accline
           tutte nature, per diverse sorti,
111   più al principio loro e men vicine;
           onde si muovono a diversi porti
           per lo gran mar de l'essere, e ciascuna
114   con istinto a lei dato che la porti.

una madre assume (**fa**) *verso* (**sovra** = sopra) *il figlio che delira* (**deliro**), *e cominciò* [*a dirmi*]: «*Tutte quante le cose hanno tra loro un ordine, e questo è il principio essenziale* (**forma**) *che rende* (**fa**) *l'universo simile* (**simigliante**) *a Dio*. Il dubbio di Dante appare agli occhi della beata Beatrice come un delirio per febbre; ed ella si appresta a fugarlo. E si noti che la superiorità della maestra non ha nulla di altezzoso e freddo; ma, al contrario, Dante ne mette in luce l'aspetto premuroso e umano, sia con il **pio sospiro**, sia con il paragone con una **madre** al capezzale del figlio malato. La spiegazione di Beatrice, che si protrae praticamente fino alla fine del canto, in verità non risponde direttamente al dubbio esposto da Dante; non si sofferma cioè sulle ragioni fisiche che permettono ad un corpo pesante di sollevarsi su altri leggeri. L'ampio discorso di Beatrice affronta una problematica più ampia e più generale: l'Universo è costruito secondo un ordine nel quale si rispecchia Dio stesso; tutti gli esseri tendono quindi ad un proprio fine particolare, seguendo l'istinto che il Creatore ha trasmesso loro. Il fine dell'uomo è Dio. Vero è che il libero arbitrio gli consente di deviare volontariamente da questa meta, ma ora Dante è purificato da ogni stortura e necessariamente quindi tende verso Dio. La spiegazione di Beatrice, insomma, non nega le leggi fisiche, ma a queste affianca altre leggi meno evidenti ma più vincolanti ancora. Con questa spiegazione, posta ad apertura della terza c a n t i c a in bocca a Beatrice, Dante chiede al lettore di adattarsi ad un nuovo modo di ragionare, ad una nuova dimensione che potremmo sommariamente definire metafisica. **Forma**: è termine tecnico dei filosofi scolastici e significa *principio essenziale*, cioè ciò che caratterizza la particolarità di ogni singolo essere, quasi la qualità fondamentale.

106-108: *In ciò* (**qui**) *gli esseri* (**l'**⟨**e**⟩... **creature**) *superiori* (**alte**) [: angeli ed uomini d'intelletto] *vedono* (**veggion**) *l'impronta* (**l'orma**) *di Dio* (**de l'etterno valore** = della grandezza eterna), *il quale* [*Dio*] *è il fine per il* (**al**) *quale è costituita* (**fatta**) *la legge* (**norma**) *suddetta* (**toccata**) [: ai vv. 103 sg.]. Cioè: angeli ed uomini dotati di ingegno vedono nell'ordine universale un segno di Dio, di quel Dio che è poi il fine di tale ordine (dato che tutte le cose aspirano a lui).

109-114: *Nell'ordine di cui io parlo* (**ch'io dico**) *tutti gli esseri* (**tutte nature**) *ricevono un'inclinazione* (**sono accline**; con plur. in -e), *a seconda delle* (**per**) *diverse condizioni avute in sorte* (**sorti**), [*essendo*] *più o meno vicine al loro principio* [: Dio]*; per cui* (**onde**) *si muovono verso* (**a**) *diversi porti* [: fini] *nel* (**per lo** = per il) *grande* (**gran**) *mare dell'esistenza* (**de l'essere**), *e ognuna con un istinto dàtole* (**a lei dato**) *che la conduca* (**porti**). L'ordine dato da Dio all'Universo si trasmette a tutti gli esseri, più o meno lontani da lui, comunicando ad ognuno un istinto particolare che lo conduce attraverso le innumerevoli varietà della vita al suo fine stabilito. Alla grandiosa concezione si accompagnano immagini altrettanto grandiose; si noti almeno la m e t a f o r a del *mare* al v. 113 collegata a quella del **porto** al v. 112: nel mare immenso delle cose esistenti nell'Universo ogni essere cerca il porto che gli è stato assegnato attraverso l'istinto.

Questi ne porta il foco inver' la luna;
    questi ne' cor mortali è permotore;
117   questi la terra in sé stringe e aduna;
né pur le creature che son fore
    d'intelligenza quest' arco saetta,
120   ma quelle c'hanno intelletto e amore.
La provedenza, che cotanto assetta,
    del suo lume fa 'l ciel sempre quïeto
123   nel qual si volge quel c'ha maggior fretta;
e ora lì, come a sito decreto,
    cen porta la virtù di quella corda
126   che ciò che scocca drizza in segno lieto.
Vero è che, come forma non s'accorda
    molte fïate a l'intenzion de l'arte,
129   perch' a risponder la materia è sorda,
così da questo corso si diparte
    talor la creatura, c'ha podere
132   di piegar, così pinta, in altra parte;
e sì come veder si può cadere

115-120: *Questo* (**questi**) [*ordine*] *porta* (il **ne** è p l e o n .) *il fuoco* [*a innalzarsi*] *verso la luna; questo è il principio vitale* (**permotore**) *negli animali bruti* (**ne' cor mortali**)*; questo unisce* (**stringe**) *e rende compatta* (**aduna**) *in sé la terra: e quest'arco* [: l'ordine universale] *non* (**né**) *scaglia* (**saetta**) [: incalza] *soltanto* (**pur**) *le creature che sono prive* (**fore**) *di intelligenza, ma* [*anche*] *quelle che hanno intelletto ed amore.* Come ai vv. 109-114 è stata dichiarata la legge che regola l'ordine universale, così qui si offrono alcuni esempi del suo funzionamento. **Cor mortali**: sono gli esseri dotati di sola *anima sensitiva*, e quindi di un *cuore mortale*; privi di anima. **Quest'arco saetta**: l'ordine da cui deriva l'istinto dai vari esseri viventi è paragonato ad un **arco** che scagli (**saetta**) come frecce tali esseri verso il fine proprio. **Intelletto e amore**: sono le caratteristiche specifiche degli angeli e degli uomini; e per amore bisogna intendere *amore d'animo*, cioè *volontà*, in quanto comporti una scelta consapevole.

121-126: *La provvidenza* (**provedenza**) [*divina*]*, che ordina* (**assetta**) [*l'Universo*] *in modo così mirabile* (**cotanto**)*, rende* (**fa**) *sempre appagato* (**quieto**) *della sua luce* (**lume**) *il* ('**l**) *cielo* [: l'Empireo] *dentro il* (**nel**) *quale ruota* (**si volge**) *quel* [*cielo*] *che ha* (**c'ha**) *più* (**maggior**) *fretta* [: il cielo più veloce, cioè il Primo Mobile]*; e ora lì* [: nell'Empireo]*, come a una sede* (**sito**) *destinata* (**decreto** = stabilito)*, ci* (**cen** = ce ne; **ne** è p l e o n .) *porta la forza* (**virtù**) *di quella corda* [*di arco*] *che indirizza* (**drizza**) *verso* (**in**) *un lieto bersaglio* (**segno**) *ciò che scocca*. Come il movimento dell'Universo è tutto un tendere a Dio, così l'Empireo, dove Dio propriamente ha sede, è immobile in quanto appagato dalla sua presenza (v. 122); all'interno dell'Empireo ruota il cielo più veloce, o Primo Mobile (v. 123). Verso l'Empireo ora Beatrice e Dante stanno innalzandosi, essendo in esso la sede vera dell'uomo (vv. 124 sg.). Le immagini della **corda** e dello *scoccare* si ricollegano alla m e t a f o r a dell'**arco** del v. 119 (e cfr., lì, **saetta**).

127-135: *È* [*anche*] *vero* [*però*] *che come molte volte* (**fiate**) *la forma* [*di un'opera*] *non corrisponde* (**non s'accorda**) *all'intenzione dell'artista* (**de l'arte**; è m e t o n i m i a : l'astratto per il concreto)*, perché la materia è restìa* (**sorda**) *a obbedire* (**risponder**)*; così talora da questo corso* [: l'istintivo tendere al cielo, cioè al bene] *si allontana* (**si diparte**) *l'uomo* (**la creatura**)*, che ha la possibilità* (**podere**) *di deviare* (**piegar**) *verso un'* (**in**) *altra direzione* (**parte**)*,* [*benché sia stato*] *così* [*bene*] *indirizzato* (**pinta**)*; e così* (**sì**) *come*

foco di nube, sì l'impeto primo
135   l'atterra torto da falso piacere.
Non dei più ammirar, se bene stimo,
     lo tuo salir, se non come d'un rivo
138   se d'alto monte scende giuso ad imo.
Maraviglia sarebbe in te se, privo
     d'impedimento, giù ti fossi assiso,
     com' a terra quïete in foco vivo ».
142   Quinci rivolse inver' lo cielo il viso.

si può veder cadere fuoco [: un fulmine] *da una* (**di**) *nube, così l'istinto* (**l'impeto**) *originario* (**primo**), *distorto* (**torto**) *da una falsa attrattiva* (**piacere**), *lo* [: l'uomo] *spinge verso terra* (**l'atterra**). La teoria dell'ordine universale, quale Beatrice la ha esposta ai vv. 103-126, contiene un rischio di determinismo: il vero motore di tutto sarebbe il destino voluto da Dio (è la *predestinazione*). Beatrice si affretta a correggere questa eccessiva limitazione della libertà umana introducendo la variabile del *libero arbitrio*: Dio indirizza l'uomo verso il bene e gli stabilisce come sede finale l'Empireo, ma l'uomo, essendo dotato di volontà, può deviare da questa meta e può essere portato da un istinto corrotto da false attrattive verso terra anziché verso il cielo; così come un'opera d'arte che si rifiuti di realizzare la volontà del suo creatore, e così come càpita che il fuoco, anziché salire verso la sua sfera, scenda verso terra sotto forma di fulmine.

136-138: *Se valuto* (**stimo**) *bene, non devi* (**dei**) *più meravigliarti del* (**ammirar...lo**) *tuo salir se non quanto* (**come**) [*ti meravigli*] *di*

un fiume (**rivo**) *se da un alto monte scende giù* (**giuso**) *verso il basso* (**ad imo**). L'ascesa di Dante, che è stato purificato dalle tendenze distorte, è un fenomeno del tutto naturale, così come è naturale la discesa a valle di un fiume.

139-141: *Sarebbe da maravigliarsi* (**maraviglia**), *per quel che ti riguarda* (**in te**), *se, privo di impedimento* [: libero dal peccato], *fossi rimasto fermo* (**ti fossi assiso**, cioè 'seduto') *giù* [*in Terra*], *come* [*meraviglierebbe*] *sulla* (**a**) *Terra l'immobilità* (**quiete**) *in una fiamma* (**in foco** = fuoco) *viva*». L'ascesa di Dante al cielo non ha dunque nulla di miracoloso: è il naturale compimento dell'espiazione avvenuta nel Purgatorio. Per questo può essere paragonata a un fenomeno fisico, il tendere del fuoco verso l'alto, cioè, appunto, verso la sfera del fuoco, dove soltanto esso può trovare **quiete**, come l'uomo nel Paradiso.

142: *Poi* (**quinci**) [: detto questo] [*Beatrice*] *rivolse lo sguardo* (**il viso**; dal lat. 'visus') *verso* (**inver'**) *il* (**lo**) *cielo*.

Agùglia   v. 48

Accanto al lat. class. *aquïla* esisteva la voce volg. *aculea*. Inizialmente nei volgari italiani sono convissute ancora due forme: *aquila* da *aquila* (voce più dotta e letter.) e *aguglia* da *aculea* (voce popolare). Trattandosi poi di un uccello non molto diffuso (e quindi poco nominato) e di tradizione piuttosto letter., si è imposta la voce dotta. Non risultano attestazioni di *aguglia* oltre il XV secolo Dante usa entrambe le forme.

È voce dotta dal lat. *exemplum* = 'modello, campione, tipo' (voce composta da *ex* = 'fuori' e da *eměre* = 'comprare', nel significato proprio di 'scegliere qualcosa da un insieme'; cfr. ital. mod. *esempio*, franc. *exemple*, sp. *ejemplo*). È la forma ant., oggi non più in uso, per *esempio*.

La voce deriva dal lat. tardo *grossus* ('spesso, grosso'; cfr. lat. class. *crassus*); ed è voce popolare continuata nelle lingue romanze (cfr. franc. *gros*, sp. *grueso*). Il significato prevalente (e l'unico vivo ancor oggi) è 'di notevole volume, di grandi dimensioni, esteso, vasto' — cfr. *Inf.* VI, 10 e XV, 11. Dante usa l'agg. soprattutto nel senso figur. di 'ignorante, rozzo, poco intelligente, ottuso' — cfr. *Purg.* XI, 93 e *Par.* I, 88. Tale accezione vive oggi solo in certi composti (per es. *grossolano*).

LA CONCEZIONE MEDIOEVALE DELL'UNIVERSO

Gli astronomi medioevali concepivano l'Universo secondo un sistema *geocentrico* (= con la Terra al centro), detto anche *sistema tolemaico* dal nome del grande astronomo egiziano Tolomeo, vissuto nel II secolo d.C. Tale concezione resistette fino al XVI secolo, quando fu proposto da Copérnico (di qui il nome di *sistema copernicano*) un sistema *eliocentrico* (= con il sole al centro).

Secondo la concezione medioevale, al centro dell'Universo sta dunque la Terra, immobile; in essa sono presenti due *elementi: terra* e *acqua*; mentre un terzo elemento la circonda tutta: l'*aria*. Al di sopra dell'aria sta un quarto elemento, il *fuoco*, che tende a raccogliersi tutti nella sua sfera, che segna il confine tra le cose contingenti e deperibili (al di sotto) e quelle trascendenti e incorruttibili (al di sopra). Oltre la sfera del fuoco stanno i *nove cieli* (sfere concentriche via via più grandi allontanandosi dalla Terra): essi sono formati da un quinto elemento, trasparente e immateriale (l'*etere*), e sono contenuti dall'*Empireo*, sede dei beati e di Dio.

Ogni cielo è concepito come un corpo impalpabile che occupa tutto lo spessore tra il cielo precedente e quello successivo. All'interno di ogni cielo è collocato un *pianeta* (tali erano considerati anche il sole e la luna) dal quale prendono nome le sfere, o cieli, corrispondenti. Attorno alla Terra, immobile, si immaginava che i pianeti compissero due movimenti: uno *con* la sfera attorno alla Terra (*deferente*), un altro *all'interno* della sfera (*epiciclo*: con il quale si compensava l'errore di calcolo derivante dal non considerare il movimento terrestre).

Canto II

Anche il secondo canto si apre con una solenne p r o t a s i , nella forma di un ammonimento ai lettori: chi ha seguìto il racconto di Dante fin qui sprovvisto di una solida preparazione filosofica e soprattutto teologica, a questo punto è invitato a tornare indietro, se non vuole smarrirsi nelle regioni inesplorate che Dante sta per attraversare; solamente chi si è rivolto per tempo agli studi necessari potrà proseguire oltre, certo di assistere a cose eccezionali.

* * *

Riprende poi il racconto vero e proprio: Beatrice e Dante raggiungono velocissimi il *cielo della Luna*, il *primo* e più vicino alla Terra. Violando le leggi fisiche che negano la possibilità della compenetrazione dei corpi, essi penetrano entro la materia della luna senza romperla, come un raggio di luce nell'acqua.

* * *

La seconda parte del canto è occupata dalla spiegazione di Beatrice, in risposta ad un dubbio di Dante, sulla causa delle macchie lunari. Esse non dipendono, come (sulla scorta del filosofo àrabo Averroè) ritenevano i più e come Dante stesso aveva mostrato di credere nel Convivio, *dalla maggiore o minore densità della materia lunare, ma dal diverso risplendere delle intelligenze angeliche che animano la luna.*

I commentatori hanno spesso notato in questo canto una certa disuguaglianza strutturale e artistica, sottolineando l'intensità dell'apertura e l'originalità emozionante dell'arrivo nel cielo della Luna, rispetto ad una certa aridità scolastica nella lunga spiegazione di Beatrice. In effetti tale giudizio appare troppo severo. Bisogna infatti considerare la profonda ragione strutturale che collega la seconda parte di questo canto alla seconda parte di quello precedente. Nel canto I Beatrice si è soffermata sull'ordinamento delle cose nell'Universo e sull'impulso dell'essere verso l'alto, verso Dio; in questo canto si sofferma sul problema reciproco, e cioè sul modo in cui la potenza di Dio si irradia verso il basso trasmettendosi a tutto l'Universo. Infatti la spiegazione della causa delle macchie lunari è solo un'occasione per affrontare il tema generale e complesso del manifestarsi della divinità in tutte le cose.

Così nei primi due canti del *Paradiso* Dante affronta sùbito il grande problema dell'ordine universale nell'ottica teologica propria della *Commedia*. Dal punto di vista dottrinale, la spiegazione di Beatrice consiste infatti nell'illustrare un aspetto particolare dell'ordine universale.

L'Empireo, diretta emanazione divina, abbraccia tutto l'Universo come una immensa sfera immobile; al suo interno si muove un'altra sfera — il Primo Mobile — dalla quale l'unico moto, fondamento della vita universale emanato direttamente da Dio, si trasmette al cielo delle stelle fisse differenziandosi; da qui si trasmette ai sette cieli minori, concepiti come altrettante sfere concentriche, in modi diversi al fine di attuare il loro molteplice influsso sulla Terra, posta all'interno del cielo più basso — quello della Luna — e quindi al centro dell'Universo. Tali movimenti e tali influssi — tutti derivanti dall'unico movimento ed influsso primario, derivato a sua volta da Dio — sono affidati alle intelligenze angeliche, le quali, compenetrate alla materia delle varie stelle, risplendono di essa per manifestare la loro gioia, come nell'uomo la gioia dell'animo si manifesta dalla vivacità della pupilla; e il minore o maggiore brillare — e quindi le stesse macchie lunari — dipende dal modo vario in cui la virtù angelica si fonde con la materia delle varie stelle, formando diverse leghe.

Nell'appendice I sono presentate le traduzioni dei vv. 31-45 del canto.

O voi che siete in piccioletta barca,
    desiderosi d'ascoltar, seguiti
3   dietro al mio legno che cantando varca,
tornate a riveder li vostri liti:
    non vi mettete in pelago, ché forse,
6   perdendo me, rimarreste smarriti.
L'acqua ch'io prendo già mai non si corse;
    Minerva spira, e conducemi Appollo,
9   e nove Muse mi dimostran l'Orse.

1-6: *O voi* [*lettori*] *che in una barca piccola* (**piccioletta**), *desiderosi di ascoltare* [*i miei racconti*], *siete venuti* (**siete...seguiti**; cfr. lat. 'estis secuti') *dietro alla mia nave* (**legno**; per m e t o n i m i a) *che solca* (**varca**) [*il mare*] [: attraversa l'Universo] *poetando* (**cantando**), *tornate a rivedere le vostre spiagge* (**liti**) [: tornate indietro, smettete di leggere]*: non inoltratevi* (**vi mettete**) *nel mare aperto* (**in pelago**), *poiché* (**ché**), *forse, perdendo me* [: la mia guida, non riuscendo a seguirmi], *rimarreste smarriti.* Anche il secondo canto si apre con una p r o t a s i , volta ad ammonire i lettori. Il racconto poetico è paragonato, come altre volte (cfr. p. es. *Purg.* I, 1 sgg.), ad una navigazione. Ora Dante sente che il viaggio subisce una svolta profonda e che diviene necessaria, per chi leggerà il poema, una cultura teologica, senza la quale sarà impossibile seguire il racconto, se non a rischio di smarrirsi. Per questo i lettori inesperti di teologia (che m e t a f o r i c a m e n t e hanno seguito la navigazione, finora, su **piccioletta barca**) sono invitati a non avventurarsi nel mare profondo in cui sta entrando il **legno** del poeta.

7-9: *Il mare* (**l'acqua**) *che io inizio* (**prendo**) [*a percorrere*] *non è mai stato solcato* (**già mai non si corse**)*; Minerva soffia* (**spira**) [*nelle vele*]*, e mi guida* (**conducemi**) *Apollo, e le nove Muse mi indicano* (**dimostran**) *la direzione* (**l'Orse**; il grande e il piccolo Carro, costellazioni fondamentali per l'orientamento). La sapienza (**Minerva**) spinge la nave, la poesia (**Appollo**) la guida, la tecnica e l'arte (le **Muse**) danno l'orientamento. E questo serve a dire la difficoltà di un simile viaggio, attraverso un mare che nessuno ha mai navigato. Quest'ultima affermazione merita però alcune osservazioni. In verità, infatti, altri poeti avevano rappresentato prima di Dante il Paradiso cristiano (p. es. Bonvesin de la Riva e Giacomino da Verona) ed è probabile che Dante conoscesse le loro opere. Per non parlare della rappresentazione degli Elisi nell'*Eneide* virgiliana. In effetti ciò che caratterizza l'originalità del *Paradiso* dantesco non è tanto la materia del racconto, quanto il profondo contenuto teologico; non è la *visione* (secondo il modello medioevale) ma lo spessore dottrinale che la sostanzia e la ispira. Di ciò Dante aveva certo precisa

Voialtri pochi che drizzaste il collo
per tempo al pan de li angeli, del quale
12 vivesi qui ma non sen vien satollo,
metter potete ben per l'alto sale
vostro navigio, servando mio solco
15 dinanzi a l'acqua che ritorna equale.
Que' glorïosi che passaro al Colco
non s'ammiraron come voi farete,
18 quando Iasón vider fatto bifolco.
La concreata e perpetüa sete
del deïforme regno cen portava
21 veloci quasi come 'l ciel vedete.

coscienza, come rivelano i riferimenti a Minerva e ad Apollo: la difficoltà e la novità di questa parte del poema sono culturali e non tematiche. E cfr. anche i vv. 10-15.

10-15: *Voi altri pochi* [lettori] *che per tempo* [: fin da giovani] *innalzaste* (**drizzaste**) *la mente* (**il collo**) *al pane degli* (**de li**) *angeli* [: la teologia], *del quale qui* [: sulla Terra] *si vive* (**vivesi**) [: ci si nutre spiritualmente] *ma non se ne* (**sen**) *diventa* (**vien**) [*mai*] *sazi* (**satollo**) [: non si è mai completamente appagati], *potete certo* (**ben**) *inoltrare* (**metter**) *la vostra nave* (**navigio**) *attraverso* (**per**) *il mare* (**sale**) *profondo* (**alto**), *seguendo* (**servando**) *la mia scia* (**solco**) *davanti* (**dinanzi**) *al punto in cui l'acqua* (**a l'acqua che**) *ritorna liscia* (**equale**). Ai molti lettori sprovvisti di cultura filosofica e teologica, qui si contrappongono i **pochi** che **per tempo** si sono dedicati a tali studi (così come a **piccioletta barca** — v. 1 — si contrappone **navigio** — v. 14 —, piuttosto simile a **legno** — v. 3 —). Ad essi solo è consentito di seguire il racconto del viaggio da qui in poi, stando ben attenti a non uscire dalla scia segnata dal poeta. **Pan de li angeli**: è la teologia, nutrimento degli angeli, i quali sono i soli a saziarsene, nella visione di Dio; gli uomini sulla Terra possono nutrirsene senza però mai averne un appagamento completo, perché ad essi resta sempre negata la comprensione totale del mistero divino. L'espressione deriva dalla *Bibbia*. Non c'è in questa distinzione tra lettori idonei e lettori inidonei una orgogliosa intenzione di tipo aristocratico o elitario; ma solo la consapevolezza di essere in possesso di una Grazia particolare, di un dono che può comunicarsi solo a coloro che sono in grado di riceverlo. A questi ultimi Dante parla entusiasticamente per dividere il privilegio ricevuto, come rivelano i versi seguenti; agli altri sarebbe inutile; potrebbero solo smarrirsi o turbarsi.

16-18: *Quei* (**que'**) *gloriosi* [: gli Argonauti] *che attraversarono* (**passaro** = passarono) [*il mare*] *fino alla Colchide* (**al Colco**; il nome degli abitanti, al sing., per quello della regione), *quando videro Giasone* (**Iasón**) *divenuto* (**fatto**) *contadino* (**bifolco**) *non si meravigliarono* (**non s'ammiraron**) *come farete voi* [lettori]. Gli Argonauti, secondo il mito, si misero in viaggio dalla Grecia alla ricerca del vello d'oro. Giunti in Colchide (l'odierna Crimea), il loro capo Giasone dovette superare alcune prove, tra le quali quella di arare un campo con due buoi spiranti fiamme, da lui stesso domati per seminare denti di serpente da cui nascevano soldati; e divenendo, da guerriero, contadino. Chi seguirà Dante avrà più ragione di meravigliarsi di quanta ne ebbero i seguaci di Giasone (e il movente della meraviglia di costoro sarà stato, ovviamente, non il vederlo arare, quanto l'aspetto terribile dei buoi e l'eccezionalità della «semina»). Il ricordo dell'impresa degli Argonauti nasce dalla m e t a f o r a della navigazione in mari inesplorati.

19-21: *Il desiderio* (**la...sete**) *innato* (**concreata** = creata con l'anima intellettiva) *e inestinguibile* (**perpetua**) *del regno divino* (**deiforme** = della forma stessa di Dio) [: l'Empireo] *ci* (**cen** = ce ne; **ne** è p l e o n .) *portava veloci quasi come vedete* [*ruotare*] *il* (**'l**) *cielo*. Secondo quanto Beatrice ha spiegato nel canto I, è il desiderio innato di Dio che porta Dante, purificato, a innalzarsi verso il cielo.

Beatrice in suso, e io in lei guardava;
       e forse in tanto in quanto un quadrel posa

24   e vola e da la noce si dischiava,
     giunto mi vidi ove mirabil cosa
       mi torse il viso a sé; e però quella

27   cui non poteá mia cura essere ascosa,
     volta ver' me, sì lieta come bella,
       « Drizza la mente in Dio grata », mi disse,

30   « che n'ha congiunti con la prima stella ».
     Parev' a me che nube ne coprisse
       lucida, spessa, solida e pulita,

33   quasi adamante che lo sol ferisse.
     Per entro sé l'etterna margarita
       ne ricevette, com' acqua recepe

36   raggio di luce permanendo unita.

22-30: *Beatrice guardava in alto* (**suso**) *e io in lei; e forse nel tempo che* (**in tanto in quanto**) *una freccia* (**un quadrel⟨lo⟩**) *si ferma* (**posa**) *[sul bersaglio] e vola e si stacca* (**dischiava**) *dalla balestra* (**noce**) *mi vidi arrivato* (**giunto**) *dove* (**ove**) *una cosa meravigliosa* (**mirabil**) *attirò il mio* (**mi torse**) *sguardo* (**viso**) *a sé; e quindi* (**però**) *colei* (**quella**) [: Beatrice] *alla quale* (**cui**) *non poteva* (**poteá**) *essere nascosta* (**ascosa**) *[nessuna] mia impressione* (**cura**), *rivolta* (**volta**) *verso di me* (**ver' me**), *tanto* (**sì**=così) *lieta quanto* (**come**) *bella, mi disse: «Rivolgi* (**drizza**) *la mente grata a* (**in**) *Dio, che ci ha fatti giungere al* (**n'ha congiunti con la; n'** = ne) *primo cielo* (**stella**) [: della Luna]. Ripresa la narrazione, la situazione è quella con la quale si è chiuso il canto I: Beatrice fissa il cielo e Dante fissa Beatrice. Questa posizione degli sguardi è interrotta da Dante per guardare qualcosa di nuovo e di meraviglioso che gli appare ad un tratto, e cioè, come sùbito lo informa Beatrice (**lieta** per la prima mèta conquistata), il *cielo della Luna* (**la prima stella**). Il volo è stato rapidissimo: una freccia impiega lo stesso tempo, all'incirca (**forse**), a raggiungere il bersaglio. Si noti che l'ordine dei fatti, ai vv. 23 sg., è invertito: **posa - vola - si dischiava** anziché **si dischiava - vola - posa**. Si tratta di una figura retorica (chiamata *ỳsteron pròteron*) secondo la quale si anticipa ciò che dovrebbe venir dopo; lo scopo è, in questo caso, quello di esprimere la rapidità degli avvenimenti, quasi che si veda l'arrivo della freccia prima di rendersi ben conto che essa sia stata scoccata. Inoltre ai tre momenti del tragitto della freccia corrispondono tre momenti del tra-

gitto di Dante stesso: lo staccarsi da terra, il volo, l'arrivo al cielo della Luna; poiché il parallelo con la freccia è introdotto mentre Dante sta compiendo l'ultimo tratto del volo è naturale che egli nomini prima l'ultima fase del tragitto della freccia (colpire il bersaglio = **posa**) e poi, a ritroso, gli altri momenti. **Noce**: «quella parte della balestra [un'arma medioevale simile all'arco] dove s'appicca [si attacca] la corda quando si carica» (Tommaseo-Bellini). **Si dischiava**: *chiave* era detto il grilletto che faceva abbassare la **noce**; *dischiavare* è perciò il movimento della *chiave* che fa partire la freccia. **La prima stella**: è la *Luna* (non era conosciuta la distinzione tra *stella* e *pianeta*) ed insieme il *cielo della Luna*, il primo che ruota attorno alla Terra.

31-33: *Mi pareva* (**parev'a me**) *che ci* (**ne**) *coprisse una nube luminosa* (**lucida**), *densa* (**spessa**), *compatta* (**solida**) *e liscia* (**pulita**), *come* (**quasi**) *un diamante* (**adamante**) *colpito dal sole* (**che lo sol** [sogg.] **ferisse**). Beatrice e Dante sono quindi entrati all'interno della materia lunare, avendo raggiunto il cielo della Luna nel punto esatto dove è collocato il pianeta.

34-36: *La gemma* (**margarita**; latinismo) *incorruttibile* (**etterna**) [: la luna] *ci* (**ne**) *accolse* (**ricevette**) *al suo interno* (**per entro sé**), *come acqua che riceve* (**recepe**; latinismo) *un raggio di luce rimanendo* (**permanendo**) *integra* (**unita**). Splendida s i m i l i t u d i n e : Beatrice e Dante penetrano all'interno del corpo della luna (ma **ricevette** dà il senso quasi di una benevola accoglienza) senza

S'io era corpo, e qui non si concepe
com'una dimensione altra patìo,
39   ch'esser convien se corpo in corpo repe,
accender ne dovrìa più il disio
di veder quella essenza in che si vede
42   come nostra natura e Dio s'unìo.
Lì si vedrà ciò che tenem per fede,
non dimostrato, ma fia per sé noto
45   a guisa del ver primo che l'uom crede.

disgregarne la materia, come un raggio di luce attraversa l'acqua senza ferirla. Come altre volte, Dante ricorre ad immagini fisiche e materiali per spiegare fenomeni al di fuori delle leggi fisiche umane, riuscendo così a dare quasi l'impressione di aver compreso la modalità del miracolo.

37-42: *Il fatto che io* (s'io = se io) *fossi* (era) *corpo* — *e qui* [: sulla Terra] *non si capisce* (concepe; latinismo) *come un corpo* (dimensione; per m e t o n i m i a) [ne] *accolse* (patìo; con e p i t e s i in -o) [in sé] *un altro, il che è fatale che avvenga* (ch'esser convien) *se un corpo penetra* (repe; latinismo) *in un altro* — *ci* (ne) *dovrebbe* (dovrìa) *accendere di più il desiderio* (disio) *di vedere quella essenza* [di Cristo] *nella quale* (in che) *si vede come si compenetrarono* (s'unìo = si unì; al sing. ma con due sogg.) *la nostra natura* [umana] *e Dio.* Dante era corporeamente presente; e il fatto miracoloso che egli

sia potuto penetrare nella materia lunare senza che nessuno dei due corpi si disgregasse va contro le leggi terrene. Ma non contro quelle divine. E questo fatto dovrebbe accrescere il desiderio di vedere il cielo, dove sarà comprensibile un mistero ancora più grande: la compenetrazione non di corpi ma di nature e di sostanze diverse, e cioè l'Incarnazione, che unisce nella persona di Cristo l'uomo e Dio.

43-45: *Lì* [: in Paradiso] *si vedrà ciò che crediamo* (tenem = riteniamo) *per fede,* [e] *non* [perché ci sarà] *dimostrato* [razionalmente], *ma* [perché] *sarà* (fia) *evidente* (noto) *per se stesso come le* (a guisa del) *verità prime* (ver primo) [: gli assiomi] *cui* (che) *l'uomo crede* [per implicita evidenza, senza bisogno di dimostrazione]. Nel Paradiso si avrà la visione di quella realtà dell'Incarnazione cui sulla Terra si crede per fede, in seguito alla Rivelazione.

Bifolco
v. 18

La voce deriva dal lat. *bŭbulcus* = 'custode di bovini' (composto dal lat. *bos* = 'bove' e da una radice corrispondente a quella del gr. γύλαξ [phulaks] = 'custode'), attraverso il lat. volg. *befulcus*. Il termine indica propriamente 'colui che è a guardia dei buoi o che con essi lavora la campagna'. Oggi la voce è usata piuttosto in senso spregiativo ad indicare una 'persona villana, rozza, ignorante'.

Masnada
v. 130

È voce dotta derivata dal lat. parlato *ma[n]sionata* = 'gente di famiglia, servitù' (cfr. prov. *maisnada*, franc. ant. *maisniee* e sp. *mesnada*). In età medioevale il vocabolo indicava 'l'insieme dei servi che vivevano nella casa di un signore feudale', con varie mansioni, compresa quella di difendere, armati, il signore come «guardie del corpo». Dante usa il termine per estens. nel senso di 'schiera, gruppo di persone' — cfr. *Inf.* XV, 41 e *Purg.* II, 130. Oggi il termine ha assunto una netta caratterizzazione negativa (assente in Dante) ad indicare 'bande di malintenzionati o di teppisti' oppure, semplicemente, 'gruppo di persone scioperate e turbolente'.

Canto III

Nel primo cielo, della Luna, Dante incontra l'anima di Piccarda Donati (la cui beatitudine gli era stata già annunciata dal fratello di lei Forese nel canto XXIV del *Purgatorio*) e quella dell'imperatrice Costanza d'Altavilla.

Le anime dei beati si mostrano a Dante nei diversi cieli (benché, come si vedrà, la vera sede sia per tutti l'Empireo) a seconda del pianeta dal quale esse ricevettero maggiormente l'impulso a bene operare. Il cielo della Luna fa però eccezione; le anime che Dante vi incontra sono caratterizzate per una mancanza: esse non poterono sulla Terra tener fede ad un voto fatto. Il cielo più vicino alla Terra, così, è anche quello più legato all'umana debolezza ed imperfezione. Tuttavia, le anime condividono un'eguale sorte di beatitudine e tutte sono completamente appagate dalla propria condizione, coincidendo perfettamente il volere di ciascuna con il volere divino.

* * *

Beatrice ha finito la sua spiegazione, relativa alla causa delle macchie lunari, e Dante vorrebbe ringraziarla e confermarle di aver capito e di aver corretto il proprio errore. Ma il suo sguardo è attratto dalla visione di volti evanescenti, come debolmente riflessi da un vetro o da un'acqua poco profonda; e Dante infatti si volta, credendo di averli alle spalle. Invece sono anime beate il cui aspetto corporeo è quasi completamente dissolto, in una spiritualizzazione che sarà del tutto compiuta nelle anime dei cieli seguenti, pure essenze di luce.

Dante parla con Piccarda Donati, che fu rapita dal convento dove si era ritirata in giovane età e costretta a sposarsi, rompendo così il voto di castità. Dopo aver spiegato a Dante che tutte le anime del Paradiso godono della completa beatitudine, Piccarda rievoca con parole pacate la propria storia dolorosa. Poi indica a Dante l'anima di Costanza d'Altavilla, anch'essa rapita dal convento e costretta alle nozze per ragioni politiche.

Dileguatesi le anime, Dante è abbagliato dall'accresciuto splendore di Beatrice; e ciò lo induce a ritardare l'esposizione di nuovi dubbi sorti frattanto nel suo animo.

* * *

Il canto è drammaticamente incentrato sul rapporto tra le due situazioni esistenziali di Piccarda: quella terrena e quella celeste. Piccarda aveva tentato di realizzare sulla Terra un suo ideale di purezza, rispondente anche ad un bisogno di protezione e di difesa: nella vita monacale la sua personalità psicologicamente fragile e delicata aveva trovato tale equilibrio, fuggendo il mondo e le sue passioni per lei non sostenibili. Ma il rapimento, operato dal fratello Corso per interessi meschini, e il matrimonio impostole avevano violentemente distrutto questo equilibrio. Nel Paradiso Piccarda lo recupera appieno, arricchito da una serenità e da una beatitudine più grandi e profonde, derivanti dalla partecipazione alla volontà stessa di Dio.

L'ombra di malinconia che vela alcuni momenti del canto è da attribuirsi al ricordo delle vicende terrene di Piccarda, pur venato di superiore distacco anche nei confronti di chi sulla Terra le arrecò offesa. Ed è una malinconia che ricorda un po' l'atmosfera del *Purgatorio*: in questo primo cielo del Paradiso, infatti, benché il trascendimento della dimensione terrena sia già compiuto, ancora resta un'eco delle vicende terrene, così come queste anime conservano ancora un'ombra dei lineamenti umani.

Sul piano stilistico, collabora alla definizione del personaggio di Piccarda e a quella dell'atmosfera intima del canto un fitto tessuto musicale, fatto soprattutto di r e p l i c a z i o n i e di continue riprese fonetiche.

Cfr. tavola 14.

> Quel sol che pria d'amor mi scaldò 'l petto,
> di bella verità m'avea scoverto,
3 provando e riprovando, il dolce aspetto;
> e io, per confessar corretto e certo
> me stesso, tanto quanto si convenne
6 leva' il capo a proferer più erto;
> ma visïone apparve che ritenne
> a sé me tanto stretto, per vedersi,
9 che di mia confession non mi sovvenne.
> Quali per vetri trasparenti e tersi,
> o ver per acque nitide e tranquille,
12 non sì profonde che i fondi sien persi,
> tornan de' nostri visi le postille

1-9: *Quel sole* [: Beatrice] *che per primo* (**pria**) [: da bambino] *mi accese* (**scaldò**) *il* (**'l**) *petto d'amore* [: mi fece innamorare], *provando e riprovando* [: con confutazioni e dimostrazioni] *mi aveva* (**m'avea**) *mostrato* (**scoverto**) *il dolce aspetto della* (**di**) *bella verità; e io, al fine di dichiararmi* (**per confessar...me stesso**) *corretto* [*dall'errore*] *e persuaso* (**certo**), *sollevai* (**leva'⟨i⟩**) *la testa* (**il capo**) *tanto eretta* (**tanto...più erto**) *quanto era necessario* (**si convenne**) *per parlare* (**a proferer**) [: senza andare al di là della giusta misura del rispetto per Beatrice]*; ma apparve una visione che mi trattenne* (**che ritenne...me**) *tanto avvinto* (**stretto**) *a sé, per vederla* (**per vedersi**), *che non mi ricordai* (**sovvenne**) *della* (**di**) *mia dichiarazione* (**confession**). Dante allude alla spiegazione di Beatrice sulla causa delle macchie lunari, che ha occupato gran parte del canto precedente. Vorrebbe ringraziarla mostrandole di aver capito e di essere persuaso, ma alzando gli occhi per parlare gli appare qualcosa che attira interamente la sua attenzione facendogli dimenticare quanto stava per dire. So-le: così è definita qui Beatrice perché, come il sole dà luce e calore, così Beatrice gli ha scaldato il **petto** d'amore e illuminato la mente con la **verità**.

10-18: *Quali riflesse su* (**per**) *vetri trasparenti e puliti* (**tersi**), *ovvero* (**o ver**) *su* (**per**) *acque limpide* (**nitide**) *e immobili* (**tranquille**), *non così* (**sì**) *profonde che i fondi siano scuri* (**persi**), *ritornano* (**tornan**) [*specchiati*] *i lineamenti* (**le postille**) *dei* (**de'**) *nostri visi co-*

                    debili sì, che perla in bianca fronte
15   non vien men forte a le nostre pupille;
             tali vid' io più facce a parlar pronte;
                 per ch'io dentro a l'error contrario corsi
18   a quel ch'accese amor tra l'omo e 'l fonte.
             Sùbito sì com' io di lor m'accorsi,
                 quelle stimando specchiati sembianti,
21   per veder di cui fosser, li occhi torsi;
             e nulla vidi, e ritorsili avanti
                 dritti nel lume de la dolce guida,
24   che, sorridendo, ardea ne li occhi santi.
             « Non ti maravigliar perch' io sorrida »,
                 mi disse, « appresso il tuo püeril coto,
27   poi sopra 'l vero ancor lo piè non fida,
             ma te rivolve, come suole, a vòto:

sì evanescenti (**debili sì**) *che una perla posta su una* (**in**) *fronte bianca colpisce* (**vien**) *altrettanto debolmente* (**non...men forte** = non meno intensamente) *le nostre pupille; tali io vidi diverse* (**più**) *facce pronte a parlare; per cui io* (**per ch'io**) *caddi nell'errore* (**dentro a l'error...corsi**) *contrario di quello* (**a quel**) *che suscitò* (**accese**) *amore tra l'uomo* [: Narciso] *e la* ('l = il) *fonte.* La visione che ha catturato l'attenzione di Dante è quella di volti umani evanescenti; lineamenti appena percepibili, così come è appena percepibile un volto specchiato in un vetro trasparente e pulito o in un'acqua ferma, limpida e poco profonda (cioè *su superfici poco riflettenti*), e così come sfugge alla vista una perla posta su una fronte candida. Dante crede che si tratti di volti specchiati e incorre nell'errore opposto a quello del giovinetto Narciso, il quale, specchiandosi in una fonte e vedendo la propria immagine riflessa, se ne innamorò credendola una persona vera (il mito classico è narrato dal poeta latino Ovidio nelle *Metamorfosi* III, 407-510); Dante cade nell'errore contrario perché crede immagini riflesse quelle che sono, come si vedrà sùbito dopo, persone vere. Le s i m i -l i t u d i n i dei vv. 10-15 esprimono con grande evidenza l'aspetto di queste anime, ancora dotate di una parvenza corporea eppure già risolte principalmente in luce e in presenze spirituali. Nei cieli seguenti (e soprattutto dal terzo in poi) le anime si mostreranno a Dante solo sotto forma di luci. L'accenno alla moda femminile del tempo di portare corone di perle in fronte e il tono delicato e gentile delle immagini introducono già al clima dell'episodio che segue, dedicato alla fragile figura di Piccarda Donati. **Persi**: *perso* è colore scuro, quasi nero; qui potrebbe però anche trattarsi del part. pass. del vb. *perdere* (i **fondi** sarebbero *perduti* per la vista perché troppo profondi): il senso non cambia.

19-24: *Non appena io* (**sùbito sì com'io**) *mi accorsi di loro, ritenendole* (**quelle stimando**) *immagini* (**sembianti**) *riflesse* (**specchiati**), *girai* (**torsi**) *gli occhi per vedere di chi* (**cui**) *fossero* [: le immagini]*; e* [*non*] *vidi nulla, e li* [: gli occhi] *rigirai* (**ritorsili**) *avanti dritti negli occhi* (**nel lume**) *della dolce guida* [: Beatrice]*, che sorridendo splendeva* (**ardea**) *negli* (**ne li**) *occhi* [*suoi*] *santi.* L'istintivo voltarsi di Dante credendo che i volti evanescenti che vede gli siano alle spalle rivela la novità profonda della nuova dimensione che lo ha accolto e lo smarrimento derivante da questi primi incerti contatti con una realtà inusuale: la condizione psicologica di Dante e la meravigliosa originalità del luogo sono entrambi espressi in questo gesto naturalissimo e nella implicita richiesta di spiegazioni nei confronti di Beatrice; che, a sua volta, con il sorriso radioso del v. 24 recupera la propria femminilità, evitando di ridursi ad un'arida funzione didascalica.

25-30: [*Beatrice*] *mi disse: «Non meravigliarti* (**non ti maravigliar**) *del fatto che io* (**perch'io**) *sorrida a causa del* (**appresso il**) *tuo pensiero* (**coto**) *infantile* (**pueril**), *poiché* (**poi**) *ancora non si fonda* (**lo piè non fida** = non poggia il piede) *sulla verità* (**sopra 'l vero**), *ma ti fa girare a vuoto* (**te rivolve...a vòto**), *come accade* (**suole**) [*in questi casi*]*: ciò che*

vere sustanze son ciò che tu vedi,
30   qui rilegate per manco di voto.
        Però parla con esse e odi e credi;
        ché la verace luce che le appaga
33   da sé non lascia lor torcer li piedi ».
        E io a l'ombra che parea più vaga
        di ragionar, drizza'mi, e cominciai,
36   quasi com' uom cui troppa voglia smaga:
        « O ben creato spirito, che a' rai
        di vita etterna la dolcezza senti
39   che, non gustata, non s'intende mai,
        grazïoso mi fia se mi contenti
        del nome tuo e de la vostra sorte ».
42   Ond'ella, pronta e con occhi ridenti:
        « La nostra carità non serra porte
        a giusta voglia, se non come quella
45   che vuol simile a sé tutta sua corte.

---

tu vedi sono vere anime (**sustanze**), *confinate* (**rilegate** = relegate) *qui per inadempienza* (**manco** = mancamento) *di un voto* [*fatto*]. È necessario considerare brevemente una questione importante sulla quale Dante si soffermerà apertamente nel canto seguente e su cui avremo quindi modo di tornare più approfonditamente: la sede reale delle anime dei beati. In realtà tutti i beati sono nell'Empireo, dove ognuno partecipa della visione appagante di Dio in misura della propria possibilità. Per rendere comprensibile a Dante sensibilmente tale loro condizione interiore, essi gli si mostrano dislocati nei vari cieli, ognuno in quello dal quale principalmente trasse ispirazione a ben operare. Solo le anime del cielo della Luna si caratterizzano per una imperfezione (d'altra parte relativa): quella di non aver potuto mantenere un voto fatto sulla Terra. Tale sentimento di inadempienza determina in loro un caratteristico atteggiamento psicologico: esse sono in qualche modo legate al mondo, nel quale non poterono realizzare il proprio impegno spirituale, benché siano anche, come tutte le anime del *Paradiso*, profondamente distanti dall'ottica limitata della Terra. C'è in esse un sentimento malinconico di incompiutezza, il quale non riguarda la loro condizione presente (del tutto appagante) ma si proietta sul passato mondano e sui ricordi ad esso relativi. Da tale residuo legame con le cose terrene dipende il fatto che queste anime conservino traccia dell'aspetto umano e non siano ancora interamente disciolte in luce.

31-33: *Perciò* (**però**) *parla con esse e ascolta* (**odi**) *e credi* [*loro*]*; poiché* (**ché**) *la luce veritiera* (**verace**) [: Dio] *che le appaga non li* (**lor**) *lascia allontanare* (**torcer li piedi**) *da sé* [: che è, appunto, veritiera]».

34-41: *Ed io mi rivolsi* (**drizza'mi**) *all'anima* (**a l'ombra**) *che si mostrava* (**parea**) *più desiderosa* (**vaga**) *di parlare* (**ragionar**) *e cominciai* [*a dire*], *quasi come colui* (**com'uom**) *che* (**cui**) *troppo desiderio* (**voglia**) [: sogg.] *rende smarrito* (**smaga** = indebolisce)*: «O spirito ben creato* [: perché destinato alla salvezza]*, che ai raggi* (**a' rai**) *della vita eterna* [: alla luce di Dio] *provi* (**senti**) *la dolcezza* [*della beatitudine*] *che, [se] non* [*è*] *provata* (**non gustata**)*, non si può mai capire* (**non s'intende mai**)*, mi sarà* (**fia**) *gradito* (**grazioso**) *se mi accontenti* (**contenti**) *rivelandomi il* (**del**) *tuo nome e la vostra condizione* (**sorte**)».* Al contatto con la prima anima del Paradiso, Dante è quasi sopraffatto dall'emozione (v. 36); e ad essa si rivolge in modi gentili e raffinati, secondo lo stile della poesia cortese. La richiesta di Dante riguarda l'identità particolare dell'anima alla quale si è rivolto e la condizione collettiva delle anime assegnate a questo primo cielo.

42-45: *Per cui ella* (**ond'ella**) [: l'anima interpellata]*, sollecita* (**pronta**) *e con occhi ridenti* [*mi rispose*]*: «La nostra carità* [: amore per il prossimo] *non nega ascolto e risposta* (**non serra porte**) *a desideri* (**voglia**) *giusti,*

I' fui nel mondo vergine sorella;
e se la mente tua ben sé riguarda,
48   non mi ti celerà l'esser più bella,
ma riconoscerai ch'i' son Piccarda,
che, posta qui con questi altri beati,
51   beata sono in la spera più tarda.
Li nostri affetti, che solo infiammati
son nel piacer de lo Spirito Santo,
54   letizian del suo ordine formati.
E questa sorte che par giù cotanto,
però n'è data, perché fuor negletti

se non come [fa] quella [carità] [: di Dio] che vuole tutta la sua corte [: l'intero Paradiso] simile a sé. Cioè: l'amore per il prossimo delle anime del Paradiso è ispirato da Dio stesso, il quale è il supremo esempio di tale amore e vuole che tutti i beati lo imitino; così che nessun desiderio giusto può restare inappagato in questo regno.

46-51: *Nel mondo io* (**i'**) *fui monaca* (**vergine sorella**)*; e se la tua memoria* (**mente**) *si analizza* (**sé riguarda**) *attentamente* (**ben**), *il fatto che io sia* (**l'esser**) *[ancora] più bella [che da viva] non mi nasconderà* (**celerà**) *a te* (**ti**), *ma riconoscerai che io* (**ch'i'**) *sono Piccarda, che sono beata nel cielo* (**in la spera** = nella sfera) *più lento* (**tarda**) *[: della Luna], assegnata* (**posta**) *qui con questi altri beati*. Piccarda Donati è sorella di Forese (cfr. *Purg.* XXIII-XXIV). Che ella fosse in Paradiso il lettore già sapeva dal fratello, che, su esplicita richiesta di Dante, glielo aveva annunciato (cfr. *Purg.* XXIV, 10-15). Raccontano le cronache del tempo che Piccarda fu una bellissima fanciulla (cfr. v. 48) e che si fece monaca nel monastero di santa Chiara per sfuggire alle intenzioni del fratello Corso (cfr. *Purg.* XXIV), che voleva darla per forza in moglie per trarne vantaggio politico; ma il fratello la portò via con la violenza dal monastero e la fece sposare. E pare che Piccarda, per il dolore, morisse di lì a poco. Dante l'aveva conosciuta bene ed era certo rimasto profondamente colpito dalla sua storia. Si noti, già in questi versi, la grande delicatezza della giovane, espressa soprattutto in quel **vergine sorella** che allude, insieme, con pudore, alla condizione di *suora* e al voto di castità che ad essa si accompagna. Vedremo poi meglio la profonda caratterizzazione psicologica di Piccarda; per ora si noti la felicità radiosa del suo stato presente, espressa intensamente nella

r e p l i c a z i o n e **beati,** / **beata** ai vv. 50 sg. Anche se si può osservare fin d'ora che tale felicità risulta essere, sul piano psicologico, l'appagamento di un profondo bisogno di protezione, che nel Paradiso ella sente realizzato; anche per questo Piccarda parla di **corte** (v. 45), rimandando ad una immagine di società chiusa e ben difesa, e dice **posta qui** (v. 50), benché ciò non sia del tutto esatto (cfr. nota ai vv. 25-30), quasi affidandosi con fiducia ad un potere superiore, come ad una protezione. In questa umana fragilità, che analizzeremo meglio in seguito, sta anche la minor perfezione di questa anima (e delle altre, a lei simili) rispetto ai restanti beati del Paradiso; e da ciò deriva il suo mostrarsi a Dante nel cielo più basso e più vicino alla Terra. **In la spera più tarda**: il cielo della Luna è il più lento perché percorre l'orbita di minor raggio, essendo il più vicino alla Terra e quindi il più piccolo. Gli altri sono via via più grandi e più veloci.

52-54: *I* (**li**) *nostri sentimenti* (**affetti**), *che sono infiammati* [: animati] *solo in ciò che piace* (**nel piacer**) *allo* (**de lo**) *Spirito Santo* [: cioè a Dio], *sono felici* (**letizian**) *nell'adeguarsi* (**formati**) *al* (**del**) *suo ordine*. Cioè: la felicità dei beati consiste nella piena identità tra i desideri divini ed i propri. Quindi non c'è alcuna insoddisfazione, da parte delle anime del primo cielo, per la loro condizione: essa non è inferiore alle altre se non in apparenza, essendo anch'essa espressione del pieno accordo tra l'amore di Dio e la possibilità delle anime beate di goderne.

55-57: *E questa [nostra] condizione* (**sorte**) *che pare tanto bassa* (**giù cotanto**) *[: a guardarla dall'esterno] ci è assegnata* (**n'è data;** **n'** = ne) *a causa del fatto che* (**però... perché**) *i* (**li**) *nostri voti furono* (**fuor**) *inosser-*

li nostri voti, e vòti in alcun canto ».
Ond' io a lei: « Ne' mirabili aspetti
vostri risplende non so che divino

60   che vi trasmuta da' primi concetti:
però non fui a rimembrar festino;
ma or m'aiuta ciò che tu mi dici,

63   sì che raffigurar m'è più latino.
Ma dimmi: voi che siete qui felici,
disiderate voi più alto loco

66   per più vedere e per più farvi amici? ».
Con quelle altr' ombre pria sorrise un poco;
da indi mi rispuose tanto lieta,

69   ch'arder parea d'amor nel primo foco:
« Frate, la nostra volontà quïeta
virtù di carità, che fa volerne

---

vati (**negletti**), *e manchevoli* (**vòti**) *in qualche aspetto* (**in alcun canto**)». Piccarda ha risposto con i versi precedenti (46-51) alla prima domanda di Dante (relativa alla propria identità); ora risponde alla seconda (sulla condizione comune delle anime di quel cielo). Nel cielo della Luna, dal quale l'astrologia del tempo credeva derivassero influssi generatori di mutevolezza, stanno appunto le anime che non sono riuscite a mantenere nella sua integrità il voto fatto. Sono state, è vero, impedite in ciò dalla violenza, ma mancarono della forza di carattere necessaria a resisterle e a restare fedeli ad ogni costo alla propria scelta. Piccarda aveva fatto voto di castità, ma poi andò sposa; e lo stesso dicasi dell'altra beata della quale si parlerà tra poco: Costanza d'Altavilla. **Voti, e vòti**: la ripresa a così breve distanza dello stesso termine ma con significato diverso (il primo è il plur. del sost. *voto*, il secondo dell'agg. *vòto* = vuoto; è diversa la pronuncia della /o/: chiusa la prima, aperta la seconda) si chiama nel linguaggio della retorica classica *aequivocatio*, cioè «equivocazione». Essa rientra nel gusto dello stile medioevale; anche se in questo caso si colloca nel registro musicale caratteristico del canto, fatto soprattutto di r e p l i c a z i o n i e varie riprese fonetiche: cfr., al v. 12, **profonde - fondi**; ai vv. 50 sg. **beati,/ beata**; ai vv. 70 sg. **volontà - volerne**; ai vv. 73 sg. **disïassimo - disiri**; ai vv. 80 sg. **voglia - voglie** (con **voler** e **'nvoglia** al v. 84 e **volontade** al v. 85); al v. 83 **regno - regno** (con **re** al v. sg.); al v. 122 **cantando, e cantando**.

58-63: *Per cui io* (**ond'io**) [*dissi*] *a lei* [: Piccarda]: «*Nelle* (**ne'⟨i⟩**) *vostri sembianze*

(**aspetti**) *meravigliose* (**mirabili**) *risplende qualche cosa di* (**non so che**) *divino che vi trasfigura* (**trasmuta**) *dalle immagini* (**da'... concetti**; **da'** = dai) *originarie* (**primi**) [: da come eravate da vivi]: *perciò* (**però**) *non fui più pronto* (**festino**; lat. 'festinus' = veloce) *a ricordare* (**rimembrar**) [: a riconoscerti]; *ma ora mi aiuta ciò che tu mi dici, così* (**sì**) *che riconoscer*[ti] (**raffigurar**) *mi è* (**m'è**) *più facile* (**latino**). Saputa l'identità di Piccarda, Dante riesce a riconoscere in lei i lineamenti noti, benché essi siano trasfigurati dalla luce della beatitudine. **Latino**: significa *facile, comprensibile, chiaro* perché il latino era la lingua di uso più corrente e diffuso.

64-66: *Ma dimmi: voi che siete beati* (**felici**) *qui* [: in questo cielo], *desiderate voi una posizione* (**loco** = luogo) *più alta per vedere* [*Dio*] *più* [*da vicino*] *e per essere più intimi* (**più farvi amici**) [*con lui*]?». Dante crede che le anime siano collocate realmente nei vari cieli, e chiede se questi beati, che sono nel cielo più basso, non invidino quelli dei cieli più vicini a Dio e in più stretto rapporto d'amore con lui (è questo il senso profondo di **farvi amici**).

67-72: *Prima* (**pria**) *sorrise un poco insieme alle* (**con quelle**) *altre anime* (**altr'ombre**); *poi* (**da indi**; lat. 'deinde') *mi rispose così* (**tanto**) *lieta* [: con tale slancio], *che appariva* (**parea**) *splendere* (**arder**) *nel fuoco originario* (**primo**) *d'amore* [: Dio]: «*Fratello* (**frate**), *la virtù della* (**di**) *carità appaga* (**quieta**) *i nostri desideri* (**la nostra volontà**), [*virtù*] *che ci fa desiderare* (**che fa volerne**) *solamente* (**sol**) *ciò che abbiamo* (**quel ch'ave-**

72	sol quel ch'avemo, e d'altro non ci asseta.
	Se disïassimo esser più superne,
	foran discordi li nostri disiri
75	dal voler di colui che qui ne cerne;
	che vedrai non capere in questi giri,
	s'essere in carità è qui *necesse*,
78	e se la sua natura ben rimiri.
	Anzi è formale ad esto beato *esse*
	tenersi dentro a la divina voglia,
81	per ch'una fansi nostre voglie stesse;
	sì che, come noi sem di soglia in soglia
	per questo regno, a tutto il regno piace
84	com' a lo re che 'n suo voler ne 'nvoglia.

mo), *e non ci asseta* [: non ci rende deside-rosi] *di altro*. La virtù della carità, cioè l'a-more pieno e sincero per il prossimo e per Dio, appaga ogni desiderio; cioè i desideri dei beati si identificano nell'amore per Dio con quelli di Dio stesso, e sono soddisfatti appieno da ciò che hanno. **Ch'arder parea d'amor...**: l'aspetto di Piccarda è così lumi-noso che ella sembra risplendere nell'amore *per* Dio e nell'amore *di* Dio (che è il **primo foco**, la *fonte originaria*, dell'amore). Non è però da escludere una diversa interpreta-zione del verso: *che sembrava ardere nel fuo-co del primo amore* (cioè, che il suo aspetto era radioso come quello di una donna inna-morata per la prima volta); in questo caso si tratterebbe di una m e t a f o r a .

73-78: *Se desiderassimo* (**disïassimo**) *di esse-re più in alto* (**più superne**), *i* (**li**) *nostri desi-deri* (**disiri**) *sarebbero* (**foran**) *discordanti* (**di-scordi**) *dalla volontà* (**dal voler**) *di colui* [: Dio] *che ci* (**ne**) *distribuisce* (**cerne**) *qui* [: nel Paradiso]; *[cosa] che vedrai non aver luogo* (**capere**; latinismo) [: non essere pos-sibile] *in questi cieli* (**giri**), *se* (**s'**) [: dal mo-mento che] *qui è necessario* (**necesse**; lat.) *vivere* (**essere**) *secondo* (**in**) *carità, e se con-sideri* (**rimiri**) *attentamente* (**ben**) *la sua* [: della carità] *natura*. La spiegazione di Pic-carda segue i modi del linguaggio dottrinale dei filosofi scolastici, sia sul piano logico che su quello formale. Sul piano logico, in que-ste due terzine si incontra una tipica dimo-strazione per assurdo (*se ciò fosse, ne deri-verebbero conseguenze impossibili; dunque ciò non è*). Sul piano formale si noti è **ne-cesse**, che traduce letteralmente il *necesse est* degli scolastici; come pure, più avanti, è **for-male** ed **esto beato esse** (v. 79); e come **etsi** (v. 89). Non ne viene diminuito il calore del-

l'argomentazione: Piccarda infatti ha modo di caratterizzare la risposta, dandole un to-no individuale che ben rispecchia la sua per-sonalità, come può vedersi dal suo abbando-no fiducioso alla superiore volontà del Creatore, e dalla sua gioia di riconoscersi serenamente in essa come in una definitiva e appagante protezione. Quanto al merito dottrinale della spiegazione, si consideri che il necessario stato di carità dei beati implica la loro identificazione con la volontà divi-na; infatti carità è adeguamento alla volon-tà dell'essere amato, e quindi, per i beati, adeguamento innanzitutto alla volontà di Dio (è su questa **natura** della carità che Dante è invitato a soffermarsi al v. 78). A propo-sito di quanto si è detto poi dell'intima mu-sicalità di questo canto (cfr. nota ai vv. 55-57), si osservi qui, p. es., la ripresa del gruppo /esse/ per tre volte di seguito in fine e in principio di verso: «s'ESSEre in carità è qui necESSE, / E SE...» (vv. 77 sg.; dove l'e del v. 78 si pronuncia, a causa del r a d d o p p i a m e n t o s i n t a t -t i c o , **ESSE**).

79-84: *Anzi è essenziale* (**formale**) *per que-sto* (**ad esto**) *essere* (**esse** = stato, condizione) *beati* [: per la condizione di beati] *restare nei limiti della* (**tenersi dentro a la**) *volontà* (**voglia**) *divina, in virtù della quale* (**per ch'⟨e⟩**) *le nostre stesse volontà* (**voglie**) [*in-dividuali*] *divengono* (**fansi** = si fanno) *una* [*sola*] [: quella di Dio]; *così* (**sì**) *che il modo in cui* (**come**) *noi siamo* (**sem⟨o⟩**) [*distribui-ti*] *di gradino in gradino* (**di soglia in soglia**) [: nei vari cieli] *per questo regno* [: il Para-diso], *piace a tutto il regno come al* (**a lo**) *re* [: Dio] *che ci* (**ne**) *fa volere* ('**nvoglia** = invoglia) *quel che lui vuole* ('**n suo voler**; '**n** = in = nel).

E 'n la sua volontade è nostra pace:
ell' è quel mare al qual tutto si move
87   ciò ch'ella crïa o che natura face ».
Chiaro mi fu allor come ogne dove
in cielo è paradiso, *etsi* la grazia
90   del sommo ben d'un modo non vi piove.
Ma sì com' elli avvien, s'un cibo sazia
e d'un altro rimane ancor la gola,
93   che quel si chere e di quel si ringrazia,
così fec' io con atto e con parola,
per apprender da lei qual fu la tela
96   onde non trasse infino a co la spuola.
« Perfetta vita e alto merto inciela
donna più sù », mi disse, « a la cui norma
99   nel vostro mondo giù si veste e vela,
perché fino al morir si vegghi e dorma
con quello sposo ch'ogne voto accetta
102   che caritate a suo piacer conforma.

85-87: *E nella* ('n la = in la) *sua volontà* (**volontade**) *sta* (**è**) *la nostra pace: essa* [: la volontà divina] *è* (**ell'è**) *quel mare verso il* (**al**)
quale va (**si move**) *tutto ciò che essa* (**ch'ella**) *crea* (**cria**) *o che la natura* [: sogg.] *genera* (**face** = fa)». In questa terzina conclusiva
si raccoglie il senso complessivo della spiegazione, allargandosi contemporaneamente lo
sguardo all'intero ordine universale quale è
stato esposto da Beatrice nei due canti precedenti. Sul termine-chiave **pace** gravita tutta la personalità di Piccarda, desiderosa di
serenità e di protezione; anche se qui il termine ha un valore più profondo, e vale *completo appagamento*. E questa **pace** sta in ciò
che Dio ha disposto, quindi anche, e soprattutto, nella condizione assegnata ad ogni anima. Infatti Dio, con la sua volontà, è come
il mare, al quale tornano tutte le acque che
dal mare stesso necessariamente provengono: così tutti gli esseri, che siano stati creati
da Dio direttamente o attraverso la mediazione della natura, si muovono verso Dio,
ovvero verso la sua volontà, comunque par-
tecipando di essa.

88-90: *Allora* [: dopo tali parole] *mi fu chiaro
come ogni luogo* (**dove**) *in cielo è paradiso*
[: luogo di piena beatitudine], *anche se* (**et-
sì**) *la grazia di Dio* (**del sommo ben**) *non
vi è distribuita* (**non vi piove**) *in quantità
uguale* (**d'un modo**) [*dappertutto*]. **Piove**: riprende implicitamente la m e t a f o r a del
mare del v. 86.

91-96: *Ma così* (**sì**) *come* (**com'elli**; **elli** è
p l e o n .) *avviene, se un cibo sazia e d'un
altro rimane ancora voglia* (**la gola**), *che si
chiede* (**si chere**; dal lat. 'quaerere') *questo*
(**quel**) *e si ringrazia di quello* (**quel**), *così feci io con gesti* (**atto**) *e con parole, per sapere* (**apprender**) *da lei* [: Piccarda] *quale fu
la tela della quale* (**onde**) *non trasse fino al
termine* (**infino a co**) *la spola* (**spuola**). Cioè:
Dante è nella condizione di chi è sazio di
un cibo e ne desidera ancora di un altro;
e l a s i m i l i t u d i n e significa che egli
è soddisfatto della risposta di Piccarda per
quanto riguarda la seconda domanda fàtta-
le (la condizione delle anime di quel cielo),
ma che è desideroso di conoscere maggiori dettagli riguardo alla prima (l'identità di Piccarda). Così, come si ringrazia del cibo di cui si
è sazi (implicitamente rifiutandone dell'altro)
e si chiede ancora di quello che invoglia, Dante ringrazia Piccarda quanto alla spiegazione
avuta sullo stato di quelle anime e le chiede quale fu il voto che lasciò inadempiuto. E il voto
incompiuto è m e t a f o r i c a m e n t e
paragonato ad una **tela** da tessere che non
sia stata ultimata. Con questa richiesta si entra nell'aspetto più personale e delicato del-
l'episodio, quello che meglio rivelerà la psicologia di Piccarda.

97-102: [*Piccarda*] *mi disse:* «*Una vita perfetta e alto merito* (**merto**) *collocano in un
cielo più alto* (**inciela...più sù**) *una donna
[: santa Chiara] *secondo la regola della qua-*

                Dal mondo, per seguirla, giovinetta
                fuggi'mi, e nel suo abito mi chiusi
105   e promisi la via de la sua setta.
                Uomini poi, a mal più ch'a bene usi,
                fuor mi rapiron de la dolce chiostra:
108   Iddio si sa qual poi mia vita fusi.
                E quest' altro splendor che ti si mostra
                da la mia destra parte e che s'accende
111   di tutto il lume de la spera nostra,

le (**a la cui norma**) *giù nel vostro mondo* [*ci*] *si veste e vela* [: da monache], *perché si vegli* (**vegghi**) *e* [*si*] *dorma fino alla morte* [*solo*] *con quello sposo* [: Cristo] *che accetta ogni* (**ogne**) *voto che la carità rende conforme* (**conforma**) *alla sua volontà* (**a suo piacer**). Santa Chiara d'Assisi (1194-1253), fondatrice dell'Ordine delle Clarisse (ispirato all'esempio di San Francesco), lasciò una *regola* (**norma**), per seguire la quale si prendono il *velo* e l'*abito* monacali (**si veste e vela**). Elemento fondamentale della regola è il voto di castità, l'impegno cioè di essere fedeli a Cristo, considerato come uno **sposo** spirituale; il quale accetta ogni voto che sia conforme al suo volere in quanto ispirato da sincera *carità*, cioè da vero amore. **Inciela**: è un n e o l o g i s m o creato da Dante stesso e usato solo qui. Significa: *pone nel cielo*; ma contiene un'idea di profondità, cioè di altezza (quasi *pone alta nel cielo*) che il **più sù** del v. sg. sottolinea e conferma.

103-108: *Per seguirla* [: santa Chiara, cioè il suo esempio] *mi ritirai* (**fuggi'mi**) *dal mondo* [*ancora*] *giovane* (**giovinetta**), *e mi chiusi nel suo abito, e promisi* [*di seguire*] *la via* [: la regola] *del suo ordine* (**setta**) [: feci i voti]. *Poi* [*alcuni*] *uomini, abituati* (**usi**) *al male più che al bene, mi rapirono* (**fuor mi rapiron** = mi trascinarono via a forza) *dal* (**de la**) *dolce chiostro: Iddio sa* (**si sa**) *quale poi fu* (**fusi** = si fu) *la mia vita*. In queste due terzine è toccato il cuore drammatico dell'episodio. Piccarda accenna fugacemente alla propria triste storia, con un velo di malinconia che è da riferirsi alla condizione terrena che ella ricorda e che non sminuisce la portata della sua attuale serena felicità. L'accento emotivo del racconto batte con insistenza sulla fragilità e sul bisogno di protezione di Piccarda, cui allude il termine **giovinetta** (v. 103). La scelta di farsi monaca è caratterizzata da immagini di chiusura (e quindi, appunto, di protezione): **mi chiusi**

(v. 104), **setta** (v. 105), **chiostra** (v. 107); nella **dolce chiostra** Piccarda aveva trovato un rifugio da quel mondo che non era stata in grado di affrontare e che la spaventava (**dal mondo... fuggi'mi**, vv. 103 sg.). Da tale rifugio ella viene brutalmente rapita per essere trascinata nel pieno di quelle passioni che aveva fuggito; e alle immagini di chiusura protettiva si contrappone con violenza quel **fuor mi rapiron**, dove l'accento batte soprattutto sul primo decisivo termine, posto in principio del verso. Ancora notevole, nella seconda terzina, il fatto che ognuno dei tre versi che la compongono contenga una implicita r e t i c e n z a : al v. 106 gli esecutori materiali e i mandanti del rapimento sono designati con una p e r i f r a s i generica, senza nominarli (benché il principale responsabile fosse il fratello Corso), ed alludendo piuttosto ad un costume corrotto che ad una loro colpa precisa; al v. 107 la vita monacale è rievocata in un'allusione fugace quanto intensa, di cui scrive il Benvenuto che per Piccarda il chiostro fu davvero **dolce** e «quasi umbra paradisi in mundo» [quasi una parvenza di Paradiso sulla Terra]; al v. 108, infine, è steso un velo di pudico silenzio su ciò che seguì a quel rapimento, sulla breve e dolorosa vita matrimoniale di Piccarda di cui solo Dio ha conosciuto il tormento. E con il v. 108, fatto di cinque monosillabi e tre bisillabi, il racconto si spegne quasi sospirando, grazie anche alle due consonanti spiranti /f/ e /s/ di **fusi** e alle due particelle pseudoriflessive **si**. Nel Paradiso, ora, l'ideale di raccoglimento e di protezione tentato da Piccarda in Terra si realizza compiutamente, segnando un'intima continuità tra il mondo degli uomini, nei suoi aneliti più alti, e quello dei beati.

109-114: *E quest'altra anima splendente* (**splendor**) *che ti si mostra alla mia destra* (**da la mia destra parte**) *e che si illumina* (**s'accende**) *di tutta la luce* (**il lume**) *della no-*

ciò ch'io dico di me, di sé intende;
sorella fu, e così le fu tolta
114 di capo l'ombra de le sacre bende.
Ma poi che pur al mondo fu rivolta
contra suo grado e contra bùona usanza,
117 non fu dal vel del cor già mai disciolta.
Quest' è la luce de la gran Costanza
che del secondo vento di Soave
120 generò 'l terzo e l'ultima possanza ».
Così parlommi, e poi cominciò ' Ave,
Maria' cantando, e cantando vanìo
123 come per acqua cupa cosa grave.

stra sfera (**spera**), *ciò che io dico di me, intende* [*detto anche*] *di sé: fu suora* (**sorella**), *e allo stesso modo* (**così**) [*che a me*] *le fu tolta* [*con la forza*] *dalla testa* (**di capo**) *l'ombra* [: *la protezione*] *del sacro velo* (**bende**). Un'altra anima, alla destra di Piccarda, ha avuto la sua stessa dolorosa esperienza (e i rapimenti dai conventi erano frequenti più di quanto si potrebbe pensare): anche a lei fu strappato con la violenza il velo e anch'ella fu costretta a sposarsi. **Che s'accende...**: non è da pensare che quest'anima viva una condizione di particolare privilegio; il maggiore splendore sarà piuttosto prodotto dalla gioia di poter essere in qualche modo utile a Dante, e frutto quindi dell'ardore di carità caratteristico di questo canto e del Paradiso: e così avverrà anche negli altri cieli.

115-117: *Ma dopo* (**poi**) *che fu ricondotta* (**pur...fu rivolta**) *al mondo contro la sua volontà* (**contra suo grado**) *e contro* [*ogni*] *buona norma* (**usanza**), *non fu giammai sciolta* (**disciolta**) *dal velo del cuore* (**cor**) [: *nel proprio cuore si sentì sempre fedele alla scelta monacale*]. Quel che Piccarda dice di quest'altra anima, vale certamente anche per lei: non vi fu mai in loro rinuncia ai voti fatti, e neppure però la forza di difenderli ad ogni costo. E questo tocco completa la figura di Piccarda: anima pura e pudica, ma delicata e fragile.

118-120: *Questa è l'anima* (**la luce**) *della grande Costanza, la quale* (**che**) *dal* (**del**) *secondo imperatore* (**vento**) *di Svevia* (**Soave**) *generò il terzo e ultimo potente* (**l'ultima possanza**) [*della dinastia*]». Costanza d'Altavilla nacque nel 1154 da Ruggero II re di Sicilia, erede del regno normanno (nel Sud d'Italia). Nel 1185 sposò Enrico VI di Svevia (il

secondo vento di Soave), figlio dell'imperatore Federico Barbarossa, il quale acquisiva così il potere nell'Italia meridionale, che inutilmente aveva tentato di ottenere con le armi. Da questo matrimonio nacque, nel 1194, Federico II (terzo ed ultimo imperatore di casa Svevia: cfr. v. 120). Costanza rimase vedova nel 1197 e seppe saggiamente amministrare il potere fino alla morte, avvenuta l'anno seguente, ma non prima di aver affidato la tutela del regno al papa Innocenzo III (essendo il figlio ancora piccolissimo). Dopo che Federico II si rivelò profondamente avverso alla Chiesa (tanto da essere soprannominato l'Anticristo), in ambiente guelfo nacque la leggenda che Costanza fosse stata costretta a farsi monaca contro la sua volontà e poi, all'età di cinquantadue anni, fatta sposare a Enrico VI; così che Federico sarebbe nato da una monaca e da una donna in età non più fertile, e cioè contro ogni legge, sia divina che naturale. Dante accolse solo un aspetto di tale leggenda, e cioè che Costanza fosse stata costretta ad abbandonare il convento per sposarsi; ma in verità ella non fu mai monaca. **Vento**: esprime il potere grandissimo ma fugace degli imperatori svevi. **Soave**: ant., dal ted. *Schwaben*; l'ital. mod. ha *Svevia*. Degli imperatori svevi Dante aveva, contro il parere guelfo, un'alta stima; e considerava Federico II «ultimo imperatore de li [dei] Romani» (*Convivio* IV, III, 6): **l'ultima possanza**.

121-123: [*Piccarda*] *così mi disse* (**parlommi**), *e poi cominciò* [*a dire*] «*Ave, Maria*» *cantando, e cantando svanì* (**vanìo**) *come una cosa pesante* (**grave**) *attraverso* (**per**) *un'acqua profonda* (**cupa**). Il commiato di Piccarda aggiunge ancora qualcosa all'episodio, se non altro per la ricchissima ripresa dei suoi motivi musicali: si noti la r e p l i c a-

La vista mia, che tanto lei seguìo
quanto possibil fu, poi che la perse,

126   volsesi al segno di maggior disio,

e a Beatrice tutta si converse;
ma quella folgorò nel mïo sguardo
sì che da prima il viso non sofferse;

130   e ciò mi fece a dimandar più tardo.

zione a chiasmo di **cantando**, l'e n j a m b e m e n t di «**Ave, / Maria**», l'evanescenza che dà al verbo **vanìo** l'e p i t e s i in -o (presente anche in **seguìo** al v. 124), l'insistenza dell'accento sui bisillabi del v. 123, quasi ad esprimere foneticamente il senso dello sprofondarsi. Piccarda è apparsa come un'immagine specchiata in un'acqua limpida, o in un fonte (cfr. vv. 11 sg. e 18); con coerente simmetria si dilegua come un corpo che affondi in un'acqua **cupa** (con un effetto che in termini cinematografici si chiama *dissolvenza*).

124-130: *La mia vista, che la* (**lei**) *seguì tanto quanto fu possibile, dopo* (**poi**) *che la ebbe perduta* (**perse**) *si rivolse* (**volsesi**) *all'oggetto* (**al segno**) *di maggiore desiderio* (**disio**) [: Beatrice], *e si convertì* (**converse**) *interamente* (**tutta**) *a Beatrice; ma ella* (**quella**) *abbagliò* (**folgorò**) *[di luce] a tal punto* (**sì** = così) *il* (**nel**) *mio sguardo che la vista*

(il viso) *in un primo momento* (**da prima**) *non sopportò* (**sofferse**) *[il suo splendore]; e ciò mi rese* (**fece**) *più lento* (**tardo**) [: timido] *a rivolgerle nuove domande* (**a dimandar**). La vista è il senso che la particolare struttura espressiva del *Paradiso* tende a privilegiare, secondo una precisa tradizione filosofica. Lo sguardo di Beatrice è espressione della divinità stessa, suo tramite: Dante si innalza fissandolo. Le anime si manifestano (specialmente nei cieli seguenti) sotto forma di pure luci. Qui questo motivo dello sguardo di Dante che cerca Beatrice e deve cedere al suo splendore, accresciuto della luce del cielo della Luna, si ricollega al principio del canto, quando Dante aveva alzato gli occhi verso Beatrice per ringraziarla ed era stato affascinato da una visione che lo aveva distratto. Con questa simmetria strutturale il canto si conclude, annunciando già il desiderio di Dante di avere nuove spiegazioni dalla sua guida.

Chèrere   v. 93

È forma esclusivamente ant. e letter. per *chiedere*, oggi del tutto caduta dall'uso. Deriva dal vb. lat. *quaerĕre* ('chiedere, domandare; cercare'). L'ind. pres. ha «cheggio» ('chiedo') alla 1ª pers. e «chere» ('chiede') alla 3ª pers. sing.; il cong. pres. ha «cheggia» ('chieda') alla 3ª pers. sing. Dante usa sia questa forma più arc. che *chiedere*.

Chiostra   v. 107

Il sost. deriva dal lat. *claustrum*, ('luogo chiuso', dal vb. *claudĕre* = 'chiudere'), nella forma del neutro plur. *claustra* (cfr. franc. *cloître*, ingl. *cloister*, ted. *Kloster*). È voce letter. che indica un 'luogo riparato, uno spazio chiuso e, benché ampio, circoscritto' (Dante usa il termine in questa accezione nel *Purgatorio* — VII, 21 —, con il senso di 'girone'). L'uso di Dante in *Par.* III, 107 è ant. per *chiostro* ('convento, monastero').

Postilla   v. 13

La voce deriva dal lat. tardo *postilla* (da *post illa* = 'parole che seguivano i Vangeli e dovevano essere lette dopo'). Propriamente il termine indica quelle 'poche parole, o brevi annotazioni, che si appongono a margine di un testo'; e in tale accezione è oggi di uso corrente. Dante ne fa uso trasl. a designare 'i segni che rendono, che formano, l'immagine di qualcuno o di qualcosa che appare alla vista attraverso un vetro o acqua o simili'.

Canto IV

Dopo che Piccarda e le altre anime del cielo della Luna si sono allonta-
nate, Dante è assalito da due dubbi.

Il primo riguarda il minor grado di beatitudine delle anime che non han-
no portato a termine un voto: Dante non capisce perché la giustizia divina
non tenga conto del fatto che ad impedire loro di realizzarlo è stata una
violenza esterna, senza alcuna loro colpa. A ciò Beatrice risponde che è
vera violenza, in senso morale, solo quella cui chi la subisce non contribui-
sce in alcun modo. Per debolezza o timore le anime del cielo della Luna
hanno assecondato, nei fatti, l'azione violenta che si son trovate a subire;
mentre la libera volontà dell'uomo potrebbe permettere comunque di non
cedere, come è dimostrato dai martiri e dagli eroi (Dante fa l'esempio della
fiamma, che torna sempre a dirigersi verso l'alto, anche se venga piegata
a forza verso terra).

Il secondo dubbio è più grave perché riguarda una questione propria-
mente teologica. Se la Chiesa condanna la tesi del filosofo greco Platone,
che le anime provengano dalle stelle e che lì ritornino dopo la morte, come
si giustifica l'incontro di quelle anime nel cielo della Luna? Ha forse ragione
Platone e torto la Chiesa?

Beatrice ha così l'opportunità, nella sua risposta, di esporre il modo in cui
le anime appaiono e sono distribuite nel Paradiso. Tale distribuzione permette
al poeta di strutturare il *Paradiso* analogamente alle altre due c a n t i c h e ,
sia per quel che riguarda l'articolazione spaziale (ai gironi dell'*Inferno* e alle cornici del *Purgatorio* qui corrispondono i *cieli*), sia per quel che riguarda la distribuzione delle anime (alla classificazione morale delle altre due c a n t i c h e qui
corrispondono le varie peculiarità psicologiche), sia, infine, per quel che riguarda
l'articolarsi della narrazione.

Terminata la spiegazione di Beatrice, Dante ha finalmente modo di rin-
graziarla caldamente, esaltando il dubbio umano poiché in esso si cela l'an-
sia della verità, ed esaltando più ancora il placarsi di tale ansia nella verità
stessa, rappresentata da Beatrice e cioè dalla Rivelazione.

De' Serafin colui che più s'india,
Moïsè, Samuel, e quel Giovanni
30   che prender vuoli, io dico, non Maria,
non hanno in altro cielo i loro scanni
che questi spirti che mo t'appariro,
33   né hanno a l'esser lor più o meno anni;
ma tutti fanno bello il primo giro,
e differentemente han dolce vita
36   per sentir più e men l'etterno spiro.
Qui si mostraro, non perché sortita
sia questa spera lor, ma per far segno
39   de la celestïal c'ha men salita.
Così parlar conviensi al vostro ingegno,
però che solo da sensato apprende
42   ciò che fa poscia d'intelletto degno.

28-36: «[: Sta parlando Beatrice] *Quello* (**colui**) *dei* (**de'**) *Serafini che più è presso a Dio* (**s'india**), *Mosè* (**Moisè**), *Samuele, e quello* [*dei due*] *Giovanni che vuoi* (**vuoli**) *considerare* (**prender**), *intendo* (**io dico**), *non* [*esclusa*] *Maria, non hanno le loro sedi* (**i loro scanni**; **scanni** = seggi) *in un cielo diverso* (**altro**) *che queste anime* (**spirti**) *che ti sono apparse* (**t'appariro**) *or ora* (**mo**) [: Piccarda, ecc.], *né hanno per la loro condizione* (**a l'esser lor**) [*una durata di*] *più o meno anni; ma tutti adornano con la loro presenza* (**fanno bello**) *la prima sfera* (**giro**) [: l'Empireo], *e hanno la vita beata* (**dolce**) *in diverso grado* (**differentemente**) *a seconda che sentano* (**per sentir**) *più o* (**e**) *meno l'amore* (**spiro**) *eterno* [*di Dio*; nella forma dello Spirito Santo]. Tutti i beati stanno nell'Empireo; e Piccarda, Costanza e le altre anime del cielo della Luna (il più basso) stanno insieme al più glorioso degli angeli Serafini e alle più alte anime del Paradiso, compresa Maria; e per tutti la durata della beatitudine è uguale (cioè eterna). Ciò che differisce è l'intensità della beatitudine vissuta dalle varie anime, che può variare a seconda della loro capacità di riceverla da Dio (vv. 35 sg.). **Serafin**: quella dei Serafini è la più elevata delle schiere di angeli. **India**: è n e o l o g i s m o creato da Dante, come **inciela** in III, 97, e significa: *è vicino a Dio, ne penetra più a fondo le qualità*. **Moisè**: Mosè è il più importante dei profeti biblici; ricevette da Dio le tavole delle leggi. **Samuel**: altro importante profeta della *Bibbia*. **Quel Giovanni che prender vuoli**: o Giovanni Battista (di cui il *Vangelo* dice che fu il più grande nato di donna: *Matteo* XI, 11) o Giovanni Evangelista, figlio di Zebedeo, discepolo prediletto di Cristo.

37-39: [*Le anime che hai veduto*] *si mostrarono* (**mostraro**) *qui* [: nel cielo della Luna], *non perché a loro* (**lor**) *sia assegnata* (**sortita**) *questa sfera* (**spera**), *ma per dare un segno tangibile* (**per far segno**) [*a te*] *della* [*loro*] *beatitudine* (**celestïal**; sottint. 'spera'; quindi: grado di beatitudine) *che è meno alta* (**c'ha men salita**).

40-42: *Così* [: con segni tangibili] *è necessario* (**conviensi** = si conviene) *parlare al vostro intelletto* (**ingegno**) [*umano*], *dal momento che* (**però che**) [*esso*] *apprende solo da quel che percepisce con i sensi* (**sensato**) *ciò che poi rende oggetto* (**fa...degno**) *della riflessione intellettuale* (**d'intelletto**). La disposizione strutturale del Paradiso si mostra dunque agli occhi di Dante non quale essa è concretamente, ma quale è intimamente. Poiché la mente umana non è in grado di conoscere ciò che non passa per i sensi (secondo la concezione dei filosofi scolastici, cui Dante si rifà), si mostra a Dante come fenomeno fisico quella che è solo una condizione spirituale. Tutte le anime sono nell'Empireo, anche se lì esse ricevono con diversa intensità la beatitudine, a seconda della loro disposizione intima. Per un gesto di carità nei confronti dell'inconsueto viaggiatore, esse si spostano nei vari cieli per esternargli la propria condizione interiore. Non bisogna però credere che la scelta dei diversi cieli sia casuale: per ragioni astrologiche ogni anima si lega a questo o a quel cielo, a seconda che ne abbia ricevuto gli influssi.

Per questo la Scrittura condescende
a vostra facultate, e piedi e mano
45   attribuisce a Dio e altro intende;
e Santa Chiesa con aspetto umano
Gabrïel e Michel vi rappresenta,
e l'altro che Tobia rifece sano.

43-48: *Per questo* [: le caratteristiche dell'intelletto umano appena considerate] *la* [*Sacra*] *Scrittura si adatta* (**condescende** = accondiscende) *alle vostre possibilità* (**facultate**) [*intellettuali*], *e attribuisce a Dio sia* (**e**) *piedi sia* (**e**) *mani e allude* (**intende**) *ad altro; e la santa Chiesa vi rappresenta con aspetto umano* [*gli arcangeli*] *Gabriele e Michele e quello* (**l'altro**) *che guarì* (**rifece sano**) *Tobia* [: Raffaele]. Dante tocca qui una questione molto importante. Poiché la mente umana comprende solo ciò che essa è in grado di percepire con i sensi — egli dice —, la Sacra Scrittura e la Chiesa devono servirsi di rappresentazioni materiali e umanizzate di fatti e persone spirituali e trascendenti. Dietro la lettera esplicita della *Bibbia*, cioè, c'è un senso allegorico. Tale concezione derivava a Dante in particolare da san Tommaso e, più in generale, dalla filosofia aristotelico-scolastica. Ora, la concezione che i fatti narrati in un testo possano avere un significato materiale dietro il quale se ne nasconde un altro allegorico, è appunto quella che sta alla base della *Commedia*. Come la *Bibbia* parla di *braccia* e di *mani* di Dio per significare altro (cioè il suo potere di creare), così anche la *Commedia* parla di **selva oscura** (*Inf.* I, 2), p. es., per significare altro (lo smarrimento nel peccato): il modello seguito da Dante per il suo poema è dunque quello del *libro* per eccellenza della tradizione ebraico-cristiana, appunto la *Bibbia*. **Gabriel e Michel... e l'altro...**: sono gli arcangeli Gabriele (che annunciò a Maria la futura nascita di Gesù), Michele (che sconfisse Lucifero), Raffaele (che ridiede la vista a Tobia); nelle chiese venivano rappresentati come uomini alati, mentre essi sono pure intelligenze.

DANTE E SAN TOMMASO

Importantissimi sono i rapporti di Dante con il pensiero di Tommaso d'Aquino, sul quale egli modella la maggior parte delle posizioni filosofiche e teologiche della *Commedia*; anche se non mancano consistenti punti di discordanza. In effetti la formazione di Dante fu fortemente influenzata dalla tradizione *tomista* (cioè del pensiero di Tommaso).

Impossibile è riassumere, sia pure nei suoi caratteri essenziali, il pensiero tomista, che abbraccia l'intero orizzonte dei problemi filosofici e teologici. Limitandosi ad alcune informazioni di massima, sarà opportuno ricordare che Tommaso (1225 c.-1274), il massimo filosofo medioevale, compie una poderosa rielaborazione del pensiero del filosofo greco Aristotele (IV secolo a.C.), utilizzandolo in una prospettiva teologica (la conoscenza che Dante aveva di Aristotele, per altro, gli derivava in larga misura da questa fonte, oltre che dalla mediazione di alcuni filosofi arabi). Molti principi della filosofia aristotelica vengono ripresi da Tommaso per fondare il suo complesso sistema teologico (e sui principi del tomismo è tuttora sostanzialmente basata la dottrina cattolica).

A Tommaso si deve la concezione di Dio come primo motore immobile dell'Universo, come causa prima di tutti gli effetti, come cosa in sé necessaria, in sé interamente perfetta, cui tende come al suo fine l'ordine universale. A Tommaso si deve l'elaborazione del concetto di libero arbitrio, che parte dal riconoscimento dell'autonomia degli esseri, concretamente capaci di essere causa di qualcosa e non solo causati da Dio; come pure a Tommaso spetta la teoria della conoscenza come successione di passaggi dalla sensazione alla fantasia all'intelletto (rifiutando la concezione agostiniana della fede come illuminazione divina in grado di saltare i passaggi materiali).

Già da questi frettolosi riferimenti risulterà chiaro al lettore quanto Dante abbia fedelmente seguito il pensiero tomista. In particolare per l'ultimo punto trattato sarà utile offrire qualche esempio testuale, verificando i legami dei versi danteschi di questo canto IV del *Paradiso* con alcuni luoghi di san Tommaso (le citazioni dal quale sono riprese dalla sua opera principale, la *Summa Theologiae* [Trattato di teologia]: I, q. I, a. 9 e 10; I, q. LI, a. 2).

Conveniens est Sacrae Scripturae divina et spiritualia sub similitudine corporalium tradere [...] Est autem naturale homini ut per sensibilia ad intelligibilia veniat: quia omnis nostra cognitio a sensu initium habet	È necessario che la Sacra Scrittura rappresenti le cose divine e spirituali sotto l'aspetto materiale [...] È infatti naturale che l'uomo giunga alla conoscenza intellettiva attraverso le cose sensibili; dal momento che tutta la nostra conoscenza comincia dai sensi	Così parlar conviensi al vostro ingegno, / però che solo da sensato apprende / ciò che fa poscia d'intelletto degno. Per questo la Scrittura condescende / a vostra facultate [...] (vv. 40-44)
Non [...] cum Scriptura nominat *Dei brachium*, est litteralis sensus quod in Deo sit membrum huiusmodi corporale; sed id quod per hoc membrum significatur, scilicet virtus operativa	Quando la Sacra Scrittura nomina il *braccio di Dio* il senso non è quello letterale che in Dio si trovi davvero un siffatto arto corporeo; ma quello che è significato attraverso tale arto, e cioè la capacità di operare	Per questo la Scrittura condescende a vostra facultate, e piedi e mano attribuisce a Dio e altro intende; (vv. 43-45)
Scriptura [...] divina sic introducit interdum angelos apparentes, ut communiter ab omnibus viderentur; sicut angeli apparentes Abrahae [...] Similiter angelus qui apparuit Tobiae, ab omnibus videbantur [...] Cum igitur angeli neque corpora sint, neque habeant corpora	Talvolta la Sacra Scrittura presenta apparizioni di angeli normalmente visibili da tutti; come gli angeli che apparvero ad Abramo. Allo stesso modo l'angelo che apparve a Tobia era visibile da tutti. Mentre invece gli angeli non sono corpo né hanno corpo.	[...] e Santa Chiesa con aspetto umano Gabriel e Michel vi rappresenta, e l'altro che Tobia rifece sano. (vv. 46-48)

Canto V

Ancora nel primo cielo, Beatrice chiarisce un altro dubbio di Dante, sempre relativo ai voti degli uomini: è possibile, come d'altra parte afferma la stessa Chiesa, sostituire in qualche modo un voto fatto con un altro, restando nella Grazia di Dio? La risposta di Beatrice si sofferma innanzitutto sul libero arbitrio, il dono più alto fatto da Dio alle creature dotate di intelligenza. Poiché un voto è un sacrificio volontario del libero arbitrio in un ambito particolare, esso non può essere sostituito in alcun modo nella forma; ma può esservi un cambiamento nella materia del voto, a patto che si offra a Dio qualcosa di nettamente più grande ed importante di quanto gli si toglie. Ma nel caso di voti, come quello di castità, per i quali non c'è nulla di equivalente, non c'è alcuna possibilità di sostituzione. E perciò stiano attenti i cristiani prima di impegnarsi, anche perché i voti non sono affatto necessari alla salvezza, ma rappresentano una volontaria offerta a Dio.

Dopo aver finito di parlare, Beatrice si rivolge verso l'alto e si innalza insieme a Dante, velocissima, fino al secondo cielo, quello di Mercurio. Qui più di mille anime si fanno incontro ai nuovi venuti. Esse sono quasi del tutto trasfigurate nella luce che emanano, ed i loro lineamenti appaiono come il globo solare appena sorto. L'anima cui Dante chiede, come al solito, notizie, per la gioia di rispondergli si illumina come il sole che esca dalle brume. E la sua risposta occupa per intero il canto seguente.

Canto VI

Beatrice e Dante sono nel secondo cielo, che prende il proprio nome da Mercurio. Qui si mostrano loro le anime di coloro che sulla Terra operarono giustamente, ma spinti piuttosto da desiderio di gloria che non da amore disinteressato per Dio, bene supremo. Ciò non annulla i loro meriti (ed essi infatti sono accolti in Paradiso), ma li rende, per così dire, troppo umani e perciò legati ancora in qualche modo alla prospettiva del mondo, sebbene solo in senso positivo. Perciò, come a maggior ragione nel primo cielo, gli spiriti del cielo di Mercurio partecipano della beatitudine senza la totale completezza dei cieli più alti; ma la loro gioia è egualmente appagata in pieno, nella considerazione della giustizia perfetta di Dio.

Il canto sesto è interamente occupato (cosa unica nel poema) dal discorso di un'anima: quella dell'imperatore Giustiniano. Essa si era fatta avanti già nella parte finale del canto precedente, e Dante le aveva rivolto due domande: sulla sua identità e sulla ragione per cui era in quel cielo. Il lungo discorso dell'imperatore risponde ad entrambe, allargandosi a considerazioni di carattere politico.

A questo proposito si ricordi che anche i canti strutturalmente omologhi dell'*Inferno* e del *Purgatorio* riguardano questioni politiche. Se nel canto VI dell'*Inferno* Ciacco è chiamato a parlare della situazione politica di Firenze e nel canto VI del *Purgatorio*, sullo spunto offerto dall'abbraccio di Sordello e Virgilio, la problematica politica si allarga all'Italia, qui Giustiniano affronta il problema in forma definitiva, secondo la prospettiva universale dell'Impero, anche attraverso un'ampia ricognizione storica. C'è quindi un allargamento progressivo dell'orizzonte del discorso. Ma ci sono anche alcuni caratteri costanti nei tre momenti, e soprattutto la condanna dei particolarismi politici e delle lotte tra fazioni: nell'*Inferno* sono denunciati gli odi e le lotte interne di Firenze, nel *Purgatorio* la divisione ostile dell'Italia, qui nel *Paradiso* la rivalità tra Guelfi e Ghibellini, cioè tra i fautori della supremazia della Chiesa e i fautori della supremazia dell'Impero (ma entrambi indegni della propria causa e interessati solo ai vantaggi di parte). Il tema politico comune ai tre canti omologhi della *Commedia* è quindi la necessità di una rinascita del potere imperiale, per giungere a quella monarchia universale garante della giustizia nella quale Dante credeva.

* * *

Dopo aver informato Dante della propria identità, Giustiniano traccia una sintetica storia dell'Impero, concepito nella continuità dalla affermazione mitica dell'esule troiano Enea sui popoli del Lazio, fino al potere degli imperatori d'Oriente (tra i quali è lo stesso Giustiniano), fino al re dei Franchi Carlo Magno, difensore della Chiesa e incoronato imperatore nell'800; e quindi implicitamente fino agli imperatori contemporanei di Dante. Momento centrale di tale storia è la nascita di Cristo e la sua uccisione decretata da Pilato, cioè da un rappresentante dell'Impero; così che all'incarnazione storica del progetto divino spetta l'onore di punire, in Cristo, il peccato originale di Adamo ed Eva. (Anche se poi allo stesso Impero spetta di punire gli uccisori materiali di Cristo con la distruzione di Gerusalemme e la d i a s p o r a degli Ebrei ad opera di Tito, con una contraddizione che verrà chiarita nel canto seguente).

Dopo aver inoltre informato Dante sulle caratteristiche del secondo cielo, Giustiniano si sofferma sull'anima di Romeo di Villanova, patetica e dignitosa figura di uomo giusto, calunniato per invidia, così da essere costretto all'esilio.

* * *

Alla tesi centrale del canto, sul carattere provvidenziale e universale dell'Impero, si accompagna uno stile alto, ricco di latinismi e di m e t a f o r e (basti pensare che la storia dell'Impero è narrata come storia del suo simbolo, l'aquila). La parte finale del canto, riservata alla figura di Romeo, è invece caratterizzata da un tono elegiaco e commosso, benché contenuto e dignitoso.

Ma tra le due parti c'è un profondo rapporto, per almeno tre ragioni.

1) È possibile un parallelismo tra Giustiniano e Romeo. Infatti gli uomini, in quanto cristiani, sono tenuti a operare il bene, sia che si trovino nel grado più elevato della scala gerarchica, come è il caso di Giustiniano, sia che il loro raggio d'azione sia più limitato e modesto, come è per Romeo. Né importa se il mondo non riconosce il valore di tali opere: queste saranno comunque ricompensate dalla giustizia divina.

2) Romeo è un esempio di quella ingiustizia denunciata da Giustiniano come conseguenza delle divisioni e delle lotte politiche.

3) Romeo rappresenta in qualche modo una proiezione dell'esperienza personale di Dante stesso, anch'egli ingiustamente esiliato; e si collega così alla condanna di Guelfi e Ghibellini, che costituisce uno dei pilastri portanti del canto. Romeo, come Dante (e come Giustiniano), è un giusto che lavora al di fuori di schieramenti meschinamente interessati, nella prospettiva di un progetto più ampio e alto, nel quale le ragioni strettamente politiche si incontrano con una profonda ispirazione religiosa.

Cfr. tavola 15.

« Poscia che Costantin l'aquila volse
contr'al corso del ciel, ch'ella seguìo
3   dietro a l'antico che Lavina tolse,
cento e cent' anni e più l'uccel di Dio
ne lo stremo d'Europa si ritenne,
6   vicino a' monti de' quai prima uscìo;
e sotto l'ombra de le sacre penne
governò 'l mondo lì di mano in mano,
9   e, sì cangiando, in su la mia pervenne.

1-9: «*Dopo* (**poscia**) *che Costantino portò* (**volse**) *l'aquila in direzione opposta* (**contr'**⟨**o**⟩) *al corso del cielo, che essa* (**ch'el-la**) [: l'aquila] *aveva seguito* (**seguìo** = seguì; con e p i t e s i in -o) *dietro all'antico* [: Enea] *che sposò* (**tolse**) *Lavinia, l'uccello di Dio* [: l'aquila] *rimase* (**si ritenne**) *due-*

cento (**cento e cento'**⟨**o**⟩) *anni e più nell'e-stremità* (**ne lo stremo**) *d'Europa, vicino ai monti dai quali* (**de'**⟨**i**⟩ **quai**) *era uscita* (**uscìo;** con e p i t e s i in -o) *in origine* (**prima**)*; e sotto l'ombra delle* [*sue*] *sacre penne lì* [: *nell'Oriente d'Europa*] *governò il mondo* [*passando*] *di mano in mano* [: *di impe-*

Cesare fui e son Iustinïano,
    che, per voler del primo amor ch'i' sento,
12   d'entro le leggi trassi il troppo e 'l vano.
    E prima ch'io a l'ovra fossi attento,
    una natura in Cristo esser, non piùe,
15   credea, e di tal fede era contento;
    ma 'l benedetto Agapito, che fue
    sommo pastore, a la fede sincera
18   mi dirizzò con le parole sue.

ratore in imperatore], *e, così cambiando* (**sì cangiando**), *giunse* (**pervenne**) *nella* (**in su la**) *mia* [: mano]. A parlare, come si apprende dal v. 10, è l'imperatore Giustiniano (cfr. nota seguente). Il suo discorso occupa eccezionalmente l'intero canto, a sottolineare l'importanza attribuita da Dante alla funzione storica e provvidenziale dell'Impero. In questa prima parte del discorso (vv. 1-27), Giustiniano risponde alla richiesta fattagli da Dante nel canto precedente, relativa alla sua identità personale. L'imperatore risponde dando ampio risalto alla propria opera storica, nella quale si è incarnato il disegno della Provvidenza divina, e umilmente sorvolando sulla propria persona specifica (cfr. v. 10 e nota). In questi vv. 1-9, Giustiniano storicizza la propria figura collocandola entro la storia di Roma e dell'Impero. Si consideri che l'**aquila** rappresenta appunto l'istituto dell'Impero, del quale è il simbolo. E che come tale rappresenta un istituto storico cui è affidato da Dio il compito provvidenziale di governare il mondo in senso temporale, cioè politico (cfr. **uccel di Dio**, v. 4, e **sacre penne**, v. 7). Si noti a questo proposito il significato della scelta dantesca di attribuire all'aquila, a partire dal piano grammaticale, ciò che pertiene invece ad imperatori e fatti politici: per Dante il vero soggetto storico è l'Impero, la cui storia è guidata da Dio (cfr. soprattutto i vv. 7 sg.). Il senso di questi nove versi è dunque questo: dopo che l'imperatore Costantino I nel 330 d.C. trasferì la sede della capitale dell'Impero da Roma a Bisanzio (l'odierna Istanbul, in Turchia), procedendo in direzione opposta a quella del cielo (cioè da Occidente a Oriente), direzione che era stata invece seguita dall'aquila quando l'esule troiano Enea, lo sposo di Lavinia, l'aveva trasportata da Troia nel Lazio per dare origine a Roma, la capitale restò a Bisanzio (nell'estremità orientale d'Europa, vicino ai monti della Troade, da cui l'aquila era partita con Enea) per oltre duecento anni (in verità dal 330 al 527),

governando il mondo, finché divenni imperatore io, Giustiniano.

10-12: *Fui Cesare* [: imperatore] *e sono Giustiniano* (**Iustiniano**), *che, per la volontà* (**voler**) *che io* (**ch'i'**) *sento del primo amore* [: per ispirazione dello Spirito Santo, cioè di Dio], *tolsi* (**trassi**) *dalle leggi* (**d'entro le leggi**) *il superfluo* (**il troppo**) *e l'inutile* (**'l vano**; **'l** = il). Giustiniano, nato nel 482, fu imperatore dell'Impero Romano d'Oriente dal 527 al 565, anno della morte. La sua importanza storica è legata in modo particolare alla creazione di un poderoso codice di leggi (il *Corpus iuris civilis*), nel quale si raccolse l'eredità del diritto romano, eliminando quanto fosse ormai superato per ragioni storiche (cfr. v. 12), aggiornando e aggiungendo, anche, secondo l'opportunità. Dato che il diritto è quanto di più alto e definitivo Roma abbia prodotto con la sua storia, oltre che il segno più evidente del potere, ben si spiega perché Dante abbia scelto, per parlare dell'Impero (e quasi per rappresentarlo), proprio Giustiniano. D'altra parte il *Corpus iuris* costituiva la base delle leggi ancora al tempo di Dante. Si noti, al v. 10, la costruzione a c h i a s m o, (...**fui e son**...) a sottolineare la contrapposizione tra la dignità imperiale (**Cesare fui**) ricevuta sulla Terra e la semplice identità individuale (**son Iustiniano**), che è quella che conta nel Paradiso, e che resta dopo che i vincoli con la dimensione mondana sono trascesi (cfr. *Purg.* V, 88).

13-18: *E prima di dedicarmi* (**ch'io...fossi attento**) *all'opera* (**a l'ovra**) [*legislativa*], *credevo* (**credea**) *che vi fosse* (**esser**; secondo una costruzione latineggiante) *in Cristo una* [*sola*] *natura, non più* (**piùe**; con e p i t e s i in -e) [: due], *ed ero appagato* (**contento**) *di tale fede; ma il benedetto Agapito, che fu papa* (**sommo pastore**), *mi convertì* (**dirizzò**) *con le sue parole alla fede vera* (**since-**

Io li credetti; e ciò che 'n sua fede era,
vegg' io or chiaro sì, come tu vedi
21 ogne contradizione e falsa e vera.
Tosto che con la Chiesa mossi i piedi,
a Dio per grazia piacque di spirarmi
24 l'alto lavoro, e tutto 'n lui mi diedi;
e al mio Belisar commendai l'armi,
cui la destra del ciel fu sì congiunta,
27 che segno fu ch'i' dovessi posarmi.
Or qui a la question prima s'appunta
la mia risposta; ma sua condizione
30 mi stringe a seguitare alcuna giunta,
perché tu veggi con quanta ragione
si move contr' al sacrosanto segno
33 e chi 'l s'appropria e chi a lui s'oppone.

ra). Prima di dedicarsi al riordinamento del codice, cioè, Giustiniano aveva aderito all'eresia *monofisita*, la quale afferma che nella persona di Cristo è presente la sola natura divina, e non quella umana, negando con ciò la specificità del dogma dell'Incarnazione. Lo spinse a convertirsi alla fede ortodossa Agapito I, papa dal 533 al 536, durante una missione di pace tra i Goti e l'imperatore. Dante accoglie queste notizie, probabilmente, dal *Trésor* di Brunetto Latini (che seguiva a sua volta alcuni storici medioevali, come Paolo Diacono). Ma la notizia dell'eresia e della conversione di Giustiniano è priva di fondamento. Da un punto di vista poetico essa si rivela però funzionale all'idea che Dante vuole esprimere, che Giustiniano sia scelto da Dio per la sua provvidenziale opera di riforma (si vedano anche i vv. 11 e 23).

19-21: *Io gli* (**li**) [: ad Agapito] *credetti; e ora io vedo* (**vegg'io** = io veggio) *ciò che era* [*affermato*] *nella* ('n = in) *sua* [*proclamazione di*] *fede così* (**sì**) *chiaro, come tu vedi* [*che*] *ogni* (**ogne**) *contradizione* [*è*] *da una parte* (e) *falsa, dall'altra* (e) *vera*. **Ogne contradizione...**: è il *principio di non contraddizione* della logica aristotelica, che afferma che di due affermazioni contraddittorie necessariamente l'una è falsa e l'altra vera.

22-27: *Appena* (**tosto che**) *presi a procedere* (**mossi i piedi**) [*in accordo*] *con la Chiesa, a Dio, per* [*sua*] *grazia, fece piacere* (**piacque**) *di ispirarmi* (**spirarmi**) *il grande* (**l'alto**) *lavoro* [: l'opera legislativa], *e mi dedicai* (**mi diedi**) *tutto ad esso* ('n lui; 'n = in); *e affidai*

(**commendai**) *le armi* [: il comando dell'esercito] *al mio Belisario, al quale* (**cui**) *fu a tal punto* (**sì** = così) *favorevole* (**congiunta**) *l'aiuto* (**la destra**) *del cielo, che fu segno che io* (**ch'i'**) *dovessi cessare* (**posarmi**) [*di occuparmi di guerra e dedicarmi solo ad opere di pace*]. Anche qui le notizie riportate da Dante risentono dell'incertezza delle fonti storiche cui egli attinge: infatti l'opera legislativa di Giustiniano fu compiuta tra il 528 e il 533, *prima* che Agapito fosse eletto papa. **Belisar**: al generale Belisario Giustiniano affidò effettivamente il comando dell'esercito; e ne seguirono importanti vittorie (contro i Vandali in Africa e contro i Goti in Italia). Benché qui l'aggettivo **mio** esprima affetto e stima, in verità l'imperatore non fu sempre riconoscente e generoso con il fedele generale, messo in cattiva luce dall'invidia dei rivali. Ma Dante ignorò tale notizia, o comunque non volle tenerne qui conto.

28-33: *Ora con questo* (**qui**) *termina* (**s'appunta**) *la mia risposta alla* [*tua*] *prima domanda* (**question**); *ma la sua* [: della risposta] *natura* (**condizione**) [: il fatto che si accenni all'Impero] *mi costringe* (**mi stringe**) *a far seguire* (**a seguitare**) *una qualche* (**alcuna**) *aggiunta* (**giunta**), *perché tu veda* (**veggi**) *con quanta ragione si rivolge* (**si move**) *contro al santo* (**sacrosanto**) *segno* [: l'aquila; cfr. v. 7] *sia* (e) *chi se ne appropria* ('l s'appropria; 'l = il = lo; s' = si) [: i Ghibellini] *sia* (e) *chi si oppone a lui* [: i Guelfi]. Queste due terzine svolgono una funzione di passaggio all'interno del lungo discorso di Giustiniano: fin qui egli ha risposto alla prima domanda di Dante («**non so chi tu se'**») gli

Vedi quanta virtù l'ha fatto degno
di reverenza; e cominciò da l'ora

36   che Pallante ·morì per darli regno.

Tu sai ch'el fece in Alba sua dimora
per trecento anni e oltre, infino al fine

39   che i tre a' tre pugnar per lui ancora.

E sai ch'el fe' dal mal de le Sabine
al dolor di Lucrezia in sette regi,

42   vincendo intorno le genti vicine.

Sai quel ch'el fe' portato da li egregi
Romani incontro a Brenno, incontro a Pirro,

45   incontro a li altri principi e collegi;

ha detto questi nel canto V al v. 127), ma la risposta ha chiamato in causa la storia dell'Impero, così che è necessaria un'aggiunta volta a far comprendere a Dante l'errore sia dei suoi difensori (i Ghibellini, che *se ne appropriano* per vantaggio personale) sia dei suoi oppositori (i Guelfi, che affermano la superiorità del potere temporale del papa sull'imperatore). Così Giustiniano passa alla parte centrale del proprio discorso (vv. 34-111), una lunga digressione storica sull'istituto dell'Impero (sempre rappresentato simbolicamente dall'aquila), dalla fondazione di Roma alle lotte tra Guelfi e Ghibellini: gli avvenimenti più antichi e mitici si saldano in una potente sintesi a quelli recenti e ancora non conclusi, abbracciando tutta la storia dell'**aquila** in un unico movimento, assistito dalla Provvidenza divina, secondo una concezione politica che vede la storia umana come un grandioso realizzarsi di essa. **Con quanta ragione**: è detto, con amara ironia, per significare *quanto ingiustamente*; si tratta di un'a n t i f r a s i.

34-36: *Considera* (**vedi**) *quanto valore* (**virtù**) *lo* [: il sacrosanto segno dell'aquila] *ha reso* (**fatto**) *degno di reverenza; e* [*tale valore*] *cominciò* [*a rendere il segno dell'aquila degno di reverenza*] *dal momento* (**da l'ora**) *che Pallante morì per dargli* (**darli**) *un regno* [: perché l'Impero potesse cominciare]. **Pallante**: come narra Virgilio nell'*Eneide*, Pallante, figlio del re laziale Evandro, fu alleato di Enea e morì combattendo contro Turno. La storia della **virtù** legata all'insegna dell'aquila inizia con questo morto, e cioè con la guerra tra l'esule troiano Enea e le popolazioni avverse del Lazio: sono avvenimenti mitici, ma Dante li presenta come fatti storici e tali li crede.

37-39: *Tu sai che esso* (**ch'el**) [: il segno dell'aquila] *pose* (**fece**) *in Albalonga* (**Alba**) *la sua sede* (**dimora**) *per trecento anni e oltre, fino al giorno* (**infino al fine**) *che i tre* [*Orazi*] *combatterono* (**pugnar**⟨**o**⟩ = pugnarono) *contro i* (**a'** = ai) *tre* [*Curiazi*] *ancora per lui*. È sintetizzata in questa terzina la «preistoria» di Roma: la fondazione di Albalonga da parte del figlio di Enea, Ascanio; i tre secoli di supremazia di Albalonga, interrotti dal duello tra tre Orazi (romani) e tre Curiazi (albani), conclusosi con la vittoria dei primi e l'inizio della supremazia di Roma sul Lazio.

40-42: *E sai* [*ciò*] *che esso* (**el**) [: il segno dell'aquila, e così in séguito] *fece* (**fe'**) *dal rapimento* (**mal**) *delle Sabine alla sofferenza* (**dolor**) *di Lucrezia, sotto il potere di* (**in**) *sette re* (**regi**), *sottomettendo* (**vincendo**) *intorno le popolazioni* (**genti**) *confinanti* (**vicine**). Questa terzina si riferisce al periodo della monarchia (durante il potere dei sette re), aperto da Romolo (sotto il quale furono rapite le donne sabine per ripopolare la città) e chiuso da Tarquino il Superbo (cacciato dalla città perché il figlio aveva violentato la nobile Lucrezia, la quale denunciò il fatto e si suicidò). L'accento, qui e in séguito, è posto sulle vittorie romane e sul crescente potere dell'**aquila**, poiché quelle e questo rivelano un disegno provvidenziale voluto da Dio. **E sai...**: si noti la triplice a n a f o r a di **sai** (vv. 37, 40 e 43), con piccola variazione, che infonde solennità a questi brevi cenni, facendone le tappe di un itinerario storico inevitabile e necessario.

43-48: *Sai quel che esso* (**el**) *fece* (**fe'**) *portato dai valorosi* (**egregi**) *romani contro* (**incontro a**; così dopo) *Brenno, contro Pirro, contro gli* (**li**) *altri re* (**principi**) *e regni* (**col-**

onde Torquato e Quinzio, che dal cirro
negletto fu nomato, i Deci e ' Fabi
48   ebber la fama che volontier mirro.
Esso atterrò l'orgoglio de li Aràbi
che di retro ad Anibale passaro
51   l'alpestre rocce, Po, di che tu labi.
Sott' esso giovanetti trïunfaro
Scipïone e Pompeo; e a quel colle
54   sotto 'l qual tu nascesti parve amaro.
Poi, presso al tempo che tutto 'l ciel volle
redur lo mondo a suo modo sereno,
57   Cesare per voler di Roma il tolle.

legi); *per cui* (**onde**) *Torquato e Quinzio, che fu chiamato* (**nomato**) [*Cincinnato; dal lat.* 'cincinnatus' = ricciuto] *a causa del* (**dal**) *ciuffo* (**cirro**) *arruffato* (**negletto**), *i Deci e i* (**e'**) *Fabi ebbero la fama che volentieri onoro* (**mirro**). Nei vv. 43-54 sono narrate le vicende del periodo repubblicano della storia romana (510-31 a.C.), segnato dalla espansione progressiva della supremazia di Roma all'Italia, e a varie altre parti del bacino del Mediterraneo. Sono ricordati sinteticamente i momenti più importanti di tale espansione, attraverso il nome di alcuni famosi nemici (Brenno, Pirro) e quello di alcuni eroi e condottieri romani (Torquato, Quinzio, i Deci, i Fabi).

49-51: *Esso* [: il segno dell'aquila, sempre] *abbatté* (**atterrò**) *l'orgoglio dei Cartaginesi* (**de li Aràbi**) *che attraversarono* (**passaro** = passarono) *dietro ad Annibale le Alpi* (**l'alpestre rocce** = le montagne alpine) *da cui* (**di che**) *tu, o* [*fiume*] *Po, discendi* (**labi**). È ricordato in questa terzina il momento di maggior pericolo attraversato da Roma: le guerre puniche (cominciarono nel 264 a.C. e terminarono con la distruzione di Cartagine nel 146 a.C.), che ebbero il loro episodio culminante nella discesa di Annibale in Italia, al comando di un potente esercito cartaginese, con il quale aveva superato le Alpi (218 a.C.). **Aràbi**: son chiamati così i Cartaginesi perché abitavano all'incirca le stesse regioni (nell'Africa settentrionale) che ai tempi di Dante erano popolate dagli Arabi. Si tratta di un anacronismo (simile a quello di *Inf.* I, 68 dove i genitori di Virgilio son chiamati **lombardi**).

52-54: *Sotto di esso trionfarono* (**triunfaro**) [*ancora*] *giovanissimi* (**giovanetti**) *Scipione e Pompeo; e* [*il segno dell'aquila*] *parve doloroso* (**amaro**) *a quel colle sotto il* (**'l**) *quale tu nascesti*. **Scipione e Pompeo**: P. Cornelio Scipione l'Africano contro Annibale a Zama e Gneo Pompeo Magno contro i fedeli di Mario riportarono importanti trionfi, essendosi entrambi distinti nel valore già giovanissimi. **E a quel colle...**: si allude ad una leggenda diffusa nel Medioevo, secondo la quale Fiesole (sul colle sopra Firenze, e **sotto** cui, dunque, nacque Dante) sarebbe stata assediata e distrutta dai Romani durante la guerra contro Catilina.

55-57: *Poi, vicino* (**presso**) *al tempo che il* (**'l**) *cielo* [: Dio] *volle ricondurre* (**redur** = ridurre) *tutto il mondo alla serenità* (**sereno**), *secondo il proprio modello* (**a suo modo**), *Cesare lo* (**il**) *prende* (**tolle**; latinismo) *per voler di Roma*. Questa terzina introduce alla rievocazione delle imprese di Giulio Cesare, il generale fondatore dell'Impero; esse occupano uno spazio assai maggiore che gli avvenimenti precedenti (vv. 55-72), a significare l'importanza provvidenziale della sua opera. Si consideri che la valutazione della figura di Cesare era assai controversa: egli infatti aveva posto fine alle istituzioni repubblicane di Roma e gettato le basi della struttura imperiale, dopo una sanguinosa guerra civile. Lo stesso Dante, da giovane, aveva ritenuta quella di Cesare un'usurpazione. Qui, coerentemente alla posizione del *Convivio* e della *Monarchia*, l'azione di Cesare è inquadrata nell'ambito del disegno provvidenziale, e la sua assunzione del potere è presentata come voluta da Roma stessa. Si noti la ripresa del verbo *volere* ai vv. 55 e 57 (**'l ciel volle... per voler di Roma**), che attribuisce a Dio in persona la paternità originaria delle azioni di Cesare, e a Roma la responsabilità pratica del loro compimento. Così Cesare diventa l'esecutore, eroico e no-

E quel che fe' da Varo infino a Reno,
   Isara vide ed Era e vide Senna
60   e ogne valle onde Rodano è pieno.
   Quel che fe' poi ch'elli uscì di Ravenna
   e saltò Rubicon, fu di tal volo,
63   che nol seguiterìa lingua né penna.
   Inver' la Spagna rivolse lo stuolo,
   poi ver' Durazzo, e Farsalia percosse
66   sì ch'al Nil caldo si sentì del duolo.
   Antandro e Simeonta, onde si mosse,
   rivide e là dov' Ettore si cuba;
69   e mal per Tolomeo poscia si scosse.

bile, di un disegno della Provvidenza e di una necessità storica, che toglie qualsiasi valore all'accusa di usurpazione che gli era stata rivolta. In particolare, la unificazione del mondo sotto il potere rasserenante e pacificatore di Roma ha lo scopo di preparare la nascita di Cristo e l'avvento del Cristianesimo. In una prospettiva più strettamente politica, Cesare è per Dante il primo rappresentante di quell'ideale monarca alla cui unica autorità, assistita dalla Grazia, deve sottostare il mondo intero, secondo una concezione universalistica del potere politico parallela a quella del potere spirituale della Chiesa. Da un punto di vista formale, va notato innanzitutto la coincidenza delle strutture logico-sintattiche e di quelle metriche (alla fine di ogni terzina c'è il punto fermo; rarissimi sono gli e n j a m b e m e n t s), ad esprimere con solenne incisività le imprese cesariane. Si noti poi la presenza di s i n t a g m i alti e ricercati, e di un lessico nobile (spesso, come in tutto il canto del resto, intriso di latinismi), a sottolineare l'importanza della materia (oltre che la nobiltà del personaggio che appare anche dall'elevatezza dell'eloquio, secondo il consueto procedimento m i m e t i c o).

58-60: *E quel che* [*l'aquila*; nelle mani di Cesare] *fece* (**fe'**) *dal* [*fiume*] *Varo al* [*fiume*] *Reno*, [*lo*] *videro* (**vide**) [*i fiumi*] *Isère* (**Isara**) *e Loira* (**Era**) *e* [*lo*] *videro* (**vide**) [*il fiume*] *Senna e tutte* (**ogne** = ogni) *le valli di cui* (**onde**) [*per le acque degli affluenti che le attraversano*] *il* [*fiume*] *Rodano è ingrossato* (**pieno**). La terzina si riferisce alle imprese vittoriose di Cesare in Gallia, della quale sono ricordati i fiumi più importanti: il Varo e il Reno segnano i confini della regione a Ovest e a Nord.

61-63: *Quel che esso* (**elli**) [: il segno] *fece* (**fe'**) *dopo* (**poi**) *che uscì da* (**di**) *Ravenna e attraversò* (**saltò**) *il* [*fiume*] *Rubicone, fu di tale rapidità* (**di tal volo**), *che non lo seguirebbe* (**nol seguiterìa**) [: non potrebbe stargli dietro, per raccontarlo] [*né parola* (**lingua**) *né scrittura* (**penna**). Si allude all'episodio decisivo dell'attraversamento del fiume Rubicone (tra Ravenna e Rimini) da parte di Cesare con le sue truppe; l'atto, condotto senza il permesso del Senato di Roma, segnò l'inizio della guerra civile tra Cesare e Pompeo (che si mise a difesa delle istituzioni repubblicane).

64-66: [*L'aquila*] *rivolse l'esercito* (**lo stuolo**) *verso* (**inver'** = inverso) *la Spagna, poi verso* (**ver'**) *Durazzo, e colpì* (**percosse**) *Farsàlo* (**Farsalia**), *così* (**sì**) *che si sentì* [*per conseguenza*] *il dolore* (**del duolo**) [*fino*] *al Nilo caldo* [: in Egitto]. Ci si riferisce qui alle tappe principali della guerra di Cesare contro Pompeo, condotta prima in Spagna contro i luogotenenti di Pompeo e poi direttamente contro il generale nemico, sconfitto a Farsàlo (in Tessaglia) da Cesare (sbarcato a Durazzo), e ucciso a tradimento dal re egiziano Tolomeo, presso il quale si era rifugiato.

67-69: [*L'aquila*] *rivide Antandro e Simoenta* (**Simeonta**), *da cui* (**onde**) *si era mossa* (**si mosse**), *e il luogo* (**là**) *dove giace* (**si cuba**; latinismo) [*sepolto*] *Ettore; e poi* (**poscia**) *ripartì* (**si scosse**) [*dall'Egitto*] *con danno di Tolomeo* (**mal per Tolomeo**). Racconta il poeta latino Lucano nella *Farsalia* (IX, 950 sgg.) che Cesare, dopo la vittoria di Farsàlo, si recò in Asia Minore per visitare le rovine di Troia, e che quindi l'aquila rivide i luoghi dai quali si era mossa al séguito del-

Da indi scese folgorando a Iuba;
onde si volse nel vostro occidente,
72 ove sentìa la pompeana tuba.
Di quel che fe' col baiulo seguente,
Bruto con Cassio ne l'inferno latra,
75 e Modena e Perugia fu dolente.
Piangene ancor la trista Cleopatra,
che, fuggendoli innanzi, dal colubro
78 la morte prese subitana e atra.
Con costui corse infino al lito rubro;
con costui puose il mondo in tanta pace,
81 che fu serrato a Giano il suo delubro.
Ma ciò che 'l segno che parlar mi face
fatto avea prima e poi era fatturo
84 per lo regno mortal ch'a lui soggiace,
diventa in apparenza poco e scuro,

l'esule troiano Enea (**Antandro** è il porto da cui questi salpò, e il *Simoenta* un fiumicello nei pressi di Troia). **E mal per Tolomeo…**; infatti Cesare gli tolse il regno, affidando il potere a Cleopatra.

70-72: *Da qui* (**da indi**) [: dall'Egitto] *scese* [: il sogg. è sempre l'aquila] *come un fulmine* (**folgorando**) *su Giuba* (**Iuba**)*; da dove* (**onde**) *si rivolse verso il* (**si volse nel**) *vostro occidente* [: in Spagna, ad Ovest del mondo dei vivi], *dove sentiva la tromba* (**tuba**) [*della parte*] *pompeiana*. Cesare infatti sconfisse prima il re della Mauritania Giuba, e poi le ultime resistenze dei pompeiani in Spagna. **Scese folgorando**: poiché il soggetto è l'aquila, è introdotta questa m e t a f o r a, quasi che l'aquila si cali davvero dal cielo sui suoi nemici.

73-75: *Di quel che* [*l'aquila*] *fece* (**fe'**) *con il governatore* (**baiulo**) *seguente* [: Ottaviano Augusto], [*lo*] *gridano* (**latra**; concordato al sing.) *nell'Inferno Bruto e* (**con**) *Cassio, e* [*ne*] *furono addolorate* (**fu dolente**; ancora il vb. è al sing. con due sogg.) *Modena e Perugia*. Segue ora una parte (vv. 73-81) dedicata all'imperatore che successe a Cesare, Ottaviano Augusto. Questi sconfisse a Filippi gli uccisori di Cesare: Bruto e Cassio; ed essi ripetono ancora, lamentandosi, questa impresa nell'Inferno, dove stanno collocati nelle bocche di Lucifero (*Inf.* XXXIV). Modena e Perugia furono duramente colpite da Augusto per aver dato rifugio al nemico Marco Antonio e ai suoi familiari.

76-78: *Ne piange* (**piangene**) *ancora la sciagurata* (**trista**) *Cleopatra, la quale* (**che**), *fuggendo davanti ad essa* (**fuggendoli innanzi**) [: l'aquila], *si fece dare* (**prese**) *la morte rapida* (**subitana**) *e atroce* (**atra** = nera) *dal serpente* (**colubro**). Cleopatra, che ancora piange nell'Inferno (cfr. *Inf.* V, 63) la sua sventura, si uccise facendosi mordere da un serpente velenoso in séguito alla sconfitta dell'amato Antonio.

79-81: *Con costui* [: Augusto] [*l'aquila*] *corse fino* (**infino**) *alle rive* (**al lito**) *del Mar Rosso* (**rubro** = rosso)*; con costui pose* (**puose**) *il mondo in tanta pace, che fu chiuso* (**serrato**) *a Giano* [: dio della guerra] *il suo tempio* (**delubro**). Sotto Ottaviano Augusto Roma conquistò l'Egitto e giunse al Mar Rosso, e conobbe un periodo di pace completa, così che furono chiuse le porte del tempio del dio della guerra Giano, come era consuetudine antica fare nei tempi di pace, e come non avveniva a Roma da circa due secoli. Questa pace universale prepara, nell'ottica provvidenzialistica di Dante, la nascita di Cristo (che avvenne appunto sotto Augusto). **Lito rubro**: è un ricordo del virgiliano «litore rubro» (*Eneide* VIII, 686).

82-90: *Ma ciò che il segno* [: dell'aquila] *che mi fa* (**face**) *parlare aveva fatto prima ed avrebbe fatto* (**era fatturo**; è il lat. 'facturum erat') *poi a vantaggio del* (**per lo**) *regno umano* (**mortal**) *che è sottoposto* (**soggiace**) *a lui, diventa al confronto* (**in apparenza**) *cosa da poco e priva di gloria* (**poco e scu-**

              se in mano al terzo Cesare si mira
87   con occhio chiaro e con affetto puro;
              ché la viva giustizia che mi spira,
              li concedette, in mano a quel ch'i' dico,
90   gloria di far vendetta a la sua ira.
              Or qui t'ammira in ciò ch'io ti replìco:
              poscia con Tito a far vendetta corse
93   de la vendetta del peccato antico.
              E quando il dente longobardo morse
              la Santa Chiesa, sotto le sue ali
96   Carlo Magno, vincendo, la soccorse.

ro), *se si guarda* (**si mira**) *con occhio illumi-nato* (**chiaro**) [*dalla fede*] *e con sentimenti* (**affetto**) *puri* [*ciò che fece*] *in mano al terzo Cesare* [: Tiberio]; *poiché* (**ché**) *la viva giu-stizia* [*di Dio*] *che mi ispira* (**spira**) [*queste stesse parole*], *gli* (**li**) *concedette, in mano a colui* (**quel**) *che io* (**ch'i'**) *ho detto* (**dico**) [: il terzo Cesare, Tiberio], *la gloria di dare la giusta soddisfazione* (**di far vendetta**) *alla sua ira.* Cioè: tutta la storia dell'aquila (cioè di Roma e dell'Impero) non sono nulla ri-spetto al fatto che al potere imperiale spettò la gloria di far crocifiggere Gesù Cristo, la cui morte rappresentò la giusta espiazione del peccato originale di Adamo ed Eva, che aveva acceso l'ira di Dio verso gli uomini. È ovvio che solo in un'ottica universalistica la condanna di Gesù da parte di un rappre-sentante dell'imperatore può valere come **vendetta** dell'**ira** divina (vale a dire come espiazione — attraverso Cristo — per la col-pa di Adamo, che aveva provocato la colle-ra di Dio); e solo in un'ottica provvidenzia-listica l'aver condannato e fatto uccidere Cri-sto può tornare a gloria dell'Impero. Ancora una volta si rivela come la storia mondana sia per Dante la storia della salvezza dell'u-manità, assistita dalla Provvidenza attraver-so l'opera temporale (cioè politica) dell'Im-pero e quella spirituale della Chiesa.

91-93: *Ora qui meravigliati* (**t'ammira**) *di* (**in**) *ciò che io ti aggiungo* (**replìco**): *poi* (**poscia**) [*l'aquila*] *con* [*l'imperatore*] *Tito corse a pu-nire giustamente* (**far vendetta**) *la giusta pu-nizione* (**de la vendetta**) *del peccato origina-le* (**antico**). Giustiniano allude qui alla di-struzione di Gerusalemme operata da Tito nel 70 d.C.: Tito, futuro imperatore, era fi-glio dell'imperatore Vespasiano; ma Dante lo credeva già al potere in quell'anno. Così il potere imperiale, che uccidendo Cristo ave-va punito in lui il peccato originale di Ada-mo ed Eva, distruggendo Gerusalemme e di-

sperdendo gli Ebrei nella d i à s p o r a pu-niva in séguito anche gli autori di quell'uccisione e quindi di quella prima **ven-detta**. In questo si riscontra una contraddi-zione, e Giustiniano avverte di ciò Dante in anticipo (v. 91), preparandolo alla meravi-glia. La triplice r e p l i c a z i o n e della parola **vendetta** ai vv. 90, 92 e 93 sottolinea tale apparente contraddizione (**vendetta** si-gnifica, nella lingua di Dante, *giusta pu-nizione*).

94-96: *E quando l'aggressività* (**il dente**) *lon-gobarda attaccò* (**morse**) *la Santa Chiesa, Carlo Magno la soccorse vincendo* [*i Lon-gobardi*] *sotto le sue* [: *dell'aquila*] *ali* [: combattendo sotto le insegne imperiali]. Questa terzina riguarda un avvenimento sto-rico assai lontano dai precedenti: fino al v. 93 Giustiniano ha infatti rievocato alcuni mo-menti salienti della storia di Roma, mentre qui (con un salto di sette secoli) si riferisce ad un àmbito storico estraneo al potere di Roma. L'episodio cui si allude è questo: nel 773 il re dei Franchi Carlo Magno combatté vittoriosamente in Italia contro i Longobar-di, che minacciavano la Chiesa, su invito del papa Adriano I. Nell'800, poi, Carlo verrà solennemente incoronato imperatore, dando origine al Sacro Romano Impero. In questo modo Dante afferma un'importante tesi po-litica: la continuità di diritto tra tradizione romana e Sacro Romano Impero, mentre i Guelfi negavano tale continuità e attribui-vano al papa la potestà imperiale. Si tenga poi presente che il «vuoto» di sette secoli è in verità colmato dalle prime battute di Giustiniano (vv. 1-9), nelle quali si allude al trasferimento della sede imperiale nel 330 con Costantino e ai due secoli in cui essa restò a Bisanzio, fino alla propria investitu-ra nel 527. Con Carlo Magno, nell'ottavo secolo, l'aquila, tenuta fino ad allora dai di-scendenti di Giustiniano, torna in Occidente.

Omai puoi giudicar di quei cotali
ch'io accusai di sopra e di lor falli,
99   che son cagion di tutti vostri mali.
L'uno al pubblico segno i gigli gialli
oppone, e l'altro appropria quello a parte,
102   sì ch'è forte a veder chi più si falli.
Faccian li Ghibellin, faccian lor arte
sott' altro segno, ché mal segue quello
105   sempre chi la giustizia e lui diparte;
e non l'abbatta esto Carlo novello
coi Guelfi suoi, ma tema de li artigli
108   ch'a più alto leon trasser lo vello.
Molte fïate già pianser li figli
per la colpa del padre, e non si creda
111   che Dio trasmuti l'armi per suoi gigli!

97-99: *Ormai* (**omai**) *puoi giudicare di quei tali* (**cotali**; implica disprezzo) [: Guelfi e Ghibellini] *che io ho accusato* (**accusai**) *di sopra* [: cfr. vv. 31-33] *e delle loro colpe* (**falli**), *che sono causa* (**cagion**) *di tutti i vostri* [: di voi uomini] *mali.* Infatti, secondo Dante, entrambe le parti difendono una tesi errata, e dal loro contrasto sono nate «le guerre tra le città, tra li [i] regni, tra le contrade, e nelle città tra' cittadini» (Buti). Con questa terzina inizia una nuova parte del discorso di Giustiniano (vv. 97-111), volta a condannare la politica dei Guelfi e dei Ghibellini. La storia dell'aquila si conclude così con una nota di forte attualità storica, che chiama in causa i due principali schieramenti politici del tempo di Dante, quello favorevole alla supremazia dell'imperatore (Ghibellini) e quello favorevole alla supremazia del papa (Guelfi).

100-102: *L'uno* [: i Guelfi] *contrappone* (**oppone**) *al segno universale* (**pubblico**) [: l'aquila, cioè l'Impero] *i gigli d'oro* (**gialli**) [: della casa di Francia], *e l'altro* [: i Ghibellini] *si appropria di* (**appropria**) *quello* [: il segno universale dell'Impero] *come segno di un partito* (**a parte**), *così* (**sì**) *che è difficile* (**forte**) *vedere chi sbagli* (**si falli**) *di più.* In quanto l'aquila è segno universale, sbagliano sia i Guelfi che apertamente vi si oppongono appoggiandosi, per di più, a un potere particolare (gli Angioini del Sud d'Italia, della casa di Francia), sia i Ghibellini che credono di poter utilizzare quel simbolo universale come se fosse la loro bandiera di parte (e quindi tradendone la funzione e il significato).

103-108: *Facciano i* (**li**) *Ghibellini, facciano le loro azioni* (**lor arte**) [: malvage] *sotto un altro segno, dato che* (**ché**) *non può essere seguace di quello* (**mal segue quello**) [*dell'Impero*] *chi separa* (**diparte**) *sempre la giustizia ed esso* (**lui**) [: cioè chi non lo usa per difendere la causa universale della giustizia, ma i propri ingiusti interessi particolari]; *e non si illuda di abbatterlo* (**non l'abbatta**) *questo* (**esto**) *nuovo* (**novello**) *Carlo* [: Carlo II d'Angiò] *con i suoi Guelfi, ma tema* [piuttosto] *degli* (**de li**) *artigli* [: dell'aquila imperiale, cioè tema il suo potere assistito dal cielo] *che strapparono* (**trasser**) *il pelo* (**lo vello**) *a un leone più forte* (**alto**) [: che sconfissero nemici ben più potenti]. Quanto ai Ghibellini, cioè, essi sono invitati a compiere le loro azioni sotto un altro segno, a non dirsi schierati a favore dell'Impero, poiché pensano solo ai propri vantaggi individuali e non alla giustizia universale. I Guelfi, legati all'appoggio di Carlo II d'Angiò (re di Napoli dal 1285 al 1309, detto **novello** per distinguerlo dal padre Carlo I), si preparino dal canto loro alla punizione imperiale, per aver osato sfidare il suo potere assistito dalla Provvidenza. **Li artigli...**: il riferimento è sempre all'aquila, simbolo dell'Impero; come altrove (cfr. vv. 62, 70, 95) le m e t a f o r e seguono coerentemente tale presupposto.

109-111: *Già molte volte* (**fiate**) *i figli piansero* [: pagarono] *per la colpa del padre, e non si illuda* (**creda**) [*Carlo II*] *che Dio sostituisca* (**trasmuti**) *le insegne* (**l'armi**) [*imperiali; cioè l'aquila*] *con i* (**per**) *suoi gigli!* Con questa terzina si conclude l'ampia digressione politica di Giustiniano, affermando, fuor

374

Questa picciola stella si correda
de' buoni spirti che son stati attivi
114 perché onore e fama li succeda:
e quando li disïri poggian quivi,
sì disvïando, pur convien che i raggi
117 del vero amore in sù poggin men vivi.
Ma nel commensurar de' nostri gaggi
col merto è parte di nostra letizia,
120 perché non li vedem minor né maggi.
Quindi addolcisce la viva giustizia
in noi l'affetto sì, che non si puote
123 torcer già mai ad alcuna nequizia.
Diverse voci fanno dolci note;
così diversi scanni in nostra vita
126 rendon dolce armonia tra queste rote.

di m e t a f o r a , che Dio non permetterà alla dinastia Angioina (il cui simbolo erano i gigli d'oro della casa di Francia; cfr. v. 100) di assumere il mandato universale che spetta solo all'Impero, e che punirà sui figli le colpe dei padri, secondo un concetto biblico che forse non vuole avere riferimenti precisi (benché non manchino sventure nella famiglia di Carlo II, spesso citate dai commentatori).

112-117: *Questa piccola stella* [: il cielo di Mercurio] *si adorna* (**si correda**) *delle* (**de'** = dei) *buone anime* (**spirti**) *che sono state operose* (**attivi**) *per ottenere* (**perché...li succeda**) *onore e fama: e quando i desideri* (**li disiri**) *si fondano* (**poggian**) *su questo* (**quivi**) [*scopo terreno, benché nobile*], *deviando* (**disviando**) *in tal modo* (**sì** = così) [: *dal vero fine che è Dio*], *succede necessariamente* (**pur convien**) *che lo slancio* (**i raggi**) *del vero amore si diriga* (**poggin**) *verso l'alto* (**in sù**) *con meno energia* (**men vivi**). Ai vv. 112-126 Giustiniano risponde alla seconda domanda pòstagli da Dante nel canto precedente, relativa alla ragione della sua presenza nel cielo di Mercurio e alla condizione delle anime che sono in esso. Nel secondo cielo, spiega Giustiniano, stanno le anime di uomini che hanno bene operato in vita, ma avendo come fine non la prospettiva divina, bensì di ottenere una buona fama; questa prospettiva mondana, benché nobile, ha limitato il loro slancio verso Dio, cioè il **vero amore**. Per questo tali anime sono in una condizione di beatitudine in qualche modo parziale: come nel cielo precedente, anche qui c'è ancora un leggero vincolo con il mondo; mentre però

nel cielo della Luna la prospettiva mondana comportava una limitazione (il voto mancato), essa è stata ragione di incoraggiamento al bene per le anime del cielo di Mercurio, le quali però hanno eccessivamente identificato tale bene nella gloria terrena. **Picciola stella**: Mercurio è il più piccolo tra i pianeti (si ricordi che per Dante *stella* e *pianeta* sono concetti e termini equivalenti).

118-120: *Ma nel raffronto* (**commensurar**) *dei* (**de'**) *nostri premi* (**gaggi**) *con il merito* (**col merto**) *è parte* [*essenziale*] *della* (**di**) *nostra beatitudine* (**letizia**), *perché non li vediamo* (**vedem**) [*né*] *minori né maggiori* (**maggi**). La perfetta giustizia di Dio dà la giusta ricompensa per i meriti di ognuno; e nella visione di questo equilibrio sta già in parte la beatitudine.

121-123: *Con ciò* (**quindi**) [: *con questa consapevolezza*] *la giustizia vivente* (**viva**) [: Dio] *purifica* (**addolcisce**) *a tal punto* (**sì** = così) *i nostri sentimenti* (**in noi l'affetto**), *che* [*essi*] *non si possono* (**si puote** = si può) *torcere giammai ad alcun male* (**nequizia**). Cioè: la consapevolezza della superiore giustizia divina rende puri i beati, vietando loro di rivolgersi a sentimenti malvagi (con allusione, soprattutto, all'invidia per le anime più vicine alla beatitudine perfetta).

124-126: *Diverse voci formano* (**fanno**) *dolci armonie* (**note**)*; allo stesso modo* (**così**) *diversi gradi* (**scanni**) [*di beatitudine*] *nella* (**in**) *nostra vita* [*di beati*] *producono* (**rendon**) *tra questi cieli* (**rote**) *una dolce armonia*. Come nella polifonia vocale l'unione di voci diver-

E dentro a la presente margarita
luce la luce di Romeo, di cui
129   fu l'ovra grande e bella mal gradita.
Ma i Provenzai che fecer contra lui
non hanno riso; e però mal cammina
132   qual si fa danno del ben fare altrui.
Quattro figlie ebbe, e ciascuna reina,
Ramondo Beringhiere, e ciò li fece
135   Romeo, persona umìle e peregrina.
E poi il mosser le parole biece
a dimandar ragione a questo giusto,
138   che li assegnò sette e cinque per diece.

se (per registro e per disegno melodico, oltre che per timbro) forma un insieme armonioso (e anzi l'armonia nasce da quell'unione ordinata di elementi diversi), così avviene in Paradiso, dove i vari gradi di beatitudine definiscono una concorde armonia spirituale, perfettamente giusta in assoluto e commisurata ad ogni diversa anima.

127-129: *E all'interno* (**dentro**) *di questa* (**a la presente**) *gemma* (**margarita**) [: il cielo di Mercurio] *brilla* (**luce**) *l'anima luminosa* (**la luce**) *di Romeo, la cui opera* (**di cui...l'ovra**) *grande e bella fu compensata con l'ingratitudine* (**mal gradita**). Dal v. 127 alla fine del canto, Giustiniano si sofferma a presentare un'altra anima del cielo di Mercurio: quella di **Romeo**. Romieu di Villeneuve (Romeo di Villanova) nacque verso il 1170 e morì nel 1250. Fu ministro del conte di Provenza Raimondo Berengario IV (cfr. v. 134) e, dopo la morte di lui, fu tutore della figlia Beatrice e amministrò la contea fino alla morte. Ma Dante ignora questi fatti e accoglie una leggenda, ritenuta vera da tutti gli antichi commentatori e fatta propria già dallo storico Villani. Secondo tale leggenda Romeo, ignoto pellegrino (e *romeo* può significare *pellegrino*), si sarebbe fermato presso la corte di Raimondo per ottenerne ospitalità, e qui avrebbe a poco a poco conquistato la fiducia e la stima del signore, così da divenire suo ministro. La dedizione onesta di Romeo avrebbe accresciuto le ricchezze e il potere del conte, e ottenuto per le sue quattro figlie onorevolissime nozze. Ma i cortigiani per invidia avrebbero indotto il signore a chiedere conto a Romeo del suo operato; così che questi se ne sarebbe ripartito povero come era giunto, e nessuno aveva saputo più nulla di lui. Tale leggenda fa di Romeo una figura simile a Dante stesso, il quale si era

onestamente dedicato agli interessi della sua città e ne era stato ingiustamente esiliato per meschine ragioni di parte; da tale somiglianza, che resta esclusivamente implicita, deriva l'aspetto dignitoso e patetico della figura di Romeo quale è definita dalle parole di Giustiniano (cfr. soprattutto i vv. 139-142).

130-132: *Ma i Provenzali che agirono* (**fecer**) *contro di lui* (**contra lui**) [: contro Romeo] *non hanno riso* [: hanno pagato con sofferenze]*; e quindi* (**però**) *segue una cattiva strada* (**mal cammina**) *chi* (**qual**) *sente come danno a se stesso* (**si fa danno**) *il* (**del**) *ben fare degli altri* (**altrui**) [: l'invidioso]. I signori provenzali che avevano calunniato Romeo per invidia pagarono il fio della propria colpa passando dal buon governo di Raimondo all'oppressione degli Angioini. **Qual si fa danno...**: secondo la concezione della filosofia tomistica, infatti, l'invidia consiste nel ritenere il bene riguardante gli altri come un male per sé.

133-135: *Raimondo Berengario* (**Ramondo Beringhiere**) [*IV*] *ebbe quattro figlie, e ciascuna* [*divenne*] *regina* [*con le nozze*]*, e Romeo, persona umile e pellegrina* (**peregrina**), *riuscì a ottenere per lui* (**li fece**) *ciò*. Raimondo Berengario IV, conte di Provenza, era figlio di Alfonso II d'Aragona. Nacque nel 1198 e morì nel 1245. Delle sue **quattro figlie**, effettivamente, Margherita sposò il re di Francia Luigi IX, Eleonora il re d'Inghilterra Arrigo III, Sancia il conte di Cornovaglia (poi «re dei Romani») Riccardo, Beatrice, erede della Contea di Provenza, Carlo I d'Angiò.

136-138: *E poi le parole calunniose* (**biece** = bieche) *lo* (**il**) [: Raimondo] *spinsero* (**mosser**) *a domandare ragione* [: a chiedere con-

Indi partissi povero e vetusto;
e se 'l mondo sapesse il cor ch'elli ebbe
mendicando sua vita a frusto a frusto,
142   assai lo loda, e più lo loderebbe ».

to del suo operato] *a questo* [*uomo*] *giusto* [: Romeo], *che gli* (**li**) *rese* (**assegnò**) *dodici* (**sette e cinque**) *per dieci* [: mostrando quindi di aver bene amministrato, accrescendo il patrimonio].

139-142: *Di lì* (**indi**) [: dalla Provenza] [*Romeo*] *partì* (**partissi** = si partì) *povero e vecchio* (**vetusto**)*; e se il mondo sapesse il cuore* (**cor**) *che egli ebbe mendicando da vivere* (**sua vita**) *a tozzo* (**frusto**) *a tozzo,* [*già*] *lo loda assai, e lo loderebbe* [*di*] *più».* Con la figura dignitosa e ingiustamente costretta all'esilio di Romeo si conclude il lungo discorso politico di Giustiniano, soffermandosi su un caso non privo di rapporto con le precedenti considerazioni e altamente significativo proprio sul piano politico. Infatti nella storia di Romeo è presentato un esempio concreto, di alta drammaticità umana, di quella degenerazione politica e morale che Giustiniano ha additato nel suo discorso e che costituisce un costante riferimento della poesia politica della *Commedia*: la figura del giusto esiliato per invidia e per ingratitudine allude ancora una volta ai particolarismi feroci e ai limiti della civiltà comunale, riaffermando implicitamente l'esigenza di una monarchia universale garante della giustizia (la rinascita dell'Impero), e contemporaneamente richiama, come si è detto, la vicenda umana di Dante, il quale aveva provato di persona l'amarezza di un esilio ingiusto. **Cor:** contiene un'allusione al *dolore* e all'*umiliazione* dell'esilio e della miseria che esso comporta e, contemporaneamente, alla *dignità* e, quasi, al *coraggio* con cui tale dolore e tale umiliazione vengono affrontati. Senza esagerare il carattere personale di tali virili allusioni, che si ritrovano anche in altri luoghi del poema (cfr. soprattutto *Par* XVII, 55-60), senza dubbio questi dolorosi accenni contengono una implicita confessione autobiografica; ma fortemente collegata, come si è detto, alla materia politica del canto.

Bàiulo   v. 73

È voce dotta, dal lat. *baiŭlus* ('portatore di pesi, facchino'). È forma esclusivamente ant. e letter. per 'portatore', oggi del tutto scomparsa. Ma cfr. la voce affine *bàlia* ('nutrice') — cfr. *Par.* XXX, 141.

Egregio   v. 43

È voce dotta derivata dal lat. *egregius* = 'eccellente, speciale' (vocabolo composto da *ex* = 'fuori' e da *grex, gregis* = 'gregge', nel significato quindi di 'non comune, scelto'; cfr. sp. *egregio*). Il vocabolo, tuttora in uso, indica 'qualcuno o qualcosa fuori del comune, dell'ordinario, eccellente per qualche virtù o caratteristica, illustre, insigne'; da ciò l'uso che oggi si fa, come formula di cortesia e con significato generico, nelle corrispondenze epistolari, di premettere l'agg. *egregio* (spesso abbreviato *egr.*) al nome del destinatario della missiva.

Gaggio   v. 118

La voce ant., deriva dal francone *waddi*, attraverso il gotico *wadi* e il franc. ant. *gage*. Significa 'pegno, garanzia; ostaggio, premio; ricompensa', come nell'uso dantesco. Oggi la voce sopravvive nella forma *ingaggiare* (cfr. franc. *engager*) = 'obbligare con un pegno; assoldare' e quindi 'arruolare, assumere'.

La voce deriva dal lat. *vindicta* ('soddisfazione d'offesa verso l'offensore', dal vb. *vindicā-re*; cfr. ant. sp. *vendecha*). Il termine indica propriamente un 'danno inflitto a qualcuno per vendicare e riparare a un danno subìto; ritorsione'. In Dante la voce ha generalmente il significato, ant. e letter., di 'punizione' (solitamente giusta perché operata da Dio o da lui voluta) — cfr. *Par.* VI, 90, 92 e 93 e XVII, 53. Tale accezione, oggi fuori dell'uso, sopravvive tuttavia nella locuz. «gridare vendetta» = 'invocare la punizione di Dio'. Nel senso specifico di 'aggressione a scopo punitivo' cfr. *Inf.*, XXII, 101.

IL SISTEMA STORICO-POLITICO DELLA COMMEDIA di Erich Auerbach

Con la caduta di Adamo l'umanità ha perduto la sua purezza e bontà originaria, in cui era stata creata, ed è soggetta alla dannazione come Lucifero, l'angelo caduto. Non fu l'assaggiare il frutto proibito in sé, ma l'aver oltrepassato i limiti, l'aver aspirato al di là del proprio destino, il peccato originale che Eva commise: cielo e terra ubbidivano, solo una donna, che era stata appena creata, non sopportò di restare entro l'ambito che le toccava. Di tutte le cose terrene create, l'uomo era la più perfetta: aveva l'immortalità, la libertà e la somiglianza con Dio, ma il peccato e la caduta lo privarono del frutto di questi doni, lo precipitarono tanto più in basso quanto più in alto egli era prima. E nessun mezzo e nessun rimedio c'era nelle forze dell'uomo, perché nessun grado di umiltà poteva uguagliare con pieno diritto la spaventosità del distacco da Dio, bene supremo; solo l'infinita misericordia di Dio stesso poteva perdonarlo e metterlo di nuovo nel suo stato di prima. Ma Dio è tanto giusto quanto buono, la giustizia è l'eterno ordine del mondo, e perciò gli piacque, nell'esercizio della sua infinita bontà, di soddisfare nello stesso tempo alla giustizia; quando il figlio di Dio s'incarnò e nacque dalla madre umana, nacque l'uomo puro, la cui umiltà poteva espiare giustamente e definitivamente il peccato originale; l'unione della natura divina e umana di Cristo è il mistero che soddisfaceva alla giustizia di Dio, perché un uomo con l'umiltà del suo cammino e della sua passione pagava il fio del peccato originale, e nello stesso tempo, in virtù dell'altra natura, quella divina, è un dono della grazia e della illimitata bontà, immeritato e superiore ad ogni giustizia.

Con questo pensiero, familiare a ogni cristiano nel suo contenuto essenziale, Dante ne collega un altro, che in questa connessione potrà sembrare strano a un lettore odierno; è il pensiero della particolare missione di Roma e dell'impero romano nella storia del mondo. La Provvidenza divina ha eletto fin dagli inizi Roma a capitale del mondo, ha conferito al popolo romano spirito di sacrificio e forza eroica per conquistare il mondo e possederlo in pace, e quando dopo secoli di gravi sacrifici e di continue lotte fu compiuta l'opera di conquista e di pacificazione, il sacro compito predetto già ad Enea, e il mondo abitato era in pace nelle mani di Augusto, allora giunse il momento e il redentore apparve. Il mondo redento doveva riposare fino al giudizio universale in pace assoluta nella più alta perfezione terrena; per questo Cristo dà a Cesare ciò che è di Cesare, e si sottomette al suo tribunale, per questo Pietro e Paolo vanno a Roma, per questo Roma diventa il centro del cristianesimo e la sede del papa; fin all'inizio della leggenda romana giunge l'intrecciarsi dei due piani della provvidenza;

già la discesa di Enea agli Inferi è permessa in vista della vittoria spirituale e temporale di Roma; e Roma è talmente lo specchio dell'ordine divino del mondo, che il Paradiso una volta viene chiamato «quella Roma onde Cristo è romano» [*Purg.* XXXII, 102]. Nella Roma terrena devono regnare, secondo le parole e le azioni di Cristo, due potenze, severamente divise e in misurato equilibrio, quella spirituale del papa, che non deve posseder nulla, perché il suo regno non è di questo mondo, e quella terrena dell'imperatore, che è giusta perché Dio l'ha istituita, e tutte le cose terrene stanno in suo potere.

Così tutta la tradizione romana confluisce nella storia della redenzione e sembrano qui completarsi quasi con gli stessi diritti le due annunciazioni: il virgiliano «tu regere imperio populos» e l'«Ave Maria». L'aquila romana, di cui Giustiniano nel cielo di Mercurio racconta le imprese, prima prepara la venuta di Cristo, e poi porta a compimento la volontà redentrice divina; il terzo Cesare, Tiberio, in quanto legittimo giudice dell'uomo Cristo, è l'esecutore e vendicatore del peccato originale, che soddisfa all'ira di Dio; il conquistatore di Gerusalemme, Tito, è l'esecutore legittimo della vendetta sui Giudei, e nel fondo dell'Inferno, nelle fauci di Lucifero stanno, accanto a Giuda, gli uccisori di Cesare, Bruto e Cassio [cfr. *Inf.* XXXIV].

Tuttavia il mondo si è allontanato per la seconda volta dal voler divino e di nuovo il peccato è un «trapassar del segno», un calpestare l'ordine terreno posto da Dio; questo viene rappresentato simbologicamente nelle sorti del mistico carro nel Paradiso terrestre.

Quanto viene qui insegnato nell'insieme dell'allegoria, è espresso con chiare parole appassionate in molti passi del poema, secondo l'occasione, a proposito di questa o quella manifestazione singola di corruzione terrena. Il mondo è scardinato, l'equilibrio imposto da Dio è distrutto, e principio di ogni male è la ricchezza della Chiesa, che secondo l'ordinamento divino non dovrebbe possedere nulla. L'avidità, la lupa, — in senso più ampio, brama illegittima di potenza terrena in genere, aspirazione a elevarsi oltre la sfera d'azione delimitata da Dio, — è il vizio peggiore, che manda in rovina il mondo, e da quando la Curia romana con sfrenata avidità usurpa persino la potenza imperiale, da quando gli imperatori absburgici, dimentichi del dovere, lasciano in balìa di se stesse l'Italia e Roma, capo del mondo, da ogni parte c'è caos ed eccesso, e ciascuno si impadronisce di qualunque cosa gli sembri raggiungibile, e il frutto di questi istinti scatenati sono guerra e sconvolgimenti. Il papa lotta contro i cristiani per i beni terreni, i re, liberi dalla sovranità dell'imperatore, governano male e senza scopo, nei comuni i partiti lottano per la preminenza, che Dio non ha legittimato, col mettere al servizio dei loro vergognosi interessi la causa del papa o dell'imperatore; le dignità ecclesiastiche sono venali, i loro portatori ne fanno commercio non cristiano e ripugnante, gli ordini, anche i francescani e domenicani, trascurano le regole e vanno in rovina; guerra e corruzione si aumentano a vicenda, e l'Italia, donna di province, è divenuta bordello, nave senza nocchiero nella tempesta.

Una posizione particolare occupa in questo mondo di vita malvagia la città natale di Dante, Firenze, e non solo perché è la sua patria. Certo il suo odio per il male e il suo giudizio di condanna sono divenuti qui più che altrove aspri e amari per l'amore nostalgico e infelice che egli porta immutato nel cuore, per l'asprezza della sorte che egli vi soffrì. Ma anche senza questi riferimenti e motivi personali, Firenze, di tutti i comuni italiani, è l'esempio più evidente di quello che Dante doveva sentire senz'altro come il male. Perché qui per la prima volta era giunto a consapevolezza di sé e a vivo sviluppo il nuovo spirito borghese e affaristico [...]. E, nonostante molti rovesci, Firenze, già ai tempi di Dante, aveva avuto successo [...].

Di tutto questo Dante non voleva saperne; egli non avrebbe mai riconosciuto una politica mirante al successo terreno autonomo; il mondo terreno è nelle mani di Dio: solo chi Dio ha legittimato può possederne i beni, e soltanto nella misura prevista da quella legittimazione. Una lotta per i beni della vita vuol dire oltrepassare il valore divino, è sconvolgimento anticristiano, e anche praticamente può condurre soltanto alla sventura, alla rovina temporale e eterna. Quand'egli lamenta e condanna la disunione, le lotte e le catastrofi del suo tempo, non gli viene neppur per un attimo il pensiero che vi si possa preparare una nuova forma e un nuovo ordinamento della vita, immanente eppure fruttuoso. Mai il poeta sembra a un lettore moderno tanto lontano e reazionario, tanto poco profetico e cieco del futuro. Ma se si pensa con quali sacrifici fu pagato quel futuro, la civiltà moderna, come la scissione tra vita interiore e esteriore sia diventata sempre più opprimente, come l'unità di vita umana e europea andasse perduta, come il frantumarsi e l'inefficacia di ogni ideologia sia diventata sensibile a ognuno, anche nell'ambito più ristretto — quando inoltre si consideri come le basi spirituali su cui i moderni tentano di ricostruire la comunità umana sono più deboli dell'ordine del mondo di Dante, — non si avrà per questo il desiderio vano e sciocco di far rivivere ciò che è irrimediabilmente passato, ma ci si guarderà dal disprezzare e condannare lo spirito sapientemente ordinatore di Dante. [...]

Da molti passi del poema appare chiaro che l'usurpazione da parte del papato dei beni temporali è la fonte della confusione terrena; in molte varianti appare l'immagine del pastore che per colpa del «maledetto fiore», l'oro fiorentino, è diventato lupo e porta la cristianità in perdizione; il destino personale di Dante, le molte invettive della *Commedia*, specialmente l'impetuoso discorso di Pietro nel cielo delle stelle fisse, tutto l'insieme delle sue teorie politiche, mostrano così chiaramente dove stava per lui il vero nemico della felicità terrena, che ogni altra interpretazione sembra forzata di fronte a questa. E si può ancora dire con una qualche certezza chi sia il salvatore atteso, almeno nei tratti più generali. Perché, di che cosa manca il mondo? Del Dominio imperiale: l'aquila è senza eredi, l'Alberto tedesco lascia il suo regno in balìa di se stesso, Arrigo viene troppo presto: ma Roma, capo del mondo cristiano, ha bisogno di due soli, che illuminino entrambe le vie, quella terrena e quella celeste; ora l'un sole ha spento l'altro, la spada è unita al pastorale, e il giusto ordine è violentemente distrutto; manca in terra il signore legittimo e perciò la «humana famiglia», la comunità umana, va in perdizione. Non mi sembra dubbio, ed è anche il parere corrente, che il salvatore può essere solo un rappresentante del potere imperiale; ma dalle determinazioni figurate e temporali che Dante aggiunge, non so trarre alcuna deduzione sicura; soltanto una cosa vien detta chiaramente, che soprattutto l'Italia deve essere salvata, e dunque che la missione di Roma quale signora del mondo vale per il futuro come per il passato.

* Erich Auerbach nacque a Berlino nel 1892 e morì negli Stati Uniti nel 1957. I suoi studi su Dante, pubblicati fin dagli anni Venti, hanno profondamente contribuito alla conoscenza della *Commedia*, specialmente grazie alla rivalutazione della struttura e dell'elemento figurale. Erich Auerbach, «Dante poeta del mondo terreno» [1929], in *Studi su Dante*, Feltrinelli, Milano 1984, pp. 111-117.

Canto VII

A conclusione del suo lungo discorso, Giustiniano intona un solenne inno di lode a Dio, e si allontana velocemente con gli altri spiriti.

Il resto del canto è occupato da questioni teologiche, affrontate da Beatrice che trae spunto da un dubbio di Dante per una lunga spiegazione. Il dubbio riguarda un punto del discorso di Giustiniano: come è possibile che sia stata una giusta punizione l'uccisione di Cristo e, insieme, una giusta punizione la vendetta contro gli Ebrei, suoi uccisori?

In sintesi, Beatrice si sofferma sulla necessità che Dio stesso, con atto insieme misericordioso e giusto, sollevasse l'umanità (incapace con le proprie sole forze) dalla colpa enorme del peccato originale; ciò che egli fece incarnandosi in Cristo, uomo-Dio, con atto insieme di misericordia (poiché umiliò se stesso facendosi uomo) e di giustizia (poiché volle essere condannato ed ucciso). L'uccisione di Cristo in quanto uomo è la giusta vendetta del peccato originale, ma l'uccisione di Cristo considerato sotto il suo aspetto divino è colpa atroce e deve essere giustamente punita.

Dopo l'aggiunta di un corollario sulla incorruttibilità dei corpi umani quali Dio li aveva creati e quali sono destinati a tornare, grazie alla Redenzione, dopo il Giudizio universale, si conclude il discorso di Beatrice e finisce il canto.

Canto VIII

Senza accorgersene, Dante si è innalzato al terzo cielo, di Venere: gliene dà certezza il maggiore splendore del volto di Beatrice. Nel cielo di Venere si mostrano a Dante le anime di coloro che sulla Terra hanno bene operato sotto l'influsso dell'amore (che già gli antichi, per una vaga intuizione, legavano al pianeta Venere). Amore, si deve intendere, come disposizione dello spirito ad amare; applicabile quindi ad oggetti e fini diversi, come è dimostrato dalle anime che si incontreranno nel canto seguente, passate da un folle amore carnale, dopo il pentimento, a un amore generosissimo di Dio.

Dante incontra l'anima del re Carlo Martello, figlio di Carlo II d'Angiò, morto giovanissimo nel 1295. Con esso Dante si era probabilmente incontrato, restando colpito dalla sua nobiltà giovanile e disinteressata. Ed è possibile cogliere qua e là nell'episodio l'eco di uno scambio amichevole tra giovani promettenti ed entusiasti. Carlo si sofferma con rammarico sulle tristi condizioni delle terre che lui avrebbe dovuto governare (Sicilia, Provenza e Ungheria), affidate al potere arrogante e incapace del fratello Roberto. Dante chiede quindi come sia possibile che da uno stesso padre nascano figli di indole diversa. Carlo gli risponde sottolineando l'importanza della Provvidenza divina, che attribuisce ai cieli il compito di assegnare agli uomini predisposizioni e compiti differenti, così da soddisfare le diverse esigenze della vita sociale. Poiché poi dai cieli le varie attitudini vengono distribuite senza tener conto dei generanti, càpita che si rivelino nei figli indoli diverse da quelle dei genitori. L'errore umano sta nel non tener conto di ciò, costringendo ciascuno a dedicarsi a ciò che per ragioni esterne è più opportuno; così che i risultati sono spesso deplorevoli, tolti i casi in cui predisposizione ed attività esercitata, per pura coincidenza fortuita, non s'incontrino.

Anche questo canto, come altri di questa parte iniziale del Paradiso *(soprattutto I, II e VI), riguarda la struttura e le ragioni dell'ordine universale, considerato di volta in volta da diversi punti di vista; e sempre con lo scopo di spingere gli uomini ad adattare ad esso la società terrena, rigenerando l'umanità dai suoi errori e dalla sua corruzione.*

Canto IX

Nel canto nono le ragioni propriamente dottrinali appaiono strettamente congiunte a quelle politiche, come altre volte, in un denso intreccio narrativo.

Nel canto si succedono tre profezie di punizione divina. La prima è pronunciata da Carlo Martello contro i propri indegni successori. La seconda è affidata a Cunizza da Romano ed è rivolta contro gli abitanti della Marca Trevigiana (nell'Italia Nord-orientale), violenti e corrotti. La terza profezia è messa in bocca a Folchetto di Marsiglia contro le alte gerarchie del clero e contro il Pontefice, i quali non si curano di liberare la Terra Santa, occupata dagli «infedeli». Le condanne pronunciate dalle tre anime rientrano nella definita concezione politica di Dante, che si scaglia così (come altre volte) contro gli oppositori del progetto imperiale (Angioini e Trevigiani) e ribadisce la necessità di una profonda riforma spirituale della Curia vaticana, dimentica delle Sacre Scritture e tutta dedita alle sottigliezze giuridiche dei codici canonici.

Ma bisogna considerare anche l'aspetto dottrinale del canto. È infatti notevole che tanto Cunizza quanto Folchetto e la biblica Raab (presentata da Folchetto nel suo discorso) si fossero dati nella prima parte della vita a folli amori carnali, dedicandosi, dopo il pentimento, con tale fervore al bene da meritare il Paradiso direttamente, senza bisogno di purgazione. Tale scelta di Dante non è casuale, ma tende a sottolineare ancora una volta le illimitate possibilità umane di riscattarsi dal peccato, e l'immensa misericordia divina, pronta ad accogliere con gioia tale riscatto: all'eccessivo rigore formale dell'alto clero, tutto preso dai suoi aridi codici, Dante contrappone la schietta apertura del Vangelo, riproponendo anche su un piano individuale, la centralità del rapporto diretto fra Dio e uomo.

Canto X

Alle aspre invettive dalle quali è caratterizzato il canto precedente, corrisponde, nel principio di questo, l'invito rivolto da Dante al lettore a guardare verso l'alto: alla degradazione del mondo è contrapposto il perfetto ed equilibrato ordinamento delle sfere celesti.

Ancora una volta senza rendersene conto, Dante si innalza ad un tratto con Beatrice al quarto cielo, del Sole. Qui, più luminose della intensa luce della stessa stella, gli si mostrano le anime dei sapienti. Esse formano un cerchio e cantano dolcemente compiendo tre giri attorno a Beatrice e Dante; poi si fermano e sospendono il canto. A questo punto comincia a parlare l'anima di Tommaso d'Aquino (1225-1274), il massimo rappresentante della filosofia scolastica, che presenta a Dante se stesso ed altri undici sapienti, soffermandosi con particolare attenzione sul filosofo Boezio (480 ca.-526 ca.) e sul teologo Sigieri di Brabante (1225 ca.-1281/5). Ad entrambi infatti Dante è legato da un rapporto particolare, non solo perché da Boezio (autore di De Consolatione Philosophiae [La consolazione della filosofia]) egli ebbe l'impulso a dedicarsi agli studi filosofici, ma perché sia Boezio che Sigieri erano stati vittime ingiuste dell'odio e dell'invidia, e nella loro triste storia Dante in qualche modo riconosceva la vicenda del proprio esilio.

Terminata la presentazione, i beati riprendono la loro danza circolare, simili agli ingranaggi di un orologio, dolcemente cantando.

Canto XI

I canti XI e XII costituiscono una coppia strutturalmente assai legata. Nell'XI il domenicano Tommaso tesse le lodi di san Francesco e rimprovera la corruzione dei domenicani; nel XII il francescano Bonaventura elogia san Domenico e rimprovera i francescani. È probabile che questo scambio risenta di una tradizione dell'epoca di Dante, che affidava a un domenicano le lodi di san Francesco nelle feste dei francescani, e viceversa; ma vuole anche, certamente, mostrare come in cielo siano superate le rivalità tra i due Ordini, e insistere sulla necessità della fedeltà ai loro fondatori. Infatti Dante fa affermare a Tommaso che entrambi sono stati inviati sulla Terra dalla Provvidenza divina per difendere la Chiesa dai suoi nemici e guidarla in un momento di difficoltà. In questa prospettiva i due santi operano per uno stesso scopo, benché in modi diversi. La Chiesa, si può dire, aveva due nemici principali: uno la attaccava dall'esterno (eresie) e uno la attaccava dall'interno (corruzione, cioè clero desideroso di potere e di ricchezze mondane). Domenico la difese dai primi con la sua sapienza teologica e la sua predicazione; Francesco la difese dai secondi con la sua scelta della povertà assoluta, secondo l'esempio del *Vangelo*.

Questi canti dedicati a san Francesco e a san Domenico e alla decadenza degli Ordini francescano e domenicano, ribadiscono la fiducia di Dante nelle istituzioni, volute dalla Provvidenza, e, insieme, la sua sfiducia per il modo in cui gli uomini operano al loro interno. La funzione della *Commedia*, quale egli la concepiva, sta appunto nel restituire alle istituzioni umane il ruolo provvidenziale per il quale sono nate; il poema, insomma, deve contribuire ad una profonda azione riformatrice e illuminante. Per questo la poesia di Dante è sempre impegnata, sempre schierata apertamente sulle problematiche più scottanti del tempo.

Nell'elogio di Francesco, per riferirci al nucleo drammatico del canto, Dante prende posizione in merito ad una polemica molto viva in quegli anni, e profondamente significativa. Da una parte vi erano i «conventuali», cioè quei frati francescani che interpretavano la regola dettata da Francesco in modo largo, concedendo ampie eccezioni alla rigorosa povertà da essa prescritta; dall'altra c'erano gli «spirituali», che interpretavano la regola in modo rigido e ristretto. Si capisce subito che il problema è ampio, e che implica numerose conseguenze, religiose e politiche. Bonifacio VIII, per esempio, prese posizione per i «conventuali»; altri papi tennero un atteggiamento mediano. In sintesi, quest'ultima fu anche la scelta di Dante. Ma senza dubbio egli guardò con più simpatia e partecipazione alla posizione degli «spirituali»; anche per desiderio di opporsi con la massima energia all'arricchimento e alla corruzione della Chiesa, da cui egli vedeva derivare i peggiori mali della società. Ebbene, l'elogio di san Francesco sottolinea quasi esclusivamente la sua scelta di povertà, facendo di essa l'elemento veramente importante della figura del santo. (Si pensi, al contrario, al ciclo di affreschi sulla vita di san Francesco dipinti da Giotto in quegli anni nella Basilica di Assisi, quasi esclusivamente dedicati ai miracoli e ad episodi di vita).

* * *

Beatrice e Dante sono ancora nel cielo del Sole. Qui Tommaso, che ha già presentate nel canto precedente le anime dei sapienti, risponde a due dubbi di Dante, risolvendone per ora uno. Tommaso ha detto che nell'Ordine domenicano, di cui egli stesso faceva parte, ci si arricchisce spiritualmente se non si seguono beni falsi. Ora chiarisce in che cosa consiste tale deviazione; e per fare ciò prende le mosse da lontano. La Provvidenza ha mandato sulla Terra due santi, Francesco e Domenico, per il bene della Chiesa (ed egli intanto racconta la vita del primo); ma ora nell'Ordine domenicano ci si è allontanati dalla regola del fondatore, seguendo falsi beni.

* * *

La figura di san Francesco, al centro del canto, è presentata da Dante come quella di un eroico combattente: in quanto mandato dalla Provvidenza con un fine preciso, egli assume su di sé con passione e fermezza la propria causa. E la propria causa è la lotta alla corruzione derivata dalle ricchezze; l'accento batte perciò con insistenza sul voto di povertà, ma facendo di questa una sublime ricchezza spirituale e un valore regale: l'ottica economica è rovesciata, con forte (benché implicita) carica polemica.

O insensata cura de' mortali,
   quanto son difettivi silogismi
3   quei che ti fanno in basso batter l'ali!
Chi dietro a *iura* e chi ad amforismi
   sen giva, e chi seguendo sacerdozio,
6   e chi regnar per forza o per sofismi,
e chi rubare e chi civil negozio,
   chi nel diletto de la carne involto

1-3: *O affanno* (**cura**) *insensato degli* (**de'** = dei) *uomini* (**mortali**), *quanto sono ragionamenti* (**silogismi** = sillogismi) *difettosi* (**difettivi**) *quelli* (**quei**) *che ti fanno rivolgere* (**batter l'ali**) *verso il* (**in**) *basso!* Cioè: quanto errore è nei ragionamenti che spingono gli uomini a usare le proprie potenzialità verso interessi solo terreni, adoperando quelle **ali**, fatte per innalzarsi alle alte cose del cielo, per volare **in basso**. Con questa terzina inizia una specie di p r o e m i o al canto (e anzi ai canti XI e XII), volto a contrap-

porre i diversi affanni degli uomini, tutti causati da cupidigia, allo slancio verso l'alto, orgogliosamente fatto proprio dal poeta.

4-12: *Chi andava* (**sen giva** = se ne andava) *dietro al diritto* (**iura**; lat.) *e chi* [*dietro*] *a scienze mediche* (**amforismi** = Aforismi, opera del grande medico greco Ippocrate), *e chi* [*andava*] *praticando* (**seguendo**) *uffici ecclesiastici* (**sacerdozio**), *e chi* [*praticando*] *un dominio* (**regnar**) *con la violenza* (**per forza**) *o con l'inganno* (**per sofismi**), *e chi* [*prati-*

s'affaticava e chi si dava a l'ozio,
quando, da tutte queste cose sciolto,
con Bëatrice m'era suso in cielo

12   cotanto glorïosamente accolto.

Poi che ciascuno fu tornato ne lo
punto del cerchio in che avanti s'era,

15   fermossi, come a candellier candelo.

E io senti' dentro a quella lumera
che pria m'avea parlato, sorridendo

18   incinciar, faccendosi più mera:

« Così com' io del suo raggio resplendo,
sì, riguardando ne la luce etterna,

21   li tuoi pensieri onde cagioni apprendo.

---

cando] il furto (**rubare**) e chi amministrazioni (**negozio**) pubbliche (**civil**), chi si affaticava preso (**involto**) nel piacere (**diletto**) fisico (**de la carne**) [: lussuria e gola] e chi si dedicava (**si dava**) all'ozio, mentre (**quando**), libero (**sciolto**) da tutte queste cose, ero (**m'era**; il **mi** è p l e o n .) accolto su (**suso**) in cielo con Beatrice tra tanto splendore (**cotanto gloriosamente**). La contrapposizione tra le varie attività umane mosse dalla cupidigia e la favorevole condizione di assoluto distacco di Dante, da un lato si ricollega all'esaltazione della sapienza disinteressata e volta alle cose celesti, dall'altro annuncia i temi dei canti XI e XII (e della parte centrale del *Paradiso*), volti ad esaltare il superamento dell'ottica meschina degli interessi umani. Si tratta quindi di un passaggio strutturalmente motivato e significativo. Quanto al merito della descrizione delle attività umane, si noti come Dante coinvolga in un'unica condanna sia l'ozio che le attività interessate ad un fine esclusivamente mondano, altrettanto inutili. Il senso della inutilità è sottolineato in molti modi: con la r e p l i c a - z i o n e di chi (e, più spesso, di **e chi**, dove il p o l i s i n d e t o aggiunge stanchezza), 7 volte in 6 versi; con l'uso di forme dal significato equivoco (**dietro...sen giva** vale anche *correva dietro*; **seguendo** vale quasi *inseguendo, cercando di raggiungere*; **involto** vale anche *travolto* e **s'affaticava** anche *si stancava*), mettendo in luce non solo l'inutilità delle occupazioni in sé, ma la stessa difficoltà frustrante di praticarle. A ciò si oppongono con forza il partic. passato **sciolto** e, preparato da un *crescendo* significativo (**con Beatrice, suso in cielo, cotanto**), l'avverbio **gloriosamente** che si riferisce non tanto alla condizione di Dante, ma piuttosto alla Grazia che lo ha fatto degno di essa, che

lo ha **accolto** (Sapegno). Per capire meglio il senso della condanna delle attività di diritto, di medicina e di sacerdozio, si tenga presente questo luogo di Dante: «Né si dee [non si deve] chiamare vero filosofo colui che è amico della sapienza per utilitade [guadagno] sì come sono li legisti [i giuristi], li [i] medici e quasi tutti li [i] religiosi, che non per sapere studiano, ma per acquistare moneta o dignitade [potere]» (*Convivio* III, xi, 10). **Sofismi**: il *sofisma* è un ragionamento apparentemente corretto, ma nella sostanza ingannevole; vale quindi *inganno, frode*.

13-15: *Dopo* (**poi**) *che ciascuno* [*dei beati*] *fu ritornato* (**tornato**) *nel* (**ne lo**) *punto del cerchio nel quale* (**in che**) *stava* (**s'era**) *prima* (**avanti**), [*ciascuno*] *si fermò* (**fermossi**), *come una candela* (**candelo**) [*si fissa*] *nel* (**a**) *candeliere* (**candellier**). Le anime dei sapienti, messisi in movimento attorno a Dante alla fine del canto precedente, qui si fermano dopo aver compiuto un giro esatto. **Ne lo**: è una rima composta, frequente nella tradizione della poesia siciliana e toscana; va letta *nélo*.

16-21: *E io sentii dall'interno di* (**dentro a**) *quella luce* (**lumera**) *che mi aveva* (**avea**) *già* (**pria** = prima) *parlato* [: nel canto precedente; è Tommaso d'Aquino], *mentre si faceva* (**faccendosi**) *più splendente* (**mera** = pura), *incominciare* [*a dire*] *sorridendo*: «*Così come io risplendo del suo* [: di Dio] *raggio, così* (**sì**), *guardando* (**riguardando**; indica intensità) *nella luce eterna* [: in Dio], *vengo a conoscere* (**apprendo**) *da che cosa derivino* (**onde cagioni**) *i* (**li**) *tuoi pensieri* [: cioè conosco i tuoi pensieri]. Chi parla è Tommaso d'Aquino (Roccasecca, nel Lazio, 1225-1274),

Tu dubbi, e hai voler che si ricerna
in sì aperta e 'n sì distesa lingua

24   lo dicer mio, ch'al tuo sentir si sterna,
ove dinanzi dissi: " U' ben s'impingua ",
e là u' dissi: " Non nacque il secondo "

27   e qui è uopo che ben si distingua.
La provedenza, che governa il mondo

con quel consiglio nel quale ogne aspetto

30   creato è vinto pria che vada al fondo,
però che andasse ver' lo suo diletto
la sposa di colui ch'ad alte grida

33   disposò lei col sangue benedetto,
in sé sicura e anche a lui più fida,
due prìncipi ordinò in suo favore,

36   che quinci e quindi le fosser per guida.

il massimo filosofo del Duecento e il più importante rappresentante della filosofia scolastica, il teologo al quale si deve la definitiva sistemazione della dottrina cattolica. **Faccendosi più mera** va collegato logicamente a **sorridendo**; infatti le anime appaiono a Dante come pure luci, e possono mostrare la propria gioia solo nell'accrescersi della luminosità, che vale come un umano sorriso.

22-27: *Tu dubiti* (**dubbi**; da 'dubbiare'), *e desideri* (**hai voler**) *che quanto ho affermato* (**lo dicer mio** = il mio dire) *si chiarisca* (**si ricerna**) *con parole* (**in...lingua**) *così* (**sì**) *chiare* (**aperta**) *e così diffuse* ('**n sì distesa**; '**n** = in) *che si appiani* (**si sterna**) *alla tua intelligenza* (**sentir**), *riguardo al punto in cui* (**ove** = dove) *poco fa* (**dinanzi**) *ho detto* (**dissi**): "*Dove* (**u'** = lat. 'ubi') *ci si arricchisce spiritualmente* (**ben s'impingua** = si ingrassa bene)", *e al punto* (**là**) *dove* (**u'**) *dissi*: "*Non nacque un altro uguale* (**il secondo**)"*; e qui* [: rispetto a questi due dubbi] *è opportuno* (**uopo**) *che si facciano attente distinzioni* (**che ben si distingua**). Le due frasi richiamate sinteticamente da san Tommaso riguardano due punti del suo discorso nel canto precedente. Quanto al primo («**U' ben s'impingua**»), egli aveva affermato che nell'Ordine dei frati domenicani, del quale aveva fatto parte anche Tommaso, si «ingrassa» (ci si arricchisce in senso spirituale) se non si devia dalla regola dell'Ordine stesso, se non ci si allontana dall'esempio di san Domenico, suo fondatore; il dubbio di Dante riguarda quindi la condizione interna dell'Ordine, quasi che egli non possa credere che esso sia tanto corrotto da richiedere una specificazione al riguardo da

parte di un santo (e tale dubbio verrà sciolto in questo canto e, con maggiore ampiezza, nel seguente). Quanto al secondo dubbio («**Non nacque il secondo**»), l'affermazione in questione è stata rivolta da Tommaso alla sapienza di Salomone; e Dante si chiede se essa vada intesa in senso assoluto (la risposta verrà nel canto XIII: Salomone non ebbe l'uguale, in sapienza, relativamente agli uomini della sua categoria, cioè fra i sovrani). Si noti, a partire da queste due terzine, l'innalzarsi del tono, grazie alla ricercatezza sia dello stile (le a n a f o r e ai vv. 21 e 23 sg., i t r a s l a t i ai vv. 22 e 24) che del lessico (ricco di latinismi e di termini rari): ciò corrisponde all'altezza della materia che si sta per trattare (la vita di un santo) e rientra nelle caratteristiche del genere letterario dell'*agiografia* (= racconto della vita dei santi) e del *panegirico* (= esaltazione elogiativa di un personaggio).

28-36: *La Provvidenza* (**provedenza**), *che governa il mondo con tale saggezza* (**quel consiglio**) *che* (**nel quale**) *ogni* (**ogne**) *vista* (**aspetto**) *di essere creato* (**creato**) [: intelletto di angeli e di uomini] *è sconfitta* (**vinto**) *prima* (**pria**) *di giunger[ne]* (**che vada**) *al fondo* [: a penetrarne le ragioni], *affinché* (**però che**) *la sposa di colui* [: Cristo] *che la* (**lei**) *sposò* (**disposò**) *col* [*suo*] *sangue benedetto* [: sulla croce] *gridando fortemente* (**ad alte grida**) [: cioè la Chiesa, sposa mistica di Cristo] *andasse verso* (**ver'**) *il suo amato* (**diletto**) [: Cristo] *più sicura in sé e anche più fedele* (**fida**) *a lui, mandò* (**ordinò**) [*sulla Terra*] *in suo aiuto* (**favore**) *due capi* (**prìncipi**), *che la guidassero* (**le fosser per guida**) *da una*

L'un fu tutto serafico in ardore;
            l'altro per sapïenza in terra fue
39   di cherubica luce uno splendore.
        De l'un dirò, però che d'amendue
            si dice l'un pregiando, qual ch'om prende,
42   perch' ad un fine fur l'opere sue.
        Intra Tupino e l'acqua che discende
            del colle eletto dal beato Ubaldo,
45   fertile costa d'alto monte pende,
        onde Perugia sente freddo e caldo
            da Porta Sole; e di rietro le piange
48   per grave giogo Nocera con Gualdo.

parte (**quinci**) *e dall'altra* (**quindi**). La rievocazione della vita di san Francesco (cui seguirà, nel canto successivo, quella della vita di san Domenico) è preceduta da un'ampia preparazione. In essa l'attenzione è rivolta ai decreti imperscrutabili della Provvidenza divina (vv. 28-30) che volle aiutare la Chiesa (vv. 32 sg.) a seguire meglio l'esempio di Cristo (v. 31), sia essendogli più fedele sia divenendo più sicura in se stessa (v. 34), e che mandò quindi sulla Terra due santi esemplari (Francesco e Domenico) a soccorrerla e a guidarla (vv. 35 sg.). A concepire le figure dei due santi in modo complementare, insistendo sulla comune origine in Dio delle loro azioni, Dante era spinto dall'intenzione di criticare la rivalità tra i due Ordini (e anche per questo un domenicano loda san Francesco e un francescano san Domenico). Ma è anche vero che l'idea di tale complementarità è già presente nella profezia dell'abate Gioachino da Fiore (1130 ca.-1202), che predisse la venuta dei due santi «unus hinc, alius inde» [uno di qua, uno di là], formula ripresa da Dante stesso al v. 36; e l'associazione è presente anche nella biografia di Francesco scritta da Bonaventura, *Legenda maior*, dalla quale Dante attinge largamente per questo canto. **La sposa di colui**...: l'ampia p e r i f r a s i usata per indicare la Chiesa, sposa di Cristo a lui legata attraverso la Passione, ricorre al linguaggio proprio dei mistici e ad elementi delle Sacre Scritture (cfr. p. es.: «gridando a gran voce», *Matteo* XXVII, 50). **In sé sicura**...: è possibile che si alluda ai due diversi àmbiti di intervento di san Domenico e di san Francesco; il primo si dedicò principalmente a combattere l'eresia con la sua predicazione (così che la Chiesa fosse più sicura in se stessa), il secondo le indicò l'autentico amore per la povertà secondo l'esempio di Cristo (così che

la Chiesa fosse più fedele al suo esempio). E a tale distinzione di àmbiti potrebbero così riferirsi anche **quinci e quindi** (che vengono invece solitamente collegati alla terzina seguente: con la carità e con la sapienza), per cui si ricordi però quanto accennato sopra a proposito di Gioachino da Fiore.

37-39: *Uno* (**l'un**) [: Francesco] *fu tutto ardente di carità* (**in ardore**) *come i Serafini* (**serafico**)*; l'altro* [: Domenico] *fu per sapienza uno splendore in Terra della luce dei Cherubini* (**cherubica**). Serafini e Cherubini sono angeli noti, i primi, per l'ardore di carità, e, i secondi, per la sapienza.

40-42: *Parlerò* (**dirò**) *dell'uno, dato* (**però**) *che lodando* (**pregiando**) *l'uno si parla* (**si dice**) [: è come se si parlasse] *di ambedue* (**d'amendue**) *quale che si scelga* (**qual ch'om prende; om** = si, impers. da 'uom': cfr. franc. 'on'), *perché le loro* (**sue**) *opere si rivolsero* (**fur** = furono) *ad un* [*identico*] *fine* [: il bene della Chiesa]. È ribadita la profonda somiglianza tra l'azione dei due santi, entrambi inviati dalla Provvidenza con un medesimo scopo (anche se essi lo perseguirono attraverso vie diverse).

43-48: *Tra* (**intra**) [*il fiume*] *Tupino e il fiume* (**l'acqua**) [*Chiascio*] *che discende dal* (**del**) *colle* [: Ausciano] *scelto* (**eletto**) *dal beato Ubaldo* [*per il suo eremitaggio*], *digrada* (**pende**) *una fertile costa da un alto monte* [: il massiccio del Subasio], *dal quale* (**onde**) *Perugia riceve* (**sente**) *il freddo e il caldo da*[*lla parte di*] *Porta Sole; e dalla parte opposta* (**di rietro** = dietro) *ad essa* (**le**) *si dolgono* (**piange**; *al sing. concordato con uno solo dei due sogg.*) *Nocera e* (**con**) *Gualdo per il fastidioso* (**grave** = pesante) *giogo* [*di monti incombenti*]. La narrazione della vita

Di questa costa, là dov' ella frange
più sua rattezza, nacque al mondo un sole,
51   come fa questo talvolta di Gange.
Però chi d'esso loco fa parole,
non dica Ascesi, ché direbbe corto,
54   ma Oriente, se proprio dir vuole.
Non era ancor molto lontan da l'orto,
ch'el cominciò a far sentir la terra
57   de la sua gran virtute alcun conforto;
ché per tal donna, giovinetto, in guerra
del padre corse, a cui, come a la morte,
60   la porta del piacer nessun diserra;
e dinanzi a la sua spirital corte
et coram patre le si fece unito;
63   poscia di dì in dì l'amò più forte.

di san Francesco prende l'avvio con un'ampia p e r i f r a s i geografica, come se ne incontrano abbastanza spesso nella *Commedia*; essa serve a introdurre la vicenda del santo nei suoi termini umani, dopo che ne è stata offerta la spiegazione provvidenziale e trascendente. Si noti per altro il gusto tipicamente medioevale della esposizione geografica, animata da una tendenza all'enciclopedismo, cioè alla precisazione di tutti gli elementi che emergono nel contesto discorsivo, anche i più laterali. Quel che è davvero funzionale al racconto, in questi versi (e nella terzina che segue), è l'informazione che Francesco nacque tra le valli del Tupino e del Chiascio, in una cittadina rivolta verso la parte di Perugia dove si apriva la Porta Sole, e che è posta sul declivio del monte Subasio, sotto il quale sorgono Nocera e Gualdo; e cioè, in sintesi, che san Francesco nacque ad Assisi. **Beato Ubaldo**: Ubaldo Baldassini, vescovo di Gubbio dal 1129 al 1160, visse da eremita in giovinezza sul monte Ausciano, nei pressi di Gubbio. **Fertile**: il vocabolo, presente solo in questo luogo del poema, non è attestato prima di Dante; forse fu coniato da lui (dall'agg. lat. *fertilis*). **Onde Perugia sente**...: essendo Porta Sole esposta ai venti, e rivolta al massiccio montuoso del Subasio, da quella direzione giungono a Perugia il caldo e il freddo.

49-51: *Da* (**di**) *questa costa, là dove essa* (**dov'ella**) *interrompe* (**frange** = spezza) [*di*] *più la sua ripidezza* (**rattezza**) [: dove è meno ripida; e dove sorge Assisi], *nacque per il* (**al**) *mondo un sole* [: san Francesco], *come*

fa [: nasce] *questo* [*sole*; nel cui cielo Tommaso sta parlando] *talvolta* [: nell'equinozio di primavera] [*quando sorge*] *dal* (**di**) *Gange*. L'uso t r a s l a t o dell'immagine del sole per indicare la persona di Francesco era frequente negli scritti in lode del santo. **Come fa questo**...: passando dall'uso m e t a f o r i c o a quello proprio, Tommaso si riferisce al sole-stella (nel quale egli sta in quel momento parlando; e perciò: **questo**), alludendo ad un momento dell'anno (l'equinozio di primavera) in cui il sole è particolarmente luminoso e benefico; per dire che tale fu per il mondo la venuta di san Francesco.

52-54: *Perciò* (**però**) *chi parla* (**fa parole**) *di tale luogo* (**d'esso loco**), *non dica Assisi* (**Ascesi**), *perché* (**ché**) *direbbe poco* (**corto**), *ma, se vuole dire in modo appropriato* (**proprio**; avv.), *dica Oriente*. Se Francesco è paragonato ad un sole, la sua cittadina è l'Oriente del mondo spirituale; ed anche questo elemento conseguente era già nella letteratura francescana dell'epoca.

55-63: [*Francesco*] *non era ancora molto lontano dalla nascita* (**orto** = nascita, è latinismo fedele alla precedente m e t a f o r a del sole), *che egli* (**ch'el**) [*già*] *cominciò a far sentire alla* (**la**) *Terra qualche benefico influsso* (**alcun conforto**) *del suo gran valore* (**virtute** = virtù); *poiché* (**ché**), *giovinetto, incorse* (**corse**) *nell'ira* (**in guerra**) *del padre, per una donna* [: la povertà] *tale che ad essa* (**tal... a cui**) *nessuno apre* (**diserra**) *volentie-*

Questa, privata del primo marito,
                millecent' anni e più dispetta e scura
66   fino a costui si stette sanza invito;
                né valse udir che la trovò sicura
                con Amiclate, al suon de la sua voce,
69   colui ch'a tutto 'l mondo fe' paura;
                né valse esser costante né feroce,
                sì che, dove Maria rimase giuso,
72   ella con Cristo pianse in su la croce.
                Ma perch' io non proceda troppo chiuso,
                Francesco e Povertà per questi amanti
75   prendi oramai nel mio parlar diffuso.
                La lor concordia e i lor lieti sembianti,
                amore e maraviglia e dolce sguardo
78   facìeno esser cagion di pensier santi;

ri (**del piacer**) *la porta, come alla morte; e dinanzi alla sua* [: di Assisi] *curia* (**corte**) *episcopale* (**spirital**) *e al cospetto del padre* (**et coram patre**; lat.) *si unì a lei* (**le si fece unito**)*; poi* (**poscia**) *di giorno in giorno* (**di dì in dì**) *l'amò più intensamente* (**forte**). I fatti ai quali alludono questi versi sono i seguenti: Francesco, nato ad Assisi nel 1182, era figlio del mercante Pietro Bernardone, e fino al 1206 aiutò il padre nella sua attività. Poi, a ventiquattro anni e quindi ancora giovane (cfr. vv. 55 e 58), si convertì alla vita ascetica, trasmettendo già al mondo l'influsso positivo del suo esempio (vv. 56 sg.). Avendolo poi il padre convocato dinanzi alla curia episcopale di Assisi nella primavera del 1207 perché rinunciasse pubblicamente all'eredità (che Francesco si mostrava intenzionato a spendere in opere di bene), il santo non solo accettò ma, in aggiunta, si spogliò dei suoi vestiti unendosi con mistiche nozze alla povertà, e giurando di esserle fedele per l'intera vita (vv. 58-63). Il tono semplice di questa parte della narrazione e la scelta di pochi momenti particolarmente significativi danno al racconto un andamento quanto mai intenso e umano, anche grazie all'uso di termini simbolicamente pregnanti per indicare la risoluzione di Francesco (**donna, guerra, morte, unito, l'amò più forte**).

64-72: *Questa* [**donna**; cioè la povertà], *privata del primo marito* [: Cristo], *restò* (**si stette**) *disprezzata* (**dispetta**) *e ignorata* (**scura**) *senza che nessuno la invitasse* (**sanza invito**) [: a nuove nozze] [*per*] *mille e cento anni e più fino all'arrivo di* (**a**) *costui* [: Francesco]*; né* [*fino ad allora*] *giovò* [*a farla ama-*

re] *l'udire che colui che fece* (**fe'**) *paura a tutto il mondo* [: Cesare] *la trovò sicura con Amiclate al suono della sua voce; né* [**le**] *giovò* (**valse**) *essere fedele* (**costante**) *e neppure* (**né**) [*l'essere*] *fiera* (**feroce**)*, così* (**sì**) *che, mentre* (**dove**) *Maria rimase giù* (**giuso**)*, ella soffrì* (**pianse**) *con Cristo sulla* (**in su la**) *croce*. Proseguendo nel quadro allegorico entro cui si parla della povertà come di una donna e del suo unirsi con Francesco come di nozze, qui Tommaso si riferisce al fatto che dalla morte di Cristo alla scelta di Francesco (per oltre undici secoli, quindi) nessuno aveva fatto più reale voto di povertà (vv. 64-66); e aggiunge che né l'essere al riparo da furti e violenza, né la fedeltà mostrata a Cristo restando con lui fino all'ultimo le erano giovati per essere più desiderabile (vv. 67-72). **La trovò sicura con Amiclate...**: ai vv. 67-69 si allude ad un episodio narrato dal poeta latino Lucano nella *Farsaglia* (V, 519 sgg.): durante le guerre civili, Amiclate, un poverissimo pescatore, solito a lasciare aperto l'uscio della sua casupola non temendo i furti dei soldati, rimase imperturbabile anche all'apparire dello stesso Cesare.

73-75: *Ma perché io non prosegua* (**proceda**) [*in modo*] *troppo oscuro* (**chiuso**)*, a questo punto* (**oramai**) *intendi* (**prendi**) *Francesco e Povertà per questi amanti, nel mio lungo* (**diffuso**) *discorso* (**parlar**).

76-81: *La loro concordia e i loro aspetti* (**sembianti**) *lieti, l'amore e l'ammirazione* (**maraviglia**) [*reciproca*] *e il* [*loro*] *dolce sguardo erano causa* (**facìeno esser cagion** = facevano essere causa) *di* [: ispiravano] *pensieri santi;*

tanto che 'l venerabile Bernardo
si scalzò prima, e dietro a tanta pace

81   corse e, correndo, li parve esser tardo.
Oh ignota ricchezza! oh ben ferace!
Scalzasi Egidio, scalzasi Silvestro

84   dietro a lo sposo, sì la sposa piace.
Indi sen va quel padre e quel maestro
con la sua donna e con quella famiglia

87   che già legava l'umile capestro.
Né li gravò viltà di cuor le ciglia
per esser fi' di Pietro Bernardone,

90   né per parer dispetto a maraviglia;
ma regalmente sua dura intenzione

tanto che il beato (**venerabile**) *Bernardo per primo* (**prima**) *si scalzò* [: prese ad andare scalzo, secondo l'esempio di Francesco], *e corse dietro a tanta pace e, benché corresse* (**correndo**), *gli* (**li**) *sembrò* (**parve**) *di essere lento* (**tardo**). I vv. 76-78 sono chiari nel senso generale (l'unione perfetta di Francesco con la povertà fu di santo esempio agli altri), ma alquanto complessi nella struttura grammaticale; le difficoltà vengono sostanzialmente risolte considerando **facìeno esser cagion** semplicemente nel senso di *erano causa* e i vv. 76 sg. come un unico elenco. Mentre interpretazioni diverse da questa accolta nella parafrasi introducono delle divisioni, oltre che arbitrarie, immotivate, con il solo vantaggio di spiegare la funzione di quel **facìeno** (cfr., p. es., quest'altra ipotesi di lettura: *la loro concordia e i loro aspetti lieti facevano sì che amore e ammirazione e dolce sguardo fossero causa di pensieri santi*). La cosa migliore è intendere **facìeno esser cagion** come *facevano che si causassero* (sottinteso: nei seguaci). **Bernardo**: Bernardo di Quintavalle, nato nel 1170 ca. da ricca famiglia di Assisi, seguì l'esempio di Francesco unendosi a lui dopo aver distribuito i suoi beni ai poveri; fu il suo primo seguace e il fondatore, nel 1211 a Bologna, del primo convento francescano. **Si scalzò**: san Francesco andava a piedi nudi, imitando gli Apostoli, in segno di umiltà e di povertà.

82-84: *Oh ricchezza ignota! oh bene fecondo* (**ferace**)*! Si scalza* (**scalzasi**) *Egidio, si scalza Silvestro dietro allo sposo* [: Francesco], *tanto* (**sì** = così) *piace la sposa* [: la povertà]. La scoperta di una dimensione spirituale ed esistenziale **ignota**, e della sua **ricchezza**, si contrappongono alla società del guadagno e della sopraffazione, offrendosi come *beni fe-*

condi di vera felicità e beatitudine. Il tutto è espresso con slancio ed entusiasmo, già nel correre di Bernardo (v. 81), e poi nelle due esclamazioni del v. 82 (quasi una riflessione di Bernardo stesso, dopo la scelta), infine nell'incalzante struttura del v. 83 (accenti sulla 1ª, 4ª e 6ª sillaba), con la r e p l i c a - z i o n e del vocabolo sdrucciolo **scàlzasi**.

85-87: *Poi* (**indi**) *quel padre e quel maestro* [: san Francesco] *se ne* (**sen**) *va* [*a Roma*] *con la sua donna* [: la povertà] *e con quella famiglia* [: i primi seguaci] *che già cingeva* (**legava**) [*ai fianchi*] *l'umile corda* (**capestro**) [: sogg.]. Alla fine del 1209 o al principio del 1210, dopo aver data ai suoi frati la regola, Francesco si recò con essi a Roma per ottenere l'approvazione del papa. La sua **famiglia** era composta a quel punto da undici seguaci, e tutti portavano alla vita una corda in segno di umiltà. Le espressioni **padre, sua donna, famiglia** proseguono nella implicita s i m i l i t u d i n e (già nei testi francescani più antichi) con una normale condizione di capofamiglia, come, sopra, le nozze con la povertà; ma a tutti i riferimenti viene attribuito un nuovo significato, secondo una coerente concezione allegorica.

88-93: *E viltà d'animo* (**di cuor**) *non* (**né**) *gli* (**li**) *fece abbassare gli occhi* (**gravò...le ciglia**) *a causa del fatto che era* (**per esser**) *figlio* (**fi'**) *di Pietro Bernardone* [: di umile origine «borghese»], *né il fatto che si mostrasse* (**per parer**) *spregevole* (**dispetto**) *al punto di suscitare meraviglia* (**a maraviglia**) [: vestito da povero mendicante]*; ma* [*al contrario*] *con atteggiamento regale* (**regalmente**) *rivelò* (**aperse** = aprì) *la sua regola* (**intenzione**) *severa* (**dura**) *ad Innocenzo* [*III*], *e da lui ebbe la prima approvazione* (**sigillo**) *al suo ordine*

ad Innocenzio aperse, e da lui ebbe

93 primo sigillo a sua religïone.
   Poi che la gente poverella crebbe
   dietro a costui, la cui mirabil vita

96 meglio in gloria del ciel si canterebbe,
   di seconda corona redimita
   fu per Onorio da l'Etterno Spiro

99 la santa voglia d'esto archimandrita.
   E poi che, per la sete del martiro,
   ne la presenza del Soldan superba

102 predicò Cristo e li altri che 'l seguiro,
   e per trovare a conversione acerba
   troppo la gente e per non stare indarno,

(religione). Dal papa Innocenzo III (1198-1216), in effetti, Francesco ottenne un'approvazione orale; e quindi qui si parla di **sigillo** solo in senso m e t a f o r i c o (come, in altra accezione, al v. 107). Per altro le fonti delle quali Dante si è servito narrano l'episodio definendo l'atteggiamento di Francesco dinanzi al papa (e, per di più, un papa di grande prestigio ed autorità: lui sì davvero *regale*) come *umile*. Ma Dante utilizza, come al solito, le sue fonti con grande libertà, badando soprattutto al proprio fine complessivo; ed egli ha voluto fare di san Francesco un eroe della povertà, un combattente magnanimo e regale di una causa di alto contenuto sociale (si consideri la sua carica rivoluzionaria, in una società dominata già dalla logica del guadagno). Allo stesso modo ha presentato la vicenda del santo come indirizzata fin dal principio alla creazione di una regola e di un ordine monastico, cioè di una precisa struttura istituzionale; mentre da taluni si affermava (ed è una tesi storicamente plausibile) che l'istituzionalizzazione della regola francescana fosse stata condotta al di là delle intenzioni del santo e tradendo in parte il suo spirito. Ma Dante, in questo canto e nel seguente, deve riaffermare la piena legittimità e il totale valore provvidenziale dell'Ordine francescano, così come di quello domenicano, per poter accusare la degenerazione successiva della maggioranza dei frati: come sempre si affiancano in Dante la fiducia nelle più importanti istituzioni (religiose e civili) e la condanna per i loro amministratori; una concezione ottimistica della storia e una visione pessimistica della società.

94-99: *Dopo* (**poi**) *che i seguaci della povertà* (**la gente poverella**) [: i fedeli della regola francescana] *crebbero* [*di numero*] *seguendo* (**dietro a**) *costui* [: Francesco], *la cui vita ammirevole* (**mirabil**) *si dovrebbe lodare* (**si canterebbe**) *piuttosto* (**meglio**) *per la* (**in**) *gloria del cielo* [*che in se stessa*], *la santa intenzione* (**voglia**) [: la regola] *di questo* (**d'esto**) *pastore* (**archimandrita**; grecismo) [: Francesco] *fu coronata* (**redimita**) *dallo Spirito Santo* (**l'Etterno Spiro**) *di una seconda corona attraverso* (**per**) *Onorio* [*III*]. Nel 1223 una *bolla* ufficiale della Chiesa, essendo papa Onorio III (1216-1227), approvò definitivamente la regola francescana; e fu dunque una **seconda corona** dopo la prima approvazione orale di Innocenzo III. **Crebbe**: il numero dei seguaci di Francesco aumentò in modo rapido e grande, così che già in pochi anni essi erano distribuiti un po' dappertutto. **La cui mirabil vita...**: l'inciso dei vv. 95 sg. si presta a diverse interpretazioni. Quella proposta nella parafrasi (che cantando le lodi di Francesco bisogna in verità lodare la Provvidenza divina che lo ha mandato e assistito), si ricollega ai vv. 28 sgg. del canto, e appare, anche per questa ragione, la più probabile. Il riferimento alla volontà celeste, che assiste l'azione di Francesco, è esplicito anche al v. 98, sùbito sotto: è lo Spirito Santo ad incoronare il santo, inducendo il papa ad approvare la regola, come uno strumento della sua volontà provvidenziale.

100-108: *E, dopo* (**poi**) *che, per desiderio* (**per la sete**) *del martirio, predicò* [*la parola di*] *Cristo e degli Apostoli* (**li altri che 'l seguiro** = gli altri che lo seguirono; **lo**: Cristo) [: il Vangelo] *alla* (**ne la**) *presenza terribile* (**superba**) *del Sultano* (**Soldan**), *e avendo trovato* (**per trovare**) *le popolazioni* (**la gente**) [*locali*] *troppo immature alla* (**a**) *conversione per non restare* (**stare**) *inutilmente* (**indar-**

105   redissi al frutto de l'italica erba,
        nel crudo sasso intra Tevero e Arno
        da Cristo prese l'ultimo sigillo,
108   che le sue membra due anni portarno.
        Quando a colui ch'a tanto ben sortillo
        piacque di trarlo suso a la mercede
111   ch'el meritò nel suo farsi pusillo,
        a' frati suoi, sì com' a giuste rede,
        raccomandò la donna sua più cara,
114   e comandò che l'amassero a fede;
        e del suo grembo l'anima preclara
        mover si volle, tornando al suo regno,
117   e al suo corpo non volle altra bara.

no), [*e dopo che*] *ritornò* (**redissi**) *ai frutti dell'erba italiana* (**italica**) [: in Italia, dove la sua predicazione dava migliori frutti], *nella roccia* (**sasso**) *inospitale* (**crudo**) *tra* (**intra**) *Tevere e Arno* [*Francesco*] *ricevette* (**prese**) *da Cristo l'ultimo sigillo* [: le stimmate], *che le sue membra portarono* (**portarno**) *due anni*. Si intenda la complessa struttura logica di questi versi: il periodo principale si riduce ai vv. 106-108; i vv. 100-105 sono costituiti da due proposizioni subordinate temporali, rette entrambe dal **poi che** (*dopo che*) del v. 100. Cioè, in estrema sintesi: dopo che ebbe tentato la predicazione in Oriente e dopo che fu tornato in Italia, Francesco ricevette le stimmate. **Per la sete del martiro**: volendo essere fedele all'esempio di Cristo fino al punto di dare la vita, come lui, per predicare il Vangelo ai Saraceni. **Ne la presenza del Soldan superba**...: nel 1219 Francesco si recò, con dodici frati, in Medio Oriente per diffondere la religione cristiana. Imprigionato dai Saraceni a San Giovanni d'Acri, tentò di convertire il sultano d'Egitto Malek-el-Kamil, ma invano (cfr. vv. 103 sg.). Poiché dalle fonti francescane risulta che il sultano si comportò in modo cortese con Francesco, si è voluto spiegare il **superba** del v. 101 con *fastosa*, *ricca*; ma non è necessario: Dante rielabora, come si è visto, le proprie fonti, e qui egli intende contrapporre la *sete di martirio* di Francesco ad una *fermezza minacciosa e ostile*. **Nel crudo sasso**...: san Francesco trascorse gli ultimi anni sul monte della Verna, tra i fiumi Tevere ed Arno, nell'Appennino toscano. E si noti la severa e sintetica descrizione del luogo, che allude ancora senza indugi alla durezza della regola del santo, nella prospettiva dell'estremo ritiro in un luogo disador-

no e inospitale, a contatto con l'aspetto meno accogliente della natura. **L'ultimo sigillo**: le *stimmate*, cioè i segni sulle mani, sui piedi e sul costato delle piaghe della Passione di Cristo. Francesco le ricevette miracolosamente nel 1224 da Cristo stesso, apparsogli in figura di angelo, a significare un diretto riconoscimento divino dell'alto valore della sua opera. Poiché Francesco morì nel 1226, le sue membra portarono i segni delle piaghe per due anni. Si noti il tornare qui della parola **sigillo**, già al v. 93; anche in questo caso l'uso del vocabolo è improprio (il *sigillo* è una specie di *marchio* o *bollo* che si pone a chiusura di lettere o a convalida di atti, documenti, ecc.): vale, come al v. 93, *approvazione, conferma*; ma, per m e t a f o r a, qui può essere inteso anche in senso proprio, come se le stimmate sul corpo di Francesco rappresentassero il marchio dell'approvazione divina.

109-117: *Quando a colui* [: Dio] *che lo* [: san Francesco] *scelse* (**sortillo** = lo sortì) *per operare* (**a**) *tanto bene, fece piacere* (**piacque**) *di richiamarlo su* (**trarlo suso**) [: in cielo] *al premio* (**mercede**) *che egli* [: Francesco] *meritò con il suo farsi piccolo* (**pusillo**) [: umile], [*Francesco, prima di morire,*] *raccomandò*] *ai* (**a'**) *suoi frati, così* (**sì**) *come ai legittimi eredi* (**a giuste rede**), *la sua donna più cara* [: la povertà], *e comandò che la amassero fedelmente* (**a fede**)*; e l'anima splendida* (**preclara**; latinismo) *volle partirsi* (**mover si volle**) *dal* (**del**) *suo* [: della povertà] *grembo, tornando al proprio* (**suo**) *regno* [: il Paradiso], *e non volle al proprio* (**suo**) *corpo altra bara* [*che quella della povertà*]. Prossimo alla morte, nell'ottobre del 1226, Francesco si fece adagiare nudo sulla nuda

Pensa oramai qual fu colui che degno
collega fu a mantener la barca
120   di Pietro in alto mar per dritto segno;
e questo fu il nostro patrïarca;
per che qual segue lui, com' el comanda,
123   discerner puoi che buone merce carca.
Ma 'l suo peculio di nova vivanda
è fatto ghiotto, sì ch'esser non puote
126   che per diversi salti non si spanda;
e quanto le sue pecore remote
e vagabunde più da esso vanno,
129   più tornano a l'ovil di latte vòte.
Ben son di quelle che temono 'l danno
e stringonsi al pastor; ma son sì poche,
132   che le cappe fornisce poco panno.

terra, significando con questo atto la completa fedeltà alla povertà, sull'esempio di Cristo e del *Vangelo.*

118-123: *A questo punto* (**oramai**) *puoi capire* (**pensa**) *di quale valore* (**qual**) *fu colui*
[: san Domenico] *che fu degno collega* [*di
san Francesco*] *a mantenere la barca di* [*san*]
Pietro [: la Chiesa, di cui san Pietro fu la
prima guida] *nella giusta rotta* (**per dritto
segno**) *in alto mare* [: attraverso molte diffi-
coltà]*; ed esso* (**questo**) [: Domenico] *fu il
nostro* [: dei domenicani] *padre fondatore*
(**patriarca**)*; per cui* (**che**) *puoi ben vedere* (**discerner**) *che chi* (**qual**) *lo* (**lui**) *segue, secondo la sua regola* (**com'el comanda**; **el** = egli),
accumula (**carca** = carica) *buone opere* (**merce** = merci). Ai vv. 40-42 Tommaso ha detto che lodando l'uno o l'altro dei due santi
(Francesco o Domenico), inviati quasi contemporaneamente dalla Provvidenza, si loda anche l'altro, in quanto il loro scopo era
lo stesso e i loro meriti uguali benché diversamente messi in opera. Egli, domenicano,
ha lodato Francesco. Ora si richiama alla
regola appena ricordata: se Francesco fu tale quale io lo ho descritto, immàginati Domenico — egli dice a Dante — e quindi chi
segua il suo esempio e la sua regola è nel
giusto e si arricchisce di beni spirituali. Le
due terzine servono a collegare la prima parte
del discorso di Tommaso (lode di san Francesco) alla seconda (descrizione della degenerazione dell'Ordine domenicano). Una
struttura identica avrà il canto seguente, dove un francescano farà seguire alle lodi di
san Domenico il rimprovero al proprio Ordine allontanatosi dall'esempio di Francesco.

124-129: *Ma il suo* [: di san Domenico] *gregge* (**peculio**) *è diventato* (**fatto**) *desideroso*
(**ghiotto**) *di nuovi nutrimenti* (**nova vivanda**), *così* (**sì**) *che non può* (**puote**) *essere che
non si disperda* (**spanda**) *in pascoli* (**per...
salti**; latinismo) *lontani* (**diversi**; latinismo)*;
e quanto più le sue* [: di san Domenico] *pecore* [: seguaci] *vanno qua e là* (**vagabunde**)
e lontane (**remote**) *da lui* (**esso**), [*tanto*] *più
tornano prive* (**vòte** = vuote) *di latte all'ovile*
[: senza guadagni spirituali]. I domenicani,
cioè, si allontanano dall'esempio e dalla regola del santo fondatore dell'Ordine, e perciò raccolgono ben pochi frutti. La **nova vivanda**, che svia i domenicani, sono probabilmente le cariche e i beni mondani, ma
anche un interesse eccessivo per la filosofia
e gli studi profani, a scapito della teologia.
Si noti come tutti i termini-chiave delle due
terzine ruotino attorno alla m e t a f o r a
del pastore e delle pecore (di origine evangelica): **peculio, vivanda, ghiotto, salti, pecore, ovil, latte**; e così, nella terzina seguente,
pastor.

130-132: [*Vi*] *sono anche* (**ben**) *di quelle* [*pecore*] *che temono il* (**'l**) *danno* [*derivante dallo sviare*] *e si stringono* (**stringonsi**) *al pastore; ma sono così* (**sì**) *poche, che poco panno basta a fornire* (**fornisce**) *le cappe.* I
domenicani fedeli alla regola dell'Ordine,
consapevoli dei mali derivanti dall'allontanarsi da essa, sono assai pochi: basta poca
stoffa a fare le cappe di tutti quanti. Si noti
il passaggio, al v. 132, dal linguaggio figurato a quello referenziale (dalla m e t a -
f o r a delle pecore e del pastore si passa
di colpo al riferimento diretto alle **cappe** dei

Or, se le mie parole non son fioche,
se la tua audïenza è stata attenta,

135   se ciò ch'è detto a la mente revoche,
in parte fia la tua voglia contenta,
perché vedrai la pianta onde si scheggia,
e vedra' il corrègger che argomenta

139   " U' ben s'impingua, se non si vaneggia " ».

frati e alla stoffa per fabbricarle); e si noti la r e p l i c a z i o n e **poche - poco** ai vv. 131 sg., a sottolineare lo scarso numero di domenicani fedeli alla tradizione dell'Ordine.

133-139: *Ora, se le mie parole non sono oscure* (**fioche**), *se il tuo ascolto* (**la tua audïenza**) *è stato attento, se richiami* (**revoche**) *alla mente ciò che è* [*stato*] *detto* [*in ogni particolar del mio discorso*], *il tuo desiderio* (**voglia**) *sarà* (**fia**) *in parte* [: relativamente a uno dei due dubbi; cfr. vv. 22-27] *appagato* (**contenta**), *perché ti sarà chiaro* (**vedrai**) *per quale causa* (**onde**) *si corrompe* (**si scheggia** = si va smembrando) *la pianta* [*dell'Ordine domenicano*], *e capirai* (**vedra'** = vedrai) *che cosa significa* (**che argomenta**) *la correzione* (**il corrègger**) [*nella frase che ti ha posto in dubbio*] *"Dove* (**u'** = lat. 'ubi') *ci si arricchisce spiritualmente* (**ben s'impingua** = si ingrassa bene), *se non si inseguono beni vani* (**se non si vaneggia**)"». Questi versi costituiscono la risposta vera e propria a uno dei due dubbi di Dante, dal quale è partito il lungo discorso di Tommaso. A questo punto, egli dice, sarà chiaro perché è necessario aggiungere una *correzione* (quasi una *condizione*) quando si loda l'Ordine domenicano: perché gran parte di esso è corrotto; e cioè perché in esso *ci si arricchisce di buone opere e di meriti* (**ben s'impingua**), *ma purché non si corra dietro ai vani beni del mondo* (**se non si vaneggia**).

Capestro ——————————————————— v. 87

Il vocabolo deriva dal sost. lat. *căpistrum* = 'cavezza, guinzaglio' (forse dal sost. *caput* = 'testa' o dal vb. *capĕre* = 'prendere'; cfr. il franc. *chevêtre* e lo sp. *cabestro*). Indica propriamente la 'fune con cui si legano per la testa gli animali da tiro (cavalli, buoi)'. Da ciò deriva il senso figur. di 'segno di sottomissione'. Dante lo usa per 'cordone dei frati francescani' (segno di umiltà). Oggi la voce è ancora in uso, ma nel significato particolare di 'fune usata per l'impiccaggione' o, per estens., anche di 'forca'.

Consiglio ——————————————————— v. 29

La voce deriva dal lat. *consilĭum* = 'luogo dove si delibera' e anche 'deliberazione, progetto', collegabile al vb. *consulĕre* = 'consultare un'assemblea che ha potere deliberante' (cfr. franc. *conseil* e sp. *consejo*). Il vocabolo, tuttora largamente in uso, ha una ricca varietà di significati. Anticamente valeva 'disposizione, ordine, provvedimento, decisione, legge' — cfr. *Purg.* I, 47 — e anche 'parere, opinione, risoluzione, riflessione' — cfr. *Purg.* VI, 131 — e ancora 'prudenza, buon senso, saggezza' — cfr. *Purg.* VI, 122 e *Par.* XI, 29. Oggi la voce è usata prevalentemente per indicare un 'suggerimento dato da qualcuno a qualcun altro su come agire ecc. in una data circostanza', oppure un 'organo collegiale con funzioni amministrative o giurisdizionali' («consiglio d'amministrazione», «consiglio dei ministri», «consiglio di fabbrica» ecc.).

Mero v. 18

È voce dotta derivata dal lat. *merus* ('puro, non mescolato': si diceva particolarmente del vino). Si tratta di un agg. ant. e letter. per 'genuino, naturale, allo stato puro' e anche 'sfolgorante, splendente' — cfr. *Par.* XI, 18 e XXX, 59. Oggi il termine non è molto frequente e vale soprattutto 'puro e semplice, considerato in sé e per sé, esclusivo, vero e proprio'.

Negozio v. 7

È voce dotta derivata dal lat. *negotĭum* = 'attività, occupazione' (composto da *nec-*, particella negativa, e *otĭum* = 'ozio, inattività'). Il vocabolo indica propriamente 'ciò che si deve o si vuole fare; ciò che si fa normalmente o in particolari circostanze', e anche 'un'occupazione, un impegno per lo più gravoso' (è questo l'uso di Dante). Vale anche, specificamente, 'attività economica, operazione commerciale'; e strettamente collegato a quest'accezione è il significato oggi prevalente nell'uso di 'locale aperto al pubblico dove si vendono merci; bottega, emporio'.

Pecuglio v. 124

Si tratta di una forma ant. per *peculio*, voce dotta derivata dal lat. *pecūlium* = 'patrimonio' (da *pecus*, *pecoris* = 'bestiame, gregge', che nell'economia ant. rappresentava la ricchezza; cfr. franc. *pécule*). Il termine indica 'una certa somma di denaro o di altri beni' e, per estens., 'patrimonio, capitale'. Il significato di 'gregge, bestiame' — quale si incontra in Dante — è esclusivamente ant. e letter., e da esso deriva, in senso figur., il significato che il termine ha nel *Paradiso* di 'comunità religiosa, insieme di credenti', secondo una frequente immagine evangelica.

Canto XII

Il canto XII, come si è detto nell'introduzione all'XI, è ad esso stretta-mente congiunto.

Tommaso ha cessato di parlare, e la corona di beati si rimette a ruotare attorno a Beatrice e a Dante, mentre una seconda corona, concentrica, si forma attorno alla prima. Da essa prende a parlare il francescano Bonaven-tura da Bagnoregio, uno dei maggiori filosofi del Duecento. Egli tesse l'elo-gio di san Domenico seguendo uno schema oratorio parallelo a quello segui-to da Tommaso per san Francesco. Di san Domenico mette soprattutto in rilievo gli aspetti di teologo e di combattente, coerentemente alla funzione assegnatagli dalla Provvidenza di opporsi alle eresie. Poi Bonaventura si sof-ferma sulle condizioni del proprio Ordine, accusando sia i «conventuali» che gli «spirituali» di essersi allontanati dalla corretta interpretazione della regola francescana (ma per questo problema cfr. l'introduzione al canto pre-cedente). Infine presenta le anime degli altri sapienti, giunte insieme a lui a formare la seconda corona.

Canto XIII

Terminato il discorso di Bonaventura, le due corone di beati ricominciano a ruotare cantando. Poi nuovamente si arrestano e Tommaso riprende la parola per chiarire l'altro dubbio di Dante, relativo alla sua affermazione che non fosse nato nessuno più sapiente del re biblico Salomone (mentre Dante crede, per fede, che gli uomini più sapienti siano stati Adamo e Cristo). Tommaso svolge la spiegazione con ampie argomentazioni, e se si tien conto del fatto che gran parte della dottrina di Dante si è formata sui suoi testi teologici, si capirà che qui il poeta rende al grande filosofo una specie di omaggio, facendogli tenere una vera e propria lezione. In effetti — egli dice in sintesi — gli uomini in assoluto più sapienti furono Adamo e Cristo, ma la sapienza di Salomone non ebbe l'uguale tra i regnanti. In questo modo, per quel che attiene al significato complessivo dell'episodio, Dante può ancora una volta tracciare un modello ideale di sovrano, esaltando l'importanza del potere politico nella prospettiva stessa dell'Eterno e in un'ottica provvidenziale.

Canto XIV

Tommaso ha appena finito di parlare, e Beatrice rivela alle anime un nuovo dubbio che si sta formando nella mente di Dante: dopo la resurrezione dei corpi, la luminosità che ora emana dai beati rendendoli invisibili diminuirà o resterà uguale? E, se non diminuirà, come potranno gli occhi corporei sopportarla senza danno?

La risposta è data da Salomone: l'unione dei corpi risorti alle anime le renderà più perfette e quindi più in grado di beatitudine e di partecipazione alla carità divina e quindi più luminose ancora. Ma ciò nonostante i corpi saranno visibili, come il carbone entro la fiamma; e gli occhi non subiranno alcun danno, perché saranno resi più resistenti.

Al termine delle parole di Salomone, tutte le anime rispondono Amen in coro, manifestando il desiderio di riavere i propri corpi terreni e soprattutto di rivedere quelli delle persone care. L'attenzione a questo aspetto umano rientra in quella che è stata opportunamente definita «domesticità del Paradiso» (Bosco), e che consiste nell'accostamento di una dimensione quotidiana e terrena ai temi più impegnativi sul piano teologico e trascendentale (e questo accostamento ha anche un equivalente stilistico, nel ricorrere a termini e modi colloquiali e «bassi» anche in contesti impegnativi ed elevati).

Improvvisamente la luce aumenta come **orizzonte che rischiari** (v. 69), e Dante si innalza con Beatrice al quinto cielo, di Marte. Dante ne sta mentalmente ringraziando Dio, quando gli appare una croce bianca luminosissima sullo sfondo rossastro del cielo di Marte; entro i bracci della croce si mostrano le anime dei beati di questo cielo, e lampeggia Cristo. I beati intonano un inno di lode del quale Dante coglie solo le parole **Resurgi** [risorgi] e **Vinci** (v. 125); tali parole si ricollegano al tema della resurrezione, affrontato nella prima parte di canto, esaltando la vittoria di Cristo sulla morte.

Come la Galassia [: la Via Lattea] segnata da luci [: stelle] piccole e grandi biancheggia tra i poli del mondo, così che rende dubbiosi i sapienti; così quei raggi [: i bracci della croce] a forma di costellazione rappresentavano nella profondità di Marte quel segno che le giunture di un quadrante formano in un cerchio [: una croce greca]. Qui il mio ricordo supera la capacità espressiva; dal momento che quella croce rappresentava lampeg-

*giando Cristo, così che io non so trovare un termine di riferimento degno;
ma chi prende la propria croce e segue Cristo, mi scuserà di quello che
io tralascio di dire, poiché vedevo in quella croce lampeggiare Cristo. Da
un braccio all'altro [: orizzontalmente] e tra la cima e i piedi [della croce]
[: verticalmente] si spostavano luci [: anime], scintillando fortemente nell'incontrarsi e nell'oltrepassarsi: così qui [sulla Terra] si vedono muoversi nel
raggio del quale talvolta è attraversata l'ombra che la gente si procura con
varie attenzioni, per propria difesa, le particelle dei corpi [: il pulviscolo
atmosferico], in direzioni diverse, veloci e lente, più grandi o più piccole,
cambiando aspetto. E come la giga e l'arpa [: strumenti musicali a corde],
accordate tra loro con le molte corde, fanno un dolce suono all'orecchio
di chi non ode una nota specifica [ma l'armonia dell'insieme], così dalle
luci che mi apparvero lì si diffondeva per la croce una melodia che mi rapiva, senza che io capissi l'inno [: le parole]. Ciò nonostante io mi resi conto
che esso era un inno di lode elevata, perché intendevo «Risorgi» e «Vinci»,
come colui che ode [singole parole] e non capisce [il senso].*

Come distinta da minori e maggi
   lumi biancheggia tra' poli del mondo
   Galassia sì, che fa dubbiar ben saggi;
sì costellati facean nel profondo
   Marte quei raggi il venerabil segno
   che fan giunture di quadranti in tondo.
Qui vince la memoria mia lo 'ngegno;
   ché quella croce lampeggiava Cristo,
   sì ch'io non so trovare essempro degno;
ma chi prende sua croce e segue Cristo,
   ancor mi scuserà di quel ch'io lasso,
   vedendo in quell'albor balenar Cristo.
Di corno in corno e tra la cima e 'l basso
   si movien lumi, scintillando forte
   nel congiugnersi insieme e nel trapasso:
così si veggion qui diritte e torte,
   veloci e tarde, rinovando vista,
   le minuzie di corpi, lunghe e corte,
moversi per lo raggio onde si lista
   talvolta l'ombra che, per sua difesa,
   la gente con ingegno e arte acquista.
E come giga e arpa, in tempra tesa
   di molte corde, fa dolce tintinno
   a tal da cui la nota non è intesa,
così da' lumi che lì m'apparinno
   s'accogliea per la croce una melode
   che mi rapiva, sanza intender l'inno.
Ben m'accors'io ch'elli era d'alte lode,
   però ch'a me venìa «Resurgi» e «Vinci»
   come a colui che non intende e ode.

*Nel quinto cielo sta per apparire a Dante l'avo Cacciaguida, al quale
è dedicato un vasto episodio (canti XV-XVII), legato soprattutto alle vicende di Firenze e al destino personale del poeta. Il canto XIV, con il suo
recupero della dimensione umana e con l'affermazione del valore di essa
anche nell'aspetto corporeo, prepara ed annuncia già tale episodio.*

Canto XV

Posti strutturalmente al centro del *Paradiso*, i canti XV-XVII costituiscono un unico blocco organico. Dante si sofferma a parlare con il trisavolo Cacciaguida e con lui affronta i temi più essenziali e cari del poema: la corruzione di Firenze, il proprio esilio, la funzione provvidenziale della *Commedia*. E si tratta, in ogni caso, di una elaborazione definitiva di tali questioni, condotta con profonda serenità anche nei momenti di più aperta polemica.

Da un punto di vista strutturale merita anche di essere rilevato il parallelismo con i canti centrali delle altre due c a n t i c h e, nei quali sono state di volta in volta affrontate questioni affini, benché senza la stessa definitiva chiarezza e maturità di questa ripresa. Nel canto XV dell'*Inferno* Dante ha parlato con Brunetto Latini della corruzione di Firenze e del proprio destino glorioso, proseguendo il primo dei due temi nel canto seguente al cospetto di tre anime fiorentine. E così nei canti XV e XVI del *Purgatorio*, sono stati affrontati gli argomenti del rapporto tra passato e presente e della corruzione, negli incontri con Guido del Duca e con Marco Lombardo.

* * *

Nel cielo quinto, di Marte, si mostrano a Dante le anime dei beati morti combattendo per la fede.

Cessati i canti e il movimento dei beati per dare modo a Dante di esprimere i propri dubbi, la luce di un'anima scende sola lungo la croce luminosa (cfr. riassunto del canto precedente) e si ferma ai piedi di essa. È il trisavolo di Dante, Cacciaguida, il quale lo apostrofa affettuosamente e, dopo aver ringraziato Dio della grazia concessa ad un suo discendente, invita Dante a rivolgergli quelle domande che ha in mente: benché esse gli siano infatti già chiare in Dio, e la sua risposta sia perciò già pronta, l'ardore di carità potrà avere maggiore soddisfazione udendo una esplicita domanda. Dante, allora, ringrazia della affettuosa accoglienza e prega il beato di dirgli il proprio nome.

La risposta di Cacciaguida occupa interamente la seconda parte del canto. Essa si sofferma soprattutto sulla condizione serena e onesta della Firenze dei secoli XI-XII, in cui egli ha vissuto, contrapposta alla degradazione morale e alle contese fratricide degli anni di Dante. Poi racconta della propria morte da martire in Terra Santa, combattendo contro i Musulmani per la liberazione del Santo Sepolcro.

Nel canto II dell'*Inferno* (cfr. vv. 13-33) Dante, invitato da Virgilio a seguirlo nell'oltretomba, si è detto timoroso di non avere i meriti sufficienti per ottenere un simile privilegio, concesso solo ad Enea e a san Paolo per valide ragioni, essendo entrambi destinati a realizzare importanti disegni della Provvidenza. In questo canto quel timore, allora solo accantonato, è definitivamente sciolto: Cacciaguida cita testualmente l'*Eneide* virgiliana e si riferisce con chiarezza al privilegio di san Paolo; presto (nel canto XVII) si soffermerà distesamente sulla missione affidata a Dante dalla Provvidenza.

E la missione di Dante è quella di spingere le coscienze a compiere un'opera profonda di riforma morale e politica. Per far ciò egli deve mostrare quanto grave sia la corruzione, in ogni campo; e darne la tangibile misura storica. Ebbene, ciò è quanto Dante ha già fatto in molti luoghi del poema, ma è soprattutto quanto fa nella seconda parte di questo canto attraverso le parole di Cacciaguida. Questi, così, esplicita la missione di Dante e al momento stesso ne definisce i caratteri, contribuendo alla sua realizzazione.

Cacciaguida è stato testimone oculare e partecipe di una civiltà fondata sui valori morali dell'onestà, dell'austerità e dell'eroismo. La Firenze che egli descrive è insieme quella cui Dante guarda con la nostalgia dell'esule, la sua città idealizzata, e un esempio di società perfetta, ordinata e concorde. Dante la descrive con l'intenzione di compiere opera di storico: egli credeva che tale fosse realmente stata la civiltà comunale prima che l'opposizione del papa e di molte città al potere imperiale avesse distrutto quella ideale unità politica, e prima che il trionfo della civiltà mercantile avesse corrotto con la smania del guadagno i costumi e la concordia.

Si badi a non credere meschino e piccolo l'ideale di società che Dante disegna in questo canto; esso ha senso in quanto si oppone alla degradazione successiva — ed è dunque un ideale polemico —, ma soprattutto ha senso in quanto ai valori domestici si affiancano quelli religiosi e politici eroicamente vissuti, e non a caso Cacciaguida, il campione di tali valori, muore combattendo per la fede cristiana al seguito dell'imperatore — e, da questo punto di vista, Cacciaguida indica dunque un ideale politico.

Nell'appendice I sono presentate le traduzioni dei vv. 130-148 del canto.

Benigna volontade in che si liqua
sempre l'amor che drittamente spira,
3   come cupidità fa ne la iniqua,
silenzio puose a quella dolce lira,
e fece quïetar le sante corde
6   che la destra del cielo allenta e tira.

1-6: *La volontà* (**volontade**) *di fare il bene* (**benigna**) *in cui* (**che**) *si manifesta* (**liqua**; latinismo) *sempre l'amore che guida* (**spira** = ispira) *in direzione giusta* (**drittamente**) [: *verso Dio*], [*così*] *come la cupidigia* (**cupidità**) *spinge* (**fa**; cioè 'spira') *in quella* (**ne la**) [: volontà] *di fare il male* (**iniqua**), *fece zittire* (**silenzio puose a**) *quella dolce lira* [: *il coro dei beati*], *e fece fermare* (**quietar**) *le sante corde* [*della lira*; cioè il movimento delle anime] *che la mano* (**destra**) *di Dio* (**del cielo**) [*stesso*] *allenta e tende* (**tira**). Le anime dei beati, che cantavano e si muovevano lungo la croce luminosa, si fermano

Come saranno a' giusti preghi sorde
    quelle sustanze che, per darmi voglia
9   ch'io le pregassi, a tacer fur concorde?
Bene è che sanza termine si doglia
    chi, per amor di cosa che non duri
12   etternalmente, quello amor si spoglia.
Quale per li seren tranquilli e puri
    discorre ad ora ad or sùbito foco,
15   movendo li occhi che stavan sicuri,
e pare stella che tramuti loco,
    se non che da la parte ond' e' s'accende
18   nulla sen perde, ed esso dura poco:
tale dal corno che 'n destro si stende
    a piè di quella croce corse un astro
21   de la costellazion che lì resplende;

e si zittiscono. A ciò sono spinte dal desiderio di bene, che in questo caso è rappresentato dalla necessità di rispondere ai dubbi di Dante (cfr. vv. 8 sg.). In questa carità si manifesta la stessa volontà di Dio, sommo bene, dalla quale dipende quella delle anime, così come il suono di una lira dipende dal tocco del suonatore e il movimento delle corde dal suo tenderle o allentarle. La s i m i l i t u d i n e della **lira** (uno strumento a corde pizzicate) è duplice: si riferisce al *suono* (v. 4) e al *movimento* (vv. 5 sg.); e **allenta e tira** saranno forse da intendersi riferiti all'operazione dell'accordatura (che si effettua appunto regolando la tensione delle corde). Queste due terzine (come le due che seguono) hanno la funzione di preparare l'incontro con l'avo Cacciaguida: il silenzio e l'immobilità in una scenografia complessa come quella definita nel canto precedente già annunciano una svolta importante della narrazione.

7-9: *Come saranno* [: come è possibile che siano] *sorde alle* (**a'** = ai) *giuste preghiere* (**preghi**) *quelle anime* (**sustanze**) *che furono* (**fur**) *concordi a tacere per incoraggiarmi* (**per darmi voglia**) *a pregarle* (**ch'io le pregassi**) [: a interrogarle]? La carità mostrata dai beati nei riguardi di Dante è la prova di come essi ascoltino e, potendo, esaudiscano le giuste preghiere degli uomini. Si trattava di una questione assai discussa; e Dante, come sempre, non manca di prendere posizione.

10-12: *È giusto* (**bene**) *che soffra* (**si doglia** = si dolga) *eternamente* (**sanza termine**) [: nell'Inferno] *chi si priva* (**si spoglia**)

di quell'amore [: delle anime beate] *per amore di cosa che non duri eternamente* (**etternalmente**) [: per amore di beni fuggevoli]. Chi preferisce i beni transitori del mondo perde giustamente quelli eterni dei cieli. Si noti la r e p l i c a z i o n e di **amor** con diverse accezioni: quasi *cupidigia, desiderio basso* al v. 11; *carità, Grazia* al v. 12 (la diversità di significato è sottolineata dal d e i t t i c o **quello**, preposto al secondo **amor**).

13-24: *Come* (**quale**) *attraverso i* (**per li**) *sereni quieti* (**tranquilli**) *e limpidi* (**puri**) [*del cielo notturno*] *passa rapidamente* (**discorre** = trascorre) *di tanto in tanto* (**ad ora ad or**) *una luce* (**foco** = fuoco) *improvvisa* (**sùbito**) [: una stella cadente], *facendo muovere* (**movendo**) *gli* (**li**) *occhi che stavano fermi* (**sicuri**; dal lat. 'sine cura' = senza attività), *e sembra* (**pare**) *una stella che cambi* (**tramuti**) *posizione* (**loco** = luogo), *se non che dalla parte* [*del cielo*] *dalla quale essa* (**ond'e'** = onde ei = da cui esso) [: luce] *si accende non se ne* (**sen**) *perde nessuna* (**nulla**) [: stella], *ed essa* [: luce] *dura poco: così* (**tale**) *dal braccio* (**corno**) *che si stende verso* (**'n** = in) *destra corse ai piedi* (**a piè**) *di quella croce una stella* (**un astro**) [: un'anima beata] *della costellazione che lì risplende* [: la croce]; *e l'anima splendente* (**gemma** = pietra preziosa) *non* (**né**) *si staccò* (**si partì**) *dalla sua striscia* (**nastro**) [: dalla traccia luminosa della croce], *ma corse* (**trascorse**) *lungo* (**per**) *la linea* (**lista**) *dei raggi* (**radial⟨e⟩**), [*in modo*] *che parve una luce* (**foco**) *dietro ad* [*una lastra di*] *alabastro.* Queste quattro terzine descrivono l'avvicinarsi a Dante di un'ani-

né si partì la gemma dal suo nastro,
ma per la lista radïal trascorse,
24   che parve foco dietro ad alabastro.
Sì pïa l'ombra d'Anchise si porse,
se fede merta nostra maggior musa,
27   quando in Eliso del figlio s'accorse.
« *O sanguis meus, o superinfusa*
gratïa Deï, sicut tibi cui
30   *bis unquam celi ianüa reclusa?* ».

ma, che si muove dal braccio destro della croce e, seguendo la traccia luminosa fino all'incrocio dei bracci e curvando ad angolo retto verso il basso, si va a fermare ai piedi di essa, cioè nel luogo più vicino a Dante senza uscire dalla croce. Tale spostamento è espresso attraverso l'introduzione di tre s i m i l i t u d i n i : una ampia che occupa i vv. 13-18 (cioè due terzine su quattro) e funge, per così dire, da similitudine principale, una seconda breve che occupa il solo v. 24, ed una terza, implicita, al v. 22. L'unione delle tre similitudini rende con vera efficacia lo svolgimento della scena, sino nei minimi particolari. La similitudine con la stella cadente (vv. 13-18) istituisce un esplicito parallelismo (cfr. vv. 20 sg.) tra gli *astri* del cielo e le anime luminose dei beati e tra le *costellazioni* celesti e la croce, formata da una luminosità che nel canto precedente è stata paragonata alla Via Lattea e punteggiata di anime beate. Come un cielo sereno e immobile è attraversato improvvisamente da una stella cadente, così la croce (immobile anch'essa, dopo che i beati si sono fermati) è attraversata dalla luce di un'anima; e gli occhi, che si erano rilassati nella calma, sono messi in movimento per seguirla. La similitudine implicita del v. 22 allude alla moda del tempo di fissare gemme su nastri di seta; e come una gemma che scorra lungo un nastro senza staccarsene, così l'anima si sposta ai piedi della croce senza uscire dalla traccia di essa, restando sempre sulla striscia di luce: percorre cioè i due raggi quadranti di un circolo nel quale i quattro bracci perpendicolari della croce si immaginano inseriti. Infine la similitudine conclusiva del v. 24 allude al fenomeno fisico che permette di vedere nitidamente una luce posta dietro ad una lastra sottile di **alabastro** (una pietra simile al marmo); cioè indica il particolare tralucere dell'anima, al suo spostarsi, nell'insieme della luminosità della croce. L'unione delle tre similitudini, insomma, espri-

me il peculiare spostarsi di un'anima lungo la croce, sottolineando l'unicità di tale movimento e insieme il rapporto di esso con l'insieme della scenografia: la stessa corrispondenza si ha fra il particolare amore che Cacciaguida sta per manifestare al discendente e la carità collettiva dei beati.

25-27: *L'anima* (**ombra**) *di Anchise* [*gli*] *andò incontro* (**si porse**) *altrettanto* (**sì** = così) *affettuosa* (**pia**) *quando nell'* (**in**) *Eliso si accorse del figlio* [: Enea], *se il nostro maggior poeta* [: Virgilio] *merita* (**merta**) *fede.* Si allude all'incontro di Enea con il padre Anchise negli Elisi (*Eneide* VI, 684 sgg.); e la s i m i l i t u d i n e annuncia già il rapporto di parentela e di affetto tra Dante e l'anima che gli sta andando incontro.

28-30: *«O sangue mio* (**sanguis meus**), *o generosa* (**superinfusa** = sparsa in abbondanza) *Grazia di Dio* (**gratia Dei**), *a chi* (**cui**) *come a te* (**sicut tibi**) [*fu*] *mai* (**unquam**) *aperta* (**reclusa**) *due volte* (**bis**) *la porta del cielo* (**celi ianua**)?».* Le parole che Cacciaguida rivolge inizialmente a Dante contengono un'evidente intenzione di solennità, confermata dall'uso del latino. La terzina è inoltre trapuntata da riferimenti biblici (**gratia Dei, celi ianua**...) e virgiliani (**sanguis meus**, identico in *Eneide*, VI, 835). Ciò serve, come la accurata preparazione dell'inizio del canto (e della conclusione del precedente), a conferire un'importanza particolare a quest'incontro e all'episodio che ne scaturisce. In esso, infatti, saranno affrontati nel modo più ampio e definitivo alcuni problemi centrali del poema, primo fra tutti quello della sua funzione storica e provvidenziale. La domanda di Cacciaguida allude apertamente al caso di san Paolo, l'unico che sia entrato due volte in Paradiso (da vivo e dopo morto); e si riconnette quindi ai dubbi di Dante nel canto II dell'*Inferno* (vv. 13-33).

Così quel lume: ond' io m'attesi a lui;
poscia rivolsi a la mia donna il viso,
e quinci e quindi stupefatto fui;

33

ché dentro a li occhi suoi ardeva un riso
tal, ch'io pensai co' miei toccar lo fondo
de la mia gloria e del mio paradiso.

36

Indi, a udire e a veder giocondo,
giunse lo spirto al suo principio cose,
ch'io non lo 'ntesi, sì parlò profondo;

39

né per elezïon mi si nascose,
ma per necessità, ché 'l suo concetto
al segno de' mortal si soprapuose.

42

E quando l'arco de l'ardente affetto
fu sì sfogato, che 'l parlar discese
inver' lo segno del nostro intelletto,

45

la prima cosa che per me s'intese,
« Benedetto sia tu », fu, « trino e uno,
che nel mio seme se' tanto cortese! ».

48

E seguì: « Grato e lontano digiuno,
tratto leggendo del magno volume
du' non si muta mai bianco né bruno,

51

solvuto hai, figlio, dentro a questo lume
in ch'io ti parlo, mercé di colei

31-36: *Così [mi disse] quell'anima* (**lume**)*: per cui io* (**ond'io**) *mi rivolsi* (**m'attesi**) *a lui; poi* (**poscia**) *rivolsi il viso verso* (**a**) *la mia donna* [: Beatrice], *e da una parte* (**quinci**) *e dall'altra* (**quindi**) *fui preso da ammirazione* (**stupefatto**)*; poiché* (**ché**) *dentro ai* (**a li**) *suoi occhi brillava* (**ardeva**) *una gioia* (**un riso**) *tale, che io pensai di toccare con i* (**co'** = coi) *miei [occhi] il culmine* (**lo fondo**) *della mia grazia* (**gloria**) *e della mia beatitudine* (**paradiso**). Le parole affettuose e l'aspetto sollecito dell'anima di Cacciaguida, da una parte, e l'accresciuta bellezza di Beatrice, dall'altra, riempiono Dante di stupore e di ammirazione, così da fargli credere di essere al massimo di beatitudine a lui consentito.

37-42: *Poi* (**indi**) *l'anima* (**lo spirto**)*, che dava gioia* (**giocondo**) *a udirsi* (**a udire**) *e a vedersi* (**a veder**)*, aggiunse* (**giunse**) *all'inizio del suo discorso* (**al suo principio**) *cose [tali] che io non lo capii* ('**ntesi** = intesi)*, tanto* (**sì** = così) *parlò in modo profondo* (**profondo**; avv.)*; e non* (**né**) *mi si nascose* [: non parlò in modo a me incomprensibile] *volontariamente* (**per elezion**)*, ma per necessità, dato che* (**ché**) *il* (**'l**) *suo pensiero* (**concetto**) *andava oltre* (**si soprapuose**) *il limite* (**al segno**) *[di intelligenza] degli uomini* (**de' mor-**

tal; **de'** = dei). Dopo le parole in latino a Dante, Cacciaguida si rivolge direttamente a Dio per ringraziarlo, come si ricava dai vv. 47 sg.; ma i termini del rapporto diretto beato-Dio sono imperscrutabili alla mente di Dante finché il linguaggio non si abbassa ai suoi livelli. Anche questo particolare aggiunge solennità ed importanza all'episodio.

43-48: *E quando la forza* (**l'arco**) *dell'amore* (**affetto**) *ardente* [: della carità] *[sì] fu sfogato così* (**sì**) *che il discorso* (**'l parlar**) *si abbassò* (**discese**) *verso* (**inver'** = inverso) *il* (**lo**) *limite* (**segno**) *del nostro intelletto [umano], la prima cosa che capii* (**che per me s'intese** = che da parte mia fu capita; **per** = franc. 'par') *fu*: «*Tu sia benedetto, [Dio] trino e uno, che sei* (**se'**) *tanto generoso* (**cortese**) *verso la mia discendenza* (**nel mio seme**)*!*». Come in altri casi, Dante usa la m e t a f o r a dell'**arco** per esprimere un'energia di tipo intellettuale o sentimentale.

49-54: *E [Cacciaguida] proseguì* (**seguì**) *[a dirmi]:* «*Figlio, grazie a* (**mercé di**) *colei* [: Beatrice] *che ti diede* (**vestì**) *le ali* (**le piume**) *per il grande* (**a l'alto**) *volo, hai esaudito* (**solvuto** = sciolto) *dentro la luce* (**lume**) *in cui io* (**in ch'io**) *ti parlo* [: in me] *un gradito*

ch'a l'alto volo ti vestì le piume.
Tu credi che a me tuo pensier mei
da quel ch'è primo, così come raia

da l'un, se si conosce, il cinque e 'l sei;
e però ch'io mi sia e perch' io paia
più gaudïoso a te, non mi domandi,

che alcun altro in questa turba gaia.
Tu credi 'l vero; ché i minori e ' grandi
di questa vita miran ne lo speglio

in che, prima che pensi, il pensier pandi;
ma perché 'l sacro amore in che io veglio
con perpetüa vista e che m'asseta

di dolce disïar, s'adempia meglio,
la voce tua sicura, balda e lieta
suoni la volontà, suoni 'l disio,

a che la mia risposta è già decreta! ».
Io mi volsi a Beatrice, e quella udìo
pria ch'io parlassi, e arrisemi un cenno

che fece crescer l'ali al voler mio.

(grato) *e lungo* (lontano) *desiderio* (digiuno) [*di vederti*], *concepito* (tratto) *leggendo nel* (del) *grande libro* (magno volume) [: della mente di Dio] *dove* (du') *non si muta mai* [*né*] *il bianco né il nero* (bruno) [: nulla]. Cacciaguida sapeva da tempo dell'arrivo di Dante, attraverso la contemplazione dell'onniscienza divina; e aspettava il discendente (affettuosamente chiamato **figlio**) con gioia.

55-60: *Tu credi che il tuo pensiero si comunichi* (mei = scenda) *a me attraverso* (da) *Dio* (quel ch'è primo = il primo essere), *così come dall'unità* (da l'un), *se* [*la*] *si conosce, derivano* (raia = irraggia; al sing. con due sogg.) *il cinque e il* ('l) *sei; e perciò* (però) *non mi domandi chi io sia* (mi sia) *e perché io mi mostri* (paia) *a te più lieto* (gaudioso) *che chiunque* (alcun) *altro in questa moltitudine* (turba) *felice* (gaia). Dante, dice Cacciaguida, vorrebbe sapere chi sia l'anima che gli sta parlando e perché si mostri più felice degli altri, ma avendo coscienza che i beati conoscono attraverso Dio il pensiero altrui non gli rivolge alcuna domanda. Si noti l'alta tensione intellettuale della s i m i l i t u - d i n e matematica ai vv. 56 sg.: come attraverso la conoscenza del numero uno è possibile ricavare tutti i numeri, così attraverso la contemplazione della mente divina (unità in cui convergono tutte le molteplici esistenze) è possibile conoscere il pensiero altrui.

61-69: *Tu credi una cosa vera* ('l vero; 'l = il); *dal momento che* (ché) *i più piccoli* (i minori) *e i* (e') *grandi di questa vita* [*beata*] [: tutte le anime del Paradiso, quale che sia il loro grado di beatitudine] *vedono* (miran) *nello specchio* (speglio) [: Dio] *in cui* (che) *manifesti* (pandi) *il* [*tuo*] *pensiero prima di pensarlo* (prima che pensi); *ma perché meglio si manifesti* (s'adempia) *il* ('l) *santo* (sacro) *amore* [*di carità*] *nel quale* (in che) *io veglio con attenzione* (vista) *continua* (perpetua) *e che mi accende* (asseta) *di dolce desiderio* (disiar = desiderare), *la tua voce sicura, ardita* (balda) *e lieta esprima* (suoni) *la* [*tua*] *volontà, esprima* (suoni) *il* ('l) [*tuo*] *desiderio* (disio), *la mia risposta al quale* (a che) *è già stabilita* (decreta)!». Cioè: in effetti Cacciaguida conosce già le richieste di Dante, potendo apprenderle da Dio, come tutti i beati, ma vuole udirle dalla viva voce del pellegrino per poter accrescere l'entusiasmo di carità che gli farà dare la risposta; la quale, sapendo egli in anticipo le domande, è già pronta.

70-72: *Io mi rivolsi* (volsi) *verso* (a) *Beatrice, ed ella* (quella) *capì* (udio = udì; con* e p i t e s i *in -o) prima* (pria) *che io parlassi, e sorridendo mi fece un cenno* (arrisemi un cenno = mi sorrise un cenno; con uso trans. del vb. 'arridere') *che fece aumentare* (crescer l'ali) *il* (al) *mio desiderio* (voler).

Poi cominciai così: « L'affetto e 'l senno,
come la prima equalità v'apparse,
75   d'un peso per ciascun di voi si fenno,
però che 'l sol che v'allumò e arse,
col caldo e con la luce è sì iguali,
78   che tutte simiglianze sono scarse.
Ma voglia e argomento ne' mortali,
per la cagion ch'a voi è manifesta,
81   diversamente son pennuti in ali;
ond' io, che son mortal, mi sento in questa
disagguaglianza, e però non ringrazio
84   se non col core a la paterna festa.

Dante vuol chiedere a Beatrice il permesso di parlare, ma ella *ode* la sua richiesta prima che sia pronunciata e gli sorride facendo cenno di sì, con tale dolcezza che la voglia di parlare in Dante si accresce. Si noti la espressiva essenzialità di questa mimica.

73-78: *Poi cominciai* [*a dire*] *così* [*a Cacciaguida*]*:* «*Appena* (**come**) *vi apparve* (**v'apparse**) *la perfetta uguaglianza* (**la prima equalità**) [: Dio], *il sentimento* (**l'affetto**) *e l'intelligenza* (**'l senno**) *divennero* (**si fenno** = si fecero) *di uno stesso peso* (**d'un peso**) [: uguali] *per ciascuno di voi* [**beati**]*, perché* (**però che**) *il* (**'l**) *sole* [: Dio] *che vi illuminò* (**v'allumò**) [*di intelligenza*] *e* [*vi*] *infiammò* (**arse**) [*d'amore*]*, è così* (**sì**) *uguale* (**iguali**; dal lat. 'aequalis') *nel* (**col**) [*suo*] *calore* (**caldo**) [*di carità*] *e nella* (**con la**) [*sua*] *luce* [*di sapere*]*, che* [*rispetto a tale uguaglianza*] *tutte le* [*altre*] *uguaglianze* (**simiglianze**) *sono inadeguate* (**scarse**). Il tono di Dante è coerente con quello del proprio interlocutore, cioè solenne e impegnato. Ne è segno anche la lunga premessa (vv. 73-84) posta alla domanda (vv. 85-87). I vv. 73-78 ribadiscono i concetti impliciti già nelle parole del beato, come se Dante volesse dimostrarsi realmente consapevole della superiore condizione dei beati e, insieme, dopo aver ricordato al proprio interlocutore la specifica insufficienza della condizione di uomo (vv. 79-84), giustificare la richiesta di spiegazioni. Il senso di queste due terzine è il seguente: fin dal momento che contemplate Dio (cioè da quando siete stati accolti in questa beatitudine), in voi l'ardore di carità e l'intelligenza sono perfettamente commisurati, derivando da Dio stesso (nel quale, oltre che commisurati, sono però anche infiniti). Cioè: potete esprimere con assoluta adeguatezza i vostri sentimenti

di carità. Si noti che i termini **affetto**, **arse** e **caldo** sono equivalenti ed alludono per m e t a f o r a alla *carità*; analogamente, alludono allo stesso campo semantico **senno**, **allumò** e **luce**, che si riferiscono m e t a f o r i c a m e n t e all'*intelligenza*. Il termine *sole/Dio* (v. 76) è in rapporto con entrambe le serie m e t a f o r i c h e, derivando dal sole sia il calore che la luce (cioè sia **affetto** che **senno**). **La prima equalità**: è Dio, i cui attributi sono tra loro equivalenti in quanto tutti infiniti.

79-84: *Ma negli uomini* (**ne' mortali**) *il desiderio* (**voglia**) [*: di esprimersi*] *e lo strumento* (**argomento**) [*espressivo*] *sono forniti di forza* (**pennuti in ali**) *in modo diverso* (**diversamente**) [*tra loro*]*, per una ragione* (**cagion**) *che a voi è nota* (**manifesta**) [*: poiché la conoscete attraverso Dio*]*; per cui io* (**ond'io**)*, che sono uomo* (**mortal**)*, mi sento in questa disuguaglianza* (**disagguaglianza**)*, e perciò* (**però**) *non ringrazio se non con il cuore* (**col core**) *per* (**a**) *la festa paterna* [*che mi è stata fatta*]. Cioè: a differenza che nei beati, negli uomini mortali (ossia nei vivi) ai sentimenti non corrispondono parole adeguate, e perciò in Dante il desiderio di esprimere la gratitudine per l'affettuosa accoglienza riservatagli da Cacciaguida si scontra con l'impossibilità di farlo, data l'insufficienza dell'**argomento**, cioè del *mezzo espressivo*; e per questo egli ringrazia con il cuore, entro di sé, mancandogli le parole adeguate. Si noti che **paterna festa** corrisponde a **figlio** del v. 52. E che, mentre fin qui Dante si è rivolto genericamente a tutti i beati presenti, parlando di una condizione a loro comune, dal verso seguente si rivolge direttamente a Cacciaguida, entrando nel merito di questioni che riguardano lui solo.

Ben supplico io a te, vivo topazio
che questa gioia prezïosa ingemmi,
87   perché mi facci del tuo nome sazio ».
« O fronda mia in che io compiacemmi
pur aspettando, io fui la tua radice »:
90   cotal principio, rispondendo, femmi.
Poscia mi disse: « Quel da cui si dice
tua cognazione e che cent' anni e piùe
93   girato ha 'l monte in la prima cornice,
mio figlio fu e tuo bisavol fue:
ben si convien che la lunga fatica
96   tu li raccorci con l'opere tue.
Fiorenza dentro da la cerchia antica,
ond' ella toglie ancora e terza e nona,
99   si stava in pace, sobria e pudica.

85-87: *Tuttavia* (**ben**) *io ti* (**a te**; sul modello del dat. lat.) *supplico di farmi* (**perché mi facci** = perché tu mi faccia) *soddisfatto* (**sazio**) *del tuo nome* [: di dirmi il tuo nome], *o anima splendente* (**vivo topazio**) *che adorni* (**ingemmi**) *questo gioiello* (**gioia**) *prezioso* [: la croce luminosa]». **Vivo topazio**: il **topazio** è una pietra preziosa (**vivo** vale *vivido, brillante*), e perciò la m e t a f o r a è da ricollegare a **gemma** del v. 22 e, qui, a **ingemmi** e a **gioia** del v. 86.

88-90: *Nel rispondere* (**rispondendo**), [*Cacciaguida*] *mi offrì* (**femmi** = mi fece) *questo* (**cotal**) *inizio* (**principio**): *«O mia fronda* [: discendenza] *in cui* (**che**) *io mi rallegrai* (**compiacemmi**) *già* (**pur**) *aspettando*[*ti*], *io fui la tua radice* [: il capostipite]». Secondo il modello dell'albero genealogico, Cacciaguida chiama Dante **fronda** e se stesso **radice** della famiglia. E con questo già in parte risponde (quasi dicesse: sono un tuo antenato); il proprio nome verrà pronunciato da Cacciaguida al v. 135. **In che io compiacemmi**...: è espressione ripresa dal *Vangelo*: è Dio che dice di Cristo «Questo è il mio figlio diletto, in cui io mi compiacqui» (*Matteo* III, 17). Senza vedere necessariamente in Dante la volontà di stabilire un parallelo tra sé e Cristo, di certo questo riferimento «porta al massimo l'interpretazione e la nobilitazione solenne e sacra della eccezionale destinazione di Dante» (Binni); inoltre, ciò accade in un canto in cui sarà affermata solennemente la funzione rigeneratrice attribuita da Dio al poema di Dante.

91-96: *Poi* (**poscia**) [*Cacciaguida*] *mi disse:*

«*Colui* (**quel**) *da cui deriva* (**si dice**) *il tuo cognome* (**tua cognazione**) *e che cent'anni e più* (**piùe**; con e p i t e s i in -e) *ha aggirato* (**girato**) *il monte* [*del Purgatorio*] *nella* (**in la**) *prima cornice* [: tra i superbi], *fu* (**fue**) *mio figlio e tuo bisavolo: è certo opportuno* (**ben si convien**) *che tu gli* (**li**) *abbrevi* (**raccorci**) *con le tue opere la lunga pena* (**fatica**). L'anima che parla a Dante è dunque quella del suo trisavolo (o trisnonno): è infatti il padre del suo bisavolo (o bisnonno); quest'ultimo diede il nome al casato di Dante e sta scontando tra i superbi una lunga pena, che Dante è invitato ad abbreviare con opere buone di suffragio. In verità il figlio di Cacciaguida, Alighiero I (il cui figlio Bellincione è il padre di Alighiero II, padre di Dante), era ancor vivo nell'agosto del 1201 (come è testimoniato da un documento), ma Dante evidentemente lo credeva morto prima del 1200 (cfr. v. 92 e si ricordi che il viaggio è collocato nel 1300).

97-99: [*A quei tempi*] *Firenze stava* (il **si** pseudoriflessivo è p l e o n .) *in pace, temperante* (**sobria**) *e pudica,* [*tutta*] *dentro la* (**da la**) *cerchia antica* [*dimura*] *dalla quale essa* (**ond'ella**) *riceve* (**toglie**) *ancora* [*il suono*] *e delle nove* (**terza**) *e delle dodici* (**nona**) [: le ore]. Con questa terzina si entra nella parte più viva e intensa del canto, in cui viene rievocata la serena condizione della Firenze del dodicesimo secolo, contrapposta alla degradazione successiva. È ovvio che si tratta in larga misura di un'idealizzazione di Dante, al quale premeva di criticare la realtà contemporanea mostrando, insieme, la propria concezione di vita cittadina; il mo-

Non avea catenella, non corona,
　　non gonne contigiate, non cintura
102　　che fosse a veder più che la persona.
Non faceva, nascendo, ancor paura
　　la figlia al padre, ché 'l tempo e la dote
105　　non fuggìen quinci e quindi la misura.
Non avea case di famiglia vòte;
　　non v'era giunto ancor Sardanapalo
108　　a mostrar ciò che 'n camera si puote.
Non era vinto ancora Montemalo
　　dal vostro Uccellatoio, che, com' è vinto
111　　nel montar sù, così sarà nel calo.

dello, benché sia proiettato nel passato, si propone di realizzarsi nel futuro attraverso un'opera di rigenerazione e di riforma. I punti su cui Dante concentra la propria attenzione sono, come altre volte, le discordie interne (cui si oppone **in pace**), l'amore smodato per i cibi, il bere e gli altri beni mondani (cui si oppone **sobria**), i costumi sfacciati e corrotti (cui si oppone **pudica**). **La cerchia antica**: è la prima e più ristretta cerchia di mura che cingono Firenze, cui ne fu aggiunta una seconda nel 1173 e poi una terza, iniziata ai tempi di Dante. **Ond'ella toglie ancora**...: accanto alla prima cerchia di mura sorgeva la chiesa della Badia, dalla quale si udivano suonare le ore (la **nona** sono propriamente le quindici; ma a Firenze si intendeva con *nona* il mezzogiorno).

100-102: [*In Firenze*] *non usavano* (**non avea**) *catenelle* [: collane e bracciali], *non corone* [: sulla testa], *non gonne ricamate* (**contigiate**), *non cintura che a veder*[*sì*] *fosse più* [*appariscente*] *che la persona* [*che la porta*]. La terzina chiarisce il termine **pudica** del v. 99 (e, in parte, **sobria**). La polemica contro il lusso, presente in tutta la rievocazione dell'antica Firenze, è particolarmente insistita qui e ai vv. 112-117. Secondo una consuetudine caratteristica della polemica politica, le virtù morali vengono presentate come sinonimo di società ben guidata e ordinata; così come alla decadenza morale è fatta corrispondere fatalmente quella politica.

103-105: *La figlia, nascendo, non faceva ancora preoccupare* (**paura**) *il padre, perché* (**ché**) *l'età* (**'l tempo**) *e la dote* [*per le nozze*] *non superavano* (**fuggìen**) *l'una e l'altra* (**quinci e quindi** = di qua e di là) *la* [*giusta*] *misura*. Si allude all'abitudine dei tempi di Dante di dare in moglie le figlie ancora gio-

vanissime, e di assegnare loro doti molto ricche; così che, per garantire ad esse (e garantirsi) una collocazione sociale elevata, si arrivava fino a rovinarsi.

106-108: *Non c'erano* (**non avea**; sottint.: a Firenze) *case prive* (**vòte** = vuote) *di abitatori* (**famiglia**); *non vi era ancora giunto Sardanapalo* [: il lusso] *a mostrare ciò che si può* (**puote**) [*fare*] *in* ('**n**) *camera*. Il v. 106 allude probabilmente al fatto che ai tempi di Dante le famiglie volevano per lusso e sfarzo case grandi e che esse erano perciò in gran parte vuote, risultando sproporzionate ai bisogni reali e quindi immorali. È possibile che si alluda anche alla scarsezza di prole, causata dalla lussuria spregiudicata di cui parlano i vv. 107 sgg.; oppure, anche, agli esilii che rendevano le case deserte, espressione delle violente contese interne. **Sardanapalo**: re degli Assiri dal 667 al 626 a.C.; era considerato un simbolo di corruzione e di sfrenatezza sessuale. **Camera**: che si tratti o meno della *camera da letto*, allude alla corruzione e alla depravazione dei costumi all'interno dell'abitazione, nell'intimo della famiglia; e si contrappone perciò alle rievocazioni dei vv. 117 e 121-126.

109-111: *Monte Mario* (**Montemalo**) [: Roma] *non era ancora superato* (**vinto**) *dal vostro* [: di voi fiorentini] [*monte*] *Uccellatoio*, [*e*] *che, come è* [*stato*] *superato* (**vinto**) *nell'ascesa* (**nel montar sù**), *così sarà* [*superato*] *nella decadenza* (**nel calo**). Monte Mario e l'Uccellatoio sono due piccoli colli nei pressi, rispettivamente, di Roma e di Firenze; indicano, per s i n e d d o c h e , le relative città. Costituivano due punti d'osservazione privilegiati per ammirare l'insieme delle città e verificare l'espansione urbanistica e il fasto dei monumenti. Il senso della terzi-

Bellincion Berti vid'io andar cinto
di cuoio e d'osso, e venir da lo specchio
114   la donna sua sanza 'l viso dipinto;
e vidi quel de' Nerli e quel del Vecchio
esser contenti a la pelle scoperta,
117   e le sue donne al fuso e al pennecchio.
Oh fortunate! ciascuna era certa
de la sua sepultura, e ancor nulla
120   era per Francia nel letto diserta.
L'una vegghiava a studio de la culla,
e, consolando, usava l'idïoma
123   che prima i padri e le madri trastulla;
l'altra, traendo a la rocca la chioma,
favoleggiava con la sua famiglia
126   de' Troiani, di Fiesole e di Roma.
Sarìa tenuta allor tal maraviglia
una Cianghella, un Lapo Salterello,

na è: Firenze ha ora superato Roma per grandezza e ricchezza, ma la supererà anche per rapidità e gravità di decadenza (**calo**).

112-117: *Io stesso vidi* (**vid'io**) *Bellincione Berti andare con una cintura* (**cinto**) *di cuoio e di osso, e sua moglie* (**la donna sua**) *allontanarsi* (**venir**) *dallo specchio senza il viso truccato* (**dipinto**); *e vidi i* (**quel de'** = quelli dei) *Nerli e i Vecchietti* (**quel del Vecchio**) *accontentarsi di* (**esser contenti a**) *pelli senza fodere* (**scoperta**), *e* [*vidi*] *le loro* (**sue**) *donne* [*stare*] *al fuso e al pennecchio* [: a filare la lana]. Continuano gli esempi virtuosi dei tempi di Cacciaguida, elencati per denunciare la degradazione successiva. I personaggi politici più potenti e i membri delle famiglie più in vista erano esempi di una sobrietà e di un pudore (cioè di una moralità) divenute ai tempi di Dante sconosciute perfino nelle persone più umili. Gli uomini vestivano con austera semplicità, di pelle sfoderata adorna di cinture di cuoio e di osso; le donne non si truccavano il volto e si dedicavano ai lavori domestici. *Bellincione Berti*, i *Nerli* e i *Vecchietti* erano personaggi e famiglie illustri e potenti dell'epoca di Cacciaguida. **Vid'io... vidi...**: la testimonianza diretta è sottolineata dalla r e p l i c a z i o n e per rendere più efficace la rievocazione. Il **fuso** è un arnese di legno con il quale si fila il **pennecchio** (la **chioma** del v. 124), cioè la lana grezza posta sulla rocca (cfr. v. 124).

118-120: *Oh* [*donne*] *fortunate! Ognuna* (**ciascuna**) *era certa della propria* (**sua**) *sepoltu-*

ra [: del luogo dove sarebbe stata sepolta], *e ancora nessuna* (**nulla**) *era abbandonata* (**diserta**) *nel letto* [*dal marito*] *per* [*andare*] *in Francia*. Quindi le cause della sfortuna delle donne fiorentine contemporanee di Dante sono due: esilii frequenti (causati dalle lotte civili) che tolgono la certezza di morire in patria e di esservi sepolti, e la smania di commerciare dei mariti, che le lasciano sole per viaggi lontani (la Francia era un centro primario di tali traffici).

121-126: *Una* (**l'una**) [: la giovane sposa] *vegliava* (**vegghiava**) *per accudire la* (**a studio de la**) *culla e, per consolare* (**consolando**) [*il bimbo*], *usava il linguaggio* (**l'idioma**) [*infantile*] *che per primo* (**prima**) *diverte* (**trastulla**) *i padri e le madri; un'altra* (**l'altra**) [: la donna più anziana] *attorcendo* (**traendo**) *la lana* (**la chioma**) *alla rocca* [: filando; cfr. nota ai vv. 112-117], *raccontava* (**favoleggiava**), *tra* (**con**) *la sua famiglia, dei* (**de'**) *Troiani, di Fiesole e di Roma*. La saldezza morale della famiglia consiste per lo più nella funzione protettiva e laboriosa della donna: le giovani accudiscono amorevolmente i figli (affidati in seguito a balie e governanti), le più anziane si danno ai lavori domestici rievocando le leggendarie storie di Troia, di Fiesole e di Roma. **Famiglia**: la servitù, oltre che i famigliari veri e propri.

127-129: *Allora una Cianghella, un Lapo Salterello sarebbero* (**sarìa**; al sing. con due sogg.) [*stati*] *ritenuti* (**tenuta**; c.s.) *una cosa così incredibile* (**tal maraviglia**), *quanto* (**qual**)

129   qual ora sarìa Cincinnato e Corniglia.
                      A così riposato, a così bello
                      viver di cittadini, a così fida

132   cittadinanza, a così dolce ostello,
                      Maria mi diè, chiamata in alte grida;
                      e ne l'antico vostro Batisteo

135   insieme fui cristiano e Cacciaguida.
                      Moronto fu mio frate ed Eliseo;
                      mia donna venne a me di val di Pado,

138   e quindi il sopranome tuo si feo.
                      Poi seguitai lo 'mperador Currado;
                      ed el mi cinse de la sua milizia,

141   tanto per bene ovrar li venni in grado.

sarebbero (**sarìa**) *ora* [*una cosa incredibile*] *Cincinnato o Cornelia* (**Corniglia**). La corrotta Cianghella (morta nel 1330 ca.) e il disonesto Lapo Salterello (morto nel 1320 ca.), contemporanei di Dante, avrebbero suscitato ai tempi di Cacciaguida la stessa meraviglia che, nella Firenze di Dante, susciterebbero due onesti (**Cincinnato** fu un generale romano di integra probità e *Cornelia*, anch'essa romana, la virtuosa madre dei Gracchi). La coppia antitetica Cianghella/Cornelia riguarda la sfera della moralità privata, cioè dei costumi; quella Lapo/Cincinnato la sfera, invece, dell'onestà pubblica, cioè della politica.

130-135: *A un vivere di cittadini così sereno* (**riposato**), *così bello, a una cittadinanza così leale* (**fida**), *a una dimora* (**ostello**) *così dolce, mi consegnò* (**diè**) [: facendomi nascere] *Maria* [: la Madonna], *invocata* (**chiamata**) *con forti* (**in alte**) *grida* [: nel parto]; *e nel vostro antico Battistero* (**Batisteo**) *divenni* (**fui**) [*con il battesimo*] *contemporaneamente* (**insieme**) *cristiano e Cacciaguida.* Queste due terzine concludono e riassumono la rievocazione dell'antica civiltà fiorentina; lasciano sullo sfondo la contrapposizione con la corruzione successiva e la condanna di essa, e si abbandonano con slancio ad un tono insieme solenne (si notino i due forti e n j a m b e m e n t s ai vv. 130 sg. e 131 sg.) e familiare (si vedano gli aggettivi privi di ricercatezza, specie **bello** e **dolce**). Al termine della rievocazione compare finalmente il nome del personaggio, Cacciaguida, fatto nascere dalla Madonna in una condizione così fortunata. Si noti almeno, nella splendida costruzione di questi versi, la scena del parto sinteticamente evocata al v. 133, attraverso le alte grida con cui la partoriente invocava Maria (sottolineate dagli accenti di 6ª e 8ª sillaba sulla /a/: **chiamàta in àlte**). **Batisteo**: è il Battistero di san Giovanni, ricordato anche altrove nel poema. **Cacciaguida**: di lui possediamo solo le notizie forniteci da Dante in questo canto e nel successivo, tranne un documento del 1189 da cui risulta già morto. Nacque intorno al 1091 in Firenze, ed ebbe due figli. Morì al seguito dell'imperatore Corrado III, combattendo in Terra Santa, intorno al 1148.

136-138: *Moronto ed Eliseo furono* (**fu**; concordato con uno solo dei due sogg. e perciò al sing.) *miei* (**mio**; c.s.) *fratelli* (**frate**; c.s.); *mia moglie proveniva* (**venne a me**) *dalla Pianura Padana* (**di val di Pado**), *e il tuo cognome* (**sopranome**) *derivò* (**si feo** = si fece) *da ella* (**quindi** = da qui). Dei due fratelli di Cacciaguida non si hanno notizie, e Corrado Ricci ha proposto di spiegare: *mio fratello Moronto conservò il cognome degli Elisei, mentre io originai un nuovo ramo con il cognome derivato da mia moglie.* Se invece consideriamo Moronto ed Eliseo come nomi di due fratelli, si può fare comunque l'ipotesi che Cacciaguida e dunque la famiglia di Dante fossero imparentati con la casata degli Elisei, nobile ed antica. Quel che è certo, in questi versi, è che il cognome Alighieri derivò dalla moglie di Cacciaguida, originaria forse di Ferrara, dove di una famiglia Aldighieri si hanno notizie fin dal secolo XI.

139-141: *Poi mi misi al seguito* (**seguitai**) *dell'imperatore* (**lo 'mperador**) *Corrado* [*III*]; *ed egli mi nominò cavaliere* (**mi cinse de la sua milizia**), *tanto gli divenni gradito* (**li venni in grado**) *per* [*il mio*] *bene operare* (**ovrar**).

Dietro li andai incontro a la nequizia
di quella legge il cui popolo usurpa,
144   per colpa de' pastor, vostra giustizia.
Quivi fu' io da quella gente turpa
disviluppato dal mondo fallace,
lo cui amor molt' anime deturpa;
e venni dal martiro a questa pace ».

Cacciaguida si mise al seguito di Corrado III, imperatore dal 1138 al 1152, e partecipò con lui alla seconda crociata (1147-49), nel tentativo di liberare con un esercito cristiano la Terra Santa dal dominio musulmano. E da Corrado ricevette il titolo di cavaliere. Anche per queste notizie non si possiede altra fonte che Dante stesso; così che è stata posta seriamente in dubbio la reale nobiltà di sangue della famiglia di Dante: ed è probabile che Dante si sia presentato nelle sue opere di un'origine più elevata di quella reale.

•

142-144: *Lo seguii* (**dietro li andai**; **li** = gli) *contro* (**incontro**) *l'iniquità* (**a la nequizia**) *di quella religione* (**legge**) [: musulmana] *i seguaci della quale* (**il cui popolo**) *usurpano i vostri* [: di voi cristiani] *diritti* (**giustizia**) [: il possesso della Terra Santa], *per colpa*

dei (**de'**) *papi* (**pastor**). I papi non si curano di liberare la Terra Santa (dove Cristo nacque, visse e morì), e lasciano che la occupino ingiustamente i Musulmani.

145-148: *Lì* (**quivi**) [: combattendo in Terra Santa] *da quel popolo* (**gente**) *malvagio* (**turpa** = turpe) *io fui sciolto* (**disviluppato**) *dal mondo falso* (**fallace**) [: fui ucciso], *l'amore per il quale* (**lo cui amor**) *rovina* (**deturpa**) [: fa dannare] *molte anime; e dal martirio venni a questa pace»*. Cacciaguida fu quindi ucciso in battaglia dai Musulmani (**martiro**) combattendo per la fede, e fu perciò sùbito accolto in Paradiso. Il verso conclusivo del discorso di Cacciaguida e del canto riconduce dalla battaglia terrena alla serenità del Paradiso, fermandosi significativamente sulla parola-chiave **pace**.

Decreto   v. 69

Il vocabolo deriva dal lat. *decrētus* (part. pass. di *decernĕre* = 'decidere, stabilire'; cfr. franc. *décret*). È agg. ant. e letter. e significa 'stabilito, fissato' — cfr. *Par*. I, 124 e XV, 69. Tale forma è oggi del tutto fuori dell'uso. È invece pienamente viva la forma corrispondente *decreto* sost. masch. = 'atto emanato da un'autorità pubblica nell'esercizio di una funzione legislativa, amministrativa ecc. (cfr. «decreto-legge»)', e anche 'documento che contiene uno di tali atti'.

Diserto   v. 120

È forma letter. per *deserto*; deriva dal lat. *desertus* (part. pass. di *deserĕre* = 'abbandonare'; cfr. franc. *désert*). Può essere usata con funzioni di agg. e di part. pass. Nel primo caso è sinonimo di 'spopolato, disabitato, vuoto', designa un 'luogo dove non c'è nessuno' — cfr. *Inf*. I, 29, *Purg*. I, 130 —; e vale anche 'squallido, incolto, abbandonato' — cfr. *Purg*. III, 49 e VI, 105. Come part. pass. vale 'abbandonato' — cfr. *Inf*. XXVI, 102 e *Par*. XV, 120.

Giocondo   v. 37

È voce semidotta derivata dal lat. *iucundus* (da *iuvāre* = 'giovare, piacere') = 'lieto, piacevole'. L'agg. indica principalmente 'colui che gode di una gioia piena ed è allegro, contento; che rivela all'esterno entusiasmo' (dal volto, dallo sguardo, dal comportamento); ma vale anche 'che dà gioia, che procura serenità' o 'che reca godimento ai sensi, in particolare alla vista; stupendo' — cfr. *Purg*. XXXI, 109 e *Par*. XV, 37. È vivo oggi solo il primo significato.

Canto XVI

Cacciaguida ha finito di parlare, e Dante, rimasto colpito dal titolo di cavaliere concesso all'avo dall'imperatore, gli risponde usando rispettosamente il «voi»; del che Beatrice sorride. Dante chiede a Cacciaguida di parlargli ancora dei suoi tempi, sia della propria e delle altre famiglie fiorentine, sia di Firenze in generale.

La lunga risposta di Cacciaguida si sofferma dapprima sulla propria famiglia, tra quelle che abitavano entro le prime mura e quindi tra le più antiche, di origine romana. Poi spiega che ai suoi tempi Firenze aveva un quinto degli abitanti dell'epoca di Dante, e che ciò era un bene: la città era unita e concorde, non ancora corrotta nei suoi costumi per le frequenti immigrazioni dalle campagne e per le lotte civili; l'essersi ingrandita non ha rafforzato Firenze, ma ha provocato divisioni interne e degradazione. Infine il beato passa in rassegna le principali famiglie fiorentine, ancora rimpiangendo i propri tempi, in cui Firenze era sempre vincitrice in battaglia e unita al suo interno.

Canto XVII

Il canto XVII, strettamente congiunto ai due precedenti, conclude l'episodio di Cacciaguida (il quale resterà ancora sulla scena per una parte del canto seguente, ma con una funzione semplicemente informativa). Si può dire anzi che il canto XVII segni il vertice drammatico dell'incontro, riguardando una materia di decisiva importanza per la genesi e il carattere della *Commedia* e per l'atteggiamento del suo autore.

* * *

Dante chiede all'avo notizie sulla propria vita futura, intendendo chiarire e approfondire gli accenni uditi in varie occasioni nel corso del viaggio (si pensi p. es. a Farinata e a Brunetto Latini, nel X e nel XV dell'*Inferno*).

La risposta di Cacciaguida è sicura ed esplicita: già la Curia ed il papa stanno lavorando in segreto per ottenere l'esilio dei Bianchi da Firenze, ed in esso sarà coinvolto ingiustamente anche Dante. Egli dovrà provare le sofferenze dell'esilio: abbandonare cose e persone care, ridursi a vivere della generosità altrui come ospite se non come mendicante. E soprattutto dovrà sopportare la stupidità e la ingrata malvagità degli altri esuli, dai quali sarà presto costretto a separarsi; ma l'esito sventurato delle loro azioni renderà evidente le loro colpe. Ospitalità generosa Dante troverà presso gli Scaligeri di Verona, avendo modo di conoscere il giovanissimo Cangrande, destinato a imprese di rilievo.

Dante, a questo punto, è colto da un dubbio: come farà, una volta tornato sulla Terra, a riferire quel che ha appreso durante il viaggio nell'aldilà? Non rischierebbe, con la sua severa denuncia, di farsi nemici quasi tutti i potenti contemporanei, perdendo, dopo Firenze, qualsiasi altra possibile residenza? E, d'altra parte, la reticenza gli negherebbe presso i posteri qualsiasi fama.

Cacciaguida lo incoraggia così a scrivere senza censure né esitazioni ciò che ha visto e saputo, lasciando che i colpevoli soffrano per le sue parole. Dalle quali, con il tempo, verrà ricavato un insegnamento positivo utile al rinnovamento della corrotta società umana. Per questo a Dante la Provvidenza ha mostrato soprattutto anime potenti e famose: perché i potenti sono i maggiori responsabili della degradazione mondana e perché dai casi famosi il lettore è più facilmente interessato e persuaso.

* * *

Il primo terzo del canto (vv. 1-45) è dedicato a preparare l'importante materia del seguito. E tale preparazione crea un piedistallo di autorità e di solennità a quanto sta per essere detto, insistendo sul carattere divino delle parole di profezia e di consiglio di Cacciaguida, che le legge direttamente in Dio.

Tale piedistallo è quindi già parte integrante del motivo vero del canto. Infatti l'aspetto decisivo di questo episodio non è tanto che Dante parli (o faccia parlare) del proprio esilio e della propria opera, quanto la funzione provvidenziale che quest'ultima viene ad assumere, istituendo un rapporto profondo tra la vicenda biografica individuale di Dante e il motivo universale della degradazione e del rinnovamento della società umana.

È anche vero, certamente, che Dante completa con questo canto la propria biografia ideale, fornendo una versione definitiva del proprio comportamento (anche in senso strettamente storico) negli anni dell'esilio; ed è vero, quindi, che questo episodio si ricollega a tanti altri accenni sparsi nel poema e soprattutto ai canti XXX-XXXI del *Purgatorio*, dove viene affrontato un altro momento decisivo della biografia del poeta, quello del traviamento. Ma nessun luogo della *Commedia* ha però l'importanza di questo in merito alla genesi e al carattere del poema stesso. Infatti gli anni dell'esilio (non lo si dimentichi) sono gli anni di composizione del poema. E questo spiega già in parte le ragioni che determinano, in questo canto, la fusione e quasi l'identificazione dei due motivi: quello dell'esilio e quello del significato della *Commedia*. Ebbene: capire le ragioni di tale identificazione significa capire le ragioni di questo canto e, in gran parte, della stessa *Commedia*.

Qui sarà sufficiente accennare all'importanza dell'esilio per la crescita della personalità dantesca: attraverso l'esilio Dante acquisì la consapevolezza della corruzione morale, politica e religiosa della società a lui contemporanea; e attraverso l'esilio maturò l'aspirazione ad un rinnovamento profondo riguardante tutti gli aspetti della *città terrena*. Di questo processo interiore egli dovette avere in qualche modo coscienza. E la fiducia che il rinnovamento auspicato fosse imminente lo spinse a credere nel carattere destinato del proprio impegno: certo di collaborare ad una decisiva svolta storica attraverso le proprie opere; e certo che l'una e l'altra cosa fossero volute e assistite dalla Provvidenza divina. Anche l'esilio, entro questo orizzonte, aveva il suo significato e la sua collocazione.

> Qual venne a Climenè, per accertarsi
> di ciò ch'avëa incontro a sé udito,
> 3   quei ch'ancor fa li padri ai figli scarsi;
> tal era io, e tal era sentito
> e da Beatrice e da la santa lampa
> 6   che pria per me avea mutato sito.

1-6: *Quale* [: con quello stato d'animo] *andò da* (**venne a**) *Climene, per sapere notizie sicure* (**per accertarsi**) *intorno a* (**di**) *ciò che aveva udito a proprio danno* (**incontro a sé**)*, colui* (**quei**) [: Fetonte, sogg.] *che rende* (**fa**) *ancora i* (**li**) *padri restii* (**scarsi**) *con i* (**ai**) *figli* [*a concedere qualcosa*]*; tale ero* (**era**) *io, e tale ero percepito* (**era sentito**) *sia* (**e**) *da Beatrice sia* (**e**) *dalla luce* (**lampa**) *santa* [: Cacciaguida] *che prima* (**pria**; cfr. XV, 19-24) *aveva cambiato* (**mutato**) *sede* (**sito**) *per me.* Udito nel canto precedente il trisavolo Cacciaguida parlare delle lotte civili che avrebbero diviso dolorosamente Firenze,

Dante è riandato con la memoria alle vaghe predizioni di sventure e di esilio avute nel corso del viaggio: si è ricordato delle parole di Farinata (*Inf.* X), di Brunetto Latini (*Inf.* XV) e di tanti altri. Ora sa di essere nella condizione giusta perché gli vengano chiariti quegli accenni; e con animo esitante e preoccupato si appresta a chiedere lumi all'antenato. Tale stato d'animo è paragonato a quello di Fetonte, figlio del dio Apollo e di Climene, al quale (come racconta il poeta latino Ovidio nelle *Metamorfosi*) era stato insinuato che suo padre non fosse veramente Apollo, e che perciò si recò dalla madre

Per che mia donna « Manda fuor la vampa
del tuo disio », mi disse, « sì ch'ella esca

9   segnata bene de la interna stampa:
non perché nostra conoscenza cresca
per tuo parlare, ma perché t'ausi

12   a dir la sete, sì che l'uom ti mesca ».
« O cara piota mia che sì t'insusi,
che, come veggion le terrene menti

15   non capere in trïangol due ottusi,
così vedi le cose contingenti
anzi che sieno in sé, mirando il punto

18   a cui tutti li tempi son presenti;
mentre ch'io era a Virgilio congiunto
su per lo monte che l'anime cura

21   e discendendo nel mondo defunto,
dette mi fuor di mia vita futura
parole gravi, avvegna ch'io mi senta

24   ben tetragono ai colpi di ventura;
per che la voglia mia saría contenta
d'intender qual fortuna mi s'appressa:

a chiedere la verità. Per dargli prova della propria paternità, poi, il dio gli permise di guidare il carro del sole; ma Fetonte deviò dal cammino giusto e fu fulminato da Giove: e per questo, da allora, i padri non sono accondiscendenti con i figli, ma **scarsi**. La s i m i l i t u d i n e mitologica ha la funzione di innalzare il tono della materia, nobilitando la figura di Dante nel momento in cui sta per essere, con questo canto, affermata esplicitamente l'importanza della sua missione. **E tal era sentito e da Beatrice...**: come sempre, i beati leggono in Dio i pensieri e le emozioni di Dante.

7-12: *Perciò* (**Per che**) [: avendo capito i miei pensieri] *la mia donna* [: Beatrice] *mi disse:* «*Manifesta* (**manda fuor**) *l'ardore* (**la vampa**) *del tuo desiderio* (**disio**), *in modo che esso* (**sì ch'ella**) *si esprima* (**esca**) *ben segnato dal* (**de la**) [*tuo*] *sentimento* (**stampa**) *interno: non perché la nostra conoscenza si accresca* (**cresca**) *grazie al* (**per**) *tuo parlare, ma perché* [*tu*] *ti abitui* (**t'ausi**) *a esprimere* (**dir**) *i desideri* (**la sete**), *così* (**sì**) *che ti possa essere data soddisfazione* (**l'uom ti mesca**; **uom** è impers.)». Beatrice invita Dante a manifestare con adeguata chiarezza i propri desideri per abituarsi a farlo anche quando non sarà alla presenza di beati che leggano il suo pensiero. Le espressioni **vampa/ del tuo di-**

sio e **interna stampa** sono molto forti, e dicono bene l'intensità emotiva di Dante. La **sete** e **ti mesca** (= *ti versi da bere*) alludono m e t a f o r i c a m e n t e al desiderio di bere, per intendere il *desiderio di conoscere*.

13-27: [: Parla Dante rivolto a Cacciaguida; cfr. vv. 28 sg.] «*O mia* [: della mia famiglia] *cara radice* (**piota**) [: capostipite] *che ti innalzi* (**t'insusi**) *tanto* (**sì** = così) *che, come le menti terrene* [*degli uomini*] *vedono* (**veggion**) [*che*] *due* [*angoli*] *ottusi non possono essere contenuti* (**non capere**) *in un triangolo, così vedi i fatti* (**le cose**) *contingenti* [: possibili ma non necessari] *prima* (**anzi**) *che si realizzino* (**sieno in sé**), *guardando* (**mirando**) *il punto* [: Dio] *in* (**a**) *cui tutti i* (**li**) *tempi sono presenti; mentre io ero* (**era**) *insieme* (**congiunto**) *a Virgilio su per il* (**lo**) *monte* [*del Purgatorio*] *che purifica* (**cura**) *le anime e discendendo nel mondo* [*spiritualmente*] *morto* (**defunto**) [*dell'Inferno*], *mi furono dette riguardo alla* (**di**) *mia vita futura parole che* [*mi*] *pesano* (**gravi**), *benché io* (**avvegna ch'io**) *mi senta ben solido* (**tetragono** = è il cubo) [*rispetto*] *ai colpi della sorte* (**di ventura**); [*e*] *perciò* (**per che**) *il mio desiderio* (**voglia**) *sarebbe lieto* (**saría contenta**) *di sapere* (**d'intender**) [: desidererei sapere] *quale destino* (**fortuna**) *mi si avvicina* (**s'appressa**): *perché* (**ché**) *una freccia*

27   ché saetta previsa vien più lenta ».
             Così diss' io a quella luce stessa
               che pria m'avea parlato; e come volle

30   Beatrice, fu la mia voglia confessa.
             Né per ambage, in che la gente folle
               già s'inviscava pria che fosse anciso

33   l'Agnel di Dio che le peccata tolle,
           ma per chiare parole e con preciso
             latin rispuose quello amor paterno,

36   chiuso e parvente del suo proprio riso:
         « La contingenza, che fuor del quaderno
           de la vostra matera non si stende,

39   tutta è dipinta nel cospetto etterno;
          necessità però quindi non prende

(saetta) [: una sventura] *prevista* (**previsa**) *giunge* (**vien**) *più lentamente* (**più lenta**) [: con meno danno]». A Cacciaguida, che legge in Dio il futuro, Dante chiede maggiori spiegazioni riguardo agli accenni angosciosi che gli sono stati fatti nel corso del viaggio. **T'insusi**: il verbo è un n e o l o g i s m o creato da Dante dall'unione di *in* e *suso* (= sopra). **Non capere in triangol due ottusi**: infatti la somma dei tre angoli di un triangolo è comunque di 180° e gli angoli ottusi sono quelli di più di 90°. **Le cose contingenti**: secondo la concezione scolastica, *contingenti* sono detti quei fatti che possono essere e non essere, che non avvengono necessariamente; e dunque tali sono i fatti del mondo e della vita umana. **Il punto a cui tutti li tempi son presenti**: in Dio, fuori dello spazio e del tempo, passato, presente e futuro sono compresenti. **Tetragono**: ogni figura geometrica con quattro angoli, ma, nell'uso di Dante (e già in molti casi precedenti), vale *cubo*, il solido perfetto. Significa, per m e t a f o r a, 'fermo, come gli oggetti che posano sopra base quadrangolare'. **Fortuna**: come **ventura**, significa *sorte*, considerata in senso sia positivo che negativo; qui, negativo (oggi si direbbe *sfortuna* e *sventura*).

28-30: *Così io dissi a quella stessa luce* [: anima beata] *che mi aveva* (**m'avea**) *parlato prima* (**pria**) [: nei canti precedenti; è Cacciaguida]*; e il mio desiderio* (**mia voglia**) *fu dichiarato* (**confessa** = confessata) [*così*] *come aveva voluto* (**volle**) *Beatrice* [: cfr. vv. 7-12].

31-36: *Quel padre amoroso* (**quello amor paterno**; per m e t o n i m i a), *nascosto* (**chiuso**) [*nell'aspetto umano*] *e rivelato* (**parvente**) *attraverso la* (**del**) *sua stessa* (**proprio**) *felicità* (**riso**), *non* (**né**) [*mi*] *rispose* (**rispuose**) *con parole oscure* (**per ambage**; latinismo), *nelle quali* (**in che**) *i pagani* (**la gente folle** = i popoli nell'errore) *si perdevano* (**s'inviscava**) *già prima* (**pria**) *che fosse ucciso* (**anciso**) *l'Agnello di Dio* [: Cristo] *che cancella* (**tolle** = toglie) *i peccati* (**le peccata**), *ma con* (**per**) *parole chiare e con linguaggio* (**latin**) *preciso*. Cacciaguida risponde alla richiesta di Dante in modo esplicito e chiaro e non, come facevano gli oracoli pagani, attraverso giri di frase tortuosi ed ambigui, tali da confondere le menti senza offrire nessuna chiarezza. **S'inviscava**: è termine venatorio (= della caccia); *inviscarsi* vuol dire *restare inretiti, intrappolati*. **L'Agnel di Dio...**: è un calco dell'espressione della liturgia cattolica: «*Agnus Dei qui tollis peccata mundi*» [Agnello di Dio, che togli i peccati del mondo]. **Chiuso e parvente...**: espressione efficace per dire che l'aspetto umano di Cacciaguida era nascosto (**chiuso**) dalla luce che emanava, e che questa mostrava (rendeva **parvente**) appunto la sua gioia interiore: gioia di beatitudine e ardore di carità nel momento stesso in cui sta per dare soddisfazione a Dante.

37-42: «*I fatti contingenti* (**la contingenza**), *che non esistono* (**si stende**) *fuori dell'àmbito* (**quaderno**; per m e t a f o r a) *della vostra materia* [: del mondo], *sono tutti* [*già*] *scritti* (**dipinta**) *nella mente* (**nel cospetto**) *eterna* [*di Dio*]*; tuttavia* (**però**) *non prendo-*

42 se non come dal viso in che si specchia
nave che per torrente giù discende.
Da indi, sì come viene ad orecchia
dolce armonia da organo, mi viene
45 a vista il tempo che ti s'apparecchia.
Qual si partìo Ipolito d'Atene
per la spietata e perfida noverca,
48 tal di Fiorenza partir ti convene.
Questo si vuole e questo già si cerca,
e tosto verrà fatto a chi ciò pensa

no da ciò (**quindi**) [*carattere di*] *necessità se non come un'imbarcazione* (**nave**) *che scende* (**discende**) *giù* [*verso la valle*] *lungo un fiume* (**per torrente**) [*prende carattere di necessità*] *dalla vista* (**dal viso**) *nella quale* (**in che**) *si riflette* (**si specchia**). Il discorso di Cacciaguida si apre con un'ulteriore premessa (vv. 37-45) al cuore drammatico del canto, quasi per meglio preparare la parte più rilevante della profezia, dandole un adeguato sostegno di solennità e di verità. In questi versi Cacciaguida si ricollega alle parole di Dante (cfr. vv. 14-18) e conferma il fatto che tutti gli avvenimenti del mondo (anche quelli futuri) sono presenti nella mente divina (vv. 37-39), così come confermerà (vv. 43-45) l'opportunità concessa ai beati di leggere anch'essi in Dio tali avvenimenti. Ma a Cacciaguida (e cioè a Dante) preme anche di evitare il pericolo di annullare la libertà dell'uomo, cioè il libero arbitrio. Se, infatti, Dio conosce tutti i fatti del mondo *in anticipo*, anzi da sempre, significa che essi sono già stabiliti e che gli uomini non possono che adattarvisi fatalisticamente. Per risolvere il problema (che in termini teologici è quello della coesistenza della *predestinazione* e del *libero arbitrio*), Dante escogita un'immagine di grande efficacia: quella di un'imbarcazione che scende portata dalla corrente di un fiume impetuoso; chi la guarda non influenza certamente il suo procedere, benché possa saperne in anticipo il cammino. Naturalmente la s i m i l i t u d i n e non risolve l'essenza del problema; ma dà l'impressione di cogliere davvero, nel **viso in che si specchia**, lo sguardo dell'onniscienza divina, in una distanza cosmica dall'oggetto osservato (grazie soprattutto alla «freddezza» di **si specchia** che significa *è osservata*, ma con un senso di distacco che sottolinea il non intervento pregiudiziale della prescienza divina). **La contingenza, che fuor**...: i fatti contingenti (cfr. nota ai vv. 13-27) riguardano

il solo mondo terreno, l'unico dove le cose possono essere e non essere; il resto dell'Universo è regolato da leggi inesorabili e immutabili. **Quaderno**: è immagine frequente (come quella del *volume*, e simili) per indicare figuratamente un àmbito di riferimento: il **quaderno / de la vostra matera** è *l'àmbito della materia terrena*, cioè *il mondo*.

43-45: *Da lì* (**indi**) [: *dalla mente divina*], *così come viene all'orecchio* (**ad orecchia**) *una dolce armonia da un organo, mi viene alla* (**a**) *vista* [: *posso vedere con la mente*] *il tempo che ti si prepara* (**apparecchia**).

46-48: *Come* (**qual**) *Ippolito dovette partire* (**si partìo** = *partì*, con e p i t e s i in -o) *da Atene a causa della* (**per la**) *spietata e perfida matrigna* (**noverca**) [*Fedra*], *così* (**tal**) *ti sarà necessario* (**ti convene**) *partire da Firenze* (**di Fiorenza**). Con questa terzina si entra nel vivo della risposta di Cacciaguida; e inizia la esplicita predizione dell'esilio futuro. Dante sarà costretto all'esilio da Firenze come Ippolito fu costretto a lasciare Atene. Come racconta Ovidio nelle *Metamorfosi* (XV, 493 sgg.), Ippolito fu calunniato dalla matrigna Fedra per aver respinto le sue offerte amorose, e costretto ingiustamente dal padre Teseo ad andarsene da Atene. La sottolineatura della propria innocenza è costante da parte di Dante, sia nella *Commedia* che negli altri scritti. Si consideri per altro che il **partir** del v. 48 va inteso in modo figurato, dal momento che Dante seppe della prima condanna all'esilio (27 gennaio 1302) mentre si trovava fuori Firenze (dove non poté fare mai più ritorno), ambasciatore a Roma. Una seconda condanna più circostanziata e severa fu emessa nel marzo seguente.

49-51: *Già si vuole e già si cerca* [*di raggiungere*] *questo* [*fine*], *e presto* (**tosto**) *verrà raggiunto* (**fatto**) *da* (**a**) *chi pensa* [*a*] *ciò*

là dove Cristo tutto dì si merca.
La colpa seguirà la parte offensa
in grido, come suol; ma la vendetta
fia testimonio al ver che la dispensa.
Tu lascerai ogne cosa diletta
più caramente; e questo è quello strale
57   che l'arco de lo essilio pria saetta.
Tu proverai sì come sa di sale

[: dai nemici tuoi e dei Bianchi] *là dove tutto il giorno* (**tutto dì**) [: sempre] *si mercanteggia* (**merca**) *Cristo* [: nella Curia pontificia]. Nella primavera del 1300, al momento in cui è immaginato lo svolgimento del viaggio oltremondano, in effetti già il papa Bonifacio VIII stava macchinando segretamente, d'accordo con i Neri, per rovinare i Bianchi fiorentini; anche se i suoi progetti sarebbero stati messi in opera solo nel novembre del 1301 (**tosto**). **Là dove Cristo**...: la violenta p e r i f r a s i indica la Curia romana, alludendo efficacemente all'uso profano e interessato dei valori religiosi; è una condanna del potere temporale della Chiesa e insieme della personalità corrotta di Bonifacio VIII, il principale responsabile della rovina dei Bianchi e di Dante.

52-54: *Come avviene* (**suol**) [*in questi casi*] *la colpa verrà attribuita* (**seguirà**) *dalla fama* (**in grido**) *alla parte sconfitta* (**offensa**)*; ma la giusta punizione* (**vendetta**) *testimonierà la verità* (**fia testimonio al ver** = sarà testimonianza della verità) *che la dispensa* [: la punizione, direttamente dispensata dalla Verità, cioè da Dio, è quindi testimonianza di essa]. La colpa verrà attribuita agli sconfitti; ma la Verità darà prova di sé attraverso la punizione dei veri colpevoli (e forse Dante pensava alla morte infelice di Bonifacio VIII e di Corso Donati).

55-57: *Tu lascerai* [: dovrai abbandonare] *ogni cosa più caramente amata* (**diletta**)*; e questa è quella sofferenza* (**strale** = freccia) *che la sciagura* (**l'arco**) *dell'esilio manda* (**saetta** = scaglia) *per prima* (**pria**). Riprendendo la m e t a f o r a del v. 27, d'altra parte frequente in Dante, l'esilio è paragonato ad un arco che lanci contro l'esiliato frecce dolorose. I mali dell'esilio qui ricordati sono tre (il primo in questa terzina, il secondo nella seguente, il terzo ai vv. 61 sgg.). Il primo è il dolore di abbandonare luoghi e persone cari; e Dante (che scrisse questo canto molti anni dopo, forse nel 1318), rievoca quei

momenti con profonda commozione, benché con grande controllo dei sentimenti. Si noti lo straziante e n j a m b e m e n t che separa i vv. 55 e 56, riproponendo quella lacerazione di affetti. Questa terzina e la seguente costituiscono uno dei momenti più ammirati del poema, specie da parte dei commentatori romantici. E però, benché il tema dell'esilio sia di enorme rilevanza per la genesi del poema e quindi per la sua comprensione, bisogna evitare di isolare la rievocazione patetica delle sofferenze dell'esiliato facendone il centro drammatico dell'episodio. In verità tale rievocazione costituisce la premessa (o, anche, il piedistallo) della solenne investitura che sta per essere fatta di Dante, come destinato dalla Provvidenza divina ad un'opera di rigenerazione morale, religiosa e politica. Il cuore dell'episodio sta nella fiducia in una giustizia superiore (si vedano già i vv. 53 sg.; e poi 65-68) e, all'interno di essa, nella consapevolezza di essere un importante strumento della sua realizzazione. Il Dante condannato all'esilio e umanamente colpito dal dolore che ne deriva lascia ben presto il posto al Dante idealmente innalzato al livello di giudice, inviato dal cielo a condannare. In tal senso questa parte del canto va spiegata e intesa servendosi della parte finale (soprattutto vv. 124 sgg.), e in tal senso il dialogo con Cacciaguida è in verità un monologo di alta ispirazione autobiografica: dove le proprie dolorose sventure non sono riscattate da una indomabile fierezza eroica (come poté parere ai critici romantici), ma dalla certezza di essere parte di un processo, storicamente inevitabile, destinato a riaffermare i valori della civiltà cristiana e dell'Impero. E la grandezza di Dante, per quanto possa oggi apparire difficilmente comprensibile, sta proprio in questa capacità di concepire il momento biografico e il dato particolare in una prospettiva storica e universale.

58-60: *Tu proverai* [*per diretta esperienza*] *quanto* (**sì come**) *sa di sale* [: quanto è amalo pane altrui, e come è duro calle

60   lo scendere e 'l salir per l'altrui scale.

E quel che più ti graverà le spalle,

sarà la compagnia malvagia e scempia

63   con la qual tu cadrai in questa valle;

che tutta ingrata, tutta matta ed empia

si farà contr' a te; ma, poco appresso,

66   ella, non tu, n'avrà rossa la tempia.

Di sua bestialitate il suo processo

farà la prova; sì ch'a te fia bello

69   averti fatta parte per te stesso.

Lo primo tuo refugio e 'l primo ostello

sarà la cortesia del gran Lombardo

72   che 'n su la scala porta il santo uccello;

ro] *il* (**lo**) *pane altrui, e come è duro* [: doloroso] *cammino* (**calle**) *lo scendere e il* (**'l**) *salire per scale altrui*. È il secondo male dell'esilio: dover elemosinare il cibo e un tetto, affidandosi all'altrui pietà; e soprattutto vivere l'esperienza dell'emarginazione e dell'estraneità (sottolineata dalla r e p l i c a z i o n e del termine-chiave **altrui**). **Lo scendere e 'l salir**...: esprime, oltre che la pena di vivere sotto un tetto non proprio, quella di dover pellegrinare in cerca di sempre nuova ospitalità (e per questo è stata proposta un'immagine dinamica, invece di dire, p. es., *come è duro stare sotto un tetto altrui*, che avrebbe comunque comunicato un qualche senso di stabilità e di protezione).

61-66: *E ciò* (**quel**) *che ti peserà* (**ti graverà le spalle**) *di più sarà la compagnìa malvagia e sciocca* (**scempia**) [: i Bianchi esiliati] *con la quale tu cadrai in questa valle* [: l'esilio]; *la quale* (**che**) [*compagnia*] *del tutto* (**tutta**) *ingrata, del tutto* (**tutta**) *stupida ed ingiusta* (**empia**), *si volgerà* (**si farà**) *contro di te* (**contr'a te**); *ma, poco dopo* (**appresso**), *essa* (**ella**), [*e*] *non tu, ne avrà la testa* (**tempia**) *rossa* [*di sangue*]. Il terzo e peggior male derivato dall'esilio, fu per Dante la bassezza dei compagni di esilio. Dante li accusa qui, pesantemente, di due ordini di colpe: stupidità (**scempia, matta**) e malvagità (**malvagia, ingrata, empia**). Per meglio capire le ragioni di tali accuse, si consideri che Dante fu esiliato insieme ai Bianchi, benché egli non avesse mai fatto realmente parte della fazione, e che gli esuli compirono numerosi tentativi di rientrare in Firenze. Dante probabilmente partecipò al primo e al secondo di essi (nel 1302 e nel 1303); ma poi, vista la nettezza degli insuccessi, si batté per evitare altri inutili scontri, piuttosto puntando sull'iniziativa diplomatica. I suoi compagni di esilio furono *stupidi* perché invece vollero insistere con tentativi militari, subendo nell'estate del 1304, alla Lastra, una sanguinosissima sconfitta (cui probabilmente alludono i vv. 65 sg.); e furono *malvagi* perché accusarono Dante di defezione o addirittura di tradimento (rivelandosi per altro *ingrati* con chi si era, nel priorato del 1301, comportato benevolmente nei loro riguardi).

67-69: *Della* (**di**) *sua bestialità* (**bestialitate**) *darà* (**farà**) *la prova il suo* [*stesso*] *comportamento* (**processo**); *così* (**sì**) *che sarà* (**fia**) *onorevole* (**bello**) *per* (**a**) *te l'aver tu* (**averti**) *fatta parte per te stesso*. Quando le azioni degli altri fuoriusciti mostreranno quanto essi siano sciocchi e malvagi (**bestialitate** abbraccia i due campi semantici), il fatto che Dante si sia staccato da loro facendo parte a sé sarà per lui ragione di orgoglio. Ciò dovette avvenire tra la fine del 1303 e l'inizio del 1304. Da quel momento Dante non partecipò ad altri tentativi di rientrare in patria, né ebbe mai più un atteggiamento comune con gli altri esuli; ma visse solitariamente il resto dell'esilio. E si noti la orgogliosa sicurezza di questi versi, dopo che i fatti gli hanno dato largamente ragione.

70-75: *La generosità* (**cortesia**) *del grande Lombardo* [: Bartolomeo della Scala] *che ha* (**porta**) [: nel suo stemma nobiliare] *sulla* (**'n su la**; *'n = in*) *scala un'aquila* (**il santo uccello**) *sarà* [: ti offrirà] *il* (**lo**) *tuo primo rifugio e la* (**'l**=il) [*tua*] *prima dimora* (**ostello**) [*ospitale*]; *il quale* (**che**) [*grande Lombardo*] *avrà*

                    ch'in te avrà sì benigno riguardo,
                    che del fare e del chieder, tra voi due,
75   fia primo quel che tra li altri è più tardo.
                    Con lui vedrai colui che 'mpresso fue,
                    nascendo, sì da questa stella forte,
78   che notabili fier l'opere sue.
                    Non se ne son le genti ancora accorte
                    per la novella età, ché pur nove anni
81   son queste rote intorno di lui torte;
                    ma pria che 'l Guasco l'alto Arrigo inganni,
                    parran faville de la sua virtute
84   in non curar d'argento né d'affanni.

verso di (**in**) *te un'attenzione* (**riguardo**) *così* (**sì**) *benevola* (**benigno**)*, che tra voi due, a dare* (**del fare**) *e a* (**del**) *chiedere, sarà* (**fia**) *primo quello* (**quel**) *che negli* (**tra li**) *altri* [*casi*] *è più lento* (**tardo**) [: sarà primo il donatore a dare e non il richiedente a chiedere, come accade invece di solito]. In questi versi Dante allude ad una breve permanenza, dopo essersi separato dai fuoriusciti, a Verona, probabilmente nei primissimi mesi del 1304, presso Bartolomeo della Scala, morto nel marzo del 1304 (chiamato **gran Lombardo** perché con *Lombardia* si intendeva la parte orientale della pianura Padana, dove sorge Verona, oggi nel Veneto). Non può infatti trattarsi del fratello Alboino, suo successore (al potere fino al 1311), sia perché Dante ne dà un cattivo giudizio nel *Convivio*, sia perché il *primo* rifugio Dante dovette trovarlo tra la fine del 1303 e l'inizio del 1304, quando si separò dai compagni d'esilio. È per altro evidente che lo scopo vero di Dante, con questi versi, è di ringraziare e lodare Cangrande, fratello di Alboino e di Bartolomeo, che lo ospitò con protratta generosità molti anni più tardi (cfr. vv. 76-93 e note); la prima permanenza a Verona, nel 1304, fu invece breve e in sé priva di importanza. **Che 'n su la scala porta**...: lo stemma degli Scaligeri rappresentava appunto una scala, cui si aggiunse in un secondo tempo l'aquila, simbolo dell'Impero, essendosi essi imparentati con la famiglia imperiale e dell'imperatore essendo divenuti Vicari (per l'espressione **santo uccello** cfr. VI, vv. 4, 7, 32 e note). **Che del fare**...: Tommaseo fa notare «la dignità e la bellezza di questo *fare*, che Dante usa tacendo del *dare*».

76-78: *Insieme a* (**con**) *lui* [: Bartolomeo] *vedrai colui* [: Cangrande] *che nascendo fu* (**fue**; con e p i t e s i in -e) *segnato* ('**mpres-**

so = impresso) *da questa stella* [: Marte, che predisponeva ad imprese di guerra] *così fortemente* (**sì...forte**) *che le sue imprese* (**opere**) *saranno* (**fier⟨o⟩**) *notevoli* (**notabili**). Cangrande, nato nel 1291, tenne la signorìa di Verona dal 1312 alla morte (1329). Dante fu a lungo suo ospite nell'ultimo decennio della sua vita, forse dal 1312 al 1318 (o al 1320). A lui dedicò il *Paradiso*. Fu, agli occhi di Dante, il signore ideale: dotato di tutte le qualità etiche e politiche necessarie ad un potente, e animato da fedeltà alla causa dell'Impero, di cui fu il principale difensore in Italia. Non è però assolutamente accettabile l'ipotesi che in esso sia da riconoscere il **Veltro** di *Inf.* I, 101 sgg.

79-84: *Le genti non se ne sono ancora accorte* [: di Cangrande] *per la giovane* (**novella**) *età, poiché* (**ché**) *questi cieli* (**rote**) *hanno ruotato* (**son...torte**) *solo* (**pur**) *nove anni intorno a* (**di**) *lui* [: ha soli nove anni; ci si riferisce al 1300, anno del viaggio]*; ma prima* (**pria**) *che il* [*papa*] *Guascone* (**Guasco**) [: Clemente V] *inganni il grande* (**l'alto**) [*imperatore*] *Enrico* [*VII*]*, si mostreranno* (**parran**) *scintille* (**faville**) [: i primi segni] *del suo valore* (**de la sua virtute**) *nel non preoccupar*[*si*] (**curar**) *delle ricchezze* (**d'argento**) *né delle fatiche* (**d'affanni**). Cioè: prima del 1312 (quando papa Clemente V dapprima invitò l'imperatore Enrico VII a scendere in Italia e poi lo ingannò rivolgendoglisi contro) Cangrande comincerà a dar prova del proprio valore politico e della propria liberalità: infatti già nel 1311, solamente ventenne, egli fu associato dal fratello Alboino al potere per essersi distinto con le sue qualità. Ma il riferimento al contrasto Clemente-Enrico non è un puro riferimento cronologico; esso contiene un preciso messaggio politico: all'atteggiamento filofrancese del papa (cui sprezzantemente si allude nominandolo dal-

Le sue magnificenze conosciute
saranno ancora, sì che ' suoi nemici
87   non ne potran tener le lingue mute.
A lui t'aspetta e a' suoi benefici;
per lui fia trasmutata molta gente,
90   cambiando condizion ricchi e mendici;
e portera'ne scritto ne la mente
di lui, e nol dirai »; e disse cose
93   incredibili a quei che fier presente.
Poi giunse: « Figlio, queste son le chiose
di quel che ti fu detto; ecco le 'nsidie
96   che dietro a pochi giri son nascose.
Non vo' però ch'a' tuoi vicini invidie,
poscia che s'infutura la tua vita
99   via più là che 'l punir di lor perfidie ».

la sua terra d'origine, la Guascogna, nel Sud-Ovest della Francia) è contrapposta la figura nobile di Cangrande, che affianca quella dell'imperatore Enrico VII (definito **alto** con chiara presa di posizione). In effetti Cangrande fu uno strenuo difensore della causa dell'Impero.

85-87: *Allora* (**ancora**) *le sue alte qualità morali e civili* (**magnificenze**) *saranno conosciute* [*da tutti*], *così* (**sì**) *che i* (**che'**) *suoi* [*stessi*] *nemici non ne potranno tacere* (**tener le lingue mute**) [: *saranno costretti a riconoscerle*].

88-93: *Affìdati* (**t'aspetta**) [: *con le tue speranze*] *a lui e ai* (**a'**) *suoi benefici; molte persone* (**gente**) *saranno* (**fia** = sarà) *trasformate* (**trasmutata**) [*socialmente*] *da* (**per**; *cfr. il franc.* 'par') *lui, cambiando di condizione* [*sia*] *ricchi sia* (**e**) *mendicanti* (**mendici**); *e porterai* (**portera'ne**; **ne** = di lui, p l e o n .) *scritto* [*queste cose*] *di lui nella memoria* (**mente**), *e non lo* (**nol**) *dirai»; e* [*Cacciaguida*] *disse* [*di Cangrande*] *cose incredibili* [*persino*] *per coloro* (**a quei**) *che saranno* (**fier**) *presenti* (**presente**; *col plur. in* -e) [*al loro verificarsi*]. Cangrande saprà aiutare Dante, essendo portato a ricompensare la virtù e a punire il vizio senza guardare alla condizione sociale; e quella dell'esule, se non era una condizione di *mendico*, certo non era di *ricco*. Quali poi siano le **cose / incredibili** che Cangrande sarebbe stato destinato a compiere, non è possibile dire. Dante non pensava certamente a nessun fatto preciso; ma manifestava così la sua fiducia nel giovane campione italiano della causa imperiale, fiducia nell'attuazione del proprio ideale po-

litico e di una riforma morale. Cangrande però, ben avviato su una strada di significativi successi politici e militari, morì giovane nel 1329.

94-96: *Poi* [*Cacciaguida*] *aggiunse* (**giunse**)*: «O figlio, queste sono le spiegazioni* (**chiose**) *di quel che ti fu detto* [: *nelle tappe precedenti del viaggio oltremondano*]*; ecco* [*quali sono*] *le insidie che sono nascoste* (**nascose**) *nel volgere di pochi anni* (**dietro a pochi giri**; *sottint.*: *del sole*).

97-99: *Però non voglio* (**vo'**) *che tu provi odio* (**invidie**) *per i* (**a'** = ai) *tuoi concittadini* (**vicini**), *dal momento che* (**poscia che**) *la tua vita è destinata a durare* (**s'infutura**) *ben oltre* (**via più là**) *che la punizione* ('**l punir**; '**l** = il) *delle* (**di**) *loro malvagità* (**perfidie**)». Il senso generale è: Dante non deve odiare i suoi concittadini (sia quelli che l'hanno ingiustamente esiliato sia quelli che, compagni di sventura, gli hanno reso più insopportabile l'esilio), perché la punizione dei loro torti sarà mandata da Dio. Il v. 98 si presta però a due interpretazioni: 1) Dante vivrà abbastanza a lungo per vedere con i propri occhi la punizione dei fiorentini; 2) la durata della fama di Dante presso i posteri andrà ben al di là della punizione dei colpevoli. La prima spiegazione sembrerebbe certo da preferirsi se la seconda non incontrasse una perfetta rispondenza ai vv. 119 sg., conclusivi delle parole di Dante come questi vv. 98 sg. lo sono di quelle di Cacciaguida. **S'infutura**: è un n e o l o g i s m o coniato da Dante stesso (cfr. **t'insusi**, v. 13; e **inciela**, III, 97); significa *durerà nel futuro*.

Poi che, tacendo, si mostrò spedita
l'anima santa di metter la trama
102   in quella tela ch'io le porsi ordita,
io cominciai, come colui che brama,
dubitando, consiglio da persona
105   che vede e vuol dirittamente e ama:
« Ben veggio, padre mio, sì come sprona
lo tempo verso me, per colpo darmi
108   tal, ch'è più grave a chi più s'abbandona;
per che di provedenza è buon ch'io m'armi,
sì che, se loco m'è tolto più caro,
111   io non perdessi li altri per miei carmi.
Giù per lo mondo sanza fine amaro,
e per lo monte del cui bel cacume
114   li occhi de la mia donna mi levaro,
e poscia per lo ciel, di lume in lume,
ho io appreso quel che s'io ridico,
117   a molti fia sapor di forte agrume;

100-111: *Dopo* (**poi**) *che la santa anima* [*di Cacciaguida*] *si mostrò, tacendo, libera* (**spedita**) [*dall'impegno*] *di mettere la trama in quella tela che io le avevo porto* (**le porsi**) *ordita* [: sciolta dall'impegno di rispondere alle domande di Dante, avendo terminato di parlare], *io cominciai* [*a dire a Cacciaguida*], *come* [*fa*] *colui che, avendo dei dubbi* (**dubitando**), *desidera* (**brama**) *consiglio da una persona che vede* [: quanto alle doti intellettuali] *e vuole* [: quanto alle doti morali] *in modo corretto* (**dirittamente**) *e* [*insieme*] *è affettuosamente ben disposto* (**ama**): *«O padre mio, vedo* (**veggio**) *bene così* (**sì**) *come il* (**lo**) *tempo incalza* (**sprona**) *verso di me, per darmi un colpo* [: l'esilio] *tale, che è più doloroso* (**grave**) *a chi più si abbandona* [: alla sciagura, senza reagire]; *per cui* (**che**) *è opportuno* (**buon**) *che io mi fornisca* (**m'armi**) *di previdenza* (**provedenza**), *così* (**sì**) *che, se mi sarà* (**m'è**) *tolto il luogo più caro* [: Firenze, la patria], *io non perda* (**perdessi**) [*anche*] *gli* (**li**) *altri a causa dei* (**per**) *miei versi* (**carmi** = opere poetiche). Dante teme cioè che i severi giudizi che saranno contenuti nei propri versi gli rendano ostili un po' tutti quanti, facendogli perdere, una volta in esilio, l'opportunità di trovare un qualche rifugio sicuro. Tale timore è espresso con maggiore chiarezza e più particolareggiatamente nei versi seguenti. **Metter la trama**...: la biografia di Dante è implicitamente paragonata a una **tela** (v. 102), così che, per m e t a f o r a , le domande riguardo ad essa corrispondono all'*ordito* (cfr. v. 102) e

le risposte di Cacciaguida alla **trama** (v. 101). L'*ordito*, nell'arte della tessitura, è l'insieme dei fili che si dispongono per primi sul telaio; la *trama* è costituita dai fili che si intrecciano in un secondo tempo ad essi, completando il lavoro. **Persona che vede e vuol**...: è il «ritratto del buon consigliere, che deve essere persona sapiente (*che vede dirittamente*), virtuosa (*che vuole dirittamente*) e amorosa (*che ama*) verso colui che chiede consiglio» (Casini-Barbi).

112-120: [*Andando*] *giù per il mondo eternamente* (**sanza fine**) *doloroso* (**amaro**) [: l'Inferno], *e per il monte* [*del Purgatorio*] *dalla* (**del**) *bella cima* (**cacume**) [: l'Eden] *del quale* (**cui**) *mi innalzarono* (**levaro**) [*al cielo*] *gli occhi della mia donna* [: Beatrice], *e poi* (**poscia**) [*andando*] *per il cielo, di stella in stella* (**di lume in lume**) [: nei vari cieli], *io ho saputo* (**appreso**) *cose* (**quel**) *che se io* [*le*] *ridico* [*quando sarò tornato sulla Terra*], *procureranno* (**fia** = sarà) *a molti una profonda* (**forte**) *irritazione* (**sapor di...agrume** = sapore agro, amaro); *e se io* [*d'altra parte*] *sono* [*per prudenza*] *timido amico della verità* (**al vero**), *temo di perdere la vita* (**viver**; infinito sostantivato) *tra coloro* [: i posteri] *che chiameranno antico questo tempo»*. Viene chiarito e meglio circostanziato il timore espresso ai vv. 109-111. Dante ha visto e udito, nel corso del suo viaggio nell'aldilà, cose e persone, e saputo fatti, che, se egli li riferirà una volta tornato sulla Terra, dispiaceranno a molti che se ne irriteranno, con le

                        e s'io al vero son timido amico,
                           temo di perder viver tra coloro
120   che questo tempo chiameranno antico ».
                        La luce in che rideva il mio tesoro
                           ch'io trovai lì, si fe' prima corusca,
123   quale a raggio di sole specchio d'oro;
                        indi rispuose: « Cosc̈ıenza fusca
                           o de la propria o de l'altrui vergogna
126   pur sentirà la tua parola brusca.
                        Ma nondimen, rimossa ogne menzogna,
                           tutta tua vis̈ıon fa manifesta;
129   e lascia pur grattar dov' è la rogna.
                        Ché se la voce tua sarà molesta
                           nel primo gusto, vital nodrimento
132   lascerà poi, quando sarà digesta.

relative conseguenze. Quindi sarebbe prudente tacerle (tanto più in vista del futuro esilio, che lo renderà bisognoso di soccorso).
Ma un'eccessiva prudenza e un'eccessiva *ti-
midezza* nei confronti della verità toglierebbero al suo resoconto il valore che potrà eter-
nare tra i posteri la fama dell'autore. Questo dubbio, che Dante sottopone a Cacciaguida, serve ovviamente solo a permettere
all'avo di incoraggiare solennemente Dante
a compiere senza riguardi la sua opera, essendo voluto così dalla stessa Provvidenza
divina; serve ad investire Dante di una missione superiore, affermando l'alta funzione
della *Commedia*. D'altra parte, all'epoca in
cui Dante scriveva questo canto, l'*Inferno*
e il *Purgatorio* erano già stati resi pubblici.

121-126: *La luce nella quale* (**in che**) *lo spirito splendente* (**il mio tesoro**; **tesoro** equi-
vale a **gemma** di XV, 22 e a **topazio** di XV,
85) *che io avevo trovato* (**trovai**) *lì* [: Cac-
ciaguida] *rideva* [: manifestava la sua gioia],
dapprima (**prima**) *divenne* (**si fe'** = si fece)
lampeggiante (**corusca**), *come* (**quale**) *uno
specchio d'oro* [*rivolto*] *ai raggi del sole; poi*
(**indi**) [*mi*] *rispose: «Le coscienze sporche*
(**fusca** = fosca) *o della propria vergogna*
[: colpa] *o di quella di altri* (**de l'altrui**)
[: parenti, amici, alleati] *certamente* (**pur**) *tro-
veranno* (**sentirà**) *le tue parole spiacevoli*
(**brusca** = sgarbata, severa) [: si risentiranno].
Cacciaguida risponde dando una decisa conferma al timore di Dante: sì, certamente si
risentiranno in molti per le tue parole. Ma
specifica: solo quelli che hanno la coscienza
sporca per colpe proprie o di persone a loro
legate. **La luce in che rideva**...: come altre

volte, l'ardore di carità determina un aumento della gioia nelle anime beate quando possono essere utili a Dante con i propri consigli; e la gioia si manifesta in accresciuta luce. Il fenomeno è descritto con espressioni
di particolare intensità, soprattutto al v. 123,
nel quale si allude agli specchi formati da
una sottile lamina d'oro, o di altro metallo
prezioso, ancora in uso nel Medioevo.

127-129: *Ma ciò nonostante* (**nondimen**), *ac-
cantonata* (**rimossa**) *ogni menzogna* [: infin-
gimento o riguardo], *manifesta* (**fa manifesta** = rendi esplicita) *tutta la tua visione;
e lascia pure che ci si gratti* (**grattar**) *dove
è la rogna* [: che chi è colpevole si dolga
dei suoi mali]. Con l'autorità che gli deriva
dalla condizione di antenato e di figura paterna (oltre che di beato), Cacciaguida sgombra risolutamente il campo da esitazioni ed
ambiguità: sii sincero fino in fondo — è il
suo responso, un ordine, si direbbe, più che
un semplice consiglio. E la fermezza è suggellata con espressione realistica e plebea (v.
129), di forma proverbiale (la **rogna** è una
malattia ripugnante della pelle, certo allora
assai più diffusa che oggi): la volgarità non
riguarda però Cacciaguida, intangibile da
questo punto di vista, ma coloro che avranno ragione di sentirsi urtati dalla denuncia
di Dante. **Vision**: le cose che hai visto.

130-132: *Perché* (**ché**) *se al primo assaggio*
(**nel primo gusto**) [: in un primo momento]
la tua voce riuscirà (**sarà**) *fastidiosa* (**molesta**), *poi* [: in un secondo tempo] *lascerà nutrimento* (**nodrimento**) *vitale, quando sarà di-
gerita* (**digesta**). Riprendendo la m e t a -

Questo tuo grido farà come vento,
che le più alte cime più percuote;
135 e ciò non fa d'onor poco argomento.
Però ti son mostrate in queste rote,
nel monte e ne la valle dolorosa
138 pur l'anime che son di fama note,
che l'animo di quel ch'ode, non posa
né ferma fede per essempro ch'aia
la sua radice incognita e ascosa,
142 né per altro argomento che non paia ».

f o r a del v. 117 (**sapor di forte agrume**), il contenuto del poema viene paragonato implicitamente ad un cibo (o, meglio, ad una medicina) di sapore sgradevole al primo assaggio ma nutritivo e benefico dopo che sia stato digerito. Lo spirito della *Commedia* sta, si può dire, tutto in questa terzina (meglio chiarendosi, anche nei modi per così dire tecnici, nei versi seguenti). Dante concepisce il poema come un salutare invito al rinnovamento (morale, religioso, politico), il cui fine va al di là della denuncia e della condanna immediata; nella fiducia che una profonda opera di riforma sia non solo possibile ma imminente e che egli stesso sia chiamato a contribuirvi. Qui Dante si fa perciò investire di tale importante funzione, solennemente affermandone la validità storica ed il carattere intrinsecamente religioso.

133-135: *Questa tua accusa* (**grido**) *farà come* [fa] *il vento, che percuote più* [fortemente] *le cime più alte; e ciò non è* (**fa**) *una piccola ragione* (**poco argomento**) *di onore* [: ma grande]. Come la terzina precedente si riferisce al fine profondo del poema, così questa riguarda il suo carattere peculiare: colpire con più energia chi è più in alto, come fa il vento; e cioè giudicare e condannare soprattutto i potenti (papi, imperatori, re...), in quanto maggiormente responsabili della degradazione presente. **Grido**: sono le parole della *Commedia*, proclamate ad alta voce per infamia dei colpevoli e per loro condanna.

136-142: *In questi cieli* (**rote**) [: in Paradiso], *nel monte* [del Purgatorio] *e nella valle dolorosa* [dell'Inferno] *ti sono* [state] *mostrate* [: dalla volontà divina] *solamente* (**pur**) *le anime che sono note per la* (**di**) [loro] *fa-*

ma, perché (**però...che**) *l'animo di colui* (**quel**) *che ode non pone* (**posa**) *né presta* (**ferma**) *fede per un esempio* (**essempro**) *che abbia* (**aia**) *i suoi fondamenti* (**la sua radice**) *sconosciuti* (**incognita**) *e nascosti* (**ascosa**), *né per altri argomenti che non siano evidenti* (**che non paia**)». In questa solenne investitura di Dante come poeta voluto dal cielo, trova spazio anche un'osservazione che sembra a prima vista piuttosto relativa alle ragioni strutturali della composizione del poema: nel viaggio attraverso i tre regni dell'oltretomba, la Provvidenza divina ha fatto sì che Dante incontrasse solo anime di persone importanti e note (che tali erano, almeno, per i contemporanei di Dante, anche in quei casi in cui oggi a noi non dicano più nulla). Certo, con questa affermazione Dante giustifica la propria scelta, difendendosi in anticipo dall'accusa di aver mancato di realismo, dato che il caso gli avrebbe dovuto far incontrare quasi esclusivamente anime ignote e insignificanti. Ma la difesa implica un intervento della Provvidenza che sottolinea all'interno dell'articolazione strutturale del poema la sua natura sacra. Inoltre il fatto che a Dante siano state mostrate solo anime **di fama note** si ricollega ai vv. 133-135: nella *Commedia* la denuncia della corruzione doveva principalmente riguardare i potenti e, più in generale, le figure autorevoli. Infine anche i vv. 139-142 convergono sul carattere destinato dell'opera: il lettore deve essere interessato e convinto dalla lettura, e questo rende necessaria l'utilizzazione di esempi famosi e di argomenti evidenti. E con ciò è autorevolmente affermata anche la funzione persuasiva e civile della *Commedia*, finalizzata (come già hanno annunciato i vv. 131 sg.) al rinnovamento delle coscienze e della società.

Agrume _____ v. 117

Dall'agg. lat. *acĕr*, *acris*, *acre* ('acerbo, agro') deriva il sost. lat. mediev. *acrumen*, *acruminis* e da esso il sost. ital. *agrume*. Esso anticamente indicava un 'sapore agro, forte, sgradevole' (come nell'uso di Dante) e, anche, i 'cibi che hanno un sapore forte ecc. (soprattutto ortaggi come agli, cipolle)'. Tali significati sono oggi scomparsi e la voce designa quei frutti (e i loro alberi) del genere «citrus» (dal sapore per lo più agro) quali limoni, aranci, mandarini, pompelmi ecc.

Chiosa _____ v. 94

È voce semidotta, dal lat. tardo *glosa* = 'vocabolo che ha bisogno di spiegazione' (da un incrocio del lat. classico *glossa* — cfr. gr. γλῶσσα — = 'lingua' e del lat. *clausa* = 'parentesi'). Il vocabolo, ancora in uso, indica una 'nota posta a margine di un testo per chiarirne significati oscuri o dubbi o per fornire ad esso ulteriori notizie'. In senso figur. vale 'spiegazione di un discorso oscuro, chiarimento' — cfr. *Par.* XVII, 94; e cfr. anche *chiosare* in *Inf.* XV, 89 e in *Purg.* XI, 141.

Contingente _____ v. 16

È voce dotta derivata dal lat. *contingens*, *contingentis* (part. pres. del vb. *contingĕre* = 'toccare'). L'agg. ital. significa propriamente 'che può capitare, eventuale, possibile'; in senso filosofico si riferisce a 'ciò che può essere o non essere, che potrebbe esistere in modo diverso o non esistere affatto; accidentale', contrapposto a *necessario*. Cfr. anche *contingenza*.

Contingenza _____ v. 37

È voce dotta derivata dal lat. tardo *contingentia* (derivata a sua volta, come *contingente*, dal vb. lat. *contingĕre* = 'toccare'). Indica propriamente 'le cose fortuite, le esistenze accidentali', e si contrappone a *necessità* (è questo l'uso di Dante). Vale anche 'circostanza, occasione'. Oggi prevale nell'uso il significato tecnico, specifico del linguaggio economico, di 'quota integrativa che, rivalutata periodicamente, adegua i salari al costo della vita' (detta anche «scala mobile»).

Digesto _____ v. 132

È voce dotta derivata dal lat. *digestus* (part. pass. di *digerĕre* = 'distribuire, digerire'). L'agg. significa propriamente 'digerito, smaltito'; in senso figur. vale anche 'meditato, esaminato a fondo, capito, assimilato spiritualmente' (è questo l'uso di Dante). La voce, ant. e letter., è oggi del tutto caduta dall'uso; è usato piuttosto *digerito*.

Mercare _____ v. 51

È voce dotta derivata dal lat. *mercāri* ('commerciare', denominale da *merx*, *mercis* = 'merce'). È termine ant. e letter. per 'trafficare, mercanteggiare' (cfr. *mercato*, *mercante*, *mercanzìe*).

Canto XVIII

Il canto è strutturalmente divisibile in due parti.

Nella prima, Cacciaguida indica a Dante alcune anime del cielo di Marte: combattenti per la vera fede appartenenti alla tradizione biblica o letteraria o alla recente impresa delle crociate.

Nella seconda, Beatrice e Dante si innalzano al sesto cielo, di Giove. Qui si mostrano le anime che sulla Terra hanno bene operato animate soprattutto dal sentimento di giustizia. In una pirotecnica coreografia, i beati tracciano con i propri spostamenti le lettere di una frase biblica («**Diligite iustitiam qui iudicatis terram**» [Amate la giustizia, voi che governate la Terra]); poi si soffermano sulla lettera M (= Monarchia) che viene infine modificata a formare i contorni di un'aquila (simbolo dell'Impero). La complessa costruzione scenografica allude alla necessità che il potere politico appartenga all'Impero universale, voluto da Dio per garantire agli uomini la giustizia. E poiché dal cielo di Giove scendono sulla Terra gli influssi di giustizia, Dante prega affinché il cielo aiuti gli uomini a rialzarsi dalla condizione degradata in cui si trovano; e conclude con una feroce invettiva contro il papato (alludendo in particolare al corrotto e avido Giovanni XXII, papa dal 1316 al 1334), dimentico della propria missione spirituale e dell'esempio dei martiri e dei santi.

Canto XIX

L'aquila formata dalle anime del cielo di Giove inizia a parlare usando la prima persona singolare, a significare che tutti coloro che sulla Terra hanno operato giustamente si identificano di necessità nel supremo ideale di giustizia dell'Impero: così da tanti carboni emana un unico calore e da tanti fiori un unico profumo.

All'aquila Dante espone un dubbio di grande rilevanza dottrinale: come è possibile che la suprema giustizia di Dio escluda dal premio della beatitudine coloro che non ebbero il battesimo senza alcuna loro colpa (perché non poterono conoscere la parola di Cristo) eppure si comportarono sempre in modo virtuoso?

La solenne risposta dell'aquila ribadisce il mistero della giustizia divina, invitando gli uomini ad affidarsi ad essa che non è giusta in rapporto a qualcos'altro, ma principio e misura in sé di ciò che è giusto e di ciò che è bene. E l'uomo non può penetrare in essa più di quanto possa vedere il fondo del mare: vicino alla riva può scorgerlo, ma dove l'acqua è profonda gli sfugge. D'altra parte la misericordia divina saprà stabilire infallibilmente, nel giorno del Giudizio universale, chi debba essere salvo e chi no. E non sarà stato di certo sufficiente dirsi cristiani per contare sulla salvezza: molti pagani, infatti, saranno superiori ai cattivi cristiani e li giudicheranno.

Nel momento in cui viene ribadito il dogma cattolico della indispensabilità della fede per la salvezza, viene anche lasciato aperto uno spiraglio (e forse anche qualcosa di più) a chi a tale fede è estraneo; mentre è riaffermata con fermezza la giustizia suprema di Dio.

Il canto si chiude con un'invettiva dell'aquila contro i corrotti ed iniqui sovrani cattolici, tanto più efficace in quanto preceduta dal grandioso discorso sulla giustizia divina.

Canto XX

L'aquila ha cessato di parlare, e le anime che la formano intonano un canto. Terminato il canto, l'aquila indica a Dante i beati più degni che la compongono, posti a formare l'occhio. Tale gruppo di giusti si contrappone implicitamente all'elenco di sovrani iniqui del canto precedente.

Ma il rapporto con la materia del canto XIX è ancora più evidente nella seconda parte del canto. Infatti, essendo stati nominati, tra gli spiriti più degni, anche due pagani, Dante è perplesso e non capisce. Così l'aquila ha modo di spiegare, partendo da un caso concreto, quanto sia grande la misericordia divina e quanto sia incomprensibile per gli uomini, e per gli stessi beati, il mistero della predestinazione: Dio ha offerto a quelle due anime giuste la fede per Grazia, salvandole. La volontà divina è stata vinta dai loro meriti; ma lo è stata perché ha voluto esserlo: ed essendo vinta ha vinto in verità con la propria carità infinita.

Canto XXI

Beatrice e Dante ascendono al settimo cielo, di Saturno, *dove si mostrano le anime contemplative. Beatrice dichiara di non poter qui ridere, perché
la sua bellezza sarebbe tale da incenerire Dante; e per la stessa ragione* si
tace in questa rota *[: cielo]/* **la dolce sinfonia di paradiso** *[: i canti dei beati]
(vv. 58 sg.). Dinanzi a Dante compare una scala d'oro, alta tanto che non
se ne scorge la fine; e da essa scendono luminose le anime beate.*

*Ad una che gli si avvicina di più, Dante rivolge alcune domande. È l'ani-
ma dell'eremita Pier Damiano (vissuto nell'XI secolo). Questi ribadisce l'impossibilità per la mente degli uomini e degli stessi beati di penetrare nel
mistero della predestinazione. Poi, dopo aver ricordato la propria vita umile, scaglia una energica invettiva contro la degenerazione del clero, corrotto,
specie negli alti gradi gerarchici, dal lusso e dallo sfarzo, dimentico dell'e-
sempio di san Pietro e di san Paolo, che andavano* **magri e scalzi,**/ **prendendo il cibo da qualunque ostello** *[: casa] (vv. 128 sg.).*

*Alle parole di Pier Damiano le altre anime rispondono con l'accrescersi
della luminosità ed un grido il cui significato risulta per Dante incomprensibile.*

Canto XXII

Dopo che Beatrice ha tranquillizzato Dante riguardo alle parole dure di Pier Damiano e al grido terribile dei beati, segni della imminente punizione divina, ancora nel cielo di Saturno si mostra a Dante l'anima di san Benedetto (480-543). L'Ordine dei monaci benedettini, da lui fondato, ebbe grande diffusione nell'Occidente cristiano e costituì un importante strumento di difesa del patrimonio della cultura classica nel corso del Medioevo, oltre che una struttura di vivacità produttiva ed economica. Ma il santo rimprovera la decadenza dell'Ordine, parallela a quella dei francescani e dei domenicani e dell'intero mondo ecclesiastico: il panorama della corruzione mondana si arricchisce di un altro particolare; anche se qui il tono, in altri casi severo e sferzante, è pacato e addolorato. A san Benedetto Dante chiede di poter vedere la sua figura senza essere abbagliato dalla luce che la circonda. Ma il santo lo informa che ciò sarà possibile solo nell'Empireo, dove tutti i desideri sono soddisfatti.

Ricongiuntosi alle altre anime del settimo cielo, san Benedetto sale veloce con esse verso l'Empireo lungo una scala. E Beatrice invita Dante a seguirle, così che, percorsa la scala con moto rapidissimo, questi si ritrova nell'ottavo cielo, delle stelle fisse; e precisamente in corrispondenza della costellazione dei Gemelli, nella quale era il sole quando egli nacque e a cui dichiara di dovere tutto il proprio ingegno. Da qui, ancora su invito di Beatrice, Dante contempla dall'alto l'Universo disteso sotto i propri piedi: il moto dei pianeti, il sole, la Terra (l'aiuola che ci fa tanto feroci, v. 151); e tutto rivela la propria piccolezza e relatività rispetto all'altezza del cielo. Dopo tale considerazione si entra nella parte più alta e ardua del Paradiso.

Canto XXIII

Il canto si apre con l'annuncio di un imminente avvenimento: Beatrice
è concentrata nell'attesa, rivolta verso l'alto. E infatti ad un tratto appare
una miriade di luci illuminate dall'alto da un sole abbagliante. È il trionfo
di Cristo, come Beatrice dice a Dante; e la luce più forte è quella di Cristo,
e la sua altezza vince la mente umana di Dante che esce da se stessa, in
una sorta di estasi. Poi Beatrice lo invita a contemplare il proprio sorriso,
che ora egli è in grado di sopportare; ma a descriverlo deve però rinunciare
essendo esso di troppo superiore alle possibilità della parola umana. Intanto
Cristo, innalzatosi verso l'alto, illumina la folla dei beati come un raggio
di sole illumina un prato fiorito attraverso uno squarcio tra le nubi.

Inizia a questo punto quello che potrebbe essere definito il trionfo di
Maria (definita da Dante **il nome del bel fior ch'io sempre invoco/ e mane**
[: mattino] **e sera**, vv. 88 sg.). La più luminosa delle numerose luci è circondata da uno splendore sceso dall'alto, come da una corona; e mentre da
tale splendore, rivelatosi l'arcangelo Gabriele (che annunciò alla Madonna
la futura maternità), si propaga una melodia di indicibile dolcezza, tutti
i beati ripetono con devozione il nome di Maria. Questa intanto si innalza
verso l'alto seguendo il figlio nell'Empireo e sparendo alla vista di Dante.
I beati cantano la lode del Regina coeli mentre appare tra di essi, trionfante,
il protagonista dei prossimi canti: san Pietro.

Canto XXIV

Giunto ormai alle porte dell'Empireo, Dante deve superare, prima di procedere ancora, un triplice esame. Esso riguarda le tre Virtù teologali (fede, speranza e carità), quelle più necessarie alla salvezza e più legate alla particolare concezione cristiana dell'esistenza, ed occupa i canti XXIV, XXV e XXVI. Ad interrogare Dante sono tre Apostoli (Pietro sulla fede, Giacomo sulla speranza, Giovanni sulla carità), scelti perché testimoni di momenti particolarmente importanti della vita di Gesù e perché rispettivamente «campioni» della Virtù sulla quale interrogano Dante (anche se questa seconda ragione induce Dante a qualche forzatura dei dati scritturali). La struttura dell'esame nasconde, in tutt'e tre i casi, una sostanziale collaborazione tra interrogante ed interrogato nella definizione di un contenuto comune: Dante non è propriamente chiamato a dimostrarsi preparato in senso dottrinale, ma solo a pronunciare i valori centrali della cristianità per meglio glorificare la Grazia divina che lo assiste nel viaggio e per manifestare con tale professione la propria maturità spirituale.

* * *

Il canto si apre con una preghiera che Beatrice rivolge agli Apostoli perché consentano anche a Dante di partecipare per un poco di quella sapienza divina cui essi sono sempre ammessi. I beati rispondono alla richiesta formando luminosi cerchi danzanti per manifestare la propria gioia caritatevole; e dal cerchio più splendente e veloce si stacca l'anima di san Pietro, mossa dalla affettuosa richiesta di Beatrice. Questa prega il santo di esaminare Dante intorno alla fede.

L'esame si svolge in sette battute di domanda e risposta: le prime si riguardano la definizione dottrinale della fede, mentre la settima, a sé stante, costituisce una vera e propria professione di fede da parte di Dante; e infatti già prima dell'ultima domanda le anime intonano un inno di ringraziamento a Dio e san Pietro approva le risposte di Dante.

Due elementi sono soprattutto da considerare per intendere a fondo le caratteristiche artistiche del canto ed il suo significato storico.

1) Dante non fonda l'esame sull'aspetto rigorosamente teologico e dottrinale del tema, ma lo affronta in chiave, per dir così, lirica e soggettiva. Certo, il lin-

guaggio dei filosofi scolastici è qua e là largamente utilizzato e le tesi sostenute rispondono fedelmente ai dogmi della Chiesa, ma le risposte si succedono, spesso incalzanti, alle domande con entusiasmo e slancio, attingendo per lo più ad immagini ed esperienze familiari e personali. Si ha così l'impressione, da un lato, di trovarsi davanti ad «un inno dissimulato sotto la forma di un esame», che «si svolge non con la violenza d'una conquista, ma con la sicurezza serena d'un possesso» (Momigliano); e, dall'altro, di essere al cospetto di una materia intima, tale da fare di questo canto uno dei più raccolti e composti del *Paradiso*, specie rispetto agli ampi scenari scenografici del canto precedente.

2) Le argomentazioni addotte da Dante sono attinte con grande fedeltà dalle Sacre Scritture, la cui importanza è affermata in molti luoghi del canto. Da questa scelta deriva anche, per altro, la semplicità della quale si è appena parlato; e soprattutto deriva la condanna (esplicita ai vv. 79-81 e implicita in parecchi altri luoghi) del filosofeggiare (anzi del sillogizzare) al di fuori del sicuro fondamento delle Sacre Scritture. In ciò è da riconoscere, sul piano culturale, un temperamento da parte di Dante della propria fedeltà al pensiero scolastico di Tommaso (che fondava sulla logica razionale le proprie conclusioni teologiche) e un inclinare verso l'ideale agostiniano secondo il quale la base della riflessione teologica è la fede nella verità rivelata e indimostrabile (posizione difesa soprattutto in ambito francescano); mentre è da riconoscere, sul piano personale, un'autocritica rispetto al traviamento spirituale che è alla base della composizione del poema, al quale si era accompagnata la sopravvalutazione delle possibilità della ragione umana e della speculazione filosofica.

> « O sodalizio eletto a la gran cena
>   del benedetto Agnello, il qual vi ciba
> 3   sì, che la vostra voglia è sempre piena,
> se per grazia di Dio questi preliba
>   di quel che cade de la vostra mensa,
> 6   prima che morte tempo li prescriba,
> ponete mente a l'affezione immensa
>   e roratelo alquanto: voi bevete
> 9   sempre del fonte onde vien quel ch'ei pensa ».

1-9: [: Parla Beatrice] «*O compagnìa* (**sodalizio**) *invitata* (**eletto** = scelto) *alla grande cena del benedetto Agnello* [: Gesù], *il quale vi nutre* (**ciba**) *in modo tale* (**sì** = così) *che la vostra voglia è sempre sazia* (**piena**), *se per grazia di Dio questi* [: Dante] *pregusta* (**preliba**) *quel* (**di quel**) [: le briciole] *che cade dalla* (**de la**) *vostra mensa, prima che la morte gli ponga fine al tempo* (**tempo li prescriba**) [*della sua vita*], *prestate attenzione* (**ponete mente**) *all'immenso desiderio* (**affezione**) [*suo*] *e irroratelo* (**roratelo**) *un poco* (**alquanto**) [: *di quei nutrimenti spirituali che egli desidera*]: *voi vi nutrite* (**bevete**) *sempre dal* (**del**) *fonte* [: Dio] *da cui* (**onde**) *viene ciò* (**quel**) [: il nutrimento spirituale] *cui egli*

(**ch'ei**) [: Dante] *pensa* [: desidera]». La preghiera di Beatrice si rivolge in particolare agli Apostoli, invitati direttamente da Cristo alla mensa eucaristica. Al tono alto e allo stile eloquente si associano numerosi riferimenti e m e t a f o r e derivate dalle Sacre Scritture: per i vv. 1 sg. cfr. l'*Apocalisse* («Beati coloro che sono invitati alla cena delle nozze dell'Agnello», XIX, 9) e il Vangelo di *Giovanni* (in cui Cristo è chiamato «Agnello di Dio... che toglie i peccati del mondo», I, 29); per i vv. 2 sg. cfr. ancora *Giovanni* («Gesù disse loro: Io sono il pane della vita; chi viene a me non avrà più fame», VI, 35); per il v. 5 infine cfr. il Vangelo di *Matteo* («Anche i cagnolini si nutrono delle briciole

Così Beatrice; e quelle anime liete
si fero spere sopra fissi poli,
12   fiammando, volte, a guisa di comete.
E come cerchi in tempra d'orïuoli
si giran sì, che 'l primo a chi pon mente
15   quïeto pare, e l'ultimo che voli;
così quelle carole, differentemente danzando, de la sua ricchezza
18   mi facìeno stimar, veloci e lente.
Di quella ch'io notai di più carezza
vid' ïo uscire un foco sì felice,
21   che nullo vi lasciò di più chiarezza;
e tre fïate intorno di Beatrice
si volse con un canto tanto divo,
24   che la mia fantasia nol mi ridice.

che cadono dalla mensa dei loro padroni»,
XV, 27). La preghiera di Beatrice intende
ottenere per Dante l'aiuto degli Apostoli, non
perché da esso gli debbano derivare doni di
sapienza e di intelligenza: a ciò è necessaria
e sufficiente la Grazia divina, già favorevole
a Dante, come confermano i vv. 4-6 (il *se*
del v. 4 non è dubitativo); ma dagli Apostoli Beatrice chiede per Dante l'aiuto ad un
esame di coscienza che gli permetta di riepi-
logare i capisaldi della propria fede, prima
di dirigersi verso l'Empireo.

10-12: *Così [disse loro] Beatrice; e quelle anime beate* (**liete**) *formarono* (**si fero** = si fecero) *cerchi* (**spere**) *intorno a* (**sopra**) *perni* (**poli**) *fissi* [: ruote], *fiammeggiando* (**fiammando**), *nel girare* (**volte**; da 'volgere'), *come* (**a
guisa di**) [*stelle*] *comete*. I beati formano vari
cerchi ruotanti attorno al proprio asse. Il paragone con le **comete** riguarda solo la luminosità e non la caratteristica della *coda*.

13-18: *E come le ruote* (**cerchi**) *nella struttura* (**in tempra**) *degli orologi* (**d'oriuoli**) *gi-
rano* (**si giran**) *sì* (sì è pseudoriflessivo è
p l e o n .) *così* (**sì**) *che il* (**'l**) *primo* [: il più
lento] *sembra* (**pare**) *fermo* (**quieto**) *a chi* [*vi*]
presta attenzione (**pon mente**), *e l'ultimo* [:
il più veloce] [*sembra*] *che voli; così quelle
ruote* (**carole**) [*di anime*], *danzando in modi
diversi* (**differentemente**), *mi facevano* (**facìeno**) *valutare* (**stimar**) *la loro* (**de la sua**)
beatitudine (**ricchezza**), [*a seconda che fossero*] *veloci o* (**e**) *lente*. I vari cerchi di beati
ruotano danzando (la **carola** è appunto una
danza circolare) più o meno veloci a seconda del grado interno di beatitudine. Per capire bene la s i m i l i t u d i n e con le ruo-

te di un orologio, bisogna tenere presente
che negli antichi orologi, prima dell'invenzione del meccanismo a pendolo, il movimento era regolato da una ruota a palette
che ruotava velocissima, così che la stessa
resistenza dell'aria moderava il moto del meccanismo; a tale ruota (l'**ultimo** cerchio, cfr.
v. 15) il movimento era trasmesso attraverso una serie di ruote dentate moltiplicatrici
della velocità impressa dal motore a una ruota più grande (il **primo** cerchio, cfr. v. 14)
che compiva un giro completo in dodici o
in ventiquattro ore, e quindi lentissima.
Differente- / mente: l'avverbio è spezzato
in due parti negli elementi che lo formano,
secondo un procedimento, suggerito dalla
metrica e dalla rima, consentito dalle regole
retoriche dell'epoca. Ma qui (come sempre
in Dante) non è estranea una ragione di sostanza a tale scelta, poiché «la spezzatura
ritrae [: esprime] ancora differenza»
(Tommaseo).

19-24: *Da* (**di**) *quella* [*carola*] *che io notai*
[*essere*] *di più pregio* (**carezza**; dal lat. 'cari-
tia') *io vidi uscire uno spirito luminoso* (**un
foco**) *così* (**sì**) *felice* [: e quindi splendente],
che non vi lasciò [: nel cerchio da cui uscì]
nessuno (**nullo**) [*altro*] *di maggiore* (**più**)
splendore (**chiarezza**)*; e ruotò* (**si volse**) *intorno a* (**di**) *Beatrice tre volte* (**fiate**) *con un
canto tanto divino* (**divo**), *che la mia memoria* (**fantasia**) *non me lo* (**nol mi**) *ripete* (**ridice**) [: non lo ricordo]. Dal cerchio più velo-
ce e quindi più pregevole, che sarà quello
degli Apostoli, si stacca lo spirito più splendente, e cioè san Pietro, e ruota tre volte
intorno a Beatrice cantando con ineffabile
dolcezza.

Però salta la penna e non lo scrivo:
ché l'imagine nostra a cotai pieghe,
non che 'l parlare, è troppo color vivo.

27

« O santa suora mia che sì ne prieghe
divota, per lo tuo ardente affetto

30
da quella bella spera mi disleghe ».

Poscia fermato, il foco benedetto
a la mia donna dirizzò lo spiro,

33
che favellò così com' i' ho detto.

Ed ella: « O luce etterna del gran viro
a cui Nostro Segnor lasciò le chiavi,

36
ch'ei portò giù, di questo gaudio miro,

tenta costui di punti lievi e gravi,
come ti piace, intorno de la fede,

39
per la qual tu su per lo mare andavi.

25-27: *Perciò (però) la penna passa oltre (salta) e non lo* [: il canto di san Pietro] *descrivo (scrivo): perché (ché) l'immaginazione (l'imagine) nostra* [: di uomini], *nonché la parola ('l parlare), sono (è;* concordato con uno solo dei due sogg.) *di colore troppo vivo per (a)* [*rappresentare*] *tali (cotai)* [: così difficili] *pieghe.* L'impossibilità di descrivere il canto di san Pietro rientra nell'affermazione, frequente nel *Paradiso*, dell'insufficienza dei mezzi umani a rappresentare cose divine. Qui essa è introdotta attraverso una m e t a f o r a pittorica: poiché per dipingere le pieghe di una veste occorrono colori meno vivi (cioè più scuri), essendo le pieghe in ombra, Dante dice che la parola e le facoltà umane sono comunque colori troppo vivi per le pieghe della sovrannaturalità, e cioè che non possono in alcun modo rappresentarle.

28-30: [: Parla san Pietro, rivolto a Beatrice] *«O santa sorella (suora) mia che ci (ne) preghi (prieghe) così (sì) devotamente (divota), con la (per lo) tua carità (affetto) ardente mi sciogli (disleghe) da quella bella ruota (spera)».*

31-33: *Dopo essersi fermato (poscia fermato), lo spirito (il foco) benedetto* [: san Pietro] *rivolse (dirizzò) alla mia donna* [: Beatrice] *la voce (lo spiro), la quale (che)* [: voce] *parlò (favellò) così come io (com'i') ho detto* [: nella terzina precedente]. La posposizione della didascalia, abbastanza frequente (cfr. in questo stesso canto i vv. 1-10), serve a dare rilievo al discorso rendendo più vivace e drammatica la narrazione.

34-39: *Ed ella* [: Beatrice] [*gli disse*]: *«O luce eterna del grande uomo (viro;* dal lat. 'vir') *a cui Nostro Signore* [: Gesù Cristo] *lasciò le chiavi, che egli (ei) portò giù* [: sulla Terra], *di questa meravigliosa (miro) beatitudine (gaudio), prova (tenta) costui* [: Dante] *su (di) questioni (punti) secondarie (lievi) e essenziali (gravi), come ti piace, riguardo alla (intorno de la) fede, grazie alla (per la) quale tu andasti (andavi) su* [: camminando sulle acque] *per il (lo) mare.* Beatrice prega san Pietro, cui furono affidate da Cristo, secondo il racconto evangelico (*Matteo* XVI, 19), le chiavi del Paradiso, di esaminare Dante intorno alla fede. Nei due canti seguenti, poi, Dante verrà esaminato intorno alle altre due Virtù teologali: speranza e carità. Al v. 39 è tracciato un rapporto privilegiato tra la fede e san Pietro, alludendo ad un episodio del Vangelo (cfr. *Matteo* XIV, 28 sg.): i discepoli di Cristo erano in una barca e videro Gesù venire verso di loro camminando sulle acque; temendolo un fantasma, Pietro gli disse: «Se tu sei veramente il Signore, comandami di venire da te sulle acque». E Gesù fece così. Allora Pietro scese dalla barca e camminò verso di lui. È da rilevare poi che Dante si riferisce solo a questa parte dell'episodio, tralasciando il seguito, in cui Pietro, colto da spavento ed esitazione, inizia ad affondare e viene salvato da Gesù che lo rimprovera di non aver avuto sufficiente fede. Come altre volte, Dante trae dalle fonti (comprese quelle sacre) solo l'aspetto che giova ad illuminare la propria materia; in questo caso l'atto grandissimo di fede di Pietro al momento in cui cammina sulla superficie marina. Si noti inoltre i ben definiti caratte-

S'elli ama bene e bene spera e crede,
    non t'è occulto, perché 'l viso hai quivi
42   dov' ogne cosa dipinta si vede;
    ma perché questo regno ha fatto civi
    per la verace fede, a gloriarla,
45   di lei parlar è ben ch'a lui arrivi ».
Sì come il baccialier s'arma e non parla
    fin che 'l maestro la question propone,
48   per approvarla, non per terminarla,
così m'armava io d'ogne ragione
    mentre ch'ella dicea, per esser presto
51   a tal querente e a tal professione.

ri narrativi e poetici del v. 39, dove **su** dice il miracolo del galleggiare senza bagnarsi, **per** dice il procedere e **andavi** la durata della scena; e dove sette monosillabi consecutivi «sembrano segnare quei primi passi faticosi e fiduciosi del santo» (Getto).

40-45: *Se egli* (**s'elli**) [: Dante] *ama bene e spera e crede bene non ti è nascosto* (**occulto**), *perché hai lo* ('**l** = il) *sguardo* (**viso**) *lì* (**quivi**) [: in Dio] *dove si vede segnata* (**dipinta**) *ogni* (**ogne**) *cosa; ma poiché* (**perché**) *questo regno* [: il Paradiso] *ha acquistato* (**fatto**) *cittadini* (**civi**) *grazie alla* (**per la**) *vera* (**verace**) *fede, è giusto* (**ben**) *che a lui* [: Dante] *accada* (**arrivi**; gallicismo: cfr. il franc. 'arriver' = succedere) *di parlare di lei per glorificarla* (**a gloriarla**)». Cioè: vedendo in Dio tutte le cose, san Pietro sa già che Dante è fornito delle Virtù teologali (fede, speranza e carità; cfr. v. 40); ma è egualmente opportuno che quella fede che ha acquistato tanti buoni cristiani sia lodata da Dante. Questa osservazione, insieme ad altre sparse in questo e nei due canti seguenti, rivelano che non si tratta di veri e propri esami; ma piuttosto di un riepilogo e di una riesposizione dei caratteri essenziali della dottrina cristiana. Da un punto di vista strutturale ciò prelude alla parte più alta (e conclusiva) del viaggio, annunciandola e preparandola con un possente piedistallo dottrinale; da un punto di vista più generale è probabile che Dante voglia qui pronunciare un solenne credo su questioni tanto decisive per controbilanciare i rischi di eresia nei quali era incorso durante il periodo di traviamento, quando aveva sopravvalutato le possibilità della ragione umana e dunque i risultati della filosofia. Contro tale errore in questi canti si nota una grande fedeltà alla semplicità dei testi sacri, ed un tono, nell'insieme, piuttosto lirico che speculativo.

46-51: *Così* (**sì**) *come il baccelliere* (**baccialier**; dal franc. ant. 'bachelier') *si prepara* (**s'arma**) [: prepara gli argomenti] *e non parla finché il* ('**l**) *maestro propone la questione, al fine di dimostrarla* (**per approvarla**), *non per definirla* (**terminarla**) [: trarne le conclusioni], *così io mi preparavo* (**m'armava**) *con le diverse argomentazioni* (**d'ogne ragione**) *mentre ella* (**ch'⟨e⟩ è pleon.**) [: Beatrice] *parlava* (**dicea**), *per essere pronto* (**presto**) [*a rispondere*] *a tale* [: così importante] *esaminatore* (**querente**; dal lat. 'quaerens' = richiedente) [: san Pietro] *e a tale* [: c.s.] *dichiarazione* (**professione**) [*di fede*]. Questa s i m i l i t u d i n e si riferisce ai caratteri dell'insegnamento nelle scuole di teologia dell'epoca. Il *baccelliere* era lo studente che aveva già compiuto gran parte del corso di studi e conseguito il primo grado accademico (cui seguiva il dottorato). Egli era ammesso, come assistente, alle discussioni del maestro dinanzi agli studenti, lo schema delle quali seguiva una procedura fissa: in un primo tempo il maestro poneva una questione e il baccelliere era chiamato a portare prove a sostegno di essa, difendendola dalle obiezioni; in un secondo tempo, qualche giorno dopo, il maestro riassumeva le varie opinioni e concludeva la discussione esponendo organicamente il proprio pensiero. La s i m i l i t u d i n e dei vv. 46-48 si riferisce alla prima fase: infatti la questione deve essere *approvata* (cioè *confermata*) dal baccelliere (il quale per altro parla solo in questa fase) e non *terminata* (cioè *conclusa*) dal maestro (cfr. v. 48). Bisogna pensare che tali discussioni riguardavano temi conosciuti in anticipo dai partecipanti, così come Dan-

« Di', buon Cristiano, fatti manifesto:
fede che è? ». Ond'io levai la fronte
54 in quella luce onde spirava questo;
poi mi volsi a Beatrice, ed essa pronte
sembianze femmi perch' ïo spandessi
57 l'acqua di fuor del mio interno fonte.
« La Grazia che mi dà ch'io mi confessi »,
comincia' io, « da l'alto primipilo,
60 faccia li miei concetti bene espressi ».
E seguitai: « Come 'l verace stilo
ne scrisse, padre, del tuo caro frate
63 che mise teco Roma nel buon filo,
fede è sustanza di cose sperate
e argomento de le non parventi;
66 e questa pare a me sua quiditate ».

te conosce già prima che san Pietro prenda la parola l'argomento su cui verrà invitato a parlare (cfr. v. 50). Il vivace realismo della s i m i l i t u d i n e è determinato sia dall'uso di termini tecnici della vita scolastica (**baccialier, maestro, question, approvarla, terminarla**), sia dai latinismi ad essi collegati (**presto, querente, professione**), sia infine dal convergere delle espressioni a definire l'aspetto concentrato e teso del baccelliere/Dante (cfr. soprattutto la r e p l i c a z i o n e **s'arma... m'armava**).

52-57: [: Parla san Pietro] «*Di', [o] buon Cristiano, rivela il tuo pensiero* (**fatti manifesto**)*: che* [*cosa*] *è la fede?*». *Per cui io* (**ond'io**) *alzai* (**levai**) *la fronte* [: *lo sguardo*] *verso* (**in**) *quella luce* [: san Pietro] *da cui* (**onde**) *uscivano* (**spirava**) *queste parole* (**questo**)*; poi mi rivolsi* (**volsi**) *a Beatrice, ed essa mi fece* (**femmi**) *cenni* (**sembianze**) *solleciti* (**pronte**) *perché io spandessi di fuori l'acqua della mia fonte interna* [: *mi fece cenno di esporre con parole i miei pensieri*]. L'esame di Dante sulla fede si svolge secondo questo schema: san Pietro gli rivolge prima sei domande sulla definizione del concetto di fede e sulle questioni ad essa connesse (vv. 52-111) e poi, approvate le risposte di Dante, lo invita a pronunciare la propria professione di fede (vv. 115-147), a dire cioè in che cosa egli creda.

58-60: *Io cominciai* [*a dire*]*: «La Grazia* [*divina*] *che mi concede* (**dà**) *di fare la professione della mia fede* (**ch'io mi confessi**) *presso* (**da**) *il supremo* (**l'alto**) *capo* (**primipilo**) [: *della Chiesa*], *renda* (**faccia**) *bene espressi i* (**li**) *miei concetti*». **Primipilo**: in lat. *primi-*

pilus, termine militare, era il centurione che comandava la prima schiera dei triari, cioè l'avanguardia dell'esercito. Ma Dante deve aver creduto che si trattasse di un grado più elevato, e perciò lo attribuisce per m e t a - f o r a a san Pietro, capo della Chiesa.

61-66: *E proseguii* (**seguitai**) [*a dire*]*: «O padre, come ne scrisse la penna* (**stilo**) *veritiera* (**verace**) *del tuo caro fratello* (**frate**) [: san Paolo] *che mise con te* (**teco**) *Roma sulla buona strada* (**nel buon filo**) [*della fede*]*, la fede è il fondamento* (**sustanza**) *delle cose sperate e la dimostrazione* (**argomento**) *di quelle* (**de le**) *non visibili* (**non parventi**)*; e questa mi sembra* (**pare a me**) *la sua essenza* (**quiditate**)*». La definizione della fede data da Dante ricalca fedelmente quella di san Paolo (citato infatti ai vv. 61-63): «Est... fides sperandarum substantia rerum, argumentum non apparentium» [La fede è la sostanza delle cose sperate, l'argomento di quelle che non si vedono] (*Lettera agli Ebrei* XI, 1). I termini adoperati sono quelli dei filosofi scolastici (**sustanza, argomento, quiditate**); anche se la risposta, come le successive, è animata da uno slancio che vivacizza la materia dottrinale rendendo per lo più lirico il tono delle affermazioni. Il senso dottrinale è questo: la fede in Dio, nel Paradiso ecc. è ciò su cui si fonda (**sustanza**) la speranza (cioè la *certa attesa*) della vita eterna ecc. (infatti senza la fede non è possibile la speranza); ed è anche la premessa per dimostrare (**argomento**) ciò che non è dimostrabile secondo i criteri sensibili (infatti, una volta posta per fede l'esistenza di Dio ecc., ne consegue l'esistenza di altre cose che non

Allora udi': « Dirittamente senti,
se bene intendi perché la ripuose
tra le sustanze, e poi tra li argomenti ».

69

E io appresso: « Le profonde cose
che mi largiscon qui la lor parvenza,
a li occhi di là giù son sì ascose,

72

che l'esser loro v'è in sola credenza,
sopra la qual si fonda l'alta spene;
e però di sustanza prende intenza.

75

E da questa credenza ci convene
silogizzar, sanz' avere altra vista:
però intenza d'argomento tene ».

78

Allora udi': « Se quantunque s'acquista
giù per dottrina, fosse così 'nteso,
non lì avrìa loco ingegno di sofista ».

81

Così spirò di quello amore acceso;
indi soggiunse: « Assai bene è trascorsa
d'esta moneta già la lega e 'l peso;
ma dimmi se tu l'hai ne la tua borsa ».

84

---

sono visibili né dimostrabili in se stesse). Cioè la fede è la base della coscienza e della conoscenza del cristiano. **Caro frate:** così san Pietro chiama san Paolo (*II Epistola* III, 15: «carissimus frater noster Paulus»).

67-69: *Allora udii* [*dire da san Pietro*]*:* «*Intendi* (**senti**) *giustamente* (**dirittamente**), *se capisci* (**intendi**) *bene perché* [: san Paolo] *la* [: la fede] *pose* (**ripuose**) *tra i fondamenti* (**le sustanze**) *e poi tra le dimostrazioni* (**li argomenti**; li = gli)». È la seconda domanda: perché la fede è fondamento della speranza e dimostrazione dell'invisibile, come san Paolo afferma?

70-75: *E io dopo* (**appresso**) [*gli risposi*]*:* «*Le cose misteriose* (**profonde**) [: la vita eterna, la beatitudine ecc.] *che qui mi offrono* (**largiscon**) *il loro aspetto* (**la lor parvenza**), *sono così* (**sì**) *nascoste* (**ascose**) *agli* (**a li**) *occhi del mondo* (**di là giù**) [: degli uomini], *che la loro esistenza* (**esser**) *vi sta* (**v'è**) *solo come contenuto della fede* (**in sola credenza**), *sulla quale* (**sopra la qual**) *si fonda la grande* (**alta**) *speranza* (**spene**) [: della vita eterna]*; e perciò* (**però**) *prende la denominazione* (**intenza**; dal lat. scolastico 'intentio') *di fondamento* (**sustanza**). Dante spiega in che senso la fede è il fondamento della speranza: poiché la dimensione della trascendenza è nascosta agli occhi degli uomini, essi possono basare la propria convinzione solo sulla fede.

76-78: *E* [*noi uomini*] *dobbiamo* (**ci conviene**) *trarre ogni deduzione* (**silogizzar**) *da questa fede* (**credenza**), *senza avere altra visione* (**vista**) [: altre prove sensibili]*: perciò* (**però**) *ha* (**tene** = tiene) *denominazione* (**intenza**) *di dimostrazione* (**argomento**)». Dante spiega in che senso la fede sia dimostrazione delle cose invisibili, concludendo la risposta alla seconda domanda: gli uomini non possono vedere nel regno delle cose trascendenti e debbono perciò di necessità fare le loro considerazioni in materia a partire dalla propria fede.

79-81: *Allora udii* [*dire da san Pietro*]*:* «*Se tutto ciò che* (**quantunque**) *si apprende* (**s'acquista**) *giù* [*nel mondo*] *con l'insegnamento* (**per dottrina**) *fosse capito* (**'nteso**) *così* [*chiaramente*], *non vi* (**lì**) *avrebbe* (**avrìa**) *posto* (**loco**) *il ragionamento* (**ingegno**) *cavilloso* (**di sofista**) [: sarebbero escluse le sottigliezze dell'eccessiva fiducia in se stessa della ragione]».

82-85: *Così fu detto* (**spirò**) *da* (**di**) *quell'*[*anima*] *ardente* (**acceso**) [*di*] *carità* (**amore**) [: san Pietro]*; quindi* (**indi**) [*ella*] *aggiunse* (**soggiunse**)*:* «*Finora* (**già**) *la lega e il peso di questa* (**d'esta**) *moneta* [: la fede, per m e t a f o r a] *è stata* [*da te*] *esaminata* (**è trascorsa**) *assai bene; ma dimmi se tu* [*ce*] *l'hai nella tua borsa*». È il terzo punto dell'esame: Dante ha definito correttamente la fede; ora deve dire se ne è provvisto. Dalla

Ond' io: «Sì ho, sì lucida e sì tonda,
che nel suo conio nulla mi s'inforsa».
Appresso uscì de la luce profonda
che lì splendeva: «Questa cara gioia
sopra la quale ogne virtù si fonda,
onde ti venne?». E io: «La larga ploia
de lo Spirito Santo, ch'è diffusa
in su le vecchie e 'n su le nuove cuoia,
è silogismo che la m'ha conchiusa
acutamente sì, che 'nverso d'ella
ogne dimostrazion mi pare ottusa».
Io udi' poi: «L'antica e la novella
proposizion che così ti conchiude,
perché l'hai tu per divina favella?».

87
90
93
96
99

m e t a f o r a della **moneta** derivano conseguentemente la **lega** e il **peso** del v. 84 (cioè *le caratteristiche*) e **lucida**, **tonda** e **conio** dei vv. 86 sg. (con un'eco in **cara gioia** del v. 89).

86-87: *Per cui io* (**ond'io**) [*gli risposi*]: *«Sì, [ce l']ho, così* (**sì**) *brillante* (**lucida**) *e così tonda che non ho nessun dubbio* (**nulla mi s'inforsa**) *riguardo al* (**nel**) *suo conio».* Fuor di m e t a f o r a significa che Dante possiede una fede profonda e senza dubbi. Ma si noti lo slancio entusiastico di questi due versi, espresso dalla omissione del pronome al v. 86 (**sì ho**), dalla triplice r e p l i c a z i o n e, quasi ad eco, dell'affermazione **sì** (benché in diversa funzione grammaticale) al v. 86 (con una ripresa al verso seguente in **s'inforsa**), dalla perfetta rispondenza t r a le m e t a f o r e della risposta e quelle della domanda: «la moneta è *lucida* in quanto perfetta nella *lega*, ed è *tonda* in quanto, non consumata, il suo *peso* è esatto» (Reggio). **Mi s'inforsa**: il verbo *inforsarsi* è di conio dantesco, dall'avverbio *forse*, e significa *apparire incerto, dubbio*.

88-91: *Poi* (**appresso**) *dal profondo della luce* (**de la luce profonda**) [: san Pietro] *che lì splendeva uscì* [*questa domanda*]: *«Da dove* (**onde**) *ti è venuta* (**ti venne**) *questa gemma* (**gioia**) *preziosa* (**cara**) [: la fede] *sulla* (**sopra la**) *quale si fonda ogni* (**ogne**) [*altra*] *virtù* [*teologale*: speranza e carità]?». È la quarta domanda di san Pietro.

91-96: *E io* [*gli risposi*]: *«L'abbondante* (**larga**) *pioggia* (**ploia**) [: ispirazione] *dello Spirito Santo, che è sparsa* (**diffusa**) *sulle* (**in su le**) *vecchie e sulle* (**'n su le**; **'n** = in) *nuove*

pergamene (**cuoia**) [: nel Vecchio e nel Nuovo Testamento, cioè nei sacri testi biblici], *è argomentazione* (**silogismo**) *che me la ha* (**la m'ha**) *dimostrata* (**conchiusa**) *in modo così convincente* (**acutamente sì**), *che rispetto ad essa* (**'nverso d'ella**; **'nverso** = inverso = verso) *ogni* (**ogne**) [*altra*] *dimostrazione mi appare* (**pare**) *debole* (**ottusa** = spuntata)». La fede è venuta a Dante dalle Sacre Scritture, ispirate così abbondantemente dallo Spirito Santo da dimostrare la fondatezza della dottrina cristiana più che qualsiasi ragionamento che prescinda da esse. Si notino anche qui lo slancio e la sicurezza della risposta, espressi dal suo incalzare (al v. 91 si conclude la domanda e sùbito si avvia la risposta) e dalla evidenza delle immagini m e t a f o r i c h e: da quella del diffondersi dello Spirito divino sui testi sacri come una pioggia abbondante, a quella implicita della lancia o della punta cui si legano, in contrapposizione tra loro, l'**acutamente** del v. 95 e l'**ottusa** del v. 96.

97-99: *Io poi udii* [*dire da san Pietro*]: *«Perché tu consideri* (**l'hai**; **l'** = la, pron. p l e o n.) *come* (**per**) *parola* (**favella**) *divina il Vecchio* (**l'antica**) *e il Nuovo* (**novella**) *Testamento* (**proposizion**) *che ti inducono a questa conclusione* (**che così ti conchiude**)*?».* È la quinta domanda di san Pietro: se la fede deriva da quanto affermano le Sacre Scritture, che cosa assicura che esse siano ispirate da Dio (cioè Sacre)? **Proposizion**: la *proposizione*, nel linguaggio dei filosofi scolastici, è la *premessa* di un *silogismo*, cioè di un ragionamento dimostrativo; qui l'uso del termine tecnico è m e t a f o r i c o e si ricollega all'altra m e t a f o r a del *sil-*

E io: «La prova che 'l ver mi dischiude,
son l'opere seguite, a che natura
102   non scalda ferro mai né batte incude».
Risposto fummi: «Di', chi t'assicura
che quell' opere fosser? Quel medesmo
105   che vuol provarsi, non altri, il ti giura».
«Se 'l mondo si rivolse al cristianesmo»,
diss' io, «sanza miracoli, quest' uno
108   è tal, che li altri non sono il centesmo:
ché tu intrasti povero e digiuno
in campo, a seminar la buona pianta
111   che fu già vite e ora è fatta pruno».

logismo al v. 94: se l'*argomentazione* che conviene alla fede è la parola dello Spirito Santo, è naturale che le Scritture in cui questa parola è contenuta siano le *premesse* di tale *argomentazione*. Allo stesso àmbito m e t a f o r i c o è da ricollegare anche il **conchiusa** del v. 94 e il **conchiude** del v. 98: dopo le *premesse* e l'*argomentazione* viene appunto la *conclusione*.

100-102: *E io* [*gli risposi*]: «*La prova che mi dimostra* (**mi dischiude**) *la verità* ('**l ver** = il vero) *sono i fatti* (**l'opere**) [: i miracoli] *che seguirono* (**seguite**), *per i quali* (**a che**) *la natura non possiede mai la materia* (**non scalda ferro mai**) *né* [*la*] *prepara* (**batte incude**; **incude** = incudine) [: che la natura non è mai in grado di compiere senza l'intervento sovrannaturale di Dio]». La prova che le Sacre Scritture siano ispirate da Dio la offrono i miracoli seguiti ad esse, estranei all'ordine naturale delle cose. Si noti la m e t a f o r a del v. 102, che rappresenta la natura come un fabbro (al mestiere del quale appartiene di *scaldare il ferro* per lavorarlo, *battendolo*, sull'*incudine*): i miracoli sono opere che la natura/fabbro né sa né può compiere.

103-105: *Mi fu* (**fummi**) *risposto* [: da san Pietro]: «*Di', chi ti assicura che quei fatti* (**quell'opere**) [: i miracoli] *siano avvenuti* (**fosser**)? *Te lo garantisce* (**il ti giura**) *quella fonte medesima* (**quel medesmo**) *che vuoi dimostrare* (**che vuol provarsi**) [: le Sacre Scritture], *non altri*». È la sesta ed ultima questione posta da san Pietro a Dante. Riguarda un aspetto propriamente logico del ragionamento di quest'ultimo: se la prova della ispirazione divina delle Sacre Scritture sono i miracoli e se della reale esistenza dei miracoli sono prova le Sacre Scritture, si cade in un circolo vizioso, in cui i vari elementi della dimostrazione si sorreggono a vicenda senza che nessuno si regga per se stesso.

106-111: *Io dissi* [*in risposta a san Pietro*]: «*Se il* ('**l**) *mondo si convertì* (**si rivolse**) *al cristianesimo senza* (**sanza**) *miracoli, questo unico* (**quest'uno**) [*miracolo*: la conversione del mondo senza prove] *è tale* [: così grande], *che gli* (**li**) *altri* [: tutti quelli narrati dalla Bibbia] *non sono la centesima parte* (**il centesmo**) [*di esso*]*; poiché* (**ché**) *tu entrasti* (**intrasti**) *in campo povero e senza mezzi* (**digiuno**) *a seminare la buona pianta* [: a predicare il cristianesimo] *che in passato* (**già**) *fu* [*florida come*] *una vite e ora è divenuta* (**fatta**) [*arida e selvaggia come*] *un pruno* [: arbusto spinoso]». Dante esce dal circolo vizioso con un argomento che risale ai Padri della Chiesa (Agostino), ripreso anche da Tommaso: la rapida diffusione del cristianesimo, così impegnativo sul piano comportamentale e così originale sul piano dottrinale, oltre che sprovvisto dei mezzi di solito necessari a far ottenere successo nel mondo (cfr. vv. 110 sgg.), è di per sé un miracolo più grande di tutti gli altri raccontati dalle Sacre Scritture; ed è quindi la prova del carattere divino di queste. Ai vv. 109-111 la predicazione di san Pietro e degli Apostoli è paragonata per m e t a f o r a alla semina, secondo un'immagine frequente nel *Vangelo*. E Dante non perde l'occasione per riferirsi alla degradazione presente della Chiesa e della cristianità, rispetto allo splendore passato, così che il nucleo polemico della *Commedia* viene solennemente richiamato in questo momento di alto impegno dottrinale e drammatico.

Finito questo, l'alta corte santa
          risonò per le spere un ' Dio laudamo '
114   ne la melode che là sù si canta.
          E quel baron che sì di ramo in ramo,
          essaminando, già tratto m'avea,
117   che a l'ultime fronde appressavamo,
          ricominciò: « La Grazia, che donnea
          con la tua mente, la bocca t'aperse
120   infino a qui come aprir si dovea,
          sì ch'io approvo ciò che fuori emerse;
          ma or convien espremer quel che credi,
123   e onde a la credenza tua s'offerse ».
          « O santo padre, e spirito che vedi
          ciò che credesti sì, che tu vincesti
126   ver' lo sepulcro più giovani piedi »,
          comincia' io, « tu vuo' ch'io manifesti
          la forma qui del pronto creder mio,
129   e anche la cagion di lui chiedesti.

112-114: [*Dopo che ebbi*] *finito* [*di dire*] *questo, l'alta corte santa* [*del Paradiso*] *fece risuonare* (**risonò**) *nei vari cerchi* (**per le spere**) [: cfr. vv. 10-12 e nota] *un 'Lodiamo* (**laudamo**) *Dio' nella melodia* (**melode**) *che si canta lassù*. Il vero e proprio esame di Dante è terminato, e il coro dei beati, disposti in vari cerchi, manifesta la propria approvazione con un inno di lode e di ringraziamento a Dio. L'ultima domanda di san Pietro (vv. 118-123) si differenzia infatti dalle precedenti per argomento e caratteri: non riguarda la fede in quanto oggetto di riflessione dottrinale ma in quanto atteggiamento particolare della coscienza di Dante. Per questo si inserisce a questo punto l'inno dei beati e l'approvazione di san Pietro (vv. 118-121). '**Dio laudamo**': è il *Te Deum*, inno liturgico di ringraziamento riservato alle occasioni solenni.

115-123: *E quel barone* [: san Pietro] *che, esaminando*[*mi*] *già mi aveva* (**m'avea**) *condotto* (**tratto**) *di ramo in ramo* [: di domanda in domanda] *così* (**sì**) *che ci avvicinavamo* (**appressavamo**) *alle ultime fronde* [: alla fine dell'esame] *ricominciò* [*a dire*]: «*La Grazia* [*divina*] *che guida amorosamente* (**donnea**; dal prov. 'donnejar' = amoreggiare) *la tua mente, ti fece aprire* (**t'aperse**) *fin qui* (**infino a qui**) *la bocca come era giusto* (**si dovea**) *aprir*[*la*] [: ti ha guidato a rispondere correttamente], *così* (**sì**) *che io approvo ciò che è uscito* (**emerse**) *fuori* [*dalla tua boc-*

ca]; *ma ora è necessario* (**convien**) *che tu esprima* (**espremer**) *quel che credi, e da dove* (**onde**) [*ciò*] *si offrì* (**s'offerse**) *alla tua fede* (**a la credenza tua**)». San Pietro approva le risposte date da Dante riguardo a che cosa la fede sia; ma ora vuole udire il contenuto, l'oggetto della sua fede, e sapere da quale fonte lo abbia attinto. Più che mai in questa parte conclusiva dell'esame, l'aspetto del colloquio è piuttosto quello di un esame di coscienza che di un'interrogazione. **Baron**: *conti* e *baroni* erano chiamati i santi più importanti del Paradiso, con t r a s l a t i dai termini delle gerarchie feudali, così come Dio è chiamato più volte, nella *Commedia*, *re* o *imperatore*, e il Paradiso, *corte* (cfr. v. 112). **Di ramo in ramo**...: è m e t a f o r a usata per indicare il procedere per gradi del colloquio, ripresa al v. 117 con **ultime fronde**; sottolinea il carattere dialogico dell'esame e la funzione di guida dell'esaminatore (**tratto m'avea**).

124-129: *Io cominciai* [*a rispondergli dicendo*]: «*O santo padre, o spirito che* [*ora*] *vedi* [: in Paradiso] *ciò che credesti a tal punto* (**sì** = così) *che* [*correndo*] *verso* (**ver'**) *il sepolcro* (**lo sepulcro**) [*di Cristo*] *vincesti le gambe* (**piedi**) *più giovani* [*di Giovanni*], *tu vuoi che io manifesti qui la sostanza* (**forma**) *della mia fede* (**del...creder mio**) *immediata* (**pronto**) [: per affermazioni senza dimostrazione], *e* [*mi*] *chiedesti anche la sua* (**di lui**) *origine* (**cagion** = causa) [: la fonte].

E io rispondo: Io credo in uno Dio
solo ed etterno, che tutto 'l ciel move,

132　　　　　non moto, con amore e con disio;
e a tal creder non ho io pur prove
fisiche e metafisice, ma dalmi

135　　　　　anche la verità che quinci piove
per Moïsè, per profeti e per salmi,
per l'Evangelio e per voi che scriveste

138　　　　　poi che l'ardente Spirto vi fe' almi;
e credo in tre persone etterne, e queste
credo una essenza sì una e sì trina,

141　　　　　che soffera congiunto ' sono ' ed ' este '.
De la profonda condizion divina
ch'io tocco mo, la mente mi sigilla

144　　　　　più volte l'evangelica dottrina.

Prima di dare inizio alla risposta vera e propria, Dante riepiloga le due diverse richieste
di san Pietro; e mette in luce la fede esemplare del santo, premiata ora dalla conferma ricevuta nell'aldilà. L'episodio cui si allude ai vv. 125 sg. è raccontato nel Vangelo
(cfr. *Giovanni* XX, 1-9): saputo da Maria
Maddalena che il sepolcro nel quale era stato deposto il corpo di Cristo era vuoto, Pietro e Giovanni vi accorsero; giunse prima
Giovanni, più giovane, ma non entrò; entrò
per primo Pietro, giunto dopo; ed entrambi
verificarono che il corpo di Gesù era sparito. Dante utilizza il racconto evangelico in
modo parziale, come al solito, secondo le
proprie esigenze: in questo caso per sottolineare la fede insuperabile di san Pietro.

130-141: *E io rispondo: io credo in un Dio
unico* (**solo**) *ed eterno, che, non mosso* (**moto**) [: immobile], *muove tutto il* ('**l**) *cielo attraverso* (**con**) *l'amore* [: di Dio per l'Uni-
verso] *e attraverso il desiderio* (**con disio**)
[: dei cieli verso Dio]*; e per tale fede* (**a tal
creder**) *io non ho soltanto* (**pur**) *prove fisiche e metafisiche* (**fisice e metafisice**; con la
desinenza arc. -ce), *ma me la dà* (**dalmi**)
[: tale fede] *anche la verità che scende* (**piove**) [*sulla Terra*] *da qui* (**quinci**) [: dal Para-
diso] *attraverso* (**per**) *Mosè* (**Moïsè**), *attraverso i profeti e attraverso i salmi* [: il Vecchio Testamento], *attraverso il Vangelo* (**per
l'Evangelio**) *e attraverso voi* [*Apostoli*] *che
scriveste* [: gli Atti degli Apostoli, le Epistole e l'Apocalisse] *dopo* (**poi**) *che lo Spirito
Santo* (**l'ardente Spirto**) *vi ispirò* (**vi fe'
almi** = vi fece santi) [: il Nuovo Testamen-
to]*; e credo in tre persone eterne* [: la Trini-

tà], *e queste credo* [*che siano*] *una sos*
(**essenza**) *così* (**sì**) *unica* (**una**) *e così tr*
triplice], *che ammette* (**soffera**) *uniti*
giunto) *'sono' e 'è'* (**este**; forma tosc.
[: singolare e plurale]. L'affermazion
dogmi centrali della concezione cristi
accompagna ad un vigore intellettual
anima la materia dottrinale. Di tale v
sono segno il ritmo solenne e mosso, l
tezza delle definizioni e dei termini,
piente architettura logica della dimost
ne. I dogmi si riducono a pochi esse
elementi: l'esistenza di un Dio eterno
co ma trino, motore immobile dell'Uni
(vv. 130-132 e 139-141; per il **con dis**
v. 132 cfr. I, 76 sg. e nota). E con q
Dante risponde alla prima domanda c
Pietro (v. 122). La fonte di tale fede
aggiunge, sono le prove *fisiche* (tratt
l'osservazione delle cose materiali) e
metafisiche (tratte dai ragionamenti sull
sovrasensibili), e sono le Sacre Scrittu
colte nella Bibbia, ricordate attraverso
re o gli autori più rappresentativi del
chio e del Nuovo Testamento. E con
sto, Dante risponde alla seconda dom
di san Pietro (v. 123), cui le due terzi
seguono offriranno un'ulteriore aggi

142-144: *La dottrina del Vangelo* (**eva
ca**) *più volte* [: in più luoghi] *dà ce
alla mia mente* (**la mente mi sigilla**) *de*
steriosa (**profonda**) *natura* (**condizion**)
(**divina**) *della quale io* (**ch'io**) *ora* (**m**
accennato (**tocco**) [: il suo essere uno
no]. Il dogma meno spiegabile in term
zionali, quello della Trinità di Dio, è
confermato in più occasioni dalla par
Vangelo.

Quest' è 'l principio, quest' è la favilla
che si dilata in fiamma poi vivace,
e come stella in cielo in me scintilla ».
Come 'l segnor ch'ascolta quel che i piace,
da indi abbraccia il servo, gratulando
per la novella, tosto ch'el si tace;
così, benedicendomi cantando,
tre volte cinse me, sì com' io tacqui,
l'appostolico lume al cui comando
io avea detto: sì nel dir li piacqui!

47: *Questo* [*della Trinità*] *è il principio*
gni altro dogma di fede], *questa è la*
·lla (**favilla**) *che poi si allarga* (**dilata**)
·mma splendente (**vivace**) [: da deri-
resto della dottrina], *e brilla* (**scintilla**)
·e come una stella in cielo». Fuor di
a f o r a , la terzina contiene due af-
azioni: 1) il dogma della Trinità è quel-
cui deriva ogni altro aspetto della dot-
(vv. 145 sg.); 2) io credo in esso con
·zza (v. 147). Si noti come le due
a f o r e ruotino attorno ad un unico
·to di immagini: la Trinità è **favilla** che
·rga in **fiamma** e la fede in essa **scintil**-
Dante come una **stella**.

54: *Come il* ('l) *signore* (**segnor**) *che*
·a *quel che gli* (**i**) *fa piacere* (**piace**)
·a buona notizia], *poi* (**da indi**); lat. 'dein-
·bbraccia il servo, rallegrandosi* (**gratu**-
·) *per la notizia* (**novella**), *non appena*
·osto ch'el* (il **si** è p l e o n .); *co-*
·luce (**lume**) *dell'apostolo* (**appostolico**)
· Pietro] *al cui comando io avevo par-*
·avea detto) *mi girò intorno* (**cinse me**)
·lte benedicendomi cantando, *non ap-*
·io (**sì com'io**) *tacqui*: *tanto* (**sì** = così)
·) *piacqui nel dire* [: per ciò che rispo-

si]*!* Il canto si conclude con l'approvazione
definitiva di san Pietro alle risposte di Dante, e quasi con un incoronamento di questi
ad opera di quei tre giri luminosi tracciatigli
intorno dal santo. E questa conclusione trionfale troverà un'eco e un compimento nell'i-
nizio del canto seguente, dove Dante auspi-
cherà di ritornare a Firenze e di esservi incoronato poeta, nella consapevolezza del
valore della propria opera. La s i m i l i -
t u d i n e con il signore che riceve una buona notizia da un servo ha lo scopo di rendere meno superbo l'autoelogio, facendo corrispondere alla figura di san Pietro quella
del signore e alla propria quella del servo,
e attribuendo alle proprie risposte e non a
se stesso la ragione profonda dell'approvazione: Dante piace a san Pietro perché ha
parlato dei comuni valori della cristianità,
così come il servo piace al signore non in
sé ma per la notizia che porta. E il parallelismo tra le due scene è sottolineato dalla perfetta rispondenza tra i loro elementi interni
(**i piace**, v. 148, e **li piacqui**, v. 154; **abbrac-**
cia il servo, v. 149, e **cinse me**, v. 152; **gra-**
tulando / per la novella, vv. 149 sg., e benedicendomi cantando, v. 151; **tosto ch'el**
si tace, v. 150, e **sì com'io tacqui**, v. 152).

a voce semidotta derivata dal lat. eccles. *confessare* (da *confessus*, part. pass. del
·t. class. *confitēri* = 'confessare'; cfr. franc. *confesser* e sp. *confesar*). Il significato
·io è 'palesare, dichiarare una colpa o un errore' — cfr. *Purg.* XXXI, 38 — o anche,
·icamente, 'rivelare, manifestare qualcosa che si è tenuta nascosta' — cfr. *Par.* XVII,
·ali usi sono tuttora vivi. Anticamente il vb. valeva anche 'affermare, asserire' —
·*urg.* III, 94 e *Par.* III, 4. La forma rifl. *confessarsi* significa 'manifestare i propri
·ti ad un sacerdote, per ottenerne l'assoluzione' — cfr. l'uso simile in *Inf.* V, 8. Oggi
· soprattutto, oltre che nella forma rifl., nel significato di 'dire apertamente qualcosa
· il timore di essere confutati o biasimati'. L'uso di Dante in *Par.* XXIV, 58 è alquanto
·olare, e vale 'fare una dichiarazione solenne' (nel caso specifico, di fede); analoga-
· si chiamano ancor oggi *confessioni* le diverse fedi religiose.

È agg. dotto derivato dal lat. *occultus* (part. pass. di *occulĕre* = 'nascondersi'; cfr. franc. *occulte*). Il termine si riferisce a ciò 'che non può essere compreso dalla mente umana per la sua intrinseca debolezza e che deriva da cause e si svolge con modalità sconosciute' e vale perciò 'arcano, misterioso' — cfr. *Purg.* XXX, 38. Dante lo usa anche nel significato specifico di 'ignorato, sconosciuto, ignoto' — cfr. *Par.* XXIV, 41. Oggi la voce è usata per lo più 'in riferimento alle discipline esoteriche e iniziatiche e alla magia' («scienze occulte»).

Professione _____ v. 51

La voce deriva dal lat. *professĭo, professiōnis* (da *profitēri* = 'dichiarare apertamente, insegnare pubblicamente'). Il termine indica propriamente una 'dichiarazione pubblica, la confessione di un sentimento, di una opinione, ecc.'. È, p. es., frequente nel senso (e nella locuz.) di «professione di fede» — è questo l'uso di Dante. Oggi vale per lo più 'mestiere, attività lavorativa', soprattutto in riferimento a lavori non manuali e in proprio (cfr. «libera professione», *professionista*).

Sodalìzio _____ v. 1

La voce deriva dal lat. *sodalicium* = 'amicizia, compagnia' (cfr. *sodālis* = 'amico'). Indica una 'compagnia tra la familiarità e l'amicizia'. L'uso di Dante vale per estens. 'l'insieme dei beati'.

DANTE E IL NUOVO TESTAMENTO

Il *Nuovo Testamento* è quella parte della *Bibbia* che raccoglie le opere composte dopo la Rivelazione, cioè dopo la venuta e la predicazione di Cristo. Esse sono i quattro *Vangeli* (scritti da Matteo, Luca, Marco e Giovanni), gli *Atti degli Apostoli* (scritti da Luca), l'*Apocalisse* (composta da Giovanni) e le lettere di Pietro, Paolo, Giacomo, Giovanni e Giuda.

È naturale che al *Nuovo Testamento* Dante guardasse come alla fonte più autorevole della verità divina (e tale è secondo la dottrina cristiana). Ma bisogna anche considerare che, nei decenni della formazione di Dante, erano possibili due atteggiamenti diversi nei confronti della Rivelazione, e quindi della Sacra Scrittura (in particolare del *Nuovo Testamento*). La tradizione agostiniana (ispirata cioè al grande filosofo e teologo africano Agostino, vissuto tra il IV e il V sec.) affermava l'assoluta superiorità della illuminazione della Grazia rispetto alle conclusioni della ragione; tale posizione, che era stata recentemente rilanciata soprattutto da san Bonaventura e dall'ambiente francescano, finiva con il fare della fede (legata alla parola di Dio quale è consegnata nella *Bibbia*) un valore quasi

contrapposto alla riflessione, difendendo la semplicità contro le avventate specu-
lazioni dottrinali. Al contrario la filosofia tomista (legata a S. Tommaso: cfr. scheda relativa) assegnava una importanza assai maggiore alle capacità intellettive
dell'uomo, positive in quanto dono divino, affidate alle scelte del *libero arbitrio*
Dante aderisce senz'altro alla posizione tomista, che per altro non negava affatto
la verità scritturale, ma solamente si rifiutava di ritenere fondati su di essa i propri
ragionamenti filosofici. Ugualmente sono però presenti nella sua formazione cospicui elementi agostiniani. Ciò è vero soprattutto per i canti nei quali egli viene
interrogato sulle Virtù teologali, dove il riferimento alle Scritture (e in particolare
al *Nuovo Testamento*) è continuo e polemico (le ragioni sono succintamente ricordate nell'introduzione al canto XXIV). Si arriva addirittura a casi di citazione letterale, come ai vv. 64 sg. del canto XXIV del *Paradiso* (cfr. nota).

C'è poi un altro aspetto importante del rapporto di Dante con il *Nuovo Testamento*: l'utilizzazione, oltre che come fonte teologico-dottrinaria, come fonte narrativa, cioè come serbatoio di episodi esemplari e facilmente recepibili dal lettore.
È, sempre nel canto XXIV, il caso dei due episodi relativi alla persona di san
Pietro (cfr. v. 39 e vv. 125 sg. e note).

Infine si incontrano casi non rari di citazioni nascoste, veri e propri echi scritturali che servono a rendere il testo, all'occorrenza, particolarmente solenne o
autorevole. Come accade nei primi nove versi dello stesso canto XXIV (cfr. le note).

Canto XXV

Prosegue in questo canto l'esame di Dante sulle tre Virtù teologali: come nel canto XXIV è stato interrogato da san Pietro sulla fede, così qui nel XXV è interrogato da san Giacomo sulla speranza.

San Giacomo gli fa tre domande: che cosa sia la speranza, se egli la possieda, da dove gli sia venuta. Alla seconda risponde per Dante Beatrice: nessuno possiede in più alto grado di Dante la speranza, ella dice, e per questo gli è stato concesso da Dio il viaggio sovrannaturale. Alle altre due domande risponde Dante stesso; la speranza è l'attesa certa della beatitudine futura ed egli l'ha tratta dai testi delle Sacre Scritture. Il lampeggiare del santo, come in altri casi, rivela la sua gioiosa approvazione.

Come per la fede, l'esame si conclude con una richiesta sul contenuto della speranza; e Dante risponde che la speranza promette la futura beatitudine ai giusti. E tutti i beati intonano un salmo di lode a Dio.

Alle luci di san Pietro e di san Giacomo si unisce a questo punto quella di san Giovanni Evangelista, al quale Gesù affidò, prima di morire, la madre. A lui spetterà, nel canto seguente, di interrogare Dante sulla carità.

Il canto della speranza si apre, con coerenza tematica, con un ricordo nostalgico della patria lontana, nella consapevolezza di essere degno di tornarvi trovandovi l'apprezzamento meritato con la propria opera di poeta. Nel battistero di san Giovanni a Firenze, dove Dante è stato battezzato, entrando nella fede cristiana, egli auspica di essere incoronato poeta dopo che san Pietro lo ha lodato per la sincerità e la profondità della sua fede. Come si vede, quindi, Dante istituisce un parallelismo tra la propria missione di cristiano e la propria attività di artista, ritenendo strettamente congiunti i due piani: l'opera di riforma religiosa (e civile, va aggiunto) che la *Commedia* è destinata a compiere rende il suo autore degno del massimo riconoscimento artistico.

Dalla missione che si attua attraverso il poema, Dante trae l'autorità per giudicare con fermezza la **crudeltà** dei **lupi** che lo hanno esiliato ingiustamente da Firenze e dei quali egli, **agnello**, non esita a dichiararsi *nemico*. Tale posizione severa induce a credere che Dante non ritenesse probabile un ritorno a Firenze; e che anzi esso fosse da escludersi, alle condizioni dignitose o per meglio dire gloriose che egli sente di meritare (e le altre possibilità furono da lui sempre sdegnosamente rifiutate). E bisogna quindi osservare che il canto della speranza si apre in verità con un auspicio privo di speranza: ovvero, alla speranza nella giustizia superiore e nell'aldilà si contrappone la disillusione nei confronti del mondo e degli uomini (senza perciò rinunciare al proprio impegno tra di essi). Questa disillusione spiega anche il tono malinconico e raccolto dei versi iniziali del canto, nei quali alla consapevolezza del proprio valore e della propria superiorità si affianca la coscienza della frattura insanabile con Firenze e la coscienza del proprio definitivo destino di esule.

Se mai continga che 'l poema sacro
al quale ha posto mano e cielo e terra,
3   sì che m'ha fatto per molti anni macro,
vinca la crudeltà che fuor mi serra
del bello ovile ov' io dormi' agnello,
6   nimico ai lupi che li danno guerra;
con altra voce omai, con altro vello
ritornerò poeta, e in sul fonte
9   del mio battesmo prenderò 'l cappello;
però che ne la fede, che fa conte
l'anime a Dio, quivi intra' io, e poi
12   Pietro per lei sì mi girò la fronte.

1-12: *Se mai avvenga* (**continga**) *che il poema sacro* [: la Commedia] *al quale hanno concorso* (**ha posto mano**) *sia* (**e**) *il cielo* [: la scienza teologica] *sia* (**e**) *la Terra* [: l'esperienza terrena], *così* (**sì**) *che mi ha fatto logoro* (**macro** = magro) [*per la fatica*] *per molti anni, vinca la crudeltà* [*dei fiorentini*] *che mi costringe* (**serra**) *fuori del bello ovile* [: Firenze] *dove io* (**ov'io**) [*da giovane, prima dell'esilio*] *dormii* [: vissi] *agnello* [: innocente], *nemico* (**nimico**) *ai lupi* [: ai cittadini malvagi] *che gli* (**li**) [: al bello ovile, Firenze] *fanno* (**danno**) *guerra* [: turbandone la pace con fazioni e lotte civili]; *ormai* (**omai**) *ritornerò* [*come*] *un poeta con altra voce e con altri capelli* (**vello**) [: più vecchio, ma anche più maturo], *e riceverò* (**prenderò**) *la corona* (**'l cappello**; **'l** = il; **cappello** per 'corona, ghirlanda' è un gallic.: cfr. il franc. ant. 'chapel') [*poetica*] *sul* (**in sul**) *fonte dove fui battezzato* (**del mio battesmo**) [: in san Giovanni]; *perché* (**però che**) *lì* (**quivi**) *io entrai* (**intra' io**) *nella fede* [: con il battesimo], *che rende* (**fa**) *gradite* (**conte** = conosciute; dal lat. 'cognitae') *le anime a Dio, e poi* [*san*] *Pietro per lei* [: la fede] *mi coronò* (**girò** = circondò) *la fronte nel modo che si è detto* (**sì** = così) [: cfr. XXIV, 151-154]. Il senso generale, in sintesi, è: se avverrà mai che per i meriti acquisiti con la composizione della *Commedia* io venga richiamato a Firenze, sarò incoronato poeta là dove ricevetti il battesimo. A questo nucleo di discorso Dante unisce poi alcune osservazioni importanti: 1) la composizione del poema ha richiesto un enorme sforzo e competenze terrene e teologiche (vv. 2 sg.); 2) a Firenze

Dante è vissuto, prima dell'esilio, innocente e giusto, come **agnello** nell'**ovile**, opponendosi ai **lupi** che turbavano la pace della città, e cioè opponendosi alle fazioni e alle lotte civili (vv. 4-6); 3) a Firenze, se fosse richiamato dall'esilio, egli tornerebbe mutato, sia perché gli anni e gli affanni lo hanno precocemente invecchiato, sia perché la sua arte non è più quella giovanile (**voce** ha anche il significato metaforico di *timbro poetico*), ma è maturata e si è approfondita, rispetto all'esperienza fiorentina dello stilnovismo (vv. 7 sg.); 4) l'approvazione di san Pietro alla sua fede si ricollega al battesimo e alla missione di poeta (vv. 8-12). È da notare come nelle quattro terzine convivano due registri lessicali e stilistici, e quindi due atteggiamenti psicologici, diversi: da una parte Firenze è rievocata nostalgicamente con abbandono ed affetto (**bello ovile**, v. 5; **mio battesmo**, v. 9), dall'altra la triste realtà delle lotte civili e dell'ingiustizia subìta per conseguenza della propria onestà sono definite con aperta fierezza (**la crudeltà**, v. 4; **lupi che li danno guerra**, v. 6). Tale duplicità si ricollega alla coscienza di meritare il ritorno in patria e l'incoronazione poetica, ma di non potervi contare a causa della perdurante malvagità ed ingiustizia dei propri concittadini. E così la possibilità di tale riconoscimento mondano è, più che cosa sperata, cosa che preme di proclamare giusta: un più importante riconoscimento è l'incoronazione simbolica ricevuta da san Pietro, e cioè la consapevolezza di adempiere un compito non solo artistico ma di alto valore religioso e civile.

Canto XXVI

Nel canto precedente, fissando l'anima luminosa di san Giovanni, Dante è rimasto abbagliato; ed in questo la vista gli verrà restituita da Beatrice. Prima però il santo lo interroga sulla terza Virtù teologale: la carità.

Alle domande di san Giovanni, Dante risponde che principio e fine del suo amore è Dio, sommo bene; e che a ciò lo spingono le Sacre Scritture e i beni ricevuti da Dio: la vita, la redenzione, la promessa della vita eterna. Per approvare il buon esito dell'esame e lodare la Grazia divina, le anime intonano il Sanctus; e Beatrice restituisce a Dante la vista. Così che questi scorge accanto a sé una quarta luce (oltre quelle di Beatrice, di san Giovanni e di san Pietro): l'anima del primo uomo, Adamo.

Ad Adamo Dante chiede con emozione di dare soddisfazione ai suoi desideri interiori, senza che egli debba rivolgergli esplicitamente delle domande: Adamo vede infatti attraverso Dio nell'animo di Dante. I quesiti ai quali Dante sta pensando riguardano la cronologia della creazione di Adamo e la sua cacciata dal Paradiso Terrestre, la colpa che lo fece cacciare di lì, la lingua da egli parlata. Dalla creazione, risponde Adamo, sono trascorsi 6498 anni, e nell'Eden egli trascorse solo sette ore; la ragione della cacciata non fu l'aver gustato il frutto proibito, ma l'aver coscientemente con ciò inteso superare il limite posto da Dio all'uomo, e quindi peccato di superbia; quanto alla lingua, Dante mostra attraverso le parole di Adamo di rifiutare la concezione, fatta invece propria nel De vulgari eloquentia, che la lingua dell'uomo sia di origine divina e che da Adamo si sia trasmessa, immutata, all'ebraico, e propone una concezione molto più vicina a quella moderna, secondo la quale le lingue sono un prodotto della cultura umana e si mutano perciò storicamente, potendo anche morire.

Canto XXVII

'Al Padre, al Figlio, a lo Spirito Santo',
cominciò, 'gloria!', tutto 'l paradiso...

Questa è la grandiosa apertura del canto, in cui tutti i beati intonano un inno di lode alla Trinità (cioè a Dio) in risposta alle parole di Adamo. E tale canto pare a Dante **un riso**/ **de l'universo** *(vv. 4 sg.).*

Il canto XXVII è sapientemente costruito su un doppio contrasto: nella prima metà al tono sublime dell'inno dei beati si contrappone una feroce invettiva di san Pietro contro la degradazione della Chiesa; nella seconda metà è descritto prima l'innalzarsi di Dante al Primo Mobile (il cielo velocissimo che riceve il suo moto direttamente da Dio e lo trasmette all'intero Universo), e poi è riportato un severo discorso di Beatrice sulla cupidigia degli uomini che restano attaccati alle piccole cose mondane e non alzano gli occhi alle grandi cose del cielo.

In particolare l'invettiva di san Pietro, forse la più severa di quelle presenti nella Commedia*, sembra contrastare con l'atmosfera serena e distaccata del* Paradiso*; e invece, in realtà, da essa assume maggiore autorità e forza, anche perché a pronunciarla è il primo papa. E Bonifacio VIII riceve dall'invettiva una definitiva e superiore condanna:* «**Quelli** *[:* Bonifacio*]* **ch'usurpa in terra il luogo mio** *[: il pontificato],/* **il luogo mio, il luogo mio che vaca** *[: è vacante],/* **ne la presenza del Figliuol di Dio** *[: agli occhi di Cristo],/* **fatt'ha del cimitero mio** *[: Roma, tomba di san Pietro]* **cloaca** *[: fogna]/* **del sangue** *[: discordie]* **e de la puzza** *[: corruzione]...» (vv. 22-26).*

Da san Pietro, che annuncia prossima la punizione divina e il manifestarsi di un più giusto ordine, Dante riceve la terza e più alta investitura (dopo quella di Beatrice — cfr. Purg. *XXXII e XXXIII — e quella di Cacciaguida — cfr.* Par. *XVII, vv. 127-142 —) al compimento della sua missione:* «**... e tu, figliuol.../ ... apri la bocca,/ e non asconder** *[: nascondere]* **quel ch'io non ascondo** *[: nascondo]» (vv. 64-66).*

Canti XXVIII e XXIX

Come nel cielo ottavo Dante ha assistito al trionfo di Cristo e di Maria alla presenza dei beati del Paradiso che prima gli si erano mostrati distribuiti nei sette cieli sottostanti, così nel cielo nono assiste ad una specie di trionfo degli angeli. Infatti i canti XXVIII e XXIX sono dedicati alla soluzione di questioni di «angelologia». Tali problemi erano vivacemente dibattuti dai teologi dell'epoca e costituivano un aspetto importante dei loro sistemi di pensiero. Dante non manca di prendere, come al solito, una posizione precisa. Non si creda però che il carattere dottrinale di questi canti, e in aggiunta su questioni lontane dalla sensibilità moderna, ne comprometta il valore artistico. Al contrario, in questi canti la poesia del Paradiso si avvicina ad alcuni dei suoi risultati più alti, collocandosi su un registro di tipo metafisico che sarà dominante nell'ultima parte della Commedia, quella più caratterizzata in senso mistico. Inoltre alcuni temi si ricollegano ad atteggiamenti di fondo della terza c a n t i c a : basti pensare alla ferma condanna, pronunciata da Beatrice nel XXIX canto, di quei filosofi e di quei predicatori che si allontanano dalle affermazioni delle Sacre Scritture, confidando eccessivamente nelle possibilità della ragione umana o, nei casi peggiori, dirigendo i propri sforzi ad ottenere vantaggi personali.

Si consideri inoltre che alle gerarchie celesti degli angeli è affidato il compito di trasmettere ai vari cieli la volontà divina (cfr. canto II), e che quindi la struttura delle intelligenze (cioè degli angeli) rappresenta sotto un certo aspetto la struttura stessa dell'Universo, così come la rappresentano i cieli. In tal senso in questi canti si mostra a Dante, per intercessione di Beatrice (e cioè della Rivelazione), l'essenza dell'ordine universale che gli si mostrerà ancora, sotto più compiuta forma, nel canto XXX e, definitivamente svelata, nel XXXIII.

Rinunciando ad una dettagliata esposizione delle questioni dottrinali dei canti XXVIII e XXIX, è opportuno però soffermarsi almeno sull'invenzione centrale dell'ampio episodio. A Dante, dapprima riflesso negli occhi di Beatrice e poi direttamente, si mostra un punto luminosissimo attorno al quale ruotano nove cerchi concentrici, via via più grandi ma meno luminosi e meno veloci allontanandosi dal punto centrale. Le sfere rappresentano le nove gerarchie angeliche (Serafini, Cherubini, Troni, Dominazioni, Virtù, Potestà, Principati, Arcangeli, Angeli); e il punto centrale, Dio. La struttura riproduce quella dell'Universo, benché in essa la disposizione spaziale sia inversa essendo posta al centro la Terra, circondata da cieli via via più grandi e veloci, e Dio (immobile) circondi tutto.

Canto XXX

Gli ultimi quattro canti del *Paradiso* costituiscono per molti aspetti un blocco omogeneo: ormai nell'Empireo, Dante può osservare, interamente svelato, il regno dei beati. In particolare sono strettamente congiunti i canti XXX e XXXI, nei quali la visione viene definita e alla guida di Beatrice si sostituisce quella di san Bernardo.

* * *

I cori angelici a poco a poco spariscono dalla vista di Dante, come le stelle all'approssimarsi dell'alba; e questi si volge allora nuovamente a Beatrice, la quale gli appare sfolgorante della sua piena bellezza, più che mai superiore alle possibilità espressive della parola umana. Beatrice annuncia a Dante che essi sono ormai nell'*Empireo* (una specie di *decimo cielo*) e che qui egli potrà osservare la vera forma del Paradiso, vedendo entrambe le schiere che lo abitano: angeli e beati. Inoltre i beati gli si mostreranno, per una particolare grazia concessagli da Dio, come saranno dopo il Giudizio finale, e cioè con i corpi umani.

A questo punto, Dante è abbagliato da una luce violenta e solo a poco a poco il suo sguardo, divenuto capace di ogni visione in quanto aiutato dalla Grazia, riesce a vedere con precisione lo spettacolo che gli è davanti. Ad esso le facoltà e l'arte di Dante si vanno approssimando per gradi e passaggi successivi. Così gli pare di vedere prima un fiume di luce scorrente tra rive colorate e pieno di scintille in movimento; mentre poi si accorge che il fiume è un immenso lago di luce creato da un raggio divino e attraverso il quale Dio si offre alla contemplazione dei beati. Questi sono disposti attorno al lago come in un anfiteatro o, secondo l'immagine di Dante, come una rosa dai vastissimi petali. Qui la distanza non ha più peso ed anche i particolari più lontani appaiono nitidi allo sguardo. Così Dante può scorgere, dal centro della rosa, dove lo ha condotto Beatrice, un seggio vuoto con la corona imperiale. Beatrice lo informa che esso attende l'imperatore Enrico VII (che sarebbe morto nel 1313); e di qui parte una violenta condanna dei suoi oppositori (e innanzitutto dell'indegno papa Clemente V) e dell'immaturità politica dell'Italia rispetto al nobile progetto di Enrico.

* * *

Il canto XXX è il canto dell'addio di Beatrice, la cui funzione, ora che lo svelamento della verità del Paradiso è completo, si riduce a quella di indicare ciò che Dante è in grado di vedere da solo. L'esaltazione della bellezza della beata si collega a questo concludersi della sua missione e completa definitivamente il personaggio: se allegoricamente Beatrice rappresenta la Rivelazione e la Teologia (in quanto scienza della Rivelazione), e cioè la mediazione tra il divino e l'umano, ora che tale mediazione non è più necessaria perché Dante attinge direttamente la visione della divinità, Beatrice può riassumere interamente il proprio carattere superumano, consumando del tutto quella dose di umanità (e di femminilità, anche) che era stata indispensabile a farle compiere il proprio ufficio di guida e di maestra. Per questo Dante non può più parlarne nei termini umani della propria arte, ed afferma anzi che solo Dio è in grado di cogliere appieno la sua bellezza.

L'ultima funzione che Dante affida alla sua guida è quella di riaffermare, in un momento altamente significativo (anche perché sono le ultime parole che ella pronuncia nel poema), i più profondi ideali politici di Dante, esaltando la figura di Enrico VII nella quale essi si erano ad un certo punto incarnati storicamente.

Un altro carattere importante del canto è da individuare nella semplicità e quasi nella ingenuità delle descrizioni. Naturalmente ciò non va confuso con le caratteristiche artistiche, che sono in questo canto di raffinatissima squisitezza. Si tratta piuttosto di riferirsi alla storia interna della *Commedia*. Il cammino di Dante dal traviamento alla salvezza è anche un avvicinarsi alla originaria schiettezza della fede quale si trova nelle Sacre Scritture. Abbiamo visto, nei canti precedenti, la condanna dell'arroganza della ragione rispetto alla semplice verità delle Sacre Scritture. Poiché il traviamento di Dante significò anche una sopravvalutazione delle possibilità dell'uomo e un eccessivo amore per la filosofia, quella condanna e questo passaggio alla semplice pienezza della rappresentazione segnano la conquista di una maturità nuova e il compimento di quella crescita spirituale alla quale, anche, è stato necessario il viaggio sovrannaturale narrato nel poema.

I momenti dottrinari lasciano il posto al *vedere*. Quello del *vedere* è infatti il tema-chiave di questi canti conclusivi del *Paradiso*; e la sua centralità si riconnette strettamente a quanto si è detto fin qui. La beatitudine infatti consiste nella conoscenza, ma questa passa attraverso il vedere; la superiorità della fede è affermata anche in senso g n o s e o l o g i c o , perché non la speculazione ma la fede portano alla visione beata.

Ma Dante evita il rischio di misticismo ìnsito in questa concezione: se la mèta del cristiano è la visione di Dio, la sua strada è una faticosa conquista di tale mèta; alla quale è non solo utile ma necessario un impegno totale. La pagina politica che strategicamente conclude il canto serve anche a ricordare questo. L'importante è collegare alla dimensione della fede la prospettiva dell'impegno, che deve essere la più elevata possibile (e perciò sbagliano i faziosi), e anzi universale.

Per le caratteristiche formali del canto, tra i più curati e raffinati del poema, si vedano le osservazioni contenute nelle note.

    Forse semilia miglia di lontano
        ci ferve l'ora sesta, e questo mondo
3   china già l'ombra quasi al letto piano,
        quando 'l mezzo del cielo, a noi profondo,

1-9: *Forse l'ora sesta* [: il mezzogiorno] *arde* (**ferve**) *seimila* (**semilia**) *miglia lontano da qui* (**ci**), *e la Terra* (**questo mondo**) *proietta* (**china**) *già l'ombra quasi orizzontalmente* (**al letto piano**), *quando l'atmosfera* ('**l mezzo**; '**l** = **il**) *del cielo, alto* (**profondo**) [*rispetto*] *a noi, comincia a farsi tale* [: chiaro] *che qual-* *che* (**alcuna**) *stella smette di essere visibile* (**perde il parere**; **parere** = apparire) *fino* (**infino**) *a quaggiù* (**questo fondo**) [: sulla Terra]; *e come la luminosissima* (**chiarissima**) *ancella del sole* [: l'Aurora] *avanza ancora* (**vien...più oltre**), *così il* ('**l**) *cielo si spegne* (**si chiude**) *di luce in luce* (**di vista in vista**)

6   comincia a farsi tal, ch'alcuna stella

perde il parere infino a questo fondo;

e come vien la chiarissima ancella

del sol più oltre, così 'l ciel si chiude

9   di vista in vista infino a la più bella.

Non altrimenti il trïunfo che lude

sempre dintorno al punto che mi vinse,

12   parendo inchiuso da quel ch'elli 'nchiude,

a poco a poco al mio veder si stinse:

per che tornar con li occhi a Bëatrice

15   nulla vedere e amor mi costrinse.

Se quanto infino a qui di lei si dice

fosse conchiuso tutto in una loda,

18   poca sarebbe a fornir questa vice.

La bellezza ch'io vidi si trasmoda

non pur di là da noi, ma certo io credo

21   che solo il suo fattor tutta la goda.

---

fino (**infino**) *alla più luminosa* (**bella**). L'ampia descrizione astronomica costituisce la prima parte di una s i m i l i t u d i n e che si conclude, con il secondo termine di paragone, ai vv. 10-13. Tale prima parte descrive, dal punto di vista della Terra, il momento dell'alba, quando le stelle iniziano a scomparire nel cielo, a partire dalle meno luminose. Allo stesso modo scompaiono a poco a poco dalla vista di Dante i cerchi luminosi rappresentanti le gerarchie angeliche (per cui cfr. il riassunto dei canti XXVIII e XXIX). Il momento dell'alba, che la s i m i l i t u d i n e introduce, determina un'atmosfera di sospensione e di attesa; ciò prepara e annuncia l'ultima ascesa di Dante, fino all'Empireo. Si noti l'energia di **ci ferve** (v. 2), di **vien** (v. 7), di **si chiude** (v. 8) e il trepido mistero di **forse** (v. 1), di **ci ferve** ancora, di **profondo** (v. 4), di **questo fondo** (v. 6). **Semilia miglia**...: Dante per indicare l'ora dell'alba si serve di due modi. Il primo è quello di dire che a seimila miglia di distanza è mezzogiorno: in sintesi, secondo le conoscenze dell'epoca il sole percorreva seimila miglia in circa sette ore, e quindi sette ore prima di mezzogiorno (nella stagione in cui si svolge il viaggio) manca un'ora al sorgere del sole ed è perciò l'alba. Il secondo modo è più sicuro e semplice (**questo mondo/ china già**...): la Terra, al sorgere del sole, proietta la sua ombra orizzontalmente; e, quindi, all'alba **quasi** orizzontalmente.

10-15: *Non altrimenti* [: allo stesso modo] *scomparve* (**si stinse**) *a poco a poco dalla mia vista* (**al mio veder**) *l'insieme dei cori* angelici (**il triunfo**) *festante* (**che lude**) *sempre dintorno al punto che mi abbagliò* (**vinse**) [: simbolo di Dio] *e che sembra* (**parendo**) *circondato* (**inchiuso**) *da ciò* (**quel**) *che* (**ch'elli**; **elli** = 'egli' è p l e o n .) *circonda* (⟨i⟩'**nchiude**)*: per cui* (**che**) *il* [*non*] *vedere* [*più*] *nulla e l'amore mi costrinsero* (**costrinse**; al sing. con due sogg.) *a tornare con gli* (**li**) *occhi a Beatrice*. Come le stelle all'alba, così scompaiono a poco a poco i nove cerchi luminosi, rappresentanti i cori angelici, che ruotano attorno al punto la cui luminosità aveva sopraffatto la vista di Dante; punto che rappresenta Dio e che perciò contiene in realtà quei cerchi dai quali sembra nella rappresentazione essere contenuto. Scomparsi i cerchi, Dante rivolge lo sguardo verso Beatrice, spinto anche dall'amore per lei.

16-18: *Se quanto si è detto* (**si dice**) *fin qui* (**infino a qui**) *di lei* [: Beatrice] *fosse raccolto* (**conchiuso**) *tutto in una* [*sola*] *lode* (**loda**), *sarebbe insufficiente* (**poca**) *a adempiere* (**fornir**) *questo compito* (**vice**) [: di lodarla]. Nell'Empireo la bellezza di Beatrice diviene superiore a qualsiasi possibilità umana di descriverla, anche perché si manifesta appieno il valore allegorico del personaggio. **Si dice**: non solo nella *Commedia*, ma anche nelle opere giovanili di Dante in cui si parla di Beatrice, come la *Vita Nuova*.

19-21: *La bellezza che io vidi oltrepassa non solo al di là della misura* (**si trasmoda non pur di là**) *nostra* (**da noi**) [: degli uomini], *ma io credo certamente* (**certo**) *che solo il suo creatore* (**fattor**) [: Dio] *la goda intera-*

Da questo passo vinto mi concedo
più che già mai da punto di suo tema
24   soprato fosse comico o tragedo:
ché, come sole in viso che più trema,
così lo rimembrar del dolce riso
27   la mente mia da me medesmo scema.
Dal primo giorno ch'i' vidi il suo viso
in questa vita, infino a questa vista,
30   non m'è il seguire al mio cantar preciso;
ma or convien che mio seguir desista
più dietro a sua bellezza, poetando,
33   come a l'ultimo suo ciascuno artista.
Cotal qual io la lascio a maggior bando

mente (tutta). Solo Dio può apprezzare appieno la bellezza di Beatrice, avendola creata; per gli altri, uomini e beati, essa va comunque al di là della possibile comprensione, benché in misura diversa. Ciò avviene perché Beatrice rappresenta la scienza delle cose rivelate (cioè la teologia), nelle quali penetra completamente solo la conoscenza divina (dal momento che Dio è l'unico a conoscere pienamente se stesso).

22-27: *Mi dichiaro* (concedo) *vinto da questo punto* (passo) *più che* [*non sia stato*] *giammai vinto* (soprato = sopraffatto) *da un punto del suo tema qualsiasi scrittore* (comico o tragedo): *perché* (ché), *come* [*fa*] *il sole con lo sguardo* (in viso) *più debole* (che più trema), *così il ricordo* (lo rimembrar) *del dolce riso* [*di Beatrice*] *mi toglie le facoltà intellettive* (la mente mia da me medesmo scema = toglie la mente mia da me stesso). Dante si confessa non all'altezza del compito di descrivere la nuova bellezza di Beatrice più di quanto possa essere mai stato inadeguato a qualche particolare della propria opera un altro scrittore prima di lui. Vi è in queste parole (che, come già i vv. 16-18, ricorrono alla figura dell'i p e r b o l e) l'alta consapevolezza di aver affrontato una materia di inusitata difficoltà artistica. **Comico o tragedo**: cioè scrittori di opere di argomento e stile medio, ovvero narrativo e simili (comico), e scrittori di opere di argomento e stile alti e sublimi (tragedo), secondo una divisione tradizionale degli stili accolta da Dante nel *De vulgari eloquentia*.

28-33: *Dal primo giorno in cui io* (ch'i') *vidi il suo* [: di Beatrice] *viso in questa vita* [*mor-*

tale, sulla Terra], *fino* (infino) *a questa [...]sione* (vista) [*nell'Empireo*], *non mi è* [*st[...] negata* (preciso = troncato; latinismo) *la p[...]secuzione* (il seguire) *al mio canto* (can[...] [: non ho mai trovato ostacoli insormo[...] bili alla mia espressione artistica]*; ma [...] è necessario* (convien) *che il mio proseg[...]* (seguir) *oltre* (più) *dietro alla sua bellez[...] poetando, si arrenda* (desista), *come o[...]* (ciascuno) *artista* [*giunto*] *all'estremo d[...] sue possibilità* (a l'ultimo suo) [*espressi[...]* Da quando, secondo il racconto della [...] *Nuova* a nove anni, Dante ha incontrato [...] la prima volta Beatrice, il tentativo costa[...] di inseguire la sua bellezza con le risorse d[...] poesia non ha mai trovato un ostacolo gr[...] de come questo che ha di fronte ora. E [...] tutte le altre volte è stato in qualche m[...] possibile esprimere la bellezza di lei, que[...] volta il cammino è bruscamente interrot[...] ed è impossibile proseguire oltre. Così Da[...] te può solo riconoscere di essere giunto [...] limite estremo delle proprie possibilità a[...] stiche; e dichiararsi incapace di fare di p[...] In questi versi, insomma, anziché descriv[...] la indescrivibile bellezza di Beatrice, Da[...] si sofferma sull'impossibilità di descriver[...] e il tono appassionato, altamente concet[...] so, fitto di trovate stilistiche (r e p l i c[...] z i o n i e a l l i t t e r a z i o n i sopr[...] tutto: **vidi, viso, vita, vista** — vv. 28 sg. [...] e lessicalmente prezioso (cfr. il latinismo [...] ro **preciso** al v. 30) determinano uno dei m[...] menti più profondi e significativi di quel [...] ma dell'ineffabilità che nel *Paradiso* affi[...] continuamente.

34-42: *Tale* (cotal) [: così bella] *quale [...] lascio* [*perché la descriva*] *ad una voce [...] poeta* (bando) *più grande* (maggior) *che qu[...]*

che quel de la mia tuba, che deduce
    l'ardüa sua matera terminando,
con atto e voce di spedito duce
    ricominciò: « Noi siamo usciti fore
    del maggior corpo al ciel ch'è pura luce:
luce intellettüal, piena d'amore;
    amor di vero ben, pien di letizia;
    letizia che trascende ogne dolzore.
Qui vederai l'una e l'altra milizia
    di paradiso, e l'una in quelli aspetti
    che tu vedrai a l'ultima giustizia ».

ella mia tromba (**tuba**) [: vena, arte], *che*
(**deduce** = 'estrae, plasma'; latinismo)
ando a termine (**terminando**) *la sua dif-
e* (**ardua**) *materia* (**matera**), [*Beatrice*] *ri-
inciò* [*a dirmi*] *con atteggiamento* (**atto**)
oce di guida (**duce**) *sollecita* (**spedito**)*:
i siamo usciti fuori* (**fore**) *dal cielo male più grande* (**del maggior corpo**) [: il
o Mobile] *al cielo che è pura luce* [:
pireo]*: luce intellettuale* [: della Mente
a]*, piena d'amore; amore di vero bene,
o di gioia* (**letizia**)*; gioia* (**letizia**) *che su-
(**trascende**) *ogni* [*altra*] *dolcezza* (**dol-
*; provenzalismo). Dante rinuncia dun-
a descrivere Beatrice, lasciandola ad un
a più grande; e riprende la narrazione,
endo portare faticosamente a termine l'o-
intrapresa. E il racconto riprende con
nuncio, dato da Beatrice, di trovarsi or-
nell'Empireo. Esso non è un cielo come
ltri, ma è situato al di là del cielo mate-
più grande (il Primo Mobile), fuori del
o e dello spazio; è un cielo formato dalla
luce della mente divina, cioè dalla sua
lligenza e dal suo *amore*, e perciò luogo
superabile beatitudine. Si notino le reite-
r e p l i c a z i o n i ai vv. 39-42 (**luce-
amore-amor, letizia-letizia**), sempre con
osizione degli elementi in fine e in prin-
o di verso, in un inseguirsi delle immagi-
he esprime lo slancio gioioso della de-
zione e la mirabile altezza dell'oggetto (e
oti anche **piena-pien** ai vv. 40 sg. e, alla
na successiva, **vederai-vedrai** ai vv. 43
e **l'una-l'una** ai vv. 43 sg.). **Deduce**...**ter-
ando**: i due termini vanno collegati e si-
icano *si sforza di portare a termine*, espri-
do enfaticamente la difficoltà di conclu-
l'altissima impresa. **Spedito**: vale, oltre
abile, sollecito*, anche *che ha concluso
o compito* e quindi *sollevato*. Si noti an-
la vena malinconica che attraversa i ri-

ferimenti alla figura di Beatrice in questo
canto, che è l'ultimo nel quale ella parli e
quello in cui la sua funzione si esaurisce; di
tale malinconia (che già contiene il presagio
dell'imminente distacco) sono segno alcuni
elementi dello stile e del lessico. Quanto allo
stile, si è già sottolineato il tono appassionato dei vv. 22-33; quanto al lessico, si considerino almeno questi termini: **rimembrar**,
v. 26, **ultimo**, v. 33, **la lascio**, v. 34, **terminando**, v. 36, **ultima**, v. 45.

43-45: *Qui* [: nell'Empireo] *vedrai l'una e
l'altra schiera* (**milizia** = quasi 'esercito') *del*
(**di**) *Paradiso* [: angeli e beati], *e la prima*
(**l'una**) [: i beati] *in quegli* (**quelli**) *aspetti*
[: con i corpi risorti] *che vedrai dopo il Giudizio finale* (**a l'ultima giustizia**)». Nell'Empireo si mostreranno a Dante gli angeli e le
anime di tutti i beati, che qui hanno la loro
vera sede; e questi ultimi gli si mostreranno
nella forma definitiva della beatitudine, come saranno dopo il Giudizio universale,
quando avranno rivestiti i corpi risorti. È
una speciale Grazia concessa da Dio a Dante. La r e p l i c a z i o n e **vederai-vedrai**,
già sottolineata nella nota precedente, mette
in particolare risalto il carattere fortemente
visivo di questa parte finale del *Paradiso*,
dove al comprendere per approssimazioni
successive si sostituisce il vedere di persona,
verificando direttamente la verità dei contenuti della dottrina. Per questo la funzione
di Beatrice qui si esaurisce: perché ella rappresenta la Rivelazione e la teologia, e cioè
la mediazione tra Dio e il mondo; ora tale
mediazione non è più necessaria perché Dante
è giunto al cospetto di Dio, essendo infine
in grado di vederlo direttamente: Beatrice,
ormai, «non ha più da insegnare ma da ad-
ditare» (Momigliano).

Come sùbito lampo che discetti
                li spiriti visivi, sì che priva
48   da l'atto l'occhio di più forti obietti,
             così mi circunfulse luce viva,
                e lasciommi fasciato di tal velo
51   del suo fulgor, che nulla m'appariva.
             « Sempre l'amor che queta questo cielo
                accoglie in sé con sì fatta salute,
54   per far disposto a sua fiamma il candelo ».
             Non fur più tosto dentro a me venute
                queste parole brievi, ch'io compresi
57   me sormontar di sopr' a mia virtute;
             e di novella vista mi raccesi
                tale, che nulla luce è tanto mera,
60   che li occhi miei non si fosser difesi;
             e vidi lume in forma di rivera
                fulvido di fulgore, intra due rive
63   dipinte di mirabil primavera.

46-51: *Come un lampo improvviso* (**sùbito**) *che disperda* (**discetti**; latinismo) *gli organi della vista* (**li spiriti visivi**), *così* (**sì**) *che priva l'occhio della capacità di vedere* (**da l'atto**) *oggetti* (**di...obietti**) [*divenuti*] *eccessivi* (**più forti**), *così una luce violenta* (**viva**) *mi circondò* (**circunfulse**; latinismo), *e mi lasciò* (**lasciommi**) *per il suo splendore* (**del suo fulgor**) *avvolto* (**fasciato**) *di un velo così denso* (**di tal velo**), *che* [*non*] *mi appariva nulla* [: *non vedevo più nulla*]. Dante è abbagliato, nella prima visione della luce dell'Empireo; e ne resta sul momento accecato. C'è in questi versi l'eco della descrizione della salita al cielo di san Paolo, che d'altra parte ha svolto senza dubbio una importante funzione di modello per la *Commedia*, e in particolare per il *Paradiso* (cfr. *Inf.* II, 13-33 e *Par.* XV, 28-30 e note): «subito de coelo circumfulsit me lux copiosa... cum non viderem prae claritate luminis illius» [improvvisamente mi circondò dal cielo una grande luce... non vedendo io più nulla per lo splendore di quella luce] (*Atti degli Apostoli* XXII, 6-11); e si noti in particolare il vb. *circumfulsit*.

52-54: [: Beatrice disse:] «*Sempre l'amore* [: Dio] *che rende immobile* (**queta**) [*appagandolo completamente*] *questo cielo accoglie in sé* [*stesso*] *con un siffatto* (**sì fatta**) *saluto* (**salute**; che vale anche 'salvezza'), *per rendere* (**far**) *adatta* (**disposto**) *la candela alla sua fiamma*». Cioè: Dio accoglie chi giun-

ge nell'Empireo abbagliandolo in segno di saluto e di salvezza; e, così facendo, dà all'anima sopraggiunta la Grazia definitiva che la renda idonea alla sua visione. **A sua fiamma...**: l'immagine suggerisce con splendida efficacia il dono della beatitudine, paragonando il concedersi all'uomo della Grazia divina alla *fiamma* che accende la *candela*.

55-63: *Queste poche* (**brievi** = brevi) *parole* [*di Beatrice*] *non furono* (**fur**) *giunte* (**venute**) *dentro a me più rapidamente* (**tosto**) *di quanto io* (**ch'io**) *compresi che io superavo i limiti delle* (**me sormontar di sopr'⟨a⟩ a**) *mie facoltà mentali* (**virtute**)*; e mi riaccesi di nuova* (**novella**) *vista* [: *riacquistai la vista perduta*], *tale che nessuna* (**nulla**) *luce è tanto splendente* (**mera** = pura) *che i* (**li**) *miei occhi non fossero in grado di sopportarla* (**non si fosser difesi**)*; e vidi una luce* (**lume**) *in forma di fiume* (**rivera**; francesismo: cfr. franc. ant. 'riviere') *rosseggiante* (**fulvido**; latinismo) *di chiarore* (**fulgore**), *tra* (**intra**) *due rive colorate* (**dipinte**) *di una meravigliosa* (**mirabil⟨e⟩**) *fioritura primaverile* (**primavera**). A Dante è concessa dalla Grazia divina la completa pienezza spirituale, che si manifesta innanzitutto nella capacità di guardare qualsiasi splendore senza restarne abbagliato; ed egli si accorge di questo cambiamento (della vista, ma allegoricamente delle facoltà conoscitive) mentre Beatrice gliene dà notizia. Agli occhi di Dante si mostra quindi un fiume luminosissimo di luce fiammeggiante, tra due rive colorate.

Di tal fiumana uscìan faville vive,
e d'ogne parte si mettien ne' fiori,

66   quasi rubin che oro circunscrive;
poi, come inebrïate da li odori,
riprofondavan sé nel miro gurge,

69   e s'una intrava, un'altra n'uscìa fori.
« L'alto disio che mo t'infiamma e urge,
d'aver notizia di ciò che tu vei,

72   tanto mi piace più quanto più turge;
ma di quest' acqua convien che tu bei
prima che tanta sete in te si sazi »:

75   così mi disse il sol de li occhi miei.
Anche soggiunse: « Il fiume e li topazi
ch'entrano ed escono e 'l rider de l'erbe

78   son di lor vero umbriferi prefazi.

64-69: *Da* (**di**) *tale fiume* (**fiumana**) *uscivano* (**uscìan**) *scintille* (**faville**) *splendenti* (**vive**), *e da entrambe le parti* (**d'ogne parte**) [: le rive] *si posavano* (**si mettien** = si mettevano) *sui* (**ne'** = nei) *fiori, quasi* [*come*] *rubini incastonati nell'oro* (**che oro circunscrive** = che l'oro circonda)*; poi, come inebriate dai profumi* (**da li odori**)*, si risprofondavano* (**riprofondavan sé**) *nel gorgo* (**gurge**) *meraviglioso* (**miro** = mirabile), *e se una* [: favilla] *entrava* (**intrava**), *ne usciva* (**n'uscìa**) *fuori* (**fori**) *un'altra*. Le **faville vive** che entrano ed escono dal fiume sono angeli, e i **fiori** sono beati (cfr. vv. 94-96). La descrizione del fiume di luce è quindi una descrizione dell'Empireo, della corte suprema del *Paradiso*. Ma il fiume di luce è ancora un modo fisico di mostrarsi di quella realtà inafferrabile materialmente, e costituisce come una mediazione, per la mente umana di Dante, della realtà dell'Empireo integralmente svelata (cfr. vv. 76-78). Benché questi vv. 61-69 siano costruiti attraverso l'uso di immagini materiali, legate alla percezione sensoriale, ciò nonostante Dante riesce a rendere l'insieme intimamente spirituale e come smaterializzato. A ciò giova innanzitutto il movimento incessante e molteplice di corpi scarsamente caratterizzati in senso fisico, ed anzi sempre descritti secondo un procedimento m e t a f o r i c o (**primavera**, v. 63; **vive**, v. 64; **fiori**, v. 65; **rubin** e **oro**, v. 66...); così che le immagini evocate, per il fatto di essere di continuo rinnovate, pèrdono di definitezza, e, per il fatto di essere di competenza di campi sensoriali sempre diversi (vista, tatto, olfatto), perdono di concretezza. A ciò giova poi la sapientissima tessitura fonetica, raccolta e quasi sof-

focata, ma ricca di risonanze profonde: dominano le consonanti *liquide* (/l/, /r/) e *affricate* (/f/), spesso in posizione complicata, e, tra le vocali, la /u/: **e vidi LUme in FoRma di RiveRa/ FULvido di FULgore, intRa dUe Rive/ dipinte di miRabiL pRimaveRa./ Di taL FiUmana Uscian FaviLLe vive,/ e d'ogne paRte si mettien ne' FioRi,/ qUasi RUbin che oRo ciRcUnscRive;/ poi, come inebRiate da Li odoRi,/ RipRoFondavan sé neL miRo gURge,/ e s'Una intRava, Un'aLtRa n'Uscia FoRi.** Tale tessitura fonetica è arricchita dall'infittirsi delle /i/ ai vv. 63-66.

70-75: *La luce* (**il sol**) *dei miei occhi* [: Beatrice] *mi disse così: «Il profondo* (**l'alto**) *desiderio* (**disio**) *che ora* (**mo**) *ti infiamma* [*l'animo*] *e incalza* (**urge**) *di avere notizia di ciò che tu vedi* (**vei**), *tanto più mi fa piacere* (**piace**) *quanto più è intenso* (**turge** = è gonfio; latinismo)*; ma prima che una sete* [: un desiderio] *così grande* (**tanta**) *in te possa saziarsi* (**si sazi**) *è necessario* (**convien**) *che tu beva* (**bei**) *di quest'acqua* [: che tu guardi ancora]». Cioè: il grande desiderio di Dante di sapere con esattezza che cosa sia ciò che vede è positivo, perché ne deriverà un appagamento maggiore; ma affinché ciò possa avvenire egli deve ancora guardare. La m e t a f o r a della **sete**, dell'**acqua** e del *bere* si è incontrata già altre volte.

76-78: [*Beatrice*] *aggiunse* (**soggiunse**) *ancora* (**anche**)*: «Il fiume e i* (**li**) *topazi* [: le faville vive del v. 64] *che entrano ed escono e i fiori* (**'l rider de l'erbe** = la parte più vivace delle erbe) *sono velate* (**umbriferi**) *anticipazioni* (**prefazi**) *della verità che essi con-*

Non che da sé sian queste cose acerbe;
    ma è difetto da la parte tua,
    che non hai viste ancor tanto superbe ».
Non è fantin che sì sùbito rua
    col volto verso il latte, se si svegli
    molto tardato da l'usanza sua,
come fec' io, per far migliori spegli
    ancor de li occhi, chinandomi a l'onda
    che si deriva perché vi s'immegli;
e sì come di lei bevve la gronda
    de le palpebre mie, così mi parve
    di sua lunghezza divenuta tonda.
Poi, come gente stata sotto larve,
    che pare altro che prima, se si sveste
    la sembianza non süa in che disparve,
così mi si cambiaro in maggior feste
    li fiori e le faville, sì ch'io vidi
    ambo le corti del ciel manifeste.

engono (**di lor vero**). La scena che Dante *ha* descritto non è cioè altro che un'antici*p*azione mascherata della realtà che vi è con*t*enuta: l'Empireo si manifesta nel fiume di *l*uce in forma velata.

79-81: *Non* [*è*] *che queste cose siano in sé* (**da sé**) *imperfette* (**acerbe**)*; ma* [*vi*] *è difetto* *: insufficienza] da parte tua, che non hai* *ancora una vista abbastanza* (**tanto**) *potente* (**superbe**)». L'Empireo, cioè, si mostra già *n*ella sua completezza e verità agli occhi di *D*ante; ma egli non è in grado di vedere le *c*ose nella loro integralità, e riesce solo a per*c*epire immagini approssimative, le quali si *a*vvicinano a poco a poco alla realtà: al fiu*m*e di luce seguirà la candida rosa, fino alla *v*isione perfetta.

82-90: Non [*vi*] *è un neonato* (**fantin**) *che* *si precipiti* (**rua**; latinismo) *così rapidamente* (**sì sùbito**) *col volto verso il latte, se si svegli* *molto più tardi* (**tardato**) *della sua abitudine* (**da l'usanza sua**)*, come feci io* [: come mi *p*recipitai io]*, chinandomi verso il fiume* (**a** *l'onda) che scorre* (**si deriva**) *perché vi si di*-*venti migliori* (**vi s'immegli**)*, per fare degli* (**de li**) *occhi* [*miei*] *specchi* (**spegli**) *ancor* *migliori* [: per riuscire a vedere, riflettere me*g*lio la realtà]*; e così* (**sì**) *come l'orlo* (**la gron***da**) *delle mie palpebre* [: le ciglia; per i n e d d o c h e vale 'occhi'] *si dissetò* (**bevve**) *di lei* [: dell'onda; cioè: dopo che *e*bbi osservato attentamente il fiume]*, così*

[*il fiume*] *mi parve, da che si sviluppava in* *lunghezza* (**di sua lunghezza**)*, divenuto ton**do* [: a forma di cerchio]. Seguendo il suggerimento di Beatrice (cfr. vv. 73 sg.), Dante si mette ad osservare sùbito attentamente il fiume di luce, ed esso assume a poco a poco, da che era sviluppato in lunghezza, la forma di un cerchio. La s i m i l i t u d i n e del neonato serve ad esprimere la rapidità con la quale Dante si affretta ad immergersi nella contemplazione del fiume, ma al contempo esprime il desiderio intenso di nutrirsi di quella visione servendosi di un riferimento di grande evidenza; inoltre rientra nella insistita m e t a f o r a del bere: si noti il parallelismo tra **col volto verso il latte**, v. 83, e **chinandomi a l'onda**, v. 86, e **bevve la gronda** / **de le palpebre**, vv. 88 sg. (in quest'ultimo esempio, poi, la m e t a f o r a del bere giustifica e rende efficacissimo l'uso t r a s l a t o di **gronda** per *orlo*: la gronda in senso proprio è infatti l'estremità del tetto nel quale si raccoglie l'acqua piovana). **Vi s'immegli**: il vb. *immegliarsi* è un n e o l o g i s m o di conio dantesco.

91-96: Poi, come gente [*che è*] *stata sotto* *maschere* (**larve**) [: mascherata]*, che pare diversa da prima* (**altro che prima**)*, se si toglie* (**sveste**) *l'aspetto* (**sembianza**) *non proprio* (**sua**) *nel quale si era nascosta* (**in che disparve**)*, così i* (**li**) *fiori e le scintille* (**faville**) *si mutarono al mio sguardo* (**mi si cam**-**biaro⟨no⟩**) *in aspetti più festosi* (**in maggior**

     PARADISO

O isplendor di Dio, per cu' io vidi
l'alto trïunfo del regno verace,

99   dammi virtù a dir com' ïo il vidi!
Lume è là sù che visibile face
lo creatore a quella creatura

102   che solo in lui vedere ha la sua pace.
E' si distende in circular figura,
in tanto che la sua circunferenza

105   sarebbe al sol troppo larga cintura.
Fassi di raggio tutta sua parvenza
reflesso al sommo del mobile primo,

108   che prende quindi vivere e potenza.
E come clivo in acqua di suo imo
si specchia, quasi per vedersi addorno,

111   quando è nel verde e ne' fioretti opimo,

---

feste), *così* (**sì**) *che io vidi entrambe* (**ambo**) *le schiere* (**corti**) *del cielo* [: angeli e beati] *nella loro forma vera* (**manifeste**). Gli angeli e i beati, come persone che si tolgano la maschera e rivelino la propria vera identità, si mostrano ora a Dante direttamente e non come *scintille* e *fiori* (cfr. vv. 64 sg.). Ma si ricordi che è Dante ad essere ora in grado di contemplare il vero aspetto del Paradiso, essendosi sufficientemente nutrito della Grazia divina (cfr. vv. 79-81 e 88 sg.).

97-99: *O splendore* (**isplendor**) *di Dio, grazie al quale* (**per cu'**⟨**i**⟩) *io vidi il supremo* (**l'alto**) *trionfo* (**triunfo**) [: gli abitanti festanti] *del vero* (**verace**) *regno* [*di Dio*: il Paradiso], *dammi la capacità* (**virtù**) *di* (**a**) *dire come io lo* (**il**) *vidi* [: di descrivere quel che vidi]*!* Nel momento solenne in cui agli occhi di Dante si mostra il vero aspetto dell'Empireo, egli sente il bisogno di invocare il soccorso della Grazia illuminante di Dio, perché lo aiuti a riferire in modo corretto ed espressivo il contenuto della propria visione. Si noti la r e p l i c a z i o n e di **vidi**, che si ripete tre volte in r i m a (vv. 95, 97 e 99), contro le regole della versificazione del tempo, a sottolineare ancora l'importanza del *vedere* in questa parte finale della *Commedia* (e, d'altra parte, si notino, nella terzina seguente, **visibile** e **vedere**, dove viene affermato che la piena felicità sta nel *vedere* Dio).

100-102: *Lassù* (**là sù**) [: nell'Empireo] *c'è una luce* (**lume**) *che rende* (**face** = fa) *visibile il* (**lo**) *creatore* [: Dio] *a quella creatura* [*intelligente*; cioè uomini e angeli] *che ha la sua*

pace [: pieno appagamento] *solo nel* (**in**) *vedere lui* [: Dio].

103-105: *Essa* (**e'** = ei = esso) [: la luce] *si distende in una figura circolare, di* (**in**) *tanto che la sua circonferenza sarebbe per il* (**al**) *sole una cintura troppo larga* [: è più grande del sole]. Nell'Empireo, cioè, Dio si mostra ai beati e agli angeli come un immenso lago di luce di forma circolare (il cerchio è simbolo di perfezione).

106-108: *Tutto ciò che appare di essa* (**tutta sua parvenza**) [: luce] *si forma* (**fassi** = si fa) *da* (**di**) *un* [unico] *raggio* [emanato da Dio] *riflesso sulla sommità* (**al sommo**) [: sulla superficie convessa] *del Primo Mobile, il quale* (**che**) *riceve* (**prende**) *da esso* (**quindi** = da qui) [: raggio] *la sua forza vitale* (**vivere e potenza**; è un' e n d i a d i). Cioè: il lago di luce che nell'Empireo si mostra agli angeli e ai beati è formato dal riflettersi di un unico raggio luminoso, emanato da Dio, sulla superficie convessa del Primo Mobile; e da questo raggio il Primo Mobile riceve la **potenza** che esso trasmette ai cieli inferiori, creando le varie forme di *vita*. Da un unico raggio di Dio, insomma, derivano sia la beatitudine del Paradiso che la vita dell'Universo, secondo una ordinata struttura che riconduce ogni evento all'unità del divino.

109-114: *E come un colle* (**clivo**; latinismo) *si specchia nell'* (**in**) *acqua che sta nella sua parte più bassa* (**di suo imo**) [: in un lago che sta ai suoi piedi], *quasi per vedersi adorno, quando è ricco* (**opimo**) *di* (**nel**) *verde*

sì, soprastando al lume intorno intorno,
vidi specchiarsi in più di mille soglie
114   quanto di noi là sù fatto ha ritorno.
E se l'infimo grado in sé raccoglie
sì grande lume, quanta è la larghezza
117   di questa rosa ne l'estreme foglie!
La vista mia ne l'ampio e ne l'altezza
non si smarriva, ma tutto prendeva
120   il quanto e 'l quale di quella allegrezza.
Presso e lontano, lì, né pon né leva:
ché dove Dio sanza mezzo governa,
123   la legge natural nulla rileva.
Nel giallo de la rosa sempiterna,
che si digrada e dilata e redole

e di (ne'⟨i⟩) *fiorellini* (**fioretti**), *così* (**sì**) *vidi specchiarsi* [*disposte*] *in più di mille* [: in moltissimi; indet.] *gradini* (**soglie**) *tutte le anime degli uomini ritornate in cielo* (**quanto di noi là sù fatto ha ritorno**) [: i beati], *stando intorno intorno sopra* (**soprastando...intorno intorno**) *alla luce* (**al lume**) [: al lago di luce]. I beati sono cioè disposti circolarmente e lungo vari gradini, come in un anfiteatro, attorno all'immenso lago di luce. La s i m i l i t u d i n e con il colle che si specchia in un lago nella stagione primaverile, e quindi è fiorito e verde, serve a ridare alla descrizione quei colori vivaci con i quali la scena era stata presentata (cfr. vv. 63-66), e che rischiavano di spegnersi, con lo svelamento del reale aspetto dell'Empireo, in una luminosità troppo astratta; mentre qui Dante ottiene il massimo di immaterialità attraverso continui riferimenti (con frequenti m e t a f o r e e s i m i l i t u d i n i) alla realtà materiale (cfr. nota ai vv. 64-69).

115-117: *E se il gradino* (**grado**) *più basso* (**infimo**) *contiene* (**raccoglie**) *al proprio interno* (**in sé**) *una luce* (**lume**) *così vasta* (**sì grande**), [*si pensi*] *quanta è la larghezza di questa rosa* [: la corona dei beati] *nei petali* (**ne le foglie**) [: nei gradini] *più esterni* (**estreme**)*!* Il lago di luce è più grande del sole (cfr. vv. 103-105), e i beati sono disposti attorno ad esso circolarmente su gradini sempre più alti e larghi, così che i più lontani tracciano un circolo di enorme vastità. **Rosa**: la disposizione dei beati a cerchi concentrici ricorda la struttura della rosa, ai petali della quale corrispondono i diversi gradini; ma la m e t a f o r a (che verrà ripresa più volte di qui in avanti) si spiega anche con

il significato mistico della rosa nella tradizione medioevale.

118-120: *La mia vista non si smarriva nell'ampiezza* (**ne l'ampio**) *e nell'altezza* [: del gigantesco anfiteatro], *ma era in grado di percepire* (**prendeva**) *tutta l'estensione* (**il quanto** = la quantità) *e l'intensità* ('**l quale** = la qualità; '**l** = il) *di quella beatitudine* (**allegrezza**). Terzina grandiosa e rasserenata: lo sguardo di Dante è in grado di spaziare senza difficoltà in quell'immensa visione e di percepirne l'intima sostanza di beatitudine; cioè ne partecipa pienamente (come ciò sia possibile lo spiega la terzina seguente). **Il quanto e 'l quale**: sono termini filosofici.

121-123: *Lì* [*nell'Empireo*] *vicinanza* (**presso**) *e lontananza* (**lontano**) *non aggiungono* (**né pon**⟨**e**⟩; al sing. con due sogg.) *né tolgono* (**leva**; c.s.) [*nulla*]: *perché* (**ché**) *dove Dio governa senza mediazioni* (**sanza mezzo**) [: direttamente, senza strumenti materiali] *le leggi della natura* (**natural**) *non contano nulla* (**nulla rileva**). L'Empireo è fuori del tempo e dello spazio, poiché Dio vi manifesta la sua grandezza senza mediazioni materiali, e quindi *vicino* e *lontano* sono termini privi di valore, non esistendo più le leggi naturali.

124-129: *Beatrice condusse me* (**mi trasse**), [*che ero*] *come* (**qual**) *è chi* (**colui che**) *tace e vorrebbe* (**vole** = vuole) *parlare* (**dicer**), *nel giallo* [: al centro] *della rosa eterna* (**sempiterna**), *che si estende per gradi* (**si digrada**) *e si allarga* (**dilata**) *e emana* (**redole**; latinismo) *un profumo* (**odor**) *di lode al sole* [: Dio] *che produce sempre primavera* (**sem-**

126   odor di lode al sol che sempre verna,
       qual è colui che tace e dicer vole,
       mi trasse Bëatrice, e disse: « Mira
129   quanto è 'l convento de le bianche stole!
       Vedi nostra città quant' ella gira;
       vedi li nostri scanni sì ripieni,
132   che poca gente più ci si disira.
       E 'n quel gran seggio a che tu li occhi tieni
       per la corona che già v'è sù posta,
135   prima che tu a queste nozze ceni,
       sederà l'alma, che fia giù agosta,
       de l'alto Arrigo, ch'a drizzare Italia
138   verrà in prima ch'ella sia disposta.

pre verna), *e disse: «Guarda* (**mira**) *quanto è* [*grande e bello*] *il* (*'l*) *concilio* (**convento**) *dei beati* (**de le bianche stole** = delle bianche vesti)!* Beatrice conduce Dante al centro della rosa (dove nelle rose vere sta il **giallo** degli stami e dei pistilli) perché possa vedere meglio l'immensità e lo splendore dell'Empireo. E a questo punto esce in un'esclamazione di gioiosa esultanza, invitando Dante a guardare da solo il meraviglioso concilio dei beati. **Che si digrada**...: i tre verbi si succedono con incalzante rapidità, a suggerire la sconfinata vastità della visione. Si noti che essi si riferiscono ad ambiti sensoriali differenti: **digrada** riguarda principalmente la disposizione concreta dei beati ed attiene al *tatto*, **dilata** si riferisce alla vastità dell'insieme ed attiene alla *vista*, **redole** è relativo infine all'odore (coerentemente all'immagine della rosa) ed attiene quindi all'*olfatto*; anche se l'odore è un profumo di lode rivolto a Dio, con un effetto di sublime spiritualizzazione legato ad un uso originale della s i n e s t e s i a (presente anche altrove, qui e nei canti successivi). A proposito del terzo verbo, si noti poi l'effetto mirabile di slancio determinato dall'e n j a m b e m e n t e dalla presenza di un tessuto foneticamente particolarissimo, con quattro /o/ di seguito in posizione t o n i c a e il ripetersi delle consonanti /r/, /d/ ed /l/: **ReDòLe/ oDòR Di LòDe aL sòL**. **Sol che sempre verna**: p e r i f r a s i per indicare Dio (= *sole che produce sempre nuova primavera*, e quindi fa fiorire sempre la rosa), da un latinismo prezioso *vernare* = far primavera (dal lat. *ver* = primavera) da non confondersi con il più frequente *vernare* = passare l'inverno (dal lat. *hibernare*). **Qual è colui**...: la rapida s i m i l i t u d i n e va certamente riferita

a Dante (grammaticalmente è una sorta di apposizione del **mi** del v. 128), e non a Beatrice (come fa qualche commentatore moderno): è Dante che vorrebbe parlare per dire la propria felicità e che per lo stupore non può (e si potrebbe anche pensare che abbia già visto il seggio vuoto con lo stemma imperiale e ne voglia chiedere ragione a Beatrice: cfr. vv. 133 sgg.).

130-132: *Vedi la nostra città* [: il regno dei beati] *quanto è ampia* (**quant'ella gira; ella è** p l e o n .); *vedi i nostri sedili* (**scanni**) *così* (**sì**) *ripieni* [: quasi tutti occupati], *che qui* (**ci**) *si desidera* (**disira**) *poca gente ancora* (**più**). Il numero dei beati è stabilito da sempre da Dio ed ormai è quasi raggiunto; il che significa due cose: 1) che la fine del mondo e il Giudizio universale sono vicini (come ritenevano molte correnti religiose dell'epoca, fino all'estremismo dei *millenaristi*); 2) che i giusti sono al mondo pochissimi (e che in Paradiso si stanno attendendo solo quei pochi).

133-138: *E prima che tu venga in Paradiso* (**a queste nozze ceni**; con un'immagine frequente nelle Sacre Scritture) [: prima che tu muoia] *in* (**'n**) *quel seggio nobile* (**gran**) *verso il quale* (**a che**) *tu fissi* (**tieni**) *gli* (**li**) *occhi a causa della* (**per la**) *corona che vi è già posta sopra* (**sù**), *siederà l'anima* (**l'alma**), *che giù* [*sulla Terra*] *sarà* (**fia**) *augusta* (**agosta**) [: di imperatore], *del grande* (**alto**) *Enrico* (**Arrigo**) [*VII*], *che andrà* (**verrà**) *a riformare* (**drizzare**) *l'Italia prima* (**in prima**) *che essa* (**ch'ella**) *sia preparata* (**disposta**). Con il v. 132 il discorso di Beatrice e l'andamento del canto subiscono una brusca trasformazione, passando dalla descrizione del-

La cieca cupidigia che v'ammalia
simili fatti v'ha al fantolino
141   che muor per fame e caccia via la balia.
E fia prefetto nel foro divino
allora tal, che palese e coverto
144   non anderà con lui per un cammino.

l'Empireo ad una appassionata rievocazione politica della sfortunata impresa dell'imperatore Enrico VII. Se si considera poi che si tratta delle ultime parole che Beatrice pronuncia nella *Commedia*, l'originalità della scelta e la sua importanza appariranno ancora maggiori. In effetti bisogna osservare che un'intima coerenza caratterizza questa conclusione del canto, benché ciò non sia evidente: al tema politico conduce l'osservazione della «città celeste» (cfr. v. 130) e soprattutto lo scarso numero di posti ancora liberi in essa; viene spontaneo, cioè, dinanzi ad un esempio così alto di perfezione e di concordia, di pensare alla «città terrena», con i suoi conflitti e la sua corruzione, e di chiedersi a chi siano destinati quei pochi posti ancora liberi (quali siano, insomma, i giusti). Ecco la ragione della trovata del seggio di Enrico vuoto ma già sovrastato dalla corona imperiale: la società umana ha un ideale che la potrebbe riscattare, ed è un ideale altamente politico, incarnato nella istituzione dell'Impero, ma questa non riesce a realizzare la propria opera perché è contrastata e combattuta. Tra «città celeste» e «città terrena» è instaurato un rapporto, rappresentato dall'istituto universale e provvidenziale dell'Impero. Ve ne sarebbe poi un altro, altrettanto universale e provvidenziale, ma destinato ad una diversa sfera d'azione (spirituale e non temporale): la Chiesa; ma i papi simoniaci la rendono indegna del compito affidatole contrapponendola all'Impero. Così al giusto Enrico VII si contrappone il colpevole Clemente V (e, sullo sfondo, Bonifacio VIII): la concezione di Dante, con sicurezza ormai grandissima, supera così definitivamente ogni divisione tra ideali politici e ideali religiosi, considerando la storia umana in una prospettiva, insieme, altamente politica e profondamente religiosa. **Arrigo**: Enrico VII, eletto imperatore nel 1308, scese in Italia nel 1310 su invito del papa Clemente V per mettere pace tra le fazioni;

ma presto il papa lo tradì istigando i ne[mici] di Enrico e costringendolo a continue lo[tte]. Nel 1313, poco dopo essere stato incoro[na]to imperatore in Roma, morì improvvisame[n]te a Buonconvento, presso Siena. Da[nte] guardò al tentativo di Enrico di restau[rare] il potere imperiale con grande entusias[mo], con completa approvazione (benché l'im[pe]ratore fosse piuttosto animato da alti e [ge]nerosi ideali che non da autentico genio [po]litico), e restò sempre fedele, idealmente, [al]la sua figura.

139-141: *La cieca* [: sciocca] *cupidigia vi rende folli* (**v'ammalia**) *vi ha resi* (f[a...] *simili al neonato* (**fantolino**) *che muor[e]* (**per**) *fame e caccia via la balia* [*che dov[reb]be allattarlo*]. L'irrazionale cupidigia d[egli] uomini, che dalle riforme di Enrico av[reb]bero tratto giovamento e lo hanno in[vece] contrastato in tutti i modi, è paragona[ta a] quella di un poppante che caccia via la b[alia] mentre muore di fame. Il paragone è l'e[sat]to opposto di quello dei vv. 82-84: al cri[stiano] proteso verso gli alti beni della C[razia] zia (Dante) si contrappone la maggiora[nza] degli uomini, bisognosa ma incapace di [sod]disfare i propri bisogni. E si rivelano q[ui si]gnificanti, nella stessa prospettiva della f[...] l'atteggiamento politico ed il contegno ci[...]

142-144: *E allora* [: quando Enrico scende] in Italia] *sarà* (**fia**) *papa* (**prefetto nel [foro]** **divino** = capo della Chiesa, corte divina) (**tal**; contiene disprezzo) [: Clemente V] *rispetto a lui* (**con lui**) [: Enrico] *non [man]terrà* (**anderà** = andrà) *un'unica posizione* ([**un cammino**) *palesemente* (**palese**) *e in se*[greto] (**coverto** = nascosto). Cioè: Clement[e è] papa allorché Enrico tenterà la sua impr[esa,] si comporterà in modo ipocrita, ingan[nan]do l'imperatore (cui mostrerà un attegg[ia]mento diverso da quello reale). Cfr. X[...] v. 82 e nota.

Ma poco poi sarà da Dio sofferto
nel santo officio: ch'el sarà detruso
là dove Simon mago è per suo merto,
e farà quel d'Alagna intrar più giuso ».

148: *Ma poi* [: dopo aver ingannato En-
sarà *tollerato* (**sofferto**) *poco da Dio*
santo compito (**officio**) [*di papa*]: *poi*
egli (**ch'el**) *sarà sprofondato* (**detruso**;
ismo) *là dove sta* (**è**) *per le sue colpe*
suo merto) *Simon mago* [: nella bolgia
simoniaci; cfr. *Inf.* XIX], *e farà entrare*
ar) *più giù* (**giuso**) [: spingerà più in bas-
quello di Anagni* (**quel d'Alagna**) [: Bo-
cio VIII]». Clemente V morì pochi mesi
Enrico, e questa parve a molti (e, qui,
a Dante) una punizione divina. Clemen-
morto, sarà scaraventato all'Inferno nel-
olgia dei simoniaci, che stanno conficca-
testa in giù dentro delle buche, con le
be in aria; finché un nuovo dannato non
de il posto del precedente e lo spinge

del tutto sotto terra. Poiché prima di Clemente V era stato papa Bonifacio VIII, nemico personale del poeta, questi non manca di colpire entrambi, con estrema ferocia,
attraverso le parole di Beatrice. Si noti il
disprezzo di **detruso** e la violenta caricatura
dell'ultimo verso (dove al disprezzo di **quel**
si aggiunge quello di designare Bonifacio
con il nome di Anagni, che era la sua città
natale, ma anche il luogo dove fu oltraggiato da Filippo il Bello). Si tenga presente
che sia la beatificazione di Enrico che la
dannazione dei papi Clemente e Bonifacio
sono presentate qui sotto forma di previsione in quanto tutt'e tre morirono dopo il
1300, anno in cui è ambientata l'azione del
poema.

ettare _____ v. 46

ce dotta derivata dal lat. *disceptāre* = 'disputare, contrastare discutendo'. È forma let-
che significa, propriamente, 'discutere, trattare un argomento (magari con abilità reto-
', e, in senso figur. e ant., oggi del tutto fuori dell'uso, 'contrastare, sopraffare' (ed
esto, appunto, l'uso di Dante).

ire _____ v. 18

oce deriva dal germ. **frumjan* ('eseguire'), forse attraverso il franc. ant. *fornir* (cfr.
c. mod. *fournir*). È termine ant. e letter. per 'compiere, eseguire, finire, portare a
ine, eseguire, adempiere' — cfr. *Par.* XXX, 18. Oggi la voce è viva nella specifica
zione di 'provvedere, procurare, dotare (p. es. di viveri, di armi, di aiuti)' — cfr.
XI, 132 — ed è di uso particolarmente frequente in alcune locuz., come «fornire
prova».

a _____ v. 91

ce dotta derivata dal lat. *larva* = 'spettro, fantasma', affine a *lar, laris* = 'Lare, divinità
casa' (cfr. franc. *larve* e sp. *larva*). Propriamente il termine indica uno 'spirito malefi-
defunti che vaga sulla Terra come un fantasma'; in senso figur. vale invece 'persona
ciata, consunta'. Vi è poi il significato, letter., di 'maschera, travestimento' (ed è que-
'uso di Dante), soprattutto per designare una forma abbozzata, embrionale. Infine
ce indica la 'prima fase di sviluppo di alcuni animali'.

Canto XXXI

Come nel canto XXX Dante ha descritto la prima schiera dell'Empireo, quella dei beati, così nel XXXI descrive la seconda, quella degli angeli. Coerentemente all'immagine delle scintille che escono ed entrano nel fiume di luce (cfr. XXX, 64-69), gli angeli volano incessantemente tra Dio e i beati, come le api dai fiori all'alveare, e trasmettono ai beati la carità divina.

Dinanzi a tale spettacolo Dante è preso da una meraviglia ancora più grande di quella che coglieva i barbari quando ai loro occhi si apriva la splendida visione di Roma.

Mentre sta beandosi di una visione così appagante, Dante si accorge che al proprio fianco, al posto di Beatrice, vi è un nobile vecchio; san Bernardo, un grande mistico vissuto al principio del XII secolo. Perché Dante possa spingere il proprio sguardo nel fondo della luce divina, la guida di Beatrice (la Rivelazione e cioè la teologia) non è più sufficiente, ma occorre la Grazia diretta di Dio stesso; Bernardo, devoto della Vergine Maria, le chiederà di intercedere per Dante.

Intanto Dante rivolge a Beatrice, tornata nel suo seggio di gloria, un intenso ringraziamento e la preghiera di accompagnarlo fino alla morte; e la beata gli risponde con uno sguardo e un sorriso prima di tornare a concentrarsi nella contemplazione di Dio.

Il canto si conclude con l'affissarsi di Dante, su invito ed esempio di san Bernardo, nelle parti più alte della **rosa** *di beati, dove appare la indescrivibile bellezza di Maria.*

La preghiera-ringraziamento che Dante rivolge a Beatrice è uno dei nuclei drammatici del canto. Per la prima volta Dante dà a Beatrice il *tu* anziché il *voi*, a significare che entrambi partecipano ormai, benché in diversa posizione, della stessa beatitudine. E infatti le parole di Dante sottolineano non il dispiacere per l'abbandono (come era stato per l'addio a Virgilio nel *Purgatorio* XXX, 49-54), ma la positività della propria nuova condizione spirituale. Di questa nuova maturità Beatrice è stata la principale responsabile, avendo prima indotto Virgilio a soccorrere Dante (cfr. *Inf.* II) e poi avendolo guidato ella stessa nell'ultima parte del viaggio. Perciò il tono del ringraziamento è appassionato e commosso, ma pieno di serenità e di entusiasmo; così come sereno e positivo è il sorridere fugace di Beatrice in risposta alle parole di Dante, benché attraversato da un fremito di affettuosa umanità.

« O donna in cui la mia speranza vige,
    e che soffristi per la mia salute
81   in inferno lasciar le tue vestige,
di tante cose quant' i' ho vedute,
    dal tuo podere e da la tua bontate
84   riconosco la grazia e la virtute.
Tu m'hai di servo tratto a libertate
    per tutte quelle vie, per tutt' i modi
87   che di ciò fare avei la potestate.
La tua magnificenza in me custodi,
    sì che l'anima mia, che fatt' hai sana,
90   piacente a te dal corpo si disnodi ».
Così orai; e quella, sì lontana
    come parea, sorrise e riguardommi;
93   poi si tornò a l'etterna fontana.

79-84: [: Parla Dante] «*O donna* [: Beatrice] *in cui la mia speranza si rafforza* (**vige**) *e che per la mia salvezza* (**salute**) *tollerasti* (**soffristi**) *di lasciare le tue impronte* (**vestige**) *nell'* (**in**) *Inferno, riconosco* [*che vengono solo*] *dal tuo potere e dalla tua bontà* (**bontate**) *la grazia e la possibilità* (**virtute**) *di* [*vedere*] *tante cose quante io* (**quant'i'**) [*ne*] *ho viste* (**vedute**). Beatrice è stata infatti lo strumento del quale si è servita la Grazia divina per scendere in aiuto di Dante.

85-87: *Tu mi hai condotto* (**tratto**) *dalla schiavitù* (**di servo**) [*del peccato*] *alla libertà* (**a libertate**) [*della virtù*] *attraverso* (**per**) *tutte quelle vie, attraverso* (**per**) *tutti i modi in cui* (**che**) *avevi* (**avei**) *la possibilità* (**potestate**) *di farlo* (**di ciò fare**). Il v. 85 sintetizza con splendida evidenza il cammino percorso nella *Commedia*, cioè la maturazione profonda ed esemplare di Dante: da *servo* a uomo *libero*. E in queste parole sono riecheggiate quelle rivolte da Virgilio a Catone per definire il viaggio di Dante: **libertà va cercando...** (*Purg.* I, 71 sgg.). Se ci si sofferma poi sul significato allegorico di Beatrice, si vedrà che quanto ella ha fatto per Dante corrisponde a quanto Cristo ha fatto con l'Incarnazione e la Rivelazione per l'umanità, che egli ha salvato dalla schiavitù della morte e del peccato facendola libera nel bene e nella vita eterna.

88-90: *Conserva* (**custodi** = custodisci) *nei miei confronti* (**in me**) *il tuo atteggiamento benevolo* (**la tua magnificenza**)*, così* (**sì**) *che la mia anima, che* [*tu*] *hai reso* (**fatt'hai**) *pura* (**sana**)*, si sciolga* (**si disnodi**) *dal corpo* [: con la morte] *come a te piace* (**piacente a te**) [: in stato di grazia]». Dante prega Beatrice di prolungare la sua protezione su di lui fino alla morte, così da preservarlo nella purezza faticosamente conquistata; e con questa allusione lo sguardo si stende per un attimo al di là della conclusione del poema, verso i giorni ultimi della vita di Dante. Il v. 88 può essere interpretato anche in un altro modo, intendendo il termine **magnificenza** come *i doni di grazia* largiti da Beatrice a Dante: *conserva in me i tuoi doni di grazia*; ma è interpretazione più distaccata e fredda.

91-93: *Così pregai* (**orai**)*; e quella* [: Beatrice]*,* [*pur*] *così* (**sì**) *lontana come appariva* (**parea**)*, sorrise e mi guardò* (**riguardommi**; indica intensità)*; poi si rivolse* (**si tornò**) *verso* (**a**) *l'eterna fonte* (**fontana**) [*di beatitudine; cioè Dio*]. Il sorriso e lo sguardo di Beatrice significano che ella accoglie la preghiera di Dante e si impegna a proteggerlo ancora; ma significano anche un saluto umanamente affettuoso.

Il canto XXXII rappresenta una pausa tra lo slancio dei due precede
e la vertiginosa conclusione del successivo, ultimo del poema.

San Bernardo spiega a Dante la struttura della rosa dei beati, al verì
della quale sta la Vergine Maria. Il grande anfiteatro è diviso in due pa
perfettamente uguali: una metà, già completa, è occupata dai beati del V
chio Testamento (che credettero in Cristo venturo); l'altra metà, inframm
zata di posti vuoti, è riservata ai beati, del Nuovo Testamento (che creder
ro in Cristo venuto). Il numero totale dei beati, stabilito da Dio dall'inì
dei tempi, sarà infine uguale a quello degli angeli ribelli, cacciati all'Infern
e cioè circa un decimo del numero totale degli angeli. Così la città cele
sarà reintegrata nella sua perfezione.

La parte inferiore della rosa è occupata da bambini, i quali sono sì
ammessi alla beatitudine secondo una speciale Grazia divina (oltre che p
merito dei genitori, del battesimo e di ciò che di epoca in epoca era form
mente necessario alla salvezza); le ragioni delle scelte divine sfuggono
corto sguardo dell'uomo, ma sono imperscrutabilmente giuste: per ques
bisogna, ripete ancora una volta Dante per bocca di san Bernardo, affida
alla parola delle Sacre Scritture.

Terminata la sua spiegazione, Bernardo invita Dante a fissare anco
Maria; da essa dovrà infatti venirgli la capacità di contemplare direttamer
l'aspetto divino di Cristo e l'intercessione per ottenere una grazia così sublin

Dante è dunque invitato a seguire con il cuore la preghiera che ora B
nardo rivolgerà alla Vergine; e con l'annuncio di essa si conclude, con u
efficace pausa piena di pathos, il canto (**E cominciò questa santa orazion**
v. 151).

Canto XXXIII

Il canto, ultimo del *Paradiso* e della *Commedia,* è nettamente diviso in due
rti. Nella prima (vv. 1-45) è riportata la preghiera di san Bernardo alla Vergine;
la seconda (vv. 46-145) è descritta la visione finale di Dio da parte di Dante.
Sono qui necessarie due osservazioni preliminari.

1) Se nel canto XXXI la guida di Bernardo si è sostituita a quella di Beatrice,
n essendo più necessaria una mediazione tra il divino e l'umano ma una guida
a visione di Dio (per la quale il mistico Bernardo è particolarmente indicato),
la seconda e più ampia parte di questo ultimo canto Dante resta praticamente
o, affidato a se stesso e posto direttamente di fronte alla luce della divinità.
lla conclusione del poema, cioè, egli si trova solo come all'inizio, nella selva
cura; ma con ben altra maturità intellettuale e spirituale!

2) Il restar solo di Dante determina un cambiamento nel modo della narrazio-
. Fin qui Dante si è soffermato sulle esperienze raccolte nel corso del viaggio,
n tralasciando, certo, di riportare le proprie impressioni di spettatore e di inte-
gire con l'ambiente in qualità di attore, ma sempre animato soprattutto da una
rte tendenza all'oggettivazione. Nella visione finale, al contrario, l'oggetto del
cconto non è più l'ambiente esterno (che praticamente scompare del tutto) ma
tteggiamento intellettuale di Dante, il quale influisce sulla narrazione in tre mo-
. è il mezzo necessario a raggiungere la conoscenza di Dio, è il filtro di quell'e-
erienza (come memoria), ed è la fonte della comunicazione di quanto è restato
quell'esperienza. Al di fuori di ciò, la seconda parte del canto contiene sola-
ente la luce abbagliante di Dio, e solo per uno sforzo di memoria viene resusci-
a un'ombra vaga di quel significato, e solo per uno sforzo di espressione viene
municata, infine, un'ombra di quell'ombra. E così si assiste alla più alta vittoria
Dante sia come personaggio della *Commedia* che come poeta; ma questa vitto-
a è accompagnata dalle più insistenti e intense dichiarazioni sull'insufficienza
nana che si incontrino in tutto il poema. Tali dichiarazioni, per altro, sono
lative all'insufficienza di Dante-autore (riguardano infatti la pochezza della me-
oria e della parola umane); non coinvolgono il successo di Dante-personaggio
e può, assistito dalla Grazia divina, appagare interamente il proprio sforzo di

conoscenza intellettuale. E ciò porta a ritenere che, ancor più eccezionalmente, del racconto della visione sia prevalentemente attore lo stesso Dante-autore (cfr. soprattutto i vv. 62 sg., 67-75, 91-93, 106-108, 121-123).

* * *

Annunciata dalla conclusione del canto precedente, nel primo terzo di questo è dunque riportata la preghiera di Bernardo alla Vergine. La prima parte della preghiera contiene le lodi di Maria; la seconda invoca la sua intercessione presso Dio affinché Dante possa concludere il viaggio con la visione completa della sua grandezza. L'assenso di Maria è espresso solo dall'attenzione del suo sguardo.

San Bernardo invita quindi Dante a guardare in alto; ma questi già si appresta a farlo da sé. E il suo sguardo umano penetra per gradi entro la luce divina, giungendo a vedere in essa manifesti i misteri della Trinità e dell'Incarnazione. Finché un lampo finale della Grazia non gli consente di appagare nella conoscenza ogni proprio desiderio. E così, raggiunta la condizione stessa dei beati, Dante avverte di appartenere all'ordine universale e di essere, nella perfetta armonia governata dall'amore di Dio, mosso anch'egli dalla sua mano.

* * *

Delle molte osservazioni che potrebbero essere fatte in relazione a questo canto, certamente tra i più intensi e alti del poema, ci si limiterà qui ad una sola che forse sarà utile ad entrare nello spirito di questo epilogo della *Commedia*.

Quanto si è detto in merito al concentrarsi dell'attenzione sullo sforzo conoscitivo di Dante (e quindi sullo sforzo di memoria e di espressione), comporta una conseguenza di grande significato: anche nell'ultimo vertiginoso innalzarsi al di sopra dei limiti dell'esperienza e della realtà, l'atteggiamento di Dante resta fermamente empirico e realistico. Benché una cospicua tradizione medioevale e la scelta di Bernardo come guida potessero indurlo a configurare l'approdo alla visione di Dio in termini mistici, la soluzione di Dante è del tutto opposta: all'abbandono e allo smemoramento del mistico egli preferisce la tensione intellettuale e lo sforzo di ricordare; la visione di Dio non è raggiunta, ad occhi chiusi, nell'oblio dell'estasi, ma in un penetrante fissare la luce divina, in un adeguarsi progressivo dello sguardo umano all'altezza iperumana dell'oggetto; e l'affissarsi dello sguardo non è altro che il concentrarsi dell'intelligenza, l'accrescersi graduale della visione non è che un incrementarsi della conoscenza. La Grazia divina, naturalmente, assiste questo sforzo umano e gli permette il successo: ma anche il suo lampo finale non acceca l'umanità di Dante, bensì ne accresce in forma definitiva la capacità di vedere e di conoscere, appagando il suo desiderio.

> « Vergine Madre, figlia del tuo figlio,
>   umile e alta più che creatura,
> 3   termine fisso d'etterno consiglio,
>   tu se' colei che l'umana natura
>   nobilitasti sì, che 'l suo fattore
> 6   non disdegnò di farsi sua fattura.

1-6: [: Parla Bernardo] «*Vergine Madre* [: di Cristo], *figlia di* (**del**) *tuo figlio, umile e grande* (**alta**) *più che* [*ogni altra*] *creatura, termine fermo* (**fisso**) *della decisione di Dio* (**d'etterno consiglio**), *tu sei* (**se'**) *colei che nobilitasti a tal punto* (**sì** = così) *la natura umana,* *che il* ('l) *suo creatore* (**fattore**) [: Dio, creatore della natura umana] *non disdegnò di diventare* (**di farsi**) *sua creatura* [: di incarnarsi in Cristo, nascendo come uomo]. I vv. 1-39 sono occupati dalla preghiera di san Bernardo alla Vergine, annunciata nella conclu-

Nel ventre tuo si raccese l'amore,
per lo cui caldo ne l'etterna pace
così è germinato questo fiore.

9

Qui se' a noi meridïana face
di caritate, e giuso, intra ' mortali,
se' di speranza fontana vivace.

12

Donna, se' tanto grande e tanto vali,
che qual vuol grazia e a te non ricorre,
sua disïanza vuol volar sanz' ali.

15

La tua benignità non pur soccorre
a chi domanda, ma molte fïate
liberamente al dimandar precorre.

18

sione del canto precedente. Essa si divide in due parti: la prima (vv. 1-21) è un'esaltazione di Maria, la seconda è una vera e propria supplica (vv. 22-39). La struttura generale della preghiera e alcuni suoi particolari ricordano l'*Ave Maria*; anche se Dante attinge da tutta la vasta letteratura *mariana* (cioè relativa a Maria) della tradizione liturgica e scritturale. La preghiera si apre con una serie di a n t i t e s i, volte a sottolineare la condizione eccezionale della Madonna: **Vergine Madre** (che allude al dogma della verginità di Maria e alla sua maternità), **figlia del tuo figlio** (infatti Maria è stata, come tutti gli uomini, creata da Dio, e di Dio, incarnato in Cristo, è stata madre), **umile e alta** (*umile* in se stessa e *alta* per il proprio còmpito). **Tèrmine fisso d'ettèrno consìglio**: il verso — solenne e pieno grazie ai quattro accenti equidistanti (su 1ª, 4ª, 7ª e 10ª sillaba) e all'alternarsi, in posizione t o n i-c a, di /e/ ed /i/ — allude alla decisione presa da Dio da sempre di servirsi di Maria, come un punto di riferimento (**termine**) solidissimo (**fisso**), per attuare la redenzione umana. **Che 'l suo fattore...**: Dio, creatore della *natura umana*, accettò di farsi *creatura* umana egli stesso, tanto Maria l'aveva nobilitata; e volle nascere uomo da lei. Paradossalmente il *creatore* è *creatura* della propria *creazione*.

7-9: *Nel tuo ventre* [: con il concepimento di Cristo] *si riaccese l'amore* [*di Dio per l'uomo*], *grazie al calore del quale* (**per lo cui caldo**) *nella pace eterna* [*del Paradiso*] *è così fiorito* (**germinato**) *questo fiore* [: la rosa dei beati]. Con l'incarnazione di Cristo, alla quale Maria diede il contributo decisivo della maternità, tra Dio e l'uomo torna con la Redenzione l'antico amore, precedente al peccato originale, e diviene possibile la beatitudine dei giusti essendo riaperta la strada

del Paradiso (e perciò può fiorire la *rosa* dei beati). **Ventre**: il termine realistico è usato nell'*Ave Maria* («sia benedetto il frutto del tuo ventre») ed appartiene alla tradizione mariana (cfr. lo stesso san Bernardo: «Virginis alveus floruit... inviolata integra et casta Mariae viscera... florem protulerunt» [L'utero della Vergine fiorì... le viscere inviolate, integre e caste di Maria fiorirono], *Serm. de Adv. Dom.*, 2, 4).

10-12: *Qui* [: in Paradiso] *sei* (**se'**) *per* (**a**) *noi* [: angeli e beati] *fiaccola* (**face**) *luminosa* (**meridiana**) [: esempio] *di carità* (**caritate**) [: di amore per Dio e per il prossimo], *e giù* (**giuso**) [: sulla Terra], *tra i* (**intra** = tra i) *uomini* (**mortali**), *sei fonte* (**fontana**) *inesauribile* (**vivace**) *di speranza*. Maria è esempio di *carità* in cielo, e sorgente di *speranza* in Terra. **Meridiana**: l'agg. deriva dal sost. *meriggio*; e significa 'splendente' perché a mezzogiorno il sole è al massimo della sua luminosità.

13-15: *O Signora* (**donna**; dal lat. 'domina'), *sei* (**se'**) *tanto grande e tanto hai potere* (**vali**) [: presso Dio], *che* [*se vi è*] *chi* (**qual**) *vuole* [*ottenere*] *una grazia e non ricorre a te, il suo desiderio* (**sua disianza**) *vuole volare senza* [*avere*] *le ali* (**sanz'ali**) [: desidera invano ottenerla]. La bontà e il potere di Maria la rendono particolarmente adatta per la richiesta di grazie; e chi non si rivolge a lei, non ha molto da sperare. **Che qual vuol...**: si noti l' a n a c o l u t o (il sogg. si sposta infatti bruscamente da [tu] **se'** a **qual vuol**, cioè dalla 2ª alla 3ª pers.).

16-18: *La tua bontà* (**benignità**) *non solo* (**pur**) *dà soccorso* (**soccorre**) *a chi domanda, ma molte volte* (**fiate**) *previene la preghiera* (**al dimandar precorre**) *spontaneamente* (**liberamente**).

In te misericordia, in te pietate,
in te magnificenza, in te s'aduna
quantunque in creatura è di bontate.

21

Or questi, che da l'infima lacuna
de l'universo infin qui ha vedute
le vite spiritali ad una ad una,

24

supplica a te, per grazia, di virtute
tanto, che possa con li occhi levarsi
più alto verso l'ultima salute.

27

E io, che mai per mio veder non arsi
più ch'i' fo per lo suo, tutti miei prieghi
ti porgo, e priego che non sieno scarsi,

30

perché tu ogne nube li disleghi
di sua mortalità co' prieghi tuoi,
sì che 'l sommo piacer li si dispieghi.

33

Ancor ti priego, regina, che puoi
ciò che tu vuoli, che conservi sani,
dopo tanto veder, li affetti suoi.

36

19-21: *In te* [: sottinteso «s'aduna», cioè 'si raccoglie'; e così dopo] *la misericordia, in te la pietà* (**pietate**), *in te la virtù di fare cose grandi e nobili* (**magnificenza**), *in te si raccoglie* (**s'aduna**) *tutto ciò che* (**quantunque**) [*vi*] *è di buono* (**bontate**) *nell'uomo* (**in creatura**). Con questa terzina si conclude la prima parte della preghiera di san Bernardo, dedicata ad esaltare e lodare la Vergine; e si conclude con un *crescendo* di trovate retoriche: si noti la r e p l i c a z i o n e di **in te** per ben quattro volte e le tre /u/ di seguito in posizione t o n i c a ai vv. 20 sg. (**in te s'adùna / quantùnque in creatùra**).

22-27: *Ora costui* (**questi**) [: Dante], *che dalla parte* (**lacuna** = laguna; forse con allusione al lago ghiacciato di Cocito) *più bassa* (**infima**) *dell'Universo fino a qui* (**infin qui**) *ha vedute le condizioni delle anime* (**le vite spiritali**) *ad una ad una, ti* (**a te**; con il dat. at.) *supplica* [*affinché gli sia concessa*], *per Grazia* [*divina*], *tanta virtù* (**di virtute tanto**) *che* [*egli*] *possa sollevarsi* (**levarsi**) *con gli* (**li**) *occhi più* [*in*] *alto verso la compiuta* (**l'ultima**) *beatitudine* (**salute** = salvezza) [: Dio]. Comincia la parte di supplica (cioè di richiesta) della preghiera: san Bernardo indica Dante alla Vergine, e le chiede per lui l'intercessione necessaria ad ottenere da Dio la Grazia suprema che gli farà completare il lungo viaggio, entrando con la vista (cioè con la conoscenza) nella perfezione di Dio. vv. 22-24, interpretati in vari modi dai commentatori, alludono in estrema sintesi al lun-

go cammino di Dante, che ha percorso tutto l'Universo.

28-33: *E io, che non arsi mai* [*di desiderio*] *per il mio vedere* [*Dio*] *più di quanto io* (**ch'i'**) *faccio* (**fo**) [: ardo] *per il suo* [: di Dante] [*vederlo*], *ti rivolgo* (**porgo**) *tutte le mie preghiere* (**prieghi**), *e prego che non siano insufficienti* (**scarsi**), *perché tu gli* (**li**) *dissolva* (**disleghi**) *con le tue preghiere* (**co' prieghi tuoi**; **co'** = coi) [: con la tua intercessione presso Dio] *ogni nube* [: impedimento] *causata dalla* (**di**) *sua mortalità* [: dal suo essere uomo mortale], *così* (**sì**) *che Dio* (**'l sommo piacer** = la suprema beatitudine; **'l** = il) *gli* (**li**) *si manifesti* (**dispieghi**). Fedele alla carità che domina la vita dei beati, san Bernardo *arde* di ottenere per Dante la visione di Dio, grazie all'intercessione della Vergine, più ancora di quanto la abbia mai desiderata per se stesso. Si noti la r e p l i c a z i o n e **prieghi** (v. 29), **priego** (v. 30), **prieghi** (v. 32; e, ancora, cfr. vv. 39 e 42), che sottolinea l'intensità della richiesta di Bernardo e mette in evidenza il complesso meccanismo della Grazia: egli chiede per Dante alla Vergine di intercedere presso Dio.

34-36: *O regina che puoi ciò che vuoi* (**vuoli**), *ti prego anche* (**ancor**) *di conservare* (**che conservi**) *puri* (**sani**) *i* (**li**) *suoi* [: di Dante] *sentimenti* (**affetti**), *dopo una così alta visione* (**tanto veder**). San Bernardo chiede dunque alla Vergine due grazie per Dante:

Vinca tua guardia i movimenti umani:
vedi Beatrice con quanti beati
39   per li miei prieghi ti chiudon le mani! ».
Li occhi da Dio diletti e venerati,
fissi ne l'orator, ne dimostraro
42   quanto i devoti prieghi le son grati;
indi a l'etterno lume s'addrizzaro,
nel qual non si dee creder che s'invii
45   per creatura l'occhio tanto chiaro.
E io ch'al fine di tutt' i disii
appropinquava, sì com' io dovea,
48   l'ardor del desiderio in me finii.

la visione di Dio e la perseveranza nel bene per il resto della vita (con ripresa di quanto Dante stesso ha chiesto a Beatrice nel ringraziamento finale rivòltole: cfr. XXXI, 88-90).

37-39: *La tua custodia* (guardia) *domini* (vinca) *le passioni* (i movimenti) *umane: guarda* (vedi) *Beatrice e* (con) *quanti beati congiungono* (chiudon) *le mani* [: a preghiera] *verso di te* (ti) [: ti pregano] *per le mie preghiere* (prieghi) [: affinché tu le accolga]*/* ». Il v. 37 conclude con intensa semplicità la richiesta di vigilare sul futuro di Dante. I vv. 38 sg. mostrano la partecipazione di tanti beati al destino di Dante, per il quale si rivolgono tutti supplichevoli a Maria; e tra tutti spicca la figura di Beatrice, che ci si mostra fugacemente, attraverso le parole di Bernardo, per l'ultima volta, nell'atto di chiedere per Dante l'ultima grazia (e il lettore non può non ricordare che sta proprio nel suo interessamento al destino dello sfortunato amico la molla del poema, e che con una preghiera — rivolta a Virgilio, allora — ella è entrata nella vicenda della *Commedia*, portandovi la prima speranza di Paradiso: nell'*Inferno*, canto II). Con questa terzina si conclude la preghiera di san Bernardo alla Vergine, la valutazione della quale, in termini artistici, non trova concordi i commentatori. È comunque da osservare l'alta perizia oratoria che presiede alla sua costruzione e l'intensità d'insieme del tono. Non bisogna inoltre dimenticare la funzione preparatoria che essa svolge nei confronti della seconda — più ampia e importante — parte del canto. La preghiera ci mostra per l'ultima volta il Paradiso inteso in una prospettiva realistica, benché altamente spiritualizzata: dopo resta solo Dante, e anzi solo il suo

sforzo intellettuale di penetrare entro il mi stero della divinità.

40-45: *Gli* (li) *occhi* [: di Maria] *amati* (dilet ti) *e venerati da Dio,* [essendo] *fissi sull'oran te* (ne l'orator) [: su san Bernardo che la pre gava], *ci* (ne) *fecero capire* (dimostraro⟨no⟩) *quanto le fossero* (son) *gradite* (grati) *le pre ghiere* (prieghi) *devote; quindi* (indi) *si ri volsero* (s'addrizzaro⟨no⟩) *verso la luce eter na* (a l'etterno lume) [: Dio], *nella quale nor si deve* (dee) *credere che da* (per; cfr. franc 'par') [*nessun altro*] *essere* (creatura) *poss essere rivolto lo sguardo* (s'invii...l'occhio *con altrettanta chiarezza* (tanto chiaro). Ma ria non sorride né accenna in alcun modo a Bernardo; ma l'attenzione benevola del suo sguardo rende manifesto il suo assentimen to. Così si rivolge a fissare gli occhi in Di per chiedere la grazia per Dante; e in Di lo sguardo della Vergine penetra con pi chiarezza di quello di qualsiasi altra creatu ra (uomini o angeli): infatti Maria è **alta pi che creatura** (v. 2). Ci si soffermi su quest splendido rilanciarsi di sguardi espressivi intensi attraverso il tramite della Vergine, ch apre il definitivo trionfo del *guardare/vede re* di questa parte conclusiva del canto, c cui sarà attore Dante, al quale Bernardo fun ge da tramite e da esempio per la contem plazione di Maria, e questa per la contem plazione di Dio.

46-48: *E io che mi avvicinavo* (appropinqua va; intrans.) *al fine di tutti i desideri* (disii [: a Dio] *portai al culmine* (finii) *in me l'ar dore del desiderio* [di vedere Dio], *così come io dovevo* (dovea) [: come era giust che io facessi]. Avvicinandosi il momento i cui tutti i desideri di Dante avrebbero trova to in Dio la loro piena soddisfazione, si a

Bernardo m'accennava e sorridea
perch' io guardassi suso; ma io era
già per me stesso tal qual ei volea:

51

ché la mia vista, venendo sincera,
e più e più intrava per lo raggio
de l'alta luce che da sé è vera.

54

Da quinci innanzi il mio veder fu maggio
che 'l parlar mostra, ch'a tal vista cede,
e cede la memoria a tanto oltraggio.

57

Qual è colüi che sognando vede,
che dopo 'l sogno la passione impressa
rimane, e l'altro a la mente non riede,

60

cotal son io, ché quasi tutta cessa
mia visïone, e ancor mi distilla
nel core il dolce che nacque da essa.

63

cresce al massimo il desiderio di tale incontro. Si noti il corrispondersi dei terminichiave all'interno della terzina, così come al desiderio corrisponde, in Dio, la soddisfazione: **fine** (v. 46) e **finii** (v. 48), **disii** (v. 46) e **desiderio** (v. 48).

49-54: *Bernardo mi faceva cenno* (**m'accennava**) *perché io guardassi in alto* (**suso** = su), *e sorrideva; ma io ero* (**era**; arc.) *già spontaneamente* (**per me stesso**) *tale qual egli* (**ei**) *voleva* (**volea**) [: rivolto in alto, verso Dio]*: cosicché* (**ché**) *la mia vista, diventando limpida* (**venendo sincera**) *sempre di più* (**e più e più**) *penetrava* (**intrava** = entrava) *dentro il* (**per lo**) *raggio della luce suprema* (**alta**) [: Dio] *che è vera in se stessa* (**da sé**) [: verità assoluta ed essenziale, senza bisogno di essere in relazione con altro]. L'incoraggiamento affettuoso di Bernardo a guardare verso l'alto giunge in ritardo, tale è il desiderio entusiastico di Dante (come dice il v. 48): e il suo sguardo, facendosi a poco a poco più limpido e come liberandosi dei limiti umani, pènetra all'interno della luce attraverso la quale si manifesta Dio. Nel Paradiso, come si è visto, la luce è il modo caratteristico di manifestarsi della realtà; ma si è sempre trattato, finora, di forme definite di luce: qui, al contrario, si ha a che fare con una luce del tutto astratta e assoluta, che non prende alcuna forma, ma è luce e basta (cfr. v. 54).

55-57: *Da questo momento in poi* (**da quinci innanzi**) *la mia visione* (**il mio veder**) *fu maggiore* (**maggio**) *di quanto* (**che**) *possa manifestare* (**mostra**) *la parola* (**'l parlar** = il dire), *la quale* (**ch'⟨e⟩**) *a una simile* (**tal**) *vista*

cede [: si arrende], *e cede la memoria a un così grande eccesso* (**a tanto oltraggio**). Tornano, in questa parte conclusiva del canto, le dichiarazioni di insufficienza della parola ad esprimere e della memoria a ricordare cose che superano enormemente le possibilità umane. Solo la *vista* (che è poi vista intellettuale) si stacca per un attimo dai limiti dell'umano e arriva ad attingere la profondità del mistero divino. Si noti l'effetto della r e p l i c a z i o n e di **cede** alla fine del v. 56 e al principio del v. 57, volta a sottolineare l'impotenza e la resa dei mezzi umani dinanzi a un compito così arduo (e **tal**, v. 56, e **tanto**, v. 57, esprimono appunto l'ardua enormità dell'oggetto).

58-63: *Qual è colui che sognando vede* [*qualcosa*], *e* (**che**) *dopo il* (**'l**) *sogno* [*gli*] *rimane impressa* [*nell'animo*] *l'emozione* (**la passione**) [*provocata dal sogno*], *e il resto* (**l'altro**) [: il contenuto esatto] *non torna* (**riede**) *alla memoria* (**a la mente**), *tale* (**cotal**) *sono io, poiché* (**ché**) *la mia visione* [*di Dio*] *è quasi interamente svanita* (**quasi tutta cessa**), *e ancora la dolcezza* (**il dolce**) *che derivò* (**nacque**) *da essa mi scende goccia a goccia* (**mi distilla**) *nel cuore* (**core**). Splendida s i m i l i t u d i n e , cui tengono dietro altre due (vv. 64-66) per meglio chiarire questo aspetto centrale della rievocazione. Di quella visione di Dio che ha riempito di beatitudine l'animo di Dante nel momento in cui era presente, ora non gli rimane che qualche goccia di dolcezza, e il contenuto della visione è sparito, restando solo il sentimento e l'emozione provocati da essa; così come succede con un sogno che al risveglio non si ricordi più e ciò nonostante abbia lasciato nell'ani-

Così la neve al sol si disigilla;
     così al vento ne le foglie levi
66   si perdea la sentenza di Sibilla.
O somma luce che tanto ti levi
     da' concetti mortali, a la mia mente
69   ripresta un poco di quel che parevi,
e fa la lingua mia tanto possente,
     ch'una favilla sol de la tua gloria
72   possa lasciare a la futura gente;
ché, per tornare alquanto a mia memoria
     e per sonare un poco in questi versi,
75   più si concepererà di tua vittoria.

mo la **passione** suscitata (gioia o dolore, serenità o angoscia). Troppo grande è il contenuto di questa esperienza (la visione di Dio) perché la memoria umana possa contenerlo in sé e conservarlo. Si noti il senso di indefinitezza suggerito da **l'altro** (v. 60) e da **distilla** (v. 62).

64-66: *Così la neve si scioglie* (**si disigilla**) *al sole; così la sentenza della* (**di**) *Sibilla* [*cumana*] *si perdeva* (**perdea**) *al vento sulle* (**ne le**) *foglie leggere* (**levi** = lievi). Si tratta di due s i m i l i t u d i n i «secondarie», volte a precisare il senso di quella «principale» dei vv. 58-63 (e, per l'esattezza, dell'aspetto cui si riferiscono i vv. 61 sg.): come si dissolve nella mente di Dante la visione eccezionale di Dio, così la neve si scioglie al sole e così si perdevano le sentenze che la Sibilla cumana scriveva su foglie sùbito rapite dal vento penetrato nel suo antro (secondo il racconto di Virgilio: *Eneide* III, 443-450). Il sentimento della caducità e dell'inafferrabilità è affidato alle due immagini in tal senso più emblematiche e caratteristiche: lo sciogliersi della neve al sole e il disperdersi delle foglie nel vento. Ma, restando ancora sul piano del contenuto, c'è nei versi di Dante qualcosa di più: **si disigilla** vale *si scioglie*, ma significa propriamente *perde la sua forma*, e con le foglie si perde nel vento **la sentenza**; le due caducità non dicono il venir meno in astratto, ma il venir meno di un senso preciso: alla *forma* che la neve va perdendo sciogliendosi e alla *sentenza* che il vento rapisce corrisponde il *contenuto* della visione di Dante. La doppia s i m i l i t u d i n e , perciò, è valida in profondità, e non soltanto rispetto ad un lato particolare della situazione (come altre volte). Si deve inoltre osservare la particolare compagine formale della terzina, sia sul piano stilistico che fonico. In parti-

colare, l'intensa e malinconica musicalità dei tre versi è affidata, oltre che alla r e p l i c a z i o n e di **così** ai vv. 64 sg., sempre in principio di verso, alla frequenza della consonante *spirante /s/* (spesso seguita dalla vocale /i/: 6 volte in 3 versi) e a numerosi legami fonici tra il v. 64 e il v. 65 (**Così la neve** e **così al ven⟨to⟩** utilizzano le stesse lettere — come in un *anagramma* —, benché in posizione mutata; mentre **ne le** e **levi** formano con **neve**, rispettivamente, a s s o n a n z a e r i m a i m p e r f e t t a).

67-75: *O somma luce* [: Dio], *che ti innalzi* (**ti levi**) *tanto* [*al di sopra*] *delle* (**da'** = dai) *cose concepibili dagli uomini* (**concetti mortali**), *da' ancora* (**ripresta**) *alla mia memoria* (**mente**) *un poco di quel che apparivi* (**parevi**) [: *dell'immagine che mi mostravi di te*], *e rendi* (**fa**) *la mia lingua* [: *la mia capacità espressiva*] *tanto potente* (**possente**) [: *efficace*], *che* [*io*] *possa lasciare agli uomini che verranno* (**a la futura gente**) *almeno una* (**una...sol**) *scintilla* (**favilla**) *del tuo splendore* (**de la tua gloria**)*; poiché* (**ché**) *per il fatto che* [*esso*] *torni* (**per tornare**) *un poco* (**alquanto**) *alla mia memoria e per il fatto che risuoni* (**per sonare**) [: *venga espresso*] *un poco in questi versi, si capirà* (**si concepererà di**) *meglio* (**più**) [*tra gli uomini*] *la tua grandezza* (**vittoria**). Dinanzi alla insormontabile difficoltà di ricordare e di esprimere la visione, Dante invoca, come altre volte, il soccorso divino; e chiede che gli venga restituito non lo splendore glorioso della visione nella sua pienezza, ma una *scintilla* di esso e la capacità di esprimere **un poco** tale aspetto già in sé parziale della grandezza di Dio. E la richiesta è motivata dal fine di mostrare agli uomini meglio tale grandezza, e insomma di lodare Dio e non di fare onore superbamente a se stesso. Tornano i temi di altri luoghi

Io credo, per l'acume ch'io soffersi
del vivo raggio, ch'i' sarei smarrito,
78   se li occhi miei da lui fossero aversi.
E' mi ricorda ch'io fui più ardito
per questo a sostener, tanto ch'i' giunsi
81   l'aspetto mio col valore infinito.
Oh abbondante grazia ond' io presunsi
ficcar lo viso per la luce etterna,
84   tanto che la veduta vi consunsi!
Nel suo profondo vidi che s'interna,
legato con amore in un volume,
87   ciò che per l'universo si squaderna:
sustanze e accidenti e lor costume
quasi conflati insieme, per tal modo
90   che ciò ch'i' dico è un semplice lume.

della *Commedia* (e del *Paradiso* in partico-lare; cfr. soprattutto I, vv. 4-12), ma mai come in questi versi, quando pure ormai della propria grandezza poetica Dante doveva ben essere consapevole, è intenso il sentimento di umiltà, così che la possibilità di esprime-re quest'ombra del vero è risolutamente af-fidata alla Grazia divina, alla quale Dante ritiene appartenga la propria arte, con per-fetta maturità spirituale.

76-78: *Per l'intensità* (**acume** = acutezza) *del vivo raggio* [*divino*] *che io sopportai* (**sof-fersi**) [: guardai], *io credo che io* (**ch'i'**) *mi sarei perduto* (**sarei smarrito**) *se i* (**li**) *miei occhi si fossero distolti* (**aversi**) *da lui*. L'in-tensità della luce divina agisce contrariamente a quella del sole: anziché abbagliare la vi-sta, la fortifica rendendola capace di pene-trare oltre, di vedere meglio, e, anziché re-spingerla, la cattura con il sentimento che al di fuori di se stessa non c'è che lo *smarri-mento* delle tenebre.

79-81: *Ricordo* (**e' mi ricorda**; forma impers.; **e'** = ei, p l e o n .) *che per questo io fui più coraggioso* (**ardito**) *a sostenere* [*la visione*; cioè non distolsi lo sguardo], *tanto che io* (**ch'i'**) *unii* (**giunsi**) *la mia vista* (**aspetto**) *col valore infinito* [: Dio]. Sentendo di non po-ter distogliere lo sguardo se non a rischio di perdersi, Dante fissa con intensità il raggio divino finché la sua vista raggiunge un primo approdo conoscitivo, toccando la vi-sione di Dio. Tale prima conoscenza viene descritta ai vv. 85-93 (come un secondo ed un terzo approfondimento conoscitivo segui-ranno ai vv. 115-120 e 127-132, alternandosi

a ripetute espressioni di insufficienza e di sconforto, a lodi per la grandezza divina, a nuove folgorazioni di verità). Da notare, in merito al grandioso sforzo di Dante di rappresentare la visione di Dio, che esso si differenzia profondamente da quello dei mi-stici: «il mistico chiude gli occhi per meglio vedere, e comprende meglio quando ha ri-nunziato a comprendere. L'atteggiamento dantesco è esattamente l'opposto [...]: Dan-te [...] non si abbandona [...], non si im-merge nell'immensità dello stupore e dell'a-more, ma studia e misura il progressivo in-cremento delle facoltà umane [...] con miracolosa lucidità intellettuale, con tutta la tensione della volontà, fino all'ultimo atto» (Chimenz).

82-84: *Oh Grazia generosa* (**abbondante**) [*di Dio*] *per la quale io* (**ond'io**) *osai* (**presunsi**) *di spingere* (**ficcar**; dice lo sforzo) *lo sguar-do* (**lo viso**) *attraverso* (**per**) *la luce eterna* [: di Dio], *tanto* [: così a fondo] *che in essa* (**vi**) *adoperai interamente* (**consunsi**) *la* [*mia*] *possibilità visiva* (**veduta**) [: vidi tutto ciò che il mio intelletto fu in grado di percepire con il massimo sforzo possibile]*!* Terzina di rin-graziamento e di lode a Dio.

85-90: *Nella sua* [: della luce divina] *profon-dità* (**profondo**) *vidi che è contenuto* (**s'in-terna**), *raccolto* (**legato**) *con amore insieme* (**in un volume**), *ciò che nell'* (**per l'**) *Univer-so è sparso* (**si squaderna**): [*tutte*] *le sostan-ze* (**sustanze**) *e gli accidenti e la loro relazio-ne* (**costume**) [*vi sono*] *quasi uniti* (**conflati**) *insieme, in modo tale* (**per tal modo**) *che ciò che io* (**ch'i'**) *dico è un semplice barlume* (**lu-**

La forma universal di questo nodo
credo ch'i' vidi, perché più di largo,
dicendo questo, mi sento ch'i' godo.

93

Un punto solo m'è maggior letargo
che venticinque secoli a la 'mpresa
che fe' Nettuno ammirar l'ombra d'Argo.

96

Così la mente mia, tutta sospesa,
mirava fissa, immobile e attenta,
e sempre di mirar faceasi accesa.

99

A quella luce cotal si diventa,
che volgersi da lei per altro aspetto

me) [*del vero*]. La prima definizione di Dio riguarda il raccogliersi, nella sua unità, di tutte le molteplici e diverse esistenze dell'Universo: i vv. 85-87 esprimono con un'immagine potente questo radunarsi in Dio, come in un unico **volume**, di tutte quelle forme che, come fogli sparsi, *si squadernano* nell'Universo; e l'unità in Dio (e quindi il senso) di tutte le esistenze è ottenuta per forza di **amore**. **Sustanze e accidenti**...: è chiamata *sostanza*, nel linguaggio filosofico, ciò che esiste di per sé; *accidente*, il modo variabile e non necessario (ma, appunto, accidentale) di essere delle sostanze; *costume* traduce forse il lat. *habitus*, ed è perciò il rapporto che lega sostanza ed accidente. Tutte le manifestazioni dell'esistenza sono, necessariamente, *o* sostanze *o* accidenti, e le loro relazioni, costumi; perciò i vv. 88 sg. ripetono con linguaggio tecnico quanto già ha espresso la terzina precedente in modo m e t a f o r i c o .

91-93: *Ho fede* (**credo**; ha valore asseverativo) *di aver visto* (**ch'i' vidi**) *il principio essenziale* (**la forma**) *di questa unione* (**nodo**), *perché dicendo questo sento che io* (**ch'i'**) *godo più largamente* (**di largo**). In Dio, Dante ha visto non solo l'intero Universo ridotto ad unità, ma lo stesso principio che presiede alla costruzione dell'ordine universale, la sua forma; ne è prova il piacere che il poeta prova a dire ciò, ora che la visione è scomparsa e che di essa, come è stato affermato ai vv. 62 sg., non resta che l'emozione interiore. Si noti che **nodo** (v. 91) si ricollega a **conflati insieme** (v. 89) e a **legato...in un volume** (v. 86).

94-96: *Un solo attimo* (**punto**) *mi procura* (**m'è**) *maggiore dimenticanza* (**letargo**) *di quanta* (**che**) [*ne procurino*] *venticinque secoli all'impresa* (**a la 'mpresa**) *che fece* (**fe'**)

guardare stupefatto (**ammirar**) *a Nettuno l'ombra d'Argo*. L'attimo senza dimensione temporale (**punto**) nel quale Dante ha spinto lo sguardo entro la luce divina gli procura un oblio maggiore di quanto non siano stati venticinque secoli per l'impresa degli Argonauti (**Argo** è la prima nave che solcò il mare, e quindi **Nettuno**, dio del mare, si meravigliò di vedere per la prima volta un'ombra nel suo regno). La terzina, con la suggestiva rievocazione mitologica degli Argonauti attraverso lo stupore di Nettuno, serve soprattutto a mettere in rilievo l'eccezionalità assoluta del momento e dell'impresa dantesca, paragonandola all'episodio più avventuroso e leggendario dei miti classici; ma anche introduce la figura stupefatta di Nettuno dinanzi ad una visione per lui assolutamente nuova: e perciò la terzina si collega, oltre che a quanto la precede (la difficoltà di rievocare la visione scomparsa), anche a quanto la segue (lo stupore ammirato di Dante: cfr. il **così** del v. 97 e il rapporto tra l'**ammirar** del v. 96 e il **mirava** del v. 98); così che a Dante appartiene implicitamente una somiglianza sia con l'eroico Giasone alla guida dell'impresa coraggiosa ed unica della nave Argo, sia con lo stupefatto Nettuno dinanzi alla visione inedita.

97-99: *Così* [: ammirata come Nettuno] *la mia mente, interamente assorta* (**tutta sospesa**), *guardava* (**mirava**) *fissa, immobile e attenta e diveniva* (**faceasi** = si faceva) *sempre* [*più*] *desiderosa* (**accesa**) *di guardare* (**mirar**). In questa terzina e nelle due seguenti è ripreso ed ampliato il tema (già accennato ai vv. 76-78) del concentrarsi di Dante con lo sguardo della mente sulla luce divina.

100-105: [*Dinanzi*] *a quella luce si diventa tali* (**cotal**) *che distogliersi* (**volgersi**) *da lei per* [*guardare*] *un'altra cosa* (**aspetto**) *è im-*

è impossibil che mai si consenta;
però che 'l ben, ch'è del volere obietto,
tutto s'accoglie in lei, e fuor di quella

105   è defettivo ciò ch'è lì perfetto.
Omai sarà più corta mia favella,
pur a quel ch'io ricordo, che d'un fante

108   che bagni ancor la lingua a la mammella.
Non perché più ch'un semplice sembiante
fosse nel vivo lume ch'io mirava,

111   che tal è sempre qual s'era davante;
ma per la vista che s'avvalorava
in me guardando, una sola parvenza,

114   mutandom' io, a me si travagliava.

possibile che sia mai consentito (**che mai si consenta**)*; perché* (**però che**) *in lei si raccoglie* (**s'accoglie**) *tutto* (**l**) *il* [**vero**] *fine* (**obietto** = oggetto) *della volontà* (**del volere**)*, e* [*tutto*] *ciò che lì è* (**ch'è lì**) *perfetto,* [*al di*] *fuori di essa* (**fuori di quella**) [: *luce divina*] *è incompleto* (**defettivo** = difettoso). Nella luce divina è concentrato tutto il bene universale in forma perfettamente compiuta, mentre in ogni altro luogo tale bene è presente solo in modo parziale e imperfetto (**defettivo**); perciò chi si affissi nella contemplazione di tale luce non può in alcun modo distoglierne lo sguardo. Ciò è dovuto al fatto che la volontà umana tende inevitabilmente al bene, secondo una concezione largamente diffusa nella cultura medioevale (presente già in Boezio e ripresa poi da san Tommaso).

106-108: *D'ora in avanti* (**omai** = ormai) *la mia parola* (**favella**)*,* [*anche*] *solamente* (**pur**) *rispetto a* (**a**) *quel* [*poco*] *che io ricordo, sarà più insufficiente* (**corta**) *che* [*quella*] *di un bambino* (**fante**) *che ancora bagni la lingua alla mammella* [: *un lattante*]. Ancora una dichiarazione di inadeguatezza dei mezzi espressivi umani: da questo momento in poi la parola di Dante sarà più insufficiente di quella di un lattante (che ancora non parla); e ciò, in aggiunta, non rispetto alla visione in sé, ma rispetto a quel pochissimo che di essa Dante è in grado di ricordare.

109-114: *Non perché nella luce* (**lume**) *splendente* (**vivo**) *che io guardavo* (**mirava**) *fosse più che un unico* (**semplice**) *aspetto* (**sembiante**)*, la quale* [*luce, anzi*] *è sempre tale qual era* (**s'era**) *prima* (**davante**) [: *è immobile e immutabile*]*; ma a causa della* (**per la**) *vista che in me acquistava forza* (**s'avvalorava**) *guardando, un'unica* (**una sola**) *visione* (**parvenza**) [: *la luce; è il sogg.*]*, poiché io mi trasformavo* (**mutandom'io**)*, si andava trasformando* (**si travagliava**) *rispetto a me* (**a me**) [: *ai miei occhi*]. Cioè: la luce divina è unica e ferma nella sua semplice assolutezza, ma Dante acquista, fissandola, a poco a poco forza di penetrazione intellettuale e quell'identica visione gli diviene progressivamente più chiara. Nelle terzine successive egli potrà cercare di definirne separatamente le caratteristiche, ma non perché esse siano in realtà separate o separabili nell'oggetto in sé: è la mente umana che non può comprendere né esprimere la divinità nella sua essenziale unità, e che perciò di essa va contemplando e definendo i vari caratteri per gradi. Insomma: l'oggetto è immobile e unico in sé; il soggetto non può in alcun modo entrare in rapporto con esso senza tradire una così completa assolutezza. È ancora, se si vuole, una dichiarazione della limitatezza dei mezzi umani. Si noti l'intensa drammaticità di questa seconda parte del canto: intensa anche se tutta concentrata nel poderoso sforzo intellettuale ed espressivo di Dante. Si noti come tale drammaticità sia accresciuta dal dissolversi dello scenario dell'Empireo, pure mirabilmente costruito, e dal giganteggiare solitario di Dante, la cui solitudine rimanda all'inizio del poema nella selva oscura; a dire che il viaggio è compiuto e il pellegrino, maturo, è restituito a se stesso. Si noti infine come l'insistenza sulle difficoltà di memoria e di espressione di questa ultima parte determini il fondersi di Dante-personaggio con il Dante-autore: quest'ultimo infatti non racconta più del proprio viaggio ma del proprio sforzo di ricordarne ed esprimerne l'ultima tappa. La narrazione viene interamente riassorbita nella speculazione.

Ne la profonda e chiara sussistenza
de l'alto lume parvermi tre giri
117   di tre colori e d'una contenenza;
e l'un da l'altro come iri da iri
parea reflesso, e 'l terzo parea foco
120   che quinci e quindi igualmente si spiri.
Oh quanto è corto il dire e come fioco
al mio concetto! e questo, a quel ch'i' vidi,
123   è tanto, che non basta a dicer ' poco '.
O luce etterna che sola in te sidi,
sola t'intendi, e da te intelletta
126   e intendente te ami e arridi!
Quella circulazion che sì concetta
pareva in te come lume reflesso,
129   da li occhi miei alquanto circunspetta,
dentro da sé, del suo colore stesso,
mi parve pinta de la nostra effige:
132   per che 'l mio viso in lei tutto era messo.

115-120: *Nella profonda e luminosa* (**chiara**) *essenza* (**sussistenza**) *della sublime luce* (**alto lume**) [: di Dio] *mi apparvero* (**parvermi**) *tre cerchi* (**giri**) [: la Trinità] *di tre colori* [*diversi*] *e d'una* [*unica*] *dimensione* (**contenenza**)*; e uno* (**l'un**) [: il Figlio] *sembrava* (**parea**) *riflesso da un altro* [: il Padre] *come un arcobaleno* (**iri**) [*è talvolta riflesso*] *da un* [*altro*] *arcobaleno* (**iri**), *e il* (**'l**) *terzo* [: lo Spirito Santo] *sembrava* (**parea**) *fuoco* (**foco**) *che spiri* (**si spiri**) [: *emani*] *egualmente* (**igualmente**) *da entrambi* (**quinci e quindi** = da qui e da lì). L'immagine della quale Dante si serve per esprimere la Trinità cerca di rendere sensibilmente le caratteristiche del dogma e di rispettarne la misteriosa imperscrutabilità. In effetti l'immagine è apparentemente nitida, ma impossibile a concepirsi in termini fisici; e in questo sta il suo fascinoso corrispondere al dogma trinitario. I tre cerchi sono identici per esprimere l'identità delle tre persone della Trinità, i cui attributi sono rappresentati dai diversi colori. Dal Padre deriva il Figlio, generato dall'eternità, e da entrambi deriva lo Spirito Santo.

121-123: *Oh quanto la* [*mia*] *parola* (**il dire**) *è insufficiente* (**corto**) *e come* [*è*] *debole* (**fioco**) *rispetto al* (**al**) *mio pensiero* (**concetto**)*! e questo* [: il pensiero], *rispetto a* (**a**) *quel che io* (**ch'i'**) *vidi, è tanto* [: così poco] *che non basta a dire* (**dicer**) *'poco'.* Ancora è ripreso il tema dell'insufficienza dell'espressione rispetto al ricordo, e del ricordo rispetto alla visione. Cfr. vv. 106-108.

124-126: *O luce eterna* [*di Dio*] *che sola stai* (**sidi** = siedi; latinismo) *in te* [*stessa*], *sola ti comprendi* (**t'intendi**), *e capìta* (**intelletta**) *da te e comprendente* (**intendente**) [*te stessa*], *ami te* [*stessa*] *e gioisci* (**arridi**)*!* La terzina è rivolta alla Trinità, della quale definisce meglio i caratteri attraverso la lode. La luce di Dio *sta sola in se stessa* perché tutto contiene e da null'altro è contenuta che da se stessa; *capisce se stessa* come Padre ed è *compresa solo da sé* come Figlio, e come Padre e come Figlio (**intendente** ed **intelletta**) *ama se stessa e gioisce* come Spirito Santo. La triplice r e p l i c a z i o n e (**intendi, intelletta, intendente**) allude espressivamente al mistero della Trinità attraverso un rimandarsi di piani diversi ma intimamente coincidenti.

127-132: *Quel cerchio* (**circulazion**) [: cfr. vv. 118 sg.; è il Figlio] *che in te* [: luce divina] *pareva generato* (**concetta**) *così* (**sì**) *come luce* (**lume**) *riflessa* (**reflesso**), *osservato* (**circunspetta**; latinismo) *un poco* (**alquanto**) *dai* (**da li**) *miei occhi, mi parve dipinto* (**pinta**) *al suo interno* (**dentro da sé**), *con il* (**del**) *suo stesso colore, della nostra immagine* (**effige**) [*umana*]: *per cui* (**che**) *il* (**'l**) *mio sguardo* (**viso**) *era tutto concentrato* (**messo**) *su di* (**in**) *lui* (**lei**; riferito a «circulazion»). Dopo il mistero della Trinità è la volta di quello, non meno grande, dell'Incarnazione (il coesistere, in Cristo, della doppia natura umana e divina): nel cerchio che deriva da un altro, cioè nel cerchio che rappresenta il Figlio (cfr. nota ai vv. 115-120), è inscritta

Qual è 'l geomètra che tutto s'affige
per misurar lo cerchio, e non ritrova,
135 pensando, quel principio ond' elli indige,
tal era io a quella vista nova:
veder voleva come si convenne
138 l'imago al cerchio e come vi s'indova;
ma non eran da ciò le proprie penne:
se non che la mia mente fu percossa
141 da un fulgore in che sua voglia venne.
A l'alta fantasia qui mancò possa;
ma già volgeva il mio disio e 'l *velle*,
sì come rota ch'igualmente è mossa,
145 l'amor che move il sole e l'altre stelle.

l'immagine dell'uomo. Anche qui, la raffigurazione esprime il mistero del dogma attraverso la costruzione di un assurdo (infatti l'immagine, essendo dello stesso colore del
cerchio, non potrebbe essere distinguibile rispetto ad esso); ma l'importante è che venga comunicata, per un attimo, l'impressione
fisica di aver capito: l'espressione umana non
può andare oltre questa comunicazione illusoria. Poiché il dogma dell'Incarnazione è
centrale nella religione cristiana, essendo
quello cui si riconnettono in qualche modo
tutti gli altri e rappresentando il momento
di incontro di Dio con l'umanità e di salvezza per quest'ultima, nel tentativo di pene-
trarlo Dante impiega tutte le proprie risorse
e con il lampo di Grazia che acqueta il suo
desiderio di conoscenza si conclude il poema.

133-141: *Qual è il ('l) geòmetra che si concentra (s'affige) tutto per misurare la circonferenza* (lo cerchio; lo = il) *e, pensando, non
trova (ritrova) quel principio del quale egli
(ond'elli) ha bisogno (indige*; latinismo)*, tale ero (tal era) io a quella straordinaria (nova) vision (vista): volevo (voleva) vedere* [:
capire] *come l'immagine (l'imago) [umana]
si adattasse (si convenne) al cerchio e come
vi si collocasse (s'indova); ma le mie (proprie) capacità (penne;* cioè 'ali', con
m e t a f o r a, implicita, del volo) *non erano all'altezza (da ciò): se non che la mia
mente fu colpita (percossa) da un lampo (fulgore) con il quale (in che) il suo desiderio
(sua voglia) si compì (venne = avvenne).* Concentrato sul mistero dell'Incarnazione, Dante cerca di capire come l'immagine umana
si congiunga al cerchio divino, e cioè come
l'aspetto umano e l'aspetto divino siano congiunti nell'unica persona di Cristo. Ma le

possibilità della mente umana non arrivano
a tanto: le sue ali non sono fatte per un volo così alto (cfr. v. 139). È la Grazia divina,
perciò, che con un'illuminazione suprema si
manifesta a Dante, appagando il suo desiderio di conoscenza. Nella s i m i l i t u -
d i n e con il **geomètra** (cioè con lo studioso di geometria), si allude alla incommensu-
rabilità tra il diametro e la circonferenza del
cerchio e quindi alla impossibilità di misurare (se non per approssimazione) quest'ultima. Il **principio** del quale il geometra avrebbe bisogno è appunto il rapporto esatto tra
diametro e circonferenza. Si noti poi come
tale s i m i l i t u d i n e riesca appropria-
ta alla situazione che deve essere espressa:
in entrambi i casi si ha a che fare con un
cerchio (vv. 134 e 138) e in entrambi i casi
la mente umana non è in grado di spiegare
ciò che pure vede, e cioè il rapporto tra due
aspetti appartenenti organicamente al medesimo oggetto, eppure in uno stato di relazione incomprensibile (circonferenza e diametro, cerchio e immagine umana — cioè
aspetto divino e aspetto umano di Cristo —).
Per altro anche l'ultima fugace immagine del
poema, al v. 144, è legata alla circolarità;
ma anziché segno di una perfezione estranea a Dante e nella quale egli cerchi faticosamente di affondare lo sguardo, è lì segno
del suo perfetto appartenere ad essa per ammissione della Grazia. **Indova**: è n e o l o -
g i s m o di conio dantesco (*in + dove*); significa *ha luogo, si colloca*.

142-145: *Alla facoltà immaginativa (fantasia) giunta così in alto (alta) qui mancò la
forza (possa); ma l'amore che muove (move) il sole e le altre stelle* [: Dio] *già guidava

(**volgeva**) *il mio desiderio* (**disio**) *e la* ('l = il) [*mia*] *volontà* (**velle** = volere; lat.), *così* (**sì**) *come una ruota* (**rota**) *che è mossa uniformemente* (**igualmente**). Giunta al limite delle sue possibilità, la fantasia non può neppure tentare di descrivere la visione offerta alla mente dal lampo della Grazia; infatti «dove la conoscenza diventa puro intelletto, la fantasia [...] che è mediazione tra il sensibile e l'intelletto [...] cessa del tutto» (Casella). Ma Dante ha intanto raggiunto la condizione dei beati, e il suo desiderio è non solo soddisfatto ma completamente appagato, così che la sua volontà si identifica con quella di Dio e da essa si lascia guidare, sentendosi parte dell'ordine perfetto dell'Universo, come una ruota che giri con moto uniforme, immagine di armonia e di perfezione, oltre che di appagamento. Il poema si conclude così in questo pieno riconoscimento di appartenere all'ordine voluto da Dio, e anzi con una p e r i f r a s i di Dio stesso che rimanda a quella che apre questa terza c a n t i c a (**La gloria di colui che tutto move...**): ma qui, anziché la *potenza* di Dio è significativamente messo in risalto il suo *amore*, a sottolineare la conclusione positiva del viaggio. La intima coerenza della struttura è poi legata anche alla parola **stelle**, che conclude, come già l'*Inferno* e il *Purgatorio*, anche il *Paradiso* (per cui cfr. la nota a *Purg.* XXXIII, 145).

Aspetto _____ v. 81

È voce dotta derivata dal lat. *aspectus* (da *aspicĕre* = 'guardare') = 'figura, sembianza, vista'. Propriamente significa 'il vedere, vista, sguardo' — cfr. *Purg.* XXIX, 58 e *Par.* I, 67 e XXXIII, 81 — (anche in senso fig., come 'vista della mente' — cfr. *Par.* XI, 29) e 'ciò che si presenta alla vista, la figura' — cfr. *Purg.* I, 14 e *Par.* XXX, 44 e XXXIII, 101 — (anche in senso fig., come 'aspetto, visione nel senso di conoscenza' — cfr. *Par.* III, 3). Per estens. indica 'il sembiante, il volto, ciò che appare all'esterno di una persona' — cfr. *Inf.* X, 74 e XV, 26, *Purg.* III, 107 e *Par.* III, 58. Oggi il termine si usa anche per indicare il 'punto di vista dal quale si considera qualcosa' (un episodio, un problema, uno spettacolo, ecc.).

Iri _____ v. 118

È voce dotta derivata dal lat. *iris, iridis* = 'arcobaleno' (cfr. franc. e sp. *iris* = 'iride'). È forma letter. per 'iride, arcobaleno' (e tale è il significato in Dante). Nell'uso, oggi, il fenomeno atmosferico è designato con *arcobaleno*, mentre con *iride* si indica per lo più la 'parte dell'occhio pigmentata (= colorata) al cui centro si apre la pupilla'.

Oltraggio _____ v. 57

La voce deriva dal lat. tardo *ultraticum* ('che va oltre il segno') attraverso il franc. ant. *oltrage* (mod. *outrage*) e il prov. *oltratge* (derivati da *oltre*, mod. *outre-*, dal lat. *ultra* = 'al di là, oltre'), come lo sp. *ultraje* e il port. *ultragem*. Propriamente la voce indica un' 'azione offensiva, moralmente ingiusta', un 'affronto' (in questo senso si intende p. es. la formula giuridica «oltraggio a pubblico ufficiale» = 'offesa a chi esercita pubbliche mansioni'). In senso concreto vale 'ingiuria, insulto'. Più raro è il significato di 'torto, ingiustizia' — cfr. *Purg.* II, 94 —; e ancor più raro, ant. e letter., quello di 'eccesso' — cfr. *Par.* XXXIII, 57 (nel senso particolare di 'visione che sorpassa le facoltà umane, concetto trascendente').

Appendici

LA FORTUNA DI DANTE ALL'ESTERO E IL PROBLEMA DELLE TRADUZIONI. ALCUNI ESEMPI IN QUATTRO LINGUE DI VERSIONE DELLA *COMMEDIA*

1. LA FORTUNA DI DANTE FUORI D'ITALIA.

Come grande e rapida fu la diffusione dell'opera di Dante (e della *Commedia* in particolare) in Italia, così lo fu anche nel resto d'Europa. Naturalmente non si deve pensare ai meccanismi dell'industria culturale di oggi, resi incalzanti dall'invenzione della stampa e soprattutto dai *mass media*. E d'altra parte il pubblico stesso dei lettori era incredibilmente esiguo ai tempi di Dante, e tale sarebbe restato ancora per molto tempo. Bisogna inoltre considerare che le distanze e le differenze linguistiche e culturali rendevano molto più di oggi irraggiungibili opere di altri Paesi (ad esempio, essendo scritto in latino, il *De Monarchia* di Dante ebbe una diffusione più sicura, per certi aspetti, del poema stesso). Sarà insomma da considerare buona e anzi ottima la fortuna della *Commedia* fuori d'Italia solo perché ci risulta che essa fu posseduta e conosciuta da molti intellettuali europei già nel Trecento. Basti pensare alla profonda influenza da essa esercitata sul maggiore scrittore inglese dell'epoca: Geoffrey Chaucer (1340-1400).

Come in Italia, la fortuna di Dante aumentò anche nel resto d'Europa nel corso del Quattrocento, raggiungendo (con qualche ritardo sull'evoluzione del gusto nella Penisola) il suo culmine nel Cinquecento. Precoce e intensa fu soprattutto la diffusione della *Commedia*, oltre che in Inghilterra (si è detto di Chaucer), in Spagna, sia in ambito catalano che castigliano. La prima traduzione integrale del poema in castigliano è del 1428 (in prosa), e quella in catalano, in terzine, solo di un anno più tarda; date estremamente precoci (generalmente l'opera veniva letta in originale), se si pensa che in Inghilterra le prime traduzioni complete risalgono al principio del XIX secolo (e in Germania alla seconda metà del Settecento). La Spagna, tra il XV e il XVI secolo, specie in ambito castigliano, si rivolse al modello dantesco come ad un canone da imitare, costituendo per certi aspetti un caso limite nel pur favorevole panorama europeo di questi due secoli.

Alquanto successiva a quella spagnola fu la prima traduzione francese della *Commedia* (anteriore comunque al 1496, del solo *Inferno*; la prima completa è del 1596, in sestine di alessandrini). Ma l'influenza fu egualmente consistente (è il caso, per fare un solo esempio, di Margherita di Navarra) fino alla metà del secolo XVI, quando al modello dantesco gli scrittori della «Pléiade» preferirono quello petrarchesco filtrato dalle poetiche rinascimentali del Bembo e del Castiglione. Ma la precocità della prima stampa francese della *Commedia* (1502; con ristampa dopo soli quattro anni) e il fatto che il *De vulgari eloquentia* ebbe la sua *editio princeps* (la prima stampa) a Parigi (1557) rivelano quanto intenso fosse stato, fino a quel momento, il rapporto degli intellettuali francesi con Dante.

Più tardiva e meno vasta e significativa fu la diffusione della *Commedia* in Germania, avvenuta soprattutto tra la fine del Quattrocento e il secolo successivo.

Ancora simili alle sorti italiane della fortuna di Dante sono quelle della sua fortuna europea nei secoli XVII e XVIII, a lui decisamente sfavorevoli per gusto e sensibilità. Non mancano, è ovvio, notevoli eccezioni (come quella del poeta inglese Milton, che ricevette la profonda influenza della *Commedia* per la composizione dei suoi poemi: *Paradise Lost, Paradise Regained*). Il punto più basso della «fortuna» di Dante fu raggiunto a metà del XVIII secolo, quando Voltaire attaccò pubblicamente la *Commedia* parlandone come di un'opera insopportabile e mal scritta. Si può anche dire, però, che già il primo Romanticismo reagì a questo eccesso polemico e la rinascita di interesse per Dante si fece, nei primi decenni dell'Ottocento, impetuosa e, si può dire, definitiva.

La grande fortuna di Dante comincia proprio in questo periodo: si moltiplicano le traduzioni in tutte le lingue e si rinnovano i commenti e gli studi; l'influenza non si limita peraltro ai soli scrittori, ma si allarga a pittori (Delacroix, Ingres, Doré) e musicisti (Listz). Molti scrittori si cimentano a tradurre brani del poema (come A. Dumas) o il poema intero (come Lamennais). Va detto che in questa vigorosa fortuna, l'opera di Dante subisce non pochi fraintendimenti e limitazioni, legati in modo particolare ad una lettura romantica di tipo eroico e tragico: la preferenza accordata all'*Inferno* (e, all'interno di questo, agli episodi di maggior vigore drammatico, come quelli di Francesca e di Ugolino) è solo l'aspetto più appariscente di tale fenomeno.

In ambito tedesco l'adesione entusiastica di Hegel e poi di Schlegel e di Schelling apre la strada ad una eccezionale fioritura di studi, fino ad Auerbach.

In Francia, oltre alle personalità già ricordate, vale la pena di citare il ciclo di romanzi che Balzac intitolò *Comédie humaine* con allusione al poema di Dante.

In Inghilterra — dove W. Blake non solo si era ispirato a Dante nelle sue composizioni poetiche, ma aveva egli stesso illustrato la *Commedia* in una serie di incisioni — ebbe grande importanza l'attività critica di Coleridge dalla quale derivò l'impulso a studi di alto livello (come nel caso di Moore e Toynebee) e fu incoraggiata la diffusione della *Commedia* nel nuovo mondo.

Negli Stati Uniti il poema dantesco ha incontrato in questi ultimi due secoli una straordinaria fortuna critica. Delle oltre ottanta traduzioni in lingua inglese esistenti, più di venti sono state compiute da americani; e della quindicina degli ultimi quarant'anni, oltre i due terzi. Anche oggi nelle Università del Nord-America Dante è tra gli autori più studiati, e spesso ad alto livello (come nel caso di Singleton e dei suoi continuatori).

In Spagna la rinascita ottocentesca d'interesse per Dante è un poco ritardata rispetto agli altri Paesi, ma egualmente intensa. Basti pensare che tra il 1900 e il 1970 sono state pubblicate circa cinquanta traduzioni della *Commedia*.

2. IL PROBLEMA DELLA TRADUZIONE.

È fin troppo ovvio che la cosa migliore è leggere un poeta nella sua lingua: solo così infatti si può veramente capire e apprezzare l'originale. In realtà però la fortuna mondiale di un autore come Dante si basa in larga misura sulle traduzioni; né potrebbe essere altrimenti, essendo il pubblico dei lettori vastissimo e diverso per lingua e Paese. D'altronde abbiamo visto come, anche in passato, le traduzioni siano state da una parte un veicolo per la diffusione della *Commedia*, e dall'altra un'espressione della sua fortuna. La traduzione è insomma un fatto di grande rilievo culturale e, benché costituisca sempre comunque, in qualche modo, un'interpretazione e dunque anche, in una certa misura, una «falsificazione» dell'originale, essa rappresenta anche il mezzo più potente per la sua diffusione, oltre i confini spesso angusti della lingua in cui è scritto.

Per offrire al lettore, soprattutto non italiano, l'opportunità di riflettere su questo problema, presentiamo qui alcuni brani della *Commedia* e un intero canto (il quinto dell'*Inferno*) nelle traduzioni francese, spagnola, inglese e tedesca. Le traduzioni scelte sono tutte recenti e di vasta diffusione. Per il francese è stata utilizzata la traduzione (1985) dell'*Inferno* di J. Risset (nota saggista e poetessa, docente all'Università di Roma), mentre per le altre due cantiche è stata riprodotta quella, ancora più recente (1987), di L. Portier, studioso di Dante. Entrambe ci sono sembrate preferibili, in quanto più recenti e moderne nella scelta del linguaggio, a quella pur in sé ottima e celebrata di A. Pézard (1965). Per lo spagnolo è stata adottata la traduzione di A. Crespo (1971-77), studioso di Dante e docente universitario; per l'inglese quella del docente universitario americano A. Mandelbaum (1980-82), esperto traduttore dei classici italiani e latini; per il tedesco, infine, quella di W. Hertz.

3. DIFFICOLTÀ DI OGNI TRADUZIONE.

La traduzione di una poesia in altra lingua incontra difficoltà quasi insuperabili. La musicalità, il ritmo, le associazioni foniche (che sono spesso anche associazioni di significato) restano di necessità escluse da una traduzione letterale. Il traduttore può cercare di riprodurre il maggior numero possibile delle soluzioni metriche e ritmiche dell'originale, oppure può tentare di darne una interpretazione personale attraverso un libero rifacimento. Per quanto si tratti di due soluzioni opposte, in realtà anche la traduzione più fedele nella lettera e nel metro è sempre un'interpretazione, mentre anche il libero rifacimento è sempre vincolato dall'originale, vi si ispira e si sforza di adeguarvisi. Si aggiunga che chi segue la prima strada (riprodurre il più possibile le soluzioni formali del testo tradotto) finisce per trovarsi costretto in una griglia rigida, per rispettare la quale si rende necessaria una maggiore libertà dalla lettera; mentre chi non si sforza di riprodurre la metrica e le altre caratteristiche formali dell'originale può più facilmente rispettare il significato letterale. Insomma, uno scarto dall'originale resta sempre, ed è uno scarto che riguarda di necessità la densità e la ricchezza di significati del testo tradotto, e dunque la sua stessa resa artistica.

4. DIFFICOLTÀ DI TRADURRE DANTE. UN ESEMPIO.

La traduzione di Dante presenta particolari difficoltà, sia dal punto di vista metrico (la terzina e il vincolo della triplice rima), sia soprattutto dal punto di vista semantico a causa della forza espressiva di alcune parti del discorso — per esempio il verbo —, delle ellissi potenti, dell'aggiunta di significato implicata dalla organizzazione stessa dei significanti.

Per quanto riguarda la metrica, ad esempio, la traduzione spagnola e quella tedesca qui presentate cercano di riprodurre il sistema di rime della terzina dantesca, mentre quella francese e quella inglese si sottraggono alla norma della triplice rima. Quanto all'endecasillabo, le traduzioni spagnola, inglese e tedesca cercano di riprodurre il ritmo dell'endecasillabo italiano, mentre i due traduttori francesi si ispirano a criteri di maggiore libertà metrica (benché spesso propongano misure prossime all'endecasillabo o endecasillabi veri e propri, non senza introdurre rime e assonanze in fine di verso, a compensare la perdita della terza rima).

Per quanto riguarda la resa semantica e l'efficacia artistica, anche le migliori traduzioni non possono che sfiorare la densità e l'intensità del linguaggio dantesco. Ci limitiamo qui ad un esempio, la traduzione dei vv. 4-15 del canto V dell'*Inferno* e, in particolare, delle terzine ai vv. 4-6 e 13-15, costruite analogamente:

Stavvi Minòs orribilmente, e ringhia:
essamina le colpe ne l'intrata;
giudica e manda secondo ch'avvinghia.

Sempre dinanzi a lui ne stanno molte:
vanno a vicenda ciascuna al giudizio,
dicono e odono e poi son giù volte.

Nella prima terzina, soggetto dell'azione è Minosse, e tutti i verbi si riferiscono a lui; soggetto della seconda terzina sono le anime e tutti i verbi esprimono le loro azioni: essi infatti sono tutti attivi, tranne l'ultimo, passivo («son... volte»), che giunge improvviso alla fine, a suggerire da un lato la condizione di passività delle anime dannate e dall'altro l'implacabilità e la perentorietà del giudizio che da qui in avanti le colpisce: d'ora in poi esse non potranno essere più né attive né protagoniste; saranno solo strumento della giustizia divina. In tutti i casi il verbo è al presente, benché il canto fosse cominciato, nella prima terzina (vv. 1-3), al passato remoto. Infatti i vv. 1-3 esprimono il ritmo narrativo e romanzesco del poema, cioè l'azione puntuale con cui Dante «discese» nel secondo cerchio. Il presente di Minosse e delle anime è invece l'eterno presente della giustizia divina. L'eternità della condanna è appunto comunicata anche attraverso questi scarti nel tempo dell'azione verbale, e cioè in questo passaggio dal passato remoto della prima terzina (ripreso poi a partire dal v. 16) al presente indicativo dei vv. 4-15.

L'inesorabilità dell'atto giudicante di Minosse sta nei sei verbi al presente della terzina 4-6. Solo la traduzione tedesca conserva tutti i verbi, nelle stesse posizioni (o quasi) dell'originale. Dante, infatti, per conferire maggior forza al verbo lo inserisce qui sempre all'inizio o alla fine del verso (nel v. 3, comparendo ben tre verbi, uno sta anche al centro). La forza del verbo (e particolarmente del verbo iniziale **stavvi**) viene meno nella traduzione inglese (ove, fra l'altro, i verbi al presente indicativo, indicanti l'azione di Minosse, sono soltanto quattro, giacché in due casi compare al loro posto il participio presente, assai meno drammatico), in quella spagnola (ove i verbi al presente sono cinque) e anche in quella francese (in cui pure manca un presente indicativo: anche qui sono cinque).

Sempre nella stessa terzina, l'efficacia del v. 4 è data soprattutto dalla somma di due effetti: la forza del verbo iniziale e delle due energiche vocali toniche /a/ (**stàvvi**) e /o/ (**Minòs**) che fanno gigantegggiare la figura di Minosse, e il risultato quasi onomatopeico della ripetizione del gruppo fonico /ri/ (**orribilmente, e ringhia**) e della consonante nasale /n/, nonché della iterazione della /i/ tonica. Il primo effetto (collegato, come già osservato, alla forza iniziale del verbo) va perduto in tutte le traduzioni, mentre il secondo è ricercato per altre vie (giocando sulle consonanti dentali nella versione inglese e sulle nasali, con ottima riuscita, in quella francese).

Per quanto riguarda la seconda terzina considerata, i cinque verbi al presente sono conservati in tutte le traduzioni (ma diventano sei in quella tedesca che, per rendere la forza sintattica del verbo **son giù volte**, è costretta a ricorrere a due verbi: «stürzen, sind verschwunden» diluendo così l'effetto dell'espressione dantesca, fondata sull'energia implacabile della concisione). Due traduttori, però, l'inglese e lo spagnolo, hanno difficoltà a mantenere la terza persona plurale che in Dante vuole indicare il carattere anonimo, meccanico quasi, di un'operazione che le anime tuttavia compiono una per una, ciascuna nella sua individualità. Mentre in Dante la terza persona plurale allude alla concretezza dell'atto delle singole anime, la traduzione spagnola e quella inglese ricorrono a espressioni più astratte e impersonali, come «multitud de almas» e «crowd»; non solo: mentre Mandelbaum cambia tre volte soggetto (quando in Dante esso resta lo stesso: il plurale indica sempre le anime dei peccatori) inserendo al v. 13 «a crowd», al v. 14 «each soul» e al v. 15 «they», il traduttore spagnolo inserisce al v. 15 addirittura come soggetto Minosse. Viene così a cadere il parallelismo fra le due terzine (una con soggetto Minosse e dunque alla terza persona singolare, l'altra con soggetto le anime dei dannati e dunque alla terza plurale) che è uno dei punti di forza dell'originale.

Un'ultima osservazione sul v. 13: **sempre dinanzi a lui ne stanno molte**. Qui il verbo *stare* è in rapporto di parallelismo con **stavvi** del v. 4 (è anzi una delle spie del modo con cui sono correlate fra loro le due strofe); nel medesimo tempo, indica la staticità di una situazione che per l'eternità è destinata a restare immobile. Questo parallelismo dei verbi e questa staticità (ben espresse dal verbo **stanno**) vengono a cadere in quasi tutte le traduzioni. Solo Mandelbaum cerca di conservarla (allo «stands» del v. 4 corrisponde quello del v. 13, anche se perde una parte della sua efficacia essendo inserito in una subordinata relativa invece che nella proposizione principale come in Dante). L'idea della staticità va perduta del tutto sia nella Risset sia nell'Hertz, che la sostituiscono addirittura con una di movimento: «Elles se pressent en foule devant lui» e «Unzählige drängen sich zu allen Stunden». Occorre notare che il particolare delle anime che si spingono l'un l'altra manca del tutto nella scena dantesca, che, semmai, ha la cadenza inesorabile di una sequela rigorosa, tanto da sembrare scandita e immobilizzata dagli ingranaggi di un meccanismo oggettivo.

Je descendis ainsi du premier cercle
dans le second, qui enclôt moins d'espace,
3 mais douleur plus poignante, et plus de cris.
    Minos s'y tient, horriblement, et grogne:
il examine les fautes, à l'arrivée,
6 juge et bannit suivant les tours.
    J'entends que lorsqu'une âme mal née
vient devant lui, elle se confesse toute:
9 et ce connaisseur de péchés
    voit quel lieu lui convient dans l'enfer;
de sa queue il s'entoure autant de fois
12 qu'il veut que de degrés l'âme descende.

    Bajé desde el primero hasta el segundo
círculo, que menor trecho ceñía
3 mas dolor, que me apiada, más profundo.
Minos horriblemente allí gruñía:
examina las culpas a la entrada
6 y juzga y manda al tiempo que se lía.
Digo que cuando el alma malhadada
llega ante él, confiesa de inmediato,
9 y él, que tiene del mal ciencia acabada,
ve el lugar infernal de su reato;
tantas veces el rabo al cuerpo envuelve
12 cual grados bajará por su mandato.

    So I descended from the first enclosure
down to the second circle, that which girdles
3 less space but grief more great, that goads to weeping.
    There dreadful Minos stands, gnashing his teeth:
examining the sins of those who enter,
6 he judges and assigns as his tail twines.
    I mean that when the spirit born to evil
appears before him, it confesses all;
9 and he, the connoisseur of sin, can tell
    the depth in Hell appropriate to it;
as many times as Minos wraps his tail
12 around himself, that marks the sinner's level.

    So ging's hinunter von den ersten Kammern
Zum zweiten Kreis, der weniger Raum umzingelt,
3 Doch größere Qual, die sie spornt an, zu jammern.
    Es steht dort Minos fürchterlich und züngelt,
Examiniert die Sünden an der Schwelle,
6 Verurteilt und verschickt, wie er sich ringelt.
    Ich sage, wenn die schlecht geborene Seele
Vor ihm erscheint, gesteht sie alles ein,
9 Und der intime Kenner aller Fehle
    Vermag sogleich sie richtig einzureihn;
Er hält den Schweif so oft um sich gewunden,
12 Wie es entspricht dem Grade ihrer Pein.

Elles se pressent en foule devant lui,
et vont l'une après l'autre au jugement:
15 elles parlent, entendent et tombent.
«O toi qui viens à l'hospice de douleur»,
me dit Minos quand il me vit,
18 en oubliant de remplir son office,
«vois comme tu entres, et à qui tu te fies;
que l'ampleur de l'entrée ne t'abuse!»
21 Alors mon guide: «Pourquoi cries-tu?
N'empêche pas son voyage fatal:
on veut ainsi là où on peut
24 ce que l'on veut, et ne demande pas davantage.»
A présente commencent les notes douloureuses
à se faire entendre; à présent je suis venu
27 là où les pleurs me frappent.
Je vins en un lieu où la lumière se tait,
mugissant comme mer en tempête,
30 quand elle est battue par vents contraires.
La tourmente infernale, qui n'a pas de repos,
mène les ombres avec sa rage;
33 et les tourne et les heurte et les harcèle.
Quand elles arrivent devant la ruine,
là sont les cris, les pleurs, les plaintes;
36 là elles blasphèment la vertu divine.
Et je compris qu'un tel tourment
était le sort des pécheurs charnels,

Allí multitud de almas se revuelve;
una tras otra a juicio van pasando;
15 dicen y oyen, y abajo las devuelve.
«¡Oh tú que al triste hospicio estás llegando»,
dijo al fijarse en la presencia mía,
18 el importante oficio abandonando,
«ve cómo entras y en quién tu alma confía;
no te engañe la anchura de la entrada!...»
21 «¿Por qué así gritas?», replicó mi guía;
«no impedir quieras su fatal jornada:
así se quiso allá donde es posible
24 lo que se quiere, y no preguntes nada».
Ahora empieza mi oído a ser sensible
a las dolientes notas, ahora llego
27 donde me alcanza un llanto incontenible.
En lugar de luz mudo me vi luego,
que mugía cual mar tempestuosa
30 a la que un viento adverso embiste ciego.
La borrasca infernal, que no reposa,
rapazmente a las almas encamina:
33 volviendo y golpeando las acosa.
Cuando llegan delante de la ruina,
son los gritos, el llanto y el lamento;
36 allí maldicen la virtud divina.
Entendí que merecen tal tormento
aquellos pecadores que, carnales,

Always there is a crowd that stands before him:
each soul in turn advances toward that judgment;
15 they speak and hear, then they are cast below.
  Arresting his extraordinary task,
Minos, as soon as he had seen me, said:
18 «O you who reach this house of suffering,
  be careful how you enter, whom you trust;
the gate is wide, but do not be deceived!»
21 To which my guide replied: «But why protest?
  Do not attempt to block his fated path:
our passage has been willed above, where One
24 can do what He has willed; and ask no more.»
  Now notes of desperation have begun
to overtake my hearing; now I come
27 where mighty lamentation beats against me.
  I reached a place where every light is muted,
which bellows like the sea beneath a tempest,
30 when it is battered by opposing winds.
  The hellish hurricane, which never rests,
drives on the spirits with its violence:
33 wheeling and pounding, it harasses them.
  When they come up against the ruined slope,
then there are cries and wailing and lament,
36 and there they curse the force of the divine.
  I learned that those who undergo this torment
are damned because they sinned within the flesh,

  Unzählige drängen sich zu allen Stunden
Und lassen sich hier nacheinander richten,
15 Gestehn, vernehmen, stürzen, sind verschwunden.
  »Du, der du herkommst zu den Schmerzensschichten«,
Rief Minos aus, sobald er mich erschaut,
18 Und unterbrach die Übung solcher Pflichten,
  »Sieh, wie du herkommst, wem du dich vertraut:
Laß dich nicht täuschen von des Eingangs Weiten!«
21 Mein Führer dann: »Was schreist du denn so laut?
  Verhindere nicht sein schicksalhaftes Schreiten:
Man will es dort, wo Können ist gleich Wollen;
24 Drum höre auf, mit Worten hier zu streiten.«
  Jetzt war es, wo der Wehelaute Grollen
Vernehmbar wird; wo ich mich jetzt befinde,
27 Trifft vieler Jammer mich der Schmerzensvollen.
  Ich kam sodann in lichtverstummte Gründe,
Wo's aufbrüllt, wie im Sturm die Meeresflut,
30 Wenn diese aufgepeitscht vom Streit der Winde.
  Die Höllenwindsbraut, welche niemals ruht,
Verschont mit ihrer Wucht die Geister nimmer
33 Und stößt und wirbelt sie herum voll Wut.
  Gelangt dann einer vor die Felsentrümmer,
Beginnt ein Jammern, Weheklagen, Schrein:
36 Sie fluchen dort der Kraft des Höchsten immer.
  Ich merkte, daß mit einer solchen Pein
Die Fleischessünder hier gepeinigt waren,

39 qui soumettent la raison aux appétits.
      Tout comme leur ailes portent les étourneaux,
    dans le temps froid, en vol nombreux,
42 ainsi ce souffle mène, de çà de là,
      de haut en bas, les esprits mauvais;
    aucun espoir ne les conforte
45 d'aucun repos, et même de moindre peine.
      Et comme les grues vont chantant leurs complaintes,
    en formant dans l'air une longue ligne,
48 ainsi je vis venir, poussant des cris,
      les ombres portées par ce grand vent;
    alors je dis: «Maître qui sont ceux-là
51 qui sont ainsi châtiés par l'air noir?»
      «La première de ceux dont tu voudrais
    savoir quelque nouvelle», me dit-il alors,
54 «fut impératrice de nombreux langages;
      au vice de luxure elle fut si rouée
    qu'elle fit dans sa loi la licence licite,
57 afin d'ôter le blâme où elle était conduite.
      Elle est Sémiramis, dont on peut lire
    qu'elle fut épouse de Ninus, et puis lui succéda:
60 elle tint la terre que le Sultan gouverne.
      La suivante est celle-ci qui se tua par amour
    en trahissant les cendres de Sichée;
63 puis vient la luxurieuse Cléopâtre.
      Tu vois Hélène, par qui advint

39   someten la razón al sentimiento.
      Cual estorninos, que en los invernales
    tiempos vuelan unidos en bandada,
42   acá, allá, acullá, por vendavales
    la turba de almas malas es llevada,
      sin esperanza — que les preste aliento —
45   de descanso o de pena aminorada.
      Y cual grullas que cantan su lamento,
    formando por los aires larga hilera,
48   se acercaron así, con triste acento,
    sombras que aquel castigo allí trajera;
      dije entonces: «Maestro, ¿quiénes son
51   víctimas de este viento?» «La primera
    de estas almas, que ves, de perdición»,
      me respondió, «la emperatriz ha sido
54   de muchas hablas de distinto son.
    Presa de la lujuria, ha confundido
      la líbido y lo lícito en su ley
57   por huir del reproche merecido:
    Semíramis se llama; fue del rey
      Nino la sucesora, y fue su esposa,
60   donde se asienta del sultán la grey.
      La otra al suicidio se entregó amorosa
    y las siqueas cenizas traicionó;
63   detrás va Cleopatra lujuriosa;
    mira a Helena, que al tiempo convocó

39   subjecting reason to the rule of lust.
       And as, in the cold season, starlings' wings
bear them along in broad and crowded ranks,
42   so does that blast bear on the guilty spirits:
       now here, now there, now down, now up, it drives them.
There is no hope that ever comforts them —
45   no hope for rest and none for lesser pain.
       And just as cranes in flight will chant their lays,
arraying their long file across the air,
48   so did the shades I saw approaching, borne
       by that assailing wind, lament and moan;
so that I asked him: «Master, who are those
51   who suffer punishment in this dark air?»
       «The first of those about whose history
you want to know,» my master then told me,
54   «once ruled as empress over many nations.
       Her vice of lust became so customary
that she made license licit in her laws
57   to free her from the scandal she had caused.
       She is Semíramis, of whom we read
that she was Ninus' wife and his successor:
60   she held the land the Sultan now commands.
       That other spirit killed herself for love,
and she betrayed the ashes of Sychaeus;
63   the wanton Cleopatra follows next.
       See Helen, for whose sake so many years

39   Die die Vernunft dem Trieb zulieb entweihn.
       Wie auf den Fittichen schwebt ein Schwarm von Staren
In breitem, dichtem Zug zur kalten Zeit,
42   So hier, wo dieser Hauch die bösen Scharen
       Bald hierhin, dorthin, auf- und abwärts speit;
Kein Hoffen stärkt sie, jemals zu erjagen
45   Den Frieden, selbst auch nur ein kleineres Leid.
       Und wie die Kraniche mit ihren Klagen
Die Luft durchziehn, in langem Zug gereiht,
48   So zogen hier entlang mit Weheklagen
       Schatten, getragen vom besagten Streit.
Ich sagte: »Meister, sprich, wer sind die Wesen,
51   Die dort so peitscht der Lüfte Dunkelheit?«
       »Die erste dort, davon das Siegel lösen
Du möchtest«, sagte er zu mir sodann,
54   »Ist vieler Zungen Kaiserin gewesen.
       Der Wollust wurde sie so untertan,
Daß ihr Gesetz gestattet das Begehren,
57   Dem Tadel zu entgehn, den sie gewann.
       Semiramis, von der die Bücher lehren,
Daß sie dem Ninus folgte, ihrem Mann,
60   Im Land, das jetzt dem Sultan spendet Ehren.
       Die zweite tat aus Liebe sich was an,
Sie, welche Sicheus' Asche brach die Treue;
63   Kleopatra, wollüstig, folgt sodann.
       Sieh Helena, drum man solch schlimme Reihe

un si long malheur; tu vois le grand Achille,
66 qui combattit à la fin contre Amour.
     Tu vois Pâris, Tristan»; ainsi il m'en montra
et m'en désigna du doigt plus de mille
69 qu'amour ôta de notre vie.
     Quand j'eus ainsi entendu mon docteur
nommer les dames de jadis et les cavaliers,
72 pitié me prit, et je devins comme égaré.
     Je commençai: «Poète, volontiers
je parlerais à ces deux-ci qui vont ensemble,
75 et qui semblent si légers dans le vent.»
     Et lui à moi: «Tu les verras quand ils seront
plus près de nous; alors prie-les
78 par l'amour qui les mène, et ils viendront.»
     Dès que le vent vers nous les plie,
je leur parlai: «O âmes tourmentées,
81 venez nous parler, si nul ne vous le défend.»
     Comme colombes à l'appel du désir
viennent par l'air, les ailes droites et fixes,
84 vers le doux nid, portées par le vouloir;
     ainsi de la compagnie de Didon
ils s'éloignèrent, venant vers nous dans l'air malin,
87 si fort fut mon cri affectueux.
     «O créature gracieuse et bienveillante
qui viens nous visiter par l'air sombre
90 nous dont le sang teignit la terre,

de la desgracia; a Aquiles esforzado,
66 que por amor, al cabo, combatió.
Ve a Paris, a Tristán». Y así ha nombrado
de aquellas almas un millar corrido,
69 que amor de nuestra vida ha separado.
Una vez que hube a mi doctor oído
nombrar damas y antiguos caballeros,
72 apiadado, perdí casi el sentido.
Yo comencé: «Poeta, con sinceros
deseos a esos dos hablar quisiera
75 que parecen al viento tan ligeros».
Y él: «A que estén más próximos espera
y, en nombre del amor que así los guía,
78 llámalos, que vendrán a nuestra vera».
Cuando el viento ya cerca los traía,
moví la voz: «¡Oh almas afanadas,
81 venid a hablarnos, si otro no os desvía!»
Como palomas del deseo llamadas
que, alta el ala y parada, al dulce nido
84 caer se dejan por amor llevadas,
así salieron del tropel de Dido
y a nuestro lado fueron descendiendo;
87 tan fuerte el grito amable había sido.
«¡Oh animal que benévolo estás siendo
al acercarte por el aire adverso
90 a los que al mundo en sangre iban tiñendo,

of evil had to pass; see great Achilles,
66 who finally met love — in his last battle.
    See Paris, Tristan...» — and he pointed out
and named to me more than a thousand shades
69 departed from our life because of love.
    No sooner had I heard my teacher name
the ancient ladies and the knights, than pity
72 seized me, and I was like a man astray.
    My first words: «Poet, I should willingly
speak with those two who go together there
75 and seem so lightly carried by the wind.»
    And he to me: «You'll see when they draw closer
to us, and then you may appeal to them
78 by that love which impels them. They will come.»
    No sooner had the wind bent them toward us
than I urged on my voice: «O battered souls,
81 if One does not forbid it, speak with us.»
    Even as doves when summoned by desire,
borne forward by their will, move through the air
84 with wings uplifted, still, to their sweet nest,
    those spirits left the ranks where Dido suffers
approaching us through the malignant air;
87 so powerful had been my loving cry.
    «O living being, gracious and benign,
who through the darkened air have come to visit
90 our souls that stained the world with blood, if He

        Von Jahren litt; Achill sieh, groß gesinnt,
66   Der mit der Liebe stritt am Schluß aufs neue.
            Sieh Paris, Tristan!« und er wies im Wind
        Auf mehr als tausend, die im Erdenwallen
69   Für ihre Liebe einst gestorben sind.
            Die Namen gab mein Lehrer mir von allen
        Den Frauen alter Zeiten und den Herrn,
72   Und Mitleid griff mich, daß ich fast gefallen.
            Ich sagte: »Dichter, ach, ich spräche gern
        Die beiden Schatten dort, die nie sich trennen
75   Und die dem Winde scheinen leicht von fern!«
            »Von nahem«, sprach er, »wirst du sie erkennen;
        Wenn bei der Liebe, die sie treibt, befragt,
78   So werden sie nicht widerstehen können.«
            Sobald wie sie der Sturm zu uns gejagt,
        Rief ich sie an: »O Seelen, so im Schweren,
81   Kommt, sprecht mit uns, wenn Gott es nicht versagt.«
            Wie Tauben, wenn gerufen vom Begehren,
        Die Schwingen breit und unbewegt, vom Drang
84   Getragen, zu dem Nest die Luft durchqueren,
            So kamen sie von dort, wo Dido schwang,
        Zu uns geflogen durch der Lüfte Wut;
87   So mächtig zog sie her der Liebe Klang.
            »O Wesen, voller Gnade du und gut,
        Das du uns aufsuchst in der Nacht hienieden,
90   Uns, die die Welt wir färbten einst mit Blut,

si le roi de l'univers était notre ami,
nous le prierions pour ton bonheur,
93 puisque tu as pitié de notre mal pervers.
De tout ce qu'il vous plaît d'entendre et de dire,
nous entendrons et nous vous parlerons,
96 tandis que le vent, comme il fait, s'adoucit.
La terre où je suis née se trouve au bord
de la marine où le Pô vient descendre
99 pour être en paix avec ses affluents.
Amour, qui s'apprend vite au cœur gentil,
prit celui-ci de la belle personne
102 que j'étais; et la manière me touche encore.
Amour, qui force tout aimé à aimer en retour,
me prit si fort de la douceur de celui-ci
105 que, comme tu vois, il ne me laisse pas.
Amour nous a conduits à une mort unique.
La Caïne attend celui qui nous tua.»
108 Tels furent les mots que nous eûmes d'eux.
Quand j'entendis ces âmes blessées,
je baissai le visage, et le gardai si bas
111 que le poète me dit: «Que penses-tu?»
Quand je lui répondis: «Hélas», lui dis-je,
«que de douces pensées, et quel désir
114 les ont menés au douloureux trépas!»
Puis je me retournai vers eux et je leur dis
pour commencer: «Francesca, tes martyres

si fuese amigo el rey del universo,
por tu paz le podríamos rogar,
93 ya que te apiada nuestro mal perverso!
Todo cuanto queráis oír o hablar
por nosotros será hablado y oído
96 mientras el viento aún quiera callar.
Tiene asiento la tierra en que he nacido
sobre la costa a la que el Po desciende
99 a buscar paz allí con su partido.
Amor, que en nobles corazones prende,
a éste obligó a que amase a la persona
102 que perdí de manera que aún me ofende.
Amor, que a nadie amado amar perdona,
por él infundió en mí placer tan fuerte
105 que, como ves, ya nunca me abandona.
Amor nos procuró la misma muerte:
Caína al matador está esperando».
108 Ambos me respondieron de esta suerte.
Al oír sus agravios, fui inclinando
el rostro; y el poeta, al verme así,
111 por fin me preguntó: «¿Qué estás pensando?»
Al responderle comencé: «¡Ay de mí,
cuánto deseo y dulce pensamiento
114 a estas dolientes almas trajo aquí!»
A ellas después encaminé mi acento
y comencé: «Francesca, tus torturas

who rules the universe were friend to us,
then we should pray to Him to give you peace,
93   for you have pitied our atrocious state.

    Whatever pleases you to hear and speak
will please us, too, to hear and speak with you,
96   now while the wind is silent, in this place.

    The land where I was born lies on that shore
to which the Po together with the waters
99   that follow it descends to final rest.

    Love, that can quickly seize the gentle heart,
took hold of him because of the fair body
102   taken from me — how that was done still wounds me.

    Love, that releases no beloved from loving,
took hold of me so strongly through his beauty
105   that, as you see, it has not left me yet.

    Love led the two of us unto one death.
Caïna waits for him who took our life.»
108   These words were borne across from them to us.

    When I had listened to those injured souls,
I bent my head and held it low until
111   the poet asked of me: «What are you thinking?»

    When I replied, my words began: «Alas,
how many gentle thoughts, how deep a longing,
114   had led them to the agonizing pass!»

    Then I addressed my speech again to them,
and I began: «Francesca, your afflictions

    Wär nur der Herr der Welt mit uns zufrieden,
So flehten wir, da Mitleid du gezollt
93   Mit unserem argen Leid, um deinen Frieden.

    Was ihr jetzt hören oder sprechen wollt,
Das hören wir und sprechen wir geschwinde,
96   Solang der Wind, wie gerade jetzt, uns hold.

    Es liegt die Ortschaft, wo ich ward zum Kinde,
Am Meeresstrand, wohin der Po sich kehrt,
99   Daß er und sein Gefolge Ruhe finde.

    Liebe, die edlem Herzen schnell sich lehrt,
Ließ ihn sich in den schönen Leib verlieben,
102   Den ich verlor, daß noch die Art mich sehrt.

    Liebe, die den Geliebten zwingt zu lieben,
Ließ mich an seiner Schönheit so entzünden,
105   Daß sie, wie du ersiehst, mir noch geblieben.

    Liebe ließ uns das gleiche Sterben finden:
Caina harret des, der uns erstach.«
108   Ich hörte diese Worte sie uns künden.

    Als ich vernahm der armen Seelen Schmach,
Neigt ich das Haupt und hielt es tief so lang,
111   Bis daß der Dichter sprach: »Was denkst du nach?«

    Als ich dann sprach, begann ich: »Ach, wie sprang
Aus den Gedanken, diesem süßen Sehnen
114   Für diese beiden dieser Todesgang?«

    Dann wandt ich mich mit meinem Wort zu jenen,
Und ich begann: »Francesca, deine Leiden

117 me font triste et pieux à pleurer.
    Mais dis-moi; du temps des doux soupirs,
    à quoi, comment permit amour
120 que vous connaissiez vos incertains désirs?»
    Et elle: «Il n'est pas de plus grande douleur
    que de se souvenir des temps heureux
123 dans la misère; et ton docteur le sait.
    Mais si tu as telle envie de connaître
    la racine première de notre amour,
126 je ferai comme qui pleure et parle à la fois.
    Nous lisions un jour par agrément
    de Lancelot, comment amour le prit:
129 nous étions seuls et sans aucun soupçon.
    Plusieurs fois la lecture nous fit lever les yeux
    et décolora nos visages;
132 mais un seul point fut ce qui nous vainquit.
    Lorsque nous vîmes le rire désiré
    être baisé par tel amant,
135 celui-ci, qui jamais plus ne sera loin de moi,
    me baisa la bouche tout tremblant.
    Galehaut fut le livre et celui qui le fit;
138 ce jour-là nous ne lûmes pas plus avant.»
    Pendant que l'un des deux esprits parlait ainsi,
    l'autre pleurait, si bien que de pitié
    je m'évanouis comme si je mourais;
142 et je tombai comme tombe un corps mort.

117 me hacen llorar con triste sentimiento.
    Mas di: en el tiempo aquel de las venturas
    ¿cómo y por qué te concedió el amor
120 conocer las pasiones aún oscuras?»
    Y ella me dijo: «No hay dolor mayor
    que recordar el tiempo de la dicha
123 en desgracia; y lo sabe tu doctor.
    Pero si de este amor y esta desdicha
    conocer quieres la raíz primera,
126 con palabras y llanto será dicha.
    Cómo el amor a Lanzarote hiriera,
    por deleite, leíamos un día:
129 soledad sin sospechas la nuestra era.
    Palidecimos, y nos suspendía
    nuestra lectura, a veces, la mirada;
132 y un pasaje, por fin, nos vencería.
    Al leer que la risa deseada
    besada fue por el fogoso amante,
135 éste, de quien jamás seré apartada,
    la boca me besó todo anhelante.
    Galeoto fue el libro y quien lo hiciera:
138 no leímos ya más desde ese instante».
    Mientras un alma hablaba, la otra era
    presa del llanto; entonces, apiadado,
    lo mismo me sentí que si muriera;
142 y caí como cuerpo inanimado.

117   move me to tears of sorrow and of pity.
        But tell me, in the time of gentle sighs,
    with what and in what way did Love allow you
120   to recognize your still uncertain longings?»
        And she to me: «There is no greater sorrow
    than thinking back upon a happy time
123   in misery — and this your teacher knows.
        Yet if you long so much to understand
    the first root of our love, then I shall tell
126   my tale to you as one who weeps and speaks.
        One day, to pass the time away, we read
    of Lancelot — how love had overcome him.
129   We were alone, and we suspected nothing.
        And time and time again that reading led
    our eyes to meet, and made our faces pale,
132   and yet one point alone defeated us.
        When we had read how the desired smile
    was kissed by one who was so true a lover,
135   this one, who never shall be parted from me,
        while all his body trembled, kissed my mouth.
    A Gallehault indeed, that book and he
138   who wrote it, too; that day we read no more.»
        And while one spirit said these words to me,
    the other wept, so that — because of pity —
    I fainted, as if I had met my death.
142   And then I fell as a dead body falls.

117   Entlocken mir vor Schmerz und Mitleid Tränen.
        Doch sprich: Wie und woran hat Lieb euch beiden,
    Als einstmals war der süßen Seufzer Zeit,
120   Gebracht die dunklen Wünsche zum Entscheiden?«
        Und jene dann zu mir: »Kein größeres Leid,
    Als sich erinnern in den Unglückstagen
123   Der guten Zeit; dein Lehrer weiß Bescheid.
        Doch drängt es dich so mächtig, zu erfragen,
    Wie einst die Liebe kam in unsere Brust,
126   So will ich unter Tränen dir es sagen.
        Wir lasen eines Tages, uns zur Lust,
    Von Lanzelot, wie Liebe ihn durchdrungen;
129   Wir waren einsam, keines Args bewußt.
        Obwohl das Lesen öfters uns verschlungen
    Die Augen und entfärbt uns das Gesicht,
132   War eine Stelle nur, die uns bezwungen:
        Wo vom ersehnten Lächeln der Bericht,
    Daß der Geliebte es geküßt, gibt Kunde,
135   Hat er, auf den ich leiste nie Verzicht,
        Den Mund geküßt mir bebend mit dem Munde;
    Galeotto war das Buch, und der's geschrieben:
138   Wir lasen weiter nicht in jener Stunde.«
        So sprach der eine Geist von seinem Lieben;
    Der andre weinte so, daß ich vor Not
    Die Sinne fühlte wie beim Tod sich trüben,
142   Und fiel, wie Körper fallen, wenn sie tot.

Il primo incontro con Farinata e l'apparizione di Cavalcante costituiscono un banco di prova di alto impegno per il traduttore; e ognuno potrà fare osservazioni sugli inevitabili limiti delle varie versioni e, anche, sui loro notevolissimi risultati. Intanto si noti come per i vv. 62 sg., in mancanza della certezza nell'interpretazione del senso letterale (cfr. la nota al commento), i traduttori siano costretti a prendere una soluzione che risolve l'ambiguità del testo dantesco in un senso univoco, benché quest'ultimo sia, in ogni caso, tutt'altro che sicuro: i traduttori francese, spagnolo e tedesco riferiscono infatti a Virgilio il disprezzo di Guido (ponendo un forte segno di interpunzione tra i due versi); quello inglese, invece, lo riferisce implicitamente a Beatrice, meta di Dante.

> Lorsque je fus au pied de son tombeau,
> il me regarda, puis, comme dédaigneux,
> 42 me demanda: «Qui furent tes parents?»
> Et moi qui désirais lui obéir,
> je ne le cachai pas, je lui découvris tout;
> 45 alors il leva un peu les sourcils,
> et dit: «Ils furent si âprement hostiles

> Cuando llegué a la tumba, brevemente
> miróme y dijo, casi desdeñoso:
> 42 «¿Quién fueron tus mayores?», y obediente
> fui, pues de serlo estaba deseoso.
> Mis palabras ante él me descubrieron
> 45 y, tras alzar las cejas, con reposo
> me dijo: «Fieramente se opusieron

> When I'd drawn closer to his sepulcher,
> he glanced at me, and as if in disdain,
> 42 he asked of me: «Who were your ancestors?»
> Because I wanted so to be compliant,
> I hid no thing from him: I told him all.
> 45 At this he lifted up his brows a bit,
> then said: «They were ferocious enemies

> Am Fuße seines Grabs, des aufgetanen,
> Besah er etwas mich und stieß hervor,
> 42 Wegwerfend fast: »Wer waren deine Ahnen?«
> Ich, der ich dem Gebote völlig Ohr,
> Verbarg ihm nichts und gab ihm voll Bescheid;
> 45 Da hob die Brauen etwas er empor
> Und sprach: »Sie lagen einst im grimmigen Streit

à moi, à mes parents, à mon parti,
48 que par deux fois je dus les disperser.»
   «S'ils furent chassés, ils s'en revinrent de tous côtés»,
lui répondis-je, «et l'une et l'autre fois;
51 mais les vôtres n'ont pas bien su cet art.»
   Alors je vis surgir par l'ouverture
une ombre à son côté, jusqu'au menton:
54 je crois qu'elle se dressait sur les genoux.
   Elle regarda autour de moi comme pour voir
si quelqu'un d'autre était là avec moi;
57 et quand son doute fut éteint,

                        a mis padres y a mí y a mi partido:
            48   por mí dos veces desterrados fueron».
                     «Si fueron alejados, han sabido
                        ambas veces volver», le respondí,
            51   «y tal arte tu gente no ha aprendido».
                     Entonces a una sombra surgir vi
                        hasta la barba, al pie de la primera;
            54   que estaba de rodillas comprendí.
                     En torno a mí miró, cual si quisiera
                        ver si conmigo alguno más venía,
            57   y al ver que su sospecha vana era,

of mine and of my parents and my party,
48 so that I had to scatter them twice over.»
   «If they were driven out,» I answered him,
«they still returned, both times, from every quarter;
51 but yours were never quick to learn that art.»
   At this there rose another shade alongside,
uncovered to my sight down to his chin;
54 I think that he had risen on his knees.
   He looked around me, just as if he longed
to see if I had come with someone else;
57 but then, his expectation spent, he said

                     Mit mir, den Ahnen und Parteigenossen,
            48   So daß ich zweimal sie bereits zerstreut.«
                        »Doch zweimal kam für sie, die ausgeschlossen«,
                     Gab ich zur Antwort dann, »der Rückkehr Tag;
            51   Den Eurigen blieb diese Kunst verschlossen.«
                        Da hob sich in dem deckellosen Schlag
                     Ein Geist daneben, bis zum Kinne bloß;
            54   Ich glaube, daß er auf den Knien lag.
                        Er sah um mich, und sein Begehr schien groß,
                     Zu sehen, wer sich neben mir befinde;
            57   Doch schien er mir dann völlig hoffnungslos

I. La fortuna di Dante all'estero

elle dit en pleurant: «Si la hauteur de ton esprit
te fait aller par la prison aveugle,
60 où est mon fils? pourquoi n'est-il pas avec toi?»
     Et moi: «Je ne suis pas venu par moi seul:
celui qui attend là est celui qui me mène;
63 votre Guido l'eut peut-être en mépris.»

llorando dijo: «Si por esta impía
cárcel tu noble ingenio te ha guiado,
60 ¿por qué mi hijo no te hace compañía?»
     Respondí: «Por mí mismo no he llegado,
que el que me espera allí me guía ahora:
63 Tal vez fue por tu Guido desdeñado».

in tears: «If it is your high intellect
that lets you journey here, through this blind prison,
60 where is my son? Why is he not with you?»
     I answered: «My own powers have not brought me;
he who awaits me there, leads me through here
63 perhaps to one your Guido did disdain.»

Und sagte weinend: »Der du durch dies blinde
Gefängnis ziehst, gelenkt durch Geistesmacht,
60 Wie kommt's, daß ich den Sohn nicht bei dir finde?«
     Und ich zu ihm: »Nicht ich hab dies vollbracht;
Er, der dort harrt, führt mich durch diese Kreise;
63 Auf ihn gab Euer Guido wohl nicht acht.«

Nel brano che segue è utile osservare soprattutto il modo nel quale è stata tradotta la terzina dei vv. 70-72. Dante esprime gran parte della ferocia e della violenza dei gesti attraverso l'uso di espedienti fonici (come la ripetizione della consonante palatale /c/, spesso raddoppiata, e quella della consonante /r/, talvolta associata alla dentale /t/ o a consonanti labiali): così che pare di udire il suono stesso della mutilazione nella carne del dannato (si noti soprattutto l'effetto terribile di **stracciando**, isolato tra due virgole). È interessante vedere come i traduttori si sforzino di ricreare, in una lingua diversa, un effetto analogo: in francese, attraverso la frequenza delle consonanti nasali al v. 72 e, come in Dante, delle palatali tra la fine del v. 71 e l'inizio del seguente; in inglese, soprattutto attraverso le consonanti labiali, con buon effetto d'insieme (anche se con l'introduzione di termini estranei all'originale, come «flesh»); in tedesco, attraverso l'alternanza delle consonanti nasali con la sibilante /s/. Il traduttore spagnolo non attua soluzioni particolari; ma vale la pena di osservare che è costretto, per rispettare il metro e il sistema delle rime dantesche, ad introdurre a volte termini non presenti nell'originale: «horrendo» al v. 61 e «ay mezquino» al v. 69.

> Le rat était auprès de chattes très cruelles;
> mais Barbariccia l'entoura de ses bras
> 60 et dit: «Restez là où vous êtes, pendant que je l'enfourche.»
> Et il tourna ses regards vers mon maître:
> «Demande-lui», dit-il, «autre chose encore, si tu désires
> 63 les savoir de lui, avant qu'on le dépèce.»

> Entre gatos estaba el ratoncillo;
> y Barbacrespa le agarró, rugiendo:
> 60 «¡Quietos, mientras espeto yo a este pillo!»
> Y volviendo al maestro el rostro horrendo,
> «Pregunta», dijo, «más, si es tu deseo,
> 63 antes de que le demos fin tremendo».

> The mouse had fallen in with evil cats;
> but Barbariccia clasped him in his arms
> 60 and said: «Stand off there, while I fork him fast.»
> And turning toward my master then, he said:
> «Ask on, if you would learn some more from him
> 63 before one of the others does him in.»

> Bei schlimmen Katzen litt die Maus nun Pein;
> Doch Krausbart schloß die Arme um den Wicht
> 60 Und sprach: »Wenn ich ihn klemme, haltet ein!«
> Zu meinem Meister wandt er das Gesicht:
> »O frage ihn, trägst du danach Verlangen«,
> 63 So sagte er, »bevor ihn einer sticht!«

Mon guide alors: «Dis-moi de ces autres pécheurs:
en connais-tu quelqu'un qui soit latin
66 là sous la poix?» Et lui: «J'en ai quitté un,
il y a un instant, qui venait de par là;
que ne suis-je encore avec lui à couvert,
69 je ne craindrais ni ongles ni harpons.»
Alors Libiccocco: «Nous en avons trop supporté»,
dit-il; il lui prit le bras avec son crochet,
72 le déchira, et en emporta un morceau.
Draghignazzo voulut encore le saisir plus bas
par les mollets; alors leur décurion
75 lança autour de lui des regards menaçants.

El guía, entonces: «Dime si algún reo
conoces por aquí que sea latino
66 y esté bajo la pez». Y el otro: «Creo
que uno hay aquí de algún país vecino:
mejor con él me viera en ese cazo
69 que entre ganchos y garras, ay mezquino».
Y Putañero echóle el garfio a un brazo
y diciendo: «¡De más te hemos sufrido!»,
72 lo desgarró y se le llevó un pedazo.
Veneno de Serpiente, decidido,
a una pierna amagóle; mas miraba
75 el decurión con gesto desabrido.

At which my guide: «Now tell: among the sinners
who hide beneath the pitch, are any others
66 Italian?» And he: «I have just left
one who was nearby there; and would I were
still covered by the pitch as he is hidden,
69 for then I'd have no fear of hook or talon.»
And Libicocco said, «We've been too patient!»
and, with his grapple, grabbed him by the arm
72 and, ripping, carried off a hunk of flesh.
But Draghignazzo also looked as if
to grab his legs; at which, their captain wheeled
75 and threatened all of them with raging looks.

Der Führer also: »Sprich, sind hier gefangen
Lateinsche Sünder in dem heißen Teer?«
66 Und jener: »Eben bin ich fortgegangen
Von einem, welcher aus der Nähe her;
Wär ich bedeckt wie er, statt in der Zange,
69 So fürchtet ich nicht Klau noch Haken mehr.«
Lustgockel rief: »Wir litten's schon zu lange!«
Und riß ihm aus dem Arm heraus ein Stück,
72 Das ihm dann hängen blieb an seiner Stange.
Und Drachenschuppe wollte mit Geschick
Am Bein ihn packen; doch ihr Oberleiter
75 Bog völlig sich herum mit bösem Blick.

La difficoltà di tradurre, nel brano che segue, la similitudine dei vv. 79-87 sta principalmente nella difficoltà di restituire il gran numero di particolari dell'originale (e inoltre
in un unico periodo) senza rendere pesante e monotono il discorso (che in Dante è invece
di eccezionale leggerezza e spontaneità, pur nella precisione realistica dell'osservazione).
Si noti la semplificazione, a titolo d'esempio, cui è costretto il traduttore spagnolo, che
attraverso «con candor» (v. 82) e «sin protesta» (v. 83) rende sia **timidette** (v. 81) che
semplici e quete (v. 84). Una spia significativa della difficoltà di mantenere, insieme, precisione e spontaneità è la traduzione di **a una, a due, a tre** (v. 80), fedele solo nel tedesco
(«zu eins, zu zwei...») e alterata invece negli altri casi: il francese porta «une, deux, trois»
con perdita della leggerezza nella successione (e cfr., egualmente, come la traduzione di
stanno/ timidette perda di nettezza in «attendent/ timides», che pure ha il notevole merito
di salvare — ed è l'unica a farlo — l'importante esitazione suggerita dall'*enjambement*);
lo spagnolo analizza con eccessiva pedanteria («una a una,/ dos a dos, tres a tres»), benché
la divisione in due versi giovi a riprodurre un poco il tono sobbalzante di Dante; l'inglese
propone «first one, then two,/ then three», introducendo una progressione ordinata del
tutto assente nell'originale, che esprime invece una serena casualità.

79   Comme les brebis sortent de l'enclos:
        une, deux, trois, et les autres attendent
        timides, l'œil et le museau à terre;
82   et ce que fait la première les autres le font,
        se pressant contre elle si elle s'arrête,
        simples et quiètes et le pourquoi ne savent,

        79   Como las ovejuelas, una a una,
            dos a dos, tres a tres, abandonando
            van el redil, y si se para alguna
        82   las otras con candor vanse agrupando,
            bajos vista y hocico y, sin protesta,
            a la primera imitan, ignorando

79   Even as sheep that move, first one, then two,
        then three, out of the fold — the others also
        stand, eyes and muzzles lowered, timidly;
82   and what the first sheep does, the others do,
        and if it halts, they huddle close behind,
        simple and quiet and not knowing why:

        79   Gleichwie die Schafe aus dem Pferche gehn,
            Zu eins, zu zwei, zu drei, und ganz verlegen
            Die andern, Blick und Maul zur Erde, stehn
        82   Und sich zu richten nach dem ersten pflegen,
            Und, wenn es hält, ihm nahe rücken bang,
            Einfältig stumm, und wissen nich weswegen,

85 ainsi vis-je se mouvoir pour venir la tête
   de ce troupeau fortuné alors,
   au visage humble et à l'allure honnête.
88 Comme les premiers virent rompue
   la lumière à terre à ma droite
   de sorte que l'ombre allait de moi au rocher,
91 ils s'arrêtèrent et se tirèrent un peu en arrière
   et tous les autres qui venaient à la suite,
   ne sachant pourquoi, en firent autant.

85 el porqué; vi moverse así la testa
   del rebaño de gente afortunada:
   púdica era su faz; su marcha, honesta.
88 Como, ante ellas, la luz del sol quebrada
   sobre la tierra, a mi derecha, vieron,
   por mi sombra en la roca proyectada,
91 se pararon y atrás un paso dieron,
   y las que les venían a la zaga,
   ignorando el porqué, lo mismo hicieron.

85 so, then, I saw those spirits in the front
   of that flock favored by good fortune move —
   their looks were modest; seemly, slow, their walk.
88 As soon as these souls saw, upon my right,
   along the ground, a gap in the sun's light,
   where shadow stretched from me to the rock wall,
91 they stopped and then drew back somewhat; and all
   who came behind them — though they did not know
   why those ahead had halted — also slowed.

85 So kamen uns entgegen auf dem Hang
   Die ersten dieser glückhaften Gemeine,
   Mit keuschem Blick und einem züchtigen Gang.
88 Die Vorderen sahn gebrochen jetzt im Scheine
   Das Licht am Boden, rechts von mir ein Stück,
   Und mich den Schatten werfen bis zum Steine.
91 Da hielten sie und wichen noch zurück;
   Der Rest, der hinter ihnen kam gegangen,
   Tat ganz genau das gleiche auf gut Glück.

La difficoltà di mantenersi entro la asciutta sostenutezza con cui nell'originale viene esposto il discorso di addio di Virgilio, spinge i traduttori a un eccesso di semplicità (troppo disinvolta nel francese e un po' paternalistica nell'inglese) e a un incremento dell'aspetto declamatorio e retorico (nel tedesco); il traduttore spagnolo risulta così quello forse più fedele al tono d'insieme dell'episodio (pur con alcuni abusi rispetto alla lettera dell'originale, come l'omissione di **figlio** al v. 128, la semplificazione del v. 139, con «mi tutela» per **mio dir** e **mio cenno**, e la scomparsa di un aggettivo al v. 140, reso in modo analitico, aggiungendo, all'**arbitrio** di Dante, «persona»). Si noti inoltre, nella traduzione francese, come l'omissione del riferimento alla **fronte** del v. 133 implichi una perdita semantica, rappresentando la fronte in quel punto la coscienza e l'intelligenza rischiarate dalla Grazia (il sole). Si veda poi come i traduttori spagnolo e inglese cerchino di rendere l'intensità di **in me ficcò...li occhi suoi** del v. 126: «me miró y a sí me atrajo» e «set/ his eyes insistently on me». Quanto al testo tedesco: la traduzione di **omai** del v. 131 con «jetzt» non rende il senso di conquista, togliendo al riferimento temporale il suo profondo rapporto con il passato; e il verso conclusivo, costretto a rinunciare ai verbi **corono** e **mitrio** (divenuti due sostantivi), perde l'intensità del suo carattere originale.

124   Quand tout l'escalier au-dessous de nous
        fut franchi, et fûmes sur l'ultime degré,
        Virgile en moi planta ses yeux
127   et dit: «Le feu temporel et l'éternel
        tu as vus, fils, et tu es arrivé là
        où plus avant par moi-même ne discerne.
130   Jusqu'ici t'ai haussé par industrie et art,

124   Cuando ya la subida quedó abajo,
        tras de pisar el escalón superno,
        Virgilio me miró y a sí me atrajo,
127   y dijo: «El temporal, y el fuego eterno
        has visto; y has llegado hasta esta parte
        en la que por mí mismo no discierno.
130   Te he conducido con ingenio y arte;

124   When all the staircase lay beneath us and
        we'd reached the highest step, then Virgil set
        his eyes insistently on me and said:
127   «My son, you've seen the temporary fire
        and the eternal fire; you have reached
        the place past which my powers cannot see.
130   I've brought you here through intellect and art;

124   Als unser Fuß die Treppe hinter sich,
        Dabei, sich von der höchsten Stuf zu trennen,
        Da heftete Virgil den Blick auf mich
127   Und sprach: »Das zeitliche und ewige Brennen
        Hast, Sohn, gesehen du! nun bist du hier,
        Wo ich aus mir nichts weiter kann erkennen.
130   Mit Geist und Kunst nahm ich dich her mit mir;

ton plaisir prends désormais pour guide,
hors es-tu des voies abruptes, des voies étroites.

133 Vois le soleil qui brille devant toi;
vois l'herbette, les fleurs, les arbustes
qu'ici la terre de soi seule produit.

136 Tandis que viennent joyeux les beaux yeux
qui, pleurant, m'ont fait venir à toi,
tu peux t'asseoir ou aller à l'entour.

139 N'attends plus de moi dire ou signe:
libre droit et sain est ton arbitre,
et faute serait ne pas faire ce qu'il veut:

142 pour quoi toi sur toi je couronne et mitre.»

desde aquí, tu deseo te conduce:
de escarpas y estrechez logré sacarte.

133 Contempla al sol que frente a ti reluce,
de hierba, flor y arbustos los destellos
ve, que la tierra de por sí produce.

136 Mientras llegan los ledos ojos bellos
que junto a ti lleváronme, llorando,
puedes sentarte, o bien andar entre ellos.

139 Ya mi tutela no andarás buscando:
libre es tu arbitrio, y sana tu persona,
y harás mal no plegándote a su mando,

142 y por eso te doy mitra y corona».

from now on, let your pleasure be your guide;
you're past the steep and past the narrow paths.

133 Look at the sun that shines upon your brow;
look at the grasses, flowers, and the shrubs
born here, spontaneously, of the earth.

136 Among them, you can rest or walk until
the coming of the glad and lovely eyes —
those eyes that, weeping, sent me to your side.

139 Await no further word or sign from me:
your will is free, erect, and whole — to act
against that will would be to err: therefore

142 I crown and miter you over yourself.»

Jetzt nimm dir dein Belieben zum Genossen!
Der steile, enge Pfad liegt hinter dir!

133 Von Sonnenglanz ist deine Stirn umflossen;
Du siehst hier Gras mit Blumen und mit Büschen,
Die aus der Erde samenlos gesprossen.

136 Bis einst die schönen Augen dich erfrischen,
Die mich zu dir befohlen unter Zähren,
Magst sitzen du, magst wandeln du dazwischen!

139 Nicht harre auf mein Zeichen, mein Erklären!
Frei, recht und heil ist deines Willens Zone,
Und Mangel wär's, ihm etwas zu verwehren!

142 Drum schmück ich dich mit Mitra und mit Krone!«

Due sole osservazioni sull'esempio che segue. Al v. 33 **lo sol** è soggetto, ma la costruzione complessa del periodo costringe due traduttori (il francese e lo spagnolo) a farlo diventare complemento di agente: «par le soleil» e «por el sol», il che riduce la potenza espressiva del verso dantesco (e quindi della similitudine, di centrale importanza), analizzando con eccessiva precisione logica l'immagine che nell'originale è, benché nitida, ardua per la piccola difficoltà grammaticale: d'altra parte il lettore deve essere introdotto, nella terzina che segue, all'idea del miracoloso compenetrarsi dei corpi, e già questa similitudine gliene dà l'annuncio, senza però presentare il miracolo come un fatto consueto e facile. Al v. 36 l'espressione **permanendo unita** è fedele solo nella traduzione spagnola («siguiendo unida»); sia il francese («sans s'ouvrir») che l'inglese («and yet remain intact») che il tedesco («ohne es zu teilen») introducono più o meno sensibili mutamenti grammaticali, o passando dal gerundio al presente indicativo (l'inglese) o introducendo una litote del tutto assente nell'originale (il francese e il tedesco).

31   Il me semblait que nous couvrait une nuée
          brillante, dense, solide, polie
          comme diamant frappé par le soleil.
34   Au-dedans d'elle cette perle éternelle
          nous reçut, comme eau reçoit
          rayon de lumière sans s'ouvrir.
37   Si j'étais corps — sur terre ne se conçoit

31   Yo creí de una nube estar ceñido,
          pulida, espesa, sólida y luciente
          como diamante por el sol herido.
34   La eterna margarita tras su oriente
          nos recibió como, siguiendo unida,
          recibe el agua al rayo blandamente.
37   Si fui cuerpo, y aquí no es concebida

31   It seemed to me that we were covered by
      a brilliant, solid, dense, and stainless cloud
      much like a diamond that the sun has struck.
34   Into itself, the everlasting pearl
      received us, just as water will accept
      a ray of light and yet remain intact.
37   If I was body (and on earth we can

31   Hell leuchtend, dicht und blank und ganz stabil
      Schien eine Wolke um uns zu verweilen,
      Dem Diamant gleich, drauf die Sonne fiel.
34   Die ewige Perle, in den innern Teilen,
      Empfing uns, gleichwie durch das Wasser dreht
      Der Strahl des Lichtes, ohne es zu teilen.
37   Wenn ich war Leib, und man es nicht versteht,

comment une étendue peut en souffrir une autre
ce qui advient si corps en corps pénètre —
40   plus devrait nous enflammer le désir
de voir cette essence en qui se voit
comment notre nature à Dieu s'est unie.
43   Là-haut se verra ce que nous tenons par foi
non démontré, et sera par soi connu
à guise du Vrai premier que l'homme croit.

                    la dimensión que dentro de otro dura,
                    si una cosa por otra es recibida,
          40   más debiera encenderse el ansia pura
                    que quiere ver la esencia en que se ve
                    cómo se une con Dios nuestra natura.
          43   Veráse allí lo que es aquí de fe,
                    no demostrado, hacerse por sí noto
                    cual primera verdad que el hombre cree.

not see how things material can share
one space — the case, when body enters body),
40   then should our longing be still more inflamed
to see that Essence in which we discern
how God and human nature were made one.
43   What we hold here by faith, shall there be seen,
not demonstrated but directly known,
even as the first truth that man believes.

                    Wie sich die Dimensionen hier durchdrangen,
                    Gleichwie wenn Körper durch den Körper geht,
          40   So sollt's uns mehr entzünden das Verlangen,
                    Zu sehen jenes Sein, worin wir schaun,
                    Wie unsere Art und Gottheit sich umschlangen.
          43   Dort wird man schaun, worauf wir hier vertraun,
                    Nicht demonstriert, doch aus sich selbst gegeben,
                    Wie auf die Grundwahrheiten hier wir baun.

Per il brano che segue ci si può limitare ad una semplice osservazione di carattere metrico. Il *pathos* con il quale nel testo dantesco è rievocata da Cacciaguida la propria nascita nella antica e virtuosa Firenze è in gran parte affidato all'efficace sospensione creata dai due *enjambements* tra i vv. 130 sg. e 131 sg., nei quali l'aggettivo è preposto al nome e separato da esso. Le traduzioni spagnola e inglese non presentano nessuno dei due *enjambements*, e quella francese solo il secondo. Quella tedesca, pur rinunciando a entrambi gli *enjambements* dell'originale, ne introduce uno nuovo (tra il verbo e il nome) ai vv. 132 sg., con ottimo risultato: il che dimostra ancora una volta lo statuto del tutto particolare della traduzione e la possibilità che le è concessa di avvicinarsi al suo scopo anche in modi apparentemente contraddittori, facendo sì, paradossalmente, che un «tradimento» ne compensi un altro, facendolo, per cosí dire, dimenticare.

130   «[...] A si reposée et à si belle vie
      de citoyens, à si confiante
      population, à si douce demeure,
133   Marie me donna, appelée à grands cris
      et, dans votre vieux baptistère,
      ensemble je fus chrétien et Cacciaguida.
136   Moronte fut mon frère et Éliséo,

           130   «[...] A esta vida tan bella y sin recelo,
                a esta ciudadanía tan cumplida,
                a este hogar que de hogares fue modelo,
           133   María diome, a gritos requerida;
                y cuando al Baptisterio me llevaron
                a la vez fui cristiano y Cacciaguida.
           136   Moronto y Eliseo me llamaron

130   «[...] To such a life — so tranquil and so lovely —
      of citizens in true community,
      into so sweet a dwelling place did Mary,
133   invoked in pains of birth, deliver me;
      and I, within your ancient Baptistery,
      at once became Christian and Cacciaguida.
136   Moronto was my brother, and Eliseo;

           130   »[...] Solch ruhevollem, schönem Bürgerleben,
                Solch einer Bürgerschaft, an Treue reich,
                Solch holder Freistatt hat mich übergeben
           133   Maria, angerufen laut bei euch;
                In eures alten Baptisteriums Rahmen
                Ward Christ und Cacciaguida ich zugleich.
           136   Moront' und Eliseo, Brüdernamen;

ma femme vint à moi du val de Pô
et ainsi se fit le nom que tu portes.
139 Puis je suivis l'empereur Conrad,
et il me ceignit de sa chevalerie,
tant je lui vins à gré par bien agir.
142 J'allai avec lui combattre cette loi
inique, dont le peuple usurpe
par la faute des papes votre droit.
145 Là je fus par cette gent rebelle
dégagé du monde trompeur
dont l'amour enlaidit tant d'âmes,
148 et je vins du martyre à cette paix.»

hermano; y tu apellido has heredado
de mi mujer, que junto al Po criaron.
139 Después seguí al emperador Conrado;
y él me armó caballero en su milicia:
tanto, por bien obrar, fui de su agrado.
142 Tras él fui combatiendo a la nequicia
de la ley cuyo pueblo os usurpara,
por culpa del pastor, vuestra justicia.
145 Allí fui yo, por esa gente ignara,
liberado del mundo y del delirio
cuyo amor tantas almas deturpara,
148 y me vine a esta paz desde el martirio».

my wife came from the valley of the Po —
the surname that you bear was brought by her.
139 In later years I served the Emperor
Conrad — and my good works so gained his favor
that he gave me the girdle of his knighthood.
142 I followed him to war against the evil
of that law whose adherents have usurped —
this, through your Pastors' fault — your just possessions.
145 There, by that execrable race, I was
set free from fetters of the erring world,
the love of which defiles so many souls.
148 From martyrdom I came unto this peace.»

Mein Weib kam von dem Tal des Padus her;
Von ihr erhieltst du den Familiennamen.
139 Ich folgte später Kaiser Konrads Heer,
Der mich umgürtet mit dem Ritterdegen,
Weil er für Rechttun dankbar mir so sehr!
142 Der Bosheit des Gesetzes ging's entgegen,
Des Volkes, das sich anmaßt euer Recht,
Und zwar um eurer sündigen Hirten wegen.
145 Da ward ich von dem schändlichen Geschlecht
Aus jener Welt des Truges abgeschieden,
Zu der der Trieb macht viele Seelen schlecht:
148 Vom Martyrtod kam ich zu diesem Frieden!«

MATERIALE DIDATTICO

INFERNO, Canto II

1) **Lo giorno se n'andava, e l'aere bruno** (v. 1): il tema del tramonto che rapporto stabilisce fra gli esseri animati e Dante? E che cosa significa nel contesto dell'intero canto?

2) Cercate di stabilire la relazione di significato fra **li animai** (v. 2); **io sol uno** (v. 3); **la guerra** (v. 4).

3) **M'apparecchiava** (v. 4): mi apprestavo. Conoscete un altro significato del verbo «apparecchiare»?

4) **Sensibilmente** al v. 15 indica 'con il corpo'. Che cosa significa, nell'italiano attuale, l'avverbio «sensibilmente»?

5) **Ma io, perché venirvi? o chi 'l concede?/ Io non Enëa, io non Paulo sono** (vv. 31 sgg.). A quale funzione assolve la ripetizione di **io**? Quale funzione ha la doppia negazione?

6) **E qual è quei che disvuol...** (vv. 37-42): in questa similitudine rintracciate le componenti linguistiche (verbi, aggettivi ecc...) che definiscono l'area semantica del dubbio, dello smarrimento.

7) Elencate, nella descrizione di Beatrice da parte di Virgilio e nel discorso stesso della beata, gli elementi che la definiscono in senso stilnovistico. In particolare osservate: **l'amico mio, e non de la ventura** (v. 61); **amor mi mosse** (v. 72).

8) **Talento** al v. 81 che cosa significa? Quali altri significati di questa parola conoscete?

9) La terzina ai vv. 91-93 sembra esprimere una contrapposizione fra l'atteggiamento pietoso di Beatrice da una parte, ed una sua dichiarata indifferenza per la condizione umana dall'altra. Potete darne una spiegazione?

10) Spiegate il significato delle parole **crudele** (v. 100) e **volgare** (v. 105) alla luce delle concezioni stilnovistiche di Dante. In quali accezioni sono usati i due termini nell'italiano attuale?

11) **Beatrice, loda di Dio vera** (vv. 103-105). Riflettete sulla funzione dell'amore di Dante per Beatrice, in senso teologico ed umano. Successivamente reperite nel canto le espressioni relative all'amore fra Dante e Beatrice che manifestino più spiccatamente il carattere affettivo ed umano del sentimento amoroso.

12) **Quali fioretti dal notturno gelo...** (vv. 127-132). Rintracciate gli elementi lessicali che connotano l'opposizione semantica coraggio-viltà.

13) **Oh pietosa... cortese... vere parole...!** (vv. 133-135). I tre aggettivi caratterizzano l'interazione degli atteggiamenti di Beatrice, Virgilio e Dante. Potete spiegare i concetti cui essi alludono?

14) Il motivo poetico e narrativo della missione di Dante è esaltato dai numerosi elementi linguistico-semantici relativi ai timori del poeta per il suo viaggio. Potete individuare le espressioni che più marcatamente denotano il passaggio dal tema del dubbio alla coscienza dell'alto valore della missione del poeta?

Canto V

1) Osservate la tecnica dantesca nella strutturazione dei seguenti periodi: **Stavvi Minòs... essamina le colpe... giudica e manda... Sempre... vanno a vicenda... dicono e odono...** (vv. 4-15). Potete definire alcune caratteristiche del personaggio di Minosse, suggerite dal ritmo, dalla collocazione delle parole nel verso, dalle figure retoriche?

2) Il secondo girone è un luogo di dolore e d'orrore: sottolineate le parole che denotano queste caratteristiche in tutto il canto, in particolare dal v. 25 al v. 36.

3) **Schiera larga e piena** (v. 41) /**faccendo in aere di sé lunga riga** (v. 47). Con queste similitudini Dante evidenzia un aspetto comune alle due schiere di anime lussuriose: quale? E perché?

4) **Libito fe' licito in sua legge** (v. 56): conoscete espressioni e modi di dire dell'italiano contemporaneo in cui sono conservati i latinismi **libito** e **licito**?

5) Ai vv. 52-72 ci viene presentata una schiera di anime che in vita hanno conosciuto i piaceri e i dolori dell'amore, e il poeta viene preso da pietà. Pietà e smarrimento nascono da un atteggiamento di comprensione o da una riflessione sulle colpe d'amore o da entrambi questi sentimenti?

6) Nella sicurezza di Virgilio che le anime di Paolo e Francesca saranno disposte a parlare con Dante (vv. 77 sg.) e nella incertezza di Dante si rispecchiano i due diversi atteggiamenti, quello temporale, o umano, del poeta e quello atemporale di Virgilio. Volete commentare questa affermazione?

7) Il linguaggio lirico ed accorato di Francesca si rivela, a livello stilistico, nelle scelte lessicali (tipologia delle parole e dei suoni) e nel ritmo dei periodi caratterizzato dall'uso della ripetizione: individuate alcuni di questi elementi.

8) **Amor, ch'al cor gentil ratto s'apprende...** (v. 100); **Amor, ch'a nullo amato amar perdona...** (v. 103); **Amor condusse noi ad una morte.** (v. 106) Che funzione ha in queste terzine l'anafora, cioè la tecnica della ripetizione? Dite quali affermazioni hanno una stretta correlazione con le teorie stilnovistiche dell'amor «cortese».

9) **E quella a me: «Nessun maggior dolore/che ricordarsi del tempo felice/ne la miseria; e ciò sa 'l tuo dottore»** (vv. 121-123): il poeta colloca nella dialettica tempo-eternità l'episodio terreno dell'amore di Francesca e quello della sua miseria eterna. Commentate la terzina riflettendo sulla concezione escatologica generale della *Commedia*.

10) Dante chiama Virgilio **dottore** al v. 123. Facendo riferimento all'etimologia della parola, che deriva dal latino «doctor», potete dire quale funzione ha Virgilio nella *Commedia*?

11) Rintracciate, attraverso l'analisi dei termini indicativi, le opposizioni semantiche che connotano il canto (es.: **piange** e **dice** — v. 126 —).

12) Quali parole-tema potremmo considerare fondamentali nell'episodio di Francesca?

Canto XIII

1) **Non fronda verde, ma di color fosco;/non rami schietti, ma nodosi e 'nvolti;/non pomi v'eran, ma stecchi con tòsco** (vv. 4-6). Quali artifici retorico-lessicali sono presenti nella terzina per mostrare le caratteristiche del bosco dei suicidi?

2) La descrizione delle Arpie evidenzia il loro aspetto ripugnante: sottolineate le parole in cui si specifica la relazione animale-uomo, sia nel caso della contrapposizione fra le due sfere, sia in quello della loro compenetrazione.

3) «Perché mi scerpi?/non hai tu spirto di pietade alcuno?/Uomini fummo, e or siam fatti sterpi:/ben dovrebb'esser la tua man più pia, se state fossimo anime di serpi» (vv. 35-39): la rima **scerpi**: **sterpi**: **serpi** si riferisce ad una condizione di drammatica compenetrazione di due nature. Come si colloca tale condizione nella dialettica tempo-eternità?

4) In tutto il canto ci sono termini ed immagini che si riferiscono al tema della *parola* come peculiarità dell'uomo, al tema del *sangue* che unisce la dimensione temporale con quella eterna, al tema del *dolore* come pena eterna. Rintracciate alcuni elementi in cui questi temi sono evidenti ed osservate in quale posizione stanno fra loro (p. es.: i temi sono espressi isolati o insieme?).

5) Osservate le parole e i costrutti usati da Pier della Vigna (vv. 55-78, soprattutto). Quali vi sembrano tipici del linguaggio curiale?

6) **L'animo mio, per disdegnoso gusto,/credendo col morir fuggir disdegno,/ingiusto fece me contra me giusto** (vv. 70-72). Considerando la storia di Pier della Vigna, osservate nella terzina la ripetizione di parole uguali o con lo stesso tema verbale e dite quale rapporto hanno con l'azione di violenza contro se stesso compiuta dal dannato.

7) Il suicidio viene sentito dal poeta come uno strappo, uno sradicamento volontario della condizione umana dalla sua natura: la condanna sarà un congiungimento eterno alla natura vegetale. Rintracciate nel testo le espressioni (nomi, aggettivi, verbi) che appartengono alle due categorie del congiungimento e della separazione (p. es.: **spirito incarcerato, disvellere**, etc.).

8) Al miracolo della nascita umana si contrappone, nel canto, quello della nascita vegetale casuale, senza atto volitivo. Alla luce di questa affermazione commentate i vv. 97-108.

9) **Brano** al v. 128 sta per 'pezzo di carne'. Nell'italiano attuale il termine ha mantenuto la stessa accezione o il suo significato si è ampliato e modificato?

10) Il canto si chiude con il ritratto dell'anonimo suicida fiorentino, che profetizza perenni mali per Firenze. Quale giustificazione potete dare di questo richiamo alla condotta dissipata di Firenze nel canto dei suicidi?

Canto XXX

1) L'attenzione agli elementi descrittivi ai versi 1-21 assume una funzione determinata per lo sviluppo successivo del canto. Quale?

2) Osservate, nella parte iniziale del canto (vv. 1-21), che i due episodi (quelli di Atamante e di Ecuba) si chiudono con due versi secchi e sintetici: **e quella s'annegò con l'altro carco** (v. 12) e **forsennata latrò sì come cane** (v. 20). Quale può esserne la ragione?

3) Gianni Schicchi e Mirra sono due folletti con caratteristiche rivelate da Dante attraverso particolari scelte lessicali. Reperitene degli esempi ai vv. 25-46.

4) **La grave idropesì, che sì dispaia/le membra con l'omor che mal converte,/che 'l viso non risponde a la ventraia** (vv. 52-54). Osservate in tutto il canto l'uso del lessico specifico del linguaggio medico del tempo e cercate di capire se e come e per quali finalità il poeta se ne serva per collegare la figura grottesca di maestro Adamo con la pena eterna a cui è condannato.

5) Al v. 54 perché il poeta usa **ventraia** e non 'ventre'?

6) Come viene espresso il motivo della contrapposizione arsura-umidità, che serve anche a ribadire la contrapposizione tempo felice-eternità dolorosa? Si osservino in particolare l'immagine dei **ruscelletti** e i riferimenti all'aspetto materiale dei corpi dei dannati, in generale. Leggete attentamente i vv. 60-87.

7) L'alterco fra maestro Adamo e Sinone, espresso nello stile comico-realistico, ha una funzione di spia dell'atteggiamento di Dante nei confronti di questi dannati. Individuate le parole più rilevanti e le scelte stilistiche e risalite da queste alla concezione morale del poeta.

8) Il rimprovero di Virgilio per l'eccessiva attenzione di Dante all'episodio di maestro Adamo e di Sinone, seguìto dal suo invito a superare il momento del rimorso, ha una funzione umana e artistica e una funzione allegorica: qual è?

9) I temi del grottesco e del patetico dominano il canto: esemplificate i passi dove questi sono evidenti e, in particolare, le immagini che li fanno risaltare per contrasto.

Canto XXXIII

1) La ferocia e il dolore di Ugolino sono espressi nei primi versi (vv. 1-9) da particolari termini e costrutti retorici (es.: **parlare e lagrimar vedrai inseme**, v. 9). Individuateli.

2) **Tu dei saper ch'i' fui conte Ugolino,/e questi è l'arcivescovo Ruggieri** (vv. 13 sg.). Cercate, osservando le parole citate, di capire perché Ugolino usa il verbo «dovere» e perché il verbo «essere» è messo nelle due forme del passato remoto e del presente. Quali ipotesi potete formulare?

3) La drammaticità dell'incarcerazione a tradimento di Ugolino è manifesta ai vv. 22-27 dove gli effetti onomatopeici di alcune parole sottolineano i caratteri sinistri della descrizione: sapete rintracciare queste parole?

4) La descrizione del sogno di Ugolino (vv. 26-36) presenta anche toni di accorato dolore e tenerezza. Sapreste individuare i versi dove essi risultano più evidenti?

5) **Io non piangëa, sì dentro impetrai** (v. 49); **Perciò non lagrimai né rispuos'io** (v. 52). Quale ipotesi potete fare circa l'uso del passato remoto in: **impetrai, lagrimai, rispuos'io**?

6) **... e Anselmuccio mio/ disse: «Tu guardi sì, padre! che hai?»** (vv. 50 sg.); **e disser: «Padre, assai ci fia men doglia / se tu mangi di noi: tu ne vestisti / queste misere carni, e tu le spoglia»** (vv. 61-63); **Gaddo mi si gittò disteso a' piedi, / dicendo: «Padre mio, ché non m'aiuti?»** (vv. 68 sg.); dite quali sono gli atti comunicativi espressi nelle frasi pronunciate dai fanciulli.

7) **Poscia, più che 'l dolor, poté 'l digiuno** (v. 75). La drammatica sinteticità dell'espressione sottolinea la perennità del dolore di Ugolino. Il furore bestiale con cui questi rode il cranio di Ruggieri può collegarsi idealmente alla fame sofferta nella torre? Riflettete su questo rapporto alla luce della problematica spazio temporale-spazio atemporale nella *Commedia*.

8) Rintracciate, in questo canto, alcuni termini ed espressioni che denotano il senso dell'impietrimento e dell'impotenza.

9) Le violente invettive contro Pisa sono da considerarsi riferite unicamente alla città o vanno collocate all'interno della concezione generale, etica, religiosa e politica di Dante?

PURGATORIO, Canto III

1) All'inizio del canto l'atteggiamento di Dante nei confronti di Virgilio è: *a*) di turbamento; *b*) di riverente timore; *c*) di affettuosa considerazione?

2) **Quando li piedi suoi lasciar la fretta,/che l'onestade ad ogn'atto dismaga,/la mente mia, che prima era ristretta,/lo 'ntento rallargò, sì come vaga,/e diedi 'l viso mio incontr'al poggio/che 'nverso 'l ciel più alto si dislaga** (vv. 10-15): sottolineate in questi versi i termini che denotano un atteggiamento di disponibilità, di costruttiva distensione.

3) Perché Virgilio, alla fine della sua esortazione, tace turbato (cfr. vv. 22-45)?

4) **Divenimmo** (v. 46) deriva dal verbo latino *devenire*. In quale accezione è usato oggi il termine 'divenire'? Quale nozione generale accomuna il senso contemporaneo di 'divenire' con quello dantesco?

5) Quali versi rappresentano la lentezza del movimento delle anime incontrate dai due poeti? Qual'è la ragione di tale lentezza?

6) La similitudine delle pecorelle indica umiltà e coralità: quali elementi linguistici denotano marcatamente queste peculiarità?

7) La similitudine dantesca delle pecorelle richiama la mansuetudine e l'umiltà delle anime. Nell'italiano corrente i termini 'pecora' e 'pecorella' riferíti alle persone che qualità denotano?

8) La gentilezza di Manfredi è manifesta nell'aspetto fisico e nel comportamento: individuatene alcuni tratti. La sua umiltà è rivelata nel momento della morte (vv. 118-129) da altre espressioni: quali?

9) **Mora** (v. 129) sta per 'mucchio di pietre'. Sapete il suo attuale significato nel linguaggio giuridico?

10) Analizzate il distacco dal mondo terreno e l'ansia di purificazione di Manfredi alla luce del suo giudizio sul comportamento del pastore di Cosenza e del suo ricordo della figlia Costanza.

11) **Per lor maladizion sì non si perde,/che non possa tornar, l'etterno amore,/mentre che la speranza ha fior del verde** (vv. 133-135): per bocca di Manfredi Dante prende una posizione contro l'uso politico del potere religioso da parte del papa (si ricordi, fra l'altro, che la Chiesa non ammette salvezza per gli scomunicati). Potete spiegare, anche attraverso l'analisi di altri passi del canto, come si oggettivizza nella figura di Manfredi la proiezione del dramma autobiografico e religioso del poeta?

Canto VI

1) Nella descrizione di Sordello (vv. 58-75), quali aggettivi ne caratterizzano maggiormente la figura?

2) Nell'invettiva all'Italia ci sono delle parole che la qualificano nella sua identità: reperite questi elementi prescindendo dal significato che emerge dal contesto generale e successivamente ricontrollatene il valore nell'ambito dell'interpretazione globale del brano (p. es.: **serva, misera,** ecc.).

3) Nella metafora del cavallo e del cavaliere (vv. 88 sg.) in quale posizione sta la gente di chiesa e perché?

4) Perché Dante esprime un giudizio tanto negativo su **Alberto tedesco** (vv. 97-102)?

5) Nei vv. 118-123, in cui Dante esprime la sua accorata meraviglia di fronte all'apparente disinteresse di Dio per i fatti umani, quali caratteri del divino chiama principalmente in causa?

6) Perché nel rivolgersi a Firenze (vv. 127 sgg.) il poeta si serve dell'ironia? Sottolineate le espressioni-chiave che, in crescendo, arrivano al sarcasmo.

7) **Quante volte, del tempo che rimembre,/legge, moneta, officio e costume/hai tu mutato, e rinovate membre!** [...] **ma con dar volta suo dolore scherma.** (vv. 145-151). La parola **volta** è impiegata qui con due significati diversi: quali?

8) Quali parole-tema potrebbero costituire le costanti di questo canto?

Canto XXIII

1) Nel v. 4 Virgilio è chiamato da Dante **lo più che padre**: ricordate alcune delle occasioni nelle quali il poeta latino durante il viaggio ultraterreno ha assolto un tale compito paterno?

2) **Era ciascuna** [anima] ... **tanto scema,/che da l'ossa la pelle s'informava** (vv. 23 sg.): quali altri significati, estranei a questo contesto, hanno le parole 'scema' e 'informarsi'?

3) L'espressione riferita a Forese Donati al v. 40, **del profondo de la testa**, indica: *a)* la mancanza di sguardo; *b)* la profondità dell'espressione; *c)* l'estrema magrezza del volto?

4) Reperite nel canto le parole che, descrivendo la magrezza e gli effetti della fame, hanno relazione con la pena da scontare (p. es.: **vi sfoglia, asciutta scabbia,** ecc.).

5) Dite se la parola **verdura** (v. 69) è ancora usata nell'italiano contemporaneo con lo stesso significato.

6) Rileggendo i vv. 70-90, completate: Forese definisce la sua pena... E la penitenza **lo dolce**... In quest'ultimo caso abbiamo a che fare con una figura retorica: quale?

7) Come vengono definite nel canto le donne fiorentine?

8) **Quai barbare fuor mai, quai saracine,/cui bisognasse, per farle ir coperte,/o spiritali o altre discipline?** (vv. 103-105): la forte denuncia dei costumi delle donne fiorentine coinvolge la moda in quanto tale o è una denuncia che interessa aspetti più generali del costume dell'epoca? Prima di rispondere osservate anche la seguente terzina: **Ma se le svergognate fosser certe/di quel che 'l ciel veloce loro ammanna,/già per urlare avrían le bocche aperte** (vv. 106-108).

9) Nei confronti del mondo terreno e della loro condotta in esso, le anime del canto sembrano rassegnate serenamente alla loro sorte di espiazione. Vi sembra che anche Dante accetti la sua espiazione personale? Attraverso quali elementi potete motivare la vostra risposta?

10) Forese e Dante nel Purgatorio sembrano voler fare ammenda delle loro vecchie tenzoni: pensate che nella *Commedia* Dante voglia far emergere la figura di Forese penitente e marito della buona Nella, o piuttosto il Forese rivale d'arte e maligno interlocutore di Dante nei vituperosi sonetti polemici della *Tenzone*?

Canto XXIX

1) Matelda canta come una donna **innamorata**. Quale valore assume il termine nell'ambito della *Commedia*?

2) **E come ninfe che si givan sole/per le salvatiche ombre, disïando/qual di veder, qual di fuggir lo sole,/allor si mosse contra 'l fiume, andando/su per la riva; e io pari di lei,/picciol passo con picciol seguitando** (vv. 4-9): l'atteggiamento di Matelda si avvicina ai canoni della donna nella poesia stilnovistica. Quale significato ha il fatto che Dante, proprio nel Paradiso Terrestre, adotti i moduli della tradizione stilnovistica per rappresentare Matelda, il cui compito è quello di condurlo da Beatrice?

3) La parola **picciol** è frequente nel vocabolario dantesco generalmente con una connotazione...

4) Il **lustro sùbito** è diverso da un normale **balenar** (vv. 16 e 19). Con quale scopo viene introdotta questa differenza?

5) Perché Dante rivolge un rimprovero all'**ardimento d'Eva** (v. 24)?

6) **Or convien che Elicona per me versi,/e Uranïe m'aiuti col suo coro/forti cose a pensar mettere in versi** (vv. 40-42): l'invocazione alle Muse, peraltro presente in altri passi del poema, ha in questo canto solo finalità retoriche o è motivata anche da una situazione di grande tensione morale e religiosa?

7) **Arnese** (v. 52) ha una funzione di nome collettivo. Nell'italiano contemporaneo che cosa indica?

8) Il canto è ricco di similitudini: sapreste individuarne la ragione?

9) Nel canto sono diffusi i motivi della luce e della musica. Sottolineate alcune parole ed espressioni che si riferiscono ad essi ed osservate l'andamento della loro frequenza.

10) In quali contesti si trovano le immagini di matrice stilnovistica presenti nel canto?

11) Riassumete la dinamica della processione ed interpretatela alla luce delle concezioni allegoriche e teologiche dantesche.

Canto XXXI

1) Osservate i vv. 1-6. Sapreste dire se la ripetizione di alcune consonanti aiuta a rendere il significato del 'colpo ripetuto della spada'?

2) Nei vv. 1-48 Beatrice rimprovera Dante secondo i canoni tipici della procedura penale.

Rintracciate i versi in cui è evidente: *a*) la richiesta della confessione della colpa; *b*) il rimprovero-invettiva contro il misfatto compiuto.

3) Nei vv. 1-48 con quali metafore e similitudini Dante presenta il passaggio dall'ammissione della sua degradazione al pentimento che, liberandolo, può consentirgli la rinascita morale?

4) Secondo voi, per quale motivo è Beatrice e non Dante a ripercorrere la storia del traviamento del poeta?

5) **Mai non t'appresentò natura o arte/piacer, quanto le belle membra in ch'io/rinchiusa fui, e che so' 'n terra sparte** (vv. 49-51): riflettete sul rapporto della natura e dell'arte con Dio. Osservando la terzina, chiedetevi perché la bellezza di Beatrice in cielo sia diversa da quella, pur grande, in Terra, dove ora le belle membra **so' sparte**.

6) Osservate i vv. 58-63: alle immagini del volo, tenuto basso, dell'uccellino inesperto quali altre immagini Beatrice contrappone per sferzare Dante ed invitarlo alla responsabilità?

7) Dite quale valore assume in questo canto lo svenimento di Dante (v. 89), frequente d'altronde nella *Commedia*.

8) **Quando fui presso a la beata riva,/'Asperges me' sì dolcemente udissi,/che nol so rimembrar, non ch'io lo scriva.** (vv. 97-99): Dante dichiara la propria impotenza ad esprimere con parole l'esperienza che sta vivendo. Spiegate l'importanza di una tale affermazione nell'àmbito della visione artistica e morale del poeta rispetto al suo viaggio ultraterreno.

9) Riflettete sul gioco degli occhi da Dante a Beatrice e da questa al Grifone (vv. 118-126). Potete spiegare la ragione della mediazione di Beatrice, cioè di questo passaggio intermedio e dunque di questa relazione indiretta fra Dante e il divino, secondo le concezioni teologiche dell'autore?

10) La parola **idolo** (v. 126) indica l'immagine riflessa. Cosa significa più propriamente 'idolo' nell'italiano attuale? C'è un collegamento fra il significato dantesco di 'idolo' e quello attuale?

11) Individuate nel canto le sequenze che ne racchiudono i nuclei tematici ed osservate se ad alcune sequenze corrisponde una variazione del tono e del ritmo del discorso.

12) Cercate di interpretare tutto il canto secondo la prospettiva allegorica e le concezioni teologiche del poeta. Spiegate il significato dell'immersione di Dante nel Lete, l'aiuto delle quattro donne, la contemplazione degli occhi di Beatrice.

PARADISO, *Canto III*

1) **Quali per vetri trasparenti e tersi,/o ver per acque nitide e tranquille,/non sì profonde che i fondi sien persi,/tornan de' nostri visi le postille/debili sì, che perla in bianca fronte/non vien men forte a le nostre pupille;/tali vid'io più facce a parlar pronte** (vv. 10-16): la similitudine tra le anime del cielo della Luna e l'evanescenza delle immagini rispecchiate e il candore della perla sulla pelle candida serve a suggerire una peculiarità dell'aspetto figurativo di questi beati: quale?

2) Che cosa significa la parola **postille** (v. 13)? Sapete qual è il suo attuale significato? Quale delle due definizioni, la dantesca e l'attuale, è più vicina al significato della parola latina?

3) I beati del cielo della Luna sono figure evanescenti che però (si vedano v. 16: **tali vid'io più facce a parlar pronte**; vv. 34 sg. **E io a l'ombra che parea più vaga/di ragionar, drizza'mi**; v. 42: **Ond'ella, pronta e con occhi ridenti**; vv. 68 sg.: **da indi mi rispuose tanto lieta,/ch'arder parea d'amor nel primo foco**) dimostrano di possedere anche un'altra caratteristica. Identificatela e spiegate il motivo per cui Dante la evidenzia.

4) **Vere sustanze son ciò che tu vedi,/qui rilegate per manco di voto** (vv. 29 sg.): secondo voi, nella relegazione dei beati nel cielo della Luna, cioè nella loro disposizione nel primo cielo, è implicita una loro menomazione rispetto alla distribuzione degli altri

beati nell'ordine gerarchico del Paradiso? Fate delle ipotesi dopo aver letto anche i vv. 32 sg.: **ché la verace luce che le appaga/da sé non lascia lor torcer li piedi**.

5) La scelta dell'aggettivo **vaga** (v. 34) dal latino *vagus* nel senso di 'errante' nel contesto del canto indica: *a*) un desiderio dolce e indefinito; *b*) un desiderio determinato e improvviso; *c*) un volere preciso?

6) L'attuale significato del vocabolo 'vago' comprende anche l'accezione dantesca? Il termine 'vago' nel linguaggio scientifico attuale a che cosa si riferisce?

7) **... ma riconoscerai ch'i' son Piccarda,/che, posta qui con questi altri beati,/beata sono in la spera più tarda** (vv. 49-51); **E questa sorte che par giù cotanto,/però n'è data, perché fuor negletti/li nostri voti, e vòti in alcun canto** (vv. 55-57): Piccarda è **posta**, relegata nella sfera più lenta, eppure accetta la gerarchia disposta da Dio. Quali parole all'inizio del suo discorso manifestano più chiaramente il suo accordo con il desiderio divino?

8) **Festino** (v. 61) sta per 'rapido' dal lat. *festinare*, 'affrettarsi'. Attualmente vi sembra che il termine sia usato come nome e/o come aggettivo? E con quale significato?

9) **Frate, la nostra volontà quïeta/virtù di carità, che fa volerne/sol quel ch'avemo, e d'altro non ci asseta** (vv. 70-72); **E 'n la sua volontade è nostra pace:/ell'è quel mare al qual tutto si move/ciò ch'ella cria o che natura face** (vv. 85-87): alla luce di questi versi commentate il significato delle parole **carità** e **pace** rispetto alle anime dei beati, le quali, benché collocate nei diversi cieli, stanno nel Paradiso in pari grado di beatitudine.

10) Rintracciate nel discorso di Piccarda le parole che più marcatamente manifestano il senso di protezione che ella riceveva dalla vita monacale nell'ordine delle clarisse.

11) Nel discorso di Piccarda c'è una velata condanna della società del suo tempo: in quale verso questa pacata denuncia si esplicita più chiaramente?

12) Nel personaggio di Piccarda si riflette la continuità del rapporto terra-cielo. A livello linguistico ella usa un linguaggio teologico e un linguaggio più realistico, a seconda che prevalga l'una o l'altra dimensione narrativa. Sapete rintracciare gli aspetti più significativi dei due linguaggi?

Canto VI

1) **Cesare fui e son Iustinïano,/che, per voler del primo amor ch'i' sento,/d'entro le leggi trassi il troppo e 'l vano** (vv. 10-12): commentate questa terzina definendo, in particolare, la relazione fra **fui** e **son**; fra **Cesare** e **Iustinïano**; fra il **voler del primo amor** e l'azione di Giustiniano come riordinatore delle leggi per la giustizia nel mondo.

2) La parola **destra** (v. 26) comunica la nozione positiva di 'destro'. Nell'attuale significato della parola rilevate o no una stabilità lessicale della nozione derivante dall'agg. lat. *dexter, dextĕra, dextĕrum* = 'conveniente, favorevole'? Conoscete l'espressione 'essere il braccio destro di qualcuno'?

3) Il lungo elenco di personaggi storici che combatterono per l'Impero mette in risalto il grande numero di persone «virtuose» oppure la forza della volontà divina che guida le azioni umane alla realizzazione dei suoi imperscrutabili disegni?

4) Giustiniano è l'esempio di un imperatore devoto alle leggi di Dio e della giustizia: rintracciate nel canto le espressioni che in modo diretto evidenziano la sua relazione con il culto della giustizia e delle leggi.

5) Nel segno dell'aquila convivono le virtù e la riverenza: l'oltraggio a questi valori è considerato da Dante un grave peccato e così pure l'offesa alla giustizia divina. Alla luce di quanto affermato, spiegate l'importanza, per Dante uomo politico, dei seguenti versi: **ché la viva giustizia che mi spira,/li concedette, in mano a quel ch'i' dico,/gloria di far vendetta a la sua ira** (vv. 88-90); **L'uno al pubblico segno i gigli gialli/oppone, e l'altro appropria quello a parte,/sì ch'è forte a veder chi più si falli** (vv. 100-102).

6) Osservate dove ricorrono i termini **giustizia**, **vendetta**, **giusto**, **segno** e spiegate la significatività della loro presenza in determinate sequenze.

7) Rintracciate nei vv. 34-96 tutte le parole legate al concetto della tensione, del conflitto, della lotta per un fine ideale, e analizzatene la funzione nel ritmo generale del passo.

8) Il canto VI ha un carattere epico-lirico manifesto anche nella tecnica retorica delle replicazioni; p. es.: **poscia con Tito a far vendetta corse/de la vendetta del peccato antico** (vv. 92 sg.); **Tu sai ch'el fece in Alba sua dimora** (v. 37); **E sai ch'el fe' dal mal de le Sabine** (v. 40); **Sai quel ch'el fe' portato da li egregi** (v. 43). Individuatene altre e cercatene di capire la funzione nel rapporto che Dante istituisce fra la materia del canto e i raffinati procedimenti stilistici con cui esso è composto.

9) Sapete individuare nel canto i numerosi arcaismi che vi compaiono? Sapete giustificarne la presenza?

10) Perché l'aggettivazione in questo canto è così abbondante e ricca?

11) Rintracciate i versi in cui è più evidente l'atteggiamento di Dante ugualmente sdegnato verso i Guelfi e i Ghibellini.

12) Il fondo autobiografico del canto, in senso umano ed anche etico-politico, si nota particolarmente nei versi 97-141. Commentatene alcuni facendo riferimento alle generali concezioni etico-teologiche del poeta.

Canto XI

1) **O insensata cura de' mortali,/quanto son difettivi silogismi/quei che ti fanno in basso batter l'ali!** (vv. 1-3). L'inizio del canto (vv. 1-12) ne prepara i motivi dominanti: quali sono?

2) Quali altri significati attuali conoscete della parola **cura** (v. 1)? Che cosa significano 'curia' e 'curato', termini derivanti anch'essi da 'cura'?

3) La Provvidenza è sapienza e carità: sottolineate nei vv. 28-30 ciò che meglio giustifica questa affermazione.

4) Nelle lotte del suo tempo fra Conventuali e Spirituali Dante è più vicino a questi ultimi; accetta in pieno i loro principi?

5) Elencate le parole e le immagini che esprimono la similitudine di san Francesco con il sole (vv. 49 sgg.).

6) Rintracciate i termini che esprimono l'amore di Francesco per Povertà secondo le fasi naturali dell'amore umano e cioè quelle della crescita, della coscienza, della pienezza e dell'ultimo distacco.

7) La parola **orto** (v. 55) sta per... Sapete il suo attuale significato?

8) **... e dinanzi a la sua spirital corte/et coram patre le si fece unito** (vv. 61-62): spiegate il motivo per cui Dante fa uso qui di una formula curiale.

9) Come viene descritta Povertà prima di unirsi a Francesco e agli inizi dell'amore di questi per lei?

10) Francesco e Povertà: riflettete sulla qualità del loro rapporto e sul suo significato morale, osservando la seguente terzina: **La lor concordia e i lor lieti sembianti,/amore e maraviglia e dolce sguardo/facieno esser cagion di pensier santi** (vv. 76-78).

11) Quali metafore caratterizzano il personaggio di san Francesco nelle fasi salienti del suo operato pastorale?

12) Rintracciate in tutto il canto le espressioni tipiche del linguaggio cavalleresco e cortese.

Canto XVII

1) La similitudine mitologica ovidiana ai vv. 1-6 ha la funzione di caratterizzare alcuni aspetti dello stato d'animo di Dante: quali sono?

2) Osservate ai vv. 4-12 le parole che denotano le aree semantiche della luce e del calore e spiegate come l'intensità delle metafore esprima l'intento artistico e morale del poeta.

3) L'attuale significato della parola 'latin' corrisponde al **preciso/latin** (v. 34 sg.) dantesco?

4) Nei vv. 31-36 perché Dante sottolinea la comprensibilità del linguaggio di Cacciaguida?

5) La **contingenza** (v. 37) sta per 'cose contingenti'. Attualmente questo termine è usato anche nel linguaggio economico con il significato di...

6) **Da indi, sì come viene ad orecchia/dolce armonia da organo, mi viene/a vista il tempo che ti s'apparecchia** (vv. 43-45): perché Cacciaguida considera il destino di Dante come una **dolce armonia**?

7) Nell'analogia Ippolito-Dante (vv. 46 sgg.) quali elementi di tipo autobiografico e morale acquistano rilevanza?

8) Sottolineate nella profezia di Cacciaguida ai vv. 46-92 le parole che denotano la cattiveria degli avversari, la liberalità degli amici, la sofferenza di Dante uomo.

9) Nella figura del **gran Lombardo** (v. 71) Dante rappresenta quel mito cortese e cavalleresco in cui ha sempre creduto. Quali valori rappresenta questo mito?

10) Ai vv. 106 sgg. alla metafora del tempo che incombe minaccioso si contrappone la forza di chi non si lascia abbattere dai fattori negativi. Quali proverbi e modi di dire che esprimono il medesimo concetto conoscete nella vostra lingua e in italiano?

11) **Cacume** (v. 113) sta per 'cima'. Questo termine nell'italiano contemporaneo è una parola: *a)* corrente; *b)* scientifica; *c)* dotta; *d)* popolare; *e)* inusitata?

12) ... «**Coscienza fusca/o de la propria o de l'altrui vergogna/pur sentirà la tua parola brusca**» (vv. 124-126): a quale altra immagine simile, presente nel canto, si può accostare questa?

13) Individuate la relazione fra gli aspetti formali e linguistici del canto (tono lento ed elaborato, drammatico, solenne) e i contenuti in esso implicati.

14) La concezione figurale della *Commedia* trova nel canto XVII una piena attuazione. Riflettendo anche sui canti precedenti, spiegate, con eventuali esemplificazioni, in che cosa consiste più propriamente tale concezione.

Canto XXX

1) La celebrazione della rinnovata bellezza di Beatrice (vv. 16-33) assolve ad una precisa funzione nel canto: quale?

2) Che cosa significa la parola **vice** (v. 18)? Dite se è usata nell'italiano corrente con lo stesso significato o se lo è in altro contesto (p. es.: pensate alle cariche pubbliche).

3) Il termine **fattor** (v. 21), in genere, nella *Commedia*, significa 'creatore'. Con quali significati lo ritroviamo nell'italiano contemporaneo?

4) **In questa vita, infino a questa visa** (v. 29): si tratta della Terra e dell'Empireo. Commentate il rapporto fra i due **questa**.

5) Rintracciate nel canto le parole che appartengono all'area semantica della luce e osservate la loro posizione nelle diverse sequenze.

6) Rintracciate i versi in cui sono dominanti le immagini della sete da saziare e del bere benefico e refrigerante.

7) Il significato dantesco di **fantin** (v. 82) coincide con quello dell'italiano attuale? Quali altri termini indicano il bambino che prende il latte?

8) In questo canto si manifesta in forma più acuta la contraddizione fra le necessità del poeta di esporre in parole terrene un'esperienza ultraterrena e il carattere ineffabile di questa. Rintracciate i passi in cui questa contraddizione è più evidente.

10) **La cieca cupidigia che v'ammalia / simili fatti v'ha al fantolino / che muor per fame e caccia via la balia** (vv. 139-141): osservate in particolare le parole **v'ammalia** e **fantolino**; quindi spiegate il valore di questa similitudine alla luce della concezione politica dantesca.

11) Qual è il significato delle parole **prefetto** e **foro** al v. 142? Qual è il significato attuale della prima parola? E quale altro significato ha la seconda parola, oltre a quello qui registrato?

III.

SUGGERIMENTI BIBLIOGRAFICI

A. Per un'introduzione alla **storia medioevale**, costituiscono riferimenti esemplari J. Huizinga, *L'autunno del Medioevo*, Sansoni, Firenze 1961 e G. Volpe, *Medio Evo italiano*, Sansoni, Firenze 1961. Per la rinascita delle città, si veda H. Pirenne, *Le città del Medioevo*, Laterza, Roma-Bari 1971 e, per la Firenze del tempo di Dante, N. Ottokar, *Il Comune di Firenze alla fine del Dugento*, Einaudi, Torino 1974[4]. Per l'aspetto economico, cfr. G. Luzzatto, *Breve storia economica dell'Italia medievale*, Einaudi, Torino 1965 e R. S. Lopez, *La rivoluzione commerciale del Medioevo*, Einaudi, Torino 1975. Per la storia della Chiesa, si veda W. Ullmann, *Il Papato nel Medioevo*, Laterza, Roma-Bari 1975; e per le tendenze religiose al rinnovamento O. Capitani, *L'eresia medievale*, Il Mulino, Bologna 1971. Utile al lettore di Dante, su un problema specifico, è J. Le Goff, *La nascita del Purgatorio*, Einaudi, Torino 1982.

B. Per un'analisi del rapporto fra **italiano antico e moderno** si può ricorrere con profitto alle storie della lingua italiana scritte da B. Migliorini e I. Baldelli, (*Breve storia della lingua italiana*, Sansoni, Firenze 1964, più volte ristampata) e T. De Mauro (*Storia linguistica dell'Italia unita*, 2 voll., Laterza, Roma-Bari UL 1979[2]). Sull'argomento (e con particolare riguardo a Dante) vanno visti poi almeno A. Schiaffini, *Italiano antico e moderno*, Ricciardi, Milano-Napoli 1975 e C. Dionisotti, *Per una storia della lingua italiana*, in *Geografia e storia della lingua italiana*, Einaudi, Torino 1971 (1984[4]). Da un punto di vista didattico è molto utile T. Poggi Salani, *Per lo studio dell'italiano. Avviamento storico-descrittivo*, Liviana, Padova 1986. Piacevole e istruttivo (particolarmente per quanto riguarda l'evoluzione dell'italiano moderno da Manzoni a oggi) è il recentissimo G. L. Beccaria, *Italiano. Antico e nuovo*, Garzanti, Milano 1988. Sulla «questione della lingua», si veda M. Vitale, *La questione della lingua*, Palumbo, Palermo 1978.

C. Tra le molte **biografie** dantesche, consigliabile quella di G. Petrocchi compresa nel sesto volume, di *Appendice*, dell'*Enciclopedia dantesca* (cfr. punto E.); e cfr., dello stesso Petrocchi, *Vita di Dante*, Laterza, Roma-Bari 1983.
Per una **storia della critica**, si veda A. Vallone, *Storia della critica dantesca dal XIV al XX secolo*, Vallardi, Milano 1981.

D. Le **opere di Dante** sono oggi tutte raggiungibili in varie edizioni critiche.
Per la *Commedia* l'edizione più recente è quella curata da G. Petrocchi, secondo l'antica vulgata, in 4 volumi, Mondadori, Milano 1966-7 (anche in un solo volume, con minor ricchezza di materiale, presso Einaudi, Torino 1975).

Quanto alle *Opere minori* è consigliabile, per la sua maneggevolezza, il volume curato da A. DEL MONTE, Rizzoli, Milano 1960 (1966[2]), anche se più aggiornata e affidabile è l'edizione in due tomi (il primo in due parti; ma la seconda, con le prose in volgare, ancora in preparazione), a cura di vari studiosi, Ricciardi, Milano-Napoli 1979 e 1984.

E. Nella sterminata **bibliografia critica** su Dante, di tutte le epoche e di tutte le tendenze, spicca oggi la ottima *Enciclopedia dantesca*, in 5 voll., diretta da U. Bosco e redatta con la collaborazione dei migliori studiosi, Istituto dell'Enciclopedia Italiana, Roma 1970-6.

Tra le opere di carattere generale su Dante un posto di rilievo occupano quelle di F. DE SANCTIS, il grande critico romantico, oggi raccolte in varie edizioni, di cui la più ampia e meglio curata è *Lezioni e saggi su Dante* (a cura di E. Romagnoli), Einaudi, Torino 1955 (1967[2]) *. Una notevole importanza nella storia della critica dantesca hanno anche le opere di due altri studiosi italiani del principio di questo secolo, Barbi e Parodi, entrambi attenti ad unire competenza scientifica e sensibilità critica, contrastando con un senso vigile della filologia e della storia le forzate attualizzazioni romantiche e le distinzioni idealistiche tra poesia e non poesia. Gli scritti più significativi di M. BARBI (tra i maggiori filologi danteschi) sono oggi raccolti in *Problemi di critica dantesca*, prima e seconda serie (1893-1918 e 1920-1937), 2 voll., Sansoni, Firenze 1975. Di E. G. PARODI si veda soprattutto *Poesia e storia nella Divina Commedia*, Neri Pozza, Venezia 1965 (1ª ed. 1921).

Un profilo sintetico e accurato di Dante è quello di N. SAPEGNO nella *Storia della letteratura italiana* curata da Cecchi e Sapegno, vol. II, *Il Trecento*, Garzanti 1965 (nuova ed. 1988).

Importante per lo studio del pensiero di Dante e della sua formazione filosofica è B. NARDI, *Dante e la cultura medievale*, Laterza, Roma-Bari 1942 (rist. 1983). Per l'aspetto linguistico del pensiero dantesco cfr. P. V. MENGALDO, *Linguistica e retorica in Dante*, Nistri-Lischi, Pisa 1978.

Fondamentali sono per la comprensione del poema gli scritti di E. AUERBACH, al quale si deve lo studio della concezione figurale di Dante; un'ottima raccolta di saggi è *Studi su Dante*, Feltrinelli, Milano 1963 (nuova ed. 1984). Di grande rilievo (e fertile di notevoli sviluppi, specialmente nel Nord-America) è anche l'opera critica di C. S. SINGLETON, attento studioso del problema del simbolo e dell'allegoria nella *Commedia* attraverso un confronto con i testi teologici e scritturali; si veda *La poesia della Divina Commedia*, Il Mulino, Bologna 1978.

A G. CONTINI si deve la migliore conoscenza dell'aspetto tecnico-formale dell'opera dantesca, con un'attenzione non solo allo stile ma anche al «sistema» delle forme espressive, nella loro valenza contestuale e intertestuale: cfr. la raccolta di saggi *Un'idea di Dante*, Einaudi, Torino 1976. Tra i molti contributi specificamente di carattere filologico-semantico merita di essere ricordato A. PAGLIARO, *Ulisse. Ricerche semantiche sulla Divina Commedia*, D'Anna, Messina-Firenze 1967.

Per quanto riguarda in particolare l'aspetto metrico e retorico della *Commedia*, ci limitiamo a ricordare G. ROHLFS, *La lingua di Dante nelle rime della Divina Commedia*, Sansoni, Firenze 1972 e G. L. BECCARIA, in *L'autonomia del significante*, Einaudi, Torino 1975.

Un'interpretazione originale del realismo dantesco, in una prospettiva specialmente narrativa, offre E. SANGUINETI, *Interpretazione di Malebolge*, Olschki, Firenze 1961 e *Il realismo di Dante*, Sansoni, Firenze 1966.

F. Restano infine da considerare i numerosissimi **commenti** del poema, che fin dal Trecento sono stati redatti per rendere comprensibile un'opera fitta di riferimenti non sempre elementari. Per inciso: se noi oggi possiamo ancora capire molti luoghi del poema lo dobbiamo proprio ai più antichi commentatori, i quali ci offrono preziose informazioni sui personaggi e interpretazioni di luoghi che altrimenti ci resterebbero oscuri (e non a

---

* Importante per ragioni storiche piuttosto che per profondità critica è *La poesia di Dante* (Laterza, Roma-Bari 1921, più volte ristampato) del filosofo idealista B. CROCE, che influenzò in modo certamente non positivo gli studi danteschi, spingendo alla sottovalutazione dell'elemento ideale e strutturale della *Commedia* ad esclusivo vantaggio di quello lirico.

caso anche nelle note di questa antologia si incontrano nomi di commentatori trecenteschi, come Lana, Ottimo, Boccaccio, Benvenuto, Buti, Anonimo fiorentino, o quattrocenteschi, come Landino).

Tra i commenti del nostro secolo vanno ricordati soprattutto quello di G. A. SCARTAZ-ZINI e G. VANDELLI, Hoepli, Milano 1929 (1974²¹) e quello di T. CASINI e S. A. BARBI, Sansoni, Firenze 1922⁶ (la 1ª ed., del solo Casini, è del 1889; la 6ª è stata più volte ristampata, e ancora nel 1972-3, ivi, a cura di F. Mazzoni), entrambi assai eruditi e filologicamente attenti, di ambito positivistico. Legato all'idealismo è invece il commento di A. MOMI-GLIANO, Sansoni, Firenze 1945-6 (con successive ristampe), piuttosto volto all'adesione impressionistica al testo che alla distanza critica, e perciò utile soprattutto per la definizione, sensibilissima, di atmosfere e di paesaggi, con particolare riguardo al *Purgatorio*. In qualche modo rivoluzionario fu il commento di N. SAPEGNO, La Nuova Italia, Firenze 1955-7 (1985³), il primo a rivalutare l'importanza della struttura e della lettura integrale e contestuale del poema, contro la parzialità idealistica, anche se in gran parte legato ancora alla medesima visione lirica della *Commedia*. Informato e aggiornato il commento di U. Bosco e G. REGGIO, Le Monnier, Firenze 1979, particolarmente attento al contesto storico-culturale. Stringato ma eccellente il commento di E. PASQUINI e A. QUAGLIO, Garzanti, Milano 1982-6 (e, in un solo volume, 1987), utile soprattutto per la ampia e aggiornata introduzione (di un'edizione scolastica, più accurata nel commento, è per ora uscito, ivi 1988, il solo *Inferno*).

G. Per **letture critiche particolari** di singoli canti sono utili le *lecturae Dantis*, relative a tutti i canti del poema, che si tengono periodicamente in varie città italiane, riunite spesso in volume. Una buona antologia della *lectura Dantis* fiorentina è *Letture dantesche*, a cura di G. Getto, Sansoni, Firenze 1965, cui possono aggiungersi la *Lectura Dantis Scaligera*, Le Monnier, Firenze 1967-8 e le *Nuove letture dantesche*, Le Monnier, Firenze 1966-76.

Su alcuni dei canti riportati in questa antologia esistono poi saggi critici di rilevante interesse non compresi in una opera organica su Dante. È il caso, per i primi tre canti dell'*Inferno*, di E. SANGUINETI, *Tre studi danteschi*, Le Monnier, Firenze 1961; per il X si veda invece A. GRAMSCI, in *Quaderni del carcere*, Einaudi, Torino 1975, pp. 522-30 e E. AUERBACH, in *Mimesis*, Einaudi, Torino 1956 e (nella PBE) 1964 (più volte ristampato), pp. 189-221; per il canto XIII L. SPITZER, in *Romanische Literaturstudien*, Tübingen 1959, pp. 544-68; per il XXVI, J. LOTMAN, in *Testo e contesto. Semiotica dell'arte e della cultura*, Laterza, Roma-Bari 1980, pp. 81-102. Quanto al *Purgatorio*: per il canto I si veda E. RAIMONDI, in *Metafora e storia*, Einaudi, Torino 1970, pp. 39-63; per il canto III W. BINNI, *Il canto III del Purgatorio*, in «La Rassegna della Letteratura Italiana», LIX, 1955, 3-4, pp. 400-13; per i canti XXIII e XXIV, si veda A. DEL MONTE, *Forese*, in «Cultura e Scuola», IV, 1965, 13-14, pp. 572-89; per il canto XXIV, in merito al «dolce stil novo», cfr. M. MARTI, *Storia dello Stil novo*, Milella, Lecce 1974. Sul *Paradiso*, infine, si vedano: in generale U. COSMO, *L'ultima ascesa*, La Nuova Italia, Firenze 1965 (la 1ª ed. è del 1935). Per letture particolari, invece, per il canto XXIV G. GETTO, in *Letture classensi*, I, Longo, Ravenna 1966, pp. 83-102; per il XXXIII M. FUBINI, in *Due studi danteschi*, Sansoni, Firenze 1951.

GLOSSARIO STORICO-LETTERARIO, METRICO E RETORICO

Ablativo assoluto Costrutto sintattico proprio della lingua latina (ma adoperato anche nell'italiano, soprattutto antico, in costruzioni latineggianti) formato da un part. e da un sost. in caso ablativo; essendo privo di legami grammaticali col resto della frase in cui è inserito, l'ablativo assoluto assume la funzione di inciso. P. es.: «non si converria, *l'occhio sorpriso/* d'alcuna nebbia, andar...» (*Purg.* I, 97).

Acròstico Componimento poetico (o gioco enigmistico) in cui le lettere iniziali della prima parola di ogni verso (o quelle iniziali di ogni parola), lette di seguito, formano un nome o una frase.

Afèresi Caduta della vocale o della sillaba iniziale di una parola. P. es.: *verno* = inverno.

Allegorìa Figura retorica in cui un certo elemento sta per un altro, rimanda a qualcos'altro (p. es., nella *Commedia*, il «veltro» di *Inf.* I, 101 sta per 'riformatore'). Si tratta di un procedimento stilistico nel quale un concetto astratto (ideale, morale, religioso, politico, ecc.) viene espresso mediante l'uso di immagini concrete, autonomamente significanti (p. es., una nave che solca il mare in tempesta è un'allegoria della vita umana errante tra difficoltà e pericoli; analogamente il porto cui la nave giunge rappresenta la salvezza, la pace); nell'allegoria, cioè, il significato letterale e quello **metafòrico** sono posti sì in stretta relazione, ma il primo detiene anche in sé coerenza e valore significativo. Cfr. anche PRESENTAZIONE, IV, *La Commedia*, 12. e soprattutto 13.

Allitterazione Ripetizione di una vocale, di una consonante o di una sillaba all'inizio o all'interno di due o più parole contigue, al fine di sottolineare il legame fra tali parole. P. es.: «e *c*addi *c*ome *c*orpo morto *c*ade» (*Inf.* V, 142).

Anacoluto Frattura dell'ordine sintattico per cui in uno stesso periodo si susseguono due frasi non collegate tra loro sintatticamente. Questo procedimento stilistico è spesso usato a fine mimetico (vd. **mimesi**) per riprodurre l'immediatezza della lingua parlata e per caratterizzare il parlare dei personaggi umili; in altri casi, come in Dante, si usa per particolari sottolineature espressive. P. es.: «Donna, se' tanto grande e tanto vali,/ che qual vuol grazia e a te non ricorre,/ sua disïanza vuol volar sanz'ali» (*Par.* XXXIII, 13-15; il v. 15 introduce infatti un nuovo sogg. — *sùa disïanza* — senza che sia stato concluso il periodo precedente con sogg. *qual*).

Anáfora Ripetizione di una o più parole all'inizio di frasi o di versi consecutivi. P. es.: «*Per me si va* ne la città dolente,/ *per me si va* ne l'etterno dolore,/ *per me si va* tra la perduta gente*»* (*Inf*. III, 1-3).

Analogìa Affinità; relazione di somiglianza dovuta alla presenza di caratteristiche comuni. Procedimento stilistico nel quale si sostituiscono ai rapporti logici, sintattici e semantici delle parole, altri di carattere mentale e musicale.

Anàstrofe Inversione dell'ordine logico-sintattico di alcune parole all'interno di una proposizione. P. es.: «fue/ di cherubica luce uno splendore» (*Par*. XI, 38 sg.).

Anfibologìa Discorso ambiguo interpretabile in modi diversi per il particolare aspetto semantico di una parola (p. es. la compresenza in essa di due significati) o di un costrutto sintattico. P. es., in i «Fiamminghi tra Guizzante e Bruggia» (*Inf*. XV, 4), *Fiamminghi* è il nome di un popolo, *Guizzante* e *Bruggia* sono nomi di città, ma tali nomi alludono per somiglianza fonetica alla «fiamma», al «guizzare» e al «bruciare» del fuoco intorno a Dante.

Antìfrasi Procedimento retorico in cui una frase vuole significare il contrario di ciò che afferma (spesso con fini ironici, polemici o eufemistici). P. es.: 'sei un'aquila!' per intendere 'sei uno sciocco'; e in Dante: «tu [Firenze] con pace e tu con senno!» (= tu [Firenze] lacerata da guerre e priva di senno; *Purg*. VI, 137).

Antìtesi Figura logica in cui si accostano in forte contrapposizione parole o concetti di senso opposto. P. es.: «non fronda verde, ma di color fosco;/ non rami schietti, ma nodosi e 'nvolti;/ non pomi v'eran, ma stecchi con tòsco» (*Inf*. XIII, 4-6).

Antonomàsia Traslato nel quale si sostituisce un nome comune con un nome proprio o, viceversa, un nome proprio con uno comune o con una **perìfrasi**, al fine di sottolineare una qualità particolare o comunque una caratteristica precisa di una persona o di un oggetto. P. es.: «Guasco» (*Par*. XVII, 82) per Clemente V, papa guascone; o «Cesare fui» (*Par*. VI, 10), dove *Cesare* vale *imperatore*.

Apòcope Caduta di una vocale o di una sillaba in fine di parola. P. es.: *pensier* (= pensiero), *se'* (= sei), ecc.

Assimilazione Fenomeno linguistico basato sull'adattamento di un suono ad un altro

che lo segue o lo precede. P. es.: «cattiva» (*Inf*. XXX, 16) dal lat. 'captiva' (= schiava).

Assonanza Identità *delle sole vocali* tra la parte finale di due o più parole a partire dalla vocale **tònica**. P. es.: am*o*re: s*o*le.

Bòlgia Ognuna delle 10 fosse circolari in cui è diviso l'ottavo cerchio dell'Inferno.

Càntica L'insieme dei canti, rispettivamente, di *Inferno*, *Purgatorio* e *Paradiso*, ovvero ognuna delle tre parti in cui è divisa la *Commedia*.

Catarsi Purificazione delle passioni generata nel lettore o nell'ascoltatore, secondo l'estetica di Aristotele, dalla poesia e dalla tragedia.

Cesura Pausa metrica all'interno del verso; breve interruzione del ritmo del verso. P. es.: «Nel mezzo del cammin | di nostra vita» (*Inf*. I, 1).

Chiasmo Figura retorica che spezza il normale parallelismo semantico e sintattico tra due **sintagmi** o tra due proposizioni, disponendoli in modo incrociato (cioè invertendo l'ordine della loro collocazione). P. es.: «Siena mi fe', disfecemi Maremma» (*Purg*. V, 134).

Climax Progressione crescente in modo graduale degli effetti stilistici, retorici, metrici. Con *climax ascendente* s'intende il passare per gradi da un concetto a un altro. P. es.: «e videmi e conobbemi e chiamava» (*Purg*. XI, 76).

Contrappasso Nella *Commedia* dantesca, la voce indica la corrispondenza, per contrasto o per somiglianza, tra le colpe commesse sulla Terra e le pene inflitte ai peccatori nell'oltretomba. Genericamente denota l'assegnazione a un colpevole dello stesso male che ha procurato.

Deìttico Elemento linguistico che indica le coordinate spazio-temporali di un discorso. P. es.: *qui, là*; *adesso, poi*; *questo, quello*.

Deuteragonista Personaggio secondario, in un'azione narrativa, rispetto a quello principale (o *protagonista*).

Dialefe Figura metrica (assai diffusa nella lirica duecentesca e in Dante) che prevede, nel computo delle sillabe, la distinzione di due vocali contigue (una alla fine di una parola e l'altra all'inizio di quella successiva). P. es.: «*O a*nima cortese mantoana» (*Inf*. II, 58).

Diàspora Dispersione di un popolo per il mondo dopo aver abbandonato la terra d'origine. Il termine si riferisce in particolare all'esodo degli ebrei dalla Palestina.

Dièresi Figura metrica in cui due vocali contigue, all'interno di una parola, vengono distinte e considerate come due sillabe. P. es.: «faceva tutto rider l'orïente» (*Purg.* I, 20).

Ellissi Eliminazione di alcuni elementi di una frase che possono essere sottintesi e che il contesto consente di integrare. P. es., è frequente in Dante «cominciai», «cominciò» (sottinteso 'a dire').

Endecasìllabo Verso formato da undici sillabe metriche con accento fisso sulla decima («nel mezzo del cammin di nostra vita», *Inf.* I, 1). È formato da due emistichi, separati dalla **cesura**, il primo dei quali può essere un settenario o un quinario. Se l'endecasillabo ha come primo emistichio un settenario, è detto *a maiore*, se ha un quinario, è detto *a minore*. Il modello di endecasillabo petrarchesco (prevalente nella letteratura italiana) ha un minor numero di possibilità di accentazione rispetto alla grande varietà dantesca.

Endìadi Figura sintattica in cui si esprime un concetto con una coppia di termini coordinati tra loro. P. es.: «o de li altri poeti onore e lume» (*Inf.* I, 82).

Enjambement Prosecuzione di una frase nel verso seguente; mancata corrispondenza tra la fine di una frase e quella del verso. P. es.: «disse: 'Quando/ mi diparti'...» (*Inf.* XXVI, 90 sg.).

Epìtesi Inserzione di una vocale o di una consonante non etimologicamente giustificata alla fine di una parola. P. es.: «udìe» (= udì; *Purg.* XXIII, 10).

Epìteto Nome che si attribuisce a un altro nome per qualificarlo e caratterizzarlo in senso espressivo. P. es.: «gran proposto» (detto di Barbariccia, capo dei diavoli; *Inf.* XXII, 94).

Espressionismo In senso storico indica una tendenza artistica e letteraria, soprattutto tedesca, dei principi del secolo. Dalle caratteristiche di questa, deriva per estensione il significato di rappresentazione antinaturalistica, straniata, che tende all'esasperazione dei contrasti (cromatici, sonori, lessicali, ecc.) e a forme di forte deformazione verbale e figurativa.

Figura Cfr. PRESENTAZIONE, IV, *La Commedia* 5., 6. e 7.

Fonètica Ramo della linguistica che studia i suoni nella loro articolazione fisiologica e acustica. Come agg., *fonetico*: che riguarda i suoni quali vengono emessi dagli organi vocali.

Fonosimbòlico Ciò che simboleggia con i suoni qualcosa di visivo o di astratto; riguarda l'acquisizione di un ulteriore significato, attraverso i significanti, legato al puro gioco dei suoni. Le **onomatopee** creano, p. es., effetti fonosimbolici. P. es.: «graffia li spirti ed iscoia ed isquatra» (*Inf.* VI, 18).

Galatèo L'insieme delle regole di buona creanza e di educazione; dal titolo di un breve trattato di monsignor Giovanni Della Casa (XVI sec.) che raccolse le norme da osservare o da evitare nel rapporto con gli altri (nel conversare, nello stare a tavola, nel vestire, ecc.).

Gioachimitismo Tendenza religiosa a carattere ereticale legata al pensiero di Gioachino da Fiore (XII sec.), profeticamente annunciante il ritorno sulla Terra del Messia.

Giubilèo Indulgenza plenaria concessa dal papa periodicamente (in origine ogni 50 anni, ora ogni 25) ai fedeli che visitano in pellegrinaggio le quattro basiliche di Roma o compiono altre pratiche di pietà. La voce indica anche l'anno in cui si celebra questa solennità religiosa (detto *anno del Giubileo* o *anno santo*). Nel 1300 si celebrò un Giubileo e anche per questo tale anno è stato scelto da Dante per collocarvi il proprio viaggio nell'aldilà.

Gnoseològico Termine filosofico relativo alla *gnoseologia*, ovvero alla teoria generale della conoscenza; vale 'conoscitivo', proprio della conoscenza in genere.

Impressionismo In senso storico indica un movimento pittorico nato in Francia nella seconda metà dell'Ottocento che studiò particolari effetti cromatici per dare «l'impressione» del vero. Per estensione, il termine indica quella tecnica letteraria che tende a cogliere e ad esprimere impressioni e stati d'animo nella loro immediatezza, con rapide annotazioni veristiche o con frammentismo lirico.

Ipallage Figura sintattica in cui si attribuisce a una parola una caratteristica che logicamente andrebbe attribuita ad una parola vicina. P. es.: «l'altezza de' Troian che tutto ardiva» (= i troiani che, con la loro altezza, ardivano tutto; *Inf.* XXX, 14).

Ipèrbato Figura sintattica in cui viene invertito il normale ordine delle parole all'interno di una frase per cui vengono separati elementi che dovrebbero stare vicini. P. es.: «l'anima col corpo morta fanno» (*Inf.* X, 15).

Ipèrbole Figura logica in cui si accentua l'espressione di un concetto usando termini volutamente esagerati ('è un secolo che non ci vediamo!'). P. es.: «de le mie vene farsi in terra laco» (*Purg.* V, 84).

Ironìa Figura logica in cui si afferma qualcosa alludendo al suo opposto attraverso espressioni che vanno intese al contrario del loro senso letterale; il contesto o l'intonazione del discorso aiutano il lettore a cogliere l'ironia. P. es.: «'s'ei fur cacciati, ei tornar d'ogne parte' / rispuos'io lui 'l'una e l'altra fïata;/ *ma i vostri non appreser ben quell'arte*'» (*Inf.* X, 49-51).

Lezione Termine della filologia testuale che indica la forma in cui un testo appare in un manoscritto, in un codice, in un'edizione. Per estensione, vale anche 'vocabolo, parola'. Per *lectio* (= lezione) *facilior* e *difficilior*, cfr. scheda *Il testo della Commedia*.

Litote Espressione di un concetto ottenuta attraverso la negazione del suo contrario e finalizzata ad una attenuazione del pensiero in senso eufemistico ('non è molto intelligente' = è uno stupido). P. es.: «non si vieta» (= è consentito, e anzi necessario; *Purg.* XXIV, 16).

Metàfora Meccanismo di spostamento del significato di una parola o di una espressione dal senso proprio a quello figurato; **similitùdine** priva di avverbi di paragone. Si ottiene indicando un oggetto (o un'immagine, ecc.) con un altro oggetto che ha con il primo un rapporto di **similitùdine**. P. es.: «[le creature] si muovono a diversi *porti* [= fini] / per lo gran *mar* [= spazio vasto] de l'essere» (*Par.* I, 112).

Metàtesi Fenomeno linguistico in cui due suoni interni ad una parola s'invertono (o passano da una sillaba ad un'altra) senza mutare il significato della parola stessa. P. es.: «sucidume» (= sudiciume; *Purg.* I, 96).

Metonìmia Meccanismo di spostamento di significato; scambio di nome consistente nel dire la causa per l'effetto: 'vivere del proprio lavoro' = vivere del denaro guadagnato, «dipinte di mirabil primavera» = colorate dei fiori caratteristici della primavera (*Par.* XXX, 63); l'astratto per il concreto: «quello amor paterno» = quel padre amoroso (*Par.* XVII, 35); il contenente per il contenuto: 'bere un bicchierino' = bere il liquore contenuto nel bicchierino; l'autore per l'opera: 'sono stati venduti due Picasso' = sono stati venduti due quadri di Picasso.

Mimesi Imitazione; Dante utilizza spesso nella *Commedia* procedimenti stilistici e retorici *mimetici*, per esprimere, nei discorsi dei vari personaggi, il loro carattere o la loro condizione sociale, culturale, morale.

Neologismo Parola (o espressione) creata di recente o anche da poco tempo introdotta in una lingua (mutuata da un'altra) per esigenze tecniche (indicare nuovi oggetti, situazioni, ecc.), scientifiche, di moda ecc. Dante è autore di moltissimi neologismi; p. es.: «inciela» (= pone in cielo; *Par.* III, 97), «dislaga» (= si innalza dall'acqua; *Purg.* III, 15), ecc.

Onomatopèa Parola che imita o suggerisce acusticamente l'oggetto o l'azione che significa. P. es.: «dindi» (= monete, ad imitarne il suono; *Purg.* XI, 105), «cigola» (*Inf.* XIII, 42).

Ossìmoro Accostamento in una stessa espressione di termini antitetici, di significato opposto. P. es.: «disdegnoso gusto» (*Inf.* XIII, 70).

Ossìtono Termine che indica la posizione dell'accento sull'ultima sillaba di una parola. P. es.: *virtù*, *tabù*, *farà*, ecc.

Palinodìa Correzione, ripensamento di ciò che si è affermato precedentemente; confessione di un proprio errore. La voce indica anche un genere letterario in versi (diffuso tra i greci e i latini e ripreso, dopo il Rinascimento, soprattutto da italiani e francesi), in cui il poeta rettifica sentimenti espressi in precedenza.

Patrìstica Insieme delle opere letterarie prodotte con la nascita, la diffusione e il consolidamento del cristianesimo, tra il II e l'VIII sec., dai Padri della Chiesa.

Paràfrasi Esposizione del contenuto di un testo in forma diversa e più ampia; spiegazione testuale dettagliata.

Perìfrasi Circonlocuzione; giro di parole con cui si esprime un concetto o si descrive una persona o un oggetto, generalmente al fine di evitare espressioni volgari o dolorose, o termini troppo tecnici, o anche per rendere un'espressione più solenne. P. es.: «colui che tutto move» (= Dio; *Par.* I, 1).

Pleonasmo Espressione sovrabbondante; consiste nell'uso, in un periodo, di una o più parole grammaticalmente o concettualmente superflue. P. es.: «ed una lupa, che di tutte brame/ sembiava carca ne la sua magrezza/[...] questa mi porse...» (*Inf.* I, 49-52).

Pleonàstico Superfluo; che forma **pleonasmo**.

Polisenso Come agg., vale 'che ha o assume significati diversi e che può quindi essere oggetto di interpretazioni differenti'. Come sost., indica una caratteristica del linguaggio poetico in cui una parola o un'espressione possono assumere molteplici significati a seconda del contesto (a differenza, p. es., del linguaggio scientifico in cui ad ogni termine corrisponde un *unico* significato).

Polisìndeto Frequente ripetizione della congiunzione copulativa *e* tra parole che formano una serie o tra varie proposizioni che formano un periodo. P. es.: «e videmi e conobbemi e chiamava» (*Purg.* XI, 76).

Proèmio Nell'organizzazione delle diverse sequenze del discorso poetico, il proemio rappresenta l'introduzione all'argomento; in particolare, è la forma d'esordio tipica del poema epico.

Pròtasi Parte introduttiva di un poema in cui l'autore espone l'argomento (ma anche, relativamente alla sintassi, proposizione del periodo ipotetico, introdotta dal *se*, che esprime la condizione).

Raddoppiamento (o **rafforzamento**) **sintàttico** Fenomeno di fonetica sintattica, proprio della Toscana e dell'Italia centro-meridionale, per cui alcune parole inizianti per consonante, se precedute da una parola uscente in vocale, si *pronunciano* come se la consonante iniziale fosse doppia. P. es.: a casa = *a ccasa*, a letto = *a lletto,* ecc.

Replicazione Ripetizione; il ripresentarsi due o più volte a breve distanza di una medesima voce, a particolari fini espressivi. P. es.: «Qual è colui che suo dannaggio *sogna,/* che *sognando* desidera *sognare*...» (*Inf.* XXX, 136 sg.).

Reticenza Figura logica in cui viene interrotta intenzionalmente una frase lasciando al lettore (o all'ascoltatore) il compito di completarne il senso basandosi sugli elementi sottintesi; può servire ad insinuare dubbi, ad attenuare espressioni troppo forti, ad alludere a qualcosa, ecc. P. es.: «[come io morii] salsi colui che 'nnanellata pria/ disposando m'avea con la sua gemma» (*Purg.* V, 135).

Ridondanza Ripetizione; abbondanza in un discorso di elementi accessori, ovvero non indispensabili alla sua comprensione. In Dante è spesso ripetuto, al di là delle esigenze grammaticali, il pron. pers. *io*, a sottolineare la centralità dell'esperienza del protagonista. P. es.: «per trattar del ben ch'*i'* vi trovai,/ dirò de l'altre cose ch'*i'* v'ho scorte./ *Io* non so ben ridir com'*i'* v'entrai [...]» (*Inf.* I, 8-10).

Rima Identità di suono tra la parte finale di due (o più) parole a partire dalla vocale tonica (vd. **tònico**). P. es.: più: virtù; pàne: càne; crédere: cèdere (e non vedère). Per *rima imperfetta* s'intende una rima in cui quell'identità di cui si è detto non è completa, ovvero vi è un suono diverso. P. es.: sdegn*oso*: desider*oso*: suso (*Inf.* X, 41-45).

Romanzo Agg. che si riferisce all'insieme delle lingue derivate dal latino (portoghese, spagnolo, catalano, provenzale, ladino, sardo, francese, italiano, rumeno) e alle loro letterature.

Similitùdine Rapporto di somiglianza tra immagini diverse introdotto da *come*, da altri avverbi di paragone (*tale, simile a*, ecc.) o da forme analoghe (*sembra, pare*, ecc.). P. es.: «quella [la pancia] sonò come fosse un tamburo» (*Inf.* XXX, 103).

Sinèddoche Come la **metonìmia** e la **metàfora**, riguarda uno spostamento di significato da un termine ad un altro posti in rapporto di contiguità. Consiste nell'estendere o nel restringere il significato di una parola, e si ottiene indicando la parte per il tutto: 'il mare è pieno di *vele*' = il mare è pieno di *barche a vela*, «alzò la *fronte*» = alzò la *testa* (*Purg.* II, 58), e viceversa: 'ha gli *occhi* verdi' = ha l'*iride* verde; il genere per la specie: «mortali» = uomini (*Par.* I, 37), e viceversa: 'non ci è mai mancato il *pane*' = abbiamo sempre avuto da *mangiare*; il sing. per il plur.: 'lo spagnolo è più passionale dell'inglese' = gli spagnoli sono più passionali degli inglesi, «l'*ala*» = le ali (*Purg.* II, 103), e viceversa: 'occuparsi dei figli' = occuparsi del proprio figlio; la materia di cui è fatto l'oggetto per l'oggetto stesso: «legno» = barca (*Inf.* III, 93).

Sinestesìa Forma particolare di **metàfora** in cui si associano, nella stessa espressione, voci che si riferiscono ad ambiti sensoriali diversi (tatto, gusto, vista, olfatto, udito). P. es.: «dolce color» (rapporto gusto-vista; *Purg.* I, 13).

Sintagma Gruppo di elementi linguistici (articolo, pronome, aggettivo, verbo, sostantivo, ecc.) che formano in una frase un'unità minima significativa. P. es.: «una selva oscura» (*Inf.* I, 2).

Stilema Costrutto formale particolarmente ricorrente nell'opera di un autore (o di una scuola) e perciò caratterizzante.

Terzina Strofe composta da tre versi; la terzina di Dante, formata da tre **endecasìllabi**, è diventata uno degli schemi fondamentali della poesia italiana, soprattutto per quella didascalica e allegorica. In ogni terzina il primo verso rima con il terzo, mentre il secondo dà la rima al primo e al terzo della terzina seguente, e così via (*rima incatenata*); un verso isolato, che rima con il secondo dell'ultima terzina, chiude la serie. Lo schema è: ABA.BCB.CDC...YZY.Z.

Tònico Così è detto l'accento di ogni parola (raramente indicato graficamente) e *toniche* sono dette le vocali o le sillabe su cui esso cade.

Traslato Come agg., vale 'trasferito, spostato' e quindi anche '**metafòrico**, figurato'. Come sost., vale 'spostamento di tipo **metafòrico**'.

Troncamento Vd. **apòcope**.

Variante Termine della filologia testuale che indica ogni diversa **lezione**, cioè ogni diversa scelta o soluzione espressiva tramandata dai vari codici manoscritti. Per *varianti d'autore*, s'intendono le varianti dovute a correzioni dell'autore stesso.

Zenit Lo zenit di un determinato luogo della superficie terrestre, è il punto in cui la verticale del luogo sembra incontrare (sul capo dell'osservatore) la volta celeste.

Zèugma Figura retorica in cui uno stesso termine è riferito a due o più termini, mentre sarebbe riferibile a uno solo di essi. P. es.: «reverenti mi fe' le gambe e 'l ciglio» (dove *reverente* è «'l ciglio» più che le gambe; *Purg.* I, 51).

a.C. = avanti Cristo
agg. = aggettivo
ant. = antico, antiquato
arc. = arcaico
art. = articolo
avv. = avverbio
c. = circa
cfr. = confronta
class. = classico
compl. = complemento
cong. = congiuntivo
congiunz. = congiunzione
c.s. = come sopra
dat. = dativo
d.C. = dopo Cristo
dial. = dialetto
dimin. = diminutivo
eccles. = ecclesiastico
ed. = edizione
estens. = estensione
figur. = figurato
femm. = femminile
franc. = francese
gallic. = gallicismo
germ. = germanico
gr. = greco antico
imper. = imperativo
impers. = impersonale
ind. = indicativo
indet. = indeterminato
Inf. = *Inferno*
ingl. = inglese
intrans. = intransitivo
ital. = italiano
lat. = latino
letter. = letterario
locuz. = locuzione
masch. = maschile

mediev. = medioevale
mod. = moderno
ms. = manoscritto
ogg. = oggetto
Par. = *Paradiso*
part. = participio
pass. = passato
pers. = personale
p.es. = per esempio
plur. = plurale
popol. = popolare
port. = portoghese
pres. = presente
pron. = pronome
prov. = provenzale
Purg. = *Purgatorio*
rifl. = riflessivo
rum. = rumeno
sec. = secolo
sg. = seguente
sgg. = seguenti
sinc. = sincopato
sing. = singolare
sogg. = soggetto
sost. = sostantivo
sottint. = sottinteso
sp. = spagnolo
ted. = tedesco
tosc. = toscano
trans. = transitivo
trap. = trapassato
trasl. = traslato
v., vv. = verso, versi
vb. = verbo
vd. = vedi
venez. = veneziano
vocat. = vocativo
volg. = volgare

Àere, 18.
Agrume, 427.
Agùglia, 342.
Alto, 29.
Ammirazione, 269.
Apparecchiare, 30.
Appellare, 166.
Aspetto, 481.
Atro, 67.
Bàiulo, 377.
Balìa, 186.
Bieco, 67.
Bifolco, 348.
Bronco, 98.
Calìgine, 242.
Calle, 83.
Canto, 138.
Capestro, 396.
Chèrere, 359.
Chiosa, 427.
Chiostra, 359.
Cigolare, 98.
Cisterna, 317.
Combusto, 19.
Confessare, 445.
Consìglio, 396.
Contingente, 427.
Contingenza, 427.
Contumàcia, 210.
Cura, 322.
Decreto, 413.
Digesto, 427.
Discettare, 465.

Diserto, 413.
Dòglia, 317.
Egrègio, 377.
Elèggere, 19.
Essemplo, 343.
Fesso, 210.
Fornire, 465.
Forsennato, 154.
Furare, 303.
Gàggio, 377.
Galeotto, 199.
Giocondo, 413.
Giogo, 218.
Gramo, 111.
Greppo, 154.
Groppo, 98.
Grosso, 343.
Ìdolo, 317.
Insano, 154.
Iri, 481.
Largo, 293.
Larva, 465.
Lasso, 40.
Lezzo, 83.
Lista, 293.
Loquela, 83.
Ludo, 129.
Lussùria, 56.
Manicare, 166.
Masnada, 348.
Mentovare, 186.
Mercare, 427.
Mero, 397.

Mistura, 280.
Mondo, 281.
Negòzio, 397.
Netto, 303.
Novella, 56.
Occulto, 446.
Offì -cio, -zio, 56.
Oltràggio, 481.
Ospìzio, 56.
Ostello, 227.
Pecùglio, 397.
Pedone, 129.
Pom -o, -e, 276.
Pondo, 242.
Postilla, 359.
Primìzia, 293.
Professione, 446.
Retro, 269.
Ribaldo, 129.
Rio, 40.
Riv -iera, -era, 40.
Romito, 227.
Secondare, 263.
Serm -o, -one, 269.
Sodalìzio, 446.
Sòlvere, 30.
Strame, 111.
Strenna, 276.
Tinto, 67.
Tràccia, 111.
Vasello, 199.
Vendetta, 378.
Verdura, 263.
Volgare, 30.

INDICE DELLE SCHEDE STORICO-CULTURALI E DELLE LETTURE CRITICHE

Cenni biografici (1265-1321) XV
De Monarchia XVIII
De vulgari eloquentia XXI
Vita nuova XXIII
Convivio .... (................................. XXV
Altre opere di Dante XXVI
Il testo della *Commedia* XXXVII
Dante e il *Vecchio Testamento* 19
Dante e Virgilio 41
Francesca da Rimini (F. DE SANCTIS) 57
Dante e Lucano 187
Dante e lo stil novo 270
Dante e Ovidio 281
L'apparizione di Beatrice (CH. S. SINGLETON) 304
La concezione medioevale dell'Universo 343
Dante e San Tommaso 362
Il sistema storico-politico della *Commedia* (E. AUERBACH) 378
Dante e il *Nuovo Testamento* 446

INDICE GENERALE

V PRESENTAZIONE DELL'OPERA

I. Dante, padre della lingua italiana, VII. - II. Dante e la società comunale. Storia e politica, XIII. - III. Dante e la civiltà comunale. La cultura, XX. - IV. La *Commedia*, XXVII.

1 INFERNO

3 *Introduzione*

1) L'Inferno e il viaggio nell'oltretomba, 3. - 2) Il personaggio Dante: giudice e protagonista esemplare, 4. - 3) Formazione e struttura dell'Inferno. Distribuzione dei dannati, 5. - 4) La funzione dei dannati. Il contrappasso, 6. - 5) Caratteristiche dell'Inferno, 7.

9 Canto primo
20 Canto secondo
31 Canto terzo
43 Canto quarto (*riassunto*)
44 Canto quinto
58 Canto sesto
68 Canto settimo (*riassunto*)
69 Canti ottavo e nono (*riassunto*)
71 Canto decimo
84 Canto decimoprimo (*riassunto*)
85 Canto decimosecondo (*riassunto*)
86 Canto decimoterzo
99 Canto decimoquarto (*riassunto*)
100 Canto decimoquinto
112 Canto decimosesto (*riassunto*)
113 Canto decimosettimo (*riassunto*)
114 Canto decimottavo (*riassunto*)
115 Canto decimonono (*riassunto*)
116 Canto ventesimo (*riassunto*)
117 Canto ventesimoprimo (*riassunto*)
118 Canto ventesimosecondo
130 Canto ventesimoterzo (*riassunto*)
131 Canto ventesimoquarto (*riassunto*)
132 Canto ventesimoquinto (*riassunto*)
133 Canto ventesimosesto (*riassunto* e vv. 85-142)
139 Canto ventesimosettimo (*riassunto*)
140 Canto ventesimottavo (*riassunto*)
141 Canto ventesimonono (*riassunto*)
142 Canto trentesimo
143 Canto trentesimoprimo (*riassunto*)
156 Canto trentesimosecondo (*riassunto* e vv. 124-139)
158 Canto trentesimoterzo (vv. 1-90)
167 Canto trentesimoquarto (*riassunto*)

169 PURGATORIO

171 *Introduzione*

1) Storia e caratteri del Purgatorio, 171. - 2) Caratteri del Purgatorio dantesco: rapporti con la Terra e con le altre cantiche, 172. - 3) I modi della purificazione, 173. - 4) I caratteri fisici del Purgatorio dantesco, 174. - 5) I caratteri artistici del Purgatorio, 174. - 6) Dante-personaggio nel Purgatorio, 175.

176 Canto primo
188 Canto secondo
200 Canto terzo
211 Canto quarto (*riassunto*)
212 Canto quinto (*riassunto* e vv. 64-136)
219 Canto sesto (*riassunto* e vv. 58-151)
228 Canto settimo (*riassunto*)
229 Canto ottavo (*riassunto*)
230 Canto nono (*riassunto*)
231 Canto decimo (*riassunto*)
232 Canto decimoprimo
243 Canto decimosecondo (*riassunto*)
244 Canto decimoterzo (*riassunto*)

245 Canto decimoquarto (*riassunto*)
246 Canto decimoquinto (*riassunto*)
247 Canto decimosesto (*riassunto*)
248 Canto decimosettimo (*riassunto*)
249 Canto decimottavo (*riassunto*)
250 Canto decimonono (*riassunto*)
251 Canto ventesimo (*riassunto*)
252 Canto ventesimoprimo (*riassunto*)
253 Canto ventesimosecondo (*riassunto*)
254 Canto ventesimoterzo
264 Canto ventesimoquarto (vv. 1-63 e *riassunto*)
271 Canto ventesimoquinto (*riassunto*)
272 Canto ventesimosesto (*riassunto*)
273 Canto ventesimosettimo (*riassunto* e vv. 109-142)
277 Canto ventesimottavo (vv. 1-42 e *riassunto*)
282 Canto ventesimonono
294 Canto trentesimo (vv. 22-145)
306 Canto trentesimoprimo
318 Canto trentesimosecondo (*riassunto*)
319 Canto trentesimoterzo (*riassunto* e vv. 112-145)

323 PARADISO

325 *Introduzione*
1) La città celeste, 325. - 2) La struttura del Paradiso. La vera sede dei beati, 326. - 3) La distribuzione dei beati, 327. - 4) Originalità del Paradiso: narrazione e dottrina, 328. - 5) Il realismo metafisico del Paradiso. La luce, 329. - 6) Il tema dell'ineffabile, 330. - 7) I caratteri artistici del Paradiso, 330.

331 Canto primo
344 Canto secondo (vv. 1-45 e *riassunto*)
349 Canto terzo
360 Canto quarto (vv. 28-48 e *riassunto*)
364 Canto quinto (*riassunto*)
365 Canto sesto
381 Canto settimo (*riassunto*)
382 Canto ottavo (*riassunto*)
383 Canto nono (*riassunto*)
384 Canto decimo (*riassunto*)
385 Canto decimoprimo
398 Canto decimosecondo (*riassunto*)
399 Canto decimoterzo (*riassunto*)

400 Canto decimoquarto (*riassunto*)
402 Canto decimoquinto
414 Canto decimosesto (*riassunto*)
415 Canto decimosettimo
428 Canto decimottavo (*riassunto*)
429 Canto decimonono (*riassunto*)
430 Canto ventesimo (*riassunto*)
431 Canto ventesimoprimo (*riassunto*)
432 Canto ventesimosecondo (*riassunto*)
433 Canto ventesimoterzo (*riassunto*)
434 Canto ventesimoquarto
448 Canto ventesimoquinto (vv. 1-12 e *riassunto*)
450 Canto ventesimosesto (*riassunto*)
451 Canto ventesimosettimo (*riassunto*)
452 Canti ventesimottavo e ventesimonono (*riassunto*)
453 Canto trentesimo
466 Canto trentesimoprimo (vv. 79-93 e *riassunto*)
468 Canto trentesimosecondo (*riassunto*)
469 Canto trentesimoterzo

483 APPENDICI

485 I. La fortuna di Dante all'estero e il problema delle traduzioni. Alcuni esempi in quattro lingue di versione della *Commedia*

513 II. Materiale didattico

523 III. Suggerimenti bibliografici

526 IV. Glossario storico-letterario, metrico e retorico

532 TAVOLA DELLE ABBREVIAZIONI

533 INDICE ALFABETICO DEL GLOSSARIO DANTESCO

534 INDICE DELLE SCHEDE STORICO-CULTURALI E DELLE LETTURE CRITICHE

STAMPATO A FIRENZE
NEGLI STABILIMENTI TIPOLITOGRAFICI
«E. ARIANI» E «L'ARTE DELLA STAMPA»
DELLA S. P. A. ARMANDO PAOLETTI
LUGLIO 1989